D1131571

GÉRARD MERMET

FRANCO SCOPIE
2030

NOUS, AUJOURD'HUI ET DEMAIN

LAROUSSE

SOMMAIRE

3. SYNTHÈSE

ANNEXES

Je dédie ce livre à Anaïs, Raphaël, Stella, Edgar, Louna...
et à tous ceux qui vivront en 2030.

INTRODUCTION

UNE ÉPOQUE FORMIDABLE...

Que nous réserve l'avenir ? À cette question éternelle et légitime, il n'a sans doute jamais été aussi difficile de répondre. On peut en tout cas affirmer sans grand risque que les humains connaîtront dans les prochaines années et décennies des **bouleversements** sans équivalent dans leur Histoire. Le moteur principal en sera le développement accéléré de l'**innovation scientifique** et **technique** : intelligence artificielle ; robots de nouvelle(s) génération(s) ; hybridation homme-machine ; recueil et exploitation à très grande échelle des mégabases de données ; ordinateur quantique ; édition (ou manipulation) du génome ; véhicules autonomes ; *blockchains* ; nanotechnologies ; technologies spatiales ; objets connectés. Et d'autres «disruptions» que nous ne pouvons même pas imaginer, et donc nommer.

Les **Français** ne seront évidemment pas épargnés par ces **ruptures**. Face à elles, **deux points de vue** s'opposent. Certains observateurs et lanceurs d'alertes annoncent la **disparition** possible de la vie sur Terre, expliquant que les humains seront responsables de leur propre destruction. Mais d'autres y voient l'avènement prometteur d'un être **post-humain** doté de capacités inédites. Nous vivons ainsi une époque à la fois **fascinante** et **inquiétante**, dans laquelle tout devient envisageable. Le meilleur ou le pire. L'**apothéose** ou l'**apocalypse**.

Outre l'évolution exponentielle, erratique et hérétique, de la science et de ses applications, d'autres facteurs joueront un rôle dans les transformations du monde. Certains seront délétères : changements **climatiques** ; raréfaction ou disparition de **ressources** et d'**espèces vivantes** ; **guerres** et conflits ; **terrorisme** ; **migrations** humaines massives ; **soulèvements** de populations... Mais il y aura aussi des élans **d'empathie**, de **solidarité**, de **sagesse**, d'**imagination**, d'**intelligence collective**, de **collaboration** pour affronter ces nouveaux défis et chercher à fonder un autre monde, plus harmonieux et durable. Chaque pays devra aussi compter avec ses **singularités**, qui pourront être des **atouts** ou des **handicaps**. Les uns et les autres sont particulièrement nombreux en France.

Tous ces ingrédients auront des effets en matière **démographique** (quelle population, quelle durée de vie... ?), **environnementale** (quelles incidences sur le climat, la nature... ?), **économique** (quelles créations de richesses, par qui, combien... ?), **sociétale** (quel partage de ces richesses... ?), **politique** (quelle place pour l'État, la nation, les partis... ?), **géopolitique** (quelles relations entre les États... ?), **psychologique** (quel état d'esprit des individus, des citoyens... ?), **philosophique** (quel sens pour la vie... ?), **morale** (quelles valeurs, personnelles et collectives... ?).

LA GRANDE TRANSITION

Au total, nos **modes de vie** seront bouleversés par les changements en cours et à venir. Nos opinions, attitudes, comportements, croyances, espoirs, craintes, motivations en seront affectés. Ainsi que nos relations aux autres, au temps, à l'espace, à nous-mêmes. Nous pourrions même connaître des **modifications** physiques, physiologiques, intellectuelles et mentales jusqu'ici impensables, y compris par les auteurs de science-fiction. Une nouvelle espèce pourrait alors émerger, par hybridation avec des machines ou des équipements technologiques.

Une chose paraît acquise : la *Grande Transition* en cours va se poursuivre et s'accélérer. Il est donc essentiel de s'interroger sur ce qu'elle va changer pour la **planète** et pour ses **habitants** dans les prochaines années. Et, de façon plus égoïste, pour nous **Français**. C'est l'objet de ce livre. Son horizon temporel est fixé à **2030** : ni trop proche (ce serait peu utile) ni trop éloigné (ce ne serait pas crédible). Cela ne nous empêchera pas bien sûr de nous intéresser à des transformations qui pourraient intervenir un peu plus tôt ou un peu plus tard, tant il est difficile de les dater.

RACONTER AUJOURD'HUI
ET IMAGINER DEMAIN

Cet ouvrage s'inscrit dans la série des *Francoscopie*, commencée en 1984, qui compte 14 éditions, publiées à un rythme généralement biennal. Dès l'origine, son ambition était de décrire et décrypter les modes de vie des Français dans tous les domaines, d'identifier les **tendances**, d'indiquer les **évolutions** dans le temps, de fournir des **comparaisons** avec d'autres pays, notamment européens.

Cette nouvelle édition est encore plus ambitieuse : il ne s'agit plus seulement d'analyser ce qui est **aujourd'hui**, mais de prévoir ce qui pourrait être **demain**. La continuité de la série est en tout cas assurée : chaque thème est d'abord abordé et traité sous l'angle **actuel**, puis de façon **prospective** en décrivant les **évolutions** et les **ruptures** probables ou possibles, et leurs conséquences d'ici **2030**.

L'autre objectif majeur de cette réflexion sur l'avenir est de fournir des **clés** pour le **modifier**, s'il n'apparaît pas **satisfaisant** à ceux qui le vivront. *«Pour ce qui est de l'avenir, il ne s'agit pas de le prévoir, mais de le rendre possible»*, expliquait Antoine de Saint-Exupéry. Il s'agit aussi de pouvoir l'**orienter** **«favorablement»**. Contrairement à ce que l'on croit souvent, la prospective n'a pas vocation à prédire ce qui **sera**, mais d'imaginer ce qui **pourrait être**, afin de faire advenir ce qui semble **«souhaitable»** et **«durable»**.

L'ouvrage est ainsi découpé en trois parties complémentaires :

1. LE DÉCOR. **Identification et description des facteurs de changement en cours et à venir.** Une place importante est accordée aux innovations scientifiques et techniques de **rupture**, qui constitueront le moteur principal des transformations. Mais les autres déterminants sont traités : environnement, démographie, économie, relations internationales, mentalités nationales.

2. LES MODES DE VIE. **Analyse des conséquences probables ou possibles sur la vie quotidienne** : individu ; vie de famille ; foyer ; vie en société ; travail ; argent ; consommation ; loisirs, etc.

3. SYNTHÈSE. **Résumé** des différents chapitres du livre, **pistes de réflexions** et **suggestions** pour créer un futur «souhaitable» et durable.

En **Annexe** figure le *Dicotech*, un dictionnaire regroupant et décrivant les **innovations technologiques** de rupture en cours de recherche et développement et leurs principaux domaines d'application. On y trouvera aussi un résumé des **Objectifs de développement durable** fixés par l'ONU pour **2030**, dont l'atteinte ou l'échec aura un impact déterminant sur notre vie.

En résumé, ce livre propose une vision argumentée des mouvements en cours dans le monde et en France, des **inflexions** possibles dues aux grands facteurs de transformation et une **anticipation** de leurs effets sur les modes de vie des Français d'ici **2030**. Il a pour ambition d'aider *«l'honnête homme (ou femme) du xxı* siècle» à se forger sa propre idée. En gardant à l'esprit qu'il (ou elle) ne sera pas simplement un **témoin**, mais aussi un **acteur** du changement.

Gérard Mermet

AVERTISSEMENT

La prospective n'est pas une science, mais un **« art »**. Il consiste d'abord à enquêter le plus **objectivement** possible sur le présent, à identifier et analyser les **« tendances lourdes »** et les **« signaux faibles »**, puis à estimer leur **impact combiné** sur l'avenir, en intégrant les **inflexions**, les **ruptures** et les **nouvelles tendances** qui apparaissent probables ou possibles. Il s'agit ensuite de mettre en **perspective** ces mouvements en cours et à venir, en estimant leur **vitesse** de développement, leur **amplitude** et leurs **effets** sur le fonctionnement de la **société** et les **modes de vie** de ses membres.

La prospective n'est donc pas une **projection** simple du passé récent, pas plus qu'une **prédiction** de l'avenir. C'est une **(pré) vision** d'un (ou plusieurs) futur(s) possible(s), **hors « accidents » non probables**. La **combinaison** des variables ne peut généralement pas être **modélisée**, ni **quantifiée**, du fait de leur nombre très élevé et de leurs interactions multiples. Car elle aboutirait au mieux à une multitude de **scénarios**, inexploitables du fait de l'impossibilité de les assortir de **probabilités** fiables. Quelle que soit l'expertise des prospectivistes, leur travail comporte donc par nature une part de **subjectivité** (ou de hasard, ou de « flair »…) qui doit bien sûr être involontaire, en tout cas inconsciente.

Les **perspectives** issues de ce travail pourront être **infirmées** au moins dans deux cas : si des **accidents** imprévisibles ou improbables surviennent ; si les **individus** concernés (acteurs et citoyens) estiment que le futur décrit n'est pas **acceptable** et qu'il faut le **modifier**. Ils devront alors créer les conditions d'un scénario plus **désirable**, pour eux et les générations à venir. En agissant sur les différentes variables susceptibles de le faire advenir. Car l'avenir, comme l'expliquait Gaston Berger, fondateur en France de la prospective (une **« indiscipline intellectuelle »**, selon sa juste formule) n'est pas à **découvrir** ; il est à **inventer**.

- *Les perspectives décrites dans ce livre sont le résultat des recherches et des réflexions de l'*auteur*. De très nombreuses* **sources** *d'information sont utilisées et mentionnées. Une priorité a été accordée à des organismes nationaux ou internationaux, publics ou privés,* **reconnus** *pour la qualité de leurs travaux.*
- *Le plus souvent, c'est le* **conditionnel** *qui est utilisé, pour montrer que non seulement l'avenir n'est pas écrit, mais qu'il pourra (et devra dans certains cas) être modifié par ceux qui s'apprêtent à le vivre.*
- *Plutôt que d'évoquer des* **scénarios** *différents (et souvent contradictoires) en fonction d'*hypothèses *multiples, il a été choisi de décrire ici un* **scénario majeur**, *ou « central ». En précisant lorsque cela semble nécessaire les changements et événements qui seraient susceptibles de le* **modifier sensiblement**. *Ces éléments de réflexion sont placés à la fin des sujets concernés, en* **italiques**.
- *Pour chaque thème, une description est d'abord donnée de la situation* **présente**. *Puis on aborde les* **évolutions** *attendues d'ici* **2030**. *La plupart des* **intertitres** *concernent les tendances d'*avenir, *plutôt que le présent (mais de nombreuses tendances actuelles ont évidemment vocation à se prolonger).*
- *Afin de faciliter la* **compréhension** *des textes, les* **mots-clés** *sont imprimés en* gras.
- *Sauf indication contraire, les* **définitions** *de mots figurant dans les textes sont issues du* **Petit Larousse**.

Ce livre est conçu pour être lu de cinq façons différentes : dans la **continuité** *; par* **thème** *; en ne lisant que les* **intertitres en couleur** *(lecture rapide) ; en* **zappant** *; en suivant les nombreux* **renvois de pages** *servant de « liens hypertexte » permettant une lecture non linéaire, semblable à celle pratiquée sur Internet. Ou, pour les lecteurs pressés, en commençant par la Synthèse.*

1. LE DÉCOR

ENVIRONNEMENT

L'environnement est l'élément le plus large, le plus apparent et sans doute le plus déterminant du «décor» dans lequel vont s'inscrire les modes de vie des Français d'ici 2030, comme ceux des autres habitants de la planète, à divers «degrés» (au sens propre comme au figuré...). Les liens étroits que les Humains entretenaient avec la **Nature** (qui leur a donné naissance ou qui l'a en tout cas permise) se sont lentement **distendus**, au fur et à mesure qu'ils cherchaient, et réussissaient la plupart du temps, à la domestiquer en l'**exploitant** à l'excès.

C'est ainsi que les Humains ont progressivement, mais aussi de plus en plus sensiblement, modifié la **surface terrestre** en la couvrant de villages, villes, ports maritimes ou aéroports. Ils l'ont **défigurée** avec des routes, autoroutes, voies ferrées ou centres commerciaux. Ils se sont aussi approprié la force **animale**, réduisant en esclavage les éléphants, bœufs, chevaux, cerfs, ânes, etc. Ils ont transformé d'autres espèces en **animaux de compagnie**. Ils ont **chassé** ou **élevé** de très nombreuses espèces vivantes pour se nourrir de leur chair, de leurs fruits ou de leurs feuilles. Ils ont puisé sans compter dans les **ressources** diverses : arbres, pétrole, gaz, métaux précieux, sable...

Dans le même temps, les **agriculteurs** ont exploité (et parfois maltraité) la **terre** pour alimenter leurs semblables. Les **architectes** et **promoteurs** l'ont bétonnée pour les loger. Les **habitants** des pays développés ont fait couler l'**eau** à flots dans leurs cuisines, salles de bains, toilettes ou piscines, consommé et parfois gaspillé l'**énergie** nécessaire pour faire fonctionner leurs voitures et équipements de toute sorte. Les **entreprises** ont fait de même dans leurs usines pour fabriquer les objets utiles ou superflus de la **société d'abondance**, que l'on pourrait rebaptiser «**société de satiété**».

PLANÈTE

LE PREMIER BIEN COMMUN

Depuis des décennies, les **écologistes** et les **scientifiques** constatent, mesurent et dénoncent les effets délétères de l'**activité humaine** sur l'état de la planète. La première conférence des Nations unies sur l'environnement s'est tenue à Stockholm en juin 1972. Mais c'est en juin **1992**, lors du Sommet de la Terre de Rio de Janeiro, que le risque a été clairement défini et exprimé, avec la mise en avant de l'Objectif de **développement durable** (sustainable development).

L'environnement a alors été considéré comme un «**bien commun et public**» à partager et préserver. C'est aussi en 1992 que l'ONG *Union of Concerned Scientists* a émis un *Avertissement des scientifiques du monde à l'Humanité*, signé par plus de 1700 chercheurs. Ils y expliquaient que l'impact des activités humaines sur la nature allait provoquer «*de grandes souffrances humaines*» et risquait de «*mutiler la planète de manière irréversible*».

Les mentalités ont évolué à partir des années 1990 et la prise de conscience a progressé dans de nombreux pays. Mais beaucoup, dans les pays en développement, ont continué de donner la priorité au développement **économique**, pour faire face à l'accroissement de leurs populations (Chine, Inde, Afrique...) et leurs demandes de rattrapage du **niveau de vie occidental**, considéré comme un modèle. Leur **croissance** à marche forcée a nécessité une forte consommation d'énergie, obtenue le plus souvent à partir de ressources fossiles et polluantes (charbon, pétrole, gaz...).

De leur côté, les pays **développés** ont poursuivi leur marche en avant, considérant le **taux de croissance** de leur PIB comme l'indicateur unique de leur réussite (voir p. 41). Ils portent une responsabilité particulière dans la dégradation du « **bien commun** », dans lequel ils puisent de façon déraisonnable depuis longtemps. Ils font partie de ces 20 % d'humains qui consomment 80 % des ressources de la planète. Une situation qui n'est ni **équitable** ni **soutenable**.

DES RISQUES AVÉRÉS

Les **attentes** des humains en matière **économique** ont entraîné des **atteintes** en matière **environnementale**. Les secondes ont aujourd'hui de quoi inquiéter, tandis que les premières ne sont toujours pas satisfaites... et ne le seront sans doute jamais. La **destruction** en cours de l'environnement naturel est spectaculaire et mesurable. Quelques exemples frappants[1] :

- Les glaces fondent à grande vitesse dans l'Arctique, de même que le pergélisol au Canada et en Sibérie (il pourrait libérer une partie des 1 600 milliards de tonnes de carbone qu'il contient, sous forme de CO_2 ou de méthane).
- 50 % des espèces animales ont disparu de la planète en quarante ans (43 % des lions en seulement vingt-cinq ans), et même 90 % des reptiles présents en Europe et en Asie. Les responsables en sont la défo-

restation, le braconnage, la pollution et le réchauffement. 60 % des espèces vertébrées sont désormais éteintes. 42 % des amphibiens, 13 % des oiseaux et 25 % des mammifères sont menacés.
- La moitié des zones humides a disparu au cours du XXᵉ siècle. La superficie des forêts tropicales s'est réduite de 300 millions d'hectares depuis 1980.
- Le volume de matières extraites du sol (pétrole, minéraux, biomasse...) atteint 70 milliards de tonnes par an, contre 22 milliards en 1970.

La principale inquiétude pour l'avenir concerne l'eau potable. La situation est notamment critique en Inde, Chine, Afrique du Sud, Brésil, Iran, Libye, au Cambodge, à Singapour, au Qatar ou dans les Émirats arabes unis. La difficulté ou l'impossibilité de distribuer de l'eau potable à chaque habitant pourrait engendrer des guerres et provoquer des migrations de grande ampleur (voir p. 30). La disparition des forêts, l'extinction de certains mammifères et d'autres espèces vivantes sont d'autres menaces réelles. Les résultats obtenus jusqu'ici sont très décevants.

LE DÉFI CLIMATIQUE À RELEVER

Le **réchauffement** de la planète a déjà atteint en moyenne **1 °C** depuis la fin du XIXᵉ siècle, avec des conséquences perceptibles comme l'accroissement de la **fréquence** et de la **gravité** des **catastrophes naturelles** (sécheresse, inondations, cyclones...). Les évidences s'accumulent depuis le début des années 1990 pour montrer que ce sont bien les **activités humaines** qui en sont la première cause, avec en particulier l'accroissement des rejets de gaz carbonique dans l'atmosphère.

L'hypothèse retenue d'ici **2030** est celle d'une nouvelle augmentation minimale de **1°C**. Elle pourrait même atteindre 3 ou 4 °C en **2100** si rien de décisif n'est entrepris pour inverser le cours de l'histoire climatique. Cela peut paraître faible dans l'absolu, les écarts de température journaliers étant souvent beaucoup plus élevés. Mais

---

1. Sources diverses : GIEC, ADETEM, ONU...

UN QUART DE SIÈCLE DE RÉCHAUFFEMENT

1. Écarts à la moyenne des températures de la période 1961-1990 (en degrés Celsius)

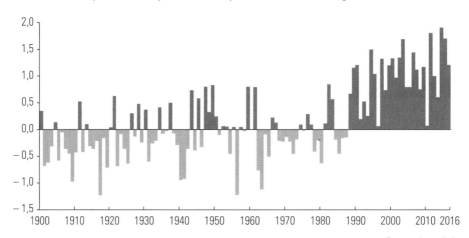

France métropolitaine.
Météo-France

il s'agit ici d'une **moyenne** pour l'ensemble de la planète. On comprend beaucoup mieux ce que cela représente en faisant le parallèle entre les deux entités vivantes que sont la **Terre** et l'**être humain**. Pour ce dernier, un écart de 1 °C de sa température interne (par exemple de 37,2° à 38,2°) indique un **dysfonctionnement**, souvent révélateur d'une **maladie**. Il en va de même de la Terre.

On peut ajouter qu'une **hausse** de la température moyenne de 1 °C correspond, pour des régions comparables, au **déplacement du climat de 180 km vers le nord** ou d'une **élévation de 150 m**. Une **baisse** de la température moyenne de 1 °C représente un cinquième de la différence thermique séparant une période «**normale**» d'une période de **glaciation**. Certains chercheurs estiment même que si l'on ne parvient pas à réduire les émissions de gaz à effet de serre d'ici la fin du siècle, la probabilité pour que son réchauffement atteigne **4 °C**[1] est de **93 %**, ce

qui entraînerait de véritables catastrophes naturelles. De très nombreux **humains** en souffriraient tragiquement.

OBSCURANTISME ET NÉGATIONNISME

Quelques «experts» **nient** encore ces évidences. Leur attitude s'explique souvent par leurs liens (conflits d'intérêts) avec des entreprises et organisations que cette réalité **dérange** dans leurs activités. Pour semer le doute, ou peut-être par incompétence, d'autres estiment même que l'on pourrait s'acheminer vers une **mini-période glaciaire** à partir de 2022 (avec un maximum d'effet entre 2030 et 2040), semblable à celle que la planète a connue par exemple dans les années 1645-1715. Mais leur thèse est très fortement critiquée[2], tant en ce qui concerne les **causes** qu'elle met en avant que leurs **effets** présumés sur la température moyenne. Même s'il se produisait, ce phénomène ne réduirait en effet le réchauffement attendu que de 0,3 °C, ce qui

1. Patrick Brown et Ken Caldeira, climatologues à l'Institut Carnegie de l'université de Stanford (Californie), dans une étude publiée par la revue *Nature* en décembre 2017. Selon eux, le réchauffement climatique sera probablement plus important que les pires scénarios établis par le GIEC.

2. La thèse est celle d'un ralentissement important de l'activité solaire (de l'ordre de 60 %), lié à un double «effet dynamo» : deux couches de matière se déplaceraient en masse à l'intérieur du soleil, dans des hémisphères opposés, créant ainsi un «minimum solaire» (baptisé minimum de Maunder, du nom de son découvreur).

n'aurait qu'une incidence très réduite sur le climat global.

On ne saurait pour autant contester que des **incertitudes** et des **paradoxes** demeurent. La science ne peut ni tout expliquer ni tout prévoir ; elle peut même se tromper ou changer d'avis. Ainsi, des études récentes indiquent que les forêts d'**Amazonie**, souvent qualifiées de « *poumon de la planète* » (à tort, car un poumon aspire de l'oxygène et rejette du gaz carbonique) dégageraient plus de CO_2 qu'elles n'en absorbent[1] (à l'instar d'un vrai poumon…). Il n'en reste pas moins qu'un très large **consensus** scientifique existe sur la dégradation de l'écosystème et la responsabilité humaine dans ce processus. Le **négationnisme** d'une poignée de chercheurs et l'**obscurantisme** de quelques acteurs politiques et économiques fort suspects de conflits d'intérêts ne sauraient le remettre en question.

DES BOULEVERSEMENTS PROBABLES

Les transformations en cours et celles annoncées par les experts auront des conséquences dramatiques sur la vie quotidienne des habitants de la planète, et plus encore celle de leurs descendants. Parmi les principales, il faut citer :

- L'insuffisance de la production alimentaire (animale et végétale) liée à la raréfaction des terres et la destruction de la biodiversité.
- Les migrations humaines massives, d'origine climatique ou économique (s'ajoutant aux autres causes), vers les zones encore habitables et « riches ». Ces mouvements de population pourraient concerner 143 millions de personnes d'ici 2050[2]. Ils représentent un risque majeur d'instabilité, tant

dans les pays émetteurs (qui perdraient une partie de leur potentiel de développement économique) que dans les pays d'accueil. Dans ces derniers, les populations sont divisées quant à l'attitude à adopter, entre « identitaires » et « solidaires ». En Europe, la tendance est à la croissance des premiers, hostiles à l'intégration (Pologne, Hongrie, Autriche, Italie…). On évalue déjà à 65 millions le nombre de personnes aujourd'hui déplacées contre leur gré (un record historique), dont 21 millions de réfugiés politiques[3].

- Une forte croissance de l'extrême pauvreté. Si le monde ne parvient pas à infléchir les tendances climatiques, elle pourrait frapper 100 millions de personnes supplémentaires en 2030[4]. Il en résulterait bien sûr des mouvements de population considérables.
- Une diminution de l'activité économique par insuffisance et renchérissement des ressources (eau, pétrole, gaz, minerais…), entraînant une nouvelle montée du chômage et une forte baisse des revenus. D'où la nécessité de mettre véritablement en place une économie verte (ou « *écolonomie* », voir p. 48).
- Des pollutions encore accrues de l'air, de l'eau et des aliments, provoquant de nombreuses maladies et réduisant l'espérance de vie des populations. Ces risques vont être renforcés par l'urbanisation croissante, qui touche en particulier les pays émergents. C'est ainsi que l'air est devenu irrespirable dans les grandes mégalopoles chinoises de Chongqing (33 millions d'habitants), Shanghai (25 millions), Pékin (23 millions), ou indiennes de Delhi (27 millions) ou Bombay (25 millions)[5], avec un taux de mortalité très élevé. Au total, l'OMS estime que 7 millions de personnes meurent prématurément chaque année dans le monde du fait de la pollution, dont 1,6 million en Chine. Malgré les

---

1. Article publié dans la revue *Science* le 28 septembre 2017. Au lieu d'absorber du CO_2, principal gaz à effet de serre, les forêts tropicales en rejetteraient de plus en plus massivement, pour l'équivalent du double des émissions des véhicules terrestres en Europe (camions, voitures). Les causes de cette inversion biologique seraient la surexploitation et la déforestation.
2. Rapport de la Banque mondiale, mars 2018. 86 millions de personnes pourraient se déplacer d'ici 2050 en Afrique subsaharienne, 40 millions en Asie du Sud et 17 millions en Amérique latine.

3. Étude ONU.
4. Étude Banque mondiale, 2017.
5. Populations des aires urbaines, données émanant du site populationdata.net.

engagements et les mesures pris dans ces villes, les perspectives à l'horizon 2030 sont inquiétantes.

- Un accroissement des inégalités dans tous les domaines, entre les personnes ayant les moyens d'échapper aux risques et aux contraintes, et les autres. Cela entraînerait des tensions fortes au sein même des pays concernés.

- Une augmentation des risques de conflits et guerres, à l'intérieur ou à l'extérieur de certains pays, liée à la montée des mécontentements, des extrémismes et des égoïsmes. Ces bouleversements auraient évidemment des répercussions nombreuses, y compris dans les pays occidentaux, qui ne sont eux-mêmes pas épargnés par ces tendances.

Pour la première fois dans leur histoire, les Humains sont ainsi en capacité de détruire leur environnement naturel et les espèces vivantes. Pour la première fois, ils atteignent les **limites des capacités de la biosphère** à se restaurer et franchissent les seuils considérés comme acceptables. Il est donc légitime d'être inquiet et nécessaire d'**agir** pour écarter ces menaces.

DES ATTENTES DÉÇUES...

Les accords de la **COP21** négociés à Paris fin 2016 prévoyaient un engagement pour que le **réchauffement climatique** se situe en dessous du seuil de **2 °C**, déjà considéré comme alarmant. Ils ont été signés en grande pompe par **195 pays** (dont les États-Unis) ; seuls la Syrie et le Nicaragua s'étaient désolidarisés. Fin 2017, ces accords avaient déjà été ratifiés par 145 pays, un résultat très encourageant. Mais l'espoir suscité a été remis en question par le nouveau président des États-Unis, Donald Trump, dont la vision en la matière est influencée par les lobbies de l'énergie. Les attentes ont été également déçues par l'incapacité de la Chine (premier pollueur au monde) et de nombreux autres pays à tenir leurs promesses.

La synthèse de la situation réalisée à la veille de la **COP23** (qui s'est tenue fin 2017 à Bonn et n'a guère fait progresser la cause environnementale) a en outre montré que les engagements nationaux pris dans le cadre de l'accord de Paris étaient d'ores et déjà **insuffisants**. Même si les 195 États signataires les respectaient intégralement,

L'eau potable, une ressource de plus en plus rare

L'**eau** occupe **71 % de la surface terrestre** (361 millions de km² sur 510 millions de km²). Cela laisse imaginer à tort qu'elle est disponible en **abondance** pour les besoins de l'humanité. On observera tout d'abord qu'elle ne représente que **0,023 % de la masse de la planète** (1 386 millions de milliards de mètres cubes, soit 3 milliards de milliards de tonnes). De plus, les régions **arides** représentent **31 % des terres émergées**.

Surtout, la presque totalité de l'eau existante (97,5 %) provient des océans, mers et baies ; elle est donc **salée** et inutilisable sans traitement coûteux pour les besoins **alimentaires** humains. Sur les **2,5 % d'eau douce** (35 millions de milliards de mètres cubes), 69 % se trouvent dans les glaciers, 30 % dans des nappes phréatiques, 0,8 % dans le permafrost[1], 0,4 % en surface et dans l'atmosphère.

Au total, moins de **1 % de l'eau existante sur la planète est douce et liquide**, ce qui ne signifie pas pour autant qu'elle soit exempte de pollution et directement **consommable**. Elle est en outre très **inégalement** répartie sur la surface terrestre : **10 pays concentrent 60 %** de l'eau douce disponible ; **20 pays ne disposent que de 5 %** et sont en situation de « stress hydrique »[2] ou de pénurie. Les situations varient aussi parfois considérablement à l'intérieur d'un même pays (Inde, Chine…). Les **insuffisances** prévisibles à l'avenir pourraient entraîner des **« guerres de l'eau »** aux lourdes conséquences.

_____

1. Terme géologique désignant un sol (appelé pergélisol) dont la température est inférieure ou égale à 0 °C pendant une durée d'au moins deux ans.
2. Situation d'un pays disposant de moins de 1 000 m³ par habitant et par an (définition ONU).

GES : L'EFFORT INTERROMPU

2. Évolution des émissions de gaz à effet de serre au titre du protocole de Kyoto de 1990 à 2016 (en % par rapport à 1990)

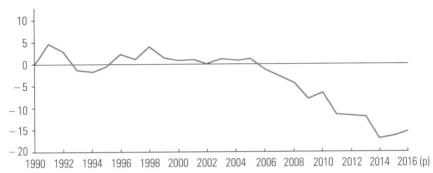

Évolution du pouvoir de réchauffement global (PRG) ; données 2016 provisoires
France y c. Saint-Martin
Citepa, INSEE

la planète s'acheminerait vers une hausse de la température moyenne d'au moins **3°C à la fin du** XXIe siècle, ce qui de l'avis général des experts serait une catastrophe pour la planète et pour l'humanité.

Ces perspectives sont connues des **responsables** économiques et politiques. Certains semblent pourtant les ignorer, en continuant de privilégier le court terme et la croissance à tout prix. Il faut dire à leur décharge (partielle) qu'ils y sont souvent poussés par des **citoyens** davantage préoccupés par le présent que par l'avenir, même si le regard qu'ils portent sur lui est pessimiste. *« Après moi, le déluge »*, semblent en effet penser beaucoup de *« vraies gens »*, par manque d'informations, d'intérêt, d'esprit de responsabilité ou de volonté. Ou par un sentiment d'**impuissance** qui ne peut que précipiter les difficultés.

... MAIS QUELQUES MOTIFS D'ESPÉRANCE

La lutte contre la dégradation de l'environnement a quand même produit quelques résultats **encourageants**, montrant que le pire n'est pas certain :

- Le « trou » apparu dans la couche d'ozone de l'atmosphère, qui protège la planète des rayons ultraviolets émis par le soleil, a été réduit de 10 à 15 % par rapport à la fin des années 1990 (soit 4 millions de km²), grâce à l'interdiction progressive des CFC[1], suite à l'accord de Montréal signé en 1987.

- Le *Breakthrough Energy Investment Fund* a réuni (sous la houlette de Bill Gates) un fonds d'un milliard de dollars destiné à financer des innovations technologiques de rupture dans le domaine des énergies renouvelables. Les promesses ont été renouvelées en décembre 2017 lors d'une réunion à Paris.

- Neuf des quatorze groupes de baleines à bosse ont été retirés de la liste des espèces animales en danger (qui en compte encore 700…).

- L'ours noir de Louisiane n'est plus menacé de disparition.

- Le Portugal a réussi à être entièrement autonome sur le plan énergétique… pendant quatre jours (du 7 au 11 mai 2017), en utilisant des énergies renouvelables (éolienne, solaire, hydraulique…). D'autres pays comme le Danemark visent l'autonomie. Certains, comme l'Islande, l'Éthiopie, la Norvège, le Costa

---

1. Chlorofluorocarbures, gaz utilisés dans les systèmes réfrigérants (fréon) et les sprays, contribuant à la dégradation de la couche d'ozone de l'atmosphère.

UN SCÉNARIO À ÉCRIRE

3. Projection des émissions mondiales de gaz à effet de serre entre 2017 et 2030, selon différents scénarios (en gigatonnes d'équivalent CO_2)

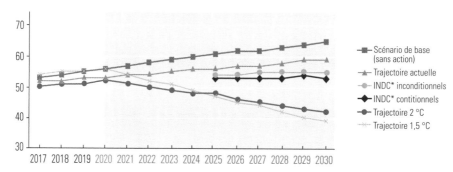

* INDC : *Intended Nationally Determined Contributions* (plans de contributions nationales)

UNEP

Changement d'ère : de l'holocène à l'anthropocène

Beaucoup de géologues considèrent aujourd'hui que nous sommes entrés dans une nouvelle **ère géologique**, baptisée **anthropocène**, Cette période marquerait le fait que l'influence de l'être humain sur la biosphère est devenue une **force géologique** majeure, capable de modifier l'écosystème global de la planète. Le XXIᵉ siècle serait ainsi celui d'une transformation majeure. Il pourrait même, pour les plus pessimistes, être le dernier vécu par les humains…

Pour fixer le **début** de cette nouvelle période, certains proposent de remonter **6 000 ans** avant notre ère, au moment du **Néolithique,** marqué par la sédentarisation d'*Homo*

sapiens et les prémices de l'agriculture. D'autres situent le commencement bien plus tard, au milieu du XIXᵉ siècle, avec l'avènement de la **révolution industrielle** (et singulièrement de la machine à vapeur, en 1784). D'autres encore considèrent que le basculement a été symbolisé par l'invention de la **bombe atomique**, et son utilisation en 1945 par les États-Unis. C'est plutôt cet événement considérable qui apparaît comme le facteur décisif

du passage à l'anthropocène, avec la capacité qu'il a conférée à l'Homme de **détruire** la planète.

Outre les éléments **radioactifs** dispersés dans l'atmosphère depuis cet événement, bien d'autres indicateurs témoignent de l'impact humain sur la Terre : **pollutions** de l'air, de la terre et de l'eau par des émissions de CO_2 et d'autres gaz à effet de serre, par les plastiques, les métaux ; «bétonisation» des sols ; accroissement massif de la **consommation d'énergie et d'eau** ; destructions accélérées d'**espèces vivantes** et menaces sur les autres ; recul des **forêts** lié à leur surexploitation…

On prend conscience de l'importance de l'entrée dans cette nouvelle ère lorsqu'on sait que la précédente, l'**holocène**, a débuté il y a environ **10 000 ans**. Il ne s'agit donc pas d'un effet de mode, mais d'un véritable bouleversement de la relation entre l'Humanité et la Nature, d'une **révolution géologique** comparable à celles qui l'ont précédée depuis des millions d'années. Écologistes, anthropologues et géologues se rejoignent pour dire qu'elle constitue un risque majeur pour la vie sur la Terre.

Rica, le Brésil et l'Uruguay produisent majoritairement leur électricité à partir de sources d'énergies renouvelables.

- En France, les pesticides et herbicides ont été interdits dans les espaces verts publics en 2017 (ce sera le cas en 2019 pour les particuliers), de même que les sacs plastiques.

Ces mesures et résultats ne seront cependant pas suffisants pour empêcher la destruction déjà engagée des milieux naturels terrestres, aquatiques ou aériens. D'autres moyens, plus efficaces et rapides, devront être mis en œuvre pour éviter les effets dramatiques possibles des changements en cours (voir p. 13).

FRANCE

Les déséquilibres de la biosphère mentionnés ci-dessus n'épargneront pas la **France**. De nombreuses études confirment les menaces qui pèsent sur les espèces végétales ou animales. Les plus récentes montrent même une dégradation accélérée. Ainsi, la population d'**oiseaux** vivant dans les **campagnes** françaises a **diminué d'un tiers en quinze ans**. Ce chiffre confirme une tendance constatée depuis vingt-cinq ans, mais le **rythme** de disparitions s'est fortement accru depuis 2016. Ce constat apparaît d'autant plus fiable (et alarmant) qu'il provient de deux réseaux de surveillance distincts[1], utilisant des protocoles d'étude différents. L'es causes avancées sont l'intensification des pratiques agricoles avec la fin du recours aux périodes de jachères, la reprise du **suramendement au nitrate**[2] et la généralisation des **néonicotinoïdes**[3].

Les **déséquilibres** en cours et à venir modifieront obligatoirement **la vie quotidienne** des Français. Si l'on s'en tient au seul **changement climatique**, et en faisant l'hypothèse (qui paraît aujourd'hui fortement **improbable**) que les dispositions prévues au niveau international seront mises en œuvre, les conséquences seront sensibles[4] :

- Une température plus élevée en été et dans le quart sud-est du pays, avec environ 40 journées anormalement chaudes supplémentaires dans toute la moitié est, principalement sous la forme de vagues de chaleur estivales. La hausse des températures moyennes serait d'environ 1 °C (plus forte dans le Sud-Est en été). Elle pourrait atteindre 2,5 °C en 2070.
- D'ici la fin du xxie siècle, Paris pourrait connaître jusqu'à 26 alertes à la canicule[5] par an, contre une seulement aujourd'hui.
- Une diminution du nombre de jours anormalement froids en hiver sur l'ensemble de la France métropolitaine, en particulier dans les régions du quart nord-est.
- La pollution de l'air diminue d'ores et déjà l'espérance de vie à la naissance de 9 mois pour chaque Français[6].

Les migrations d'origine externe seraient très importantes, notamment en provenance du continent africain, dans sa partie sub-saharienne (voir p. 30). Les mouvements internes de population ne devraient pas en revanche être considérables d'ici 2030. La croissance démographique resterait forte, mais ralentie dans les régions méridionales et en Rhône-Alpes. Elle serait stable en Île-de-France, Limousin, Auvergne.

La fin annoncée, ou en tout cas la raréfaction prévisible des sources d'énergies fossiles (sauf découvertes importantes et exploitables) se traduira d'abord pour les citoyens par un accroissement des prix dans plusieurs

---

1. Programme STOC (suivi temporel des oiseaux communs) rassemblant les observations d'ornithologues professionnels et amateurs, et étude menée par le CNRS depuis 1994.
2. Destiné à obtenir un blé surprotéiné.
3. Insecticides neurotoxiques très persistants, impliqués notamment dans le déclin des abeilles, et la raréfaction des insectes en général (une incidence cependant controversée).

4. Ministère de l'Environnement.
5. Succession d'au moins 3 jours pendant lesquels la température maximale dépasse 31 °C (et la minimale ne descend jamais en dessous de 21 °C).
6. *Clean Air for Europe* (CAFE).

secteurs clés de la vie quotidienne : alimentation ; transports ; charges énergétiques de logement ; soins médicaux ; loisirs extérieurs (sport, vacances…). La date de « basculement » concernant le pétrole (moment où la production attendra un maximum, avant de diminuer) diffère selon les experts (voir graphique p. 47). Mais l'épuisement des réserves de minerais et autres matières premières nécessaires à la fabrication de nombreux matériels et équipements entraînera une pénurie et un renchérissement.

De l'information à l'appropriation

L'évolution de la société française se fait le plus souvent selon un processus en plusieurs étapes successives, par influence, mimétisme et « capillarité ». Il en a été de même en ce qui concerne la relation des Français à l'**environnement** (voir schéma ci-après). L'opinion a d'abord accumulé l'**information** disponible. Elle a permis une **prise de conscience** progressive. Au cours des dernières années (2010-2018), on peut estimer que le « centre de gravité de l'opinion » est passé de la **conviction** (affichée dans les études et sondages) à l'**intention** sincère d'agir à titre personnel en tant que consommateur et individu.

D'ici 2030, les mentalités devraient encore évoluer, dans le sens de l'**action**. Cela se traduirait ensuite par un **engagement** véritable pour la **cause environnementale**, rendu nécessaire par les risques avérés (réchauffement, pollution…). Une partie croissante de la population ferait même alors œuvre de **prosélytisme**, consciente des enjeux pour le présent et pour l'avenir.

L'attitude des Français à l'égard des questions environnementales a donc sensiblement évolué au cours des dernières années. Un « **rattrapage** » s'est produit par rapport aux pays d'Europe du Nord, dont la prise de conscience des risques et des défis environnementaux a commencé plus tôt. L'évolution se poursuivra dans les prochaines années, avec les confirmations scientifiques des **dégâts** survenus en matière sanitaire et économique. À condition aussi que les responsables **politiques** donnent à l'environnement une **priorité** qu'il n'a pas encore vraiment acquise aujourd'hui. Sous réserve enfin que des **drames** plus immédiats ne retardent pas le processus (terrorisme, crise économique, conflit…).

LA POPULATION VICTIME, MAIS AUSSI COMPLICE

Il a fallu quelques années aux Français pour que l'étymologie latine du mot **consommer** leur revienne en mémoire : il signifie en effet **détruire** (consumare). Ils sont désormais conscients de **participer** à la destruction de ce que l'on n'appelle plus la **nature**, mais l'**environnement** (dont le sens est plus large, incluant notamment les interactions entre les Humains et la **biodiversité** dans son ensemble). Cette « découverte » a alors provoqué un sentiment de **culpabilité** à l'égard de la consommation, qui explique les nouveaux comportements adoptés aujourd'hui (voir p. 306).

Pour consommer mieux, et de façon moins nocive pour l'environnement, les Français ont développé des stratégies qui permettent de **prolonger** la vie des objets et des biens d'équipement, par la réparation, la location, l'échange, le don, la mutualisation, l'allongement de la durée d'utilisation, etc. Ces pratiques sont d'autant plus répandues qu'elles permettent aussi de dépenser moins et de se valoriser à ses propres yeux, comme à ceux des autres. C'est sur ces ressorts que s'est développée l'**économie collaborative** (voir p. 328).

Outre le désagrément de se sentir **complices** de la destruction de la planète, les Français sont conscients d'en être aussi les **victimes**, comme le seront leurs enfants et petits-enfants. C'est pourquoi ils se tournent de plus en plus vers des produits réputés non dangereux pour la santé, dont la liste tend d'ailleurs à se réduire. Ils s'intéressent ainsi davantage aux aliments **bio**, aux produits « **verts** », aux marques et aux entreprises **responsables**, au commerce **équitable**. Des efforts réels, mais

DE L'INFORMATION AU PROSÉLYTISME

4. Évolution globale de la relation des Français à l'environnement

Gérard Mermet

encore marginaux, ont ainsi été accomplis depuis quelques années. Mais le **bilan** que l'on peut dresser aujourd'hui n'est pas satisfaisant. Les menaces n'ont pas été écartées. Elles tendent même à se multiplier et à s'accroître. Les ajustements ne pourront pas être incrémentaux et lents ; ils devront être ambitieux, courageux, partagés, massifs. Et surtout **rapides**.

DES OPPORTUNITÉS À EXPLOITER

Le changement climatique ne saurait se résumer pour la France à des changements **dramatiques** et douloureux. Il recèle également des **opportunités**. Ainsi, l'élévation prévue des températures sera sans doute bienvenue dans les régions du **Nord** et de l'**Est** dans lesquelles elles sont souvent plus basses que dans le reste du pays. Par ailleurs, l'accroissement du taux de **gaz carbonique** dans l'atmosphère peut favoriser la croissance de certains végétaux. On devrait aussi assister au déplacement vers le nord de certaines espèces végétales qui étaient jusqu'ici incompatibles. La culture de la **vigne** deviendrait ainsi possible sur l'ensemble du territoire, sous réserve de planter des cépages adaptés. Ceux utilisés depuis très longtemps dans les régions productrices devront également être remplacés pour répondre aux nouvelles conditions climatiques.

L'**olivier** et le **pin**, arbres emblématiques des régions ensoleillées, pourront aussi s'installer sous des latitudes plus septentrionales. Les pins sylvestres et les hêtres pourraient atteindre le Pas-de-Calais. Le pin d'Alep serait plus présent sur le territoire. La diminution des périodes de **gel** permettra d'envisager de nouvelles cultures, tant dans le Nord et l'Est que dans les régions montagneuses. Les cultures rustiques et diversifiées pourraient être favorisées par rapport aux cultures intensives et uniformisées, favorisant notamment l'**agro-écologie**[1] au détriment de l'agriculture industrielle et productiviste.

PISTES D'AMÉLIORATION

Comment protéger la planète des lourdes menaces environnementales qui pèsent sur elle ? Il faudra pour cela résoudre les questions cruciales des **énergies renouvelables**, de la réduction des **rejets** de gaz à effet de

---

1. Mode de conception de la production agricole basé sur le respect des écosystèmes et l'amélioration des performances. L'agro-écologie a pour objectif de réduire les émissions de gaz à effet de serre et l'usage de produits phytosanitaires, de préserver les ressources naturelles et de réintroduire de la diversité dans les systèmes de production agricole. Les techniques utilisées considèrent l'exploitation agricole dans son ensemble.

serre dans l'atmosphère, de la **déforestation** (Fôrets devenues productrices de CO_2, voir p. 15), de l'**artificialisation** des sols, des **pollutions** de toute sorte, des destructions d'espèces vivantes, etc. On évoque depuis des années la création d'une «**économie verte**», mais elle tarde à se mettre en place.

TOUS CONCERNÉS

La **science** et la **technologie** semblent pour le moment impuissantes à résoudre les problèmes environnementaux. Certes, les **greentechs** (ou *cleantechs,* technologies propres) progressent (voir p. 80), mais bien trop lentement ; elles ne permettent pas d'endiguer le processus de dégradation en cours, encore moins d'imaginer à l'horizon **2030** un retour à une situation d'équilibre de la biosphère. Les **recherches** dans ce domaine apparaissent d'ailleurs moins nombreuses et bénéficient de moindres **financements** que dans d'autres domaines comme les biotechnologies, nanotechnologies, infotechnologies, spatiotechnologies ou neurotechnologies (voir p. 80). Un décalage **paradoxal** par rapport aux besoins **prioritaires** de la planète.

Il existe cependant de nombreuses **applications** à l'environnement des technologies avancées (qui ont souvent une vocation «transversale»), notamment en matière d'**agriculture**. C'est le cas par exemple de la **robotique** agricole, des **biotechnologies** permettant de créer des nouvelles variétés écologiquement saines, nécessitant moins d'intrants[1], ou de l'**agriculture numérique** (recueil, stockage et traitement de données agricoles permettant d'améliorer la qualité environnementale de la production et de la commercialisation de ses produits). D'autres secteurs de recherche sont également concernés et prometteurs :

- Énergies renouvelables : solaire ; éolien ; hydraulique ; biocarburants… L'objectif au sein de l'Union européenne est qu'elles représentent 35 % de la consommation européenne en 2030[2].
- Transports : véhicules électriques ; véhicules autonomes…
- Chimie : produits pharmaceutiques, peintures, colorants, additifs…
- Nouveaux matériaux non polluants et recyclables : biomatériaux…
- Traitement des déchets : récupération ; recyclage ; élimination ; stockage du gaz carbonique ; amélioration de l'efficacité énergétique des batteries… La Commission européenne souhaite également que tous les emballages en plastique mis sur le marché européen soient réutilisables ou recyclables d'ici 2030. Les producteurs, eux, visent un taux de réemploi et de recyclage de 60 %[3].

Mais la science et la technologie ne seront pas suffisantes pour inverser les processus destructeurs engagés. Il y faudra aussi la **participation** de chaque individu-citoyen-consommateur. Cela suppose de la **clairvoyance**, du **courage** et de la **pédagogie** de la part des responsables politiques, économiques et sociaux. Tous les humains sont embarqués dans le même bateau et tous ont

1. Produits apportés aux terres et aux cultures ne provenant pas de l'exploitation agricole. Les intrants ne sont pas naturellement présents dans le sol, mais rajoutés pour améliorer le rendement des cultures.
2. Parlement européen.
3. PlasticsEurope.

LES 5 P DU DÉVELOPPEMENT DURABLE

5. Objectifs de développement durable fixés par l'ONU

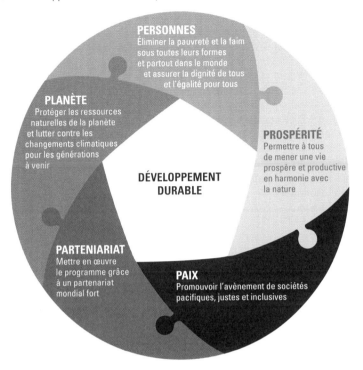

PERSONNES
Éliminer la pauvreté et la faim sous toutes leurs formes et partout dans le monde et assurer la dignité de tous et l'égalité pour tous

PLANÈTE
Protéger les ressources naturelles de la planète et lutter contre les changements climatiques pour les générations à venir

DÉVELOPPEMENT DURABLE

PROSPÉRITÉ
Permettre à tous de mener une vie prospère et productive en harmonie avec la nature

PARTENIARIAT
Mettre en œuvre le programme grâce à un partenariat mondial fort

PAIX
Promouvoir l'avènement de sociétés pacifiques, justes et inclusives

Voir détails dans la partie *Synthèse*.
ONU

intérêt à **agir** de façon **solidaire** pour éviter le naufrage.

UNE AMBITION PLANÉTAIRE PARTAGÉE...

La grande majorité des **dirigeants** des États de la planète ne sont pas insensibles aux menaces qui pèsent sur l'environnement, sans être pour autant des **militants** de cette cause pourtant majeure. Si la plupart ont signé la charte concluant la **COP21** de Paris, leurs habitants ne sont pas tous convaincus de la réalité du réchauffement climatique, par manque d'**information** ou par **méfiance** systématique vis-à-vis des institutions politiques ou des « experts » (voir p. 230). Une disposition d'esprit qui conduit même certains au **complotisme** (voir p. 361). Ce négationnisme peut être aussi induit par des convictions religieuses telles que l'**évangélisme**[1] ou le **créationnisme**[2], à l'image de ce qui se passe aux États-Unis.

1. L'évangélisme reconnaît la contribution de la Réforme protestante par Luther initiée en 1520 et ses adeptes sont donc des protestants. Ils s'en distinguent cependant en reconnaissant certaines réformes rejetées par les protestants « historiques » (luthériens et calvinistes, ou réformés), comme le baptisme en 1609, le pentecôtisme en 1906 et les autres réveils évangéliques successifs. Le premier point de distinction des membres d'une église chrétienne évangélique est la nouvelle naissance (conversion personnelle) et le baptême du croyant (adulte). Les églises évangéliques sont donc des églises de « professants » (par opposition aux églises de « multitude », tant protestantes que catholiques pratiquant le pédobaptisme), dont seuls sont membres des « convertis » baptisés par immersion sur confession personnelle et publique de leur foi (Wikipedia).
2. Théorie selon laquelle la vie, végétale, animale ou humaine, serait apparue brusquement, selon la seule volonté divine, sans avoir d'ancêtres. Elle s'oppose à celle de l'évolution, à laquelle adhèrent la plupart des scientifiques.

Heureusement, de nombreux États «réalistes» sont, eux, conscients des conséquences actuelles et à venir des dérèglements de l'environnement. C'est ainsi qu'un **Agenda 2030** a été adopté à l'unanimité en septembre 2015 par les chefs d'État et de Gouvernement des 195 pays réunis lors du Sommet spécial sur le développement durable, sous l'égide de l'ONU. Il comporte 17 **objectifs de développement durable** (ODD), déclinés en 169 **cibles** et en **sous-objectifs quantifiables** (voir description en *Annexe*). Leur but est de répondre aux défis de la mondialisation en se fondant sur les 3 piliers du développement durable : **environnement**, **société**, **économie**.

... MAIS DES RÉSULTATS INSUFFISANTS...

À défaut de pouvoir véritablement restaurer l'environnement, l'ambition affichée par les nations est de «**limiter les dégâts**». Outre les objectifs de développement durable à l'horizon 2030, les experts estiment qu'il faudrait diviser par quatre les émissions de **gaz à effet de serre** à l'horizon **2050**, par rapport à **1990**. Rien ne permet d'affirmer aujourd'hui que cet objectif sera rempli, compte tenu de l'accroissement attendu de la population mondiale et de celui des besoins dans les pays en fort développement comme la Chine, l'Inde ou certains pays africains.

Les dégradations de l'environnement devraient en effet se poursuivre mécaniquement avec l'évolution **démographique** et l'**urbanisation** croissante. Depuis 2014, plus de la moitié de la population mondiale habite dans des **villes** ; elle pourrait ainsi avoir doublé entre 2000 et 2030, passant de 2,6 à 5 milliards d'habitants[1]. Ce sont en effet les villes qui sont les plus «agressives» envers l'environnement, du fait des **pollutions** qu'elles engendrent, de l'**effet de serre** qu'elles produisent, de l'**artificialisation des sols** (la surface des zones urbaines pourrait avoir triplé entre 2000 et 2030[2]), de leurs **rejets** mal gérés et insuffisamment recyclés, de la destruction des **écosystèmes**.

Il faut rappeler aussi que la consommation de **viande** et l'**élevage** d'animaux qu'elle implique représentent la principale source d'émissions de CO_2 sur la planète, devant les transports. Seule une diminution de la part de la **viande** dans l'alimentation permettrait d'endiguer le phénomène.

... Y COMPRIS EN FRANCE

La France a adopté l'objectif écologique et climatique de **Facteur 4**, qui consiste à diviser par quatre ses émissions de gaz à effet de serre (en particulier le CO_2) d'ici **2050** par rapport à 1990, année de référence, compte tenu de l'évolution de la population d'ici 2050[3]. Elle a également l'ambition de rénover chaque année 500 000 **logements** peu efficients en matière **énergétique** d'ici **2030**[4], avant d'accélérer encore le rythme, jusqu'à ce que les 27 millions de logements existants soient conformes. Il est prévu en outre que les bâtiments construits soient tous à **basse consommation** ou **énergie positive**[5] dès **2020**. Mais l'atteinte de ces objectifs suppose que toutes les parties prenantes (État, collectivités locales, promoteurs, architectes, fournisseurs de solutions... et acheteurs ou locataires) se mobilisent, que l'habitat **collectif** neuf se développe en détriment de l'individuel. L'expérience montre que rien de tout cela n'est acquis.

---

1. Étude publiée par la revue PNAS (*Proceedings of the National Academy of Sciences*).

2. Il faut cependant noter que la part des espaces artificialisés (recouverts de bâtiments, routes, voies ferrées, parkings, aéroports, centres commerciaux...) ne représente aujourd'hui que 5,5 % du territoire métropolitain de la France, contre 6,5 % de celui du Royaume-Uni (dont la densité de population est plus du double de celle de la France). Ce taux relativement faible témoigne donc aussi d'un certain gaspillage des espaces utilisés.
3. Objectif validé par le «Grenelle de l'environnement» en 2007.
4. Les chiffres indiqués dans ces lignes émanent de l'ADEME (étude 2013).
5. Bâtiments produisant plus d'énergie qu'ils n'en consomment, et pouvant restituer l'excédent sur un réseau.

Trop tard pour être pessimiste

En novembre **2017**, vingt-cinq ans après l'appel de **1992**, les scientifiques se sont de nouveau mobilisés pour exprimer leur inquiétude. Un nouvel **appel** a été lancé, signé par 15 000 d'entre eux, en forme cette fois de véritable cri d'alarme : « *Il sera bientôt trop tard pour dévier de notre trajectoire vouée à l'échec, car le temps presse […] Nous devons prendre conscience, aussi bien dans nos vies quotidiennes que dans nos institutions gouvernementales, que la Terre, avec toute la vie qu'elle recèle, est notre seul foyer.* », affirment des spécialistes de climatologie, biologie, physique, chimie, agronomie qui ne peuvent *a priori* être soupçonnés de défendre des intérêts économiques ou politiques.

C'est seulement par des mesures drastiques, décidées et respectées à l'échelle **planétaire**, qu'il sera possible d'obtenir des résultats probants. C'est ainsi que la courbe des **rejets de gaz carbonique** dans l'atmosphère avait été **stabilisée** entre 2014 et 2016 (malgré la hausse de la population et celle de la production de biens), mais elle ne s'est pas **inversée** comme on pouvait l'espérer ; elle est même repartie à la **hausse** en **2017**, dépassant le taux de 400 ppm (parties par million), inconnu depuis des millions d'années (avant la formation de la calotte glaciaire du Groenland).

Le défi est donc de trouver et mettre en place des solutions **alternatives** : énergies renouvelables, agro-carburants, matériaux de synthèse, nouveaux procédés de fabrication. On peut aussi envisager une diminution, volontaire ou contrainte, de la **consommation des ménages**. Le risque est de réduire le **niveau de vie** moyen de la population et d'accroître en outre les **inégalités**. Une **« double peine »** difficile à accepter dans une société culturellement égalitariste comme la France, déjà traversée par de fortes tensions.

Comme aime à le dire le photographe et écologiste Yann Arthus-Bertrand[1], « *il est trop tard pour être pessimiste* ». Il n'est pas trop tard en tout cas pour **agir**, chacun à sa place et à son échelle, afin de pouvoir au moins **limiter les dégâts**. Et retrouver confiance dans l'intelligence humaine, lorsqu'elle s'exerce **collectivement** et qu'elle a pour but le **bien commun**.

---

1. Photographe, auteur, cinéaste, écologiste, créateur de la Fondation GoodPlanet.

Par ailleurs, le **covoiturage** et l'**auto-partage** se développent, mais leur impact reste encore marginal. Le remplacement des véhicules (particuliers et professionnels) à essence ou Diesel par des **véhicules électriques** (ou des moteurs utilisant le biométhane) prendra du temps, en espérant que le bilan carbone total sera alors satisfaisant (notamment pour le cycle de production-élimination des batteries). À Paris, les automobilistes ne seront plus autorisés à rouler avec des véhicules à l'essence ou au diesel à partir de **2030**, une année qui serait celle de l'inflexion des courbes. Mais cela ne sera possible que si les efforts entrepris s'avèrent suffisants.

La part des **énergies renouvelables** dans la consommation énergétique totale pourrait ainsi passer de 12 % en 2010 à 35 % en 2030 (et 55 % en **2050**). Il s'agit là encore d'un objectif difficile à atteindre. Il faut donc espérer que des **innovations de rupture** viendront accélérer le processus actuel, soit pour réduire les consommations, soit pour proposer des solutions alternatives plus efficaces, et sans effets secondaires.

ET SI...

Les questions figurant dans cette rubrique ne sont pas des informations, mais des sujets de réflexion et de débat complétant les textes du chapitre qu'ils clôturent. Elles peuvent exprimer des souhaits, des craintes, des utopies ou tout élément susceptible d'accélérer, ralentir ou inverser les évolutions prévisibles.

... des technologies de rupture permettaient de réguler le climat : faire tomber la pluie pour renouveler les nappes phréatiques, diminuer la température par une couche d'isolant dans l'atmosphère... ?

... un «principe de durabilité» était systématiquement mis en place et contrôlé pour l'exploitation des sols par les cultures, les prélèvements sur les réserves halieutiques des mers, lacs et rivières, gibiers des forêts, en tant que **devoir à l'égard des générations futures** ?

... les expériences réussies en matière de permaculture et autres moyens de cultiver efficacement et durablement les terres étaient appliquées à l'agriculture intensive ?

... des réglementations nationales et internationales réduisaient progressivement la part des terres consacrées à l'élevage des animaux de consommation, au profit des cultures végétales, plus avantageuses sur le plan économique, sanitaire, social, démographique ?

... les experts se trompaient sur le réchauffement climatique et/ou ses conséquences (dans un sens ou dans l'autre) ?

... l'ensemble des ressources de la Terre (terre, eau, air, matières premières...) était décrété patrimoine de l'Humanité et partagé de façon équitable entre les pays et, dans chacun d'eux, les populations ?

... le coût réel de l'empreinte carbone était réellement à la charge de celui qui en est à l'origine ?

... chaque être humain pouvait adopter un animal d'une espèce menacée de son choix en aidant financièrement à son maintien dans le biosystème auquel il appartient ?

... la protection de la planète était considérée comme la priorité première des États ?

... des concours, crédits et aides diverses étaient ciblés en priorité sur les laboratoires de recherche spécialisés en matière environnementale pour accélérer les innovations ?

... la Chine réussissait à créer de la pluie artificielle (sans effet induit néfaste) dans les plaines montagneuses du plateau tibétain (en brûlant des combustibles solides produisant de l'iodure d'argent) pour lutter contre le réchauffement climatique et les grandes sécheresses ?

DÉMOGRAPHIE

À près l'**environnement** (chapitre précédent), un autre élément essentiel du «décor» dans lequel nous vivrons d'ici **2030** concerne la taille et la composition de la **population**. En matière de prospective, son estimation (projection) à l'échelle d'environ une décennie est *a priori* plus facile et fiable. L'évolution de la **natalité** connaît en effet généralement une évolution assez lente, beaucoup plus rarement des «ruptures» comparables à celles concernant d'autres domaines (technologie, économie, environnement, gouvernance, géopolitique…).

Cela n'empêche nullement pourtant de se tromper, lorsque par exemple la politique familiale est sensiblement modifiée, les **flux migratoires** mal évalués, l'**espérance de vie** mal estimée. La prospective démographique permet aussi de projeter la pyramide des **âges**, la **taille des ménages**, la **répartition** de la population sur le territoire, le nombre d'**actifs** et d'**inactifs**. Elle sert de référence au niveau national ou local pour la construction de logements ou la politique fiscale. Son évolution a ainsi des incidences considérables sur la **vie collective**, comme sur la vie personnelle.

POPULATION

UNE CROISSANCE EXPONENTIELLE DE LA POPULATION MONDIALE

La planète ne comptait qu'environ 5 millions d'habitants au début de l'ère **néolithique**, qui a marqué le début de la croissance démographique de *Sapiens*, devenu progressivement sédentaire et

PLUS DE 7 MILLIARDS D'HUMAINS DE PLUS DEPUIS L'AN 1

6. Évolution de la population mondiale depuis le néolithique et prévision 2030

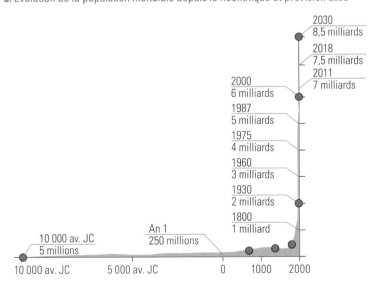

2030
8,5 milliards

2018
7,5 milliards

2011
7 milliards

2000
6 milliards

1987
5 milliards

1975
4 milliards

1960
3 milliards

1930
2 milliards

1800
1 milliard

An 1
250 millions

10 000 av. JC
5 millions

10 000 av. JC   5 000 av. JC   0   1000   2000

ONU

8,5 MILLIARDS DE TERRIENS EN 2030

7. Évolution de la population mondiale depuis 1950 et prévision 2030 (en milliards d'habitants)

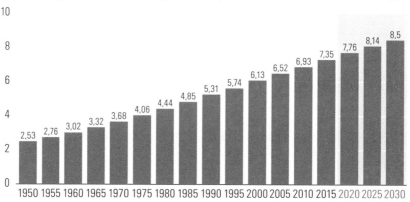

ONU

cultivateur. Il a fallu ensuite quelque 12 000 ans pour que la population atteigne **un milliard** (vers **1800**), puis seulement 30 ans pour la doubler (**2 milliards** en **1930**), 30 ans encore pour parvenir à **3 milliards** (**1960**), 15 ans de plus pour **4 milliards (1975)**, 12 ans pour **5 milliards (1987)**, 13 ans pour **6 milliards (2000)**, 11 ans pour parvenir à **7 milliards** (2011). La planète comptait **7,6 milliards** d'habitants au début de **2018**[1].

Cette folle croissance s'est un peu ralentie (en valeur relative) depuis quelques décennies, mais le monde devrait compter **8,5 milliards d'humains en 2030**[2] (jusqu'à 9 milliards, selon certains démographes). La population pourrait ainsi dépasser **11 milliards en 2100**, mais cet horizon est beaucoup trop éloigné pour que l'on puisse effectuer de véritables **prévisions**. Les chiffres avancés pour la fin du siècle sont généralement des **projections** fondées sur des **scénarios** (fécondité, immigrations, catastrophes...), qui peuvent conduire à des résultats extrêmement différents, qui n'ont donc guère de sens, puisqu'ils varient de 7,3 à 16,5 milliards d'habitants selon les hypothèses prises en compte...

71 MILLIONS D'HABITANTS EN FRANCE EN 2030

La population **française** totale (y compris l'outre-mer, avec Mayotte) devrait atteindre **71 millions** de personnes en **2030**, dont 68,5 millions en métropole[3], contre respectivement 67 millions et 65 millions début **2018**. La croissance démographique entre 2015 et 2030 serait alors d'environ 7 %, contre 2,5 % dans l'ensemble de l'Union européenne à 28 (Royaume-Uni inclus, tant que les négociations sur sa sortie de l'Union ne seront pas achevées).

La France resterait ainsi le **deuxième** pays le plus peuplé de l'Union européenne, derrière l'Allemagne (79,3 millions d'habitants en 2030, contre 82,1 millions début 2017), mais l'écart entre les deux pays serait en forte diminution. La population française ne représenterait cependant qu'un peu moins de **1 % de celle de la planète**. Les **malthusiens**[4], qui considèrent que la hausse

---

1. ONU et US Census Bureau pour les époques antérieures.
2. ONU, projections révisées 2017.

3. Projection de l'INSEE reposant sur une hypothèse de taux de fécondité inchangé, très proche de 2 enfants par femme en état de procréer (au moins 1,9, contre 1,6 en moyenne dans l'UE). Cette hypothèse pourrait être remise en question en cas de politique familiale moins incitative que celle en vigueur. Le solde migratoire annuel de 100 000 personnes pris en compte peut également être discuté.
4. Adeptes de la doctrine politique prônant la restriction démographique, inspirée par les travaux de l'économiste britannique Thomas Malthus (1766-1834).

de la population est la source de nombreux maux, et tous ceux (nombreux) qui sont hostiles à une **immigration** massive s'en féliciteront sans doute. Mais la France devra alors compenser son faible poids démographique par une forte activité économique, un rayonnement culturel autorisant une réelle influence et une qualité de vie enviable.

DES MÉNAGES PLUS NOMBREUX ET DE PLUS PETITE TAILLE

La **taille moyenne** des ménages[1] devrait continuer de diminuer, du fait du **vieillissement** général de la population (accroissement du nombre de couples sans enfants et de personnes veuves), de la hausse du nombre de **couples non cohabitants**[2] et de l'accroissement du taux de **séparation des couples** (mariés ou non). On ne compterait plus alors que 2,0 personnes par ménage en **2030**, contre 2,2 en 2017 (et 2,9 en 1975).

Pour ces mêmes raisons, le nombre de **personnes seules**, proche de **9,5 millions en 2018**, pourrait atteindre **12 millions en 2030** ou peut-être même avant, soit un peu plus d'un ménage sur trois (36 %). Ces ménages de «solos» seraient alors plus nombreux que ceux de deux personnes (un peu moins d'un tiers). Le **nombre de ménages** devrait ainsi continuer de s'accroître plus vite que la population. Il augmenterait en moyenne de 235 000 par an jusqu'en 2030[3], représentant à cette échéance **33 millions de ménages**, contre 30 millions en 2018.

MIGRATIONS

UNE PROPORTION ACTUELLE D'IMMIGRÉS EN PROGRESSION MODÉRÉE...

La question **migratoire** est l'un des thèmes de société les plus «clivants» en France, comme dans de nombreux pays développés. Elle est l'un des sujets qui continuent de séparer le plus nettement les idées associées à la «**gauche**» et les convictions réputées être de «droite» (à commencer par l'extrême droite), au contraire d'autres sujets de plus en plus transversaux. Les arguments échangés s'inscrivent plus souvent dans un registre **moral** (solidarité, tradition et devoir d'accueil de la France) ou **émotionnel** (peur de dissoudre l'«identité nationale» et d'être submergé par le *Grand Remplacement*[4]) que **rationnel** (combien de personnes accueillir, dans quelles conditions...?). Dans les débats, les confusions sont fréquentes entre population **née à l'étranger**, **étrangère** ou **immigrée** (voir ci-après).

La situation actuelle peut être résumée par quelques chiffres : au 1er janvier 2014 (dernière année disponible[5]), 65,8 millions de personnes vivaient en France (hors Mayotte). Parmi elles, 58,2 millions étaient nées en France et **7,6 millions à l'étranger** (**11,6 %**). La part de la population véritablement **étrangère**[6] (**4,2 millions de personnes**) représentait **6,3 %** de la population (contre 5,4 % en 1968). Cette proportion plaçait la France en **15e position** au sein de l'Union européenne à 28, contre 8,7 % en Allemagne, 7,8 % au Royaume-Uni, 8,1 % en

---

1. Un ménage est l'ensemble des personnes qui partagent la même résidence principale, sans être nécessairement unies par des liens de parenté.
2. Dont les deux membres n'habitent pas de façon habituelle dans le même logement.
3. Source CGDD.

4. Théorie conspirationniste décrivant et condamnant le risque du remplacement de la population dite «de souche» ou d'origine européenne par une population originaire d'autres pays, notamment d'Afrique noire et du Maghreb, de confession généralement musulmane. Elle a été introduite en France par l'écrivain Renaud Camus, engagé à l'extrême droite (dans un ouvrage éponyme paru en 2011).
5. INSEE, *Portait social de la France*, édition 2017.
6. Un étranger est une personne qui réside en France et ne possède pas la nationalité française, soit qu'elle possède une autre nationalité (à titre exclusif), soit qu'elle n'en ait aucune (c'est le cas des personnes apatrides). Les personnes de nationalité française possédant une autre nationalité (ou plusieurs) sont considérées en France comme françaises. Un étranger n'est pas forcément immigré, il peut être né en France (les mineurs notamment). À la différence de celle d'immigré, la qualité d'étranger ne perdure pas tout au long de la vie: on peut, sous réserve que la législation en vigueur le permette, devenir français par acquisition (aujourd'hui, après 5 ans de résidence en France depuis l'âge de 11 ans). (INSEE)

PLUS D'IMMIGRÉS QUE D'ÉTRANGERS

8. Population étrangère et immigrée par sexe et âge (2014, en % ou milliers)

	Étrangers	Immigrés
Part des hommes	50,4	48,7
Part de la population ayant :		
moins de 15 ans	16,9	4,8
15 à 24 ans	9,5	8,5
25 à 54 ans	48,7	54,2
55 ans ou plus	24,9	32,5
Nombre (en milliers)	**4 200**	**5 967**
Poids dans la population totale	**6,4**	**9,1**

INSEE

Italie, 10,1 % en Espagne[1]. Enfin, la population **immigrée**[2] **(5,9 millions de personnes)** représentait 8,9 % de la population totale, contre **8,1 %** début **2006** (et 6,6 % en 1968).

... MAIS DES MOUVEMENTS DE GRANDE AMPLEUR ATTENDUS...

Les évolutions économiques, sociales, politiques ou environnementales prévisibles ou possibles d'ici **2030** devraient être importantes. Les pressions au **départ** seront fortes dans les pays pauvres, inégalitaires, à régime autoritaire ou dictatorial. Elles seront accrues par le **réchauffement climatique** et les catastrophes naturelles qu'il devrait provoquer (cyclones, inondations, sécheresses, séismes...). Ce seul phénomène pourrait plonger **100 millions de personnes** supplémentaires dans le monde dans une situation d'**extrême pau-**

___
1. Eurostat.
2. Un immigré est une personne née étrangère à l'étranger et résidant en France. Les personnes nées françaises à l'étranger et vivant en France n'en font donc pas partie. À l'inverse, certains immigrés ont pu devenir français, les autres étant restés étrangers. Les populations étrangère et immigrée ne se confondent pas : un immigré n'est pas nécessairement étranger et réciproquement, certains étrangers sont nés en France (essentiellement des mineurs) ne pouvant pas encore demander la nationalité française. La qualité d'immigré est permanente : un individu continue à appartenir à la population immigrée même s'il devient français par acquisition. C'est le pays de naissance, et non la nationalité à la naissance, qui définit l'origine géographique d'un immigré (Haut Conseil à l'Intégration).

vreté d'ici 2030[3]. Par ailleurs, la **croissance** économique mondiale des prochaines années pourrait être modérée ou faible (voir p. 41) et le **chômage** relativement élevé (voir p. 47), y compris dans les pays développés. On peut donc imaginer que des dizaines de millions de personnes seront poussées à quitter leur pays d'ici 2030, à la recherche d'une vie meilleure. Ou tout simplement d'une vie...

L'**Europe** constituera pour elles une destination attractive, d'autant que sa population devrait stagner ou même décliner. Ce ne sera pas le cas de la **France**, même si elle réduit son dynamisme démographique (voir p. 110). Mais cette situation devrait renforcer l'hésitation de sa population à l'égard des migrants, réfugiés climatiques, politiques ou économiques. Parfois même son hostilité, au nom d'idéologies nationalistes et protectionnistes.

En janvier 2018, 63 % des Français considéraient ainsi qu'il y avait *« trop d'immigrés »* dans le pays. Mais ils estimaient dans une proportion semblable (65 %) que la France doit accueillir des **réfugiés demandeurs d'asile**[4]. Ils se déclaraient aussi à 77 % d'accord avec la phrase de Michel Rocard selon laquelle *« la France ne peut pas accueillir toute*

___
3. Rapport de la Banque mondiale *Shock Waves : Managing the Impacts of Climate Change on Poverty*, novembre 2015.
4. Sondage *L'Obs*/BVA, janvier 2018.

la misère du monde, mais elle doit en prendre sa part». Une phrase à la formulation **consensuelle**, qui ne précise cependant pas où situer le curseur entre humanisme et fermeté, générosité et pragmatisme. La très probable vague migratoire à venir risque ainsi d'exacerber les tensions au sein du pays.

L'opinion pourrait se montrer demain plus **tolérante** *et accueillante à l'égard des migrants, à certaines conditions (voir p. 246).*

… NOTAMMENT EN PROVENANCE D'AFRIQUE

En **2030**, l'**Afrique** devrait compter **1,7 milliard d'habitants**, soit **448 millions de plus** qu'en 2017 (1,26 milliard)[1]. L'**Europe** n'en compterait que **739 millions**, soit environ le même nombre qu'aujourd'hui (742 millions). L'écart devrait encore s'accroître d'ici **2050** : l'Afrique aurait alors **2,5 milliards d'habitants** (le double d'aujourd'hui), l'**Europe 716 millions** (moins qu'aujourd'hui). Entre 1950 et 2050 (100 ans), la population africaine devrait ainsi avoir été multipliée par **10,5**. La principale croissance concernerait le **Nigeria** ; sa population dépasserait celle des **États-Unis** en **2030**, avec 410 millions d'habitants. Elle se situerait derrière l'**Inde** (1,51 milliard) et la **Chine** (1,44 milliard).

Les écarts seraient encore plus spectaculaires en **2050**, notamment en ce qui concerne les personnes **en âge de travailler**. L'**Afrique** en compterait **1,2 milliard de plus qu'aujourd'hui**, alors que l'Europe en aurait **perdu 57 millions**. Il ne paraît pas probable que l'Afrique soit en mesure de **créer** autant d'emplois supplémentaires, et cela impliquerait des taux de croissance très élevés, aux conséquences lourdes en matière écologique. De sorte que les **pressions migratoires** devraient atteindre des niveaux extrêmement élevés, que l'Europe aurait de grandes difficultés à supporter. Selon le scénario climato-éco-sociologique envisagé, de **50 à 700 millions de personnes** en provenance d'Afrique subsaharienne, d'Amérique centrale ou du Sud et d'Asie, pourraient être amenées à **immigrer d'ici 2050**[2].

En France comme dans toute l'Europe, les conséquences sur la **vie sociale** et le **fonctionnement** du pays seraient sans doute considérables. Elles pourraient entraîner une forte demande de **protectionnisme** et de **fermeture** des frontières. Et provoquer l'arrivée au pouvoir de la **droite extrême**, éventuellement alliée à une partie de la droite «classique». Cela pourrait aussi donner lieu à de nombreux **départs** de ménages français (prioritairement ceux qui seront en mesure de le financer), mais aussi d'entrepreneurs à fort potentiel et de chefs d'entreprise

---

1. Prévisions ONU, *World Population Prospects*, révision 2017.

2. Rapport *Science and Policy for People and Nature* de l'IPBES (plate-forme intergouvernementale scientifique et politique sur la biodiversité et les services écosystémiques), 2028.

L'AFRIQUE SUBSAHARIENNE SURPEUPLÉE

9. Évolution de la population mondiale par grande région

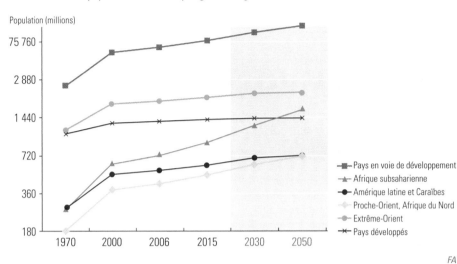

Population (millions)

	Pays en voie de développement
	Afrique subsaharienne
	Amérique latine et Caraïbes
	Proche-Orient, Afrique du Nord
	Extrême-Orient
	Pays développés

FAO

fortunés. La vague d'**émigration** pourrait s'étendre aussi aux **retraités** et à d'autres catégories sociales ne souhaitant pas subir les effets de ces vagues d'immigration.

*Un scénario plus optimiste pourrait émerger si des **accords bilatéraux** étaient conclus entre la France et les principaux pays africains émetteurs, et si des **aides** étaient apportées localement et efficacement pour favoriser une **croissance économique durable et créatrice d'emplois** dans ces pays.*

TERRITOIRE

DE L'EXODE RURAL À LA PÉRIURBANISATION

Partout dans le monde, les habitants des **campagnes** ont été attirés vers les **villes**, promesses d'emplois moins pénibles que ceux des champs, de revenus plus élevés et plus sûrs, d'une vie plus moderne et confortable. En France comme ailleurs, l'**exode rural** a vidé les campagnes et fait grossir le nombre des **citadins**, dès le milieu du XIXe siècle, favorisé par la révolution industrielle. Mais les attentes n'ont pas toujours

été satisfaites, et les grandes métropoles régionales sont devenues peu à peu des lieux réservés aux ménages **aisés** (souvent de **cadres**), capables d'acquérir ou de louer des logements de plus en plus **coûteux** (voir p. 300).

Dès le milieu des années **1970**, le mouvement s'est **inversé**, comme en témoignait le **recensement de 1975**. Les ménages plus modestes ont commencé à abandonner les centres-villes au profit des banlieues, puis se sont installés dans des «couronnes» de plus en plus éloignées, dans un mouvement baptisé **périurbanisation**, puis «**rurbanisation**». Ce fut l'époque des **lotissements** et du **multi-équipement automobile** permettant à chacun des membres du ménage d'être autonome dans ses déplacements (école, travail, courses, activités de loisirs...).

LA TENTATION DE LA NÉORURALITÉ

Beaucoup de ménages vivant dans des grandes villes ou dans leurs banlieues limitrophes sont aujourd'hui à la recherche de **logements** moins coûteux et d'un **cadre de vie** plus agréable, moins stressant. Mais ils souhaitent conserver certaines **habi-**

tudes **urbaines,** notamment en termes de **confort** du logement, d'**équipements collectifs** (transport, culture, sport...), de **commerces** (alimentaires et autres) et de **services** (médecins, hôpitaux, Poste, banques...). Contrairement aux soixante-huitards, qui partaient élever des moutons dans le Larzac, ces «**bobos des champs**» (bourgeois bohèmes ruraux) travaillent de plus en plus **à distance** de leurs entreprises, en tant que pluri-salariés, ou comme auto entrepreneurs (voir p. 269). En 2017, on comptait ainsi plus de 2 millions de **néoruraux.**

Le mouvement devrait se poursuivre dans les années à venir, s'appuyant sur des tendances lourdes, de sorte que leur nombre pourrait doubler d'ici **2030.** La prise de conscience écologique pousse en effet à un «*retour à la nature*» et de communion avec elle. Les modes de vie urbains engendrent de plus en plus d'**inconvénients**: stress; pollution de l'air; bruit; manque de convivialité et de solidarité; difficultés de transport; insécurité... Le **coût du logement** dans les grandes villes est souvent rédhibitoire pour les revenus modestes ou moyens, et il le restera en l'absence de *krach* immobilier (voir p. 300). Par ailleurs, le développement du **télétravail** sera de plus en plus facilité par l'usage d'outils de communication efficaces (ordinateurs, tablettes, smartphones...), la généralisation des connexions à haut débit, l'intérêt des entreprises à abaisser leurs coûts et à accroître la productivité de leurs collaborateurs (voir p. 277).

De nombreuses **communes** de taille modeste font d'ores et déjà des efforts pour attirer et accueillir cette population nouvelle, susceptible de redynamiser leur territoire. Certaines leur facilitent l'installation en leur offrant des conditions très avantageuses : terrains à 1 € le m² en Bretagne, logements subventionnés dans des départements du Centre, aide au développement de projets professionnels, de créations d'entreprises, etc. D'ici **2030,** la population de la France devrait ainsi continuer de s'accroître dans le **Sud** et l'**Ouest** du pays. Les (anciennes) régions du Languedoc-Roussillon, Midi-

Pyrénées et Provence-Alpes-Côte d'Azur[1] devraient encore connaître dans les prochaines années la plus forte croissance démographique, avec Rhône-Alpes, Pays de la Loire et Aquitaine. À l'inverse, la population du quart **nord-est** diminuerait[2].

L'URBANISATION INTERROMPUE ?

Contrairement à ce qu'indiquent de nombreuses prévisions, le niveau d'**urbanisation** pourrait être assez **stable** en France d'ici **2030,** en tout cas en ce qui concerne les plus **grandes villes.** Ce scénario s'appuie sur plusieurs facteurs :

- La poursuite de l'attraction de la **néoruralité,** synonyme de convivialité et de **modernité** (voir ci-dessus).
- La possibilité croissante de **télétravailler** depuis son domicile, en tant qu'indépendant, plurisalarié ou même salarié unique (voir p. 277).
- L'amélioration des **transports collectifs** (train, avion, nouveaux modes de déplacement, voir p. 215).
- La baisse du coût des **transports individuels,** avec la voiture électrique, hybride, ou à hydrogène (voir p. 214).
- La **modernisation** des communes de taille moyenne qui peuvent gagner en **efficacité** et **attractivité** en devenant elles aussi des «**communes intelligentes**» (voir p. 190).
- L'accès direct à des **espaces naturels** authentiques.
- La possibilité de pratiquer à distance et de façon virtuelle de nombreux **loisirs** numérisés (voir p. 344).
- Le développement des **modes d'instruction** et de formation en ligne tels que les **MOOCs** (voir p. 144).

---

1. Lors de la réforme des régions adoptée en 2015, seules celles de Bretagne, Île-de-France, Provence-Alpes-Côte d'Azur et Pays de la Loire ont conservé leur périmètre, leur nom et leur préfecture. La région Centre-Val de Loire a vu son nom modifié. Les 16 autres anciennes régions ont fusionné en 7 nouvelles : Normandie, Hauts-de-France, Grand-Est, Nouvelle-Aquitaine, Occitanie, Bourgogne-Franche-Comté, Auvergne-Rhône-Alpes.
2. Pour plus d'informations, voir l'étude prospective sur le site de l'INSEE.

Les habitants des moyennes et même petites communes pourraient ainsi bénéficier de l'« authenticité » (le **réel**) en recourant à des moyens **virtuels**, dans le cadre d'une réconciliation des deux mondes. De leur côté, les **métropoles** françaises devraient faire de plus en plus d'efforts pour maintenir ou accroître leur attractivité : logements ; emplois ; transports ; efficacité énergétique ; gestion des déchets ; aménagement des espaces publics ; mixité sociale ; lutte contre les pollutions (air, eau) ; immigration ; sécurité ; participation citoyenne…

Le pari du Grand Paris

Sauf nouveaux retards, la construction du **Grand Paris** devrait s'achever vers **2040**. Elle représente un gigantesque chantier, qui a fait l'objet de nombreux débats et controverses, notamment sur son **coût**, qui aurait été largement sous-évalué. Celui du **Grand Paris Express**, la grande boucle autour de la capitale formée par de nouvelles lignes de métro automatique pourrait atteindre 38,5 milliards d'euros, contre une prévision de 25,5 milliards d'euros en 2013[1]. Contrairement aux objectifs initiaux, ce « super métro », qui doit comprendre 200 km de lignes nouvelles au total et 68 nouvelles gares, ne pourrait pas être terminé avant les **jeux Olympiques de 2024** qui se dérouleront à Paris.

De nombreux logements, commerces, hôtels, équipements collectifs, services publics seront également réalisés, avec l'objectif de construire une **« mégapole intelligente »** et d'offrir suffisamment d'emplois pour les actifs (mais un habitant sur cinq devrait avoir plus de 65 ans en 2040, ce qui devrait réduire le nombre de demandes). Dès **2025**, 21 % des actifs franciliens devraient pouvoir **télétravailler** au moins à temps partiel, ce qui aurait pour effet de réduire le volume des déplacements.

1. Rapport de la Cour des comptes, janvier 2018.

Aujourd'hui, **75 % de la population** occupent **18 % de la superficie du territoire** (contre la moitié en 1936). 82 % des Français vivent dans une **aire urbaine**, au sens de l'INSEE[1]. Celle de **Paris** compte 12 millions d'habitants, dont la majorité dans les banlieues ou les couronnes périurbaines. La part de la population parisienne pourrait ainsi décroître dans les prochaines années.

LE TERRITOIRE MODIFIÉ PAR LE CLIMAT

Les modifications **climatiques** envisagées par les experts devraient entraîner un redécoupage du littoral et une diminution de sa partie **émergée**[2]. Le processus est déjà amorcé depuis plusieurs décennies dans certaines régions côtières, qui ont subi un fort repli de leur ligne de côte. Ainsi, en Gironde, la dune a reculé de près de 80 m en dix-sept ans, soit 4,70 m par an, avec une accélération depuis 2010. Le mouvement a même atteint **10 m par an** au sud de l'île d'Oléron.

Si des mesures fortes de prévention ne sont pas prises, **27 % du littoral** pourraient subir une **avancée maritime** en 2030. **46 % des plages** de sable ou de galets et **23 % des côtes rocheuses** seraient concernées. La répartition et l'équilibre des écosystèmes seraient perturbés, le secteur de la pêche de plus en plus affecté, les **habitations** en bord de mer menacées. L'**ensablage** des stations balnéaires pour contenir la disparition de la plage deviendrait de plus en plus onéreux et de moins en moins efficace.

D'autres événements, *a priori* **moins probables**, pourraient aussi modifier la

1. Ensemble de communes, d'un seul tenant et sans enclave, constitué par un pôle urbain (unité urbaine) de plus de 10 000 emplois, et par des communes rurales ou unités urbaines (couronne périurbaine) dont au moins 40 % de la population résidente ayant un emploi travaille dans le pôle ou dans des communes attirées par ce pôle.
2. Voir sur ce sujet le site du Conservatoire du littoral. En tant que propriétaire des espaces naturels littoraux qu'il protège, cet organisme participe à la réflexion sur leur gestion raisonnée et durable, et contribue à l'adaptation au changement climatique.

composition et la superficie du territoire national d'ici 2030 :

- L'indépendance, demandée (par référendum) et obtenue (par décision de l'État, ratifiée par les deux Assemblées) par une entité administrative française, en métropole ou en outre-mer. On pense en particulier à la Corse, dirigée aujourd'hui par une coalition d'autonomistes et d'indépendantistes (majoritaires depuis l'élection régionale de 2017) et à la Nouvelle-Calédonie, qui doit se prononcer par référendum en novembre 2018.
- Une guerre sur le territoire national, gagnée ou perdue, aboutissant à un gain ou une perte de territoire.
- Une guerre hors du territoire, gagnée, aboutissant à l'annexion d'un nouveau territoire.

La France sous-peuplée ?

Même si sa **natalité** diminuait dans les prochaines années, la **croissance** démographique de la France devrait rester supérieure à celle des autres grands pays européens. Le pays serait ainsi encore **sous-peuplé** par rapport à eux. Sa **densité** de population (métropole), qui était de 118 habitants/km^2 au début 2017, était par exemple plus de deux fois inférieure à celle du **Royaume-Uni** (271), dont le territoire est 56 % moins étendu. Pour être aussi densément peuplée que le Royaume-Uni, la France aurait dû compter à cette date **150 millions** d'habitants. Elle aurait dû en abriter **128 millions** si elle avait la même densité que l'**Allemagne** (232) et **111 millions** pour atteindre celle de l'**Italie** (201).

Mais la France n'a guère de raisons de se donner comme **objectif** d'atteindre la même densité de population que ses grands voisins européens. Rien ne permet d'affirmer qu'elle pourrait alors bénéficier d'une plus forte **croissance** économique, d'une plus grande **créativité** ou d'un **poids** politique ou culturel plus important dans le monde. Ni que ses habitants, plus nombreux, seraient plus **heureux**.

Les pays les plus **denses** du monde (après Monaco, Singapour, qui sont des cités-États) sont la bande de Gaza (3 800 hab./km^2), Malte (1 247), les Maldives (1 164), Bahreïn (1 085), le Bangladesh (1 083). Aucun d'entre eux n'est considéré comme un **paradis** terrestre. À l'inverse, des pays à faible densité comme l'Australie (2,6 hab./km^2), le Canada (3,4), la Norvège (14), la Finlande (15) ou la Suède (20) ou même les États-Unis (31) ont une image plus flatteuse. Il ne semble donc pas y avoir de **corrélation** entre la **densité** de population et son degré de **satisfaction**.

Ce sous-peuplement relatif de la France devrait en tout état de cause se **réduire** d'ici **2030**, dans la mesure où sa population continuerait d'augmenter, tandis que celle de l'**Allemagne** chuterait (en l'absence d'une immigration massive). La population de l'**Italie** resterait de son côté quasiment inchangée, avec 59 millions d'habitants.

ESPÉRANCE DE VIE

UNE DURÉE DE VIE MOYENNE FORTEMENT ACCRUE…

L'**espérance de vie** à la naissance projetée en **2030** est de **87,6 ans pour les femmes et 81,5 ans pour les hommes**[1], contre respectivement **85,5 ans** et **79,4 ans** en **2017**. Le gain en douze ans serait donc un peu supérieur à **2 années** pour les deux sexes, **en l'absence de progrès spectaculaires** de la médecine, mais aussi de **catastrophes** : guerres, épidémies et autres causes liées à l'environnement (pollution de l'air, de l'eau ou des aliments, champs électromagnétiques…).

D'autres études fournissent cependant des perspectives différentes, à partir d'autres hypothèses. Mais la majorité d'entre elles n'intègre pas les effets **des technologies de rupture** (NBIC…), qui promettent une réparation (au moins partielle) du corps au fur et à mesure de son usure, voire de façon préventive (voir chapitre *Santé*, p. 128). Dans ces conditions, l'espérance de vie humaine pourrait dépasser **100 ans** pour les personnes qui bénéficieraient de ces innovations, creusant ainsi les écarts existants avec les autres personnes.

Des **avancées** importantes sont en tout cas possibles d'ici **2030** en la matière, avec le développement des biotechnologies en général et, singulièrement, des thérapies géniques, des nanotechnologies, de l'immunologie, de la médecine réparatrice (notamment à partir des cellules souches), des vaccins et traitements médicamenteux, de la télésurveillance et de la télémédecine, des capteurs connectés, etc. Le gain d'espérance de vie pourrait donc **dépasser**, peut-être sensiblement, les deux années prévues par les démographes et les instituts de statistiques.

Ce pourrait être le cas aussi de l'espérance de vie «**en bonne santé**[2]» (sans limitation d'activité ou incapacité) bien qu'elle soit plutôt en **stagnation** depuis le début des années 2000. En 2017, elle était de 64,1 ans

1. Projections INSEE, 2017.
2. Nombre d'années qu'une personne peut compter vivre sans souffrir d'incapacité dans les gestes de la vie quotidienne (DREES).

pour les femmes et 62,7 ans pour les hommes, soit un écart de 16 ans pour les premières et 11 ans pour les seconds. Certains experts redoutent pour les prochaines années une augmentation de la prévalence de **maladies chroniques** (dont le coût devrait s'accroître sensiblement[3]) et de celles liées à l'**environnement**, un retour de **maladies anciennes** et l'arrivée de **nouvelles maladies**. Ces risques devraient cependant être au moins en partie **compensés** par les progrès attendus de la médecine (voir chapitre *Santé*, p. 128).

… AVEC UN ALLONGEMENT INÉDIT DE LA DURÉE MAXIMALE

Sauf remise en cause difficile à envisager aujourd'hui, les progrès de la **science** et de la technologique devraient être spectaculaires d'ici 2030, en particulier dans le domaine de la santé. Ils devraient faire entrer l'Humanité dans une ère nouvelle et bouleverser la vie dans tous les domaines. La durée de vie **maximale** pourrait ainsi être accrue de façon très sensible. Celle fixée depuis longtemps aux alentours de 130 ou 140 ans (la Française Jeanne Calment est décédée à l'âge de **122 ans**, record actuel de longévité humaine) pourrait ainsi être largement dépassée, sans qu'une nouvelle limite puisse être aujourd'hui fixée.

Les adeptes du **transhumanisme**[4] vont beaucoup plus loin encore dans ce sens.

3. Les quatre maladies chroniques majeures au sein de l'Union européenne (cancer, problèmes respiratoires, diabètes et maladies cardiovasculaires) représentent un coût de près de 500 milliards d'euros, soit environ 35 % des dépenses en soins de santé. Même avec une politique de prévention «ambitieuse», il pourrait s'accroître de 26 % d'ici 2030 (étude de l'institut Itinera, université de Gand, 2018).
4. Mouvement à la fois intellectuel, scientifique et philosophique initié et entretenu par des chercheurs-rêveurs-prêcheurs californiens, dont le centre névralgique est l'université de la Singularité, en Californie. Le mot *transhumanisme* a été employé pour la première fois en 1957, avant de se développer à partir des années 1980. Il a acquis aujourd'hui une forte notoriété, fondée sur les débats qu'il fait naître, les espoirs et les craintes qu'il suscite. Il repose sur une hypothèse majeure : la nature humaine peut (et doit lorsque c'est possible) se transformer, en éliminant ses tabous et blocages mentaux. Même si ses adeptes précisent que «*la nature humaine est et devrait rester essentiellement inaltérable*», beaucoup considèrent qu'elle ne doit pas se fixer de limites. L'individu peut ainsi être non seulement réparé, mais «augmenté» par la science et ses applications.

TROIS MOIS DE VIE EN PLUS PAR AN DEPUIS 70 ANS

10. Évolution de l'espérance de vie à la naissance par sexe et projection pour 2030

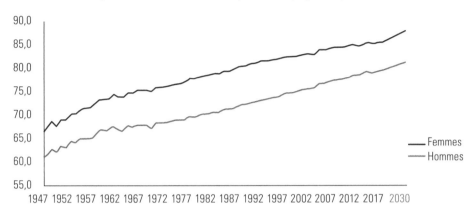

Certains imaginent que l'espérance de vie pourrait atteindre plusieurs siècles. Pour eux, l'Humanité arrivera bientôt à un point de «singularité», défini par son concepteur, Ray Kurzweil, comme «*celui où l'intelligence artificielle couplée aux nouvelles technologies rendra l'homme d'aujourd'hui dépassé*». Cela se produirait selon lui en **2029**. À partir de cette date, la durée de vie pourrait ainsi être allongée d'un an chaque année, ce qui conduirait à... l'**immortalité** (voir encadré p 473).

Cependant, la **forme** de cette «immortalité» reste à définir. Le **téléchargement d'un cerveau humain** sur un disque dur (rendu possible par la puissance de calcul disponible) et sa **transplantation** dans le corps d'un **robot** pourraient-ils par exemple être considérés comme le prolongement d'une vie humaine? Ne s'agirait-il pas en fait d'un «tour de passe-passe», si le cerveau ne sait que faire de ce «corps» qui n'a pas été conçu en même temps que lui?

LA MULTIPLICATION DES CENTENAIRES

11. Évolution du nombre de centenaires en France depuis 1900 et prévisions jusqu'en 2070

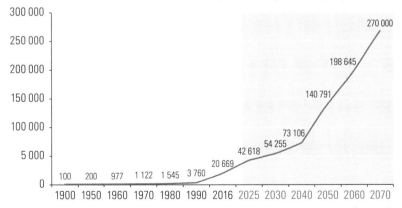

France métropolitaine
INED, INSEE

Quel effet cela aurait-il sur la « conscience » (en supposant qu'elle soit téléchargeable avec le cerveau, ce qui n'est pas du tout démontré) ? Ce type de conjecture tend à réduire la notion d'Humanité à des performances technologiques (voir encadré ci-dessous).

Si elles s'avéraient, ces perspectives auraient évidemment des incidences considérables sur la **démographie** (surpopulation…), l'**environnement** (pollutions…), le **travail** (emploi, cotisations de chômage…), l'**économie** (production, consommation…), la vie sociale (guerre des âges…) et l'ensemble des **modes de vie**. Elles pourraient aussi entraîner des **conflits** au sein de certains pays, ou entre des pays. Des conséquences auxquelles les transhumanistes ne semblent guère réfléchir.

UN VIEILLISSEMENT GÉNÉRAL, MAIS INÉGAL

À supposer qu'elle soit individuellement et collectivement souhaitable (ce qui est difficile à démontrer), l'immortalité n'est pas à portée de main (ou d'éprouvette) des chercheurs. Le **vieillissement** général de la population apparaît en revanche inéluctable. Outre les progrès de la science, il sera la conséquence de l'arrivée à des âges avancés des générations nées pendant les Trente Glorieuses (1945-1974). En **2030**, 29 % de la population métropolitaine devraient avoir au moins **60 ans** (contre 25,1 % en 2017) et 12 % au moins **75 ans** (contre 9,3 %). En **2050**, ces proportions seraient de 31,9 % (60 ans et plus) et 16,0 % (75 ans et plus). L'**âge moyen** passerait de **41,2 ans en 2016** à **43 ans en 2030**.

L'autre inégalité des sexes

La société se préoccupe de plus en plus, et à juste titre, des **inégalités** encore subies par les **femmes** : salaires, emplois, violences, tâches ménagères… Elle s'intéresse beaucoup moins à celle subie par les **hommes** en matière de **durée de vie**. Comme si le sujet était tabou, et l'écart (6 années en 2018) « normal », dans la mesure où il apparaît difficile à résorber. Ainsi, selon une étude portant sur 35 pays développés[1], l'espérance de vie des **Françaises** pourrait atteindre **88,6 ans** en **2030** (soit un an de plus que la projection INSEE choisie comme référence ci-dessus, du fait d'hypothèses différentes). Elles occuperaient alors la **deuxième position dans le monde**, derrière les Coréennes du Sud (90,8 ans). Mais l'espérance de vie des **hommes** français ne serait que de **81,7** ans, soit près de **7 années de moins**, ce qui les placerait seulement en **17ᵉ position**.

Cette inégalité entre les sexes est majeure, puisqu'elle concerne un élément fondamental : le **temps** dont chacun dispose pour vivre. Elle s'explique d'abord par des différences dans les modes de vie : les hommes ont davantage de risques que les femmes de mourir prématurément dans leur vie **professionnelle** (pénibilité du travail, risques d'accidents), mais aussi **personnelle** (conduite automobile, sports violents, consommations, etc.). Ils sont également moins bien suivis médicalement. À l'inverse, les femmes seraient plus **résistantes**, d'un point de vue biologique. Elles produisent naturellement par exemple plus d'**antioxydants**.

Pourtant, les modes de vie féminins sont de plus en plus **semblables** à ceux des hommes, qu'il s'agisse de la durée de travail, du type d'activité professionnelle, de la consommation de tabac ou d'alcool. Mais l'inégalité d'espérance de vie reste élevée (6 ans), bien qu'elle diminue lentement. Début 2018, celle des **hommes** était ainsi équivalente à celle que les **femmes** avaient au **milieu des années 1980**. Au rythme actuel de rapprochement, il faudrait 60 ans pour parvenir à l'égalité entre femmes et hommes dans ce domaine.

1. Étude réalisée par une équipe de l'*Imperial College* de Londres, publiée en février 2017 dans *The Lancet*. Elle repose sur un modèle probabiliste (Bayésien) fondé sur l'exploitation des données d'évolutions passées pour les différents pays. Elle retient les prévisions ayant 50 % de probabilité, ce qui peut être un choix contestable. Ces chiffres d'espérance de vie des deux sexes diffèrent de ceux retenus dans cet ouvrage (87,6 ans pour les femmes et 81,5 ans pour les hommes).

Un accroissement des **inégalités** de longévité est à craindre entre les catégories sociales, qui n'auront sans doute pas toutes accès aux progrès à venir en matière de santé (voir p. 128) : thérapies géniques, cellules souches, médecine préventive, réparatrice, prédictive, personnalisée, télémédecine... Ces progrès pourraient aussi être plus marqués chez les **femmes** que chez les hommes, qui sont en moyenne moins bien suivis qu'elles.

Il faut rappeler qu'aujourd'hui, l'écart d'espérance de vie à la naissance des **hommes** atteint **13 années** entre les **5 %** de Français les plus **aisés** (en termes de «niveau de vie», voir p. 288) et les **5 %** les plus pauvres : 84,4 ans contre 71,7 ans[1]. L'écart n'est «que» de **8 années** en ce qui concerne les **femmes**. Cette forte corrélation entre durée de vie et richesse devrait encore se vérifier à l'avenir ; elle pourrait même s'aggraver en même temps que les écarts de revenus augmenteraient entre les individus (voir p. 289).

ET SI...

Les questions figurant dans cette rubrique ne sont pas des informations, mais des sujets de réflexion et de débat complétant les textes du chapitre qu'ils clôturent. Elles peuvent exprimer des souhaits, des craintes, des utopies ou tout élément susceptible d'accélérer, ralentir ou inverser les évolutions prévisibles.

... la descendance des femmes et des hommes était limitée au simple remplacement des générations dans les pays où elle le dépasse largement, par des dispositions légales, la mise à disposition gratuite d'outils de contraception et une pédagogie objective sur les enjeux démographiques ?

... l'accueil des migrants était (au moins en partie) défini à l'échelle mondiale et/ ou européenne en fonction de critères globaux (pyramide des âges, besoin de main-d'œuvre, croissance économique, proximité culturelle...), régulièrement débattus entre les parties prenantes ?

... le taux d'urbanisation était limité, et l'habitat néorural favorisé pour maintenir ou recréer un équilibre économique, écologique et social du territoire ?

... le gain d'espérance de vie connaissait une croissance beaucoup plus forte dans les prochaines décennies, du fait de l'avancée des sciences et technologies ?

... l'espérance de vie diminuait sensiblement dans les prochaines années, sous l'effet de l'accumulation de conditions environnementales délétères ?

---

1. Étude INSEE 2017.

ÉCONOMIE

Les facteurs (exogènes et endogènes) qui détermineront l'évolution de l'économie du monde et celle de la France d'ici **2030** sont innombrables. Aucune **modélisation** ou **simulation** de type « mécaniste » (même réalisée par une **intelligence artificielle** très puissante) ne peut donc être fiable, car la combinaison des **variations** possibles de chaque composante conduit à des **marges d'erreur** considérables.

Il est par ailleurs impossible de prédire les causes et les conséquences des **« crises »** et des **« ruptures »** (favorables ou défavorables) qui se produiront vraisemblablement d'ici **2030**, à l'échelle mondiale, européenne, nationale ou locale dans de nombreux domaines : financier, économique, sociétal, environnemental, politique, géopolitique et, en premier lieu, technologique. Si elles se produisent, ces ruptures entraîneront des changements, ajustements, adaptations, réformes qui bouleverseront toute prévision. L'existence et l'ampleur de ces **« cygnes noirs »** (appellation donnée par le statisticien Nassim Taieb à des événements imprédictibles mais probables) ne peuvent être par nature intégrées, pas plus que l'**« effet papillon »** s'applique à tous les domaines.

Dans ces conditions, la façon la plus « sage » d'envisager l'évolution économique est de prendre en compte la situation présente et de l'ajuster à partir des **tendances** (quantitatives et qualitatives) que l'on peut observer aujourd'hui. Cela nécessite un travail de recherche aussi **« objectif »** que possible mais aussi la prise en compte d'un **« ressenti »,** par nature **subjectif**.

Ce ressenti n'a évidemment d'utilité que s'il s'appuie sur une **observation** attentive et sans parti pris idéologique des « acteurs » de l'économie (à commencer par les individus-consommateurs). On sait en effet que le **« moral des ménages »** conditionne assez largement l'état de la société et les performances macroéconomiques d'un pays, comme l'ont montré les travaux de plusieurs prix Nobel d'économie contemporains tels que John Nash, John Harsanyi et Reinhard Selten (récompensés en 1994), Robert Aumann et Thomas Schelling (2005), Leonid Hurwicz, Eric Maskin et Roger Myerson (2007) ou le Français Jean Tirolle (2014).

Dans ce contexte, les **psychologues** et **sociologues** apparaissent autant armés que les économistes classiques pour réfléchir à l'avenir. Leur risque de se tromper n'est pas comparable, car non mesurable. On peut ajouter que les prévisions des économistes sont souvent **éloignées** les unes des autres, ou même **contradictoires**. Il n'est alors guère possible d'identifier celles qui ont le plus de chances de s'avérer. L'histoire, ancienne ou récente, montre également que les **« consensus »** économiques ne sont pas plus fiables ; ils sont souvent le résultat d'un **mimétisme,** conscient ou non.

Aussi, les éléments de prospective qui suivent s'inscrivent dans une démarche que l'on pourrait qualifier de **« sensitive »** (plutôt que « subjective ») et d'**« intégrative »** (qui s'efforce de « qualifier » les données fournies par les économistes et les organismes spécialisés). Enfin, plutôt que de citer des **« scénarios »** différents (et souvent opposés) en raison d'**hypothèses** multiples, il a été choisi ici de décrire un scénario majeur, ou **« central »**, en précisant lorsque cela semble pertinent les changements et événements qui seraient susceptibles de le modifier sensiblement.

CROISSANCE

UN TAUX DE CROISSANCE PLUS FAIBLE POUR LE MONDE…

Le **taux de croissance du PIB** reste pour la plupart des économistes le principal (voire le seul) indicateur global et synthétique de la santé d'un pays. Il en est de même, par habitude plus que par conviction, des **médias** et, par contrecoup, de la population, qui n'en connaît guère d'autres. De nombreux travaux et réflexions (ceux notamment engagés par la commission Stiglitz en 2008, voir encadré ci-après) montrent pourtant que cet indicateur doit être mis en question.

En attendant, il n'existe guère d'autre choix que de s'y référer pour évoquer l'économie du futur. D'ici **2030**, les prévisions des instituts et des économistes font état d'un taux de croissance pour la France très variable, compris **entre 0,5 et 3 % par an** selon les scénarios envisagés[1] (voir ci-après). Les chiffres les plus crédibles nous semblent être situés dans le bas de la fourchette, si l'on prend en compte les trois hypothèses suivantes :

- Une croissance mondiale moins forte, et dominée par les grands pays émergents (Chine, Inde, Brésil…), au détriment de l'Amérique du Nord, du Japon et de l'Europe. Même si elle ralentit dans les prochaines années, il faut souligner que la croissance aura permis au revenu moyen par habitant en Chine et en Inde de doubler en dix ans, alors qu'il avait fallu 150 ans au Royaume-Uni pour y parvenir, avec une population 100 fois moins nombreuse.
- Un affaiblissement de l'Union européenne, notamment si elle persiste à vouloir fonctionner à 27 pays (après la mise en œuvre du Brexit), formant un groupe très peu homogène dans ses valeurs, ses aspirations et ses pratiques.
- Une destruction d'emplois (nette) liée à la robotisation de nombreuses tâches, entraînant un taux de chômage élevé (voir p. 47).

Ces deux dernières hypothèses peuvent ne pas être validées dans les faits, ce qui conduirait à un taux de croissance plus élevé.

… ET POUR LA FRANCE

Aux éléments exogènes évoqués ci-dessus s'ajoutent des difficultés propres à la France :

- Des tensions sociales et des risques politiques afférents, notamment une montée des extrémismes liée à la question migratoire et à l'accroissement des inégalités (voir p. 242).
- Une incertitude quant à sa capacité à mettre en place des réformes ambitieuses et efficaces dans de nombreux domaines : recherche et développement ; éducation-formation ; marché du travail ; libéralisation de l'économie et lutte contre les rentes ; adaptation du statut de la fonction publique ; soutien à la construction immobilière… Le niveau et la perception de la « transformation de la France » promise par le président élu en mai 2017 seront à cet égard des éléments déterminants pour l'avenir.
- Un endettement préoccupant (2 300 milliards d'euros début 2018, soit 97 % du PIB, contre 1 000 milliards en 2003).
- Le niveau excessif des dépenses publiques (56 % du PIB en 2017), entraînant une charge annuelle de 42 milliards d'euros (avec des taux d'intérêt particulièrement bas, qui pourraient être relevés, voir p. 43).
- Les déficits cumulés des services publics ayant entraîné une dégradation de leur qualité (éducation, santé, transports, infrastructures…).
- Une attractivité encore insuffisante du pays (malgré sa hausse récente), induisant une hésitation des investissements

---

1. Par exemple, le Centre d'analyses stratégiques dans son rapport *La France en 2030* prévoyait des taux de croissance moyens pour la période 2010-2030 allant de 1,6 % dans le scénario « Noir » à 2,3 % dans le scénario « Croissance soutenue et soutenable et Marché du travail plus efficace ».

Croissance et PIB, des indicateurs à revoir

Les indicateurs permettant de mesurer précisément l'état du **nouveau monde** en formation restent à inventer. La notion centrale de **PIB** et donc celle de sa croissance annuelle (même comparée à celle des autres pays) apparaît très insuffisante, voire trompeuse pour de nombreuses raisons :

- Elle rend seulement compte, et de manière très imparfaite, de la **production de richesse**, en considérant par exemple comme positive la consommation d'essence par les véhicules dans les **embouteillages**, le **nettoyage** des plages après une marée noire ou la réparation des voitures après des accidents de la route.
- Elle ne prend pas en compte les activités **bénévoles**, ni celles de **loisirs**, qui créent pourtant de la valeur.
- Elle ne fournit pas d'indication sur les **inégalités** à l'intérieur du pays (un cinquième de l'humanité se partage 2 % du revenu mondial, et les écarts d'espérance de vie dépassent quarante ans…).
- D'une manière générale, elle ne dit rien de précis sur la **qualité de la vie réelle** ou **perçue** (degré de satisfaction de la population).
- Elle ignore l'état de l'**environnement** (changement climatique, épuisement des ressources…).
- Elle ne fournit aucun moyen d'**anticiper** les risques liés à une crise, comme celle par exemple de 2007.

Il est donc nécessaire de compléter, voire de remplacer cet indicateur par d'autres. C'est ce qu'avait suggéré la commission Stiglitz, créée en 2008, dans le but d'améliorer la mesure de **la prospérité économique** et de la **performance sociale** (PEPS !). Ses propositions s'articulaient autour de trois axes : **économie** (calcul du PIB) ; **bien-être** (objectif et subjectif) ; **soutenabilité** du développement (financière et physique). Depuis, l'INSEE a pris en compte dans ces travaux certaines de ces propositions. Il reste aux **acteurs** de la société à les prendre en compte dans leurs décisions et aux Français à les intégrer dans leurs perceptions.

Un indicateur plus riche que le PIB, l'IDH **(Indice de développement humain),** a été proposé par deux économistes : Amartya Sen (Indien, prix Nobel d'économie 1998) et Mahbub ul Haq (Pakistanais). Il est calculé depuis 1990 par le PNUD[1] Il intègre trois éléments (comportant chacun plusieurs critères) : **revenu national brut par habitant** (en parité de pouvoir d'achat) ; **espérance de vie à la naissance** ; **niveau de scolarisation des jeunes.** Le classement 2016 était dominé par la Norvège, devant l'Australie, la Suisse, l'Allemagne, le Danemark, Singapour, les Pays-Bas, l'Irlande, l'Islande, le Canada et les États-Unis. La **France**, supposée être le pays du **bien-vivre,** ne se situait qu'à la **21e place**, ce qui illustre les progrès qu'elle doit réaliser dans certains domaines au cours des prochaines années.

---

1. Programme des Nations unies pour le développement.

étrangers devant les tensions existantes entre les groupes sociaux.

- Un commerce extérieur structurellement déficitaire, provoqué par un coût du travail plus élevé que celui des pays concurrents (notamment l'Allemagne), des produits de moyenne gamme insuffisamment attractifs, un tissu de PME trop faible, aux capacités d'innovation trop réduites.

Les scénarios de croissance d'ici **2030** établis par l'OFCE et de l'OCDE oscillent entre 1,5 % et 2 % par an. Ceux de l'OCDE prévoient notamment un **déclin** relatif de la France lié à la montée du protectionnisme. Elle pourrait ainsi être dépassée par l'**Inde** dès **2019**, puis par la **Corée du Sud** et le Brésil d'ici **2030**[1]. Elle sortirait alors du **G8**, pour occuper la **13ᵉ place** dans le monde. Malgré une démographie favorable, elle serait pénalisée par un manque de **compétitivité**.

Compte tenu des efforts d'adaptation entrepris depuis 2017, on peut cependant tabler sur un **taux de croissance moyen d'environ 1,7 % par an d'ici 2030**. Proche de 2 % jusqu'au début des **années 2020**, il serait ensuite pénalisé par la mise en place accélérée de la **robotisation** (voir p. 255).

INFLATION

DES PRIX PLUTÔT EN HAUSSE...

L'historique de l'évolution des prix en France fait apparaître une **maîtrise** croissante de l'inflation depuis le milieu des années 1980, avec un niveau **historiquement bas depuis 2012** (hors la courte période de déflation enregistrée au milieu des années 1950). L'inquiétude des dernières années avait porté davantage sur les risques de **déflation**, susceptible d'entraîner une baisse de l'activité économique. Cette situation pourrait s'inverser dans les prochaines années.

On peut en effet plutôt miser sur une **reprise de l'inflation**, qui serait en partie provoquée par une hausse des coûts de l'**énergie** (voir p. 46). Celle-ci a d'ailleurs commencé en 2018 : après avoir baissé jusqu'à 27 dollars en février 2016, le baril de **pétrole** avait atteint 72 dollars en mai 2018. Dans le même temps, l'**euro** avait perdu de sa valeur contre le dollar, ce qui avait renchéri d'autant le prix payé pour l'approvisionnement.

... ENTRAÎNANT UNE REMONTÉE DES TAUX D'INTÉRÊT

Une hausse de l'inflation est souvent le signe d'une **croissance économique**, qui permet aux entreprises d'accroître leur activité, et donc les revenus de leurs salariés. Mais cela dépend de l'évolution des **taux d'intérêt** pratiqués par les **banques centrales**, à commencer par la Fed américaine, qui donne généralement le ton au reste du monde.

Après le très faible niveau des taux d'intérêt maintenu pendant plusieurs années, la perspective pour le proche avenir est celle d'une **hausse**. Pour les pays qui la pratiquent, elle a pour effet d'accroître la valeur de leur monnaie par rapport aux autres, puisqu'elle offre une meilleure rémunération aux investisseurs. Elle **réduit** donc le coût de ses **importations**, mais **renchérit** ses prix à l'**exportation**. La **France**, dont la **balance commerciale** est largement et structurellement **déficitaire**, n'a donc guère d'intérêt à voir l'euro s'apprécier si elle veut la rééquilibrer.

En ce qui concerne les ménages, leur **patrimoine financier** sera valorisé en cas d'inflation plus forte, et l'incitation à placer leur épargne en sera accrue (au détriment de la consommation). À l'inverse, la hausse des **taux d'intérêt** aura des effets dissuasifs sur l'**endettement** des ménages et devrait tendre à faire baisser les prix de l'**immobilier** (voir ci-après). Un **appauvrissement** (au moins provisoire) pour ceux qui sont déjà propriétaires, une **opportunité** pour ceux qui souhaitent acheter, à condition

---

1. Selon le *think tank* britannique CEBR *(Center for Economic and Business Research).*

INFLATION : LA LONGUE BAISSE

12. Évolution de l'indice des prix à la consommation (en %, moyenne annuelle)

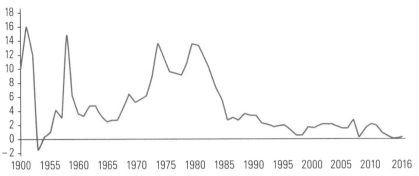

INSEE

qu'ils ne soient pas contraints d'emprunter pour le faire.

UNE DETTE TRÈS COÛTEUSE

La **dette nationale** de la France a atteint **2 300 milliards d'euros** en 2018, soit l'équivalent d'**une année entière de PIB**. Elle a été ainsi multipliée par 30 en quarante ans (73 milliards en 1978). Elle a connu pendant ces quatre décennies une croissance vertigineuse et volontairement **ignorée par les gouvernements comme par les Français** : 364 milliards en 1990, 837 en 2000, 1 595 en 2010. Chaque Français se trouve ainsi devoir 37 000 euros aux créanciers de son pays (soit 73 000 euros par ménage), dont les deux tiers d'entre eux sont étrangers.

Un regain d'inflation dans les prochaines années entraînerait certes une **baisse mécanique de la valeur de la dette** en monnaie courante. Mais une hausse concomitante des **taux d'intérêt** aurait un effet inverse. La France, qui sera encore obligée d'emprunter sur les marchés monétaires pour payer chaque année les intérêts de la dette, le fera à un coût plus élevé, de sorte que la charge de la dette s'accroîtra. L'inflation ne serait ainsi utile que si la France était en mesure d'**équilibrer** son budget, ou mieux encore de dégager des excédents (comme l'Allemagne), c'est-à-dire beaucoup mieux que les 3 % de **déficit** autorisés par l'Union européenne.

L'**héritage** laissé aux générations suivantes de contribuables et à des gouvernements qui ne disposeront pratiquement d'aucune marge de manœuvre budgétaire sera donc très lourd à porter (voir encadré ci-après).

UN DÉGONFLEMENT POSSIBLE DE LA BULLE IMMOBILIÈRE

Pour les **particuliers**, la situation sera semblable à celle de l'État. Les **épargnants** et les **rentiers** qui ont investi dans des obligations (tels les fonds en euros des assurances-vie) verront leur **patrimoine** s'éroder avec l'inflation. Les propriétaires **immobiliers** devraient voir leurs biens s'apprécier, à condition que la **demande** ne fléchisse pas. Or, les accédants qui devront **emprunter** pour acheter devront payer plus cher leurs crédits. Le temps des crédits à taux dérisoire prendra fin, et les mensualités de remboursement seront sensiblement plus élevées.

Cependant, les ménages concernés devraient bénéficier de hausses de salaires destinées à compenser l'inflation. Cela dépendra des **résultats des entreprises**, dans une compétition internationale exacerbée. Dans l'hypothèse d'une croissance économique plutôt faible (voir p. 41), le renchérissement du crédit pourrait ainsi se traduire par une **baisse** des prix de l'immobilier, avec un dégonflement progressif

L'équation insoluble

Les **injonctions** sans cesse adressées à l'État et aux acteurs de l'économie par les citoyens, les entreprises, les syndicats ou l'Union européenne sont *a priori* **contradictoires**. Elles forment ensemble un **système d'équations** très complexe, qui peut se formuler en quelques objectifs souvent incompatibles :

- **Réaliser davantage d'économies publiques** que de **dépenses nouvelles**, afin de réduire le taux de **dépenses publiques,** supérieur à celui de la plupart des autres pays développés. Or, les pressions sont très fortes dans tous les domaines (éducation, santé, défense, politique familiale, chômage, transport public…) pour réclamer toujours plus de **moyens**. Chacun se focalise sur son propre secteur, sans se préoccuper de l'état global des finances publiques. La **solidarité** de principe affichée par les Français ou leurs représentants syndicaux est souvent **sélective**, voire corporatiste.
- **Accroître le pouvoir d'achat des ménages**, en augmentant les salaires au-delà de l'inflation et/ou en réduisant les impôts pour les particuliers. La hausse du pouvoir d'achat ne peut être provoquée que par les entreprises (dans le secteur privé) et l'État (dans le secteur public et par la redistribution). Pour les premières, cela implique une hausse de leurs profits, c'est-à-dire une augmentation de leur activité et, probablement, une baisse de leurs charges (voir point suivant). Pour l'État, la baisse des impôts apparaît peu compatible avec le point précédent (réduction de la dépense publique).
- **Réduire les charges des entreprises** pour les rendre plus **compétitives**, notamment à l'**exportation**. Le problème est semblable à celui évoqué dans le point précédent, sauf si l'État pouvait récupérer au moins l'équivalent de cette dépense sous forme d'impôts sur les bénéfices, ce qui paraît peu probable, compte tenu des taux déjà élevés pratiqués et de l'objectif de baisse affiché.

- **Réduire les déficits publics** et la **dette nationale**. Cette attente, légitime et de plus en plus urgente, est en contradiction avec les précédentes.
- **Restaurer l'environnement.** Ce défi impératif ne pourra être relevé qu'en **investissant** massivement dans les « **énergies propres** », afin de ne pas aggraver la situation, et en « **réparant** » progressivement les dégâts déjà subis, en supposant que ce soit possible. L'**endettement** national s'en trouvera encore accru, pendant une **durée** probablement longue avant d'obtenir un retour sur cet investissement.
- **Mettre en place un approvisionnement énergétique renouvelable** et sans impact environnemental. Cela demandera des décennies (l'objectif est de parvenir seulement à **35 % en 2030**).
- **Respecter les engagements européens**. Les critères de Maastricht, décidés en commun par les pays de l'Union européenne, ont été longtemps ignorés par la France, qui en est signataire. Sa crédibilité ne pourra être retrouvée (et sa volonté de leadership dans le processus de réinvention de l'Europe reconnue) que si elle les respecte, notamment en matière de déficit budgétaire, ce qui a été réalisé en 2017. Mais cet engagement rend plus difficile encore de répondre aux autres attentes et pressions.

Cette équation éco-écolo-socio-politique, telle **qu'elle est posée**, apparaît **insoluble**. Elle ne pourra trouver des réponses que partielles et étalées dans le temps, et il faudra établir des **priorités**. Cela suppose que les Français et les autres parties prenantes acceptent de revoir à la **baisse** certaines de leurs attentes et/ou de les **reporter**. Cela revient à demander à chacun des acteurs de se comporter de façon **responsable**, en donnant la priorité à l'**intérêt général** sur les **intérêts particuliers** ou **corporatistes**. Un tel changement s'apparente à une **révolution culturelle**.

(voire une explosion brutale) de la «bulle» qui s'est formée au cours des années 2000 (voir p. 190). L'indice du prix des logements anciens rapporté au revenu disponible des ménages (base 100 en 1965) a ainsi pratiquement **doublé entre 1999 et 2008**[1]. Il est très largement sorti du «tunnel» de variation (entre 90 et 110 %) dans lequel il s'est maintenu pendant des décennies.

La **demande** *de logements pourrait cependant rester forte, en particulier dans les «* ***zones tendues*** *» comme Paris et d'autres grandes métropoles. Cela rendrait alors caduc le scénario d'un éclatement de la « bulle immobilière ».*

PAS DE PÉNURIE DE PÉTROLE À PRÉVOIR...

La consommation finale d'énergie de la France est encore pour les deux tiers composée de combustibles **fossiles** (68 % en 2015, dont 46 % de **pétrole**, 20 % de **gaz naturel**, 2 % de **charbon**). Le **nucléaire** en représente un cinquième (19 %, mais 72 % de l'électricité consommée) et les **énergies renouvelables 14 %** (biomasse-déchets 9 %, hydraulique 3 %, éolien 1 %, solaire et autres 0,5 %).

L'usage des **énergies fossiles** est appelé à se réduire dans les années, du fait de leurs effets environnementaux et de leur raréfaction. En ce qui concerne le **pétrole**, les experts et les écologistes ont indiqué pendant des décennies que l'on allait atteindre le *pic de production*[2]. Son échéance était estimée à environ quarante ans il y a quarante ans (avec un prix du baril d'environ 10 $), Certains le situent encore aujourd'hui dans... quarante ans, mais avec un prix de 100 $ le baril. D'autres considèrent qu'il est déjà survenu (voir graphique ci-après).

Nul ne peut en réalité fixer une date, car elle dépend des **découvertes** de nouvelles nappes (notamment dans les schistes bitumineux américains ou canadiens), de leur **coût d'exploitation**, et de l'évolution de la **demande énergétique**. C'est ce dernier paramètre qui devrait être le plus déterminant. Les spécialistes et les compagnies pétrolières elles-mêmes commencent à prévoir une forte **baisse** de la demande de pétrole d'ici la **fin des années 2030**, liée au développement des **véhicules électriques**. Les réserves pétrolières seraient ainsi suffisantes pour répondre au double de la demande actuelle jusqu'en **2050**[3]. Le facteur majeur de changement sera donc la transformation de l'**industrie automobile**, premier client du secteur pétrolier.

... MAIS UNE ÉNERGIE GLOBALEMENT PLUS CHÈRE...

Si les **coûts** d'extraction des énergies fossiles comme le pétrole n'augmentent pas du fait d'une demande en baisse, les **taxes** qui leur sont appliquées pourraient, elles, progresser pour financer et accélérer le processus de remplacement par des **énergies renouvelables**. Même si elle ne constitue pas une **nécessité économique**, la **transition énergétique** est en effet une **nécessité écologique**, donc vitale. Les coûts d'exploitation de l'énergie éolienne ou solaire ont déjà sensiblement diminué. Hors l'effet des taxes à vocation politique et écologique, ils devraient continuer de baisser fortement

---

1. CGEDD, d'après l'INSEE, les bases de données notariales et les indices Notaires-INSEE désaisonnalisés.
2. Moment où la production mondiale de pétrole plafonne avant de commencer à décliner du fait de l'épuisement des réserves exploitables.

3. D'après la compagnie pétrolière britannique BP.

LE PIC PÉTROLIER DÉJÀ ATTEINT ?

13. Extraction de pétrole dans le monde (en milliards de barils par an) et évolution projetée

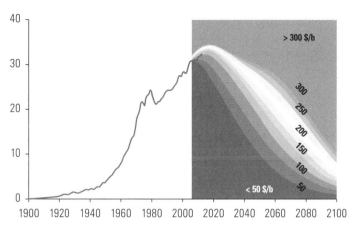

Patrick Brocorens, ASPO Belgique

à partir de **2020**, au point de devenir **compétitifs** avec les sources d'énergies **fossiles** (pétrole, gaz, charbon)[1].

Mais le développement des énergies renouvelables impliquera de lourds **investissements** (équipements, réseaux de distribution...), qui devront être financés sans recourir à l'**endettement**, déjà considérable en France (voir p. 44). S'y ajouteront des coûts importants liés à la **restauration de l'environnement** et à la **rénovation** énergétique des bâtiments. On peut donc s'attendre au total à une **hausse** des prix de l'énergie pendant la période de transition, qui serait aussi en partie une incitation pour les ménages à moins consommer.

... PENDANT LA PÉRIODE DE TRANSITION ÉNERGÉTIQUE

Le secteur des **énergies renouvelables** pourrait ainsi représenter 24 millions d'emplois dans le **monde** d'ici **2030** (contre 9,8 millions en 2016), soit le double de ceux de 2012. En **Europe**, ces énergies ont produit pour la première fois en 2017 davantage d'**électricité** que le charbon et le lignite, contre moins

de la moitié en 2012. 30 % de l'énergie produite l'ont été par des **énergies** vertes (contre 9,7 % en 2010) : éolien (11,2 %), solaire (3,7 %), biomasse (5,9 %), hydraulique (9,1 %). L'**éolien** a «le vent en poupe» (!), avec une hausse de 19 % en 2017, et c'est paradoxalement le **solaire** qui cherche un nouveau «souffle» (!).

La **France**, qui dépend encore largement du **nucléaire**, est encore assez peu présente dans ces secteurs. Elle s'est donné comme objectif de diviser par deux sa consommation totale d'énergie d'ici **2050**. Elle doit aussi faire passer de 75 à **50 %** la part du **nucléaire** dans l'électricité d'ici à **2025** et augmenter dans le même temps celle des énergies **renouvelables** (éolien, biogaz, hydraulique, géothermie, etc.) à **32 %**. Elle devra parallèlement diminuer de 30 % le recours aux énergies **fossiles** en **2030**.

EMPLOI

UNE HAUSSE POSSIBLE DU CHÔMAGE...

Début **2018**, le chômage au sens du BIT[2] concernait en France (hors Mayotte) 8,9 %

---

1. Agence internationale des énergies renouvelables (Irena).

2. Personne en âge de travailler (15 ans ou plus) répondant simultanément à trois conditions : être sans emploi

De l'économie à l'*écolonomie*

À l'horizon **2030**, l'économie contemporaine sera plus encore qu'aujourd'hui constituée de **services** (sans doute pour près de 80 % du PIB). Mais elle devra opérer un changement majeur, celui de la prise en compte des **contraintes environnementales**. Cet état d'esprit concernera progressivement toutes les composantes du PIB : agriculture, industrie, services.

Les quinze années à venir devraient donc être celles du passage d'une économie classique à une économie **« verte »**, durable, décarbonée, responsable, positive. Ces différentes appellations désignent une approche totalement nouvelle. Elle repose sur trois leviers complémentaires : **croissance** ; **innovation** ; **collaboration**. Elle tend à mobiliser tous les **acteurs** concernés : pouvoirs publics, entreprises, société civile. Tous devront participer au passage d'un modèle de société **linéaire** (extraire, produire, consommer, jeter), à un modèle « **circulaire** » dans lequel les **déchets** et les **rejets** deviendront des **ressources**.

L'économie classique devrait ainsi faire place à l'*écolonomie*, ensemble de pratiques respectueuses de la planète et soucieuses de la préserver, pour le bien de ses **habitants** mais aussi par respect pour tout ce qui est **vivant**. Les humains ne constituent en effet qu'un élément de l'**écosystème** global qu'est la Terre. Ils ne doivent pas oublier qu'ils sont totalement dépendants de lui pour continuer d'y vivre.

Cette conception nouvelle implique d'**ajuster** le niveau de **production** à celui des **ressources** disponibles et **renouvelables**, et d'anticiper sur les besoins futurs d'une population qui va continuer de s'accroître. Cela implique une autre **vision** du monde, de la vie et de l'avenir. L'*écolonomie* n'annonce pas la fin de l'**économie**, ni son remplacement par l'écologie, mais une **symbiose** intelligente de ces deux approches.

De la même façon que la **liberté** ne devrait pas être entravée par la **sécurité** (et vice versa), ni la volonté de **progression** par celle de **conservation** (et vice versa), les humains devront utiliser à la fois leur cerveau gauche et leur cerveau droit pour résoudre des problèmes qu'ils ont eux-mêmes créés et amplifiés. Au point de menacer leur propre survie.

---

de la population active, son plus bas niveau depuis début 2009. Il faut souligner que ce taux **officiel** ne rend pas compte de la réalité du sous-emploi (voir encadré ci-après). Les perspectives économiques plutôt favorables à court terme laissaient penser qu'il pourrait continuer de baisser. Cependant, la **transition technologique** attendue dans les entreprises et le passage progressif à une économie **durable** pourraient modifier la donne au cours des prochaines années. Une aggravation de la situation de l'emploi apparaît ainsi possible ; elle est étayée par

(ne pas avoir travaillé au moins une heure durant une semaine de référence) ; être disponible pour occuper un emploi dans les quinze jours ; avoir cherché activement un emploi dans le mois précédent ou en avoir trouvé un qui commence dans moins de trois mois. Un chômeur au sens du BIT n'est pas forcément inscrit à Pôle Emploi (et inversement).

un certain nombre de constats et de tendances :

- Un développement attendu de la **robotique** et de formes diverses de remplacement de la main-d'œuvre humaine par des systèmes automatisés et « intelligents » (voir p. 255). Les contraintes structurelles économiques et sociales laissent en outre craindre un **délai** assez long entre les **destructions** d'emplois et la **création** de nouveaux emplois induits par l'innovation technologique.

- La durée de la **transition écologique**, qui ne permettra pas avant des années de remplacer l'ensemble des emplois « classiques » concernés par des emplois « verts ».

- Un **marché du travail** encore trop rigide, malgré la souplesse apportée par des mesures récentes, avec un Code du travail qui n'incite pas suffisamment les entreprises à recruter, notamment les PME.

- Des **syndicats** peu représentatifs des actifs et globalement peu réformateurs à la différence de ceux d'autres pays (Suède, Canada, Royaume-Uni, Allemagne…).
- La nécessité pour de nombreuses entreprises de reconstituer leurs **marges** pour accroître leur compétitivité, en réduisant leurs **coûts salariaux**.
- Les **sureffectifs** existant encore dans certaines parties de la Fonction publique, dans un contexte de mise en concurrence dans plusieurs secteurs (transports, communications, énergie…).
- L'**allongement de la durée d'activité**, lié à un accroissement inéluctable de l'âge légal de la retraite. Il maintiendra sur le marché de l'emploi un nombre croissant de **seniors** qui n'auront pas cotisé suffisamment pour obtenir une pension complète ou qui souhaiteront la compléter en continuant de travailler.

Le taux de chômage officiel pourrait ainsi rester élevé au cours des prochaines années, aux alentours de **10 à 12 %**, au moins pendant la **première moitié des années 2020**. Avec peut-être des pointes plus élevées en cas d'échec des réformes **structurelles** (en particulier dans le système de formation) et des mesures **conjoncturelles** d'adaptation (voir ci-dessous).

… SAUF TRANSFORMATION DU SYSTÈME D'EMPLOI ACTUEL

Le scénario «pessimiste» indiqué ci-dessus pourrait être remis en question si les faiblesses **structurelles** et **conjoncturelles** de l'économie française étaient réduites, voire supprimées par des mesures novatrices et courageuses (donc difficiles à faire accepter et à mettre en place). Parmi les **pistes** possibles, tirées d'exemples existants (notamment en Europe du Nord) ou de réflexions (d'inspiration «libérale» ou «sociale» selon les cas), on peut citer :

- La remise en cause du système de **salariat** et du **CDI**, au profit d'un statut plus souple et du développement des modes de travail **indépendant**.
- La remise en cause du statut de **fonctionnaire** pour le rapprocher de celui des salariés du privé.
- Un **partage plus équitable des profits** des entreprises entre les actionnaires et les salariés (voir p. 53).
- Une **représentation des salariés** au sein des **conseils d'administration**.
- Un développement significatif de la **pluriactivité** (actifs ayant plusieurs employeurs).
- Un **partage** effectif de l'emploi au moyen d'une nouvelle et forte diminution du temps de travail, mise en place sur une base personnalisée (choix individuel de la durée en fonction des souhaits du salarié, des, contraintes et possibilités de l'entreprise).
- L'instauration d'une forme de «**revenu universel**», remplaçant les indemnités sociales existantes.
- Des **créations massives d'emplois** dans des secteurs nouveaux : commerce, développement durable, nouvelles technologies, recherche, services aux personnes et aux ménages, etc.
- Une meilleure **adéquation** entre les **offres** d'emploi et les **compétences** des personnes au chômage (qui explique qu'au moins 300 000 emplois disponibles ne trouvent pas preneur en permanence) par des efforts massifs de **formations** adaptées à ces besoins, et personnalisées.

En l'absence de mesures de ce type, et d'un **climat économique** favorable dans le monde, il est difficile d'imaginer aujourd'hui une **baisse du taux de chômage «réel»** (personnes en recherche d'emploi, y compris celles en formation). Un tel scénario impliquerait aussi la **réussite des réformes** déjà engagées ou prévues (formation, transformation du secteur public, retraite…) sans blocage ni aggravation des tensions au sein de la société.

9 % DE CHÔMEURS EN MOYENNE SUR TRENTE ANS

14. Évolution du taux de chômage depuis 1987 (France métropolitaine) en % de la population active

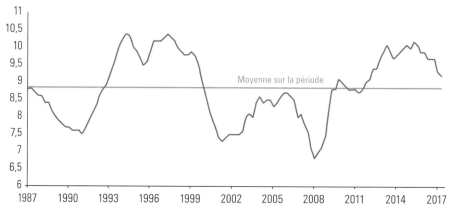

France métropolitaine
INSEE

Un actif sur trois sans réel emploi

Le taux de **chômage officiel** (9,3 % sur l'année 2017 en métropole) ne reflète pas la **réalité** du chômage. Il prend en compte les demandeurs d'emploi inscrits en **catégorie A**, n'ayant eu **aucune activité** au cours de la période de mesure. Mais il existe quatre autres catégories de personnes inscrites à Pôle Emploi :

• Les chômeurs de la **catégorie B**, exerçant une **activité réduite courte** : au maximum 78 h dans le mois.

• Les chômeurs de la **catégorie C**, en **activité réduite longue** (plus de 78 h dans le mois).

• Les personnes de la **catégorie D**, **sans emploi** mais **non immédiatement disponibles** car étant en formation, stage, contrat de sécurisation professionnelle ou maladie.

• Les personnes de la **catégorie E**, **non tenues de chercher un emploi** car étant, par exemple, dans une phase de création d'entreprise ou en contrat aidé.

Début **2018**, le nombre de demandeurs d'emploi (métropole et départements d'outre-mer) s'élevait à **3,7 millions** de personnes pour la **catégorie A**.

Si l'on y ajoute seulement les catégories **B** et **C**, ce nombre s'établit à près de **6 millions**. La population en âge de travailler étant de **28,5 millions** de personnes, cela signifie que le taux de chômage atteint au moins **20 %**, soit le **double** du taux officiel.

La situation est bien plus inquiétante encore si l'on enlève de la population active totale les 6,9 millions de **fonctionnaires** et **agents publics**, dont le statut garantit l'**emploi à vie**. On arrive alors à un taux de chômage d'environ **28 %** parmi les **actifs en place réellement susceptibles de perdre leur emploi**.

On pourrait aussi retirer les **indépendants et professions libérales** qui n'ont pas droit au chômage. Le taux **« réel »** de chômage du secteur privé salarié atteindrait alors **30 %** de la population active susceptible de perdre son emploi en étant licenciée. Ce taux pourrait être encore augmenté si l'on intégrait une partie des personnes des catégories **D** et **E** qui ne disposent pas d'un véritable emploi.

REVENUS ET POUVOIR D'ACHAT

DES REVENUS DISPONIBLES AU MIEUX STAGNANTS

Dans le contexte de **faible croissance** et de **chômage persistant** décrit ci-dessus, les **revenus disponibles**[1] des ménages devraient également connaître une **stagnation**, voire une **diminution** dans certaines catégories sociales (voir détails dans le chapitre *Argent* p. 285). Outre ces deux facteurs principaux, d'autres devraient peser dans le sens d'une **modération** des salaires nets des actifs :

- L'importance des **déficits publics**, que la France devra réduire durablement pour être en conformité avec les contraintes européennes et disposer d'un crédit suffisant pour animer la refondation de l'Union.
- Le niveau de l'**endettement national**, aggravé en cas (probable, voir p. 44) de remontée des taux d'intérêt.
- Le taux élevé des **prélèvements sociaux**, difficile à réduire tant que des réformes **structurelles** ne seront pas décidées et mises en œuvre, compte tenu de la réticence de l'opinion et l'opposition de certains syndicats.
- Le risque d'une nouvelle **crise financière** en Europe et dans le monde, qui engendrerait une forte montée de l'inflation et des taux d'intérêt.
- **Le vieillissement** de la population et les nouveaux besoins de financement des retraites.
- Une baisse des **pensions de retraite** pour éviter de déséquilibrer davantage les régimes.

Les réactions à une éventuelle **baisse du pouvoir d'achat** dépendront du **climat social** qui régnera. Celui-ci sera en grande partie conditionné par le niveau de **confiance**

envers les acteurs politiques et économiques. Il sera d'autant plus élevé que ces responsables seront capables de tracer des **perspectives**, de faire preuve de **pédagogie**, d'intégrer les **citoyens** dans les processus de réflexion, de proposition et de mise en œuvre des réformes. L'autre facteur déterminant des réactions de la société sera l'évolution des **mentalités**, des valeurs, du sens donné à la **vie** et de la place accordée à la **consommation**. La réflexion engagée sur ces sujets depuis quelques années pourrait conduire à des attitudes et des comportements plus « responsables » (voir chapitre **Société**, p. 221).

*On peut imaginer quelques facteurs favorables à une **hausse** du pouvoir d'achat. Le principal serait le développement rapide d'une **économie verte** (« écolonomie », voir p. 48), qui serait massivement créatrice de **croissance** (durable) et d'**emplois**. Mais cela impliquerait que la prise de conscience écologique actuelle (voir p. 21) s'accompagne de la mise en place d'une **gouvernance planétaire**, ce qui apparaît peu probable à l'horizon 2030. Le besoin attendu de personnels à fort niveau de qualification pour occuper des fonctions technologiques pourrait également pousser les salaires vers le haut, au moins dans ces catégories.*

DES INÉGALITÉS FINANCIÈRES ACCRUES

La sensibilité aux **inégalités** de toute sorte (revenus, patrimoines, éducation, santé, culture, pratiques numériques...) est déjà forte dans le pays, dans la mesure où elles sont souvent considérées comme des **injustices** par les Français. Elle se traduit par

---

1. Le revenu disponible d'un ménage comprend les revenus d'activité (nets des cotisations sociales), les revenus du patrimoine, les transferts en provenance d'autres ménages et les prestations sociales (y compris les pensions de retraite et les indemnités de chômage), nets des impôts directs (INSEE).

POUVOIR D'ACHAT : UNE CROISSANCE ANCIENNE MAIS RALENTIE

15. Évolution du pouvoir d'achat des ménages (par rapport à l'année précédente, en %)

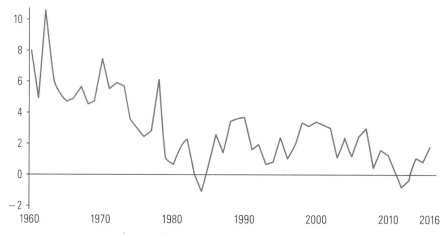

Évolution déflatée de l'indice du prix des dépenses de consommation finale des ménages.
France, ménages y compris entreprises individuelles.
INSEE (base 2010)

une forte demande d'**équité**, nourrie par la crainte individuelle de devoir faire plus d'efforts et de sacrifices que les «autres». Cette crainte s'appuie sur plusieurs arguments :

- Les **progrès scientifiques** et leurs **applications** ne seront pas accessibles à tous pour des raisons financières ou relationnelles.
- Les écarts en matière **culturelle** (éducation, instruction) empêcheront certaines catégories sociales de profiter de ces progrès.
- La **marge de manœuvre** budgétaire de l'État sera insuffisante pour réduire les nouveaux écarts.
- Une remise à plat du «**modèle social**» à la française pourrait intervenir dans le but d'améliorer son rapport coût/efficacité, en réduisant le niveau global de redistribution (voir p. 226).
- La persistance de **corporatismes** et l'attachement aux «acquis» rendront difficile une amélioration uniforme du sort de ceux qui ne sont pas représentés et défendus.

Il faut cependant préciser que, si le **revenu disponible moyen** *des ménages français diminuait par exemple de 10 % d'ici* **2030** *en monnaie constante, ceux-ci retrouveraient le* niveau qu'ils avaient vers le milieu des **années 2000**, avant la crise financière de 2008. Pour la grande majorité d'entre eux, cette régression ne serait pas catastrophique, si elle s'accompagnait d'une plus juste **répartition**. De nombreuses études montrent en effet que les écarts **relatifs** des revenus (comparés les uns aux autres) comptent davantage pour les Français (et en général pour les humains) que les écarts **absolus** (montants des revenus) dans le sentiment de **satisfaction** ou d'**insatisfaction** globale (voir p. 223), et dans la perception qu'ils ont du « **progrès** ».

Cette réflexion (bien que politiquement et socialement «**incorrecte**») permet de relativiser les effets d'une baisse générale du revenu disponible moyen. Cette baisse serait rendue d'autant plus «**acceptable**» par les Français qu'elle leur paraîtrait **équitable**, c'est-à-dire proportionnelle au revenu de chacun. Une autre condition serait qu'elle leur soit présentée comme une **étape nécessaire** au **redressement** du pays (comme cela a été fait en Allemagne lors des réformes Hartz-Schröder entre 2002 et 2005, avec un indéniable succès). Le climat social rend cependant cette acceptation difficile à envisager.

La fin du capitalisme?

Les années qui viennent pourraient bien sonner le glas du **capitalisme** tel que nous le connaissons aujourd'hui. S'il a indéniablement permis de créer des **richesses** à un rythme élevé, il n'a pas su les **partager** équitablement entre tous ceux qui y ont contribué. Ainsi, en France, les entreprises du **CAC 40** ont transféré à leurs **actionnaires** l'équivalent de **67,5 % de leurs bénéfices** entre **2009** (après la crise financière) et **2017**[1], contre **5 % aux salariés** (en intéressement et participation). Une pratique très éloignée d'une vision équilibrée de type libéral-social, qui attribuerait une part identique aux actionnaires et aux salariés, le reste allant à l'**investissement**. L'argument consistant à dire que les salariés sont **déjà** rémunérés par leurs salaires ne tient pas ; il ne justifie pas en tout cas ces écarts. Les actionnaires sont eux aussi généralement rémunérés par ailleurs et, lorsqu'ils ne vivent **que** de dividendes, ils en vivent généralement très bien, sans avoir à beaucoup travailler.

Des entreprises distribuent même de l'argent à leurs actionnaires lorsqu'elles réalisent des **pertes**, comme Lafarge-Holcim en 2015 et 2017. Sur cinq ans (2009-2016), la société a distribué presque deux fois plus d'argent à ses actionnaires qu'elle n'a fait de bénéfices. Le ratio était même de 3 pour Engie. Par ailleurs, les salaires des **patrons du CAC 40** ont augmenté environ deux fois plus que ceux de leurs salariés depuis 2009. Ils gagnent désormais en moyenne 119 fois plus qu'eux. Même s'il n'est pas illégal, cet écart paraît très difficile à justifier d'un point de vue **moral**. Par ailleurs, le capitalisme a largement contribué

à la **dégradation de la planète** par la surexploitation des ressources naturelles. Il a donné la priorité à l'**économique** sur le **social**, tout en prétendant la main sur le cœur que le premier doit être au service du second. La morale ne trouve pas non plus son compte dans ces pratiques.

L'un de ceux qui ont le mieux anticipé la crise à venir du capitalisme est sans doute l'économiste **John Maynard Keynes**, l'un des théoriciens les plus influents du XXe siècle, conseiller de nombreux hommes politiques en son temps. En 1930, en pleine période de la Grande Dépression qui frappait l'Occident, il publiait un très court ouvrage intitulé *Lettre à nos petits-enfants*[2], dans lequel il s'interrogeait sur l'avenir des sociétés industrielles dans un siècle, c'est-à-dire précisément en **2030**. Il y annonçait la **fin du capitalisme** : «*Il sera temps pour l'humanité d'apprendre comment consacrer son énergie à des buts autres qu'économiques*». Avec des accents quasi marxiens, il ajoutait : «*l'amour de l'argent* [...] *sera reconnu pour ce qu'il est : un état morbide plutôt répugnant*».

Keynes s'interrogeait ainsi sur «*les valeurs que l'activité économique mobilise pour atteindre ses objectifs*», ce qu'il nommait son «*code éthique*» ou son «*système de moralité*». Comme Marx, il expliquait que le capitalisme ne serait qu'une phase **transitoire** dans l'histoire économique et humaine. Sa mission, qui était de créer une **abondance** permettant aux humains d'en finir avec leur **servitude**, de jouir de leur **liberté** et de mettre en œuvre leurs **potentialités**, prendrait fin. Ce moment semble arrivé.

1. Étude réalisée par l'ONG Oxfam France et le BASIC (Bureau d'analyse sociétale pour une information citoyenne), mai 2018.

2. Titre original : *Economic possibilities for our grandchildren*. Publication en France par Les Liens qui libèrent, 2017.

ET SI...

Les questions figurant dans cette rubrique ne sont pas des informations, mais des sujets de réflexion et de débat complétant les textes du chapitre qu'ils clôturent. Elles peuvent exprimer des souhaits, des craintes, des utopies ou tout élément susceptible d'accélérer, ralentir ou inverser les évolutions prévisibles.

...la croissance était tirée par des ruptures technologiques transformant complètement l'économie : énergie gratuite et renouvelable (fusion atomique, solaire, géothermique...) ; matériaux à forme programmée ; *fablabs* individuels supprimant de nombreuses fonctions ; dématérialisation à grande échelle d'objets et de biens d'équipement... ?

... l'endettement des États était effacé (partiellement ou totalement) par un moratoire international ?

... les prix de produits courants ou de biens d'équipement numérique s'envolaient, du fait de la rareté de certains composants ?

... les prix de produits courants ou de biens d'équipement numérique s'effondraient, du fait de la mise en œuvre de nouvelles techniques de production (agricole, industrielle...) ?

... l'économie collaborative se généralisait, permettant une optimisation des ressources (temps, argent, véhicules, bâtiments, logements, compétences, idées...) ?

... un *krach* immobilier se produisait, de sorte que le ratio revenu disponible des ménages/prix moyen des logements revenait dans sa zone historique de 80 à 120 % (en indice), contre 250 % actuellement ?

... le protectionnisme remplaçait le libéralisme dans la doxa économique des pays développés ?

... le taux de chômage officiel atteignait un tiers de la population active, du fait des développements de la révolution numérique ?

... les écarts de revenus étaient limités légalement à un ratio de 20 ou 30 ?

... les entreprises décidaient de (ou étaient contraintes à) partager leurs profits en trois tiers : un pour les actionnaires, un pour les salariés, un pour l'investissement ?

INTERNATIONAL

L'avenir de la France dépend en partie de sa capacité à se **gouverner** elle-même, à établir des **relations de confiance** entre les citoyens et les grands acteurs de la société, et entre les citoyens eux-mêmes, afin de favoriser la **démocratie** et le **vivre ensemble** (voir chapitre *Mentalités* p. 72). Mais il serait naïf (et dangereux) de penser que notre pays constitue un territoire **fermé**, indépendant de ce qui se passe dans le reste du monde.

La France est et sera en effet très affectée par les changements en cours et à venir en matière **environnementale** (voir p. 12), **démographique** (voir p. 27), **économique** (voir p. 40), **scientifique** et **technique** (voir p. 80). Elle le sera aussi par l'évolution **géopolitique** (relations entre les États), dans le monde et bien sûr en **Europe**, sa principale zone d'appartenance.

MONDE

UNE RECOMPOSITION EN COURS

Plusieurs tendances «lourdes» laissent à penser que la marche du monde d'ici **2030** pourrait être **désordonnée**, voire **chaotique**. Certaines **menaces** existantes (dérèglement climatique, migrations de masse, terrorisme, récession économique, conflits, risques technologiques, montée des extrémismes...) pourraient se concrétiser. Les **précarités** et les **inégalités** pourraient s'accroître, et avec elles les frustrations et les colères. Mais des perspectives bien plus **favorables** sont également possibles, en France et ailleurs : démocratisation croissante ; succès écologiques ; mouvements de solidarité ; éradication des grandes maladies ; «dématérialisation» du bonheur, etc.

On devrait assister en tout cas d'ici **2030** à une véritable **recomposition** du monde, provoquée à la fois par les circonstances, la volonté des responsables politiques et celle des peuples. Elle affectera toutes les zones géographiques, dont les principales sont rapidement évoquées ci-après : Chine, États-Unis, Russie, Inde, Japon, Afrique.

*N.B. Les « zones diffuses » de l'**Amérique du Sud** et de l'**Asie** (hors **Chine** et **Japon**) ne sont pas abordées ci-après, de même que l'**Australie** et la **Nouvelle-Zélande** du fait de l'impossibilité de le faire de façon **synthétique**[1]. L'exercice a seulement été esquissé pour l'**Afrique**, continent également très diversifié, mais plus proche géographiquement et historiquement de la France. L'évolution du **Moyen-Orient** reste particulièrement imprévisible, compte tenu des forces, des cultures et des volontés en présence.*

UN MONDE MULTIPOLAIRE...

Le monde **bipolaire** qui a prévalu jusqu'à la fin de la guerre froide a disparu. La chute de l'**URSS** en a été le déclencheur, celle du **mur de Berlin** en 1989 en fut le symbole. À la suite de ce bouleversement, les États-Unis n'ont pas réussi à créer le monde **unipolaire** dont ils auraient souhaité être les maîtres ; ils ont dû accepter d'entrer dans un système **multipolaire** (même si celui-ci est rejeté par le président actuel, Donald Trump). Ils partagent donc aujourd'hui le leadership avec la **Chine** et la **Russie** (malgré l'absence de démocratie de ces deux pays), l'**Europe** (malgré ses faiblesses et son manque d'unité), le **Japon** (malgré la crise qu'il traverse depuis des années). Il

---

1. Une vision détaillée des différentes zones géographiques et politiques du monde est proposée dans le rapport 2017 de la CIA : *Global Trends, Paradox of progress.*

faudra sans doute y ajouter demain l'**Inde** et l'**Australie**.

Aucun de ces pays ne semble en mesure de s'imposer demain comme **pôle unique**, autour duquel tournerait le reste du monde. Les zones de **fragilité** et de **danger** (Syrie, Corée du Nord, Israël, Palestine, Iran, Ukraine, Yémen...) sont en effet trop nombreuses pour qu'une seule puissance puisse prétendre les tenir en main. Les **expériences** passées (Irak, Afghanistan, Viêt Nam...) ont démontré que les interventions armées ne produisent pas de résultat durable. Par ailleurs, les problèmes **intérieurs** sont de plus en plus complexes et incitent les gouvernements à leur donner la priorité. D'autant que les **opinions publiques**, notamment occidentales, ne sont pas favorables à des interventions extérieures, longues, coûteuses et inefficaces.

... MAIS MOINS INTERDÉPENDANT

Les **pôles** du nouveau monde pourront difficilement être **hiérarchisés**, si ce n'est par leur puissance **économique** ou leur poids **démographique**. Ils seront plutôt définis par leur type de gouvernance ou leur ambition : **autoritaire** pour la Chine et la Russie, **technologique** pour les États-Unis (mais aussi la Chine et probablement l'Inde), **démocratique** pour l'Europe (si elle parvient à vaincre ses tentations populistes) et le Japon. La rivalité ancienne entre les États-Unis et la Russie ne devrait pas déboucher sur un **conflit** majeur, la Russie

---

Mieux qu'avant, moins bien que demain ?

L'image du monde transmise par les **médias** et relayée dans les conversations laisse à penser qu'il se porte de plus en plus mal. En témoigneraient la montée des **dangers** de toute sorte (environnement, démographie, violence, endettement, pauvreté, inégalité, repli nationaliste...), le nombre des dépressions ou des suicides, les difficultés des démocraties ou celles de l'Union européenne, etc. Une image confirmée par l'analyse du contenu et de la tonalité des informations disponibles, et donc par les sondages qui en sont le reflet. Elle est sans doute également biaisée par la tendance **pessimiste** et **nostalgique** de la nature humaine et son **insatisfaction** permanente.

Pourtant, une analyse factuelle fait apparaître des **progrès** réels, mesurables et importants[1]. Il y a trente ans (à la fin des années 1980), on dénombrait par exemple 23 guerres, 85 dictatures et régimes autoritaires, 60 000 armes nucléaires dans le monde ; 37 % des humains étaient en situation d'extrême pauvreté. En 2017, on ne comptait « que » 12 guerres,

60 régimes autoritaires, 10 000 armes nucléaires et 10 % de cas de pauvreté extrême. L'état de **santé** n'a cessé de s'améliorer.et l'**espérance de vie** a pratiquement doublé en deux siècles dans de nombreux pays. Le taux d'**alphabétisation** s'est fortement accru : 90 % des humains de moins de 25 ans savent aujourd'hui lire et écrire. On pourrait citer bien d'autres exemples contredisant le discours pessimiste ou catastrophiste ambiant.

L'histoire du monde n'est donc pas celle d'un lent **déclin**, Et rien ne prouve qu'il va se produire, s'accélérer ou aboutir à la destruction de tout ou partie de la planète et de ses habitants. Mais rien ne prouve non plus que le futur apportera encore des **réponses** aux grands défis actuels. La **raison** implique d'être conscient des **avancées** possibles mais aussi des **menaces**, d'être vigilant, sans dramatiser ni céder à la peur. La **responsabilité** implique, elle, de tout faire pour que les générations suivantes ne se trouvent pas confrontées à des situations sans issue. La question n'est pas tant de réaliser qu'aujourd'hui est mieux qu'hier à de nombreux égards, mais de faire en sorte que demain soit mieux qu'aujourd'hui.

---

1. Voir l'ouvrage de Steven Pinker, *Enlightenment Now : The Case for Reason, Science, Humanism, and Progress*, Penguin Books/Viking, 2018. Il fait suite à *Beter Angels of our nature (Why violence has declined)*, Viking, 2011.

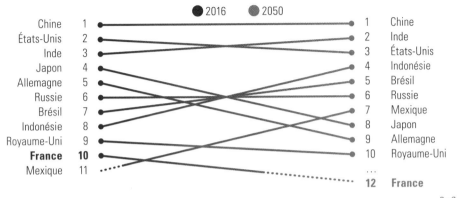

LA FRANCE ABSENTE DU TOP 10 EN 2050 ?

16. Classement des dix premières puissances économiques mondiales en 2016 et 2050 (selon le PIB en parité de pouvoir d'achat)

● 2016   ● 2050

	2016		2050	
Chine	1		1	Chine
États-Unis	2		2	Inde
Inde	3		3	États-Unis
Japon	4		4	Indonésie
Allemagne	5		5	Brésil
Russie	6		6	Russie
Brésil	7		7	Mexique
Indonésie	8		8	Japon
Royaume-Uni	9		9	Allemagne
France	**10**		10	Royaume-Uni
Mexique	11		…	
			12	**France**

PwC

ne disposant pas *a priori* de **partenaires** prêts à s'engager avec elle. Les tensions devraient plutôt se produire à l'intérieur de pays fragilisés par leur diversité **ethnique** ou **religieuse**. Des guerres **civiles** apparaissent plus probables qu'une guerre **généralisée**. La **globalisation** et les enjeux **économiques** n'y conduisent pas.

À l'horizon **2030**, la poursuite du processus de **mondialisation** apparaît la plus vraisemblable, malgré la montée des **protectionnismes**, **nationalismes**, **intégrismes** religieux et réflexes **identitaires**. Elle sera favorisée par le déploiement des **moyens d'information et de communication** et le développement des échanges commerciaux, scientifiques et culturels, malgré les barrières qui pourront être instaurées. Ils pourraient au contraire entraîner une **convergence** des modes de vie et une **harmonisation,** partielle et progressive, des systèmes de **gouvernance** entre États les moins éloignés culturellement, dans de nombreux domaines : fiscalité, défense, santé, éducation, sécurité, consommation... Mais cette convergence engendrera aussi des **tensions** (entre États, nations ou communautés), dans un contexte de menaces croissantes sur l'avenir et d'accès au pouvoir de dirigeants, porteurs d'idéologies

autoritaires et d'ambitions de conquête ou reconquête de territoires.

LA CHINE ET L'INDE DE PLUS EN PLUS PUISSANTES

Ces deux pays devraient confirmer leur importance croissante, tant sur le plan **démographique** qu'**économique**. L'**Inde** devrait compter 1,52 milliard d'habitants en **2030**[1], devançant la **Chine** (1,43 milliard). Cette dernière serait en revanche la première puissance **économique**, si elle parvient à éviter une explosion sociale liée à une demande de liberté de sa population, ainsi que d'efficacité dans la lutte contre la **pollution** et la **corruption**.

La **Chine**, consciente des tensions sociales qui pourraient se développer dans sa population (notamment en matière d'emploi, de revenus...), cherchera aussi à affirmer et sécuriser sa puissance à l'intérieur de son territoire. C'est ainsi que le président chinois Xi Jinping a modifié en 2018 la Constitution, afin de pouvoir se maintenir au pouvoir après 2023, sans limitation de durée. C'est pour des raisons semblables qu'il a instauré un système de « **note sociale** », lui permettant de **surveiller**

1. Prévisions ONU.

et de contrôler toute forme d'incivilité ou menace de rébellion en fichant progressivement toute la population[1], réalisant ainsi la prophétie de George Orwell *(1984)*, soixante-neuf ans après sa publication (1949). La Chine ne sera probablement pas devenue une démocratie d'ici 2030.

L'**Inde** devrait en revanche le rester, et même progresser si elle parvient à abandonner le système de **castes** sur lequel elle est fondée. Son ambition est de devenir la troisième puissance économique. Elle pourra compter pour cela sur sa population très **jeune** (65 % de moins de 35 ans), mais devra créer 10 à 12 millions d'emplois par an si elle veut étendre sa **classe moyenne**, qui pourrait compter 600 millions d'individus en 2021[2], contre 470 millions en 2010. Il lui faudra aussi investir massivement dans les infrastructures à l'échelle nationale et locale : écoles, santé, routes, réseaux informatiques… Elle devra enfin rénover totalement son système de **distribution**, dominé par des petits commerces de proximité indépendants.

LA RUSSIE MENAÇANTE ET HÉSITANTE

Le comportement de la **Russie** sera encore caractérisé par l'**autoritarisme** auquel la population s'est habituée, et qu'elle a plébiscité lors de la réélection de Vladimir Poutine en 2018. Il sera renforcé par la mainmise sur les **médias**, en contrepartie d'une promesse **nationaliste**, et possiblement de tentatives de restauration de l'ancienne URSS. L'importance de la **corruption** ne devrait guère diminuer. L'opposition au modèle **occidental libéral** perdurera et la puissance du pays sera davantage **politique** et **militaire** qu'économique. Pour des raisons stratégiques, la Russie pourrait se rapprocher de l'**Union européenne** (par des partenariats surtout économiques), tout

en conservant de bonnes relations avec la **Chine**, afin de mieux contrer les ambitions **américaines** au Moyen-Orient. L'activisme de Vladimir Poutine ne devrait pas en tout cas se démentir.

LES ÉTATS-UNIS MOINS DOMINANTS

Les perspectives américaines sont très dépendantes de l'évolution politique qui prévaudra à court terme. La situation actuelle, initiée par l'élection de l'inclassable **Donald Trump** en 2016, a beaucoup réduit le crédit des États-Unis au plan international. Au plan intérieur, la situation n'est pas meilleure ; elle est marquée par l'écart croissant entre riches et pauvres et l'évanouissement du « rêve américain » pour ces derniers.

Sauf « empêchement[3] », le président continuera de prendre à contre-pied ses alliés comme ses adversaires. Il continuera sans doute de proférer des **contre-vérités**, et d'insulter des catégories entières de la population (femmes, immigrés, journalistes, collaborateurs, adversaires à la présidentielle, démocrates, climatologues, entreprises de la Silicon Valley, adeptes de la mondialisation et du **libre-échange** commercial…). Il dressera les uns contre les autres les tenants d'une **droite hyperconservatrice** et les partisans de la **modernité**. Il instaurera un **protectionnisme** dangereux.

Heureusement, des **contre-pouvoirs** (politiques, économiques, écologiques) existent dans le pays ; ils se mettront en place pour éviter le pire d'ici 2020, date de la prochaine élection présidentielle. On peut imaginer que Donald Trump n'effectuera pas un second mandat et qu'un président **démocrate** lui succédera en 2020. S'il n'est pas trop tard, celui-ci devra apaiser les relations

---

1. La Chine met en place le système de caméras de reconnaissance faciale et de surveillance le plus sophistiqué au monde. Elle avait déjà installé 170 millions de caméras fin 2017 (plus de 500 millions prévues fin 2020) connectées à une intelligence artificielle.
2. Rapport *Future of India*, PwC, 2015.

---

3. Procédure *(impeachment)* ayant pour but de destituer un président avant le terme de son mandat. Elle n'a été utilisée que deux fois par la Chambre des représentants à l'encontre d'un président, pour Andrew Johnson et Bill Clinton. Tous deux ont été acquittés par le Sénat, soutenus par leur majorité. La chambre avait également commencé la mise en accusation de Richard Nixon, mais la procédure a été abandonnée après sa démission (unique dans l'histoire des présidents américains).

des États-Unis avec la Corée du Nord (contre toute attente, un début de processus a été engagé en mars 2018…), l'Europe, l'Amérique du Sud, la Chine, etc.

Les États-Unis ne semblent plus en tout cas avoir vocation (ou envie) à assurer la sécurité du monde (ce qui implique notamment que l'Europe devra en prendre sa part…). Le rôle de l'Amérique devrait en revanche rester essentiel en matière de développement **technologique**. Les innovations les plus prometteuses et ambitieuses sont d'ores et déjà initiées par elle. Elles déboucheront sur des transformations drastiques des **modes de vie**, qui s'imposeront plus rapidement que jamais sur le reste du monde. L'«empire américain» se maintiendra par la puissance («forte» ou «douce» selon les cas[1]) de l'**innovation** et de la **culture** populaire.

LE JAPON CENTRÉ SUR SES PROBLÈMES INTÉRIEURS

En **2030**, la population du Japon ne devrait plus être que de **120 millions d'habitants**, soit une **baisse** de 6 % par rapport à 2018. Son taux de **fécondité** resterait l'un des plus faibles dans le monde : il était de 1,4 enfant par femme en 2017, le plus bas enregistré depuis 1899, première année de mesure de cet indicateur majeur. Le **dépeuplement** et le **vieillissement** actuels pourraient ainsi s'aggraver. Près d'une personne

sur trois serait âgée de **65 ans et plus**. Une charge importante pour une nation économiquement fragilisée depuis des décennies, et traumatisée par la catastrophe de la centrale nucléaire de Fukushima en 2011. L'**immigration**, culturellement mal acceptée par la population (le pays ne compte que 2 % d'immigrés), ne suffira sans doute pas à atténuer ces perspectives.

Longtemps en situation de **déflation** (baisse générale des prix), le Japon reste aujourd'hui la **troisième** économie mondiale, un résultat attribué à Shinzo Abe, Premier ministre de 2006 à 2007, puis de nouveau depuis 2012. Le pays devrait conserver ce rang au moins jusqu'en 2022[2]. Préoccupé par ses difficultés intérieures, il ne semble pas devoir jouer un rôle spectaculaire dans le monde au cours des prochaines années en matière **politique** et **diplomatique** (justifiant ainsi sa réputation de «nain politique»). Mais sa rivalité avec la **Chine** (qui lui a pris sa place de seconde puissance économique depuis 2010) est toujours forte.

Le Japon devrait en revanche peser sur le plan **technologique**, du fait de son avance en matière **numérique**, en particulier dans la **robotique** et les **communications**, ainsi que dans les **énergies renouvelables** dont il a grand besoin pour sortir du nucléaire. Il entend aussi jouer un rôle dans le domaine **spatial**, avec un programme ambitieux qui comporte notamment une expédition humaine sur la **Lune** d'ici 2030.

L'AFRIQUE SURPEUPLÉE, EN DEVENIR

Le continent africain est souvent présenté comme celui de l'**avenir**. Cela dépend de ce à quoi on fait allusion. Une chose paraît en tout cas quasi certaine : il sera devenu en **2030** la première puissance **démographique** du monde, avec une prévision de **1,68 milliard d'habitants**. Cette nouvelle explosion de la population posera de graves problèmes de développement. Elle engendrera de nouvelles et fortes inégalités,

---

1. Allusion à la distinction anglo-saxonne entre *hard power* (puissance militaire ou économique) et *soft power* (pouvoir d'influence culturelle, idéologique, diplomatique).

2. Centre for Economics and Business Research (CEBR), 2017.

ainsi que de nombreuses frustrations. Elles seront à l'origine d'un phénomène massif et inédit d'**émigration** (voir p. 30).

Les populations concernées ne seront pas seulement celles qui auront été **marginalisées** (400 millions d'Africains vivent aujourd'hui sous le seuil de pauvreté). Beaucoup de **jeunes** ayant reçu une instruction auront le sentiment de ne pas pouvoir s'épanouir dans leurs pays ; ils disposeront des moyens culturels (et, pour certains, financiers, en mettant à contribution leur famille) permettant de s'engager dans l'aventure **migratoire**. Les pays d'accueil européens pourront de leur côté pratiquer une politique **«sélective»** qui précarisera encore davantage les candidats qui ne pourront pas en bénéficier, mais parviendront quand même à entrer dans les territoires.

Le continent africain sera par ailleurs particulièrement menacé par les **changements climatiques** et leurs conséquences (manque d'eau et de terres cultivables, pollution urbaine…). Ils seront soumis au **terrorisme** (notamment dans les zones sahéliennes et la « corne » africaine), aux ravages de la **drogue** et aux tentations **sécessionnistes** présentes dans de nombreux pays. Les plus touchés pourraient être le Soudan, le Nigeria et la République démocratique du Congo.

Malgré ces difficultés déjà présentes, l'Afrique connaît depuis quelques années un taux de **croissance** élevé (5 % par an en moyenne). Elle donne naissance à de nombreuses **start-up** et une **classe moyenne** est en train de se développer dans certains pays. Le Kenya, l'Éthiopie, la Côte d'Ivoire et le Sénégal semblent aujourd'hui parmi les pays les plus attractifs à l'horizon 2022[1]. L'Afrique possède en tout cas de nombreuses **richesses** (recherchées, mais non renouvelables), qui attisent l'appétit de pays comme la Chine. Des investisseurs s'intéressent également à son potentiel dans le domaine des **technologies**. Ainsi, des pays comme le Sénégal, le Togo ou le Mali pour-

raient rejoindre demain le groupe des pays **émergents**, à condition de progresser sensiblement en matière de **sécurité**, de **démocratie**, et de création de **partenariats** avec d'autres pays. Par son histoire commune avec le continent africain, la France devrait être l'un de ceux-là.

UNE PLACE POUR LA FRANCE

Dans ce contexte planétaire, la France pourra difficilement prétendre être l'une des toutes premières puissances (voir graphique p. 57). Contrairement à ce qui est souvent affirmé, elle n'occupe pas aujourd'hui la 5e ou même la 6e place dans le monde en termes de PIB global, mais la 7e ; elle a en effet été dépassée par l'**Inde** en 2017. Elle est même la 10e si l'on compare les PIB en **parités de pouvoir d'achat**. Elle n'occupe que la 28e place en termes de **PIB par habitant**. Elle ne représentait plus que **2,2 % du PIB mondial en 2017**, contre **4.4 % en 1980**[2].

La France pourra en tout cas faire valoir son passé **universaliste** (sans risquer d'être accusée de **néocolonialisme**, une ambition qu'elle n'aurait de toute façon pas les moyens de pratiquer), et jouer ainsi un rôle de **médiateur** à l'égard du reste du monde. Elle pourra, si elle sait y échapper elle-même comme elle l'a fait en 2017, montrer que la dérive **populiste** n'est pas une fatalité. Elle sera alors en mesure, du même coup, d'affirmer certaines **valeurs** morales comme le **respect** des autres et de l'environnement, le refus du **racisme**, la nécessité de mieux **partager** les richesses, celle d'inventer des **modes de vie** plus sobres et en même temps plus satisfaisants. Elle pourrait aussi apporter un peu de **sagesse** dans les débats **éthiques** imposés par les développements de la **technologie**. La France pourrait alors jouer un rôle prépondérant dans la reconstruction de l'Europe.

La France pourrait même ainsi servir de **régulateur/modérateur** à la mondialisation, pour éviter qu'elle ne s'emballe et laisse beaucoup de gens au bord de sa route. Mais

---

1. Étude Havas Paris et Institut Choiseul de 2017 dédiée aux nouveaux pays émergents d'Afrique à l'horizon 2022.

2. IMF/WEO, 2017.

cela suppose qu'elle se montre d'abord elle-même **exemplaire**. Car d'autres scénarios, moins favorables, peuvent être imaginés, si elle échouait à se **transformer**, à rétablir ses propres **équilibres**, mettre en cause les **situations acquises** et réduire les **inégalités.** À tout moment, le comportement, l'image et l'influence de la France pourront être mis en question. Cela dépendra d'abord de l'attitude des Français et de leur esprit de **responsabilité.**

EUROPE

L'UNION EUROPÉENNE À L'ARRÊT

L'Union européenne a été initiée en **1951** par la création de la Communauté européenne du charbon et de l'acier (CECA) sous l'impulsion de Robert Schumann. Elle a permis aux Européens de vivre en **paix** et dans la **prospérité** pendant des décennies, une pause inédite dans leur histoire commune. Limitée à l'origine aux six membres fondateurs (Belgique, France, Italie, Luxembourg, Pays-Bas et République fédérale d'Allemagne), elle a connu de nombreux développements et elle a été progressivement rejointe par de nombreux pays (27 aujourd'hui, après le retrait du Royaume-Uni). Tous ont globalement **bénéficié** de leur appartenance à cette communauté, devenue **Union**. Mais elle ne répond plus aujourd'hui aux attentes de ses habitants dans de nombreux domaines :

- **Économique** : relance de la croissance, création d'emplois, prise en compte des spécificités nationales...
- **Sanitaire** : interdiction des produits nocifs pour les humains...
- **Scientifique** : encouragement à la recherche, aide aux start-up...
- **Administratif** : simplification des procédures, réduction du nombre des directives, remise en cause de la règle du vote à l'unanimité...
- **Politique** : agriculture, équilibre idéologique, assiduité des représentants nationaux, moindre influence des *lobbies*...

- **Financier** : harmonisation fiscale, solidité du secteur bancaire, lutte contre les paradis fiscaux...
- **Démocratique** : prise en compte des opinions des citoyens (voir le sort du référendum constitutionnel de 2005...).

Les insuffisances ou dysfonctionnements de l'Union ont été mis en évidence par les difficultés de la **Grèce**, le référendum approuvant le **Brexit**, les attitudes xénophobes et europhobes de certains pays comme la Hongrie ou la Pologne, celles de l'Allemagne après la réélection difficile d'Angela Merkel en 2017 ou la dérive droitière de l'Italie en 2018. La plupart des pays membres ont pourtant largement bénéficié des aides et subventions européennes, mais ne montrent guère de reconnaissance en retour. De nombreux citoyens ont en tout cas le sentiment, souvent fondé, que l'Union ne **pèse** pas assez dans le monde, qu'elle est trop **dépendante** en matière énergétique ou de défense, qu'elle est en **retard** en matière technologique, qu'elle est devenue **ingérable** depuis son élargissement à 28 pays. Mais que seraient aujourd'hui ces pays sans l'Union ? Que pourraient-ils devenir demain sans elle ?

LA MENACE POPULISTE

En l'absence de **réformes** profondes, démocratiquement approuvées par les peuples concernés (et impliqués dans le choix des changements et leur mise en œuvre), l'Union européenne risque de devenir une **coquille vide**, dont les États membres et les citoyens s'éloigneront jusqu'à ce qu'elle disparaisse. Si le Royaume-Uni, qui a amorcé le phénomène avec le **Brexit**, parvient à tirer son épingle du jeu en faisant preuve de plus de **flexibilité** que l'Union et en affichant de meilleurs résultats, les tentations de **sortie** (de l'Union et/ou de l'euro) risquent de s'accélérer. Si, au contraire, le Brexit s'avère être une mauvaise décision pour les Britanniques, ce risque disparaîtra en partie.

Les menaces sur l'avenir européen sont surtout le fait des **partis populistes**, soucieux de retrouver la «souveraineté» et l'«identité» qu'ils estiment avoir perdues. En 2018, plusieurs pays de l'Est de l'Union européenne étaient dirigés par des gouvernements de type **populiste** (Hongrie, Pologne, Autriche, République tchèque, Italie). La plupart des peuples concernés ont en commun de cultiver une forte **identité culturelle**, préexistante aux États, et généralement peu ouverte sur l'extérieur. Cette caractéristique leur a permis à une autre époque de résister au poids de l'**Union soviétique**, mais elle les amène aujourd'hui à nier les avantages qu'ils ont retirés de l'Union européenne. Les discours **xénophobes** résonnent particulièrement dans les populations inquiètes de la perspective des grands mouvements **migratoires** à venir. Les pays-membres situés à l'**ouest** hésitent ainsi entre une attitude de solidarité ou de raidissement. Ils se posent aussi la question de la capacité de l'Union à répondre aux grands défis de l'avenir.

La plupart des autres pays connaissent aussi depuis quelques années une montée des idéologies **souverainistes**, **identitaires**, **protectionnistes** ou **xénophobes**. Avec un point de convergence : l'**euroscepticisme**, parfois même l'**europhobie**. Les élections de **2019** inciteront les **europhiles** à se manifester et se compter. Ils seront d'autant plus nombreux qu'une nouvelle Europe leur sera proposée.

L'UNION À REFAIRE

L'idéologie populiste risque de se propager dans les années qui viennent, si l'Union européenne ne parvient pas à démontrer qu'elle est à la fois le seul garant possible de la **paix**, un stimulant de l'**économie** de toute la zone, un moyen de lutter contre les **inégalités** de toute sorte et de maintenir la **cohésion** entre ses membres.

Elle devrait d'abord pour cela modifier sa **structure**, en limitant le nombre de ses adhérents aux pays qui souhaitent vraiment cheminer ensemble, en écartant la voie de la fermeture. Elle pourrait aussi répartir les membres ainsi « sélec-

tionnés » en différents **groupes** ou « cercles » (concentriques ou non, mais susceptibles d'avoir des intersections suffisantes) ayant entre eux différents types d'accords, plus ou moins contraignants. Elle pourrait aussi leur proposer une forme de **fédéralisme** à l'américaine, laissant une certaine **autonomie** aux États.

L'Union devrait aussi revoir son **fonctionnement** en le simplifiant, afin de pouvoir décider plus vite, en s'affranchissant notamment de la forte contrainte de décisions à prendre à l'**unanimité**. Le principe de **subsidiarité**[1] existant devrait aussi être réaffirmé, mais peut-être **inversé** : ce seraient les **États** et non plus l'**Union** qui décideraient des sujets sur lesquels ils disposent d'une autonomie, dans certaines limites. L'Union devrait en tout cas cesser de **tergiverser** et s'appliquer à réduire l'influence des *lobbies*. Elle devrait aussi **harmoniser** les pratiques, afin d'être plus efficace et de ne pas générer ses propres concurrences (fiscales, environnementales…) en son sein.

Surtout, l'Union devrait proposer à ses citoyens des **perspectives** claires, inscrites dans des **projets** concrets (énergie, environnement, santé, recherche, éducation…), dont la mise en œuvre et les résultats leur seraient accessibles en temps réel. Elle

---

1. Le principe de subsidiarité définit les conditions dans lesquelles l'Union dispose d'une priorité d'action par rapport aux États membres (article 5, paragraphe 3, du traité sur l'Union européenne).

leur donnerait en même temps la possibilité de s'impliquer dans chacun d'eux, afin qu'ils puissent se les **approprier** et avoir le sentiment d'en être les **coauteurs**, puis les acteurs lors de leur mise en œuvre. Cet effort de **démocratie** serait la meilleure façon de les responsabiliser.

RISQUES

DES CRISES PROBABLES ET DES ENCHAÎNEMENTS SYSTÉMIQUES

Hors les risques décrits ci-dessus à propos de l'**Europe**, le monde connaîtra très probablement de nouvelles **crises**, qui affecteront aussi la **France**. Elles pourront être causées par des événements de plusieurs natures :

- **Économique** : une **croissance** faible entraînant un taux de **chômage** élevé, un endettement accru des ménages et de l'État provoquerait une situation de quasi faillite, y compris en France. L'éclatement de la **bulle financière** (les Bourses mondiales ont connu une forte hausse depuis plusieurs années) pourrait aussi être à l'origine d'une nouvelle crise, de même que la **bulle immobilière** (150 % de hausse des prix à Paris dans les années 2000, voir p. 190). Une hausse des **taux d'intérêt** est également à craindre, qui pourrait accroître sensiblement le montant du remboursement de la dette nationale (voir p. 44).
- **Sociale** : des tensions, conflits, révoltes ou révolutions dans des pays où les **inégalités** sont fortes et croissantes pourraient servir de déclencheurs à des **crises sociales**, à l'image du Printemps arabe né en Tunisie en décembre 2010. Il avait entraîné les départs des chefs d'État en Tunisie, puis en Égypte, au Yémen et en Libye, une nouvelle constitution au Maroc, un changement de gouvernement en Jordanie, des guerres civiles en Libye, Syrie, Yémen, puis l'élection de gouvernements islamistes en Tunisie, Maroc, Égypte (suivie dans ce pays d'un coup d'État en 2013). Des « guerres de classes »

pourraient notamment en résulter dans les pays concernés.

- **Démographique** : la **natalité** insuffisante dans certains pays d'Europe (Allemagne, Italie, Pologne, République tchèque, Russie…) ou trop élevée dans d'autres zones (Afrique, Moyen-Orient, Asie du Sud-Est…), ajoutée aux phénomènes **climatiques** et **géopolitiques**, pourrait être à l'origine de vastes mouvements de population dans le monde. Ils entraîneraient en Europe des **flux migratoires** plus ou moins importants selon les pays (voir p. 30).
- **Environnementale** : des **catastrophes** surviendront, provoquées par la nature ou par les humains :
  - Les catastrophes **naturelles** devraient être de plus en plus nombreuses et fréquentes en matière **biologique** (épidémies, invasions d'insectes), **climatique** (températures extrêmes, incendies de végétation, sécheresses), **géologique** (séismes, glissements de terrains, éruptions volcaniques, inondations) ou **météorologique** (tempêtes, cyclones, raz de marée).
  - Les catastrophes **d'origine humaine** devraient connaître des évolutions contrastées. Les **incendies** et **explosions** (notamment nucléaires, à caractère civil ou militaire) seront plus fréquents, compte tenu de l'ancienneté des centrales. La diffusion de substances chimiques **toxiques** pourra être contenue par l'amélioration des systèmes de sécurité et la généralisation de pratiques **agricoles** moins nocives. Les accidents **médicaux** seront moins nombreux, du fait de l'usage de **robots** et de **thérapies** moins invasives (voir chapitre *Santé* p. 128). Au contraire des accidents **biologiques** liés notamment au développement des biotechnologies, nanotechnologies et autres techniques permettant d'agir sur le vivant. Les accidents de **transport** dus à l'ensemble des types de véhicules (air, terre, mer) seront également moins

nombreux, avec le développement de véhicules **autonomes**, plus sûrs que la conduite humaine.

– À mi-chemin entre le naturel et l'humain, on peut craindre aussi des crises liées à un **déficit énergétique**, du fait de la **raréfaction des ressources**, qui ne sera pas encore compensée en totalité par les **énergies renouvelables**. Il pourrait aussi provoquer des **crises alimentaires**, conséquences de l'accroissement de la population, de l'insuffisance de la production agricole et de l'appauvrissement de certains ménages. La demande de **nourriture, d'eau et d'énergie** devrait progresser d'environ un tiers d'ici **2030**. La difficulté de la satisfaire entraînera à la fois des **pénuries** pour les populations non autosuffisantes et des **conflits** régionaux, voire internationaux.

- **Terroriste** : malgré l'éradication par la voie militaire de l'essentiel des effectifs de groupes comme Al-Qaïda ou Daech, les actes terroristes devraient se poursuivre en France comme dans d'autres pays. Ils seront commis par des membres de **nouvelles organisations**, ou par des **individus isolés** (mais bénéficiant souvent de complicités) ou **regroupés**, désireux d'appliquer les messages de violence et de haine, notamment islamistes, diffusés sur Internet. Beaucoup de ces organisations considèrent la France comme un **ennemi**, du fait de son mode de vie, de sa laïcité ou d'autres caractéristiques qu'elles jugent inacceptables. Le retour en France de **djihadistes** partis combattre en Irak ou en Syrie, et la sortie de **prison** de personnes ayant agi sur le territoire national pourraient être à l'origine de nouveaux **attentats**.

- **Religieuse** : outre les actes terroristes, il est probable qu'auront lieu des **affrontements** entre croyants, et que l'hostilité augmentera entre les laïques et les religieux, entre des groupes ayant des conceptions très différentes d'une même religion. Par exemple, **musulmans** modérés contre rigoristes (pratiquant la *charia*) ou islamistes désireux de détruire les « mécréants », **catholiques** modérés contre catholiques intégristes...

- **Idéologique** : pour pallier les difficultés engendrées par les menaces actuelles (environnement, baisse de l'activité économique, de l'emploi et des revenus...), le risque existe que des **idéologies** autoritaires, antidémocratiques, sectaires, racistes, xénophobes... ou farfelues trouvent leur place dans le débat public. Elles pourraient porter au pouvoir des partis politiques « **non conventionnels** » (extrémistes et « ultras » de droite, révolutionnaires de gauche, écologistes adeptes de la décroissance, anarchistes...) susceptibles de bouleverser l'équilibre interne des nations.

UNE INSÉCURITÉ PERMANENTE

Le monde de demain ne sera pas apaisé, tolérant et « **sûr** ». Il sera au contraire traversé de fortes **tensions**, principalement provoquées par cinq facteurs :

- La volonté de **conquête ou reconquête territoriale** de certains pays (îles du Pacifique revendiquées par la Chine et le Japon, volonté de la Russie de refonder l'ex-URSS...). Elle entraînera des menaces, escalades et affrontements entre les pays concernés, avec des conséquences importantes en matière diplomatique dans le reste du monde. La volonté de conquête **spatiale**, qui a repris de la vigueur entre les États-Unis, la Russie, la Chine et le Japon pourrait également être une source de conflits.

- La volonté, ou la nécessité, de **conquête économique**, comme l'expansion nécessaire de la Chine ou de l'Inde, forcées de maintenir un haut niveau de croissance pour répondre aux besoins de leurs populations. Cela pourra entraîner des comportements **protectionnistes,** qui se traduiront par une guerre commerciale entre les pays concernés, et une diminution du pouvoir d'achat des consommateurs.

- La volonté de **conquête religieuse**, de la part de groupes extrémistes désireux de convertir ou d'éliminer les «mécréants», notamment par le terrorisme (voir ci-dessous).
- Les conséquences des **transformations climatiques**, conduisant des millions de personnes touchées à **émigrer** par tous les moyens vers des pays «riches» (voir p. 30).
- Les conséquences des **inégalités** entre les pays et au sein même de chacun d'eux en matière **éducative** (accès à l'école, aux diplômes et à la formation permanente), **économique** (travail, revenus), **sociale** (protection des citoyens, justice), **politique** (liberté d'information, de circulation, de parole, de religion), **sanitaire** (systèmes de soins et accès), **psychologique** (perspectives individuelles). Ces inégalités devraient être à la fois plus nombreuses, avec des écarts accrus entre les groupes sociaux, et de plus en plus mal acceptées dans un contexte de **mondialisation** et de développement **technologique** accéléré.

DES NOUVELLES GUERRES FROIDES

La **globalisation** en cours (sans doute irréversible dans les prochaines décennies) n'empêchera pas les affrontements entre des pays et des régions du monde aux **valeurs hétérogènes**. Mais les **guerres** entre des États prendront des formes nouvelles. La **cyberguerre** remplacera la guerre conventionnelle. On pourra même parler de **cyberguerre froide** entre des grandes puissances comme les États-Unis et la Russie ou la Chine. Elle a d'ailleurs commencé, sous la forme d'influences exercées par des États sur d'autres via notamment les **réseaux sociaux** ou des sabotages. Ces méthodes ont été observées lors des élections **américaines** de 2016, ou même en **France** en 2017. La Russie, la Corée du Nord ou la Chine sont les pays les plus souvent cités, mais les preuves de leur culpabilité sont difficiles à établir. D'autres pays sont très probablement impliqués, que ce soit pour se défendre ou pour «attaquer».

Les guerres **conventionnelles** («chaudes») ne disparaîtront pas totalement pour autant. Elles ne devraient pas cependant se dérouler sur le **territoire français**. Elles pourront en revanche concerner la France dans le cadre d'interventions extérieures, décidées par elle ou en liaison avec des États alliés. Les armes utilisées seront d'un haut niveau **technologique** : robots ; drones autonomes ou pilotés à distance (télé-opérés ou télé-supervisés) ; missiles supersoniques ; microsatellites[1] ; armes à énergie dirigée[2] ; cryptographie quantique, etc. Elles impliqueront de moins en moins de **soldats** sur le terrain ; ceux qui le seront disposeront d'exosquelettes, de robots et véhicules autonomes et d'autres équipements sophistiqués.

Les trois principales puissances armées (États-Unis, Chine, Russie) disposeront de nouvelles armes conventionnelles **ultrarapides** permettant de neutraliser un arsenal nucléaire sans recourir à une première frappe de même type. Des armes **antisatellites** pourraient aussi être utilisées pour s'attaquer aux systèmes de contrôle des armes atomiques de l'ennemi, sans révéler l'identité de l'assaillant. Enfin, les progrès de l'**intelligence artificielle** permettront de créer des **«robots tueurs»** autonomes, ce qui posera évidemment des questions éthiques.

*Une dislocation ou disparition de l'**Union européenne** constituerait évidemment un risque important de tensions fortes entre des États redevenus indépendants et éventuellement hostiles.*

UN TERRORISME POLYMORPHE

Il ne fait guère de doute que les **nouvelles technologies** seront utilisées pour le pire par les groupes **terroristes**. Beaucoup sont prêts à se servir de tout moyen susceptible de déstabiliser leurs ennemis. Ceux-ci ne

---

1. Destinés à l'observation de la Terre, ou la télécommunication (avec des constellations de micro-satellites).
2. Armes capables de propager vers une cible un faisceau d'ondes électromagnétiques (laser ou micro-ondes) à la vitesse de la lumière et avec une grande précision.

sont pas directement des États, mais des nations, des sociétés, *in fine* des **valeurs**. Ils chercheront donc par tous les moyens à se procurer des armes **nucléaires**, **radiologiques**, **biologiques** et **chimiques** (NRBC)

Prévenir ou périr

La lutte menée par les États pour se protéger des risques à venir devra dans toute la mesure du possible être **préventive**. Elle passera nécessairement par une **collecte des données personnelles** de plus en plus fine et généralisée. Elle ne concernera pas seulement les individus suspectés de vouloir nuire, mais aussi le reste de la population, qui supportera mal d'être **surveillé** en permanence. Cette situation pourrait provoquer des **tensions** au sein des sociétés, notamment les plus démocratiques.

La **France**, comme les autres pays visés (et si possible en collaboration avec eux) devra se doter de moyens de lutte efficaces, pour éviter de subir des **pannes** et **sabotages** à grande échelle, aux conséquences lourdes dans des secteurs comme l'hôpital, les administrations, la production industrielle, la circulation automobile ou les équipements numériques des particuliers. Cela nécessitera la mise en œuvre de **moyens techniques et financiers** importants, dont le pays ne dispose pas aujourd'hui, dans un contexte de diminution de la dépense publique.

Selon de nombreux experts, l'équipement actuel de l'**armée** en drones, robots et autres équipements modernes, est en effet insuffisant, de même que la formation des personnels chargés de leur utilisation ou de leur maintenance. Le pays devra donc faire des **choix** en matière budgétaire. Il ne sera guère possible de construire à la fois des chars d'assaut et des hôpitaux, sauf à accroître un peu plus la dette nationale ou réduire le pouvoir d'achat des Français, La question sera donc celle des **priorités**. La réponse passe au moins en partie par l'amélioration de l'**efficacité** de la dépense publique.

capables d'amplifier la portée d'un attentat et d'effrayer les populations[1].

Les terroristes se doteront de *fablabs*, ateliers dans lesquels ils pourront fabriquer des armes laser, des drones et autres engins modernes, à l'aide notamment d'imprimantes 3D. Certains disposeront de **laboratoires** dans lesquels ils pourront préparer des **virus** ou même utiliser les neurosciences comme armes de destruction des cerveaux humains. Ils pourront aussi récupérer les armes de **destruction massive**, notamment **biologiques**, détenues par des États affaiblis.

D'ici **2030**, il apparaît probable que des groupes comme **Daech** seront toujours actifs et en mesure de recruter des sympathisants dans les pays développés et démocratiques comme la France. L'organisation terroriste sera alors équipée d'outils technologiques de plus en plus sophistiqués. Elle poursuivra sa propagande sur les réseaux et formera à l'étranger des «**martyrs**» prêts à se faire injecter une maladie contagieuse avant de passer les frontières pendant la période d'incubation. Elle pourrait même réaliser cette formation sur le sol français.

Il faut ajouter à ces menaces celle constituée par des terroristes récemment emprisonnés, lorsqu'ils auront purgé leur peine. Personne ne peut en effet être certain de la sincérité de leur «**repentir**» (lorsqu'ils l'expriment) et de leur capacité d'**insertion** ou de réinsertion dans la société. Certains pourraient au contraire s'être **radicalisés** davantage pendant leur détention, attendant le moment où ils pourront de nouveau commettre des actes criminels.

DES BOULEVERSEMENTS POSSIBLES

Certains événements, plus ou moins probables mais **possibles**, pourraient survenir dans les prochaines années et bouleverser l'état du monde. En tout état de cause, la probabilité paraît élevée que des «**accidents**»,

---

1. Rapport *Chocs Futurs, Étude de prospective à l'horizon 2030 : impacts des transformations et ruptures technologiques sur notre environnement stratégique et de sécurité*, publié en mai 2017 par le Secrétariat de la défense et de la sécurité nationale (SGDSN).

parmi ceux cités ci-dessous (ou d'autres qui ne le sont pas), se produiront d'ici **2030**. Leur gravité sera variable selon les circonstances et l'attitude des populations concernées.

- **Isolationnisme américain favorisant des conflits régionaux.** Poussés par des difficultés internes et par leurs opinions publiques, les présidents des États-Unis qui seront élus (ou réélus) lors des trois mandats qui suivront celui en cours de Donald Trump (s'il arrive à son terme) en 2020-2024, 2024-2028, 2028-2032 pourraient se **désintéresser** de la politique extérieure, notamment au Moyen Orient, en Asie ou en Afrique, ou même en Europe. Cela pourrait entraîner des **conflits régionaux** aux conséquences importantes, accroître les **flux migratoires** à destination notamment de l'Europe, et obliger les principaux pays européens à intervenir (pour ceux qui en ont les moyens pratiques).
- **Interventionnisme américain (ou Russe, ou Chinois)** envenimant des conflits régionaux. Cette hypothèse, inverse de la précédente, aurait des effets similaires.
- **Disparition de l'Union européenne.** L'impossibilité de modifier la structure même de l'UE et de transformer son mode de **gouvernance** (voir p. 62) aurait des conséquences considérables sur les pays membres et sur leurs économies. La suppression de l'**euro** et le retour à des monnaies nationales conduiraient à de fortes dévaluations de fait, avec une diminution du **pouvoir d'achat** des habitants, des difficultés économiques importantes et un fort accroissement des **inégalités** entre les pays, comme au sein de chacun d'eux.

- **Faillite d'un ou plusieurs États développés.** La mise en faillite de certains États dans le monde pourrait être liée par exemple à leur incapacité à se **réformer** pour retrouver progressivement les équilibres économiques, ou à se **désendetter**. Elle aurait de graves conséquences en matière sociale, avec des risques de **conflits**, voire de **guerres civiles**, et une montée des **inégalités** (emploi, revenu, santé, formation, patrimoine...).
- **Annulation/monétisation de la dette de certains pays.** Face à l'endettement excessif de certains pays, en Europe du Sud (Grèce, Espagne, Portugal, France...) ou dans d'autres régions du monde, un **moratoire** ou même une **annulation** au moins partielle pourrait être décidé, comme ce fut le cas à de nombreuses reprises dans le passé. Ainsi, entre 1975 et 2006, 71 pays ont fait défaut sur leurs dettes souveraines : Russie (1998), Ukraine (2000), Croatie (1996), Venezuela (2004), Argentine, Équateur... Depuis sa création en 1829, la **Grèce** n'a pas honoré ses engagements financiers en moyenne une année sur deux.
- **Panne informatique majeure, provoquée ou non.** La **vulnérabilité** des systèmes informatiques publics ou privés laisse craindre des pannes de grande ampleur. Des attaques viendront aussi de la part de **terroristes** ou de simples «**hackers**» mal intentionnés qui pourraient paralyser des services, saboter des installations, provoquer des accidents (circulation, chantiers, usines...) et même, directement ou indirectement, la mort d'êtres humains (hôpitaux, usines, bureaux, logements...).
- **Utilisation de l'arme atomique et ripostes (isolées ou groupées).** Neuf **États** disposeraient aujourd'hui d'armes atomiques : États-Unis. Russie, France, Royaume-Uni, Chine, Corée du Nord, Pakistan, l'Inde et Israël (officieusement pour les quatre derniers cités). D'autres n'en sont probablement pas éloignés (Iran). Ce pourrait être aussi le cas d'**organisations terroristes**

comme Daech. Elles pourraient s'en servir pour attaquer un pays ou une région, qui pourrait à son tour riposter par le même moyen et enclencher un processus de **guerre**, qui s'étendrait progressivement en fonction des alliances existantes. D'autres armes aussi dangereuses seront sans doute utilisées à l'avenir : **chimiques, bactériologiques,** etc.

Bien d'autres « accidents » (favorables ou défavorables) pourraient se produire d'ici 2030 (voir rubrique *Et si...* en fin de chapitre). Au total, le monde à venir sera très **anxiogène**. Il devra relever de nombreux défis. Mais il faut souligner que chacun d'eux représentera aussi une **opportunité** pour que l'Humanité devienne plus forte, résistante ou solidaire (voir ci-après). *« La peur ne peut se passer de la peur, et la peur de l'espoir »* (Spinoza).

ESPOIRS

Les craintes suscitées par un tour d'horizon des **menaces** qui pèsent aujourd'hui sur le monde ne doivent pas faire oublier qu'il existe aussi des **bonnes nouvelles**, au moins potentielles.

- **Innovations technologiques de rupture.** En matière énergétique, la maîtrise de la **fusion atomique**[1] ouvrirait au monde des perspectives économiques inédites, avec des conséquences sociales favorables dans la mesure où elle serait partagée.
- **Extension de la démocratie.** La chute du **mur de Berlin** en 1989 avait laissé espérer une généralisation des régimes démocratiques dans le monde. Elle ne s'est pas véritablement produite, mais la **mondialisation** pourrait y contribuer, ainsi que la multiplicité des échanges via les réseaux numériques.

- **Rapprochement États-Unis-Chine.** S'il avait lieu (*a priori* plutôt après la fin du mandat de Donald Trump, soit à partir de 2020 en cas de non-réélection), il pourrait permettre de **stabiliser** l'état du monde. À condition qu'il ne s'opère pas aux dépens de l'**Europe** et qu'il ne soit pas menacé par la **Russie** ou des conflits au **Proche-Orient**.
- **Poursuite de la révolution de l'Arabie saoudite.** Le prince Mohammed ben Salmane, fils du roi Salmane et petit-fils d'Ibn Séoud (fondateur du royaume), est l'homme fort du royaume. Il a promis de créer une Arabie saoudite *« modérée et ouverte sur le monde*[2] *»*. Il a annoncé la rupture avec l'**ultraconservatisme** religieux, en s'adressant aux jeunes (70 % des Saoudiens ont moins de 30 ans) et aux investisseurs étrangers. Le royaume va en effet devoir préparer l'**après-pétrole**, en trouvant d'autres sources de revenus. Il s'est engagé dans un affrontement avec les milieux religieux conservateurs qui exercent depuis des décennies une grande influence sur la société saoudienne, depuis notamment la montée en puissance de courants religieux **extrémistes**, à partir de 1979.
- **Refondation d'une Europe des citoyens.** La crise européenne appelle une remise en cause profonde de son fonctionnement et de sa structure (voir p. 61). Elle implique de donner aux citoyens la possibilité de participer plus activement, afin de renforcer leur sentiment d'**appartenance** à une Union à la fois protectrice, efficace et novatrice, capable de peser dans le monde, de contribuer à la paix et de lutter contre les grands fléaux.
- **Éradication des groupes terroristes.** La lutte contre Daech et d'autres groupes terroristes pourrait trouver une issue favorable après la reprise par la force des **territoires** où ils étaient implantés (Irak, Syrie, Mali...). Elle pourrait aussi bénéficier d'une amélioration des **conditions**

---

1. Processus dans lequel deux noyaux atomiques légers d'hydrogène (deutérium et tritium) s'assemblent à des températures de plusieurs millions de degrés pour former un noyau plus lourd (comme au cœur des étoiles). Dans le processus, une partie de la masse est transformée en énergie sous forme de chaleur.

2. Discours à des investisseurs étrangers réunis à Ryad, 24 octobre 2017.

SOFT POWER : LA FRANCE NUMERO UN

17. Pays les plus influents (en fonction du score de *soft power* obtenu)*

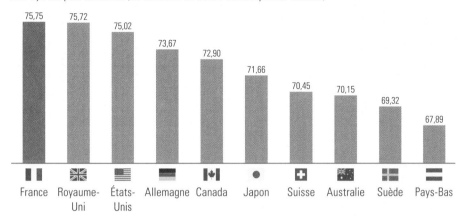

France	Royaume-Uni	États-Unis	Allemagne	Canada	Japon	Suisse	Australie	Suède	Pays-Bas
75,75	75,72	75,02	73,67	72,90	71,66	70,45	70,15	69,32	67,89

*Les critères pris en compte sont par exemple l'influence numérique, l'attractivité touristique ou l'opinion internationale du pays.
The Soft Power Report 2017

de vie et d'**intégration** sur le sol français d'individus aujourd'hui sans perspectives, qui cherchent à donner un sens à leur existence (en y mettant un terme) en devenant djihadistes.

- **Restauration de l'environnement.** Des **innovations** techniques et des **comportements** plus responsables de la part des individus-consommateurs-citoyens pourraient permettre de stopper la dégradation de l'équilibre écologique, voire de l'inverser. Cela implique que l'**écologie** trouve un véritable écho dans la **vie politique** en général, sans être «préemptée» par un parti spécifique.
- **Coexistence pacifique des religions.** Certaines crispations religieuses, notamment avec l'islam, pourraient être sensiblement réduites si une **autorité** musulmane reconnue par l'ensemble des croyants luttait efficacement contre les courants intolérants et violents qui se réclament de l'Islam et prônent l'élimination des «mécréants».
- **Réduction des inégalités matérielles.** La réduction ou la suppression de situations considérées comme des **injustices** ou des **«privilèges»** (revenus, pensions,

statuts, patrimoines, accès à l'éducation ou aux soins, allocations et autres avantages), tant au **sommet** de la hiérarchie sociale qu'aux niveaux inférieurs, aurait des effets positifs sur le climat social. Elle pourrait servir de déclencheur à une amélioration du climat social.

- **Émergence de nouvelles valeurs.** La promesse d'un développement rapide de valeurs comme l'autonomie, la tolérance ou l'empathie n'a pas accompagné autant que prévu l'accroissement général de la durée d'instruction, des revenus ou des moyens de communication. La génération issue du *baby-boom* a même été plus «matérialiste» que les précédentes. On voit cependant émerger depuis quelques années certaines **valeurs «post-matérielles»** : quête identitaire ou spirituelle ; remise en cause des partis politiques ; désyndicalisation ; écologie… Le mouvement pourrait se poursuivre dans le monde en préparation.
- **L'amorce d'un processus de désarmement nucléaire** avec la **Corée du Nord** et les **États-Unis**, avec l'aide de la **Chine** (à confirmer, compte tenu du caractère peu prévisible des protagonistes).

7 mégatendances

Les années qui nous séparent de **2030** devraient être marquées par le développement de plusieurs **tendances fortes**, qui se combineront pour créer un monde véritablement nouveau. On peut en identifier sept principales :

- **Globalisation.** Poursuite du mouvement de **mondialisation** des échanges de toute nature (économique, sociale, scientifique, culturelle…), malgré les tentatives de **protectionnisme** ou de fermeture des frontières aux biens et aux personnes.
- **Individualisation.** Primauté donnée à l'individu (« atome social ») par rapport à la collectivité, avec la mise en place de niveaux d'appartenance intermédiaires, qui vont nourrir le corporatisme ou le communautarisme (ci-dessous).
- **Communautarisme.** Regroupement d'individus ayant en commun des **valeurs** ou des caractéristiques personnelles (religion, origine géographique ou ethnique, centre d'intérêt, culture, vision de la vie…). Ces communautés chercheront à combler au moins en partie le **déficit d'appartenance à des collectivités traditionnelles** (nation, région, département, commune, quartier…).
- **Féminisation.** Place croissante des femmes dans les postes de **responsabilités** jusqu'à la réalisation de la **parité** dans les domaines où elle n'est pas encore réalisée, notamment en **politique** et dans la **gouvernance** des entreprises. Dans le même temps, certaines **inégalités matérielles** entre les sexes seront progressivement corrigées : revenus ; pensions de retraite, partage des tâches au sein du ménage, etc.

- **Environnementalisme.** Prise en compte généralisée de la nécessité de **préserver**, et si possible de **reconstituer** l'environnement, afin de réduire les **risques** auxquels il est confronté du fait des **activités humaines** : réchauffement climatique ; disparition d'espèces animales ou végétales ; maladies spécifiques ; réduction de l'espérance de vie ; conditions de vie détériorées…
- **Participation.** Mouvement général de **collaboration** active, d'**implication** et d'**appropriation** des individus dans la vie collective ou communautaire, en tant que citoyens, consommateurs, électeurs, patients, usagers et autres « rôles » sociaux. Il répondra à la nécessité d'obtenir une **adhésion au changement**, de trouver de nouvelles **idées** pour le rendre efficace et de favoriser sa **mise en œuvre** effective.
- **« Technologisation ».** Accélération du développement de nouveaux biens et services issus de la recherche scientifique, fondamentale ou appliquée à des domaines spécifiques. Cette recherche sera elle-même favorisée par de nouveaux progrès dans les moyens de **communication** et d'échange, la généralisation du travail **interdisciplinaire** et **interculturel**, l'apparition de nouvelles méthodes de **recherche**, la **mutualisation** des moyens de calcul, des résultats et des financements. Les **applications** seront de plus en plus nombreuses et leur **diffusion** de plus en plus rapide. Au risque de ne pas prendre le temps de débattre et d'évaluer les conséquences à court ou long terme et les enjeux **éthiques** de ces innovations (robotisation, intelligence artificielle, cellules souches, etc.).

ET SI...

Les questions figurant dans cette rubrique ne sont pas des informations, mais des sujets de réflexion et de débat complétant les textes du chapitre qu'ils clôturent. Elles peuvent exprimer des souhaits, des craintes, des utopies ou tout élément susceptible d'accélérer, ralentir ou inverser les évolutions prévisibles.

... un conflit mondial éclatait (traditionnel, nucléaire, numérique, chimique...), enclenché par la Chine, la Russie, les États-Unis, l'Iran, la Corée du Nord ou tout autre pays ?

... un gouvernement mondial était mis en place pour gérer les grands sujets concernant l'ensemble de la planète : défense de l'environnement ; harmonisation fiscale ; accords de défense mutuelle ; suppression des armes atomiques ; limites imposées aux groupes leaders de l'industrie numérique... ?

... l'Union européenne se recomposait à partir d'un « noyau dur » de pays ayant des caractéristiques semblables, des valeurs et une ambition partagées ?

... l'Union européenne était réduite aux seuls pays-membres de la Zone euro ?

... la majorité des pays de l'Union étaient dirigés par des gouvernements populistes ?

... la Turquie laissait entrer dans l'Union européenne tous les migrants présents sur son sol ?

... les États-Unis déclaraient une véritable guerre commerciale au reste du monde ?

... des attentats terroristes de l'ampleur du 11 septembre 2001 touchaient un pays occidental (ou plusieurs) ?

... une guerre des religions avait lieu entre l'islam et le christianisme.

... la Russie entrait un jour dans l'Union européenne ?

MENTALITÉS (FRANCE)

Après avoir examiné successivement les évolutions probables et possibles de l'**environnement**, de la **démographie**, de l'**économie**, puis le **contexte planétaire** dans lequel devrait se situer la France d'ici **2030**, une autre pièce importante du décor est à placer : celle des «**mentalités**». Ou, si l'on préfère, de la **culture nationale**. Une pièce maîtresse, en effet, car elle détermine largement les attitudes, opinions, valeurs, croyances des Français et leur relation au monde, ainsi que leur capacité à s'adapter aux **changements** en cours et à venir. Et leur volonté de le faire.

Il s'agit moins dans ce chapitre de prévoir ou d'imaginer les mentalités françaises telles qu'elles seront dans le **futur** que d'identifier et de décrire celles qui prévalent **aujourd'hui**. Car on sait que la «culture» d'un peuple évolue généralement moins vite que les autres facteurs de changement. Elle est même souvent de fait en décalage avec le «réel», du fait de sa **rémanence** («*persistance d'un état après disparition de sa cause*», selon le dictionnaire, ce qui qualifie bien l'état d'esprit national, dans certaines de ses manifestations).

Il est courant aujourd'hui (bien que simplificateur) de distinguer aujourd'hui dans le pays deux types de mentalités. Celle, «**progressiste**», favorable à la mise en œuvre de réformes et transformations nécessaires pour que la France ne se laisse pas distancer. Celle, «**conservatrice**», plutôt tournée vers le passé (souvent idéalisé). Cette dichotomie, quasiment universelle, est particulièrement apparente en France. La première attitude voit plutôt dans l'avenir des **opportunités**, tandis que la seconde perçoit des **menaces**. Mais l'**enthousiasme** (potentiellement créatif)

des uns peut être utilement nuancé par le **scepticisme** (parfois source de sagesse) des autres.

ÉTAT D'ESPRIT

L'évolution envisagée des mentalités françaises peut être résumée en quelques **tendances** listées ci-après. Elles sont toutes développées (dans cet **ordre**, et sous ces **titres**) dans le chapitre *Société* (voir p. 221).

VALEURS
- Un objectif partagé : **profiter de la vie** (voir p. 224).
- La «**vérité**» introuvable (voir p. 224).
- Le «**modèle républicain**» à refonder (voir p. 226).
- Le «**modèle social**» à revoir (voir p. 227).
- L'émergence de valeurs «**post-matérialistes**» (voir p. 226).

OPINIONS ET CROYANCES
- Un **pessimisme** dominant.
- Un besoin croissant de **spiritualité**, mais de plus en plus d'**athées** et d'**agnostiques** (voir p. 231).
- Des pratiques religieuses **individualisées** (voir p. 232).
- Le **transhumanisme**, religion du futur (voir p. 233) ?
- Une interrogation sur la notion de **progrès** (voir p. 234).
- Le **hasard** rejeté (voir p. 237).

VIE SOCIALE
- Une meilleure cohabitation possible (voir p. 238).
- Des **factures économiques** et des **fractures sociales** qui seront difficiles à réduire (voir p. 242).

- Une société **horizontale** et **collaborative** (voir p. 243).
- L'**immigration**, facteur de division (voir p. 245).
- **Intégration** ou **assimilation** (voir p. 246)?
- Une **recomposition sociale** en cours (voir p. 247).
- La société **centrifuge** (voir p. 248).
- Une **sociabilité** globalement réduite, puis réinventée (voir p. 248).
- Une diminution de la petite **délinquance**, mais un accroissement de sa gravité (voir p. 251).
- Une inflation **sécuritaire** (voir p. 252).

10 HANDICAPS FRANÇAIS

Pour affronter les prochaines années, la France va devoir prendre conscience de quelques-unes de ses spécificités, singularités ou «exceptions», qui la distinguent de la plupart des autres pays développés. On peut en citer (en forçant parfois volontairement le trait) dix principales, qui devraient au moins en partie perdurer car elles sont fortement ancrées dans la **culture nationale**[1] :

L'IRRÉALISME

Les Français éprouvent des difficultés à **appréhender la réalité** ou, lorsqu'ils la perçoivent, à l'**accepter**. Celle-ci est pourtant de plus en plus «visible», en tout cas accessible. L'information n'a pourtant jamais été aussi abondante (on peut même parler d'«*infobésité*»), sous la forme d'études, statistiques, rapports et réflexions multiples sur tous les sujets. Mais les **acteurs** sociaux, économiques ou politiques préfèrent souvent n'en retenir que ce qui les conforte dans leurs certitudes ou leurs idéologies (le «**biais de confirmation**» bien connu, sauf peut-être de ceux qui le pratiquent le plus…). C'est aussi le cas de nombreux **citoyens**, aveugles

et sourds aux arguments de ceux qui ne pensent pas comme eux, ou qui n'ont pas le même «**ressenti**», qui fait trop souvent office de **réalité**.

LA MYOPIE COLLECTIVE

Les Français voient plus nettement (et avec un préjugé plus favorable) ce qui est **proche** d'eux que ce qui est éloigné, au sens **géographique** ou **symbolique**. C'est pourquoi beaucoup tentent de résister à la **mondialisation**, et à la confrontation aux autres qu'elle implique. Ils préfèrent souvent renoncer à se comparer, peut-être davantage par crainte du résultat que par simple suffisance ou arrogance.

La conséquence est une attitude de **repli** sur des points de repère plus accessibles. La «**proximité**» est ainsi devenue la notion (parfois la «potion») magique depuis quelques années. Les Français préfèrent le «**local**» au «global» et le «**petisme**» est pour eux une réaction au gigantisme et à la globalisation. Au prétexte (louable) d'être plus proches des citoyens, les politiciens en oublient souvent qu'on attend d'eux une vision plus large dans l'**espace**, une projection plus éloignée dans le **temps**. C'est-à-dire plus **ambitieuse** et plus **responsable** à l'égard des **générations futures**.

LE RÉGLEMENTARISME

Le «**modèle**» français repose sur trois piliers : un niveau élevé de **protection** ; un **droit du travail** très réglementé ; une omniprésence de l'**État**. Contrairement au modèle anglo-saxon, globalement libéral et flexible, et malgré les changements apportés, il reste **social** et **administré**. C'est ce qui explique l'**inflation de réglementations** de toute nature qui découragent ou paralysent ceux qui doivent s'y conformer. La France est ainsi la championne de l'**accumulation des textes et des lois** qui encadrent la vie individuelle et collective.

Depuis 1949, plus de **1500 textes législatifs et réglementaires** sont apparus **chaque année** en moyenne. Le rythme s'est accéléré depuis quelques années. Le recueil

---

1. Liste en partie reprise, et actualisée, de l'ouvrage de l'auteur : *Réinventer la France (Manifeste pour une démocratie positive)*, l'Archipel, 2014.

de **lois** édité par l'Assemblée nationale est ainsi passé de 632 pages en 1980 à plus de 2 000 aujourd'hui. Le **Code civil**[1] **2018** compte 3 140 pages. Le **Code du travail** est passé de 2 600 pages en 2005 à 3 142 en 2018. Le nombre total de textes signés par le **Premier ministre** ou ses délégataires durant l'année est proche de 6 000, soit une moyenne mensuelle de 500 par mois, ou 20 par jour ouvrable.

Aux lois nationales nouvelles s'ajoutent les **directives** et autres textes émanant de **l'Union européenne**, qui doivent être transcrits dans le droit français. L'inflation réglementaire concerne aussi les **normes** administratives. La France en compte plus de 400 000. La mise en place du **«principe de précaution»** (2005) a encore ajouté à la «logorrhée administrative» et à l'impossibilité pour quiconque de l'appréhender en totalité.

L'HÉDONISME

Les Français ont un **goût** prononcé pour le **confort**, et une **aversion** pour son contraire, l'**inconfort**, qu'il soit matériel ou moral. C'est pourquoi ils tendent à voir dans les projets de **changement** qui leur sont présentés des **risques** plutôt que des opportunités. La recherche du **«bonheur»** prend des formes et des appellations différentes : bien-être, sérénité, équilibre, harmonie, développement personnel... Les médias ont fait de cette question un inépuisable sujet de dossiers, de reportages et de conseils. Le message se résume au *carpe diem* ou à la devise de Ronsard : *« Cueillez dès aujourd'hui les roses de la vie »*. La version contemporaine est, pour l'ensemble des catégories sociales : *« Il faut profiter de la vie »* (voir p. 224).

LES EXCEPTIONS DU TRAVAIL

La conception **hédoniste** de la vie explique que le travail occupe en France une moindre place que par le passé. On travaille moins pour *« gagner sa vie à la sueur*

de son front » ou par devoir moral, comme le suggérait la religion catholique, mais parce qu'on y est **contraint** (étymologiquement, le mot travail est issu du latin *trepalium*, un outil utilisé dans l'Antiquité pour la torture). Ou dans le but (rarement atteint, si l'on s'en réfère aux sondages) de s'**épanouir** à titre personnel. La conviction largement partagée (et difficilement niable) est que le travail ne saurait prendre toute la place dans la vie, et qu'il ne doit pas se substituer aux autres activités que sont notamment la **vie familiale** et les **loisirs**.

La France est ainsi une exception dans de nombreux domaines liés au travail. C'est le cas notamment pour la **durée hebdomadaire légale**, réduite à 35 heures (voir p. 270). Fin 2017, la durée effective déclarée par les salariés à temps complet en France s'établissait en moyenne à environ 35,7 heures[2]. Surtout, la France détient le record de la **durée de travail effective la plus faible sur l'ensemble de la vie active**. C'est la conséquence d'**études** longues (ce dont on doit se féliciter), mais aussi d'une durée hebdomadaire réduite, de **vacances** longues, d'un **absentéisme** conséquent et d'un âge légal de la **retraite** inférieur à celui en vigueur dans la plupart des pays développés, exceptions sur lesquelles il est utile de s'interroger.

Il faut ajouter à cette singularité celle du taux de **syndicalisation** le plus bas (environ

---

1. Publié par Dalloz.

2. Durée collective hebdomadaire de travail contractuelle (commune à un groupe de salariés telle qu'elle est affichée sur leur lieu de travail) pour les salariés à temps complet dans les entreprises d'au moins 10 salariés (Dares).

11 % des salariés[1], voir p. 278), contre une moyenne de 23 % dans l'Union européenne. Il traduit la représentativité limitée des centrales syndicales, dans les entreprises comme dans l'opinion. C'est sans doute en partie pourquoi la France se distingue par le nombre et la durée des conflits professionnels, que les « **partenaires sociaux** » (en fait souvent adversaires) parviennent moins souvent qu'ailleurs à régler ou à éviter par la négociation et la recherche du consensus au nom de l'intérêt général.

Parmi les grands pays développés, la France est également celui où le poids de la **Fonction publique** est le plus important (un quart de la population active). Cela induit une dépense élevée et s'accompagne d'**inégalités** de statut, de rémunération et de retraite avec le secteur privé. On peut aussi mentionner le **profil-type des dirigeants** d'entreprise, qui fait une très large place aux diplômés des « grandes écoles », ce qui exclut souvent ceux qui ne le sont pas.

LES « AVANTAGES EXQUIS »

Malgré son goût épisodique pour la **transgression** (une fonction aujourd'hui plutôt déléguée aux humoristes), les Français restent pour beaucoup attachés à leurs **habitudes**, et à leur **préservation**. S'ils se disent collectivement favorables au principe d'égalité, ils se montrent individuellement plutôt hostiles à la mise en cause des « **avantages** » (qui s'apparentent parfois à des **privilèges**) dont ils bénéficient à titre personnel. Les manifestations de ce « **conservatisme** » au sens propre (opposé à la notion de remise en cause des acquis en fonction du contexte) sont nombreuses, notamment à l'égard des projets de réformes, auxquels on préfère souvent le *statu quo*. À ceux-là, on peut proposer de méditer cette phrase d'Albert Einstein, « *La folie, c'est se comporter de la même manière et s'attendre à un résultat différent* ».

---

1. Chiffre 2013 (dernière année disponible), Dares. Le taux de syndicalisation dans la Fonction publique (20 %) est deux fois plus élevé que dans le secteur marchand et associatif (9 %).

LA CULTURE DE L'AFFRONTEMENT

Les Français trouvent dans l'affrontement un mode de relation et d'expression qui convient à leur culture. C'est en s'opposant aux autres qu'ils se prouvent leur propre existence. Cette attitude est particulièrement apparente dans les **relations sociales**, entre les syndicats et les entreprises, entre les citoyens et les pouvoirs publics, entre les marques et les consommateurs, entre les intellectuels qui s'invectivent ou les internautes qui s'injurient sur les forums ou les réseaux sociaux.

Chaque gouvernement a fait l'expérience de ces difficultés, en tentant (le plus souvent en vain) de réformer l'Éducation nationale, le système de santé, le Code du travail ou certains avantages liés au statut de la Fonction publique. À chaque occasion, un **rapport de force** se met en place, en même temps que s'installe un dialogue de sourds, aggravé par des grèves et des manifestations qui aboutissent parfois à la paralysie du pays (mai 1968, décembre 1995, printemps 2016), et qui ont un **coût** considérable pour les entreprises, les contribuables, le climat social et l'image de la France.

LE « POLÉMISME »

Dès qu'un événement à caractère dramatique se produit dans le pays (catastrophe naturelle, acte criminel, accident industriel, accident grave de transport...), un **processus médiatique** s'enclenche, de façon quasi automatique. Le drame est immédiatement relaté et commenté, parfois même en l'absence d'informations disponibles. Puis, dans les heures qui suivent, s'engage une **polémique**. Elle est ensuite alimentée par des informations contradictoires, en provenance de sources multiples (officielles ou non), commentées par des « **experts** » qui livrent leurs analyses, leurs expériences, leurs certitudes ou leurs doutes. La tentation est forte de privilégier les avis **divergents**.

Le public est ainsi divisé, et la distance s'accroît entre les partisans des différentes thèses, et les tenants des différentes solutions pour que les accidents ne se reproduisent plus. Le phénomène a connu une forte accélération avec le poids grandissant d'Internet, de la téléphonie portable et des réseaux sociaux. La «**théorie du complot**» en sort renforcée (voir p. 361). Elle fait le jeu de la **paranoïa** latente, tandis que la confiance mutuelle est affaiblie.

L'«AMORALISME»

Plusieurs enquêtes internationales montrent que la France est mal classée en matière de «moralité». La **fraude** et la **délinquance** se sont accrues, les **incivilités** se sont multipliées. L'ampleur du «**coulage**» a augmenté dans les entreprises, comme celle de la «**démarque inconnue**» dans les magasins. Les **accommodements** avec la loi et avec la morale sont assez largement acceptés.

Être «**malin**» est ainsi jugé plus important et valorisant qu'être **honnête** ou **irréprochable**. En l'absence d'un «gène d'amoralité» identifié dans la seule population française, cette caractéristique ne peut qu'être **acquise**. Elle est nourrie, à défaut d'être justifiée, par de nombreux scandales, fraudes et autres affaires impliquant notamment les «**élites**» du pays.

Depuis quelques années, la difficulté croissante de se faire une place au sein de la société, le sentiment de précarité, la haine du «système» ou le simple mécontentement ont ainsi fait reculer la moralité. Ils ont accrédité l'idée que, le mauvais exemple venant d'en haut, tous les moyens sont permis à chacun pour s'en sortir, sous peine d'être désavantagé, ou **victime** de son honnêteté. La conséquence est la multiplication d'actes illégaux, commis par des particuliers ou des groupes constitués : zadistes de Notre-Dame des Landes ; vélos en libre-service vandalisés dans les villes ; vitrines et mobilier public cassés lors de manifestations ; sabotage d'outils de travail dans des usines ; voitures incendiées dans l'espace public ; prises d'otages dans des entreprises ; attaques de policiers ou même de pompiers. La frontière de l'amoralité est alors très largement franchie.

LE CULTE DE L'EXCEPTION

Conscients de leurs singularités nationales, les Français en sont généralement plutôt **fiers** et beaucoup ne souhaitent pas que la France change et «rentre dans le rang» des autres pays développés. Certains estiment même qu'il est important de maintenir ces exceptions. Ils refusent ainsi toute forme de comparaison avec ce qui se fait ailleurs *(benchmarking)*, même lorsque cela donne de bons résultats. Pour eux, la France a toujours raison contre le reste du monde, même si elle réussit moins bien, ce qu'ils sont d'ailleurs les premiers à dénoncer. Mais ils considèrent que la France n'a de leçons à recevoir de personne et qu'elle s'imposera demain comme elle l'a fait à d'autres moments de l'Histoire, par exemple à la fin du XVIIIe siècle. Mais cela sera difficile si la France n'a pour objectif que le *statu quo*.

10 ATOUTS FRANÇAIS

En contrepoint à ses «**handicaps**», décrits dans les pages précédentes, la France dispose fort heureusement de nombreux **atouts**, dont il faut rappeler les principaux[1]. Tout en mentionnant leur évolution récente qui, de façon presque systématique, n'apparaît pas très favorable, ce qui suscite quelques inquiétudes.

L'HISTOIRE

La France a connu une longue et riche histoire depuis des siècles. Elle a bénéficié en Europe et dans le monde d'une image de **grandeur**, même si elle n'a pas toujours été bienvenue dans les territoires qu'elle a tenté de conquérir (notamment en Afrique), et si ses «exceptions» suscitent parfois la moquerie dans certains pays.

LA GÉOGRAPHIE

La France jouit d'une situation géographique privilégiée, au **centre** de l'Europe.

1. Liste en partie reprise, et actualisée, de l'ouvrage de l'auteur *Réinventer la France (Manifeste pour une démocratie positive)*, l'Archipel, 2014.

Sa forme hexagonale apparaît **équilibrée** sur une carte du monde. Elle bénéficie aussi d'une **diversité** exceptionnelle de climats, de territoires et de paysages, qui est comme partout menacée par la dégradation de l'**environnement**.

LA DÉMOGRAPHIE

Le pays a connu et connaît encore une évolution favorable de sa population, par rapport à la plupart de ses voisins européens, Allemagne et Italie en tête. Contrairement à eux, son taux de fécondité lui a permis jusqu'ici d'assurer le **renouvellement des générations**, et de compenser en partie le **vieillissement** de la population. Mais la natalité de la France a diminué récemment, même si elle devrait rester supérieure à celle des autres pays européens au cours des prochaines années (voir p. 175).

LA CULTURE

L'image de la France est étroitement associée à sa culture. C'est la conséquence d'un **patrimoine** exceptionnel en matière de monuments, d'œuvres artistiques dans tous les domaines : littérature ; peinture ; sculpture ; architecture ; mode… La France pèse encore dans ces domaines, mais sa **production** artistique actuelle ne la place plus au tout premier plan dans le monde.

LA FORMATION

Dans l'ensemble, le niveau général d'éducation et de qualification reste élevé en France. Sa **culture mathématique** et **scientifique** (utile dans l'économie numérique) est reconnue, comme en témoignent les nombreuses récompenses obtenues par des chercheurs. Cette place accordée aux « sciences dures » explique notamment que la France dispose d'outils d'analyse statistique développés et fiables (INSEE et autres organismes publics ou parapublics). Mais le pays ne figure plus aux premières places des classements internationaux publiés régulièrement, qu'il s'agisse de l'enseignement secondaire ou supérieur (classements de Shangaï, PISA, Unesco, Times Higher Education…, voir p. 140).

L'ÉPARGNE

Le taux d'épargne des ménages français (14,5 % du revenu disponible des ménages en 2017) est l'un des plus élevés au monde. Il est en majeure partie lié à la **propriété immobilière** (9 % du revenu disponible), le taux d'épargne financière étant proportionnellement assez peu élevé (6 %). Le patrimoine **financier** détenu par les ménages et l'État est considérable : un peu plus de 14 023 milliards d'euros au début 2017, soit 7,7 années de PIB (ou d'endettement national, puisque les deux chiffres sont quasiment équivalents). Il augmente régulièrement, et s'est montré jusqu'ici assez peu sensible aux crises. Les transformations attendues dans la vie professionnelle au cours des prochaines années laissent cependant penser que le taux d'épargne pourrait **diminuer** dans les années à venir (voir p. 298). On observe par ailleurs que l'épargne française est très peu investie dans le **développement économique**, via celui des entreprises.

LES INFRASTRUCTURES

La France dispose d'**infrastructures** et d'**équipements collectifs** nombreux et fonctionnels (transports, loisirs, réseaux informatiques…), ainsi que de **services publics** de qualité (écoles, hôpitaux, justice, forces de sécurité…). Le **centralisme** qui a longtemps prévalu (et qui n'a pas disparu) a permis l'émergence de Paris parmi les grandes métropoles mondiales, tandis que la **décentralisation** a fait émerger quelques métropoles régionales fortes (Lyon, Marseille, Bordeaux, Nantes, Toulouse, Lille, Strasbourg…).

On constate cependant que l'État et les collectivités locales ont de plus en plus de difficultés à **entretenir** les infrastructures et les **développer**. Le délabrement de certaines lignes de la SNCF, les dysfonctionnements dans le secteur hospitalier, les difficultés de l'école républicaine, la lenteur de la justice ou l'insuffisance des moyens mis à disposition de la police, de l'armée ou des services de renseignement en témoignent.

LE SYSTÈME DE PROTECTION SOCIALE

Le modèle national de redistribution des richesses et d'aides diverses aux plus démunis est généreux. Il a permis pendant des décennies de réduire les inégalités de revenus, en offrant à l'ensemble des citoyens un accès (le plus souvent gratuit) à l'éducation et aux soins. Il a indéniablement servi d'«**amortisseur**» lors de la crise de 2008, au cours de laquelle la France a été plutôt moins touchée que les autres pays développés. Mais la contrepartie est qu'elle en a été plus **durablement** affectée, avec un taux de chômage fortement accru, une stagnation du **pouvoir d'achat** (suivie d'une faible croissance depuis 2012) et un **endettement** massif. Le «modèle» est globalement **coûteux**, et ses effets sont moins visibles qu'auparavant.

LA QUALITÉ DE VIE

Malgré les difficultés qu'elle connaît et l'incompréhension qu'elle suscite souvent à l'étranger, la France est encore considérée dans de nombreux pays comme celui du «bien vivre». Cette image repose sur l'ensemble de ses atouts objectifs, mais aussi sur une vision parfois ancienne, que les visiteurs ne retrouvent pas toujours lorsqu'ils séjournent en France.

LA FRENCH TOUCH

L'économie française est tirée par quelques grandes entreprises **performantes** ou même en position de **leader** mondial dans certains secteurs : luxe, construction, énergie… Elle porte en elle une capacité d'**innovation** qui a fait ses preuves dans le passé (photographie, automobile, aviation, chimie…), mais qui doit être davantage mobilisée et encouragée. Ainsi, la France arrive seulement en neuvième position dans le classement Bloomberg 2017 des pays les plus innovants dans le monde[1] (avec cependant un gain de deux places en un an). Elle est devancée en Europe par la Suède (2e), l'Allemagne (4e), la Suisse (5e) et la Finlande (7e).

Ces dix grands **atouts** de la France sont pour la plupart **anciens** et **reconnus** dans le monde. Ils ont contribué à la **grandeur** et au **développement** du pays. Ils ne lui ont cependant pas permis de résoudre les problèmes qui se sont posés à lui depuis déjà quelques années. La quasi-totalité d'entre eux ont en outre connu une évolution plutôt **défavorable**, comme indiqué ci-dessus. Ils devront donc faire l'objet d'efforts particuliers de rénovation et d'innovation pour redevenir des **leviers** sur lesquels la France pourra s'appuyer pour construire son avenir. Ils devront notamment l'aider à répondre aux **handicaps** décrits en début de chapitre et à relever les nombreux défis exposés dans cette première partie du livre.

Pour terminer sur une note positive, on observera que les **investissements étrangers** en France, qui avaient marqué le pas pendant des années, se sont sensiblement **redressés** depuis 2016[2], avec une confirmation en 2017. Ils ont cependant changé

1. Classement établi en fonction de sept critères, comme le nombre de brevets déposés dans l'année, l'intensité en recherche et développement ou la concentration de chercheurs, 2017.
2. L'année 2016 avait été marquée en France par une forte augmentation des implantations et des extensions annoncées par les investisseurs étrangers (+30 % par rapport à 2015). Les 779 projets annoncés ont permis la création de 16 980 emplois (+24 %). Source EY, 16e édition du Baromètre de l'Attractivité de la France.

de **nature**. Beaucoup ont concerné des entreprises en difficulté, des hôtels de luxe ou des biens immobiliers de prestige (parfois appartenant au patrimoine national), des vignobles réputés, voire des clubs de football. Le «syndrome qatari» (propriétaire du PSG) a ainsi donné aux Français (et aux investisseurs étrangers) le sentiment que le pays était **«à vendre»**, et s'apprêtait à céder ses «bijoux de famille» pouvoir éviter la banqueroute. La France ne saurait se contenter d'être le **«musée»** de sa splendeur passée. À cet égard, les efforts entrepris depuis 2017 pour accroître l'**attractivité** de la France devraient porter leurs fruits.

ET SI...

Les questions figurant dans cette rubrique ne sont pas des informations, mais des sujets de réflexion et de débat complétant les textes du chapitre qu'ils clôturent. Elles peuvent exprimer des souhaits, des craintes, des utopies ou tout élément susceptible d'accélérer, ralentir ou inverser les évolutions prévisibles.

... les Français décidaient de regarder l'avenir avec moins de crainte, et le passé avec moins de nostalgie?

... la culture de l'affrontement donnait place à une culture du consensus?

... les Français s'intéressaient davantage à ce qui se passe ailleurs pour éventuellement s'en inspirer?

... les Français décidaient d'élire en 2022 un(e) président(e) de la République populiste?

... les syndicats manifestaient «pour» des propositions plutôt que «contre»?

... l'Etat décidait de miser sur la responsabilité des citoyens plutôt qu'à les infantiliser?

... les opposants ne se sentaient pas obligés de critiquer systématiquement toute proposition émise par le gouvernement en place, lorsqu'ils y sont eux-mêmes en réalité favorables?

... les médias cessaient de créer, exploiter ou entretenir des polémiques sur tous les sujets?

... les avantages obtenus par certains salariés ou citoyens pouvaient (ou devaient) être rediscutés lorsque le contexte change (favorablement ou défavorablement) par rapport à celui qui prévalait lors de leur obtention?

INNOVATION

Avec l'**environnement** (voir p. 12), l'**innovation scientifique et technique** sera très probablement le **principal facteur** de transformation des modes de vie de demain. Elle en sera même le **moteur**. Si elle est placée en dernière position de cette partie de l'ouvrage consacrée au futur «**décor**» dans lequel se déroulera notre vie, c'est parce qu'elle a un **statut** particulier. Elle se trouve en effet à la fois à l'**origine** des **progrès** qui ont eu lieu depuis l'apparition d'*Homo sapiens*, et à celle des **difficultés** auxquelles ses descendants sont aujourd'hui confrontés (en particulier de celles liées à la dégradation de l'environnement).

L'ambivalence de l'**innovation** se présente aujourd'hui d'une façon inversée par rapport à son histoire. Elle est d'un côté la **cause principale** (directe ou indirecte) des **déséquilibres** en cours dans la biosphère, mais de l'autre le principal **espoir** de les faire **disparaître**. Car elle représente indéniablement le meilleur **atout** pour apporter des solutions aux problèmes contemporains et à venir. Mais elle présente aussi le risque de les **aggraver** encore, en jouant les apprentis sorciers ou les démiurges. Rappelons, cependant, que l'innovation ne se produit pas toute **seule** ; elle est engendrée et (en principe) maîtrisée par des **humains**. En tout cas tant qu'elle n'échappe pas à leur contrôle.

téresser aux grandes innovations qui vont transformer le **futur**, il est utile de se pencher sur celles qui ont jalonné le **passé**, et accompagné l'Humanité jusqu'au XXIᵉ siècle. L'exercice donne un aperçu des «**sauts**» quantitatifs et qualitatifs effectués pour amener l'Homme de *Cro-Magnon*, isolé, à l'*Homo numericus* contemporain, connecté à l'ensemble du monde.

Pendant des millions d'années, l'histoire de la planète a été façonnée par les changements intervenus dans son **environnement**, que les humains appelaient alors **nature**, en lui donnant souvent un rôle magique ou divin. Depuis des millénaires, et surtout des siècles, ce sont les **inventions** et les **découvertes scientifiques et techniques**, réalisées par des **humains**, qui ont joué le rôle principal. Plus que les autres événements (politiques, sociaux, militaires...) vécus et provoqués par eux, elles ont été en effet le principal **acteur** de l'Histoire, depuis l'apparition de l'*Homo sapiens*, il y a environ 300 000 ans[1].

Le tableau ci-après présente une sélection de ces inventions ou découvertes «**de rupture**», qui ont provoqué des transformations majeures à l'échelle de toute la planète. À l'évidence, les apparitions successives du **feu**, du **langage** (*Homo loquens*), de la **roue**, de l'**écriture**, de l'**imprimerie**, de la **boussole**, des **vaccins**, de l'**électricité**, du **train**, de l'**automobile**, de l'**avion**, du **télé-**

RUPTURES

LES RUPTURES TECHNOLOGIQUES FONT L'HISTOIRE

«*Seuls ceux qui ont la mémoire longue sont capables de penser l'avenir*», affirmait le philosophe Friedrich Nietzsche. Avant de s'in-

---

1. Des découvertes faites au Maroc en 2017 ont repoussé l'âge présumé jusque-là des premiers *Homo sapiens*. Une équipe internationale menée par Jean-Jacques Hublin (du Collège de France et de l'Institut Max Planck) a découvert les restes fossiles de cinq individus qui appartiennent à notre espèce, qu'ils ont datés de 300 000 ans, alors que les plus anciens *Homo sapiens* connus remontaient à 195 000 ans. Cette découverte infirme par ailleurs le fait que les premiers Hommes seraient apparus en Afrique de l'Est.

phone, de l'**appareil photo**, de l'**ordinateur** ou d'**Internet** et quelques autres grandes découvertes ou inventions ont bouleversé la vie des humains, dans leurs domaines respectifs. Si l'on fait l'effort de se transporter deux millions d'années en arrière (époque de l'apparition des premiers **outils**) par la pensée ou par l'intermédiaire de reconstitutions proposées par des livres, films ou musées, les transformations intervenues depuis apparaissent immenses.

On constate aussi que les **effets** de ces innovations ont été le plus souvent «**transversaux**», c'est-à-dire qu'ils ont eu des impacts considérables dans de nombreux **autres** domaines que celui qui les concernait

initialement, par une **dérivation** volontaire ou non. Ainsi, le **feu** a permis aux hommes de se nourrir, de se chauffer, puis de fondre des minerais, qui ont eux-mêmes servi à fabriquer des métaux, puis des machines. La **roue** a été à l'origine de l'invention de moyens de transport et d'appareils mécaniques qui ont à leur tour modifié la vie des humains en créant des industries, des emplois, en simplifiant les déplacements, les échanges commerciaux, les loisirs... Le **langage** a été le véhicule, mais aussi la source de la pensée ; il a permis des échanges complexes avec les semblables, un accroissement de l'intelligence individuelle et la naissance d'une «**intelligence collective**».

Les grands tournants[1]

Premiers outils : il y a environ 2 millions d'années.

Langage : il y a environ un million d'années.

Feu : – 500 000 ans environ.

Élevage et agriculture : – 10 000 ans.

Écriture : – 5000.

Roue : – 3500.

Alphabet : – 1700 à – 1350.

Charrue : – 300.

Boussole : vers 1040 (Chine).

Chiffres : numérotation décimale «proportionnelle» en Mésopotamie, puis en Grèce, puis dans l'Empire romain, puis numérotation «positionnelle» (Inde), avec introduction du zéro à partir de 628.

Caravelle : 1420 (Portugal).

Imprimerie : 1451, Johannes Gutenberg (Allemagne).

Microscope : 1595, Zacharias Janssen (Pays-Bas).

Téléscope : 1609, Hans Lippershey (Pays-Bas).

Turbine à vapeur : 1629, Giovanni Branca (Italie).

Machine à additionner : 1642, Blaise Pascal (France).

Machine à calculer : Gottfried Wilhelm Leibniz (Allemagne).

Machine à vapeur à piston (principe) : de 1679, Denis Papin (France) à 1712, Thomas Newcomen (Grande-Bretagne).

Gravitation : 1687, Isaac Newton (Angleterre).

Métier à filer : de la navette volante, 1733, John Kay, au métier à filer le coton, 1767, Richard Arkwright (Grande-Bretagne).

Automobile (fardier à vapeur) : 1770, Joseph Cugnot (France), puis 1859, moteur à gaz, Étienne Lenoir (Belgique) et 1883, Édouard Deboutteville (France).

Montgolfière (aérostat) : 1783, Joseph et Étienne de Montgolfier (France).

Chimie : 1789, Antoine-Laurent de Lavoisier.

Gaz d'éclairage : 1792, William Murdoch (Grande-Bretagne).

Vaccin contre la variole : 1796, Edward Jenner (Grande-Bretagne).

Locomotive à vapeur : 1804, Richard Trevithick (Grande-Bretagne).

Photographie : 1826, Nicéphore Niepce (France).

Bicyclette : 1817, Karl Drais von Sauerbronn (Allemagne).

Télégraphe : optique, 1822, Claude Chappe (France), puis électrique, 1837, Charles Wheatstone (Grande-Bretagne).

1. Sélection effectuée par l'auteur à partir de sources diverses. Les dates, et certains noms d'inventeurs et découvreurs diffèrent parfois selon les sources, du fait de la difficulté à identifier une date et une personne uniques.

Moteur électrique : 1821, Michael Faraday (Grande-Bretagne).

Moissonneuse : 1831, Cyrus Hall McCormick (États-Unis).

Réfrigérateur : 1844, John Gorrie (Écosse).

Béton armé : 1849, Joseph Monier (France).

Pétrole : 1859, première exploitation d'une nappe, Edwin Laurentine Drake (États-Unis).

Théorie de l'Évolution : 1859, Charles Darwin (Grande-Bretagne).

Dynamite : 1866, Alfred Bernhard Nobel (Suède).

Téléphone : 1876, Graham Bell (États-Unis).

Lampe à incandescence : 1879, Thomas Alva Edison et Joseph Wilson Swan (États-Unis).

Télévision : 1884 disque de Nipkow (Allemagne), puis 1892 (tube cathodique, Karl Ferdinand Braun, Allemagne), 1921 (transmission d'une image fixe par bélinographe, Édouard Belin), 1926 (retransmission publique de télévision en direct, John Logie Baird, Grande-Bretagne).

Vaccin contre la rage : 1885, Louis Pasteur (France).

Automobile à essence : 1893, Charles E. et James F. Duryea (États-Unis).

Avion : 1890, Clément Ader (France) et 1903, Wilbur et Orville Wright (États-Unis).

Vaccin antituberculeux (BCG) : Albert Calmette et Camille Guérin (France).

Cinématographe : 1895, Auguste et Louis Lumière (France).

Radio : 1896, Guglielmo Marconi (Italie).

Théorie de la Relativité : Albert Einstein (Allemagne).

Congélation des aliments : 1925, Clarence Birdseye (États-Unis).

Pénicilline et antibiotiques : 1928, Alexander Fleming (Grande-Bretagne) puis test sur un humain, 1941, Howard Florey (Australie) et Ernst B. Chain (États-Unis).

Microscope électronique : 1935, groupe de scientifiques (Allemagne).

Ordinateur : à relais électromagnétiques, 1938, Konrad Zuse (États-Unis), machine Harvard-IBM, 1944, sans pièces mécaniques, 1946 (Eniac d'IBM).

Énergie atomique : de 1942, premier réacteur, Enrico Fermi (États-Unis) à 1945, groupe de scientifiques (États-Unis).

Four à micro-ondes : 1947, Percy L. Spencer (États-Unis).

Structure de l'ADN : 1953, James Dewey Watson (États-Unis) et Francis Crick (Grande-Bretagne).

Vaccin contre la poliomyélite : 1954, Jonas Edward Salk et Pierre Lépine (États-Unis, France).

Pilule contraceptive : 1956, Gregory Pincus et John Rock (États-Unis), autorisation en 1960.

Satellite artificiel : 1957, groupe de scientifiques (URSS).

Circuit intégré : 1959, Jack Kilby et Robert Noyce (États-Unis).

Laser : 1960, Charles H. Townes, Arthur L. Shawlaw et Gordon Gould (États-Unis).

Internet : 1969 (ARPANET, département de la Défense, États-Unis), *Internetting project*, 1973 (DARPA, États-Unis), 1991 (*World Wide Web*, Tim Berners-Lee, États-Unis), réseau accessible directement, 1994.

Microprocesseur : 1971, Ted Hoff (Intel, États-Unis), puis premier PC en 1981 (IBM, États-Unis).

Carte à puce : 1974, Roland Moreno (France).

GPS *(Global positioning system)* : 1973 à 2000, (DARPA, département de la Défense, États-Unis).

Téléphone portable : norme GSM (Groupe Spécial Mobiles), 1982 (Europe), production dès 1991 par la société Nokia (Finlande).

Multimédia : digitalisation[1] des textes, contenus audio, images et vidéos et mise à disposition sur ordinateur équipé du système d'exploitation Windows, 1985 (Microsoft, États-Unis), puis accès sur Internet via le navigateur Explorer Net, 1995 (Microsoft, États-Unis).

Moteur de recherche : 1990 (Archie, Adam Emtage, Canada), 1993 (Wanderer, Matthew Gray, États-Unis), 1994 (Yahoo, Lycos), 1995 (Altavista, États-Unis), 1998 (Google, Sergey Brin et Larry Page, États-Unis).

Séquençage du génome humain : de 1990 à 2004 (consortium international).

---

1. Le terme digitalisation est plus approprié que celui, couramment utilisé, de numérisation, car les « 0 » et « 1 » utilisés en informatique ne sont pas des nombres mais des « états » (fermé-ouvert, ou absence-présence).

Édition génétique : 2012, méthode CRISPR-Cas9 de modification du génome (« ciseaux moléculaires »), Emmanuelle Charpentier (France, université d'Umeå, Suède) et Jennifer Doudna (université de Californie à Berkeley, États-Unis)[1].

------

1. Une procédure juridique est en cours entre plusieurs laboratoires et chercheurs, concernant la paternité de l'invention.

N.B. Les inventions plus récentes sont plus difficiles à dater et à attribuer à des personnes ou organisations en particulier, car elles sont souvent le résultat de processus évolutifs et pluridisciplinaires. C'est le cas par exemple des robots, des nanotechnologies, des biotechnologies, de l'intelligence artificielle, de la reconnaissance visuelle ou vocale, etc. Ces innovations de rupture sont décrites dans le **Dicotech** *(voir* Annexe, p. 498).

PRÉVISIONS

DIX DOMAINES PRINCIPAUX D'INNOVATION

D'ici **2030** (et au-delà), la science et la technique feront sans aucun doute de spectaculaires « **progrès** » (un mot qui paraîtra suspect à tous ceux qui les perçoivent plutôt comme des « **reculs** », des dangers potentiels ou des catastrophes probables, voir p. 12). On peut les regrouper, de façon évidemment subjective, en **10 domaines** principaux :

- **Infotechs.** Technologies de l'information et de la communication. Elles comprennent les **outils** technologiques permettant de recevoir et/ou émettre des **informations** (ordinateurs, téléphones mobiles, tablettes, téléviseurs, radios, lecteurs…), ainsi que l'ensemble des **équipements** nécessaires à ces transmissions (satellites, relais…) et les **supports** permettant de créer, enregistrer ou échanger des contenus (notamment Internet, avec les sites Web, blogs, messageries électroniques, réseaux sociaux, systèmes de visioconférence…), en **direct** ou en **différé** (podcasts, lecteurs audio et vidéo et supports d'enregistrement).
- **Biotechs.** Sciences de la vie et techniques utilisant des êtres vivants (micro-organismes, animaux, végétaux), généralement après modification de leurs caractéristiques génétiques, pour la fabrication de composés **biologiques** ou **chimiques** (médicaments, matières premières industrielles…) ou l'amélioration de la production **agricole** (plantes et animaux transgéniques ou OGM, organismes génétiquement modifiés).
- **Nanotechs.** Sciences de l'**infiniment petit** (un nanomètre = un milliardième de mètre, ou un millionième de millimètre), destinées à l'étude, la fabrication et l'utilisation de structures, de dispositifs et de systèmes matériels, utilisés dans de nombreux domaines (médecine, matériaux, cosmétologie…).
- **Écotechs** (que l'on pourrait rebaptiser **écolotechs**, afin de mettre en avant leur dimension environnementale). Ensemble des procédés industriels visant à réduire ou idéalement supprimer les effets négatifs sur l'**environnement** des **produits** (de leur création à leur élimination) et des **activités humaines**.
- **Spatiotechs.** Sciences de l'**espace** comprenant la conception, la construction, l'envoi et l'exploitation d'engins (lanceurs, stations orbitales, etc.), à des fins publiques (exploration, expériences…) ou privées (lancement de satellites, tourisme…).

- **Aquatechs.** Traitement et utilisation des **ressources aquatiques** (océans, fleuves, lacs...) pour la préservation, le traitement, la consommation, la navigation et d'autres besoins des espèces vivantes.
- **Neurotechs.** Sciences et techniques concernant le **cerveau** et le **système nerveux**, destinées à améliorer la compréhension de son fonctionnement et le traitement de ses maladies.
- **Robotechs (ou robotique).** Ensemble des sciences en rapport avec la conception et la réalisation de **machines et systèmes automatisés** destinés à de nombreux domaines : industrie ; mobilité en milieu terrestre, aquatique (notamment sous-marin) ou aérien. Ces techniques sont de plus en plus étroitement liées à celles de l'**intelligence artificielle**.
- **Énergitechs.** Ensemble des techniques permettant de produire (et/ou d'économiser) de l'**énergie** sans épuiser les ressources naturelles, ou en utilisant des **sources non fossiles**, et sans risque pour l'environnement. Ces secteurs empruntent aux innovations dans l'ensemble des autres domaines.
- **Logitechs.** On peut baptiser ainsi l'ensemble des nouvelles techniques en cours et à venir utilisables dans le domaine du **logement** et de l'**habitat**. Elles sont abordées en détail dans le chapitre *Logement* (voir p. 189).
- Une description des innovations en cours de recherche et de développement entrant dans ces différents domaines est proposée dans le *Dicotech* (voir *Annexe* p. 498), avec pour chacune d'elles leurs principales **applications** actuelles et envisageables.

QUELQUES SECTEURS DE POINTE

Parmi les développements technologiques les plus porteurs de **changement** (souhaitable ou non), on peut citer :
- **L'intelligence artificielle**, capable d'apprendre seule (sans supervision humaine) et de s'auto-organiser.
- **La robotisation** de nombreuses fonctions de production, service, relation, création.

- **La réalité virtuelle, augmentée ou mixte.** Création d'univers virtuels, superposition d'images ou de données numérisées sur des images ou des vidéos «réelles», ou mélange des deux technologies.
- **Les énergies renouvelables** (eau, vent, soleil...) ou de **«rupture»** : fusion atomique, moteur à hydrogène...
- La découverte de nouvelles sources d'**énergies fossiles** (pétrole, gaz, charbon...) exploitables de façon économique et écologique.
- **Un réseau Internet à très haut débit** et **universel** (disponible sur l'ensemble de la planète).
- **Les véhicules sans chauffeur** : transports publics et privés, de personnes et de marchandises, par voie terrestre, aquatique ou aérienne.
- **Les transports à très haute vitesse** : train magnétique, fusée *low cost*...
- **La surveillance** permanente des individus, à tout moment et en tout lieu.
- **Le cyberterrorisme** : sabotage d'équipements, villes ou pays ; prise de contrôle de systèmes publics ou privés ; vols d'informations sensibles ; paralysie d'activités ; demande de rançon...
- **L'«individu augmenté».** Mode de pensée prônant l'usage des sciences et des techniques dans le but d'améliorer sans tabou les caractéristiques physiques et mentales des êtres humains (voir p. 472).

DES «BIFURCATIONS» À VENIR

Comme celles du passé, les **innovations de rupture** existantes et en développement (voir ci-dessus), comme l'informatique, les biotechnologies, les nanotechnologies, les infotechnologies ou les neurotechnologies auront des **champs d'applications** nombreux et vastes. Mais leurs **effets** seront-ils aussi (ou plus) importants pour l'évolution de l'Humanité que ceux induits par les innovations des millénaires et siècles précédents ?

Répondre à cette question revient à comparer les conséquences multiples et contradictoires de l'apparition du feu, du langage, de l'imprimerie, des antibiotiques, de la pilule, de l'ordinateur ou d'Internet, ce qui n'est guère aisé. Certaines innovations actuelles peuvent être considérées comme des **améliorations**, même si elles sont spectaculaires, de ce qui existe déjà : l'**automobile** est née à la fin du XVIIIe siècle ; les premiers projets de navettes à **sustentation magnétique** datent de 1922[1]... Mais les perspectives offertes par l'usage des **cellules souches**, l'**intelligence artificielle**, les **véhicules autonomes**, les **robots**, l'«**édition génétique**» ou les **nanotechnologies** représentent de véritables **révolutions**. Elles ouvrent en effet des champs de recherche et d'applications totalement nouveaux.

Il faut en outre s'attendre à ce que chacune des innovations fortes trouve des applications dans **d'autres domaines** que celui pour lequel elles ont été initialement réalisées. Ainsi, l'**intelligence artificielle** est et sera de plus en plus présente dans tous les compartiments de la vie (éducation, communication, santé, travail, transport, loisirs...). Les **nanotechnologies** trouveront des usages dans la médecine, les cosmétiques, les nouveaux matériaux, etc. La plupart des innovations connaîtront ainsi des **extensions** et des «**bifurcations**» au cours de leur développement.

DE NOMBREUSES PISTES DE RECHERCHE

L'une des grandes différences entre les innovations récentes ou à venir et les plus anciennes tient aussi à l'**accélération** spectaculaire au fil du temps de leur vitesse d'apparition, de développement et d'application. Elle tient aussi aux **possibilités inédites** qu'elles offrent de plus en plus : compréhension du **cerveau** (et modification éventuelle de ses caractéristiques et capacités) ; nouvelles phases de conquête de l'**espace** (et colonisation envisagée de certaines planètes), **nouvelles thérapies** (per-

mettant de guérir des maladies aujourd'hui incurables) ; transformation de la **réalité** (ou hybridation entre réel et virtuel) ; retardement spectaculaire du **vieillissement** et de la **mort**.

On remarquera que ces innovations concernent le **corps humain**, bien davantage

Révolution ou disruption ?

Lorsqu'on imagine l'**impact** des innovations de rupture présentes et à venir, c'est le mot «**révolution**» qui vient naturellement à l'esprit. Mais ce n'est pas en réalité le plus approprié. Son étymologie (le latin *revolutio*) signifie l'idée de «**retour**». Il a été d'abord utilisé en **astronomie** pour qualifier le mouvement d'un corps céleste sur lui-même, puis par extension pour le «*mouvement d'un objet autour d'un point central, d'un axe, le ramenant périodiquement au même point*». Il s'applique aussi à des éléments abstraits. Les «révolutions» fondées sur des idées ont ainsi été nombreuses dans l'histoire humaine.

Mais les «révolutions» dont on parle aujourd'hui, notamment en matière **scientifique** (y compris dans ce livre, par commodité de langage et d'usage) ont un sens bien différent. Elles n'ont pas pour but un **retour** à l'état antérieur, mais au contraire un **éloignement**, dans le sens espéré d'une amélioration. Il en est de même des révolutions **sociales** qui, sauf exception, ne cherchent pas à revenir au passé, mais à inventer un avenir. Il est donc plus juste de parler à leur propos de **rupture**, de **transformation** ou, de façon plus contemporaine, de **disruption**[1].

1. L'approche «disruptive», telle que proposée par le publicitaire Jean-Marie Dru en 1996, a pour but une mise en cause systématique des conventions, cultures et habitudes afin de proposer des créations en rupture avec l'existant. Le nouveau sens donné à ce terme (auparavant utilisé dans le domaine de l'électricité) a été largement repris pour désigner les innovations technologiques ayant un potentiel de transformation totale des pratiques dans un ou plusieurs domaines. Une innovation disruptive remplace une technologie existante beaucoup moins performante (en termes de fonction, facilité d'usage, prix ou autre caractéristique).

1. Travaux de l'Allemand Hermann Kemper, qui déposa un brevet le 14 août 1934. Ses travaux furent interrompus par la Seconde Guerre mondiale.

que l'**environnement** «naturel» dans lequel il évolue. Lorsqu'elles s'intéressent à lui, c'est plus souvent pour l'abîmer davantage que pour réparer les dégâts que l'Humanité lui a déjà fait subir. C'est le cas par exemple des forages destinés à extraire du **gaz de schiste** aux États-Unis, qui opèrent par fractionnement à plus de 5 000 m sous terre ou mer, mais aussi de l'**urbanisation** accélérée, qui accroît l'**artificialisation** des sols, de l'**agriculture intensive** qui dégrade les terres, ou de l'usage massif de substances **toxiques** qui détruisent l'**écosystème**, en polluant l'air et l'eau, et mettent en danger la vie humaine. Les avancées semblent moins spectaculaires en ce qui concerne la disparition des **perturbateurs endocriniens**, la mesure des effets des **ondes électromagnétiques**, le stockage de **gaz carbonique** ou la consommation électrique des serveurs informatiques ou des algorithmes (voir par exemple AlphaGo, ci-après).

UN FORT POTENTIEL POUR LES NEUROSCIENCES

La dimension **spectaculaire** et la **rapidité** croissante du développement de l'innovation peuvent être illustrées par l'exemple suivant. En 2016, la société DeepMind (fondée en 2010 par trois Britanniques et rachetée par Google début 2014) réalisait un exploit impensable quelques mois plus tôt. Une simple machine, baptisée **AlphaGo**, l'emportait sur le champion du monde de **jeu de Go**. Un événement majeur, comparable à la victoire en 1997 du logiciel DeepBlue d'IBM sur Garry Kasparov aux **échecs**. Celle d'Alphago est d'autant plus spectaculaire que le nombre de combinaisons possibles avec le jeu de Go est incommensurable (supérieur au nombre d'atomes contenus dans l'univers!). On notera cependant que le programme consomme **dix mille fois plus d'énergie** qu'un joueur humain.

Mais un **nouvel exploit**, encore plus incroyable, a été accompli le 18 octobre 2017. Le nouveau logiciel développé par la même entreprise, **AlphaGo Zero**, a battu le précé-

dent sur le score sans appel de **100 parties à zéro**! La clé de ce succès tient au mode d'**autoapprentissage** intégré au nouvel algorithme. Muni au départ de la connaissance des règles de base du jeu et d'une base de données minimale, le logiciel a **joué contre lui-même** des millions de parties, cherchant à chaque coup la meilleure combinaison possible et estimant les chances de chaque joueur de gagner. Il lui a suffi de **trois jours** (et 4,9 millions de parties d'entraînement) pour obtenir cette victoire écrasante contre son prédécesseur, avec une puissance de calcul très inférieure (la nouvelle version contenait 12 fois moins de processeurs et consommait donc moins d'énergie). Par ailleurs, début 2017, un autre programme informatique, **Libratus**[1] (fondé sur un algorithme probabiliste, autoapprenant et capable d'«intuition») a battu quatre des meilleurs joueurs de **poker** au monde lors d'un tournoi.

Les spécialistes expliquent que ces performances ne signifient pas pour autant que les logiciels AlphaGo Zero ou Libratus sont (globalement) plus «**intelligents**» que l'homme, mais elles laissent tout de même rêveur. Surtout lorsqu'on imagine les progrès qui seront encore accomplis dans les prochaines versions. Ils pourraient d'ailleurs être encore plus rapides et spectaculaires demain que ce que l'on peut imaginer aujourd'hui.

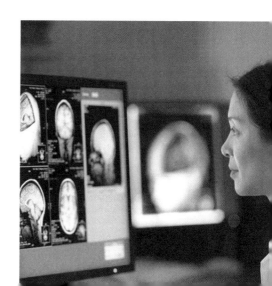

UN DÉVELOPPEMENT EXPONENTIEL

La prochaine étape à franchir par l'intelligence artificielle est celle de «l'apprentissage non supervisé par l'homme». Cela implique de la doter d'une capacité de **conceptualiser**, manier des abstractions, imaginer. Cela nécessitera aussi dans certains cas de lui donner l'usage de «**sens**». Il paraît probable qu'elle en sera pourvue un jour, même s'ils ne seront pas tout à fait comparables à ceux des humains. La capacité d'auto-apprentissage permettra en tout cas aux machines d'évoluer à une vitesse **exponentielle**[1], entraînant des progrès bien plus rapides que ceux d'un être **humain**, qui par nature est plutôt armé pour imaginer les évolutions **linéaires**. Les machines pourraient alors comme lui disposer d'une «**conscience**», ce qui suppose d'abord que les humains sachent de quoi il s'agit[2], où elle se loge, comment elle opère, etc.

La rencontre entre **informatique** et **neurosciences** promet des découvertes extraordinaires dans les années qui viennent. Ainsi, l'intelligence artificielle mise au point par le MIT n'a aujourd'hui que le quotient intellectuel d'un enfant de 4 ans. Mais il est probable qu'elle progressera beaucoup plus vite que lui, et dépassera un jour celui d'un adulte, fût-il génial. À ceux qui disent «*n'ayez pas peur*», on est tenté de répondre que la peur n'est pas injustifiée, et qu'elle peut même être utile. Soit pour faire en sorte que les choses ne se passent pas ainsi (en adoptant un moratoire sur ces recherches ou en décidant de leur interdiction, deux mesures qui paraissent improbables), soit pour ne pas en subir les **conséquences** si (ou lorsque) l'intelligence des machines dépasse (ra) celle des humains. En faisant preuve de responsabilité.

L'application du «**principe de précaution**» n'apparaît pas ici comme une solution. D'une part, il est bien davantage **français** qu'universel. D'autre part, il n'empêchera pas (bien au contraire) ceux qui ne se l'imposent pas de poursuivre leurs recherches, par curiosité, par intérêt ou par volonté de puissance. Il serait sans doute plus efficace, et moins paralysant, de mettre en œuvre

Science et magie

Il ne faudrait pas **idolâtrer** l'innovation, au seul prétexte qu'elle prépare un monde **nouveau**, aux possibilités extraordinaires. Un monde «**magique**[1]», dans la mesure où certaines inventions et découvertes ne pourront pas être imaginées ou comprises par un individu moyen. Un simple regard sur le **passé** montre d'ailleurs que beaucoup d'innovations qui ont transformé l'histoire humaine et les modes de vie possédaient ce caractère magique : l'électricité, la machine à vapeur, l'avion, le microscope électronique en sont quelques exemples.

Les recherches actuelles ont cependant un caractère différent de celles du passé. Elles sont plus **complexes**, leur évolution se fait de façon très a**ccélérée**, et leurs **applications** sont souvent plus nombreuses. Elles sont en outre portées par la **mondialisation** (qui favorise le travail collaboratif et l'intelligence collective) et bénéficient d'**outils** de plus en plus performants. De tous ces facteurs naîtront demain des **ruptures** sans doute encore plus importantes que celles du passé. Elles émergeront aussi à un rythme croissant, ce qui rendra plus difficile leur **appropriation** par les humains. Ceux-ci pourront en ressentir de la frustration, demander un ***statu quo***, voire décider de boycotter certaines innovations.

---

1. En mathématiques, une variation est dite exponentielle lorsque son taux de croissance est constant et positif. Par exemple, un nombre en croissance de 10 % par an est multiplié par 1,1 chaque année; il double alors au bout d'environ 7 ans. Si le nombre X double chaque année, il atteint au bout de n années la valeur X^n.
2. Connaissance, intuitive ou réflexive immédiate, que chacun a de son existence et de celle du monde extérieur.

---

1. Le mot «magie» vient du latin *magia*, lui-même issu du grec μαγεία *(mageia)*, qui signifie «religion des mages perses» ou «sorcellerie». En perse, *mag* signifie «science, sagesse» (Wikipedia).

un «**principe d'expérimentation**», associé à un **contrôle** indépendant, à une **évaluation** systématique. Elle déboucherait sur des décisions (poursuivre ou arrêter) qui devraient, dans tous les cas, avoir une valeur **universelle**, elle-même contrôlée et sanctionnée en cas de manquement. Cette procédure constituerait un pas important dans la régulation de la recherche, mais aussi dans bien d'autres domaines concernant l'ensemble de la planète.

UN DÉVELOPPEMENT EN PHASES SUCCESSIVES

Le sort des innovations de rupture possibles ou promises (voir le *Dicotech* p. 498) dépendra des résultats des recherches et des applications qui en seront faites. D'une manière générale, les innovations suivront un **cycle de vie** semblable comportant plusieurs phases, mais la durée de chacune d'elles pourra être très variable selon les cas. Le *cycle du hype*[1] proposé par la société Gartner estime chaque année sur un graphique (reproduit ci-après) la position de chacune des technologies suivies, selon son état d'**avancement** et le degré d'**intérêt** qu'elle suscite. Les **cinq phases** successives sont les suivantes :

1. **Phase de déclenchement** (*«Innovation Trigger»*), marquée par un intérêt croissant pour une nouvelle technologie qui bénéficie d'une forte exposition médiatique, avant même qu'une application ou un produit ne soit développé à partir d'elle.
2. **Phase d'attentes excessives** (*«Peak of Inflated Expectations»*), au cours de laquelle se produisent des échecs dans les premières applications de la nouvelle technologie, entraînant quelques déceptions.
3. **Phase de désillusion** (*«Trough of Disillusionment»*). La technologie répond mal aux grandes attentes, elle est abandonnée par les médias et les investisseurs ne se maintiennent que si les applications sont améliorées.
4. **Phase de retour en grâce** (*«Slope of Enlightenment»*), permettant de développer de nouvelles applications prometteuses, mises en œuvre par un nombre croissant d'entreprises, tandis que d'autres restent sceptiques.
5. **Phase de maturité** (*«Plateau of Productivity»*). La technologie fait la preuve de sa viabilité. Ses avantages sont reconnus et le marché s'ouvre à elle.

DES TECHNOLOGIES À FORT IMPACT POTENTIEL

L'édition 2017 du *cycle de Hype* (voir graphique ci-dessous) suit l'évolution de 32 technologies dites «à forts enjeux stratégiques» (décrites pour la plupart dans le *Dicotech*, voir p. 498). L'**intelligence artificielle** apparaît comme la plus **«disruptive»** pour les dix prochaines années. Ses applications seront de plus en plus diversifiées : véhicules autonomes, drones commerciaux (surveillance, transport, livraison...), *chatbots*, robots intelligents... Elle pourrait égaler, voire dépasser l'intelligence humaine en développant des compétences **généralistes** et en tirant profit de l'**auto-apprentissage** (ou **apprentissage non supervisé** par des humains[2]). Elle arriverait ainsi à une véritable **compréhension** de son environnement, une forme de **«conscience»** de son existence.

La deuxième tendance lourde est celle **des expériences immersives**. Les technologies qu'elles utilisent devraient être centrées sur des usages humains : **impression 4D**, **réalité virtuelle** (qui peut aussi être **augmentée** ou **mixte**, voir p. 346), **individu augmenté** (voir p. 472) ou **interfaces cerveau-machine**.

---

1. Le mot anglais *hype* signifie battage publicitaire, racolage, «bourrage de crâne». Le «*cycle du hype*» est régulièrement mis à jour par le groupe Gartner (États-Unis).

2. Il faut noter que les chercheurs qui mettent en place des algorithmes d'auto-apprentissage ne comprennent pas la manière dont ils sont utilisés par les machines et sont souvent surpris des résultats auxquels ils conduisent. Il apparaît même que des machines qui échangent entre elles élaborent pour ce faire une forme de «langage» indéchiffrable par un humain.

32 TECHNOLOGIES À SUIVRE

18. Technologies à fort enjeu stratégique

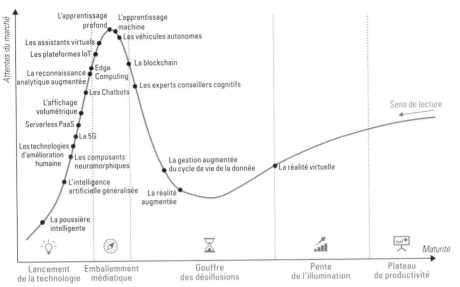

Voir descriptions des technologies mentionnées (en français ou en anglais) dans le *Dicotech* en annexe.
Gartner, 2017.

Le troisième regroupement concerne **les plates-formes numériques**, avec une mutation des infrastructures qui passeraient d'un modèle en «silo fermé» à celui d'«écosystème ouvert». Les technologies concernées sont **la 5G, la blockchain**, l'**Internet des objets** et l'**informatique quantique** (voir descriptions dans le *Dicotech* en annexe).

PRÉDICTIONS

DE LA SCIENCE-FICTION À LA SCIENCE

Les auteurs et les réalisateurs de livres ou films de **science-fiction** ont habitué leurs lecteurs et spectateurs à des lendemains qui **déchantent**. Ils ont aussi inspiré des **chercheurs** qui s'efforcent de reproduire les machines, véhicules, robots ou moyens de communication imaginés et présentés dans ces fictions. Au point où les innovations «réelles» dépassent souvent aujourd'hui la fiction (même si, para-

doxalement, c'est en remplaçant ce «réel» par du «virtuel», ou de la «réalité augmentée»...). C'est le cas par exemple des **robots assistants** «intelligents» proposés aujourd'hui au grand public pour quelques dizaines d'euros.

Les responsables des entreprises numériques et les chercheurs des laboratoires sont, eux, enclins à présenter le futur sous des aspects **idylliques**, par conviction ou pour obtenir des crédits leur permettant de mener à bien leurs travaux. Les plus médiatisés de ces «marchands de rêve» sont les **transhumanistes** (voir p. 233), qui annoncent un avenir radieux... et très durable puisqu'ils vont jusqu'à promettre l'**immortalité** aux humains. Mais ils ne semblent guère se préoccuper des **conséquences** innombrables et parfois effrayantes que la réalisation de leurs promesses aurait sur le monde. D'autres s'inquiètent au contraire des **risques** que les innovations attendues font peser sur l'avenir. C'est ainsi que des personnalités

Apocalypse tomorrow ?

Aux États-Unis, le conférencier Thomas Frey[1] annonce « 33 prédictions dramatiques[2] pour **2030** » (il y en a en réalité 35), dont beaucoup sont même chiffrées (ce qui implique parfois l'utilisation d'une boule de cristal !) :

- Plus de 80 % de toutes **les visites chez le médecin** auront été remplacées par des **examens automatisés**.
- Plus de 90 % de tous les **restaurants** utiliseront une forme d'**imprimante alimentaire 3D** dans leurs préparations de repas.
- Plus de 10 % de toutes les **transactions financières mondiales** seront réalisées via des **cryptomonnaies**.
- Nous verrons un nombre croissant d'**autoroutes** réservées à des **véhicules sans conducteur**.
- Une société **chinoise** inaugurera l'industrie du **tourisme spatial** en établissant des vols réguliers vers un hôtel spatial.
- La plus grande **entreprise Internet** au monde opérera dans le secteur de l'**éducation**, et elle est aujourd'hui inconnue.
- Plus de 20 % de toutes les **nouvelles constructions** seront des édifices « imprimés ».
- Un nouveau **groupe de protestation** aura vu le jour, organisant des rassemblements **anti-clonage**, contre la création d'« **humains sans âme** ».
- Une **ville** sera pour la première fois capable de recueillir 100 % de son **approvisionnement en eau** dans l'**atmosphère**.
- Les **religions** feront leur retour, avec **des communautés de croyants** en croissance de près de 50 % par rapport à aujourd'hui.
- Plus de 50 % de tous les **collèges traditionnels** disparaîtront, ouvrant la voie à l'émergence d'une toute **nouvelle industrie de l'éducation**.

- Nous assisterons à la naissance d'une **vague de micro-collèges**, proposant une formation et un apprentissage pour **changer de profession** en moins de 6 mois.
- Les scientifiques auront mis au point un système de **communication inter-espèces**, permettant à certaines espèces de se parler comme les humains.
- Un premier **ouragan** sera arrêté par **intervention humaine**.
- La puissance de la technologie **sans fil** sera utilisée pour allumer des **ampoules électriques** invisibles au milieu d'une pièce.
- Nous assisterons à la première démonstration d'une **technologie** permettant de **contrôler la gravité**, réduisant jusqu'à 50 % son attraction sur un objet.
- La démocratie sera considérée comme une forme inférieure de gouvernement.
- Les **forces policières** traditionnelles seront largement **automatisées**, moins de 50 % des effectifs étant en service actif.
- Plus de 90 % des **bibliothèques** offriront des **services de qualité supérieure** dans le cadre d'un nouveau modèle économique.
- Les **feux de forêt** auront été réduits de 95 % par rapport au nombre actuel, par l'utilisation de **systèmes de surveillance par drones infrarouges**.
- Plus de 30 % de toutes les **villes des États-Unis** exploiteront leurs services d'électricité sous forme de **micro-réseaux**.
- Des **élections mondiales** seront organisées dans le but de créer un **mandat mondial**, dont les dirigeants du monde devront tenir compte.
- Les **produits pharmaceutiques** traditionnels seront remplacés par des **médicaments hyper-individualisés** qui seront fabriqués au moment où ils seront commandés.
- Nous aurons assisté à la **renaissance** du premier couple d'une **espèce vivante disparue**.
- Des **essaims de micro-drones volants** se rassembleront en une sorte de vêtement individuel reconfigurable.

---

1. Futurologue et orateur américain, fondateur et directeur exécutif de l'Institut Da Vinci de Westminster (Colorado), ancien ingénieur chez IBM.
2. En américain, l'adjectif *dramatic* signifie *inquiétant* mais aussi *spectaculaire, impressionnant, considérable,* contrairement au français, qui l'utilise dans un sens uniquement négatif.

- La **marijuana** sera **légalisée** dans les 50 États américains et dans la moitié des pays étrangers.
- La **télévision par câble** n'existera plus.
- Quelques entreprises commenceront à calculer leurs coûts de main-d'œuvre avec une « monnaie synaptique[1] ».
- Il sera courant d'utiliser les **moteurs de recherche** de la prochaine génération pour chercher dans le **monde physique**.

---

1. Concept ébauché par le futurologue, consistant à valoriser sous forme monétaire le temps et l'énergie nécessaires au cerveau d'une personne pour réaliser une tâche ou résoudre un problème.

- La **programmation informatique** de base sera considérée comme une compétence requise dans plus de 20 % de tous les emplois.
- Plusieurs **tentatives** auront été faites d'envoyer une **sonde au centre de la Terre**.
- Une forme de **transport par tubes**, inspirée par Hyperloop et X3, sera en passe de donner lieu au plus grand projet d'infrastructure au monde.
- Le monde aura vu disparaître plus de **2 milliards d'emplois**, dont la plupart **reviendront** sous des formes différentes dans différentes industries. Plus de la moitié concerneront des projets indépendants et ne seront pas à temps plein.
- Plus de 50 % des entreprises du classement Fortune 500 auront disparu.
- L'**Inde** aura dépassé la **Chine** en tant que pays **le plus peuplé** du monde.
- Les informations aujourd'hui disponibles laissent à penser qu'un certain nombre de ces prédictions se réaliseront. Mais celles qui concluront ce livre s'en écarteront probablement, ne serait-ce que parce qu'elles ne concerneront pas les États-Unis mais la France, et que l'objectif poursuivi n'est pas de faire du « sensationnalisme » à l'américaine. Il y a fort à parier aussi que nombre des prévisions de Frey ne se vérifieront pas d'ici **2030**, car le processus d'**intégration** des innovations dans les modes de vie est au moins aussi complexe que celui de leur **mise au point**.

comme Bill Gates, Stephen Hawking[1] ou Elon Musk ont alerté l'opinion sur les dangers de l'**intelligence artificielle**.

Du côté des observateurs, futurologues et prospectivistes, les avis sont également partagés. En France, le docteur Laurent Alexandre[2] s'est fait le porte-parole d'une version scientiste optimiste de l'avenir (dans laquelle il inclut l'allongement déme-

suré de la vie). Jacques Attali[3] a quant à lui une vision plutôt pessimiste, mais avec la promesse d'un **happy end** qui interviendrait après une crise majeure selon lui inévitable (en espérant que l'Humanité ne sera pas détruite pendant cet épisode…).

DES ÉCHECS PROBABLES

Tous les projets d'innovations existants n'iront pas jusqu'à leur **terme** et ne tiendront pas leurs **promesses**. Beaucoup finiront dans un « **cimetière des idées** », un lieu immatériel puisqu'il n'existera que dans les

---

1. Physicien et cosmologiste d'origine britannique, décédé en mars 2018.
2. Médecin, essayiste et conférencier, auteur notamment de *La Mort de la mort*, éditions Jean-Claude Lattès, 2011.

---

3. Voir *Vivement après-demain*, Fayard, 2016.

informations stockées dans les serveurs informatiques, dans les souvenirs de ceux qui auront échoué à les mettre en pratique et dans ceux des personnes qui espéraient leur réalisation. Dans le domaine **technologique**, les exemples ne manquent pas d'échecs (au moins commerciaux), sans qu'il soit besoin de remonter beaucoup dans le temps :

- Le **Bi-Bop**, téléphone portable français permettant de recevoir des appels (mais pas de les émettre…).
- Le **« réfrigérateur intelligent »** qui gère lui-même son contenu et passe commande des produits qui manquent. Promis depuis longtemps, il ne semble pas motiver beaucoup de fabricants, ni susciter une forte attente de la part du public (voir p. 96).
- La **télévision en relief**, qui n'a pas permis jusqu'ici de relancer les ventes de téléviseurs.
- La technologie **4K** de très haute résolution d'image, qui n'a pas non plus donné d'élan nouveau.
- Les **écrans incurvés**, considérés plutôt comme des gadgets, et contradictoires avec le concept **d'écran plat**, dont l'avantage est d'occuper moins de place.
- Les **concept-cars** futuristes des constructeurs automobiles, qui entrent rarement dans leurs catalogues.

- Le **robot compagnon** Aibo de Sony, qui ne s'est vendu qu'à 2 500 exemplaires dans le monde.
- Même le géant Google a échoué à lancer des nouveaux services dont il attendait beaucoup, comme le réseau social **Google+**, l'agrégateur de contenus **Google Reader**, la plate-forme de travail collaboratif **Google Wave**, les **Google Glass** connectées (voir page suivante), etc. Apple a connu de son côté l'échec du **Newton**, agenda électronique lancé dans les années 1990, comme avant lui Nokia avec le **N-Gage** (téléphone et console de jeux), ou Sony et sa cassette vidéo **Betamax**. Hors technologie, on peut aussi citer Bic et son **parfum** bon marché (l'expression *low cost* n'existait pas encore), Coca-Cola et **Coca Black** (contenant du café), parmi beaucoup d'autres.
- Il faut donc s'attendre à ce que les promesses des **« newtechs »** (une expression qui regrouperait l'ensemble des technologies de rupture) ne soient pas toutes tenues. Certaines seront tout simplement **impossibles** à mettre en œuvre (au moins provisoirement). D'autres seront rendues **obsolètes** par des innovations concurrentes. D'autres, enfin, seront rejetées pour des raisons diverses : **risques** trop

J'y pense et puis j'oublie…

En matière de recherche et d'innovation, chaque jour apporte son lot d'annonces mirobolantes, de promesses d'expériences inédites, de perspectives révolutionnaires. Mais toutes ne se confirment pas, loin de là. Ainsi, en partant d'une liste de 80 innovations (importantes ou parfois plus anecdotiques) sélectionnées dans un ouvrage[1] paru en **octobre 2015**, nous avons mesuré en **mars 2018** que **60 %** d'entre elles ne donnaient lieu à **aucune information** lors de recherches effectuées sur Google (portant sur les douze derniers mois).

Cela ne signifie pas que tous les projets ont été **abandonnés**, mais qu'ils n'ont pas tous conduit à de nouvelles **annonces** relayées par les médias. Certaines (assez peu nombreuses, semble-t-il) pourraient aussi avoir été **banalisées** par d'autres annonces semblables dans les mêmes domaines, émanant d'autres sources. L'**emballement** suscité par un projet ou par un test prometteur retombe ainsi très rapidement lorsqu'il n'est pas alimenté par d'autres succès ou avancées significatives. En **science** comme dans d'autres domaines, une information chasse l'autre et l'**oubli** s'installe rapidement. Dans l'attente de nouvelles stimulations, porteuses de nouvelles espérances.

---

1. *L'avenir est pavé de bonnes intentions*, Nicolas Carreau, librairie Vuibert, 2015.

importants ; **coûts** trop élevés ; nouvelles **réglementations** ; **désintérêt** des publics concernés...

DES RETARDS VRAISEMBLABLES

Certaines technologies ne tiendront pas le **calendrier** qu'elles se sont fixé, ou qu'elles ont communiqué publiquement afin d'attirer des investisseurs et susciter une attente auprès des cibles potentielles. Parmi elles, certaines connaîtront un **regain d'intérêt** ultérieur, lorsqu'elles apporteront des avantages tangibles. Les exemples de « rebond » ne manquent pas, dans un passé récent :

- La **reconnaissance de caractères** (pour numériser un texte analogique) a été d'abord décevante, avant de devenir performante et de se banaliser.
- Les **logiciels de reconnaissance vocale** ou de **traduction** de textes écrits ou oraux ont tardé à montrer leur utilité. Pendant des années, ils ont obligé leurs utilisateurs à de longues et fastidieuses corrections, annulant largement le temps gagné par leur utilisation. Ils sont aujourd'hui très performants.
- Les **Google Glass** n'ont pas connu le succès espéré auprès du grand public. Elles sont en phase de renaissance en s'adressant à des publics professionnels.
- La **visiophonie**, qui n'était guère parvenue à s'imposer au domicile, a suscité de l'intérêt lorsqu'elle a été disponible sur un smartphone, profitant du développement des logiciels de messagerie comme WhatsApp.
- Le **livre numérique**, qui existe depuis vingt-cinq ans, n'a pas connu (notamment en France) l'essor attendu. L'apparition des liseuses lui a cependant permis de toucher une clientèle particulière, sans pour autant provoquer un basculement des modes de lecture.

Pour mémoire, on rappellera aussi que la **voiture électrique** a été inventée en 1920. Elle avait été supplantée jusqu'à récemment par le moteur **thermique**. Elle est aujourd'hui considérée comme une solution aux problèmes de consommation d'énergie

et de rejets dans l'atmosphère. Il reste cependant à démontrer de façon irréfutable que son **bilan écologique global** (production des composants, notamment les batteries, besoins en matières premières, transport, développement, commercialisation, utilisation, entretien, réparation, élimination...) est plus favorable que celui des véhicules actuels (voir p. 211).

UN CALENDRIER ACCÉLÉRÉ

Dans un sondage préparatoire au *World Economic Forum*[1] de 2015, un panel de **professionnels et experts** des nouvelles technologies numériques avait été interrogé sur les dates d'arrivée prévisibles de **21 innovations présélectionnées**. Leurs réponses étaient les suivantes :

- **Dès 2018, 90 % de la population auront accès au stockage illimité et gratuit des données** (grâce à la publicité). Cette prédiction (dont la date d'échéance est la seule antérieure à celle de la publication de ce livre) paraît en partie vérifiée. Mais la **gratuité** du stockage pourrait ne pas être durable.
- **Dès 2021, les premiers pharmaciens robotiques verront le jour aux États-Unis.**
- **D'ici 2022, plus de mille milliards de capteurs seront reliés à Internet.** Ils seront présents partout : dans le ciel, les bâtiments, le bitume des routes, les vêtements, etc.
- **D'ici 2022, près de 10 % de la population mondiale porteront des vêtements connectés.**
- **Dès 2022, la première voiture entièrement imprimée en 3D sera en production.**
- **Dès 2023, le premier téléphone portable pouvant être implanté dans le corps sera commercialisé.** Cet implant permettra également de surveiller l'état de santé de son utilisateur, de le géolocaliser directement ou de surveiller son comportement.

---

1. Réalisé par le *Global Agenda Council on the Future of Software and Society* en 2015.

Les implants pourraient aussi diffuser des médicaments directement dans le corps.

- **D'ici 2023, le premier recensement national entièrement numérique aura lieu.** Le recueil d'informations sera simplifié, aussi bien pour l'administration que pour les citoyens.
- **D'ici 2023, 10 % des lunettes de lecture seront connectées à Internet.** Les objets connectés visuels seront de plus en plus répandus. Ces technologies permettront aux utilisateurs d'avoir accès à Internet directement dans leur champ de vision, via des lunettes connectées ou des lentilles de contact, et profiteront des progrès de la réalité virtuelle.
- **D'ici 2023**, 80 % de la population mondiale auront une **identité numérique**.
- **Dès 2023**, 90 % de la population mondiale auront l'équivalent d'un « **super ordinateur** » dans leur poche. Les téléphones portables seront de plus en plus puissants et rivaliseront avec les ordinateurs actuels.
- **D'ici 2024**, l'accès à **Internet** sera un **droit basique** des citoyens.
- **En 2024 aura lieu la première transplantation d'un foie imprimé en 3D.** Les progrès de l'impression 3D permettront de

Prédictions 2019-2030

Ray Kurzweil[1] est considéré comme le « gourou » du **transhumanisme** (voir p. 233). Ses principales **prédictions** pour la prochaine décennie sont le résultat d'observations, d'estimations, mais aussi, probablement, de **souhaits** personnels, inspirés par sa propre conception de ce qui serait bon pour l'Humanité :

- Les **fils et câbles** pour les appareils individuels et périphériques disparaîtront progressivement dans tous les domaines.
- En **2020**, les **superordinateurs** atteindront une puissance de traitement comparable à celle du cerveau humain : 1 exaflop[2].
- **L'accès à l'Internet** sans fil couvrira **85 %** de la surface de la Terre.
- Les **États-Unis** et l'**Europe** adopteront des **lois** réglementant les relations entre les individus et les intelligences artificielles. L'activité des IA, leurs droits, devoirs et autres restrictions seront formalisés.
- Un grand marché de **gadgets-implants** sera mis en place.
- Grâce au **progrès scientifique**, la durée de prolongement de la vie sera supérieure à l'écoulement du temps[3].
- Un robot personnel non humanoïde capable d'accomplir des actions complexes en toute autonomie sera aussi anodin qu'un réfrigérateur ou une machine à café.
- L'énergie **solaire** sera si bon marché et répandue qu'elle satisfera l'ensemble des besoins énergétiques de l'humanité.
- Les **nanotechnologies** vont investir l'industrie, ce qui entraînera une baisse significative des coûts de fabrication de tous les produits.
- Les éléments d'**intelligence informatique** seront obligatoires dans les voitures. Il sera **interdit** aux individus de conduire une voiture **non équipée d'une assistance informatique ou semi-automatique**.
- Aux alentours de **2030**, l'ordinateur pourra passer **le test de Turing**[4] pour prouver son intelligence au sens humain du terme, grâce à la **simulation informatique** du cerveau humain.
- En **2030**, un **ordinateur à 1 000 dollars** sera plus puissant qu'un cerveau humain.

1. Ingénieur, chercheur, auteur et conférencier, directeur de l'ingénierie chez Google et de la Singularity University.
2. Le flop est une unité de mesure de la performance de calcul par seconde d'un ordinateur en virgule flottante (utilisée pour les très grands nombres dans les calculs scientifiques). Un exaflop représente 10^{18} flops.
3. Cela signifie par exemple que l'espérance de vie augmentera de plus d'un an par année écoulée.
4. Le test imaginé par Turing, précurseur de l'informatique, sera passé avec succès lorsqu'un humain pourra discuter avec une machine intelligente sans être en mesure de la distinguer d'un humain.

créer de véritables organes fonctionnels qu'il sera ensuite possible de transplanter sur un individu. 5 % des produits du quotidien seront créés grâce à l'impression 3D, pour un coût de plus en plus réduit.

- **D'ici 2024**, plus de 50 % du trafic **Internet** dans les habitations viendra des **appareils** électroniques présents dans les **«maisons intelligentes»**, et non plus de la consommation personnelle (communication, divertissement…).
- **D'ici 2026, 10 % des voitures aux États-Unis seront sans conducteur.** Les voitures autonomes augmenteront considérablement la sécurité des passagers et des usagers de la route, ainsi que les émissions de gaz polluants.
- **D'ici 2026, la première ville de plus de 50 000 habitants sans feux tricolores aura vu le jour.** Les infrastructures citadines seront de plus en plus connectées, dans la logique des «villes intelligentes».
- **D'ici 2026, 30 % des audits d'entreprise seront réalisés par une intelligence artificielle.** Les robots intelligents seront également présents dans les comités d'entreprise et les conseils d'administrations, et participeront aux prises de décision.

- **D'ici 2030, une grande partie des voyages se fera dans le cadre de l'«économie de partage».** L'un des secteurs les plus concernés sera celui des transports. Il devrait y avoir à cette date davantage de déplacements en **voiture partagée** qu'en **voiture privée** dans le monde.

Aucune de ces prédictions à un horizon proche ne paraît irréaliste en termes de **faisabilité technique**. Certains **chiffres** indiquant la part qu'ils occuperaient à la date indiquée peuvent être en revanche discutés. C'est le cas notamment pour tout ce qui concerne le taux de remplacement des «parcs» existants, qu'il s'agisse de vêtements, de lunettes, d'objets connectés ou de voitures.

Ici encore, les perspectives avancées sont à préciser. Celle concernant l'**énergie solaire** implique par exemple que l'on sera capable de la stocker et de la distribuer pour un coût économiquement viable. La **disparition des fils** implique que la multiplication des ondes électromagnétiques que cela engendrera sera sans effet sur la santé. Il en est de même pour les **nanoparticules** ou les «gadgets-implants» (dont il faudrait également préciser les fonctions possibles).

MENACES ET OPPORTUNITÉS

LES «CÔTÉS OBSCURS DE LA FORCE» TECHNOLOGIQUE

La **diffusion** et la **généralisation** des innovations auront des **limites**. La principale devrait être leur **utilité** perçue. Parmi les innovations et applications proposées, beaucoup ont aujourd'hui un caractère **accessoire**. C'est le cas par exemple du fameux **réfrigérateur autonome** (mentionné précédemment), censé gérer lui-même son stock et passer automatiquement commande pour renouveler les produits consommés. Son accès aux *Big Data* lui permettra sans doute de comparer les prix des produits dans le magasin ou entre les magasins, et de profiter des bons de réduction, promotions, achats par lots, etc. Mais il ne pourra probablement pas tenir compte des envies éventuelles de **changement** de son propriétaire (type de produit, marque, gamme, quantité, distributeur…), sauf à l'interroger en permanence, ou à «lire» dans son cerveau, ce qui soulèverait quelques questions éthiques.

Des algorithmes faillibles

Les **algorithmes**[1] font partie de la vie quotidienne. Leur **rapidité** leur permet de prendre de très nombreuses **décisions** à la place des humains. Ils font fonctionner les **ordinateurs** et les **smartphones**, répondent aux questions posées sur les **moteurs de recherche**, collectent, comparent, trient, traitent et analysent les innombrables données concernant les individus, clients ou citoyens. Leur fonction commune est l'«**optimisation**» dans tous les domaines : santé, banque, assurance, commerce, administration…

Pour le commun des mortels (et pour tous les non-spécialistes), les algorithmes sont des «**boîtes noires**» dont on ne peut comprendre le fonctionnement (d'autant que celui-ci n'est généralement pas révélé). Chacun est donc prié de faire confiance à leur **objectivité** en tant que machines «**intelligentes**» et **rationnelles**. Ainsi, contrairement aux humains (médecins, juges, gestionnaires, recruteurs…), les algorithmes ne pourraient pas commettre d'erreur, n'étant pas sujets aux **préjugés** ni aux **émotions** qui peuvent fausser le jugement.

Pourtant, les algorithmes ne sont pas **infaillibles**. Ils sont en effet programmés à partir de statistiques qui leur sont fournies par des **personnes**, et qui sont donc entachées de **subjectivité**. Une étude[2] a ainsi montré que les algorithmes utilisés pour le recrutement dans les entreprises incorporent des **biais**. Le mot «**homme**» est par exemple plus souvent associé, dans les domaines **scientifiques,** à des postes de **dirigeants**, alors que le mot «**femme**» aiguille plutôt vers des postes d'**assistantes,** dans des secteurs plutôt **littéraires**, quand ce n'est pas vers la **maison** et la **famille**. De même, les noms à consonance **européenne** ou **américaine** sont associés à des termes élogieux alors que les noms **afro-américains** renvoient à des termes plus négatifs. Lorsqu'il s'agira de choisir un candidat pour un ingénieur nucléaire, par exemple, le CV d'une femme **noire** aura tendance à ne pas être retenu.

La **justice** «robotisée» ne fonctionne pas non plus de façon parfaite ; contrairement à la justice humaine, elle n'est pas en mesure de s'adapter aux cas particuliers. En l'absence d'«**intelligence forte**» et d'«**auto-apprentissage non supervisé**» (voir p. 500), les algorithmes ne sont pas (encore) autonomes ; ils fonctionnent à partir des **règles** qui leur ont été fixées par leurs concepteurs, souvent en liaison avec leurs utilisateurs. Avec tous les risques que cela comporte.

---

1. Ensemble de règles opératoires dont l'application permet de résoudre un problème énoncé au moyen d'un nombre fini d'opérations. Un algorithme peut être traduit, grâce à un langage de programmation, en un programme exécutable par un ordinateur.

---

2. Publiée dans la revue *Science* en 2017.

Une autre limite à la diffusion de l'innovation sera leur **prix**, d'abord élevé avant de baisser sensiblement en même temps que la demande augmentera. Cela engendrera des **inégalités** entre ceux qui pourront se procurer immédiatement ou rapidement les nouveaux objets et services, et ceux qui devront attendre, ou se résigner. D'autant que les nouvelles offres se succéderont à un **rythme** croissant (voir p. 87). Cela entraînera des **frustrations** et de la **colère** chez les exclus des innovations de rupture. Au risque de provoquer de fortes **tensions** dans la société.

LE MARKETING À L'AFFÛT

Les individus-consommateurs seront soumis à une **pression commerciale** croissante, rendue possible par l'exploitation des **données individuelle**s. Elle permettra même en principe d'**anticiper** leurs désirs (comme s'efforce par exemple de le faire Amazon). Les entreprises iront jusqu'à envoyer d'autorité aux clients des produits qu'ils n'ont pas commandés, au prétexte qu'il serait **logique** qu'ils en aient envie, d'après la compilation de leurs statistiques d'achat et de leurs caractéristiques personnelles. Ce *push marketing* (ou pression du fait accompli) risque fort d'indisposer ceux qui en seront les «cibles» et qui devront renvoyer les objets qu'ils ne désirent pas (même si le retour à l'envoyeur est gratuit). Il ne pourra se justifier que si un accord explicite préalable a été donné par le client.

Mais la **personnalisation** apportée par ces pratiques ne pourra être totale tant qu'elle n'agira pas directement à la source, c'est-à-dire sur le **cerveau**. C'est précisément ce que pourrait permettre de faire le **neuromarketing** : lire dans les pensées des gens pour mieux les comprendre... ou mieux les influencer. Ce type de recherche est au programme de nombreuses entreprises et laboratoires. Mais les pratiques qu'elles pourraient engendrer risquent de choquer beaucoup d'individus-consommateurs, soucieux de préserver cette dernière part de leur **identité** et de leur **libre arbitre**.

Ces développements pourraient engendrer (ou renforcer) une attitude de **technophobie** (partielle ou totale). Paradoxalement, ceux qui seront concernés profiteront des technologies (notamment de communication) pour faire connaître leur opposition à elles, et à ce qu'ils considéreront comme des **dérives**. Ils la feront partager à d'autres via les réseaux sociaux, afin de **boycotter** les modes opératoires concernés et les faire cesser. La réglementation mise en place par l'Union européenne à partir de mai 2018 concernant la constitution et l'exploitation des bases de données personnelles constitue à cet égard une démarche **préventive** nouvelle, qui pourrait servir de modèle (voir p. 318).

UN RISQUE DE LASSITUDE...

On peut craindre également que la **technophobie** latente soit stimulée par la multiplication des offres d'**assistants vocaux**, que les grands acteurs du numérique ambitionnent d'implanter dans tous les foyers. On pourra tout leur demander, comme par exemple réserver toutes les composantes d'une semaine de vacances à des dates définies ou flexibles. Si l'assistant peut faire gagner du **temps** à son propriétaire, il risque aussi de lui faire perdre de l'**argent**, du fait de la difficulté de prendre en compte tous les facteurs de choix : destinations, prestations, avis des consommateurs sur les offres, environnement, éléments visuels (photos, vidéos...), ainsi que la **pondération** personnelle implicite de ces éléments.

L'assistant «esclave» pourra aussi priver le «maître» du plaisir qu'il peut éprouver en recherchant lui-même le meilleur «**rapport valeur-coût**» (voir p. 315), évidemment subjectif, qui le valorisera à ses propres yeux comme à ceux des personnes auprès desquelles il s'en vantera. On peut craindre aussi que des **accords commerciaux** soient passés entre les fabricants d'assistants numériques et certains commerçants et marques qui seraient alors privilégiées dans les recherches et les commandes, au détriment de l'objectivité promise (comme cela est parfois le cas avec les comparateurs de prix actuels).

D'autres innovations sont susceptibles d'apparaître comme des gadgets, amusants, éventuellement utiles pendant quelque temps, mais provoquant ensuite une **lassitude**. Ce pourrait être le cas de certains appareils de «**santé connectée**» mesurant les nombres de pas effectués dans la journée, les heures de sommeil au cours de la nuit, les calories ingérées, le taux de sucre ou de cholestérol dans le sang, etc. Pour beaucoup, la vie ne pourra se résumer à un ensemble de **statistiques** à surveiller, à une **optimisation** corporelle ou intellectuelle qui les priverait de l'émotion, du hasard, de l'irrationalité ou de la magie propres aux êtres humains. La «**quantification de soi**» en cours aura sans doute ses limites, que certains ressentiront plus rapidement que d'autres.

... POUVANT FAVORISER UNE DEMANDE DE *LOW TECH*

L'enthousiasme et l'émerveillement devant les **prouesses** de la technologie peuvent être communicatifs. Mais «l'effet *waouh*[1]» tend à s'estomper s'il n'est pas renouvelé. La lassitude pourrait ainsi gagner une partie de la population, désireuse de retrouver une vie «**normale**» dans laquelle il est possible de faire des choses par **soi-même**, de se **fatiguer** plutôt que d'éviter tout effort, et donc de s'**émanciper** des assistants et objets connectés de toute sorte censés tout faire à la place de leurs propriétaires. Les personnes concernées auront le sentiment d'être dominées par ces outils censés être à leur service. Elles se feront alors les apôtres du *low tech* dans un monde trop *high tech* à leur gré.

Ces «résistants» refuseront les «**gadgets**», les objets à **obsolescence** programmée (techniquement ou socialement, du fait du mimétisme qu'ils cherchent à exploiter). Ils

seront agacés par la dimension «**prédictive**» de la technologie et ses applications systématiques dans le **marketing** et la publicité (voir ci-dessus). L'**anticipation** de leurs besoins ou désirs pourra les inciter à les **modifier**, ne serait-ce que pour se prouver à eux-mêmes qu'ils ont encore le **choix**. Certains souhaiteront ainsi se détacher des outils de la modernité, se «**désintoxiquer**», de façon au moins provisoire.

Mais la majorité des Français seront sans doute demandeurs d'une **cohabitation** acceptable entre humains et machines. Ils souhaiteront pouvoir **concilier** romantisme et modernité, solitude et présence sur les réseaux sociaux, nature et culture. Ils seront selon les moments à la recherche de **vitesse** ou de **lenteur**, d'**autonomie** ou d'**assistance**, de **réalisme** ou de **rêve**.

LA TECHNOLOGIE AMBIVALENTE

La **science** et les **applications** pratiques auxquelles elle a donné naissance ont toujours eu deux facettes. D'un côté, des **possibilités** nouvelles, autorisant des gains de **temps**, d'**argent** ou de **confort** : communiquer par SMS, courriel, ou messagerie instantanée de n'importe quel endroit à n'importe quel moment (sous réserve de pouvoir se connecter à un réseau) ; se diriger à l'aide d'un GPS, faire ses courses sur Internet ; s'informer ; obtenir instantanément la réponse à la plupart des questions à l'aide d'un moteur de recherche...

---

1. Exclamation d'origine américaine exprimant la surprise et l'admiration devant quelque chose ou quelqu'un. Synonyme emphatique par exemple de «*super*», «*génial*» et autres expressions enthousiastes du même type.

Vers une vie artificielle ?

Pendant des millénaires, la création de la vie était attribuée à des **forces** mystérieuses, le plus souvent divines. Aujourd'hui encore, les croyances religieuses (notamment monothéistes) reposent sur cette conviction. De son côté, la **science** n'a pas fourni d'explication sur l'**origine** de l'existence, même si elle en a identifié les composantes et les conditions d'apparition de la vie, ainsi que son **évolution** (notamment avec Darwin). Les explications proposées, bien que considérées comme acquises par la communauté scientifique, sont en grande partie rejetées par certains croyants, tels les **créationnistes**[1]. Il est vrai qu'elles ont davantage répondu au **« comment ? »** qu'au **« pourquoi ? »**. Descartes avait tenté une conciliation avec le **dualisme**, séparant le **corps** (considéré comme un « mécanisme ») et l'**« âme »** (siège de l'esprit et de la raison, qui serait d'essence divine).

Certains développements de la science ont cependant montré depuis quelques années qu'il est possible de créer une vie totalement **artificielle**. Une définition en avait été proposée dès 1987 par Christopher Langton lors de la première conférence internationale sur ce sujet (à Santa Fe, Nouveau-Mexique), dont il était l'organisateur :

_____
1. Doctrine religieuse considérant que la vie a été créée par un ou plusieurs êtres divins, et qui s'oppose au principe d'évolution du vivant fondé sur la sélection naturelle.

« La vie artificielle est l'étude des systèmes construits de mains d'hommes, qui exhibent des comportements caractéristiques des systèmes naturels vivants. Elle vient en complément des sciences biologiques traditionnelles qui analysent les organismes vivants, en tentant de synthétiser des comportements semblables au vivant au sein d'ordinateurs et d'autres substrats artificiels ».

La vie artificielle a commencé à prendre véritablement forme au début des années 2000, avec les progrès de la **bioinformatique**, qui ont débouché en particulier sur le séquençage du génome humain. Elle a été rebaptisée depuis **biologie de synthèse**, sans doute pour paraître moins effrayante ou arrogante. Les chercheurs et les *biohackers* (en référence aux hackers informatiques qui pénètrent les systèmes réputés inviolables) sont aujourd'hui en mesure de modifier et même de fabriquer des organismes vivants à partir de séquences d'ADN disponibles facilement et gratuitement sur Internet.

Ce **« bricolage du vivant »** pourrait permettre de lutter contre des **maladies** endémiques comme la malaria. Mais il pourrait aussi être utilisé par des **terroristes**, en introduisant dans la biosphère des organismes vivants nouveaux et virulents, contre lesquels le système immunitaire humain (ou animal) serait impuissant.

D'un autre côté, ces outils présentent un certain nombre d'**inconvénients** : dérangements ; surveillance permanente et invisible[1] ; vols de données personnelles et viols de la vie privée ; risques de sabotage ou de rançonnage ; pertes de temps liées aux pannes, au fait de naviguer sans but précis ou en ayant oublié ce que l'on cherchait ; pressions sociales (explicites ou implicites) intimant d'être joignable et de répondre rapidement aux messages ; agressions verbales subies lors d'échanges sur Internet

_____
1. Ainsi, une application de *fitness*, qui réalise des cartes des parcours d'entraînement de ses utilisateurs à partir de leurs bracelets, a repéré des militaires travaillant sur des bases secrètes qui en étaient équipés (Strava).

(forums, commentaires d'articles, réseaux divers...). Sans parler des risques d'**addiction** aux outils, ni du danger de **manipulation** psychologique lié à la fréquentation d'Internet. Ils peuvent conduire des personnes fragiles à des extrémités comme le terrorisme, qui ne manquera d'ailleurs pas de se développer dans sa version **« cyber »** (voir p. 65).

MAINTENIR OU AUGMENTER ?

La balance n'est pas toujours aisée à établir entre les avantages et les inconvénients du **« progrès »**. Elle le sera de moins en moins dans les années à venir. L'un des éléments les plus délicats à évaluer concernera l'«**augmentation**» des capacités humaines (voir p. 472). Le principe pourrait être **accepté** (voire encouragé) en raison des perspectives qu'il offrira aux «**post-humains**» : mémoire, force, intelligence, créativité, empathie… D'autant qu'il pourrait permettre, selon ses promoteurs, de réduire ou même de supprimer les **inégalités** (et injustices) existantes entre les individus, qu'elles soient innées ou acquises, en donnant accès à tous aux mêmes capacités.

Mais cet accès risque fort d'être accordé en priorité, voire en exclusivité, à ceux qui auront les moyens de se l'offrir. Ce principe d'augmentation pourrait alors être **rejeté** (voire interdit) au motif que les **inégalités** entre les humains (dont certains seraient «augmentés» et d'autres non pour des raisons notamment financières). Il pourrait aussi être jugé irrecevable, au motif que les humains ne doivent pas violer les «**lois de nature**» (si l'on considère qu'elles sont *a priori* inviolables). Le débat risque donc d'être vif et complexe entre les tenants des deux thèses. Il revient à se demander si l'évolution humaine peut être provoquée et choisie par les **humains** eux-mêmes ou si elle doit dépendre de la «**nature**», du «**hasard**», ou de la «**volonté de Dieu**».

LA VIGILANCE NÉCESSAIRE

Même les partisans et acteurs les plus farouches de la «**technologisation**» du monde sont aujourd'hui conscients de ses **dérives** possibles. Certains sont même devenus des «**repentis**», tel Sean Parker, qui fut le premier président de Facebook, qui explique que l'entreprise *«exploite une vulnérabilité dans la psychologie humaine[1]»*. Tristan Harris, de Google, estime lui que les **réseaux sociaux** *«piratent le cerveau»*. Une lecture «objective» de leur contenu tend plutôt à lui donner raison, tant les messages peuvent s'avérer violents, malveillants, irrationnels et donc dangereux (voir p. 244).

Il faudra donc être demain encore plus **vigilant** sur les risques et dérives possibles des innovations spectaculaires et addictives. Plus que jamais, chaque individu devra exercer son libre arbitre. Mais il lui sera de plus en plus difficile de détecter les **mensonges** et «**vérités alternatives**» (voir p. 224), les **influences** néfastes et les **emprises** de la technologie sur sa vie et sur sa pensée. L'**intelligence collective**, favorisée elle aussi par la technologie, sera donc de plus en plus utile pour y parvenir. À condition qu'elle ne soit pas elle-même sous influence…

LES FRANÇAIS PLUTÔT INQUIETS DES PERSPECTIVES TECHNOLOGIQUES…

L'intérêt pour l'**innovation technologique** est globalement présent dans la population française, mais à des degrés divers selon les groupes sociaux. Assez logiquement, les **jeunes** sont plus enthousiastes que leurs aînés, les personnes diplômées et aisées plus que les autres. Les **hommes** se montrent aussi plus sensibles que les femmes. Le degré de technophilie varie aussi avec la **culture** personnelle et la **mentalité** collective. Au total, les Français ne sont pas les plus enthousiastes, et la proportion de «**geeks**[2]» n'y est pas particulièrement élevée.

Les craintes exprimées sont nombreuses, à commencer par la **sécurité** : 72 % des internautes français se disent **inquiets** à propos de la *«confidentialité de leurs données personnelles[3]»* ; seuls 25 % estiment qu'elle est correctement assurée sur Internet. Beaucoup se montrent également **critiques** à l'égard des outils qui envahissent leurs poches, leurs logements et les espaces publics. Cela ne les empêche pas, pour le moment, de les utiliser. Mais l'**exaspération** monte chez les consommateurs et une **révolte** pourrait bien avoir lieu contre les techniques jugées

---

1. Interview publiée sur Axios (site d'information américain) le 8 novembre 2017.

2. Personnes passionnées par les «cultures de l'imaginaire» (certains genres de cinéma, bande dessinée, jeux vidéo, jeux de rôles, etc.), ou de sciences, technologie et informatique (Wikipedia).
3. Sondage *Le Figaro*/BVA, octobre 2017.

LA FRANCE CRÉATIVE

19. Nombre de brevets déposés en Europe (2016)

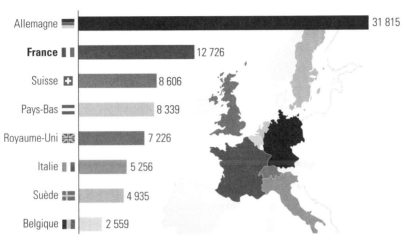

Allemagne	31 815
France	12 726
Suisse	8 606
Pays-Bas	8 339
Royaume-Uni	7 226
Italie	5 256
Suède	4 935
Belgique	2 559

Office européen des brevets

très intrusives du **marketing digital**. Dans une autre étude, 43 % avouent avoir déjà donné de fausses informations dans des formulaires imposés sur Internet, et 29 % avoir communiqué une mauvaise adresse mail[1].

... ET PEU CONSCIENTS DES OPPORTUNITÉS DE L'INNOVATION POUR LA FRANCE

Un rapport rédigé par une commission dirigée par Anne Lauvergeon en 2013, et remis au président François Hollande, identifiait sept secteurs stratégiques d'innovations technologiques et industrielles pour la France à l'horizon **2030** : **stockage de l'énergie** ; **recyclage** des déchets ; **valorisation des richesses marines** (métaux et dessalement de l'eau de mer); **production de protéines végétales** (et chimie du végétal en général) ; **médecine personnalisée** ; «*silver* économie» (longévité); **valorisation des données informatiques massives** (*Big Data*).

Quelques années après, cette liste reste valide, mais on pourrait lui ajouter

aujourd'hui d'autres grands **domaines**, dont on peut prévoir qu'ils façonneront le futur : **intelligence artificielle** ; **réalité virtuelle** (ou augmentée, ou mixte); **transports autonomes** ; **robotique** ; **neurosciences**. Une collaboration étroite avec **l'Europe** permettrait à la France de peser véritablement, comme cela a été possible par exemple dans l'**aéronautique** avec Airbus (qui sera confronté à l'arrivée de nouveaux concurrents, comme la Chine) ou avec Ariane espace (qui va devoir se réinventer pour affronter de nouveaux opérateurs américains, voir p. 217).

UNE INTELLIGENCE COLLECTIVE À MIEUX EXPLOITER

La France dispose d'organismes publics de recherche (CNRS, IFFSTAR, INED, INRA, INRIA, IRD...) et de chercheurs de grande qualité. Mais leur **centralisation**, souvent dénoncée dans des rapports[2], entraîne des lourdeurs et des lenteurs qui peuvent être nuisibles en matière d'innovation (et de mise en application), et pousser à une «**fuite des**

---

1. Sondage Emakina/Odoxa, mai 2018.

2. Voir par exemple certains rapports de la Cour des comptes ou le rapport de Cédric Villani sur le développement de l'intelligence artificielle en France (mars 2018).

cerveaux» vers d'autres pays. Par ailleurs, la conception «classique» de la recherche ne paraît pas la plus appropriée pour faire émerger des innovations de **rupture**. Le modèle en la matière est plutôt la **DARPA**[1], agence américaine de recherche liée à la Défense, à laquelle on doit notamment l'invention d'Internet et du GPS et d'autres avancées importantes sur les technologies numériques.

Les ruptures viennent aussi de plus en plus des laboratoires **privés**, d'entreprises et de personnes ayant une grande ambition, une grande créativité et une volonté de s'attaquer à des problèmes réputés insolubles. Le recours à l'**intelligence collective**, l'organisation de «défis» et de concours (assortis de primes stimulantes) peuvent ainsi per-

mettre de faire émerger des idées totalement nouvelles, par synergie ou même par «hasard» (**sérendipité**, voir p. 237).

La France devra donc dans les années à venir «**innover dans sa manière d'innover**». Outre la recherche publique, elle devra pour cela compter sur les initiatives **privées**, et encourager le financement et l'accompagnement des innovations, à l'image de ce qui se passe aux États-Unis depuis des décennies. Des **incubateurs** comme *Station F*, créée par le chef d'entreprise Xavier Niel (fondateur de Free), devraient y contribuer. Sur les quelque 1100 start-up qu'elle abrite (record mondial), on peut espérer que certaines parviendront à s'imposer au plan international avec des innovations de rupture.

---

1. *Defense Advanced Research Projects Agency*, agence du département de la Défense des États-Unis chargée de la recherche et développement des nouvelles technologies destinées à un usage militaire.

PROUESSES ET PROMESSES (TECHNOLOGIQUES)

La liste ci-dessous fournit des **exemples d'innovations scientifiques et techniques** susceptibles de modifier la **vie quotidienne** des Français d'ici **2030**. Certaines sont en phase de **recherche**, d'autres au stade de l'**expérimentation**, d'autres enfin déjà en **application**. Elles sont classées en grands **thèmes**, qui sont tous abordés dans l'ouvrage.

Pour plus de précisions sur les *domaines d'innovation* appelés à connaître des développements dans les prochaines années, voir le *Dicotech* en Annexe, p. 498.

ENVIRONNEMENT

- **Sac à base de cellulose.** Il combine les qualités du plastique et du papier : résistant à l'eau, léger, étirable, 100 % biodégradable, recyclable et bon marché (Paptic, start-up finlandaise).
- **Béton absorbeur de pollution.** Un matériau recouvert d'un catalyseur, mis en présence de lumière, transforme les gaz polluants en composés chimiques inoffensifs.
- **Équipements informatiques chauffants**. Le dégagement de chaleur des *data centers* et processeurs pourra remplacer des radiateurs dans les logements et les bureaux, et remplira les deux fonctions de calcul et de chauffage.

- **Drones pour reboiser les forêts.** Ils cartographient les zones concernées et envoient par canon à air des boulettes biodégradables contenant des graines d'arbres germées et un gel nutritif (BioCarbon, Royaume-Uni).
- **Nuage artificiel.** Il pourrait permettre de lutter contre le réchauffement climatique, en renvoyant une partie des rayons du soleil (professeur David Keith, Harvard).
- **Réduction des fuites d'eau** (25 % en moyenne sur le réseau national de 800 000 km). Des capteurs acoustiques permettront d'identifier et localiser les fuites et de les réparer rapidement. On pourra aussi solidifier l'eau en utilisant un polymère pour qu'elle ne s'évapore pas lorsqu'elle sert à l'irrigation (brevet mexicain) et la transporter facilement sous forme de gel biodégradable (un sac de 25 kg pourra irriguer un hectare de terrain).
- **Arbres à croissance accélérée.** Une équipe de scientifiques a réussi à accélérer la croissance d'arbres en manipulant deux gènes de peuplier (Université de Manchester).

ÉNERGIE

- **Stockage de CO_2.** Un essai dans du basalt a été effectué en Islande. Le potentiel estimé est de 40 % du CO_2 accumulé dans l'atmosphère. La France s'intéresse également à cette technique.

- **Alliance solaire internationale** (ASI). Lancée en mars 2018 à New Delhi (Inde) conjointement avec la France, elle doit faciliter la mise en place d'ici 2030 de 1000 GW de centrales solaires supplémentaires, soit une multiplication par cinq de la capacité mondiale actuelle. Les initiateurs (au nombre desquels les États-Unis et la Chine) entendent mobiliser 1000 milliards de dollars à cette échéance.
- **Solar Impulse 2.** Cet avion, qui ne fonctionne qu'à l'énergie solaire, a réalisé le premier tour du monde sans carburant. Parti d'Abou Dhabi en mars 2015, il a couvert plus de 42000 km en 17 étapes, traversant quatre continents avant de rejoindre Abou Dhabi le 26 juillet 2016.
- **Batteries stockant l'énergie solaire.** L'énergie produite sur place par des particuliers peut déjà être stockée dans une batterie (de la taille d'une armoire) pouvant fournir 25 % des besoins (notamment en utilisant la nuit l'énergie accumulée le jour). Cette part pourrait monter à 75 % d'ici 2030, avec des prix très inférieurs à ceux des solutions actuelles, permettant un amortissement plus rapide.
- **Batteries à circulation** (*flow batteries*). Elles permettent de stocker l'énergie pour un coût très inférieur aux solutions existantes, en rejetant de l'oxygène pendant la phase de charge et utilisant de l'air pendant la phase de décharge (MIT).
- **Tuiles solaires et films transparents apposés sur les vitrages.** Plus esthétiques que les panneaux existants, ils permettent aussi de récupérer de l'énergie solaire.

HABILLEMENT

- **Robots mannequins.** Lors d'un défilé de haute couture en 2017, Karl Lagerfeld (Chanel) a utilisé des robots à la place de mannequins traditionnels.

- **Sneakers auto-laçantes**, directement inspirées de celles de Marty McFly dans le film *Retour vers le futur* (HyperAdapt 1.0, Nike).
- **Vêtements autonettoyants**, grâce à des nanoparticules d'argent et de cuivre intégrées dans les tissus produisant une élimination des taches et des poussières (Université de Melbourne).
- **Spray pour fabriquer des vêtements**, en dispersant un liquide rempli de fibres de coton, de polymères et de dissolvant se transformant en tissu (T-shirt, chapeau...) au contact de l'air.
- **Parapluies communicants.** Ils avertissent leurs propriétaires qu'il va pleuvoir, mais aussi qu'ils l'ont oublié au bureau ou dans un lieu public (Oombrella).

SANTÉ

- **Mégadonnées sanitaires** produites automatiquement à partir d'informations multiples et en très grandes quantités. Elles regroupent des données biochimiques : analyses de sang, résultats de biopsies, des marqueurs tumoraux, hormonaux, de l'imagerie médicale (IRM, radios, scanners...), ainsi que celles de base (âge, poids, taille, tension artérielle, rythme cardiaque...). Elles sont traitées statistiquement pour obtenir, analyser et croiser des informations précises sur des problématiques médicales. Elles peuvent aider à établir des diagnostics, identifier l'effet des traitements, suivre l'évolution des maladies et des malades, personnaliser les soins.
- **Thérapies géniques pour le traitement des cancers du sang.** Deux nouvelles thérapies ont été lancées aux États-Unis en 2017. Elles sont fondées sur la technologie CAR-T et utilisent des cellules immunitaires du patient, génétiquement modifiées pour détruire les cellules tumorales.
- **Séquençage du génome humain.** Le premier a été terminé en 2003 ; il a coûté

3 milliards de dollars et nécessité la collaboration de 20 000 experts internationaux pendant treize ans.

- **Cerveau de souris réparé**, grâce à une greffe de neurones. Après un mois et demi, les neurones greffés ont commencé à créer des connexions. Après un an, la greffe s'est avérée efficace sur 61 % des animaux, dont le cortex visuel s'est remis à fonctionner normalement. Les spécimens pour lesquels la greffe a échoué ont cependant développé des tumeurs (Université de Poitiers, en collaboration avec l'Institut de recherche interdisciplinaire en biologie humaine et moléculaire de Bruxelles, 2015).

- **Restauration de l'activité neuronale du cerveau**, par administration d'oxygène à forte pression. Des patients ayant subi une attaque cérébrale 6 à 36 mois auparavant ont reçu un traitement hyperbare (40 sessions de 2 heures, cinq fois par semaine) dans des caissons avec un air enrichi en oxygène. L'imagerie cérébrale a montré que le traitement entraînait un accroissement notable de l'activité neuronale, avec des conséquences comme une réversion de paralysie, un accroissement des sensations, un retour du langage (école de médecine de l'Université de Tel-Aviv, docteur Shai Efrati).

- **Implant neuronal dans la moelle épinière de rats.** Il leur a permis de retrouver leur capacité de marcher après quelques semaines de rééducation. Il a ouvert la voie à de nouvelles thérapies pour les personnes paralysées (École polytechnique fédérale de Lausanne).

- **Repousse et réparation des dents**, grâce à des cellules souches issues de la pulpe dentaire prélevées chez l'enfant sur les dents de lait, placées dans des tubes de cryoconservation. Une autre piste est explorée, utilisant un laser à basse puissance stimulant la dentine.

- **Assistance aux diabétiques** pour réguler le taux de glucose, mesuré par un capteur de glycémie implanté dans le bras, relié à un algorithme calculant la dose à injecter par une pompe à insuline implantée et connectée.

- **Gélules connectées** contrôlant en permanence certains indicateurs corporels, tels que la température ou le rythme cardiaque.

- **Nanorobots débouchant les artères.** Nanoparticules de fer se déplaçant à l'intérieur du corps jusqu'à l'artère bouchée (commandées de l'extérieur par un flux magnétique) et diffusant un anticoagulant pour éviter une récidive (université de Drexel, Philadelphie). De nombreux autres usages des nanorobots sont envisagés, notamment pour la délivrance très précise de médicaments sur des cellules malades, en particulier cancéreuses.

- **Exosquelettes pour personnes handicapées.** Structures autostabilisées, animées par des moteurs et pilotées par des algorithmes, permettant aux personnes ayant des problèmes de mobilité de se déplacer sans fauteuil.

- **Impression 3D d'os en céramique.** L'os endommagé est d'abord reconstitué virtuellement en 3D à partir d'images de scanner, puis modélisé et imprimé (Osseo Matrix, avec le CNRS et le CEA, France). On pourra ainsi réparer des fractures complexes, boucher des cavités après l'ablation d'une tumeur ou renforcer la paroi d'un crâne.

- **Immunologie cellulaire.** Une petite fille de 7 ans atteinte de leucémie a été soignée grâce à la reprogrammation de ses cellules immunitaires, afin qu'elles attaquent les cellules cancéreuses. À l'aide d'un virus, des lymphocytes T (principales cellules du système immunitaire) prélevées dans le sang de la malade ont été modifiés génétiquement et dotés d'un récepteur moléculaire leur permettant d'attaquer les tumeurs.

- **Téléconsultations médicales.** Pour lutter contre les « déserts médicaux », des cabines de consultation à distance seront installées dans des locaux publics ou privés. Les patients pourront y effectuer des mesures et examens (température, tension, ORL, électrocardiogrammes, etc.) avec la téléassistance d'un médecin, assurée par un système vidéo interactif. Les données intégreront le dossier médical numérisé du patient, consultable par tous les médecins (Consult Station de la Sté H4D, France).

- **Biopsie optique.** 100 000 cancers cutanés sont diagnostiqués chaque année en France, dont certains trop tardivement. Une méthode non invasive permettra aux dermatologues de détecter en profondeur, et par simple contact, la présence de cellules malignes avant qu'elles apparaissent en surface. L'équipement comporte une caméra haute cadence et un algorithme, permettant de reconstituer une image morphologique du tissu (Damae Medical, France).

- **Rein artificiel.** 12 000 personnes sont inscrites sur des listes d'attente de greffe de rein en France, souvent pendant plusieurs années, faute de greffons disponibles. Un rein bioartificiel implantable a été testé avec succès sur des animaux et sur des humains à partir de 2017. Utilisant des nanotechnologies et fonctionnant avec des cellules humaines, il coûterait le même prix qu'une greffe classique, et sa maintenance serait un tiers moins coûteuse que les traitements antirejets habituels.

- **Objets connectés à but sanitaire.** Balances et tous types de capteurs, reliés à des applications pour smartphones envoyant les données à des professionnels de santé (infirmiers) qui peuvent alerter des médecins spécialistes.

- **Régénération cardiaque.** Des cellules souches embryonnaires (pluripotentes) ont permis après spécialisation de régénérer le cœur de patients souffrant d'insuffisance cardiaque.

- **Prothèses.** Les prothèses de l'avenir devraient permettre aux porteurs de retrouver des sensations grâce à l'intégration de cellules osseuses au titane, afin de créer un canal de communication neuronal.

- **Plantes amazoniennes.** Elles pourraient permettre de soigner des maladies physiologiques (cancers), neurodégénératives, génétiques, parasitaires, ou psychologiques (addictions, dépressions…).

- **Télépathie électronique.** Des prothèses reliées au cerveau par des électrodes permettent de faire bouger par la pensée des membres paralysés. Elles permettront aux personnes paralysées ou amputées de retrouver des fonctions disparues.

INSTRUCTION

- **Aide à la révision d'examens.** Système « intelligent » d'aide aux étudiants, basé sur une technologie d'*adaptive learning* (Domoscio).

- *Chatbot* **d'orientation scolaire.** Assistance à des jeunes en fonction de leurs centres d'intérêt et de leurs capacités (Hello Charly).

- **Intelligence scolaire.** Lors d'un test de lecture et de compréhension (Squad, mis au point par l'université de Stanford), des systèmes d'intelligence artificielle ont fourni plus de bonnes réponses que des humains (Alibaba et Microsoft).

HABITAT

- **Sable** issu des déserts, substituable à celui prélevé sur les plages ou dans la mer, aussi solide que le béton et biodégradable. Une révolution potentielle pour la construction (*Finite*, Imperial College de Londres).

- **Bois** transparent ou translucide aggloméré avec colle naturelle à base de champignons, composite durable, étanche, résistant aux UV.

- **Béton** armé sans coffrage, translucide avec fibres optiques intégrées, résistant à l'eau, aux fissures, à la compression-déformation.

- **Béton** fabriqué à partir de sable du désert et non plus des rivières et océans, ce qui devrait représenter un progrès environnemental majeur (Finite, Imperial College de Londres).

- **Ciment** naturel à base de microorganismes.
- **Brique** de ciment et cellulose recyclée, isolante et biodégradable à base de champignons.
- **Tuile** réfléchissante et rafraîchissante.
- **Peinture** autonettoyante.
- **Isolant** à grains de silice, thermique et acoustique, transparent et résistant aux UV. ·
- **Plâtre** hyper-résistant aux chocs, dépolluant et réducteur de bruit.
- **Carrelage** « bio » en époxy et huile de lin, fibres naturelles et célite (microalgues fossilisées), pouvant être découpé à n'importe quelle forme et devenir lumineux en intégrant des pigments fluorescents.
- **Vitre** autonettoyante, éclairante, acoustique, chauffante, à store intégré, en panneau solaire, à transparence réglable.
- **Parpaings** de chanvre.

- **Plastique régénéré.** Un nouveau polymère permet au plastique de se régénérer, sous condition de surveillance du processus (Université de l'Illinois).
- **Impression 3D** de constructions sur chantier. Des maisons préconçues sur informatique peuvent être réalisées en 24 heures à partir d'une imprimante et de matériaux malléables.
- **Immeuble souterrain.** Une construction de 65 étages, en forme de pyramide inversée éclairée par un immense plafond de verre a été réalisée à Mexico (Cabinet Bunker Architectura).
- **Robot purificateur.** Il analyse la qualité de l'air dans les lieux privés ou publics et le dépollue si nécessaire en absorbant les polluants.
- **Réfrigérateur magnétique.** Il fonctionne sur le principe de l'élévation de température de matériaux magnétiques (alliages de fer, silicium, nickel et terres rares) soumis à un champ magnétique, et de refroidissement en cas de désaimantation.

Il est silencieux, écologique et demande moins d'énergie et d'entretien que les systèmes classiques utilisant des fluides.

ALIMENTATION

- **Fermes urbaines souterraines**. Bacs de légumes irrigués de nutriments, éclairés par des ampoules LED basse consommation imitant la lumière naturelle en sous-sol, sans aléas climatiques ni parasites. Exemple à Londres utilisant un ancien tunnel de la Seconde Guerre mondiale sur 6 000 m² (société Growing Underground). Projets similaires à Seattle, New York, Tokyo, Paris, etc.
- **Élevage de poissons en aquaponie**. Combinaison d'aquaculture d'eau douce et d'hydroponie (culture de plantes dans l'eau). Les déchets générés par les poissons sont utilisés pour nourrir les plantes.
- **Poissons végétariens**. Truites carnivores nourries par des mélanges végétaux adaptés (INRA, Finistère).
- **Impression 3D de produits alimentaires**. De nombreux aliments sont imprimables lorsqu'ils peuvent être réduits en matières premières suffisamment fines pour être travaillées : chocolat, farine, sucre ou même viande. Il est ainsi possible de fabriquer des repas personnalisés, avec des apports nutritionnels adaptés à des besoins spécifiques (sportifs, personnes souffrant de problèmes digestifs, bébés, personnes âgées...). La forme et l'aspect des aliments peuvent également être facilement individualisés.
- **Plantes non transgéniques mais mutantes**. Elles sont obtenues par mutagénèse et commercialisées sans nécessité d'autorisation spécifique.
- **Repas en poudre**. Mélange de farines végétales à mélanger avec de l'eau représentant l'apport nutritionnel d'un repas complet.
- **Applications pour smartphones** indiquant la valeur nutritionnelle des aliments basée sur le Nutriscore (notation de A à E), en scannant le code-barre figurant sur l'emballage d'un produit (Yuka, Scan Eat...).
- **Détecteur de pesticides dans l'alimentation**. Spectromètre infrarouge connecté, de la taille d'une clé USB, capable de déceler en temps réel les produits chimiques présents dans des fruits et légumes, ainsi que les différents polluants contenus dans l'eau ou dans l'air (projet Scan Eat, École nationale supérieure maritime du Havre, France).
- **Magasin automatique**. Amazon a ouvert en janvier 2018 un magasin d'alimentation entièrement automatisé. La technologie (capteurs, *deep learning* et fusion sensorielle) permet d'identifier les produits choisis par le client, calculer la somme due et débiter son compte.

TRANSPORT

- **Voiture volante**. Véhicule en alliage léger doté de deux rotors latéraux dépliables lors du décollage vertical, combinant un moteur thermique et des moteurs électriques, avec une vitesse maximale de 320 km/h en vol et 50 km/h en ville (projet TF-X de la société Terrafugia, Massachusetts). Le taxi volant Vahana d'Airbus a réussi un premier vol d'essai en janvier 2018, avec décollage et atterrissage vertical.
- **Voiture modulable**. Rétractable en longueur (au moyen de rails sur le châssis), elle peut accueillir 2, 4 ou 5 personnes selon les besoins (concept du carrossier suisse Frank Rinderknecht). Des camions pourront fonctionner sur ce principe de châssis étirable en fonction du volume de chargement (de 8 à 20 m), avec des moteurs à hydrogène (projet russe).
- **Avion volant**. Le projet européen *Brain flight* cherche à élaborer un système permettant de piloter un avion par la pensée.
- **Moto volante**. La ville de Dubaï teste des véhicules hybrides entre drone et moto pour les policiers, permettant de

les propulser à 5 m de haut, à une vitesse maximum de 70 km/h.

- **Tramway aérien.** Rames électriques et automatiques sur rails circulant au-dessus des voitures dans un large tunnel (environ 10 m). Elles pourraient transporter jusqu'à 1500 personnes (projet China TBS, horizon 2025).
- **Cargo géant** fonctionnant avec une immense «voile» (coque d'environ 50 m de haut incurvée) et avec des moteurs d'appoint au gaz naturel liquéfié (projet Vinskip de la société d'ingénierie norvégienne Lade AS).
- **Drones éclaireurs** pour voitures sans chauffeur (Ford).
- **Énergie routière.** Les routes du futur pourraient être équipées de capteurs solaires et produire de l'énergie.
- **Skateboard magnétique.** Planche volant au-dessus de gros aimants placés dans le sol (projet Lexus pour 2030).
- **Ballons spatiaux.** Des ballons à l'hélium tractant des capsules de 4 tonnes volant à 30 km d'altitude emmèneront des «touristes» dans l'espace, avant de se séparer du ballon et de redescendre sur Terre à l'aide d'un parachute (projet World View Entreprises, Arizona).
- **Valise suiveuse.** Les valises pourraient suivre leurs propriétaires grâce à un capteur intégré dans leur smartphone (échéance 2025).

SÉCURITÉ

- **Robot-policier.** Installé depuis mai 2017 dans les rues de Dubaï. Doté d'intelligence artificielle, avec reconnaissance faciale et détection des émotions ou des gestes de la main, il se déplace, donne des informations en six langues et il est muni d'un écran permettant de payer les contraventions. Ces robots devraient représenter 25 % des effectifs de policiers en 2025.
- **Robot de surveillance** complétant les rondes de police (start-up Knightscope à Palo Alto, Californie).

- **Vigile holographique** surgissant devant un cambrioleur.
- **Alarme parlante connectée** aux fichiers de police, capable d'identifier un suspect et de l'interpeller par son nom.
- **Antivols de vélos déverrouillables** par une application sur smartphone. Systèmes existants de vélos en libre-service.
- **Drone de quartier** autonome pouvant détecter des mouvements suspects.
- **Robot citoyen.** Le 29 octobre 2017, l'Arabie saoudite a accordé la citoyenneté à un robot (l'humanoïde Sophia), pour la première fois dans l'Histoire : (Hanson Robotics, Hong Kong).
- **Délinquance prédictive.** La police de Chicago utilise un algorithme pour identifier les criminels potentiels, au moyen de l'analyse de données (*Big Data* prédictives).
- **Canons à micro-ondes.** Il permet de repousser des ennemis ou des manifestants à l'aide d'un faisceau d'ondes électromagnétiques. Une impulsion de quelques secondes fait monter leur température à 55 °C, provoquant une douleur sans brûlure.
- **Armes imprimées.** Les imprimantes 3D permettent aujourd'hui de fabriquer à faible coût et sans connaissance technique préalable des armes automatiques, à partir de fichiers numériques disponibles sur Internet. Il suffit d'imprimer les pièces et de les assembler avec une notice de montage.
- **Champ magnétique de protection** capable de résister à l'onde de choc d'une explosion (application aux véhicules militaires ou de police). Un brevet de champ de force défensif a été déposé par Boeing.
- **Identification de personnes fichées.** Un terminal mobile utilisant la capture d'empreintes et la reconnaissance faciale permet de détecter des terroristes potentiels infiltrés dans les flux migratoires. Il compare en temps réel les données saisies sur le terrain avec celles d'une «liste noire» embarquée dans sa mémoire. Sa

connectivité permet aussi la comparaison immédiate avec les listes des fichiers sensibles tels que les fichiers «S» hébergés sur les serveurs centraux (C-One e-ID).

- **Piratage de mot de passe.** Un mot de passe tapé par une personne portant des électrodes d'électroencéphalogramme sur la tête peut être piraté de l'extérieur (Université de l'Alabama).

TRAVAIL

- **Robot dermatologue.** Un algorithme entraîné avec une banque d'environ 100 000 images s'est montré aussi performant qu'un dermatologue expérimenté pour reconnaître des maladies de peau et en particulier distinguer des tumeurs bénignes, cancers, grains de beauté et mélanomes.
- **Robot assureur.** Au Japon, un robot doté d'intelligence artificielle va remplacer 34 employés dans une compagnie d'assurance-vie. Il effectuera des vérifica-

tions et des procédures d'analyse sur les dossiers des clients.

- **Robot *trader.*** Des algorithmes effectuent des opérations en Bourse à très grande vitesse et remplacent les *traders*. La banque Goldman Sachs n'emploie plus aujourd'hui que deux *traders* spécialisés dans les actions, contre 600 en 2000. Wall Street a supprimé 3 000 emplois de *traders* entre 2013 et 2017.
- **Réseau Internet pour robots.** Il a pour but de leur permettre d'échanger leurs connaissances et d'être plus polyvalents (projet Robot H).
- **Messagerie globale.** Une *start-up* propose une boîte permettant de centraliser tous les types de messages : mails, SMS, MMS, tweets, Facebook… (Front, France)
- **Logiciel administrateur.** À Hong Kong, le logiciel Vital a obtenu dès 2014 le titre de membre du conseil d'administration de la société DKV spécialisée dans les investissements en capital risque. Sa mission était d'analyser les sociétés dans lesquelles la société envisage d'investir.

LOISIRS

- **Robots arbitres**. Des robots seraient capables de remplacer des arbitres assistants lors des matchs de football en 2030.
- **Stars ressuscitées.** En France, le spectacle *Hit Parade* a mis en scène des stars disparues (Claude François, Dalida, Mike Brant et Sacha Distel) sous la forme d'hologrammes projetés, accompagnés par une troupe «réelle» (studio MacGuff, production David Michel, 2017).
- **Système à ultrasons.** Il permet de sentir une forme immatérielle, telle qu'un hologramme (Université de Bristol, Grande-Bretagne).
- **Plaisir musical augmenté.** Des chercheurs ont réussi à accroître ou réduire l'intensité du plaisir ressenti à l'écoute d'un morceau de musique, en utilisant la neurostimulation magnétique d'une zone cervicale (Institut neurologique de Montréal).
- **Traducteur autonome fonctionnant sans connexion Internet**, capable de traduire 50 000 mots de français, anglais, japonais ou chinois dans les deux sens (Ili, de Takuro Yoshida, Japon).
- **Lentilles capteurs.** Des sociétés comme Google ou Samsung travaillent sur des lentilles de contact comportant des petits capteurs électroniques, munies d'une mini-caméra (permettant notamment de prendre des photos en clignant des yeux). Elles sont reliées à des applications de réalité augmentée (pour superposer dans le champ de vision des informations numériques telles que la météo ou des flèches de GPS pour se diriger).
- **Écrans flexibles.** Des écrans souples, pliables ou enroulables commencent à équiper des tablettes, smartphones, téléviseurs et autres appareils électroniques.
- **Nano-livre.** Un ouvrage entier a été stocké sur des brins d'ADN. Cette prouesse ouvre la voie à l'encodage biologique de l'information à l'échelle moléculaire.

- **Ballet de drones.** Lors de la cérémonie d'ouverture des jeux Olympiques de Pyeongchang 2018 (Corée du Sud), 1200 drones ont réalisé un spectacle aérien synchronisé suivant un parcours préprogrammé à l'aide d'un logiciel de design 3D (Intel Shooting Star).
- **Record d'accélération.** Un véhicule électrique a battu le record d'accélération, avec un passage de 0 à 100 km/h en 1,513 seconde (École polytechnique de Zurich).
- **Holoportation.** Des casques de réalité mixte permettront bientôt de réaliser des visioconférences avec les véritables hologrammes des interlocuteurs, qui se superposeront au décor réel d'une pièce (réalité mixte).
- **Ballons spatiaux.** Des ballons à l'hélium tractant des capsules de 4 tonnes volant à 30 km d'altitude emmèneront des «touristes» dans l'espace, avant de se séparer du ballon et de redescendre sur Terre à l'aide d'un parachute (projet *World View Entreprises*, Arizona).
- **Sport passif.** Une pilule pourrait permettre à l'avenir d'obtenir les réactions du corps à une activité physique sans la pratiquer et avec les mêmes bienfaits (équipes de chercheurs au Danemark et en Australie, article publié par la revue *Cell Metabolism*).

DIVERS

- **Stockage des données sur des brins d'ADN**, permettant de faire face à l'accroissement exponentiel d'informations accumulées (160 milliards de milliards [10^{18}] de gigaoctets d'ici 2025).
- **Décodage du manuscrit de Voynich.** Datant du début du xve siècle et écrit dans une langue probablement codée (hébreu?), il n'a jamais pu être décrypté. Il a été confié à des intelligences artificielles dans différents pays qui vont tenter d'y parvenir.
- **Temps nouveau.** Le Flick est une nouvelle unité de temps créée par Oculus

(Facebook). Un Flick vaut 1/705 600 000 secondes, chiffre qui donne des nombres entiers (sans décimales) lorsqu'il est divisé par 8, 16, 24, 25, 30, 44,1, 60, 90, 120, des nombres que l'on retrouve fréquemment dans les fichiers multimédia. Cela permet de fractionner ces nombres sans avoir à arrondir les résultats des divisions, ce qui facilite le travail des ordinateurs.

- **Impression ADN.** Au lieu de concevoir ou d'éditer l'**ADN** d'un organisme, il pourrait devenir plus facile d'en imprimer une nouvelle copie. Par exemple, des algues modifiées pourraient produire du carburant, des organes pourraient résister aux maladies, des espèces disparues pourraient même être «ressuscitées».
- **Souris surdouées.** Une équipe de chercheurs a créé des souris quatre fois plus «intelligentes» que leurs congénères en injectant des cellules humaines dans leur cerveau (Université de Rochester, États-Unis).
- **Reconstitution extérieure d'un visage mémorisé dans un cerveau.** Des neuroscientifiques ont réussi à reconstituer l'image d'un visage humain présente dans le cerveau d'un singe macaque en associant l'activité électronique des neurones concernés aux caractéristiques physiques des visages. Une centaine de neurones suffiraient à identifier n'importe quel visage (Caltech).
- **Satellite à communication quantique** (Mozilla), lancé en 2016 par la Chine. Il pourrait être notamment utilisé pour la cryptanalyse (techniques de décodage de messages).
- **Transmission de pensée.** Une liaison (associant des mots à des tâches lumineuses) a été établie via Internet entre le cerveau d'une personne émettrice en Inde et celui d'une autre située à Strasbourg. Les deux personnes étaient équipées de casques à électrodes cervicales non invasives (université de Barcelone école médicale de Harvard, entreprise Axilum Robotics, France, 2014).
- **Ordinateurs dématérialisés.** Des lunettes holographiques et une puce cousue dans les vêtements (ou greffée sous la peau) permettront de projeter un clavier et de faire apparaître des fichiers par des mouvements de la main (Projet Hololens Microsoft lancé en 2015, objectif de résultats 2030).
- **Compréhension et «traçage» des décisions prises par des algorithmes afin de pouvoir leur faire confiance** (plateforme d'intelligence artificielle Brain, de DreamQuark, France).

2. LES MODES DE VIE

INDIVIDU

*N.B. La prospective n'est pas une science exacte, dans la mesure où les événements futurs dépendent de nombreux facteurs qui interagissent (voir Avertissement p. 9). Une prévision peut donc être **infirmée** si l'une des hypothèses essentielles ou sous-jacentes ne se vérifie pas. **C'est pourquoi des perspectives alternatives sont parfois mentionnées à la suite de celles considérées aujourd'hui comme les plus probables.** Elles figurent en italiques et décrivent de manière synthétique l'incidence que pourrait avoir un changement important dans une hypothèse.*

Cette méthode est appliquée à l'ensemble des chapitres concernant les Modes de vie.

APPARENCE

Par nature et par étymologie, chaque individu[1] est **unique**. Son unicité réside d'abord dans son **génome**, qui n'a aucun équivalent parmi tous les autres êtres humains, hors le cas des vrais **jumeaux**, ou peut-être demain celui des **clones**. Mais le génome, porteur des caractères **innés** d'une personne, est largement complété et parfois contredit par l'**acquis** (attitudes et comportements liés au milieu familial, à l'éducation et aux expériences de toute nature accumulées au cours de la vie). Les recherches récentes en **épigénétique**[2] montrent par ailleurs que l'expression des gènes peut varier selon les modes de vie

d'une personne et son environnement, ce qui renforce encore le poids de l'**acquis**[3]. Une étude indique ainsi que les bébés souris ayant reçu plus d'attention (soins, toilettages) de leurs mères deviennent des adultes moins stressés et mieux adaptés à leur environnement que ceux qui ont été délaissés[4].

Par quels **signes** alors un être humain apparaît-il à ses semblables ? Par les effets **visibles** par eux de la combinaison des facteurs de «nature» et de «culture» qui composent son identité. Ils concernent les caractéristiques **physiques**, **biologiques**, et **comportementales** de tout individu : l'**âge** (apparent) ; la **taille** ; le **poids** ; l'**habillement** et ses compléments corporels (accessoires, maquillage, tatouage, piercing...) ; l'**expression**, orale mais aussi non verbale (gestes, attitudes, regards et autres transmetteurs de la pensée...), et écrite (sur les divers supports existants, réels ou virtuels). Autant de

---

1. Du latin *individuum* : ce qui est indivisible.
2. L'épigénétique est l'étude des changements dans l'activité des gènes n'impliquant pas de modification de la séquence d'ADN et pouvant être transmis lors des divisions cellulaires. Contrairement aux mutations qui affectent la séquence d'ADN, les modifications épigénétiques sont réversibles. Un même gène peut ainsi s'exprimer différemment selon des modifications extérieures au génome (INSERM).

3. Le poids de l'inné est également renforcé, car les modifications épigénétiques (induites par l'extérieur) peuvent modifier le génome et sont alors transmissibles aux générations suivantes.
4. Tracy A. Bedrosian, Carolina Quayle, Nicole Novaresi, Fred. H. Gage, Laboratory of Genetics, *The Salk Institute for Biological Studies*, Californie (étude publiée dans la revue *Science* de mars 2018).

LA FRANCE PLUS JEUNE QUE SES VOISINS

20. Évolution de l'âge médian dans quelques pays jusqu'en 2050

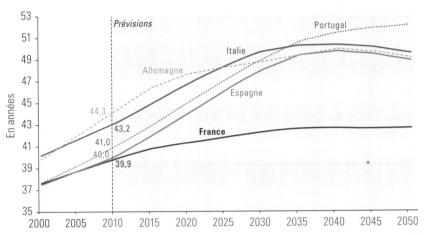

Prime View, United Nations Population Division

signes décrits et anticipés à l'horizon **2030** dans ce chapitre.

L'ÂGE MOYEN « RÉEL » EN HAUSSE...

Les Français étaient âgés en **moyenne** de 41,2 ans en 2017[1], contre 39,7 ans en 2007. Les femmes étaient âgées de 42,6 ans et les hommes de 39,8 ans, contre respectivement 41,1 ans et 38,1 ans en 2007. Cette évolution sensible est liée au **vieillissement** de la population, lui-même dû à l'augmentation régulière et spectaculaire de l'**espérance de vie** (voir p. 36).

L'âge **médian** (tel que la moitié de la population est moins âgée, et l'autre plus âgée) s'est accru encore davantage que l'âge moyen. Il était de 40,4 ans en 2017 (41,8 ans pour les femmes et 38,8 ans pour les hommes) contre 38,1 ans dix ans plus tôt (39,6 ans pour les femmes, 36,6 ans pour les hommes en 2007). Entre 1991 et 2017, l'âge **médian** de la population a donc augmenté de 6,7 ans, l'âge **moyen** seulement de 4,1 ans. Il ne semble pas déraisonnable de penser qu'il pourrait **augmenter encore de 2 ans d'ici 2030**.

... MAIS L'ÂGE « APPARENT » OU « RESSENTI » INFÉRIEUR

L'âge **perçu** par un observateur d'une autre personne est souvent inférieur à l'âge réel (civil) de celle-ci. Une impression qui peut s'expliquer par le fait que les gains (importants et continus) d'espérance de vie provoquent à un âge donné (et fixe) un « rajeunissement » apparent de chaque génération par rapport à la précédente, à laquelle on continue inconsciemment de la comparer.

De la même façon, toute personne se sent généralement plus **jeune** qu'elle l'est en réalité. Selon une étude américaine[2], l'âge perçu reste proche de celui de l'état civil jusque vers 30 ans. À 50 ans, la plupart des personnes ont le sentiment d'avoir une dizaine d'années de moins. À 60 ans, le ressenti se situe vers 48 ans. Ce n'est qu'à partir de 80 ans que l'âge réel et celui ressenti dans le corps et l'esprit convergent. Ce phénomène est lié au fait que l'esprit vieillit moins vite que le corps, et que son vieillissement

---

1. Pour la France, hors Mayotte jusqu'en 2014, y compris Mayotte à partir de 2014, estimations 2017 INSEE.

2. Étude réalisée par des chercheurs en psychologie des universités du Michigan, de Saint-Thomas et de Stanford auprès de 502 000 personnes âgées de 10 à 89 ans, publiée en janvier 2018 (données collectées entre 2006 et 2015).

est plus facile à cacher (ou à oublier). De plus, l'accroissement de l'espérance de vie à la naissance s'est accompagné pendant des décennies d'une augmentation plus forte encore de l'espérance de vie **sans invalidité** ou **maladie grave**. On assiste cependant depuis quelques années à une **stagnation** en ce domaine (voir p. 36).

L'écart entre âge apparent et âge réel pourrait s'**accroître** encore dans les prochaines années, avec les progrès attendus de la **médecine** et les nouvelles thérapies envisagées contre le **vieillissement** : usage des **cellules souches** pour réparer ou remplacer des organes atteints ; allongement des **télomères** (marqueurs du vieillissement) ; attention croissante portée à l'**entretien** du corps (exercice physique, alimentation, hygiène...) ; **suivi** permanent des grands indicateurs de santé (connectée) ; développement de la **médecine 4P** (préventive, prédictive, personnalisée, participative, voir p. 134). Sans oublier les progrès à venir dans les traitements **esthétiques**, avec des méthodes moins invasives et plus efficaces.

UN ACCROISSEMENT DE LA TAILLE MOYENNE...

Entre 1970 et 2010 (derniers chiffres disponibles), la stature des Français **(hommes)** âgés de 20 à 29 ans avait progressé de 5 cm, passant de 1,72 m à **1,77 m**, tandis que les **femmes** gagnaient seulement 3 cm[1] : **1,65 m** contre 1,62 m. Sur les trois décennies de 1970 à 2000, l'écart de taille entre les deux sexes est ainsi passé de 10 cm à 12 cm. Chez les hommes, une étude consacrée aux **conscrits** avait montré que leur taille avait augmenté en moyenne de 5 cm entre 1880 et 1960, atteignant 1,70 m. Une étude internationale plus récente (2014) indiquait une taille moyenne des Français à l'âge adulte de **1,79 m pour les hommes** et **1,65 m pour les femmes**, soit des gains respectifs de 13 cm et 10 cm en un siècle (depuis 1914)[2].

Le grandissement générationnel est apparent chez les **enfants**, comme l'indiquent les courbes de croissance figurant dans le nouveau Carnet de santé utilisé depuis mars **2018**[3]. La courbe de **taille** se situe nettement au-dessus des précédentes, qui dataient de **1979** (sur des personnes nées dans les années 1950). Ainsi, à **10 ans**, la taille médiane des filles est aujourd'hui de 139,5 cm contre 134,7 cm sur les courbes précédentes, soit quasiment 5 cm de plus. Ces évolutions s'expliquent à la fois par une meilleure **alimentation** et un **suivi sanitaire** plus efficace. C'est durant les deux premières années de vie qui suivent la naissance que le gain de taille d'une génération à l'autre est le plus marqué. Le recul de travaux pénibles en période de **croissance** (notamment dans les champs ou les usines) et leur remplacement par l'allongement des études est une autre explication souvent avancée.

... QUI POURRAIT SE POURSUIVRE MODÉRÉMENT

L'évolution des modes de vie dans les prochaines années ne paraît pas susceptible d'inverser cette tendance au grandissement, hors peut-être le **réchauffement** climatique. Celui-ci pourrait en effet avoir des conséquences négatives sur la production agricole, donc sur l'alimentation et sur la taille moyenne. Mais cet effet serait largement compensé dans les pays développés comme la France par l'amélioration générale du contenu **nutritionnel** de la nourriture (voir p. 203). La probabilité serait plutôt un accroissement d'environ **2 cm** d'ici **2030**, avec une réduction de l'écart entre les sexes, liée à la similitude croissante des modes de vie.

Il faut cependant rappeler que, selon les anthropologues, les individus contemporains sont aujourd'hui moins grands que les **Néandertaliens** (1,75 contre 1,83 m), mais

---

1. Enquêtes INSEE., Laboratoires Roche, Sofres.
2. Étude School of Public Health, Imperial College de Londres.

3. Étude réalisée par l'INSERM à partir de 5 millions de mesures prises sur 261 000 enfants de 0 à 18 ans, représentatifs de la population métropolitaine.

plus que les **Sapiens** du Néolithique (1,62 m). Certains experts estiment que la taille moyenne «**maximum**» des hommes pourrait être d'environ 1,85 m. Elle resterait inférieure pour les femmes, du fait notamment de leur «**dilemme obstétrical**», contrainte d'une largeur de **bassin** permettant de faire passer la tête d'un nouveau-né, tout en maintenant la possibilité de la **bipédie** (marche en position verticale).

On peut également pour ces mêmes raisons imaginer que la taille du **cerveau** n'augmentera pas avec celle du corps. Le cerveau de l'homme de **Cro-Magnon** était d'ailleurs plus volumineux (d'environ 20 %) que celui d'*Homo sapiens*, il y a environ 30 000 ans. L'**intelligence humaine** n'est donc sans doute pas proportionnelle au volume de son cerveau. Ce n'est d'ailleurs probablement pas elle qui a le plus progressé, mais l'**intelligence collective de l'Humanité**. Chaque génération a bénéficié des progrès accumulés par les précédentes et apporté de nouvelles innovations, à un rythme chaque fois augmenté, jusqu'à devenir **exponentiel** (voir p. 87).

LE SURPOIDS ET L'OBÉSITÉ ACCRUS...

Les hommes pèsent en moyenne 80 kg, les Françaises 66 kg[1]. Chez les **adultes** de 18 à 74 ans, **54 %** des **hommes** et **44 % des femmes**[2] étaient en **surpoids**[3] en **2015**. 17 % étaient considérés comme **obèses**[4], sans distinction notable entre hommes et femmes. La prévalence était croissante avec l'**âge** et inversement corrélée au niveau d'**instruction**. Les régions du Nord et de l'Est du pays étaient plus touchées que celles du Sud et de l'Ouest, avec un minimum en Midi-Pyrénées et un maximum dans le Pas-de-Calais.

Le taux d'obésité varie également à l'inverse du **revenu des ménages** (lui-même

corrélé au niveau d'**instruction**). Il existe cependant des tendances contraires dans certaines parties de la population, de plus en plus attentives à leur poids. Elles s'expliquent par les campagnes de **prévention**, le **mal-être** lié à un surpoids et la conscience des **risques** pour la santé. L'**offre alimentaire** tend aussi à s'améliorer lentement avec des produits mieux adaptés (moins de gras, de sucre, de sel...) et mieux étiquetés. Entre 1997 et 2012, le **tour de taille** des Français avait également augmenté, passant de 85,2 cm à 90,5 cm. Outre les comportements alimentaires, les prédispositions **génétiques** sont une autre cause probable des différences existantes. L'obésité est en tout cas un facteur de risque **majeur** pour certaines maladies chroniques, comme les maladies cardio-vasculaires, le diabète, l'arthrose ou certains cancers.

Chez les **enfants de 6 à 17 ans**, la prévalence du **surpoids** (obésité incluse) était estimée à **17 %**, dont **4 %** d'**obèses** en **2015**. Comme pour les adultes, la prévalence du surpoids (obésité incluse) était inversement proportionnelle au niveau de **diplôme** des parents. La prévalence de la **maigreur** était estimée globalement à 13 % ; elle atteignait 19 % chez les filles de 11-14 ans.

... AVANT DE SE STABILISER

Entre les deux enquêtes de 2006 et 2015, la proportion d'**adultes en surpoids** (obésité incluse) est restée stable, à environ 49 %, celle de l'obésité s'est maintenue à 17 %. Le taux de **surpoids** des **enfants** (obésité incluse), est lui aussi resté **stable**. Mais la prévalence de la **maigreur** a significativement augmenté, passant de 8 % à 13 %. Elle concernait principalement les filles de 11 à 14 ans.

La France a été l'un des premiers pays au monde à connaître une **stabilisation** du surpoids et de l'obésité, chez les enfants comme chez les adultes. Cependant, l'influence du niveau scolaire persiste. Elle montre la nécessité de prendre en compte les **inégalités** sociales de **santé** dans la définition et la mise en place des politiques

---

1. Enquête INSEE, 2009.
2. Enquête Esteban 2015.
3. Indice de masse corporelle (IMC = poids divisé par la taille en mètres au carré) compris entre 25 et 29.
4. Indice de masse corporelle (IMC = poids divisé par la taille en mètres au carré) supérieur ou égal à 30.

Un Français sur cinq obèse en 2030

La proportion de personnes **obèses** pourrait atteindre 21 % en France en **2030** parmi les adultes, contre 15 % en 2015[1] ; elle concernerait 47 % des Américains (États-Unis), soit deux fois plus. L'accroissement concernerait surtout les personnes ayant une faible **mobilité** et une **alimentation** déséquilibrée. On pourrait constater au contraire une **baisse** de poids dans une partie de la population veillant à une **alimentation** saine et équilibrée (et recourant parfois à des régimes qui seraient devenus efficaces), soucieuse de se maintenir en forme par l'**exercice** physique (réel ou assisté par des logiciels ne demandant pas d'effort « volontaire »),

D'ici **2030**, on peut estimer que les changements prévisibles en matière d'**alimentation** (voir p. 200) auront des effets favorables à un meilleur équilibre pondéral, et donc à une moindre sensibilité à certaines maladies comme le diabète ou l'hypertension. Il est à craindre à l'inverse que les **perturbateurs endocriniens** jouent un rôle néfaste sur l'état de santé de la population : bisphénol 1, tributyltine, pesticides, certains antibiotiques (voir p. 177).

1. Estimation OCDE, mai 2017.

sanitaires. D'autant que l'obésité pourrait de nouveau **augmenter** d'ici **2030** (voir encadré ci-dessous).

La situation de la **France** est cependant moins préoccupante que celle constatée dans les autres pays. Le taux d'obésité observé dans la majorité des **45 pays membres de l'OCDE** atteignait 19,5 % en moyenne en 2015 (de 3,7 % au Japon à 38 % aux États-Unis)[1]. Plus d'un adulte sur deux et presque un enfant sur six étaient en **surpoids** ou **obèses**. L'évolution de la taille et du poids des Français devra en tout cas être prise en compte à l'avenir dans la **conception** ou l'**adaptation** des moyens de transport, logements, meubles, salles de spectacles, pratiques sportives, etc.

*À l'inverse, on pourrait imaginer à l'avenir une **baisse de l'obésité** induite par une **réduction des apports caloriques**. Certaines études[2] réalisées sur les animaux ou les humains montrent en effet que ce changement de comportement alimentaire entraîne non seulement une baisse de **poids**, mais aussi une diminution de certaines **maladies** (du fait de la moindre fatigue de l'organisme) et une moindre production de radicaux libres (facteurs de vieillissement des cellules). Elle permet ainsi d'accroître l'espérance de vie. Un tel changement entraînerait une baisse sensible des **dépenses** alimentaires des ménages et une diminution des besoins de **production agricole** dans le monde. Cette perspective n'apparaît cependant pas aujourd'hui la plus probable.*

UN HABILLEMENT DIVERSIFIÉ, PERSONNALISÉ...

La façon de se vêtir a toujours constitué un **marqueur social**. Elle est aussi le **révé-**

1. Enquête OCDE, 2015.
2. Voir par exemple l'étude conjointe du Muséum national d'histoire naturelle et du CNRS sur les lémuriens, dont la durée de vie a été quasiment doublée avec une ration alimentaire réduite de 30 % (revue *Communications Biology*, avril 2018). Une autre étude réalisée par des chercheurs sur des humains a montré qu'une réduction des apports caloriques de 15 %, sans modification de la composition des repas, s'est traduite par une perte moyenne de neuf kilos et une diminution des maladies liées au vieillissement (revue *Science Direct*, avril 2018).

DES HUMAINS PLUS LOURDS EN 2030

21. Projections des taux d'obésité* dans quelques pays d'ici 2030

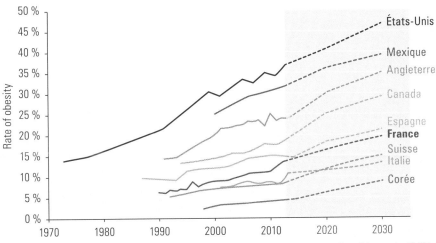

* Défini par l'indice de masse corporelle (poids/taille au carré) supérieur ou égal à 30 kg/m².

OCDE

lateur d'une époque. La mode actuelle est **diversifiée** (parfois «antimode»). Les tenues **hybrides** (décontracté-formel) sont de plus en plus courantes. **L'attachement** à l'apparence corporelle varie selon les groupes sociaux. Ce sont les catégories **aisées** (hommes et femmes) qui sont le plus soucieuses de leur poids et de leur forme physique. Elles pratiquent plus régulièrement le **sport** (gymnastique, musculation, jogging, boxe…), surveillent davantage leur **alimentation** et leur état de **santé**.

La mode est également **personnalisée,** avec la possibilité d'**individualiser** son apparence grâce au mélange des genres, aux **accessoires** (sacs, ceintures, bijoux…), au **maquillage**, etc. Les vêtements sont par ailleurs souvent **signifiants** de la personnalité de ceux qui les portent, par des slogans, photos, etc. Il en est de même du choix et de la mise en évidence des **marques** (T-shirts, lunettes…).

La tendance récente est aux vêtements **près du corps** (*slim, skinny*…). Les coupes tendent à être plus **amples** (voire *oversize*[1])

pour permettre un meilleur confort de mouvement, en rupture avec les tendances récentes. Le *sportswear* reste incontournable (sneakers, sweats, polos…) pour toutes les situations et toutes les bourses. La tendance *techwear* se développe, notamment sous l'impulsion des vêtements sportifs, avec les tissus «techniques» (voir ci-après). Le *darkwear* se développe, avec l'utilisation croissante de la couleur **noire**. La mode *vintage* se poursuit, à partir de vêtements anciens et de «fripes». Les Français dépensent en moyenne 535 euros par an pour s'habiller. Contrairement aux idées reçues, les **femmes** sont très légèrement moins dépensières que les hommes : 530 euros contre 540[2].

… ET «INTELLIGENT»

On devrait assister au cours des prochaines années à la multiplication de «**vêtements intelligents**», issus des *Fashion Techs* (technologies de la mode). Ils amélioreront le confort, l'état de santé et le bien-être, tout en facilitant l'entretien. Ils pourront être

1. Amples, et au-delà.

2. Baromètre Conso 360 RTL/Odoxa, 2018.

Ils pourront être ainsi : bioactifs (climatisants) ; infroissables (au-delà des tissus qui le sont déjà, tel le polyester), autonettoyants ; hydrophobes ; intachables ; recyclables ; connectés ; autonomes en énergie (voire à énergie positive) ; accessoirisés à l'aide de puces électroniques imprimables en 3D ; sur-mesure...

Les six fonctions du corps

Le corps continuera d'abord demain à remplir ses **cinq** fonctions «classiques», bien que dans des conditions différentes, liées aux évolutions technologiques :

- **Enveloppe** (charnelle et organique), renouvelée par morceaux lorsqu'elle sera déficiente.
- **Outil**, pour se mouvoir et effectuer des tâches de plus en plus nombreuses et complexes, grâce à des prothèses nouvelles.
- **Capteur**, à la fois naturel et artificiel, informant son propriétaire du niveau de ses indicateurs de **santé** et de leur évolution, et les communiquant aux spécialistes chargés d'intervenir en cas de besoin.
- **Vitrine** de la personnalité de l'individu, à travers son apparence physique et les informations qu'il communiquera aux autres via des émetteurs placés sur lui ou intégrés à son corps.
- **Miroir**, permettant de renvoyer une image de l'individu qui l'habite à lui-même plutôt qu'aux autres. Cette dernière fonction devrait prendre de plus en plus d'importance, en s'inscrivant dans un processus général d'**autonomie**, pouvant parfois pousser au narcissisme.

Mais le corps pourrait aussi remplir une **sixième fonction**, totalement nouvelle, en devenant un **objet connecté**, en liaison permanente et automatisée avec des services numériques permettant **de suivre** en permanence son **état**, mais aussi de l'**assister** dans un certain nombre de tâches, via des interfaces individu-machine intégrées (implants, hybridation…).

Outre la mode «**robot**», on pourrait voir se développer une nouvelle **mode antimode** ou «alternative», qui déformerait le corps, le banaliserait et le standardiserait, montrant ainsi qu'il joue un moindre rôle que les **accessoires** dont il est doté, qui lui servent d'**interfaces** avec des **machines**. Le corps aura alors perdu son indépendance, au profit de nouvelles fonctions. Certaines personnes s'en réjouiront, d'autres le regretteront.

Les **achats** de vêtements se feront demain sur **Internet** ou dans des **boutiques hyperconnectées**. Des scanners prendront instantanément les **mensurations** des clients ou les retrouveront dans une base de données grâce à la **reconnaissance faciale**. Les **cabines d'essayage** seront remplacées par des miroirs connectés qui afficheront en réalité augmentée un **avatar** fidèle du client, et essaiera les vêtements à sa place. Pour les achats en ligne, des ultrasons reproduiront les **sensations** tactiles des matières. À la sortie des magasins, des portiques équipés de puces NFC identifieront les produits et débiteront les achats directement sur le compte du client.

UN NOUVEAU STATUT POUR LE CORPS

Après avoir longtemps été un **outil**, le corps est devenu un **objet**, que l'on entretient, modifie, enjolive, améliore. Il a été en partie **uniformisé** par la mondialisation des images et des modes de vie, qui a favorisé la prégnance d'un **modèle occidental**. Il prône un corps mince, hygiénique, sportif, performant, esthétique, séduisant, imité dans de nombreuses régions du monde. Mais ce modèle n'a pas empêché l'accroissement de l'**obésité** (voir ci-dessus). Le corps a été également **individualisé**, de façon au moins superficielle, pour contrer le risque d'**uniformisation** lié à la mondialisation et satisfaire le désir de créer et affirmer son **identité**.

Le corps de l'avenir devrait encore être modifié. Les corps **physique** et **physiologique** seraient ainsi complétés par un corps «**social**» (permettant d'afficher son appartenance à un groupe ou une communauté) et un corps **psychologique** (identité et personnalité). Mais les changements les plus importants devraient être induits par l'évolution **technologique**. Le corps **bionique** sera le résultat d'une hybridation avec des éléments **artificiels** permettant de l'«améliorer».

On observe aussi une tendance à l'**androgynie** (individu sans identité sexuelle définie), résultant de la moindre différenciation entre hommes et femmes dans la vie courante, et de la dissociation croissante entre sexualité et procréation. Cette propension est apparente depuis des années dans la mode unisexe. Elle renvoie au rapprochement entre le réel et le virtuel, préparant peut-être l'avènement d'un **corps virtuel**.

On pourrait enfin voir apparaître des corps **clonés** (avec les mêmes techniques que celles utilisées pour les animaux), permettant de disposer d'un **double physique** de soi. Notons qu'il ne sera pas **mental**, car il ne pourra reproduire que la partie innée, génétique, de son original. Mais le clonage pourra aussi avoir lieu de façon **virtuelle**; il sera alors immatériel, téléchargeable, téléportable, et donc en quelque sorte **immortel**. On pourra alors parler de «**jumeau numérique**[1]» équivalent pour les individus de ce qui existe déjà pour les **objets**. Comme pour eux, ce double digital permettra d'**évaluer** en permanence les capacités de l'individu «**original**» (voire de les «**augmenter**»), d'**anticiper** ses déficiences et ses «pannes» (par le recueil de données et la simulation) et d'**optimiser** son fonctionnement.

DES NOUVEAUX MOYENS POUR «SAUVER SA PEAU»

La peau humaine est menacée depuis quelques années par la chaleur du soleil, comme en témoigne l'accroissement spectaculaire des cas de **mélanomes**, qui ont plus que **triplé** en France depuis 1980. Le **réchauffement** climatique prévu dans

les années et décennies à venir devrait encore accroître le risque. Certains experts pensent même que la couleur de la **peau** pourrait devenir plus **foncée**, afin de mieux résister à l'exposition au soleil[2]. Le **bronzage** devrait en tout cas être moins fréquent à l'avenir, dans le but d'éviter à la fois les **mélanomes** et le **vieillissement** prématuré de la peau.

L'épiderme pourrait aussi à l'avenir jouer un rôle d'**interface tactile** entre l'individu et la machine, toujours disponible. Elle pourrait servir de télécommande, de capteur (température, humidité, pression sanguine, glycémie...) grâce aux neurones qu'elle contient, servir de support à des tatouages «intelligents» et communicants, être utilisée comme terminal de paiement, ou d'élément d'identification (badge).

Les produits de **maquillage** futurs seront comme beaucoup d'autres largement influencés par la technologie, avec par exemple des crèmes **anti-pollution** ou des vernis à ongles **thermo-chimiques** (changeant de couleur selon la température). La **personnalisation** sera maximale, grâce à l'usage des données des consommateurs permettant de leur proposer les soins les mieux adaptés à leur type de peau (qualité, pigmentation, taux de mélanine, exposition au soleil, irrégularités...). Chacun pourra accéder à des conseils et à des produits personnalisés, dont certains pourront être imprimés à domicile en **3D**. Des rouges à lèvres pourront intégrer le parfum d'une personne. Les recherches sur le **microbiote** du derme[3] devraient aussi déboucher sur de nouveaux produits. Les **parfums** connaî-

---

1. Ou *digital twin*. Version numérique d'une personne réelle, connectée à son double et évoluant en même temps que lui.

2. Des nouvelles recherches sur les gènes impliqués dans la pigmentation de la peau confirment que l'origine pigmentaire de l'homme serait africaine. Les premiers variants pigmentaires seraient apparus il y a 300000 ans et découleraient de tous de gènes responsables à l'origine d'une peau claire. Celle-ci serait devenue plus foncée au fur et à mesure que les humains ont perdu les poils couvrant leurs corps et se sont déplacés des forêts vers la savane ouverte. Cette thèse réfute la notion de race et démontre la diversité pigmentaire au sein même du berceau africain.

3. Ensemble de bactéries de la peau propre à chaque individu.

tront des évolutions comparables, avec des fragrances totalement «sur-mesure».

D'une façon générale, les acheteurs seront de plus en plus demandeurs de produits sains, «bio», frais, sans conservateurs et additifs nocifs ou suspects de l'être. Ils seront attentifs aux risques potentiels des **parabènes** et des **nanotechnologies**. L'essai des produits se fera sans miroir, à l'aide d'applications téléchargeables spécialisées de «**beauté connectée**» qui analyseront les paramètres de la peau, simuleront les effets

Le corps accessoirisé

La **barbe** est répandue aujourd'hui chez les hommes, notamment les jeunes. Elle est le plus souvent régulièrement taillée, afin de rester courte. Elle complète la **coiffure**, de plus en plus **sophistiquée** (ou faussement simplifiée) et **personnalisée**. La mode est souvent dictée par des «**célébrités**», à l'exemple des sportifs (à commencer par les footballeurs) ou des artistes de variétés. Les coupes féminines sont encore plus variées, répondant à la fois au besoin d'**individualisation** et à celui de changement d'apparence, comme moyen de changer d'**identité**.

Le **tatouage** est aussi de plus en plus fréquent, ornement ou signe d'appartenance en principe fixe dans un monde et sur des individus «mobiles». **14 % de la population adulte** (16 % des femmes et 10 % des hommes) étaient tatoués en 2017 contre 10 % en 2010, soit 7 millions de personnes[1]. 43 % le sont sur une **zone visible** (visage, cou, mains…), 4 % sur une **zone intime**, 67 % sur un emplacement «**discret**» (pouvant être caché ou montré). Le **piercing** (perçage du corps pour y placer un bijou) ne semble plus être autant pratiqué qu'il y a quelques années (mais les études récentes manquent en la matière en France).

Dans les années à venir, les **lunettes**, **bijoux**, **ceintures**, **sacs** seront sans doute **connectés** et rempliront de nouvelles fonctions, à l'instar de la Google Glass, lunette interactive[2] lancée en test par la firme en 2012. L'échec de sa commercialisation (arrêtée en 2015) a montré que la société (même avant-gardiste comme en Californie)

n'était pas prête à accepter cette «prothèse» électronique très invasive, tant pour les porteurs que pour les personnes qu'ils sont amenés à croiser (et à filmer) au cours de leurs journées.

Mais l'accessoirisation du corps se poursuivra sous d'autres formes. Elle pourrait par exemple utiliser des extensions **artificielles**, à vocation plus **fonctionnelle** qu'esthétique ou symbolique. Le processus a déjà commencé avec le port de **capteurs** et autres *trackers* permettant de mesurer en permanence les données corporelles (tension, rythme cardiaque, souffle, distances parcourues, calories consommées…).

La liste des **objets corporels connectés** devrait encore s'allonger, en particulier en matière de **santé**. Elle comportera non seulement des équipements et applications de **suivi**, mais aussi de **diagnostic**, et même de **thérapie** (par exemple pour les diabétiques). Elle s'élargira aussi à d'autres objets **utilitaires**, qui pourront par exemple produire de l'**électricité** pour recharger des smartphones et autres appareils portables, vibrer pour indiquer les directions à prendre pour se rendre à une destination et remplir d'autres fonctions pratiques.

Puis des **implants** électroniques pourront être **intégrés** à certaines parties du corps, en particulier le **cerveau**. Ils seront proposés à des personnes **handicapées** pour transmettre des signaux électriques à des membres paralysés, mais aussi à des personnes bien portantes auxquelles ils serviront de badges d'accès à certains lieux, de stockage de mots de passe et autres données personnelles. Ils pourraient également être utilisés pour **augmenter** les capacités «naturelles» des humains et les transformer en **post-humains** ou **transhumains** (voir p. 132), ce qui posera quelques questions d'ordre éthique nouvelles et complexes.

1. Sondage Syndicat national des artistes tatoueurs/Ifop, novembre 2016.
2. Paire de lunettes dotée d'une caméra intégrée, d'un micro, d'un pavé tactile sur l'une des branches, de mini-écrans, d'un accès à Internet par Wi-Fi ou Bluetooth (puis dans sa version 2 d'un écouteur branché en mini-USB).

des traitements, fourniront des conseils et suggestions.

UN VOCABULAIRE ENRICHI PAR LES JARGONS...

Le **vocabulaire** utilisé par les Français évolue. Les dictionnaires intègrent chaque année de nouveaux mots censés représenter les changements contemporains en matière **sociale** *(autoréalisation, bisounours, droit-de-l'hommisme, selfie...)*, **économique** *(ubérisation, showcase, déradicalisation, infobésité, permaculture...)* ou, surtout, **technologique** *(dématérialisé, disruptif, e-sport ; hacktivisme...)*[1]. Il s'y ajoute les nombreux mots créés et utilisés par des groupes ou «communautés» dans le but de se différencier, ainsi que ceux à caractère **administratif**, **juridique** et d'autres domaines utilisant des «jargons» spécialisés, qui tendent à exclure ceux qui ne les pratiquent pas.

Ces ajouts devraient être encore plus nombreux à l'avenir, compte tenu du nombre croissant de nouveaux concepts, notamment technologiques, qui verront le jour. Chacun d'eux devra, pour exister, être **nommé**. Ce sont de loin les **technologies numériques** qui devraient être les plus créatives en la matière, avec le déve-loppement d'innovations de rupture (voir le *Dicotech* en *Annexe* p. 498). On peut cependant craindre que le vocabulaire **réellement** utilisé par les Français dans leur vie courante soit au contraire appauvri par les habitudes de communication (voir ci-après).

... ET DES MODES DE COMMUNICATION TRANSFORMÉS...

Le fond et la forme de la communication **orale** devraient être demain modifiés par le développement et la diffusion de plusieurs **innovations technologiques** majeures :

- **Généralisation** des **commandes vocales** des assistants, robots et autres machines.
- **Traduction** instantanée des échanges entre des interlocuteurs dans de nombreuses langues, sous forme orale et/ou écrite.
- **Synthèse vocale** : lecture automatique de textes écrits, éventuellement traduits dans une langue différente de l'originale.
- **Échanges en «langage naturel»** avec les machines pourvues d'intelligence artificielle et connectées aux Big Data.
- **Progrès de l'analyse sémantique** permettant aux machines de comprendre les subtilités du langage et sa «contextualité», et d'améliorer la traduction.
- **Traduction directe de la pensée en langage** (écrit ou oral), à un horizon plus lointain.

---

1. Les nouveaux mots cités en exemple sont issus du *Petit Larousse 2018*.

Associée à ces innovations, l'**anglicisation** devrait poursuivre son œuvre de transformation de la langue française parlée ou écrite (voir ci-après).

… PROVOQUANT UN APPAUVRISSEMENT DE L'EXPRESSION ORALE…

Les Français connaîtraient en moyenne environ **4 000 mots**[1] (sur les quelque **60 000** contenus dans les dictionnaires). Ils en utilisent beaucoup moins, notamment à l'oral, dans la vie courante : entre 800 et 1 600 pour les lycéens (1 000 à l'âge de 14 ans), **3 000** en moyenne pour les **adultes**, dont les plus démunis seraient limités à quelque 500 mots. Ce faible « stock » ne permet pas d'exprimer les **nuances** pourtant nécessaires pour s'exprimer et échanger dans un monde de plus en plus complexe. Cette incapacité crée souvent de la **frustration** chez les locuteurs lors des échanges oraux, de l'incompréhension chez leurs interlocuteurs. Elle peut parfois se transformer en **violence physique**, une autre forme d'expression parfois plus facile, mais beaucoup moins souhaitable.

L'**autocensure** devrait être aussi de plus en plus présente à l'avenir dans l'expression courante, de même que la **« langue de bois »** et les **« éléments de langage »** dans les discours des acteurs de la société (voir encadré ci-après). La **tonalité** et le **contenu** de leur expression devraient cependant être très différents lorsqu'elle aura pour objectif de **peser sur l'opinion**, notamment à travers Internet. Certains n'hésiteront pas à diffuser de fausses informations (*fake news*, voir p. 224) pour défendre une **cause**, sans s'embarrasser de morale ou de souci de la vérité. Les *trolls*[2] devraient être ainsi de plus en plus nombreux dans les blogs, forums et sur les réseaux sociaux.

Dans le même esprit, il est à craindre que la communication utilise davantage le registre **émotionnel** que **rationnel**. L'exemple **singulier** sera généralisé même s'il n'est pas représentatif. Le cynisme, la critique, le mensonge seront utilisés pour imposer une idée auprès du public, la moquerie ou même l'insulte pour déstabiliser un interlocuteur ou même détruire sa réputation et son crédit (voir p. 244).

… ET ÉCRITE

Comme à l'oral, on assiste depuis déjà quelques années à un **appauvrissement** de l'expression écrite, tant dans le **vocabulaire** que dans la **grammaire** ou la **ponctuation**. C'est la conséquence du peu de **respect** dont la langue est l'objet de la part de nombreux locuteurs. La pratique des formes dématérialisées et rapides (SMS, MMS, tweets, commentaires dans les forums et les **réseaux sociaux**, vidéos personnelles, mails…) en est la cause, de même que le mauvais exemple souvent donné par l'ensemble des **médias** (écrits, audio ou vidéo).

L'**orthographe et la grammaire**, particulièrement complexes dans la langue française, tendent à être des facteurs d'exclusion culturelle pour ceux, de plus en plus nombreux, qui ne les maîtrisent pas. Les contenus abrégés des messages témoignent d'une **méconnaissance** croissante et/ou d'un **laisser-aller** général en ces matières. L'impression est encore renforcée à la lecture des échanges sur les **forums** et les **réseaux sociaux**. La disponibilité et les progrès des correcteurs orthographiques ne semblent pas avoir inversé cette tendance. Outre la **forme** souvent déplorable de l'écrit contemporain, c'est le **fond** qui est touché (au sens propre comme au figuré). Au point qu'il est souvent impossible de comprendre certains textes ou échanges.

Pour rendre l'usage de la langue encore plus laborieux, le projet d'**écriture inclusive**[3]

---

1. Selon l'échelle Dubois-Buyse (créée dans les années 1990), présentant la fréquence et la difficulté des 4 000 mots d'usage courant répartis en 43 échelons supposés connus de tout adulte francophone.
2. Personnes postant des messages tendancieux sur les forums Internet afin de créer ou alimenter des polémiques, en agissant pour leur compte ou pour des organisations.

---

3. L'objectif est de faire en sorte que le masculin ne l'emporte plus sur le féminin au pluriel, que ce soit pour des noms de métiers (« agriculteur·rice·s », « artisan·e·s » ou encore « commerçant·e·s… ») ou des adjectifs

est arrivé. Porté par certains mouvements féministes pour affirmer **l'égalité des sexes** à l'écrit, il ne fait en réalité que participer à la **déconstruction du langage**. Il rend l'écriture et la lecture de textes encore plus difficiles, voire impossibles, pour des Français déjà peu à l'aise avec l'écriture «classique» de leur langue. C'est pourquoi il ne devrait pas s'imposer dans les années à venir.

(ou courriel), la *box Internet*, le *backup*, le *cookie* ou le langage *HTML*[1].

La langue française peine aussi à imposer ses **traductions** (lorsqu'elles existent) de mots ou expressions nés en anglais. Elle s'approprie même de nombreux mots pourtant faciles à traduire. Dans le but sans doute de faire «djeun» ou «moderne», certains **médias** préfèrent parler de *live* plutôt

Discours public : langue de bois et éléments de langage

La langue de bois est la façon moderne de *« parler pour ne rien dire »*, dans le but de ne faire de tort à personne. C'est ainsi que les mots susceptibles d'être **péjoratifs** pour ceux qu'ils désignent ont été peu à peu remplacés par d'autres, plus **respectueux** et même si possible **valorisants** : technicien de surface (ex femme de ménage ou bonne à tout faire) ; gardienne (ex concierge) ; mère célibataire (ex fille mère) ; union libre (ex concubinage) ; toutes et tous (ex tous), etc.

Cette volonté de ne froisser personne incite chacun à l'**autocensure** ; seuls les humoristes échappent à cette contrainte implicite et sont autorisés à une transgression, qui n'est d'ailleurs pas sans limites. Par ailleurs, la façon systématique dont la parole des **responsables poli-**tiques est commentée, moquée ou critiquée dans les **médias** leur interdit de fait le **« parler vrai »**. Les mots qui leur échappent parfois (comme à chaque individu «normal»), ou les «petites phrases» qu'ils prononcent en *« off »* font immédiatement la une de l'actualité et nourrissent la polémique du jour.

C'est pourquoi les **« éléments de langage »** se sont imposés dans la communication «officielle», comme un moyen d'éviter les risques de dérapage. Les arguments utilisés sont destinés à être repris, souvent à l'identique, par les membres de la même «famille» politique et, idéalement, par les **médias**. Ils sont également de plus en plus présents dans le discours des **entreprises** (relayé par ses responsables et cadres).

UNE HÉGÉMONIE CROISSANTE DE L'ANGLAIS...

Depuis longtemps, les nouveaux mots ou expressions sont d'origine **anglo-saxonne**, La langue française **importe** en effet beaucoup plus qu'elle n'exporte. Elle souffre ainsi d'un **«déficit linguistique»** préoccupant, conséquence du fait que la France est trop rarement à l'origine des nouveaux **concepts**, notamment en matière **technologique**. Même si elle a apporté une contribution réelle aux débuts de l'informatique (avec le Minitel ou l'ordinateur), elle n'a pas inventé le *mail*

que de direct, de *story* plutôt que d'histoire, de *battle* plutôt que de bataille. Les publicitaires choisissent souvent d'afficher les slogans et signatures des marques en anglais (*Sense and simplicity* de Philips, *Just do it!* de Nike ou *What else?* de Nespresso...), se contentant de les traduire en caractères minuscules en bas de l'affiche pour respecter la loi française.

Plutôt que la modernité, ces pratiques démontrent la **soumission** du français à la toute-puissance de l'anglais. **Inventer** est pourtant plus valorisant qu'**imiter**. Mais même les start-up françaises les plus

---

(«beaux·elles», «fier. ère. s...»). Un manuel destiné aux élèves de CE2 utilisant cette nouvelle méthode a été publié par les éditions Hatier.

1. *HyperText Markup Language*, langage de balisage hypertexte, utilisé pour la programmation informatique des pages des sites Internet.

UN BEL AVENIR POUR LA FRANCOPHONIE

22. Évolution depuis 1965 de la population de cinq espaces linguistiques* définis selon la langue officielle, et projections jusqu'en 2060

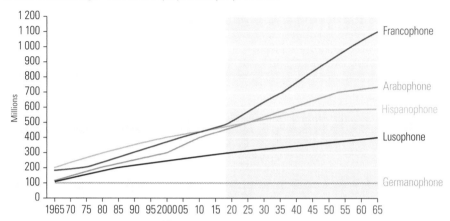

* Dans le même temps la population des pays ayant l'anglais pour langue officielle sera passée de 1 milliard en 1965 à 2,5 milliards en 2015 pour dépasser 4 milliards en 2055.
Rapport World population prospect *(ONU)*,
complété par les auteurs du Rapport d'information de la commission de la culture,
de l'éducation et de la communication du Sénat (Louis Duvernois et Claudine Lepage, février 2017).

créatives se donnent des noms à consonance anglaise et jargonnent dans cette langue, pour se donner une dimension internationale. Le combat apparaît donc vain pour les prochaines années. Il perdra d'ailleurs de son importance et de son sens avec les progrès de la **traduction simultanée**.

... MAIS DES PERSPECTIVES FAVORABLES POUR LE FRANÇAIS

Malgré son allégeance à l'anglais, la langue française dispose cependant d'**atouts** considérables. Ils sont d'abord **historiques** et **culturels**. Le français a été exporté sur les cinq continents ; il a transmis et entretenu une image souvent favorable de la France, associée aux notions de **liberté** (avec la révolution de 1789), de **raffinement** (avec la cour royale au XVIIIᵉ siècle), d'**élégance** (grâce à Paris, capitale de la mode), de **création de l'esprit** (avec l'aura des philosophes français du XVIIIᵉ siècle et des artistes du XIXᵉ siècle). La **diplomatie** a longtemps utilisé le français pour discuter les grandes questions qui agitaient le monde.

Pour l'avenir, notre langue dispose cependant d'un atout majeur : la **démographie**.

Si la francophonie ne constitue aujourd'hui que le **6ᵉ espace géopolitique** mondial par sa population, elle pourrait devenir le **4ᵉ à l'horizon 2050**[1]. 230 millions de personnes parlent français aujourd'hui ; elles pourraient être **770 millions en 2050**. Cette croissance de l'ensemble linguistique serait la plus forte dans le monde au cours des prochaines décennies (voir le graphique ci-après). Cependant, il est probable que la puissance des langues sera alors moindre, du fait de l'omniprésence de systèmes de **traduction simultanée** de plus en plus performants, grâce aux progrès de l'**analyse sémantique**.

LA GESTUELLE POUR S'EXPRIMER...

Les **gestes** constituent souvent un moyen de **convaincre** ou de **séduire**. Dans la première démarche, les médias et les «*coachs*» offriront de plus en plus de conseils pour aider leurs publics ou clients à trouver un emploi, galvaniser leurs collaborateurs,

1. Voir le Rapport d'information au Sénat de Louis Duvernois et Claudine Lepage, réalisé au nom de la commission de la culture, de l'éducation et de la communication, février 2017.

remporter une élection. La gestuelle destinée à la **séduction** pure sera plus difficile à mettre en œuvre, car elle est de plus en plus critiquée. En témoigne l'**indignation** générale qui a suivi en octobre 2017 la révélation de l'affaire **Weinstein** (producteur américain accusé de harcèlement sexuel et de viol par de nombreuses femmes, notamment des actrices) et la vague de **dénonciations** à laquelle elle a donné lieu, en France comme dans de nombreux pays[1].

D'autres types de gestes sont entrés dans les habitudes (bonnes ou moins bonnes) au fil du temps et sont toujours utilisés. Ils peuvent être des marques de **politesse** (serrer la main de quelqu'un, donner l'accolade, ouvrir la porte, céder sa place dans le bus...) ou au contraire de **désapprobation** (index vissé sur le crâne, bras ou doigt d'honneur, moue de mépris, agression physique...). On notera que la **danse** est une forme particulière de gestuelle (très diversifiée et le plus souvent codifiée), révélatrice à la fois de la personnalité du danseur et de l'époque. Les **sportifs**, qui s'expriment par définition surtout avec leur corps, sont souvent à l'origine de **gestes techniques** dans leur spécialité, mais aussi de **rituels** (en entrant sur le terrain, après avoir marqué un but au football ou gagné un set au tennis, en suscitant les encouragements du public...). La gestuelle est sans doute l'une des composantes les moins changeantes de la communication et de l'apparence d'un individu.

... SE RECONNAÎTRE...

Les nouveaux gestes contemporains sont généralement inventés au sein de groupes ou professions spécifiques (élèves des écoles, jeunes des banlieues, sportifs, humoristes, animateurs, bloggeurs vidéo...), puis éventuellement repris par d'autres individus et «tribus». Parmi ceux apparus depuis déjà quelques années, on peut citer la façon de se dire **bonjour** (avec une tendance à l'ac-

colade ou à l'**embrassade** chez les hommes) ou celle (fréquente chez les sportifs) de s'**encourager** en se touchant la main ou le poing selon des rituels qui peuvent différer.

Dans un tout autre genre, on a vu apparaître la «**quenelle**», qui aurait une signification antisémite, ou le **genou à terre** des footballeurs américains interprété comme une marque d'hostilité envers le président Trump (qui rappelle le poing levé des athlètes contre le racisme anti-Noirs lors des jeux Olympiques de 1968).

Tous ces gestes chargés de **symboles** complètent ou parfois remplacent des mots ou des discours. Ils permettent d'affirmer une **appartenance** à un groupe ou une communauté. Ils sont aussi moins facilement **identifiables**, moralement **condamnables** et juridiquement **répréhensibles** que les mots. Pour toutes ces raisons, ils devraient se multiplier au cours des prochaines années.

... OU SE RAPPROCHER

Hors sa forte dimension contestataire et/ou communautaire, la gestuelle pourrait être demain utilisée davantage au service de l'**empathie**, un état d'esprit favorisant la relation entre les humains (voir encadré p. 250). Cette disposition, liée à la découverte des **neurones miroirs**, est prônée par de nombreux chercheurs, philosophes ou intellectuels (Matthieu Ricard, Alexandre Jollien, Jacques Attali, Luc Ferry...). Elle s'avère être l'une des clés pour réussir à **réconcilier** les Français et organiser des débats **apaisés** et **constructifs** sur les grandes questions qui seront posées à la société d'ici **2030**.

---

1. Voir les mouvements #Metoo aux États-Unis ou #Balancetonporc en France appelant à la dénonciation de comportements d'agression sexuelle.

À l'inverse, les attitudes d'**hostilité** et les tentatives de **domination** verbale ou physique devraient être moins fréquentes, du fait de la sensibilité de l'opinion, de la législation, des contrôles et des sanctions. Il en sera ainsi notamment des «**gestes déplacés**» à l'encontre des **femmes**, car celles-ci pourront plus facilement dénoncer leurs agresseurs et les empêcher de nuire. Un nouvel équilibre sera donc à trouver dans la relation entre les sexes, entre machisme, sexisme et féminisme. Il devra permettre d'assurer une **égalité** de traitement des femmes et des hommes, sans nier pour autant les **différences** entre les sexes, qui ne sauraient faire l'objet de jugements de **valeur** d'un côté comme de l'autre.

Cependant, la reconnaissance de l'égalité ne doit pas conduire à la recherche de l'**identité** physique, mentale ou biologique entre les sexes. L'humanité aura en effet de plus en plus besoin de miser sur les **différences** irréductibles entre les hommes et les femmes, afin d'accroître sa capacité à relever les grands défis. C'est pourquoi il faudra donner aux femmes la même place et la même importance qu'aux hommes dans la société et dans toutes ses instances de discussion, réflexion, décision.

Enfin, une autre évolution prévisible de la **gestuelle** d'ici **2030**, très différente des précédentes, est son utilisation croissante pour communiquer, non plus avec des humains mais avec des **objets** : smartphones, téléviseurs, ordinateurs et autres écrans, portes, équipements électroménagers, ampoules, robinets, chasses d'eau, sèche-mains, etc. L'intégration de ces commandes gestuelles dans la vie courante dépendra de l'acceptation par les individus de cette forme de communication nouvelle. Elle a déjà été précédée par l'usage de plus en plus courant des commandes **vocales**.

Communication non verbale : mythe et réalité

La **gestuelle** et les autres éléments de communication accompagnant le langage sont l'un des constituants forts de l'**apparence** d'une personne. Ils **complètent** son expression **verbale**, allant parfois jusqu'à la **contredire**. Ils en représenteraient même l'essentiel selon une étude ancienne, souvent reprise et réduite à un chiffre spectaculaire : **93 %** de ce qui est perçu par l'interlocuteur serait **non verbal**. Il est utile de signaler que ce chiffre, issu d'une enquête réalisée en 1967 par un professeur de psychologie, Albert Mehrabian, et deux de ses collègues, n'a **aucune validité scientifique**.

L'enquête consistait à demander à quelques personnes d'estimer les **sentiments** d'une autre personne à qui on faisait écouter successivement des mots différents (et enregistrés), sans lien entre eux, tout en leur montrant des photos d'**expressions différentes d'un visage**. Les auteurs en ont déduit que seulement 7 % de la réaction obtenue s'expliquaient par le **verbal** (le mot prononcé), 38 % par le **vocal** (intonation, voix…) et 55 % par le **visuel** associé. Mais le protocole de l'étude (qui ne s'intéressait qu'aux expressions **faciales**) et la taille de l'échantillon (**10** personnes, toutes des femmes) ne permettaient en aucune façon de tirer des conclusions, ce qu'a d'ailleurs reconnu son auteur. Mais il n'aurait pas dû les publier.

SANTÉ

C'est sans doute en matière **sanitaire** que les progrès des prochaines années et décennies seront les plus spectaculaires. La plupart seront induits par les nouvelles **technologies**. Plus encore sans doute que dans les autres secteurs affectant les **modes de vie**, puisqu'il s'agit ici de la **vie** elle-même. Mais ces progrès n'iront pas sans poser de nombreuses **questions**. Qui en profitera ? Dans quelles conditions, (notamment financières) ? Quelles conséquences auront-ils sur la **démographie** (population, pyramide des âges…), sur l'**économie**, l'état de l'**environnement**, le fonctionnement de la **société**, le rôle de l'**État**, etc. ?

N.B. Pour parler de la santé, actuelle ou future, il faut garder en tête la définition qu'en donne l'OMS : « *La santé est un état de complet bien-être physique, mental et social, et ne consiste pas seulement en une absence de maladie ou d'infirmité.* »

UNE AMÉLIORATION DE LA SANTÉ PHYSIQUE...

68 % des Français de 16 ans ou plus se déclaraient en **bonne ou très bonne santé** en 2014[1], soit la même proportion qu'en 2004. **24 %** considéraient leur état de santé comme **assez bon**, **8 % mauvais ou très mauvais** (contre 11 % en 2004). Dans toutes les enquêtes, et dans toutes les tranches d'âge inférieures à **55 ans**, les hommes sont proportionnellement plus nombreux que les femmes à estimer que leur santé est très bonne ; mais les écarts diminuent ensuite au-delà de 55 ans. La perception d'une bonne santé (*a fortiori* d'une « très bonne ») diminue logiquement avec l'âge ; elle devient minoritaire chez les 65 ans et plus. La proportion de personnes déclarant avoir une **maladie chronique** dépasse un tiers (37 %)[2] ; elle est stable depuis 2004. Elle concerne **15 % des jeunes** de 16 à 24 ans et **75 % des personnes de 85 ans ou plus**.

De nombreux moyens permettront à l'avenir de se maintenir en bonne santé et de rester « **jeune** » plus longtemps. De nombreuses **maladies** devraient être éradiquées, prévenues ou guéries (cancers, sida, maladies cardio-vasculaires...). Les **épidémies** seront plus rapidement détectées (grâce aux mégabases de données) et maîtrisées. On assistera à la multiplication d'**objets connectés** et « **intelligents** » dédiés à la santé :

balance, miroir, brosse à dents, fourchette... Grâce à eux et aux **robots-compagnons** qui les « incarneront », les personnes âgées n'oublieront plus leurs médicaments.

De nouveaux risques sanitaires pourraient cependant s'accroître du fait du **réchauffement climatique**, notamment des pathologies **respiratoires** et **allergiques**. Sauf solution technologique à venir, la fréquentation de plus en plus systématique des **écrans** risque également d'entraîner un accroissement des problèmes de **vision**. L'amélioration générale de la santé pourrait être remise en question par la poursuite de la dégradation de l'environnement. Des **crises écologiques** annuleraient les progrès considérables réalisés au cours des dernières décennies. Certaines **pathologies,** notamment respiratoires et allergiques, pourraient se développer avec le **réchauffement climatique**.

... PLUS SPECTACULAIRE QUE CELLE DE LA SANTÉ MORALE ET MENTALE

Au fil des dernières décennies, les manifestations de **mal-être** (dépressions, stress professionnels, névroses, psychoses, insomnies...) se sont sensiblement développées. On estime que près d'un Français sur cinq a souffert ou souffrira d'une **dépression** au cours de sa vie[3]. Le nombre des consultations de médecins et de **psys** n'a cessé de s'accroître. Chaque année, environ 9 000 personnes se **suicident**[4] (75 % sont des hommes). Ce nombre est cependant en **diminution** depuis des années (12 000 en 1996), mais celui des **tentatives** augmente : près de 200 000 en 2017 (contre 160 000 en 1996).

Les comportements de **désespoir** pourraient être encore plus nombreux à l'avenir si les **inégalités** augmentaient de façon sensible, ce qui est prévisible dans un certain nombre de domaines (travail, revenus, logement, loisirs...). Il pourrait en être de

1. Enquête SRCV 2017, portant sur l'année 2014 (derniers chiffres connus).
2. Cette réponse ne renvoie pas obligatoirement à des maladies graves : elle peut s'expliquer en partie par l'existence de difficultés facilement corrigées ou traitées telles que des troubles de la vision (corrigés par des lunettes), des problèmes dentaires ou des facteurs de risque cardio-vasculaires (hypercholestérolémie, surpoids, etc.).

3. INPES (Institut national de prévention et d'éducation pour la santé).
4. Le chiffre est probablement sous-estimé, de l'ordre de 20 %, du fait de la non-déclaration de certains suicides, classés dans d'autres catégories de décès (INSERM).

LES HOMMES EN MEILLEURE SANTÉ QUE LES FEMMES

23. État de santé perçu par les Français de 16 ans et plus selon le sexe* (2014, en %)

État de santé général	Ensemble	Hommes	Femmes
Très bon	23,6	25,7	21,5
Bon	44,6	45,2	44,0
Assez bon	23,5	21,6	25,2
Mauvais	7,2	6,3	7,9
Très mauvais	1,2	1,1	1,3

* Libellé de la question : « Comment est votre état de santé en général ? »
France métropolitaine, population vivant en ménage ordinaire.
Enquête statistique sur les ressources et les conditions de vie SRCV-SILC (Eurostat 2014)

même en matière d'accès aux soins et aux innovations thérapeutiques. On peut donc s'attendre à une nouvelle augmentation, au moins provisoire, des maladies d'origine **psychologique**, et de façon plus générale du **mal-être**. On peut craindre également l'apparition de nouvelles formes de **peurs**, voire de paniques liées à des promesses et des perspectives **technologiques**, qui remettraient en cause la nature humaine dans ses fondements. De nombreuses recherches sont ainsi en cours sur les moyens de **contrôler les émotions** (notamment négatives) et l'**humeur**. Elles portent par exemple sur les stimulants **nootropiques** (aussi baptisés *smart drugs*...), supposés accroître les capacités cognitives : mémoire, apprentissage, raisonnement, motivation, confiance en soi, productivité, sommeil....

On peut cependant compter sur la capacité d'adaptation humaine, la sagesse des scientifiques, l'action des gouvernants et, surtout, la capacité de pression des peuples pour que les « limites » ne soient pas franchies.

UN RECUL DES GRANDES MALADIES...

De nombreuses pistes de recherche devraient déboucher dans les prochaines années sur des thérapies nouvelles et efficaces. Les trois principales méthodes utilisées aujourd'hui (chirurgie, chimiothérapie, radiothérapie) seront complétées par l'**immunothérapie**. Des maladies graves, comme le sida, Alzheimer ou Parkinson, devraient ainsi reculer sensiblement. Des

vaccins pourraient aussi être mis au point contre certains cancers, permettant de bloquer la formation des métastases distantes qui sont souvent responsables de la mort des malades, et diminuer fortement les risques de **récidive**.

D'autres pistes thérapeutiques sont prometteuses, comme la **stimulation cérébrale profonde**, les **diagnostics** très précoces, les **médicaments personnalisés** et ciblés (grâce notamment aux nanothérapies), etc. **L'intelligence artificielle** pourrait permettre de découvrir de nouvelles molécules. Elle utilisera pour cela l'apprentissage en profondeur et la technologie des réseaux adversatifs générateurs[1] (*generative adversarial networks*).

... MAIS UN DÉVELOPPEMENT DE MALADIES D'ORIGINE ENVIRONNEMENTALE

Les maladies liées à la dégradation de l'environnement devraient être plus nombreuses et dangereuses. Elles résulteraient en particulier des **pollutions** de l'**air** (allergies, problèmes respiratoires) et de l'**eau**, de l'usage de **composants chimiques** nocifs dans les cultures agricoles et de la **production industrielle** (perturbateurs endocriniens). Elles seraient renforcées par des périodes de **canicule** plus fréquentes, liées au réchauffement climatique.

---

1. Technique complexe d'apprentissage automatique non supervisé. Deux réseaux de neurones sont en action. L'un présente des « candidats », dont certains ont été créés par ce réseau afin de tromper l'autre, qui les « évalue ».

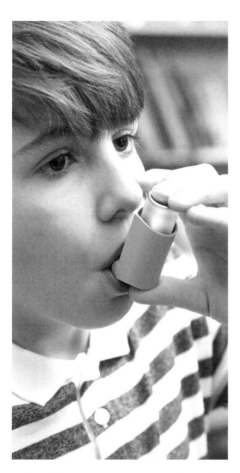

Des **virus** nouveaux pourront aussi se diffuser à grande échelle et provoquer des **épidémies**. On pourrait aussi démontrer la nocivité seulement soupçonnée aujourd'hui des **ondes électromagnétiques** émises par les appareils électroniques (téléphones, ordinateurs, tablettes...), celle des **OGM** ou des **nanoparticules**. À défaut de pouvoir être toutes évitées ou guéries, ces maladies seront mieux identifiées.

Le **tabagisme** (actif ou passif) ne sera sans doute pas totalement éradiqué ni rendu inoffensif, car les addictions resteront fortes et la liberté individuelle revendiquée par le plus grand nombre (fumeurs et non-fumeurs) sera donc maintenue (dans la mesure où elle n'induit pas de risques pour les autres).

L'ESPÉRANCE DE VIE ALLONGÉE, LE VIEILLISSEMENT RETARDÉ

Les **pistes** sont nombreuses pour retarder le plus possible le passage à la vieillesse : thérapies **cellulaires**[1] ; lutte contre le raccourcissement des **télomères** (thérapies géniques) ; modification du **régime alimentaire** ; utilisation de molécules **anti-vieillissement** (telle la metformine[2]) ; **nanoparticules** de carbone contre les infections virales[3] ; transfusions de **sang**[4] ; **cellules souches** (éventuellement imprimées en 3D) ; sénolytiques[5]... Par ailleurs, la **cryogénie** permet de conserver un cadavre à une très basse température, en espérant pouvoir le « réveiller » et le « réparer » si la science le permet un jour.

L'**espérance de vie**, qui est aujourd'hui de 85,4 ans pour les femmes et de 79,3 ans pour les hommes[6], s'est accrue en moyenne de trois mois par an depuis les années 1950. Son accroissement au cours des prochaines décennies pourrait être encore plus spectaculaire que celui annoncé (voir p. 36). Il faudrait pour cela **cumuler** les avancées possibles décrites ci-dessus en matière de surveillance, prévention, diagnostic, traitement, réparation ou « augmentation » des capacités et de la résistance humaines. Les adeptes du transhumanisme promettent ainsi une durée de vie de plusieurs siècles, voire l'**immortalité** (voir encadré ci-dessous).

*Si l'on peut a priori se féliciter d'un allongement accru de l'**espérance de vie**, on peut craindre qu'il induise en contrepartie des **difficultés** importantes en matière de logement, alimentation, emploi, financement des dépenses de santé ou de retraite.*

---

1. Cellules souches remplaçant les cellules disparues ou atteintes.
2. Molécule utilisée pour traiter le diabète de type 2, susceptible de bloquer l'agression des neurones et leur dégénérescence (Centre européen d'étude sur le diabète).
3. Elles stimulent le système immunitaire et prolongent la vie des souris.
4. Dans le but de rajeunir le cœur, le cerveau ou les muscles.
5. Médicaments capables de supprimer la sénescence (en test sur les souris).
6. Prévisions 2017, France métropolitaine, INSEE.

De l'humain au transhumain?

Les transhumanistes promettent pour demain un individu non seulement **réparé** grâce aux progrès de la science et à leurs applications en matière de santé, mais aussi **« augmenté »**. Cela signifie que des implants et autres techniques en gestation pourront accroître les capacités de chacun en le transformant en **« surhomme »** ou **« surfemme »**. Chacun(e) pourrait par exemple disposer en permanence de la gigantesque **mémoire** des moteurs de recherche (auxquels leur cerveau serait directement connecté), **voir** ce qui est normalement **invisible** aux humains (et « zoomer » à volonté sur n'importe quel détail), **entendre** des fréquences en principe **inaudibles**, commander des machines par la **pensée**, et réaliser bien d'autres **prouesses**.

La conviction profonde des transhumanistes, à la fois laïques et démiurges, est qu'il n'y a pas de raison valable de s'imposer *a priori* des **limites** dans la recherche, que l'**identité** humaine n'est pas fixée pour toujours, et en tout cas pas par des **« lois de nature »** ou par la volonté d'un **« Créateur »**. La plupart considèrent qu'il sera toujours temps de discuter après des avantages et des inconvénients des modifications possibles de l'espèce humaine. Une attitude évidemment contraire à celle qui repose sur le **« principe de précaution »** (inscrit en France dans le préambule de la Constitution en 2005[1]).

Le transhumanisme est-il en mesure de faire franchir à l'Humanité un pas décisif et positif vers le « Bonheur » ? Ou n'est-il qu'une dangereuse promesse faite par des **apprentis sorciers** qu'il faut empêcher de nuire avant qu'ils mettent en œuvre des projets de type eugéniste ?

Peut-on accepter qu'ils mettent en cause l'existence même des religions et de la « Nature », y compris humaine ? Ces questions devraient tenir une large place dans les débats de ce XXIe siècle. Certains les formulent autrement : ce siècle sera-t-il le **dernier** vécu par les êtres humains, appelés à disparaître à cause de leur manque de modestie à l'égard de la vie ? Mais d'autres imaginent qu'il pourrait être le **premier** d'une nouvelle civilisation, porteuse d'avancées totalement inédites ?

On peut tenter de se rassurer en pensant que chaque être humain « normal » aurait en principe la possibilité de **choisir** d'être « augmenté » ou de rester ce qu'il est. Mais son choix serait probablement influencé par le **contexte** social. De nombreux individus seraient sans doute séduits par l'idée de devenir plus **forts**, plus **« intelligents »**, d'avoir plus de **mémoire** ou des **sens** plus développés. Beaucoup de parents seraient probablement tentés, si on leur proposait, d'éliminer tout risque de maladie génétique chez leurs enfants dès (ou avant) leur naissance. Mais l'éthique, la morale et les religions pourront-elles accepter ces propositions et pratiques ?

Il sera en tout cas difficile de refuser les « bénéfices » de la science si d'autres l'acceptent et en bénéficient. Il sera probablement plus difficile encore de refuser de **vivre plus longtemps**, et pourquoi pas de devenir « **immortel** » comme le rêvent et le promettent les transhumanistes. Surtout s'il était possible de continuer de « profiter de la vie » pendant tout ce temps, en conservant toutes ses **facultés**, en les augmentant et en les renouvelant lorsque nécessaire. Mais cette perspective, ou utopie, a-t-elle un **sens** ? Quelles seraient ses conséquences sur les modes de vie des individus et sur la planète, dans toutes leurs dimensions ? Avant même que la question se pose, une première réponse avait été apportée par Jean-Paul Sartre : **« Seule la mort transforme la vie en projet »**. Quel projet de vie les transhumanistes pourraient-ils proposer à des humains devenus immortels ?

---

1. Au même titre que la Charte de l'environnement, dont il est l'une des principales dispositions. L'article 5 de cette charte dispose en effet que *« lorsque la réalisation d'un dommage, bien qu'incertaine en l'état des connaissances scientifiques, pourrait affecter de manière grave et irréversible l'environnement, les autorités publiques veillent, par application du principe de précaution et dans leurs domaines d'attributions, à la mise en œuvre de procédures d'évaluation des risques et à l'adoption de mesures provisoires et proportionnées afin de parer à la réalisation du dommage »*.

UNE AUTONOMIE CROISSANTE DES INDIVIDUS

Les individus seront demain en capacité de **surveiller** eux-mêmes (au moins en partie) leur état de santé, grâce aux multiples **capteurs** dont ils pourront s'équiper pour mesurer **en temps réel** leur rythme cardiaque, pression sanguine, température, cycle respiratoire, taux d'insuline, durée et qualité du sommeil, poids, etc. Ces capteurs remplaceront parfois des équipements lourds jusqu'ici réservés aux hôpitaux. La plupart seront connectés et fonctionneront via des **applications** disponibles sur smartphone ou des appareils dédiés.

Les résultats de ces analyses récurrentes seront automatiquement **communiqués**, via Internet ou d'autres réseaux à venir, à des systèmes **intelligents** qui mesureront leur évolution dans le temps et les compareront aux normes existantes. Ils seront en liaison avec des médecins devenus *«coachs de santé»*, mais aussi avec de nouveaux organismes et plates-formes numériques spécialisés dans la **gestion** des données, l'établissement de **diagnostics** et **pronostics**, la **prévention** des maladies et les **thérapies** adaptées.

Les individus pratiqueront aussi davantage l'**automédication**, en tenant compte des conseils prodigués par les nombreux sites **spécialisés** accessibles sur Internet. Ils suivront à domicile des **programmes préventifs** d'entretien du **corps** (culture physique, gestion du stress…) et de l'**esprit** (méditation…). Ils pourront améliorer leurs capacités physiques et cognitives grâce à des implants électroniques. Les Français de **2030**, bien portants ou malades, seront donc à la fois plus **autonomes** et plus **assistés**.

L'obligation croissante de se *« prendre en charge »* pourrait être mal vécue par certaines personnes, qui ne disposeront pas des *atouts* permettant de le faire de façon efficace, par manque de formation, de motivation ou de temps. Il sera donc nécessaire de leur venir en aide.

UN DÉVELOPPEMENT RAPIDE DE LA TÉLÉMÉDECINE

De nombreuses **consultations** seront demain effectuées **à distance**, le patient et le médecin étant reliés par des systèmes de communication interactive (audio, vidéo, holographique…). Des **diagnostics** précis pourront également être effectués par ces moyens. Ce type de consultation devrait être intégré prochainement dans le circuit de remboursement de soins par la Sécurité sociale.

La **télésurveillance** de certaines maladies chroniques (insuffisance cardiaque, dia-

L'ère des « patients experts »

Les nombreuses personnes atteintes de **maladies chroniques** pourront développer dans les prochaines années des **compétences** précises sur leurs maladies, par leur propre expérience mais aussi par la consultation des innombrables informations disponibles sur Internet, à travers des articles, forums, réseaux, etc. Ils pourront à leur tour les **partager** avec ceux qui sont atteints de la même maladie, et qui deviendront ainsi acteurs de leur propre santé.

La difficulté sera évidemment de **sélectionner** parmi les informations celles qui seront **fiables**. Les **sites de confiance**, signalés et recommandés par leurs utilisateurs (et peut-être par des labels officiels) bénéficieront ainsi d'un avantage important. D'autres sites proposeront aussi de réaliser sur demande (et contre rémunération) un travail d'analyse et de **curation** (synthèse) afin d'aider les patients à trouver les bonnes informations. Ces sites devront être animés par des **professionnels** de santé reconnus ou par des systèmes intelligents labellisés. Libérés de certaines tâches par l'usage des nouvelles technologies, les **médecins** pourront aussi consacrer une part de ce temps gagné pour **informer** leurs patients et **échanger** avec eux.

bète...) pourra être effectuée via des plates-formes utilisant des informations transmises par des capteurs corporels connectés (voir ci-dessus). La **réalité virtuelle** ou **augmentée** permettra aux chirurgiens d'opérer depuis leur cabinet des patients éloignés, qui se rendront dans des lieux spécialement aménagés pour ce type d'intervention (hôpitaux ou établissements de type nouveau). Ils seront assistés par des **robots** qui permettront, sous leur contrôle, d'obtenir une plus grande précision et davantage de sécurité que les interventions humaines.

VERS UNE MÉDECINE 4P : PERSONNALISÉE, PRÉVENTIVE, PRÉDICTIVE, PARTICIPATIVE

La connaissance précise du **génome** de chaque individu permettra de lui prescrire des médicaments et traitements adaptés à son cas personnel, et d'adapter au mieux les **dosages**. Les médecins pourront également éviter les **interactions** possibles des médicaments qui peuvent avoir des effets très **nocifs** (iatrogénie). Les **nanotechnologies** permettront de les acheminer de façon très précise dans les organes ou zones concernés, de façon à optimiser leurs effets.

La **prévention** de certaines maladies sera facilitée par le traitement des multiples données disponibles pour un même individu (*Big Data* sanitaires). Il en sera de même des **diagnostics**. La connaissance de plus en plus précise et complète de l'histoire médicale de chacun permettra d'optimiser les **traitements**.

L'énorme quantité de **données** recueillies et leur analyse par des algorithmes autoriseront aussi l'avènement d'une médecine **prédictive**. Dès avant la naissance, le séquençage du génome de l'embryon fera apparaître la présence éventuelle de gènes porteurs de **maladies génétiques**. Les symptômes de maladies à venir seront également décelés plus précocement, à partir de l'expérience accumulée sur l'ensemble des individus.

On peut cependant craindre que l'information **permanente** *de chaque personne sur son état de santé, ses* **dysfonctionnements** *occasionnels souvent mineurs et ses risques (plus ou moins élevés) de développer une maladie, engendre chez certains une réelle* **anxiété** *(mais les algorithmes pourront peut-être la prévoir et la traiter !). Elle pourrait en tout cas provoquer des rejets ou des attitudes de* **fatalisme***, comme c'est le cas pour l'information sur les dangers du tabac ou de l'alcool.*

Des sens retrouvés, ou ajoutés

De nombreux chercheurs travaillent sur l'organe essentiel qu'est le cerveau humain, afin de le comprendre, le réparer, ou même accroître ses capacités naturelles. Des résultats ont déjà été obtenus depuis des années grâce à certaines techniques. Ainsi, les implants cochléaires (premières **neuroprothèses**) ont permis à des personnes sourdes d'**entendre**[1].

L'**optogénétique** permet déjà de son côté à des aveugles de **voir** partiellement, grâce à l'envoi d'images numérisées à un réseau neuronal stimulant d'électrodes implantées sur la rétine. Elle pourrait aussi permettre de supprimer la sensation de **douleur** ou celle de la **faim**. Des recherches sont également conduites pour restaurer la **mémoire** de personnes épileptiques (par l'implantation de puces dans l'hippocampe), réduire la peur, l'anxiété ou l'agressivité (en agissant sur l'amygdale).

La **stimulation** ou l'**interfaçage** du cerveau pourrait aller bien plus loin, en créant par exemple de **nouveaux sens**, comme la **télépathie**. Elle pourrait également étendre ceux qui existent déjà en rendant possible une vision à 360°, la réception d'informations de toute sorte sous la forme de vibrations codées transmises au corps[2], etc.

1. Les sons ambiants enregistrés par un micro sont envoyés sous forme d'impulsions électriques sur le nerf auditif, en détournant les zones défectueuses de l'oreille.
2. Voir conférence TED du neuroscientifique David Eagleman.

LE CORPS RÉPARÉ…

Les **imprimantes 3D** permettront d'imprimer des **prothèses** directement à domicile ou dans d'autres lieux proches (centres de soins, hôpitaux, domicile…). Elles seront réalisées à partir de **matériaux de synthèse** (pour les hanches, genoux, vessie, mains…) ou de **cellules souches** capables de se spécialiser en tissu corporel de tout type (rein, foie, cœur…). Cette technique réduira considérablement les délais d'attente d'équipements spécialisés ou surtout de **dons d'organes**. Mais elle augmentera aussi le risque de «**dénaturer**» le corps, de le transformer en l'améliorant, accroissant ainsi les inégalités en fonction des moyens financiers (et relationnels) des personnes potentiellement concernées.

L'impression 3D à usage médical devrait se développer rapidement. Celle de la première **prothèse de jambe** a eu lieu en 2008, celle d'une **mandibule de mâchoire** en titane en 2011, celle d'un **crâne** en 2014. En 2015, la FDA américaine a autorisé la commercialisation d'un **médicament** imprimé en 3D, le Spritam (destiné au traitement de l'épilepsie). Des **tissus de foie bio-imprimés** à partir de cellules souches sont apparus en 2017. Le principal problème à résoudre pour aller plus loin est celui de la **vascularisation** des organes imprimés.

… ET PROBABLEMENT «AUGMENTÉ»

L'objectif de certains chercheurs et futurologues n'est pas seulement de **réparer** les organes déficients du corps. Il est de lui permettre de **dépasser** les limites qu'il est censé avoir. Le courant **transhumaniste** est à cet égard porteur d'une volonté de **disruption** dans la conception de la vie humaine (voir p. 132). Il refuse de prendre en compte les certitudes et les tabous, considérant qu'il ne faut pas éliminer par principe la possibilité d'un être humain «**augmenté**». Il prend pour cela appui sur le **passé**, qui montre une indéniable augmentation des capacités physiques et mentales du corps, mais sur des périodes très longues (siècles ou millénaires). Il mise surtout sur l'**avenir**, en extrapolant le développement des nombreuses recherches en cours de développement : intelligence artificielle ; interface individu-machine ; biotechnologies ; neurotechnologies ; nanotechnologies, etc.

Le discours des transhumanistes est d'autant plus entendu et relayé (y compris dans ce livre où ce sujet est abordé 38 fois…) qu'ils disposent de **moyens** considérables pour s'exprimer, ainsi que de la **notoriété** et de l'**image** de leurs mécènes (Google, Apple, Facebook, Amazon, Tesla, NASA…). Il met en avant des **promesses** *a priori* peu critiquables, voire enthousiasmantes : éradiquer des maladies ; accroître les capacités humaines ; allonger de façon spectaculaire la durée de vie…

*Ce discours enchanteur présente cependant des faiblesses. Il se concentre sur les **humains** et fait largement abstraction de leur **environnement** naturel déjà dangereusement dégradé. Il n'a pas encore fait la preuve que les promesses peuvent être **tenues**. Il ne s'est guère penché sur les nombreuses et parfois lourdes **conséquences** qu'entraînerait leur*

Génétique et « généthique »

La technique baptisée **CRISPR-CAS9**, mise au point en 2012[1], permet beaucoup plus facilement, rapidement et économiquement qu'auparavant de supprimer et d'insérer des **gènes** à un endroit précis d'un **chromosome**. La méthode fonctionne sur le génome de n'importe quelle cellule de n'importe quelle espèce, y compris humaine. Elle a été utilisée pour la première fois sur un être humain en 2016, dans le but de lutter contre une forme agressive de cancer du poumon, mais sans véritable succès. La limite actuelle de la méthode est que l'intervention sur un gène crée des modifications non souhaitées *(« off target »)* sur d'autres gènes.

Mais cette technique d'**« édition »** du génome est très prometteuse… et potentiellement dangereuse. On pourra théoriquement grâce à elle aussi bien supprimer des gènes potentiellement responsables de **maladies** génétiques que choisir la couleur des yeux d'un bébé ou d'autres caractéristiques (dans la mesure où l'on aura identifié les gènes concernés dans l'ADN humain). L'une des conséquences est que le génome modifié sera transmis aux descendants. Il deviendrait alors possible de modifier durablement une **espèce**. Pour le **meilleur** (améliorer sa santé et favoriser sa longévité) et pour le **pire** (éradiquer une espèce qui ne serait pas nuisible[2]). Sans parler des risques de **terrorisme** biologique : le **« forçage génétique »** pourrait par exemple être utilisé pour détruire des récoltes ou modifier le génome d'une population tout entière.

_____

1. Technique mise au point par la Française Emmanuelle Charpentier, professeur à l'université suédoise d'Ouvea, et son associée américaine, Jennifer Doudna. Elle permet d'inactiver ou de remplacer un gène, ou de modifier son expression, en utilisant une enzyme (Cas9).
2. Il faudra également s'interroger sur la possibilité pratique et morale d'éradiquer une espèce jugée nuisible pour les humains (par exemple les moustiques anophèles, qui transmettent le paludisme).

réussite, notamment en termes d'**inégalités**. Il propose enfin un changement de **paradigme** qui ne pourrait s'opérer qu'avec l'assentiment des humains. Et qui ne serait sans doute pas **réversible** en cas de nécessité.

DES HOSPITALISATIONS PLUS NOMBREUSES, PLUS EFFICACES ET PLUS COURTES

En France, une hospitalisation sur cinq concerne une **personne âgée**, ce qui représente 3,6 millions de séjours chaque année. D'ici 15 ans, la proportion pourrait être proche d'**une sur trois**[1]. Elle pourrait cependant être stabilisée chez les **« jeunes seniors »** (65-75 ans), malgré la hausse de leur poids démographique[2], par les progrès de la prévention (notamment des maladies chroniques), une meilleure organisation du parcours de soins et de la médecine en général. Mais la part des séjours à l'hôpital des personnes de **75 ans et plus** continuerait d'augmenter, passant de 25 % en **2017** à 29 % en **2030**.

Tous âges et toutes pathologies confondus, la part des séjours réalisés en **ambulatoire** (sans nuitée à l'hôpital) passerait ainsi de 39,6 % en **2012** à 49,5 % en **2030**. Dans le même temps, la durée des séjours réalisés en hospitalisation complète serait légèrement raccourcie, à 5,7 jours en **2030** (contre 5,8 en **2012**).

Dans le même temps, les **robots** seront de plus en plus présents dans le système de soins. Ils rempliront une partie des tâches de **chirurgie** (pour effectuer de façon optimale et sans fatigue les gestes indiqués et contrôlés par les chirurgiens), d'**infirmier** (pour déplacer et transporter les malades), d'**assistant** aux médecins et soignants, et de **compagnon** pour les patients. Les médecins disposeront ainsi de plus de temps pour assurer les fonctions relationnelles dont on sait qu'elles sont très importantes dans le processus de soins.

_____

1. Observatoire Cap Retraite.
2. Étude et projections DREES (service statistique du ministère des Affaires sociales).

UN INTÉRÊT MAINTENU
POUR LES MÉDECINES ALTERNATIVES

La **phytothérapie** (médecine par les plantes) bénéficie aujourd'hui d'un engouement croissant. Des plantes comme le gingko, le carvi, l'astragale ou la valériane auraient par exemple des vertus pour tonifier l'organisme, lutter contre le stress, l'insomnie et certaines maladies, accroître l'espérance de vie... D'autres médecines «parallèles» sont dans l'air du temps : naturopathie ; médecine traditionnelle chinoise ; réflexothérapie (soins par les pieds) ; sophrologie ; médecine ayurvédique (indienne) ; ostéopathie ; homéopathie ; acupuncture ; hypnose...

Les promesses de **certaines thérapies alternatives** (telle l'homéopathie) sont parfois sans fondements scientifiques ni effets démontrés. Mais elles répondent à des demandes de la part de personnes qui sont *a priori* plus confiantes dans des traitements «naturels» ou anciens que dans ceux issus des laboratoires modernes. On retrouve la même inquiétude dans une partie de la population à l'égard des **vaccins**, dont beaucoup ont pourtant fait leurs preuves depuis longtemps. Cette demande devrait se maintenir, tant que les méthodes en développement n'auront pas démontré leur efficacité... et que des attitudes **irrationnelles** continueront de prévaloir. Avec pour conséquence un accroissement des écarts entre ceux qui font confiance aux progrès de la médecine scientifique et ceux qui préfèrent utiliser à titre exclusif des moyens «différents».

UN SYSTÈME DE SOINS TRANSFORMÉ

L'évolution **démographique** prévisible d'ici **2030** (voir p. 27) nécessitera une refonte en profondeur du **système sanitaire** dans son ensemble, afin de l'adapter à une population plus **nombreuse**, plus **âgée**, plus **exigeante** en matière de soins, d'accueil et de relations soignants-soignés. Elle devra aussi intégrer les nombreuses **innovations** technologiques qui ouvriront des voies nouvelles, la santé étant le domaine

Le secret médical en question

Comme toutes les autres données personnelles, celles concernant la santé seront stockées sous forme de gigantesques **bases** sur des supports dédiés (macro-ordinateurs, centres de données, serveurs multiples...). Quel que soit le niveau de sécurité dont elles bénéficieront, elles pourront être **attaquées**, volées ou détournées par des *geeks*[1] ou des **pirates** informatiques capables de franchir les barrières numériques pour se **valoriser**, ou pratiquant le vol de données pour **s'enrichir**.

Les informations médicales pourront aussi être obtenues (achetées, louées ou récupérées par d'autres moyens) par des **entreprises** et **organisations** qu'elles intéresseront fortement : banques, assurances, employeurs, administrations... Elles pourront sans doute leur permettre d'**améliorer** les services qu'ils proposent à leurs clients (en les connaissant mieux), mais aussi d'**individualiser** leurs **tarifs** en fonction des «risques» présentés par chacun d'eux, afin de maximiser leurs **profits**. Enfin, des organisations **mafieuses** pourront déployer leur capacité de nuire à grande échelle, et avec une efficacité accrue.

_____

1. Personnes passionnées par les «cultures de l'imaginaire» (certains genres de cinéma, bande dessinée, jeux vidéo, jeux de rôles, etc.), ou de sciences, technologie et informatique (Wikipedia).

de recherche et d'applications privilégié, celui en tout cas où les promesses (et les prouesses) sont les plus fortes. Il devra enfin être en mesure de répondre aux attentes résumées par les **4P** de la médecine du futur : **personnalisation**, **prévention**, **prédiction**, **participation** (voir p. 134).

Cette transformation impliquera de nombreuses évolutions :
- Accroissement du nombre de **médecins**, notamment de **spécialistes** et de **chirurgiens** (les diagnostics des généralistes pourront plus facilement être délégués à des machines que les leurs).

- **Investissements** lourds dans l'acquisition de nouveaux **équipements** de soins.
- **Formation** des médecins à l'utilisation des nouvelles technologies.
- Redéploiement du **réseau hospitalier** «physique» dans les territoires.
- Développement de la **télémédecine** (suivi, consultations, diagnostics, ordonnances, interventions...).
- Refonte de la **Sécurité sociale**, avec sans doute une contribution croissante aux dépenses à la charge de la collectivité (remboursements) ou des patients eux-mêmes (impôts et cotisations aux assurances complémentaires santé).
- Négociations avec les **laboratoires** pour rendre les nouveaux traitements accessibles au plus grand nombre.
- Révision de la **législation** concernant le recueil, l'exploitation et l'échange des **données médicales des patients**, après un débat public et éthique.

INSTRUCTION

Quelles seront demain les **missions** et les **modes de fonctionnement** de l'éducation dans un monde en évolution accélérée, avec une économie transformée et une société française en recomposition ? Telle est la question préalable et essentielle que l'on doit se poser pour imaginer l'avenir de l'école. Même s'ils restent nécessaires, les enseignements classiques (**lire, écrire, compter**) ne seront pas suffisants pour former les futurs adultes. Il faudra aussi leur fournir des **clés** pour qu'ils puissent s'intégrer au nouveau monde. Pour ce faire, l'école devra se **réinventer**, saisir les nombreuses **opportunités** existantes. Beaucoup sont liées au développement **technologique**.

Les débats récurrents sur le **système éducatif**, les **contenus** des programmes, les **rythmes** scolaires, les **devoirs**, les systèmes de **notation** ou les **diplômes** ne devraient pas disparaître pour autant, mais ils prendront d'autres formes. La **formation** devra plus que jamais se poursuivre tout au long de la vie, être personnalisée, utiliser des supports nouveaux et multiples. Elle devra beaucoup plus rapidement qu'aujourd'hui s'**adapter** aux changements.

Les modes d'apprentissage et d'actualisation des connaissances de 2030 devraient aussi favoriser le **libre arbitre**, la **créativité** et la **mobilité** (mentale et géographique) des jeunes et des adultes. Ils devraient à la fois leur fournir des **références** sur le passé et des **valeurs** pour l'avenir, c'est-à-dire une **culture**. Leur raison d'être ne sera pas, en cela, très différente de celle d'aujourd'hui : permettre aux individus-citoyens de s'**épanouir** à titre personnel et professionnel, et d'être parties prenantes d'une **société humaine consciente, responsable, active, solidaire, harmonieuse, durable**. Et «**heureuse**», quel que soit le sens que l'on donnera à ce mot dans les années à venir.

Il s'agit donc moins, dans ce chapitre, de prévoir ce que sera le « système éducatif » en 2030 que de définir les **objectifs** qu'il devra se donner et les **moyens** qu'il pourra mettre en œuvre pour répondre aux nouveaux **défis** qui l'attendent.

DES INÉGALITÉS ACCRUES

L'école à la française, telle qu'elle avait été pensée par Jules Ferry, s'était donné pour mission principale de préparer **tous** les enfants de la République à devenir des citoyens complets, disposant des **savoirs de base** et des autres **compétences** nécessaires pour s'insérer harmonieusement dans la **vie professionnelle** et **sociale**. Force est

LES JEUNES GÉNÉRATIONS PLUS INSTRUITES

24. Part de la population d'une classe d'âge ayant achevé une formation secondaire dans quelques pays (en %)

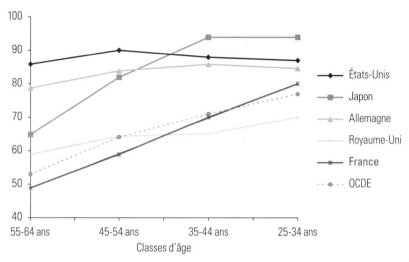

de constater que cette promesse n'est plus tenue. L'**ascenseur social** de l'éducation ne fonctionne plus ; il ressemble même pour certains à un «**descenseur**» qui les tire ou les maintient inexorablement en bas de la pyramide sociale.

Le célèbre classement **PISA**[1] dresse ainsi un constat sévère de la situation nationale (voir encadré ci-après). Il se résume en un chiffre : les enfants issus d'un **milieu défavorisé** ont en France quatre fois plus de risques de faire partie des élèves en difficulté que les autres. Cet écart est le plus élevé parmi les 35 pays de l'OCDE, et la situation s'aggrave depuis une quinzaine d'années. Un autre classement, **PIRLS**[2], consacré spécifiquement à la **lecture**, confirme ces mauvais résultats : en 2016, la France occupait le **34e rang sur 50 pays**, et son score était en baisse depuis 2001.

Les autres enquêtes internationales et rapports nationaux aboutissent à des conclusions semblables : le système éducatif français ne donne pas les mêmes **chances** à tous ses élèves. Non seulement il ne parvient pas à supprimer les **inégalités** culturelles liées au milieu social, mais il les **amplifie**. La «**mixité**» sociale au sein de l'école, qui avait progressé jusqu'à la fin des années 1990, s'est en effet largement dégradée depuis. Les enfants d'agriculteurs ou d'ouvriers réussissent en moyenne moins bien que ceux de cadres. Ceux issus des «**minorités**» (d'origine étrangère, de couleur de peau différente...) sont nettement moins nombreux dans les «bonnes classes» et dans l'enseignement supérieur que les autres. Chaque

---

1. *Programme for International Student Assessment.* Le PISA est une enquête internationale réalisée tous les trois ans depuis l'an 2000, qui teste et compare les compétences des élèves de 15 ans en lecture, mathématiques et sciences. L'objectif est d'évaluer l'acquisition et l'usage des compétences acquises pendant la période de scolarité obligatoire. Ce programme est promu par l'Organisation de coopération et de développement économiques (OCDE). Les résultats servent à établir en priorité trois types d'indicateurs : performances dans les trois domaines testés ; association des résultats aux caractéristiques des élèves et des établissements ; évolution dans le temps.

2. *Progress in International Reading Literacy Study.* Le programme mesure les performances en compréhension de l'écrit des élèves en fin de quatrième année de scolarité obligatoire (CM1 pour la France).

La France mal notée

Dans le dernier rapport PISA (2015), la France se situait à la 20e place parmi les 35 pays de l'OCDE en **sciences**. Le recul important en mathématiques constaté en 2012 n'avait pas été rattrapé. Le système éducatif français apparaissait aussi comme bien plus **inégalitaire** que la moyenne. Or, ce sont les systèmes les plus **égalitaires** qui apparaissent comme étant partout les plus **performants**. Plutôt que de contester les **critères** utilisés pour ces classements, la France devrait les **intégrer** et faire en sorte d'y mieux répondre. Ils constituent en effet une grille d'évaluation quasi **universelle** qui est partie prenante de l'image d'une nation et de ses habitants. L'éducation est donc un **enjeu** majeur, sans doute même le principal, tant pour la **réussite** de la France que pour le niveau de **satisfaction** des Français. Elle est aussi une condition pour qu'ils considèrent l'avenir avec plus de **confiance**.

année, 160 000 jeunes sortent du système **sans qualification** et commencent leur vie d'adulte par l'expérience traumatisante du **chômage**.

L'ÉLITISME SCOLAIRE ENCORE TRÈS PRÉSENT…

Dans les classements internationaux, environ **un tiers** des élèves français obtiennent des résultats au-dessus de la moyenne, mais les élèves en **difficulté** sont de plus en plus nombreux. Le système scolaire national s'efforce en effet à faire émerger l'**excellence**, ce qui n'est pas en soi répréhensible. Mais il ne cherche pas en même temps à tirer vers le haut le niveau des plus faibles. L'enseignement, notamment supérieur, reste ainsi coupé en deux entre **universités** et **grandes écoles**. Les premières sont paupérisées mais accessibles au plus grand nombre, les secondes disposent de moyens importants mais leur accès est très coûteux. Elles sont ainsi plutôt réservées aux élèves issus de milieux familiaux aisés, aussi bien en termes de **capital économique** que de **capital culturel**[1].

Ce système permet sans doute de repérer et de développer les «**forts potentiels**» au plan intellectuel, mais selon des critères qui ne sont pas les mieux adaptés au monde en gestation. Celui-ci va en effet privilégier la **créativité**, la **curiosité**, le **libre arbitre**, l'**impertinence** et l'**autonomie** plutôt que l'intelligence abstraite, la mémoire, la satisfaction de soi ou le respect des idées acquises.

La notion de **sélection** a longtemps été en France un **tabou**, de sorte qu'elle était le plus souvent cachée lorsqu'elle était mise en œuvre. Il serait plus réaliste et efficace de reconnaître qu'elle est constitutive de la vie, et de la pratiquer de façon **transparente** et **juste**, en se fondant sur les **capacités** des individus plutôt que sur leurs **origines** sociales, sur l'endroit où ils peuvent aller plutôt que celui d'où ils viennent. L'objectif de la sélection ne devrait donc pas être d'**exclure**, mais au contraire de permettre à chacun de **trouver sa place** en fonction de ses propres qualités, en lui donnant la chance de les **améliorer**. Les réformes récentes entreprises par l'Éducation nationale vont *a priori* dans ce sens, mais il faudra quelques années pour mesurer leurs effets. Comme toujours, elles ne sont pas acceptées par tous les étudiants comme on l'a vu avec les blocages d'universités (favorisés par des non-étudiants) au cours du premier semestre 2018.

… MALGRÉ UNE DÉMOCRATISATION DU SAVOIR

L'ensemble des **connaissances** sera de plus en plus **accessible** à chacun. Les enfants et les jeunes seront (comme les adultes) **connectés** à tout moment et en tout lieu à

---

1. Notion qualifiant l'aisance sociale, la capacité d'expression, l'intérêt pour les biens culturels et la possession de diplômes, avantages acquis tout au long de l'enfance dans le milieu social auquel on appartient. Elle a été développée par le sociologue Pierre Bourdieu, qui en faisait la cause principale des inégalités sociales, avec le capital social (réseaux relationnels…) et le capital économique (revenus, patrimoine) qui vont souvent de pair.

LES PETITS FRANÇAIS LISENT DE PLUS EN PLUS MAL

25. Classement et évolution des performances en lecture pour les élèves de CM1 d'une sélection de pays en 2016 (par ordre décroissant de classement, en nombre de points obtenus)

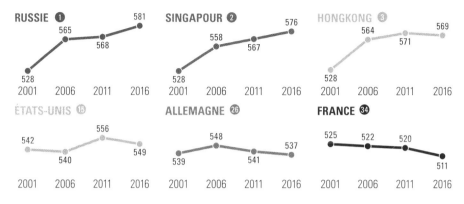

PIRLS 2016

des **moteurs de recherche** de plus en plus performants. Ils seront relayés par les **assistants personnels «intelligents»**, capables de répondre à la plupart des demandes exprimées de façon orale, écrite, ou même peut-être par la **«pensée»**, traduite par des algorithmes connectés au **cerveau** (voir p. 356). Cette dernière possibilité peut d'ailleurs inquiéter, car elle impliquerait une intrusion dans le dernier espace de **liberté** individuelle.

Dès lors, le rôle de diffuseur de connaissance joué par l'**école** pourrait se trouver réduit, voire superflu, si celle-ci ne recourt pas aux nouvelles techniques d'**apprentissage** disponibles, et si elle n'est pas en mesure de les **compléter**. Pourquoi apprendre de façon classique et dans la contrainte si le savoir est accessible sans limites, de façon ludique et à domicile ? La réponse n'est pas si évidente qu'elle peut le sembler. La **socialisation** des enfants et adolescents ne pourra pas s'effectuer uniquement dans le monde **virtuel**. Des rencontres dans le « vrai monde », notamment dans des **salles de classe** (modernisées) resteront utiles, sans doute même nécessaires. Il paraît donc difficile d'imaginer une **disparition** de l'école d'ici **2030**. Mais son rôle, ses **pratiques** et sa fréquenta-

tion devraient être très différents de ceux d'aujourd'hui.

UN MOINDRE RESPECT DE L'AUTORITÉ DES ENSEIGNANTS...

Comme dans l'ensemble de la société, la relation de **confiance** entre «sachants» (enseignants) et **«non-sachants»** (enseignés) s'est effritée. Les premiers n'ont peut-être pas suffisamment actualisé leurs **connaissances** dans un monde de plus en plus **mobile**, ni adapté leurs **méthodes** aux attentes et aux comportements des seconds. Les **élèves**, mais aussi les **parents d'élèves,** ont eu ainsi le sentiment que l'enseignement s'éloignait de la vraie vie, caractérisée par l'idée d'un **renouvellement** permanent.

Par ailleurs, la place croissante des **médias** et des technologies numériques a transformé le lien traditionnel entre les uns et les autres, en donnant une place croissante à l'**interactivité**, à l'**horizontalité** et au **jeu**, éléments que l'école n'a pas suffisamment intégrés, car ils n'étaient pas parties prenantes de sa **culture**. En outre, la disponibilité immédiate, et sur tout support, de tout le savoir stocké sur Internet a dévalorisé l'**image** des enseignants, porté atteinte à leur **autorité**, mis en question leurs **méthodes**.

Ce fossé croissant entre le monde de l'école et le monde extérieur (qui a longtemps été un **atout**, avec un espace scolaire **sanctuarisé** et **protecteur**) est à l'origine de la **mise en cause** de l'institution, tant de la part des élèves que de leurs parents, de l'opinion publique ou des médias. Il se manifeste par des refus d'apprendre, des absences, des abandons, ou la mise en doute des contenus de l'enseignement (notamment pour des raisons religieuses). Il induit aussi des comportements de **violence** à l'égard des «maîtres». Il se traduit enfin par un **mal-être** croissant de ces derniers face à une situation très difficile à vivre et à modifier. Seule une remise en cause profonde du système éducatif permettra d'y parvenir.

... NÉCESSITANT UNE NOUVELLE RELATION AVEC LES ENSEIGNÉS

Par choix ou par obligation, chaque adulte devra demain être «**autoentrepreneur**» de sa propre vie, professionnelle, sociale et personnelle (voir p. 133). Compte tenu de la complexité croissante de la société et de l'économie, il aura besoin pour cela d'une **éducation** solide et entretenue. Il devra notamment être **guidé** et accompagné pour trouver son chemin dans le dédale des multiples formations qui seront disponibles, en particulier pour préparer l'entrée dans un marché du travail de plus en plus **mobile** (voir p. 255). Il pourra prendre conseil auprès de ses **parents**, s'ils en ont la compétence, ou sur **Internet**. Mais l'accompagnement au moins partiel par un **humain** restera souhaitable, voire indispensable pendant encore des années. Ce devrait être l'une des **missions** du système éducatif et de ses agents.

Cette **autonomie** croissante de l'adulte se préparera dès l'**enfance**, avec les premiers apprentissages. L'enseignant du futur pourrait ainsi ressembler davantage à un *coach* qu'à un instituteur ou un professeur des écoles actuel. Cet accompagnement ne devrait cependant pas être axé directement et uniquement sur la préparation à la vie **professionnelle**. Il serait d'abord destiné à fournir aux enfants une **culture générale** suffisante pour former leur esprit et exercer leur jugement. Deux conditions pour qu'ils puissent accéder à la compréhension du monde et en devenir des **acteurs** à part entière.

UNE MULTIPLICATION DES FORMES DE *COACHING*

D'autres «**enseignants-*coachs***» devraient ensuite prendre le relais pour orienter les élèves plus âgés vers des **parcours d'apprentissage** préparant à différents types d'activités professionnelles, en fonction de leurs **souhaits**, de leurs **capacités** et des **offres** existantes ou prévisibles dans les différents domaines. Des **métiers** et des **sites** spécialisés (et automatisés, grâce à l'intelligence artificielle) vont certainement se développer pour répondre à ces demandes, en dehors de tout cadre scolaire ou académique. L'**école**, dans son acception la plus moderne, ne devra pas s'en offusquer, mais au contraire travailler en relation avec eux, sous peine d'être délaissée à leur profit.

Ces relations d'un type nouveau devraient s'installer dans la **durée**, du fait de la nécessaire adaptation à des changements qui seront de plus en plus rapides. Les **connaissances** inculquées par l'école ne seront plus alors un «**stock**» à fournir au cours de l'enfance de façon définitive, mais un «**flux**» à entretenir tout au long de leur vie, afin de permettre à chaque individu de s'épanouir durablement et d'éviter l'exclusion sociale.

*Cette évolution, comme la plupart de celles présentées dans ce chapitre, repose sur l'hypothèse, vraisemblable à l'horizon 2030, que les apprentissages traditionnels ne seront pas rendus inutiles par leur **disponibilité** immédiate sur Internet, éventuellement sans recherche spécifique (par exemple sous la forme d'implants connectés au cerveau).*

DE NOUVEAUX OUTILS PÉDAGOGIQUES...

Le développement de l'**informatique** s'est accompagné de la mise à disposition d'outils **pédagogiques** novateurs destinés à faciliter

son usage. L'apparition d'Internet a permis la naissance des **documentations en ligne**, **didacticiels, tutoriels**, *howto*[1], **wikis**[2], **FAQ** (foires aux questions), **chaînes vidéo** (du type YouTube), **forums** d'entraide expliquant comment utiliser les équipements et les logiciels, et se tirer d'affaire en cas de difficulté. Ces outils tirent parti des différents moyens de présentation des informations disponibles : textes, images, sons, vidéos, diaporamas, infographie… Souvent **interactifs**, ils sont très largement utilisés (au bénéfice notamment des entreprises qui reçoivent ainsi moins de demandes de la part de leurs clients).

Plus récemment, les **MOOCs**[3] ont ouvert un nouveau champ dans le domaine de l'apprentissage. Forme contemporaine de l'enseignement par correspondance et du *e-learning* apparu dans les années 1990, ils utilisent tous les moyens techniques de préparation et de diffusion cités ci-dessus, en y ajoutant souvent des interventions orales d'enseignants. Le mouvement a été initié en 2001 par le MIT (Massachusetts Institute of Technology) avec les *MIT OpenCourseWare*, filmés dans les amphithéâtres de l'université ou même diffusés en direct via des webcams. Ils se multiplieront sur Internet dans les prochaines années, couvriront tous les sujets et seront disponibles sur tous les supports.

… COMPLÉMENTAIRES OU CONCURRENTS DE L'ÉDUCATION ACADÉMIQUE

À la différence par exemple de certains supports pédagogiques (tels que l'emblématique encyclopédie Wikipedia), les MOOCs ne sont pas en principe réalisés par des «**amateurs**[4]», mais par des **professionnels** de la formation. Ils seront de plus en plus souvent créés spécifiquement pour ce type de diffusion, ce qui implique qu'ils seront plus souvent **payants**. La **validation des acquis** sera aussi de plus en plus systématiquement proposée et considérée par des employeurs comme un véritable **diplôme** (attesté par un label décerné par une autorité indépendante ou par la seule notoriété de l'organisme de téléformation).

Des **applications** seront également disponibles sur tous les supports pour diffuser les connaissances dans les différents domaines. Des **plates-formes** mettront en relation des «apprenants» et des

---

1. Document, généralement synthétique, décrivant comment utiliser un appareil ou réaliser une tâche, destiné à aider des personnes peu ou pas expérimentées.
2. Site Web collaboratif dont le contenu peut être modifié par des internautes. Le plus célèbre est Wikipedia, encyclopédie en ligne collaborative créée en 2001. L'édition française comptait 1,8 million d'articles en juin 2017, et 23,3 millions de pages vues par jour, dont 16 millions à partir de la France.

3. *Massive Open Online Course*. Formation à distance, disponible sur Internet.
4. Amateurs «éclairés» et en tout cas capables de rédiger des articles d'aussi bonne qualité que les encyclopédistes classiques, comme cela a été vérifié dans plusieurs études. Cette qualité s'explique par les enrichissements, précisions ou même contradictions apportés en permanence par les internautes eux-mêmes sur les articles (culture collective).

MOOC, COOC, SOOC, SPOC…

Ces mots ne sont pas des onomatopées, mais des **acronymes** désignant des formes diverses **d'apprentissage digital** (digital learning) :

- Le **MOOC** (Massive Open Online Course), est une formation en ligne accessible sur Internet. Elle s'étale généralement sur plusieurs semaines et utilise des contenus pédagogiques **multimédias** (textes, images, vidéos, graphiques…) très **interactifs**, avec des questionnaires réguliers d'**auto-évaluation**, ou de **contrôle** automatique des connaissances permettant l'obtention d'un certificat. Et demain d'un **diplôme** reconnu par les recruteurs au même titre que celui délivré par une école classique. La motivation et l'efficacité du MOOC reposent sur son caractère **ludique** et **communautaire**. Le **xMOOC** en est une variante simplifiée, sans interactivité.
- Le **COOC** (Corporate Open Online Course) présente des caractéristiques semblables, mais il est dispensé par une **entreprise** à ses salariés, à des clients, prospects ou fournisseurs. Il met en avant la dimension collaborative et renforce le sentiment d'appartenance.
- Le **SPOC** (Small Private Online Course) est une formation en ligne de type fermé, **réservée** à un nombre limité de personnes disposant d'un d'accès. C'est la version digitale **du stage** de formation.
- Le **SOOC** (Small Open Online Course) se différencie du SPOC par le fait qu'il concerne géné-

ralement une partie restreinte des **salariés** d'une entreprise, à qui elle souhaite dispenser une formation très spécialisée.

Ces différents types de formation procèdent par **apprentissage profond** (deep learning) au moyen d'une **connexion** directe à une source, ou peut-être (ultérieurement) par **implantation** d'une puce contenant les informations, reliée au cerveau. Ils permettent aux « apprenants » d'être **autonomes** et **acteurs** de leur propre savoir, et de l'adapter à leur rythme d'apprentissage et à leur disponibilité. Avec le risque, cependant, de l'**abandonner** par paresse, manque de temps ou lassitude. C'est le cas en particulier des **enfants**, s'ils ne sont suffisamment motivés par la dimension **ludique** de l'apprentissage, suivis et encouragés par leurs parents.

L'apprentissage digital présente aussi le double avantage de la **rapidité** et de l'**actualisation** permanente des connaissances, à titre professionnel ou personnel. Les **entreprises françaises** ne sont cependant guère en avance en la matière ; moins d'une sur cinq utilise ces techniques auprès de leurs salariés, contre par exemple les deux tiers des entreprises britanniques (65 %). Au final, seulement 17 % d'entre elles ont formé plus de 50 % de leurs salariés en e-learning[1].

---

1. Benchmark européen du digital learning réalisé par Crossknowledge.

« sachants » ; les premiers pourront s'entraider et s'encourager mutuellement via des forums internes, et progresser. Les MOOCs pourraient ainsi être des **compléments** efficaces ou même des **concurrents** de l'école, selon la façon dont celle-ci évoluera.

UN USAGE GÉNÉRALISÉ DU NUMÉRIQUE

Les suites de la révolution **numérique** en cours vont bouleverser l'**accès aux savoirs** de toute nature (en même temps que les savoirs

disponibles connaîtront une progression inédite). Les enfants seront de plus en plus tôt équipés de tablettes, smartphones, ordinateurs, téléviseurs et tous autres écrans et objets connectés à Internet. Au risque de développer des **pathologies** liées à un usage trop précoce et trop fréquent de ces outils, comme l'affirment de nombreux psychologues et pédiatres : troubles de la vision, de la concentration, indifférence à l'environnement, addictions, etc.

Même si elles sont encadrées et limitées (par les familles et/ou les enseignants), ces pratiques remettront en cause le rôle de l'**école**, telle qu'elle est aujourd'hui. Elle pourrait alors apparaître comme un lieu de «**conservation**», peu concerné par les transformations du monde et de la société. Les «**réformes**» du système éducatif, certes nombreuses (autant que les ministres qui se sont succédé à son chevet) ont essentiellement porté jusqu'ici sur des sujets relativement «**périphériques**» (effectifs, budgets, répartition territoriale...) par rapport aux évolutions en cours ou attendues.

La situation devrait changer dans le proche avenir, notamment avec le développement technologique. Les techniques de **réalité augmentée**, de visualisation en 3D ou d'**holographie** enrichiront les modes d'apprentissage, en les rendant (paradoxalement) moins abstraits, plus ludiques et moins coûteux. Ces outils **stimuleront** en outre des zones cérébrales différentes de celles activées par l'école traditionnelle, notamment par leur dimension immersive (qui pourrait s'avérer fort utile et efficace dans des domaines comme l'histoire, la géographie ou les sciences de la vie).

Le «**plan numérique**» à l'école (lancé en 2015) constituait un premier élément de réponse à ces défis, mais il devra être actualisé et accéléré. Cela impliquera cependant des efforts importants en matière de **financement**, mais avant tout de **volonté**, pour que l'éducation se dote des **équipements** nécessaires et qu'elle crée les **contenus pédagogiques** appropriés. Il lui faudra aussi former les **enseignants de façon continue** (et les inciter à se former par eux-mêmes), développer de nouvelles formes de **contrôle** des connaissances, revoir la nature des **diplômes** ou **certificats** qu'elle distribuera à des élèves ou étudiants aux attentes et comportements très différents de ceux d'aujourd'hui.

DES RYTHMES D'APPRENTISSAGE MIEUX ADAPTÉS...

La **durée** d'enseignement n'est pas toujours proportionnelle à son **efficacité**. En moyenne, les élèves français de **primaire** n'ont que 162 jours d'école dans l'année (sur une semaine de 5 jours), soit la durée la plus courte parmi les 35 pays de l'OCDE (182 jours en moyenne, contre un nombre maximum de 219 jours travaillés en Israël). Mais les jeunes Français travaillent 864 heures sur l'**année**, contre 800 en moyenne pour les pays de l'OCDE, ce qui s'explique par une densité hebdomadaire de travail plus élevée, dans des classes en outre plus chargées (25 élèves contre 23 en moyenne OCDE). Ces rythmes pourraient être mieux adaptés demain à ceux du corps et du cerveau, à partir des résultats à venir des **sciences cognitives**.

Au-delà du problème des **rythmes** scolaires, celui de l'acquisition des **connaissances de base** devra être également résolu. Aujourd'hui, 20 % des élèves de fin de CM2 ne maîtrisent pas suffisamment la **lecture** et l'**écriture** pour identifier le thème d'un texte, les fonctions des mots dans la **phrase** (voir p. 141). Leurs connaissances en **orthographe** sont également très insuffisantes. En **sixième**, la proportion d'élèves en grande difficulté dans l'usage du langage est en augmentation[1]. En 2015, comme lors des trois enquêtes PISA précédentes, la France affichait ainsi une proportion d'élèves en difficulté supérieure à la moyenne des pays de l'OCDE[2] ; 22 % des élèves avaient redoublé au moins une fois avant l'âge de 15 ans, soit le double de la moyenne. Un travail important de mise à niveau de ces connaissances de base devra donc être entrepris, en renouvelant les **méthodes** et en accroissant les **contrôles**.

... ET DE PLUS EN PLUS PERSONNALISÉS

Le développement des **sciences cognitives** devrait permettre de mieux connaître les besoins de **chaque** enfant (ou adulte) pris

---

1. La même dictée a été proposée aux élèves de CM2 en 1987 et en 2007, à partir d'un texte d'une dizaine de lignes. Le nombre moyen de fautes est passé de 10,7 en 1987 à 14,7 en 2007. Le pourcentage d'élèves qui faisaient plus de 15 erreurs était de 26 % en 1987, il est aujourd'hui de 46 %.
2. Étude OCDE-PISA 2015.

individuellement, et d'adapter le rythme, la durée, la forme et le contenu de son apprentissage, afin d'en **optimiser** le résultat. Comme dans bien d'autres domaines (santé, consommation, loisirs...), la **personnalisation** sera de plus en plus aisée et efficace avec le développement de méthodes mieux adaptées et de nouveaux outils d'apprentissage.

Une telle prise en compte individuelle devrait contribuer largement à la réduction des **inégalités** entre les élèves, qui constitue la faiblesse majeure du système éducatif actuel (voir p. 140). Elle favoriserait aussi l'**estime de soi**, en permettant à chacun de **réussir** son parcours de formation, évitant ainsi des situations d'**échec** déterminantes pour l'avenir. Des réformes allant dans ce sens ont été annoncées en 2018 par le ministère de l'Éducation nationale. Elles seront facilitées par l'instauration de classes à effectifs réduits dans les zones prioritaires.

Pour les **adultes**, le recours aux *Big Data* permettra d'enrichir la compréhension de leurs besoins personnels et de mieux les satisfaire. Mais il devra faire l'objet d'**engagements** formels de la part des prestataires, afin que les données recueillies et stockées (pendant une durée qui devrait être limitée) ne puissent pas être transmises sans autorisation à des tiers et nuire à leurs propriétaires (voir p. 316). Un **droit à l'oubli** devra aussi être clairement prévu et respecté.

LE BACCALAURÉAT REVALORISÉ, L'ORIENTATION FACILITÉE

Avec un taux de réussite proche de 90 % (87,9 % en 2017), le baccalauréat était devenu une sorte de **passeport** accordé avec générosité à la grande majorité des candidats. En réalité, de nombreux bacheliers n'ont pas acquis durablement les connaissances dont leur réussite est censée témoigner, et leur «bachotage» ne laissera qu'une trace éphémère dans leur mémoire. Les **sujets** sur lesquels ils ont été interrogés étaient en outre souvent éloignés de la «vraie vie». La réforme de l'examen initiée en 2018 devrait

le rendre plus utile, en accordant plus de place au **contrôle continu**, qui récompensera un travail sur la **durée**. Surtout, elle devrait valoriser la capacité d'**expression orale** des bacheliers, qui sera de plus en plus sollicitée dans le courant de leur vie professionnelle, mais aussi personnelle.

L'orientation **post-bac** devra aussi être plus efficace qu'aujourd'hui. Au moment de leur choix, les élèves sont insuffisamment informés par l'école (souvent aussi par leurs parents) des **débouchés** potentiels, actuels et à venir, qui sont en effet difficiles à prévoir (voir p. 263). Le système peine aussi à mettre en relation les **capacités** des bacheliers et leurs **souhaits**, qu'ils ont d'ailleurs souvent des difficultés à exprimer. La suppression du système de **tirage au sort** pour la rentrée universitaire de 2017-2018 a constitué à cet égard une première mesure favorable. Elle devra être suivie d'un système d'**orientation** plus réactif, intégrant une vision **prospective** des emplois et des fonctions de demain. Elle devra enfin envisager la formation comme un processus **continu**, qui ne s'arrête pas au début de la vie professionnelle, mais qui doit au contraire s'amplifier à ce moment, et se poursuivre tout au long de la vie.

LA CULTURE SCIENTIFIQUE ENRICHIE

Hors des filières spécialisées (et même parfois en leur sein), les connaissances **scientifiques** et **techniques** des étudiants s'avèrent souvent trop faibles pour qu'ils puissent s'**insérer** totalement dans le monde contemporain, **comprendre** et **accepter** ses **transformations** permanentes et complexes dont il est l'objet, encore moins **participer** au changement et à l'innovation. L'un des rôles de l'enseignement sera de leur donner le **goût** de ces matières essentielles pour l'avenir, et les **moyens** de suivre leurs évolutions rapides sans se laisser dépasser et décourager. L'enseignement, dès le primaire, devra donc favoriser la **technophilie** plutôt que la technophobie, sans oublier pour autant de développer le **sens critique** à l'égard des applications de la science.

Pour les étudiants plus particulièrement intéressés par ces disciplines, et conscients de l'avenir assuré des métiers auxquels elles conduisent, les formations devraient être mieux adaptées, avec une **mise à jour** permanente des connaissances et un renouvellement des outils d'enseignement (eux-mêmes issus des développements de la technologie). Comme dans bien d'autres domaines, **Internet** en sera un vecteur privilégié. Il **complétera** de façon efficace et personnalisée l'enseignement «classique». Il pourrait même le **remplacer** si celui-ci échoue à se rénover et à motiver les étudiants.

Mais, si la culture **scientifique** doit être enrichie et mieux partagée, les «**humanités**[1]» ne devront pas être pour autant négligées. Elles constituent en effet d'autres outils essentiels à la compréhension du monde, des autres et de soi-même. Elles fournissent des moyens de penser, de s'exprimer, d'échanger, de partager. C'est-à-dire de mieux **vivre ensemble**. Les entreprises seront de plus en plus nombreuses à le comprendre, en intégrant ces qualités dans leurs critères de recrutement.

LE TRAVAIL EN ÉQUIPE PRIVILÉGIÉ

Malgré quelques évolutions, les parcours scolaires restent encore très **individuels**, ce qui ne signifie pas pour autant qu'ils soient suffisamment **personnalisés** (voir p. 145). Chaque élève, puis étudiant, est entretenu dans l'idée qu'un problème n'a qu'une seule **solution**. Il n'est ainsi pas suffisamment confronté à celles qui peuvent être proposées par d'autres personnes, ou qui émergent de la réflexion d'un **groupe**.

À l'avenir, des **plates-formes d'échange** entre les élèves ou étudiants devraient être proposées sur tous les supports pour répondre à leurs questions, débattre et favoriser ainsi leur apprentissage tout en incitant chacun à le poursuivre et à progresser. Le **P to P**[2], aujourd'hui à l'œuvre dans de nombreux domaines, devrait faire aussi ses preuves en matière d'éducation. Ces pratiques seront d'autant plus faciles à mettre en place que les jeunes ont l'habitude d'échanger sur Internet, notamment sur les **réseaux sociaux**.

Le monde **globalisé** et **virtualisé** sera de plus en plus accessible et la **mobilité** (réelle et, surtout, virtuelle) des individus, en particulier des **jeunes**, devrait en être accrue. Ils se contenteront donc moins facilement des informations et apprentissages à dimension limitée (nation, région, commune), qui témoignent du «culte de la proximité» actuel (voir p. 313). Le **brassage culturel** (migrations, voyages à l'étranger, communication...) qui devrait s'opérer à l'avenir les incitera au contraire à devenir des **citoyens du monde** et à se montrer plus ouverts à une éducation **multiculturelle**.

Cette perspective suppose que les (fortes) tendances actuelles au repli nationaliste, au protectionnisme et au rejet des «différences» (origine ethnique, langue, culture, religion, modes de vie, valeurs...) ne se confirmeront pas à l'avenir. Elle fait l'hypothèse que les besoins d'ouverture seront plus forts que les désirs de fermeture. Ou que l'expérience de ces dernières montrera leur incapacité à relever les défis contemporains.

---

1. Champ disciplinaire des études classiques recouvrant les matières littéraires, et une partie des sciences humaines et sociales.

2. *Peer to peer* (littéralement de «pair à pair») ou échange entre particuliers, pouvant s'avérer plus efficace que le recours d'un particulier à un professionnel, qui sera jugé moins accessible ou moins digne de confiance.

LA CRÉATIVITÉ VALORISÉE ET STIMULÉE

L'**innovation** sera partout présente dans la société à venir, en tant que moyen d'améliorer le monde. Elle sera de plus en plus nécessaire dans la vie **économique** (privée ou publique). Les entreprises et les institutions devront idéalement être en avance sur leurs concurrents ou au moins ne pas être dépassées par eux. Elles dépendront donc de plus en plus de la **créativité** de leurs collaborateurs. D'une manière plus générale, cette qualité sera nécessaire

pour relever les défis qui seront lancés aux humains (et post-humains) en matière démographique, environnementale, économique ou sociale (voir la première partie de l'ouvrage sur *Le décor*).

Dès l'école, puis tout au long de la vie, la capacité d'**inventer** sera donc valorisée. Or, ce n'est pas aujourd'hui la préoccupation première du système éducatif français que de la stimuler. Par certains aspects, elle induit au contraire plutôt une **uniformisation** des connaissances, et encourage l'**académisme** et le **conformisme**. C'est donc tout un état d'esprit qu'il faudrait modifier, afin qu'il favorise le libre arbitre, le débat, la pensée «latérale» ou «marginale» plutôt que de la sanctionner. *«L'imagination est plus importante que le savoir»* expliquait Albert Einstein.

La capacité de manier les **abstractions**, qui caractérise encore trop souvent l'**intelligence**, s'accompagnera de plus en plus d'autres dimensions : pragmatisme, réactivité, créativité, travail d'équipe... On observe déjà une évolution dans cet esprit dans les processus de recrutement des entreprises. Les **diplômes** des candidats ne seront plus les seuls critères de jugement, même complétés par les expériences «extrascolaires» et les stages d'été. Les **initiatives**, **réalisations**, **valeurs** et **engagements** personnels seront examinés avec un intérêt croissant, comme autant de dispositions à réinventer le monde.

DES ENSEIGNEMENTS PLUS CONFORMES AUX ATTENTES DES EMPLOYEURS...

Le système éducatif français est sans doute capable de fournir une certaine forme de **culture générale**, indispensable à l'«honnête homme [et femme] du XXIᵉ siècle». Mais il répond insuffisamment aux attentes plus spécifiques de l'**économie**, qui devraient être de plus en plus orientées vers d'autres types de compétences : capacité de travail ; recherche d'efficacité ; pouvoir d'entraînement ; faculté d'adaptation ; goût de l'apprentissage ; optimisme ; enthousiasme ; respect

Apprendre en jouant

Avec la généralisation des outils numériques, la distinction entre **apprentissage** et **jeu** devrait progressivement s'estomper. Car le jeu est souvent présent dans l'usage de ces outils dans la vie quotidienne. D'une part parce que leurs créateurs sont **jeunes** (la plupart appartiennent à la génération Y ou à celle des *Millenials*) et qu'ils ont une approche **ludique** de la vie. D'autre part parce que la concurrence entre les **contenus** est de plus en plus vive et que leurs **utilisateurs** et clients potentiels (jeunes aussi, pour la plupart) sont dans le même état d'esprit.

Cette évolution réjouira les partisans du *carpe diem* qui considèrent qu'il faut *«profiter de la vie»*. Elle inquiétera au contraire ceux qui considèrent que l'**effort** est une condition nécessaire et préalable au **plaisir**, qui devrait être perçu comme une **récompense** plutôt qu'un **dû**. Les découvertes en **neurosciences** pourraient cependant valider l'intuition et le souhait des tenants du plaisir. C'est en effet le **«système de récompense»** propre au cerveau des mammifères (dont l'Homme semble l'espèce la plus «aboutie») qui leur fournit la **motivation** nécessaire à leur survie : recherche de nourriture, reproduction, protection contre les dangers... La **société hédoniste** contemporaine apparaît ainsi comme une conséquence logique de cette caractéristique naturelle.

des autres ; empathie ; aptitude à s'intégrer à un groupe ; esprit critique ; imagination ; mobilité mentale et géographique ; autonomie...

C'est ce qui explique sans doute que de nombreux postes ne sont pas pourvus dans des secteurs d'activité nécessitant ces qualités. C'est le cas notamment des **métiers manuels**, pourtant disponibles en nombre. La plupart ne jouissent pas d'une **considération** suffisante chez les enseignants, comme dans la société en général. Les filières correspondantes sont encore souvent considérées comme des **« pis-aller »** destinés aux élèves en situation d'échec scolaire. Les élèves de 15 ans des milieux les plus **défavorisés** sont ainsi surreprésentés dans les filières **professionnelles**[1].

L'éloignement de l'école par rapport à la **« vraie vie »**, personnelle ou professionnelle, apparaît comme l'une des causes possibles de ce **décalage** entre l'offre et la demande, du primaire jusqu'à l'enseignement supérieur. Mais le fonctionnement des **entreprises** en est aussi responsable. Beaucoup d'entre elles n'ont pas su faire une place aux jeunes, n'ont pas adopté assez vite une structure **horizontale** plutôt que verticale ou pyramidale, n'ont pas su encourager la **participation** des salariés à la réflexion sur l'avenir... ou aux bénéfices réalisés grâce à eux (voir p. 53).

Les « apprenants » devraient avoir le choix demain entre des formations **générales**, en complément ou parfois à la place de celles dispensées dans les circuits « traditionnels », et des parcours plus **spécialisés**. Lorsqu'elles auront une vocation **professionnelle**, ces formations devraient mieux prendre en considération l'état du **marché de l'emploi** (en général ou dans des secteurs spécifiques), ainsi que les **profils** précis recherchés par les employeurs ou pourvoyeurs d'**activité**, dans un sens élargi (voir p. 267). Des formations devraient même être conçues **spécifiquement** pour des postes à pourvoir, en liaison avec les

employeurs concernés. L'adéquation entre métiers, postes et profils des candidats serait ainsi améliorée.

... ET DES INDIVIDUS

Le **décalage** entre l'enseignement dispensé et les **souhaits** et **capacités** des enseignés peut aussi s'expliquer par le mal-être ressenti et exprimé par ces derniers à l'école. Il se prolonge souvent dans la vie professionnelle, et constitue aussi sans doute une cause importante de chômage pour les personnes concernées. Il peut également expliquer en partie le niveau élevé d'**absentéisme**, la fréquence des maladies **psychosomatiques** ou celle du **burn-out** (épuisement), ainsi que certaines démissions ou licenciements.

Pour une grande partie des élèves, le temps de l'école est davantage celui de la **contrainte** que du plaisir de la connaissance. Mais, pour éprouver du plaisir, l'une des conditions est sans doute qu'ils ressentent du **désir**. Cela implique que l'école éveille (ou réveille) leur **curiosité**, qu'elle favorise le **doute**, facteur de tolérance et de progrès. Il est essentiel aussi qu'elle valorise l'**imagination** et la **créativité**, qualités indispensables pour répondre aux défis de l'époque. Il est souhaitable enfin qu'elle accepte l'**échec**, qui peut être un facteur de réussite ultérieure. Dans une démarche d'inspiration judéo-chrétienne, elle engendre au contraire souvent la **frustration** et la **culpabilisation** des élèves.

Pourtant, le **plaisir** est aujourd'hui une « revendication », presque un **droit** pour les jeunes de la génération Y ou de celle des *Millenials* qui l'a suivie (voir p. 183). C'est en tout cas la promesse à laquelle les ont habitués tous ceux qui s'intéressent spécifiquement à eux en tant que consommateurs : fabricants d'équipement de sport ; concepteurs de jeux vidéo ; marques d'habillement... Les **médias** fonctionnent aussi en grande partie sur ce ressort ; le *fun* est partout mis en avant.

Ce **fossé** entre le système éducatif et les attentes des jeunes, identifié et dénoncé

---

1. Étude OCDE-PISA 2015.

LA FORMATION PLUS CONTINUE POUR LES FEMMES

26. Participation des adultes à l'éducation et à la formation tout au long de la vie, 2011 et 2016 (en % de la population âgée de 25 à 64 ans)

	Total		Hommes		Femmes	
	2011	2016	2011	2016	2011	2016
Suède	25,3	29,6	18,7	22,7	32,0	36,7
Danemark	32,3	27,7	25,6	22,8	39,0	32,7
Finlande	23,8	26,4	19,9	22,6	27,7	30,3
France	**5,5**	**18,8**	**5,1**	**16,3**	**5,9**	**21,2**
Pays-Bas	17,1	18,8	16,9	18,0	17,3	19,6
Royaume-Uni	16,3	14,4	14,4	13,0	18,2	15,8
Portugal	11,5	9,6	10,8	9,6	12,1	9,7
Espagne	11,2	9,4	10,3	8,6	12,1	10,2
Allemagne	7,9	8,5	7,9	8,7	7,8	8,3
Italie	5,7	8,3	5,3	7,8	6,1	8,7
Belgique	7,4	7,0	7,0	6,5	7,8	7,5
Grèce	2,8	4,0	2,9	4,0	2,6	4,0

Eurostat

depuis longtemps, s'est creusé au fil des années. L'évolution de l'enseignement a été en effet plus lente que celle de l'économie, qui est poussée par la concurrence, la mondialisation et le progrès technologique. Si ce fossé n'était pas comblé dans les prochaines années, c'est tout le système qui sous-tend l'enseignement qui pourrait s'effondrer.

DES PROGRÈS IMPORTANTS EN MATIÈRE COGNITIVE

Le fonctionnement du cerveau et de ses mécanismes d'**apprentissage**, de mémorisation et d'usage de la mémoire sera de mieux en mieux cerné grâce aux progrès des **neurosciences** ou **sciences cognitives**. Cela devrait permettre de développer des machines ayant le même degré d'« intelligence », voire davantage, que les humains. Mais cela pourrait aussi inciter à pratiquer une **hybridation** du cerveau avec des machines, dans le but d'**accroître** ses capacités (mémoire, calcul, raisonnement, expression, empathie...) et d'éviter qu'il soit un jour dépassé par une **intelligence artificielle**. C'est en tout cas la **solution** préconisée par un certain nombre d'experts, à

moins que ce soit un alibi pour fabriquer des « post-humains », et inaugurer une nouvelle espèce dont nul ne peut prédire la destinée.

*La **complexité** du cerveau laisse cependant à penser que les progrès seront **moins rapides** que ceux promis ou anticipés par certains scientifiques et observateurs (parfois parce qu'ils recherchent des financements ou sous-estiment les difficultés). Les portes qui seront ouvertes pourraient déboucher sur d'autres, qu'il faudra ouvrir à leur tour, dans une mise en abîme sans fin. Par ailleurs, le simple fait que ce soient des **cerveaux humains** qui tentent de décrypter... le cerveau humain pourrait imposer une limite à ce décryptage.*

VERS UNE « SOCIÉTÉ DE LA CONNAISSANCE »

Si les rattrapages nécessaires en matière d'éducation décrits dans ces pages sont mis en place, la France de **2030** sera devenue une **société du savoir et de la connaissance**. Cela signifie aussi que ses habitants seront des « **apprenants** », c'est-à-dire des individus non seulement capables d'**actualiser** en

Un besoin croissant de « curation »

Le nombre et la complexité des **thématiques** existantes en matière d'éducation et de formation devraient connaître une forte croissance dans les années à venir. Plus encore qu'aujourd'hui, il sera impossible à un individu, même efficacement « **assisté** » par des machines, de tout embrasser et intégrer. Même si l'information est de plus en plus facilement **disponible** sur tous les sujets, et tous les supports, il sera nécessaire de pouvoir la **synthétiser**, de façon à lui donner du **sens**, sans quoi elle sera largement inutile. Lorsqu'on est noyé dans le **fond** de l'océan (Internet), il est impossible de voir le mouvement des **vagues**, celui des idées et des connaissances.

Les personnes, les organisations ou peu à peu les machines qui seront en mesure de faire ce travail de façon **intelligente** et de le restituer de manière **intelligible** apporteront donc un service essentiel. C'est le rôle assigné à la **curation**, une notion apparue depuis quelques années. Elle a donné lieu notamment à la création d'algorithmes **agrégateurs de contenus** ou de logiciels **rédacteurs automatiques de résumés**. Ces outils ont pour fonction d'**identifier**, de **sélectionner** et d'**organiser** l'information sur un thème donné sous forme de dossiers, ou de la

simplifier en réduisant son volume, sans lui faire perdre son **sens**.

Mais les machines et les logiciels aujourd'hui dédiés à ces tâches sont encore loin de remplacer les humains. Ils ne parviennent pas encore à mettre en évidence des **tendances lourdes** (et moins encore, des **signaux faibles**) et à en présenter une **synthèse** fiable. Comme les **moteurs de recherche** et les robots à **intelligence artificielle « faible »** (voir p. 509), ils ne comprennent pas ce qu'ils font (ce qui nécessiterait une intelligence artificielle « forte »).

Les **biais** cognitifs de ces machines sont de ce fait considérables, encore beaucoup plus importants que ceux inhérents aux humains. Il n'est qu'à voir les résultats produits par des programmes dédiés à la rédaction de « **résumés** » de textes divers pour mesurer l'étendue des **progrès** restant à accomplir. Mais ceux déjà réalisés en matière d'**analyse sémantique**[1] (par exemple dans la capacité conversationnelle des assistants numériques) laissent à penser qu'ils ne tarderont pas, comme ce fut le cas pour les programmes de traduction ou de reconnaissance vocale, faciale.

---

1. Analyse de type lexical effectuée dans les phrases d'un texte (ou d'un discours oral) pour déterminer le sens des contenus.

permanence leurs connaissances (en profitant des nombreux outils à leur disposition), mais aussi **désireux** de le faire.

Cette seconde condition est essentielle. La connaissance sera en effet **nécessaire** pour trouver, maintenir et améliorer sa place dans la collectivité. Mais elle pourra être aussi un **plaisir**. Il sera induit par la satisfaction d'une **curiosité** toujours en éveil face à des mystères du monde enfin éclaircis, mais aussi sans cesse renouvelés. La connaissance n'aura d'ailleurs peut-être plus besoin demain d'être transmise et acquise par des processus complexes ; elle pourrait devenir **accessible** immédiatement et dans tous les domaines par un simple **transfert** dans le cerveau, qui deviendrait alors un « **objet**

connecté ». Ce serait alors le début d'une autre **civilisation** dans laquelle les notions d'éducation et d'instruction auraient des sens bien différents.

TEMPS

Le **temps** est la « matière première » de la vie. Mais il s'agit d'une matière... **immatérielle**, une sorte de **gaz** qui nous entoure en permanence, invisible, inodore... mais non sans saveur. On peut ainsi le rapprocher de l'**argent**, autre composante essentielle de la vie humaine, qui est lui aussi devenu un « **gaz** » (avec l'avènement de l'argent électronique), après avoir été **solide** et « **liquide** » (voir p. 286). Entre le temps et l'argent, le cœur des Français a longtemps balancé, comme s'il fallait choisir entre l'un et l'autre : le **temps** (de travail) permettait de gagner l'**argent** nécessaire pour le dépenser pendant le **temps libre**. Mais l'accroissement spectaculaire du **pouvoir d'achat** moyen au cours de la seconde moitié du xxe siècle (voir p. 294) s'est accompagné d'une hausse non moins spectaculaire du **temps disponible** (espérance de vie). L'un des grands enjeux de l'avenir sera de trouver un nouvel **équilibre** entre temps et argent, et surtout entre **temps d'activité** et **temps libre**.

*N.B. Les estimations qui suivent ont été effectuées à partir des **dernières données disponibles**. Elles ont été **actualisées** pour l'année **2018** à l'aide de données complémentaires et d'hypothèses d'évolution, issues des réflexions de l'auteur, nourries par les informations disponibles. La même démarche a été ensuite adoptée pour les prévisions **2030** (qui figurent en **italiques** dans le texte).*

*De façon à mieux refléter la situation globale de la société, les données prospectives prennent en compte l'évolution de l'**espérance de vie** pour un individu **ayant l'âge moyen de la population à la date concernée** (à laquelle on ajoute son **espérance de vie à cet âge**).*

*Les chiffres calculés pour **2030** ont été obtenus en prenant en compte les « **tendances lourdes** » actuellement observables, ainsi que des changements de tendance prévisibles (tels qu'ils sont décrits dans ce livre), susceptibles d'avoir des effets à l'horizon 2030. Tous les chiffres obtenus sont **arrondis** à l'unité la plus proche.*

LES QUATRE TEMPS

Le temps de la vie peut être découpé en quatre grands domaines d'utilisation : **travail** rémunéré ; satisfaction des fonctions **physiologiques** (alimentation, sommeil, toilette et soins) ; **enfance et scolarité** ; **déplacements** (personnels et professionnels). Le **solde** entre le **temps total disponible** et celui représenté par l'ensemble de ces activités constitue le **temps libre**.

Il est particulièrement intéressant d'estimer sur une longue période l'évolution de ces différentes composantes du temps, c'est-à-dire de « **l'emploi du temps de vie** » des Français (voir graphique ci-après)[1]. Il faut préciser que les chiffres ne concernent que les **hommes**, du fait de l'absence de données concernant les femmes au début du xxe siècle (révélatrice de la place qui leur était accordée par les statisticiens), de sorte que la comparaison avec une moyenne hommes-femmes pour les années 2000, 2018 ou 2030 n'aurait pas été possible. Bien que ne concernant que la moitié de la population, ces informations font apparaître les **bouleversements** intervenus dans la répartition des différentes composantes de la vie des Français.

TEMPS PHYSIOLOGIQUE : LA MOITIÉ DU TEMPS DE VIE EN 2030

Lors de la dernière enquête de l'INSEE sur l'emploi du temps des personnes de 15 ans et plus (2010-2011), les Français (hommes) consacraient en moyenne 11 h 36 min par jour au **sommeil** et aux autres **activités physiologiques** (voir définition ci-dessus), soit la moitié de leur journée (48,3 %). Si on extrapole ce chiffre à l'**ensemble de la vie** depuis la naissance, **38,6 années** étaient au total consacrées à ces activités sur une durée

---

1. Les calculs et estimations exposés dans ce chapitre ont été établis à partir de données anciennes pour l'année 1900. Les chiffres plus récents ont été calculés à partir de données diverses, notamment en retraitant celles issues des cinq enquêtes « emploi du temps » réalisées par l'INSEE depuis les années 1970, à un rythme environ décennal (la dernière remonte à 2010 et a donc fait l'objet d'une actualisation par l'auteur à partir de tendances observées depuis).

LA SOCIÉTÉ DES LOISIRS

27. Évolution de l'emploi du temps de vie[1] par type d'activité

(en années, et en %, pour un *homme**)

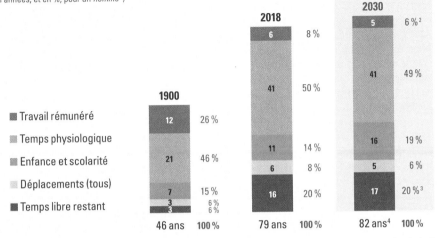

* Les données pour les femmes ne sont pas disponibles pour 1900, et n'ont donc pu être intégrées.
1. Calculs Francoscopie/G.Mermet à partir de données disponibles (INSEE, divers) pour les hommes.
2. Soit 9 % du temps de vie « éveillé » (17 h par jour), contre 42 % en 1900 (15 h par jour).
3. Soit 29 % du temps de vie « éveillé » (17 h par jour), contre 11 % en 1900 (15 h par jour).
4. Hypothèse « conservatrice », hors avancées scientifiques et médicales de rupture.

Gérard Mermet

de vie masculine moyenne de 78,7 ans à l'âge moyen de la population en 2011[1]. Pour l'année **2018**, ce temps physiologique peut être estimé à **39,5 années**, du fait de l'accroissement de l'espérance de vie moyenne (80,8 ans pour un homme[2], soit 0,9 année de plus qu'en 2011), en faisant l'hypothèse que la durée moyenne des temps physiologiques quotidiens n'a pas changé.

À *l'horizon* **2030**, *la même démarche conduit à un* **temps physiologique de 41 années pleines**, *compte tenu d'une espérance de vie masculine de 84 ans à l'âge moyen de la population*[3] *et de l'hypothèse d'une durée*

quotidienne inchangée de chacun de ces temps. Soit **49 % du temps de vie total**.

TEMPS D'ENFANCE ET DE SCOLARITÉ : UN CINQUIÈME DU TEMPS DE VIE EN 2030

Le temps de la **scolarité** (espérance de scolarisation à l'entrée à la maternelle) représentait en moyenne 18,5 années en 2009[4] (dernière année disponible). Il s'y ajoutait 3 années d'enfance **avant** le début de la scolarité (le taux de pré-scolarisation à 3-4 ans était de 95 %[5], et n'évolue plus guère). Il faut ensuite retrancher de ces 21,5 années totales le temps **physiologique** correspondant, soit 10,4 ans ; il reste alors **11,1 années pleines** (de 24 heures par jour, 7 jours par semaine, 52 semaines par an) consacrées à la **petite enfance et à l'étude**. En y ajoutant les périodes de **formation continue**

1. Calculée à l'âge moyen de la population masculine, qui était de 38,8 ans en 2011, auquel on ajoute une espérance de vie à 40 ans qui était de 39,9 ans, soit un total de 78,7 ans.
2. Calculée à l'âge moyen de la population masculine, qui était de 40,0 ans en 2018, auquel on ajoute une espérance de vie à cet âge qui était de 40,8 ans, soit un total de 80,8 ans.
3. Calculée à l'âge moyen de la population masculine, qui serait de 43 ans en 2030, auquel on ajoute une espérance de vie à cet âge qui serait de 41 ans, soit un total de 84 ans.

4. Étude MEN-DEPP, INSEE, 2009.
5. Enquête Emploi du temps des Français, INSEE, 2010-2011.

intervenant dans le cours de la vie adulte, on arrive à un temps d'enfance et de scolarité total de **12 années**. Ce chiffre peut être conservé pour **2018**, dans la mesure où la durée moyenne de scolarité s'est stabilisée.

*À l'horizon **2030**, la même démarche conduit à un **temps d'enfance-scolarité de 16 années pleines**, compte tenu d'une hypothèse de **durée de formation continue** sensiblement plus longue (4 ans au lieu de 0,9 année), compte tenu des besoins rapidement croissants d'actualisation des connaissances. Cela représente **19 % du temps de vie total**. Il faut souligner que les périodes d'instruction et de formation seront demain de plus en plus nombreuses tout au long de la vie (voir p. 138), ce qui devrait augmenter leur durée totale.*

TEMPS DE TRANSPORT-DÉPLACEMENT : 6 % DU TEMPS DE VIE TOTAL EN 2030

Le temps de **transport** était de 55 minutes par jour en 2008[1] pour les déplacements **locaux**, y compris les temps de trajet **domicile-travail** pendant la vie active, soit **3,0 années** sur l'ensemble de la vie (79,9 années, dont environ 60 années actives). La prise en compte des autres formes de déplacement, en particulier ceux des vacances (évalués à deux semaines par an en moyenne pour ces types de déplacements, sur l'ensemble de la vie) implique d'ajouter encore **3,0 années**. On aboutit ainsi à un temps total de transport de **6 années pour 2008**. Il peut être extrapolé à **6,5 années pour 2018**, en prenant en compte l'allongement de la vie (de 77,5 ans à 79,5 ans) et la fréquence accrue des déplacements.

*À l'horizon **2030**, la même démarche conduit à un **temps de transport de 5 années pleines** (4,8), compte tenu de l'accroissement de l'espérance de vie et d'une hypothèse de **temps de trajets réduits de 30 %** par rapport à 2018, liée à la mise en service de nouveaux modes de déplacement, plus rapides, avec une*

---

1. Enquête ENTD, 2008. Les chiffres plus récents ne peuvent être utilisés, les temps mesurés correspondant à des types de déplacements non comparables.

multimodalité plus efficace[224]. Soit 6 % du temps de vie total.

TEMPS DE TRAVAIL : 6 % ÉGALEMENT DU TEMPS DE VIE TOTAL EN 2030

Le principal changement dans l'emploi du temps de la vie des Français concerne le **temps de travail**. Sa durée légale a été réduite en 2002 à **35 heures** par semaine pour l'ensemble des salariés concernés par la nouvelle loi (90 % de la population active). Avec les heures supplémentaires effectuées et après prise en compte des vacances et des jours fériés, cela représentait **1 650 heures** par an à **plein-temps** en 2011. Mais le temps de travail **effectif** ne dépassait pas **1 300 heures** en tenant compte du **temps partiel** (6 % pour les hommes actifs en 2011), de l'**absentéisme** (estimé à 15 jours par an) et des périodes de **chômage** (10 % de la durée du travail).

La **période active** se situe entre l'âge moyen d'entrée dans la vie professionnelle (23 ans) et celui de la **cessation effective** d'activité. Celle-ci avait lieu en moyenne vers 59 ans en 2011, ce qui représentait 36 ans de vie active, soit 46 800 heures de travail pendant la vie, ou **5,3 années** pleines (à raison de 8 766 heures par année). Mais ce chiffre sous-estime probablement l'impact du **travail illégal** et le fait que les **non-salariés** (11 %) travaillaient en moyenne davantage que les salariés. On peut alors faire l'hypothèse que la durée de la vie active était de **39 années** plutôt que de 36, soit 50 700 heures, ou **5,8 années pleines**. Le recul actuel de l'âge de la retraite à 62 ans (et celui induit de la cessation **effective** d'activité) incitent pour **2018** à arrondir à **6 années**.

*À l'horizon **2030**, la même démarche conduit à un **temps de travail de 5,3 années pleines**, en faisant l'hypothèse d'un **âge effectif de la retraite reculé à 66 ans** (l'âge légal étant repoussé à 67 ans afin d'équilibrer le régime de retraite unifié qui pourrait alors prévaloir) et d'une **baisse du nombre d'heures hebdomadaires effectives**, qui paraîtrait souhaitable pour partager l'emploi* (voir p. 282) et mieux prendre en compte les nouveaux modes de vie. Avec une hypothèse de baisse de **30 %** (soit 910 heures par an pendant 43 années d'activité), on arrive à un total de 39 000 heures, soit **6 % du temps de vie total**.

TEMPS LIBRE : UN CINQUIÈME DU TEMPS DE VIE TOTAL EN 2030...

Le **temps libre** d'une vie est la différence entre l'espérance de vie moyenne à la naissance (80,8 ans pour un homme en 2018) et la durée cumulée des quatre activités détaillées précédemment (au total 64,6 années). Il représente donc **16,2 années** de la vie moyenne d'un homme en **2018**, contre **3 années en 1900** et **2 années en 1800**.

Avec le même type de calcul (espérance de vie de 84 ans, et 67 années au total pour l'ensemble des activités), le temps libre représenterait **17 années** *en 2030, soit* **20 % du temps de vie total.**

... ET UN TIERS DU TEMPS DE VIE ÉVEILLÉ

Si l'on ramène ces différents chiffres au **temps de vie éveillé** (hors temps de sommeil, soit 16 h 30 par jour avec un temps de sommeil moyen de 7 h 30), les 16 années de **temps libre** de **2018** en représentent **29 %**, contre 11 % au tout début du XXᵉ siècle (1900). Il faut noter que la majeure partie de ce temps correspond à la période de **retraite**, dont la durée avait déjà doublé entre 1950 et 2000. Mais l'allongement des **vacances** et la diminution **du temps de travail** hebdomadaire, qui ont connu une forte accélération depuis le début des années 1980, ont été à l'origine d'importants gains de temps libre pendant la période d'activité.

Pour **2030**, *on peut faire l'hypothèse que le temps moyen de* **sommeil** *diminuera un peu, du fait d'un accroissement du nombre d'***activités*** (y compris tardives), d'un moindre besoin de* **récupération physique** *lié à la plus grande sédentarité et d'un meilleur* **contrôle** *du sommeil grâce à l'usage des nouvelles technologies. Si le temps de sommeil était ainsi réduit à 7 heures par jour (soit un temps*

quotidien *éveillé de 17 heures),* **le temps libre représenterait 29 % du temps de vie éveillé (59,5 années),** *contre* **9 % pour le travail, 26 % pour le temps d'enfance-scolarité et 8 % pour le temps de déplacement** *(aux arrondis de calcul près).*

LE TEMPS DILATÉ ET REDISTRIBUÉ

En conclusion, il apparaît que, depuis le début du XXᵉ siècle, le **temps disponible** (espérance de vie) s'est considérablement «**dilaté**». Mais ses différentes composantes ont subi des **déformations** très différentes. La part consacrée au **travail** s'est très fortement réduite. La période de l'**enfance** s'est étirée, du fait de l'allongement de la scolarité. Le temps total accordé au **sommeil** et aux autres besoins d'ordre **physiologique** est resté globalement plus stable (on consacre en moyenne davantage de temps à l'hygiène, mais moins à l'alimentation et au sommeil).

La conséquence de ces mouvements divers est que le **temps «libre»** a connu une croissance spectaculaire. Certains estimeront qu'il s'agit là d'un **progrès** majeur de la civilisation, qui arrache l'individu à la **contrainte** du travail et à l'**aliénation** qu'il induit. Avec Voltaire, ils diront : «*Le travail est souvent le père du plaisir ; je plains l'homme accablé du poids de son loisir[1]* ». D'autres considéreront que c'est là le signe d'une **décadence** de l'espèce humaine, qui prive l'individu de l'une de ses fonctions essentielles, celle de la **production** (en complément de celle de la **reproduction**...). Avec Sénèque, ceux-là penseront que «*Le travail réclame l'élite des humains[2]* ».

LE PARADOXE TEMPOREL

Depuis le début de l'ère industrielle, les Français n'ont jamais disposé d'un **capital-temps** aussi abondant (voir l'accroissement spectaculaire de l'espérance de vie, p. 36). La décennie 2000 a été sur ce plan décisive,

---

1. Dans ses *Discours en vers sur l'Homme*, quatrième discours : *Discours de la modération*, 1737.
2. Dans *De la providence*.

avec le passage à la semaine de travail de **35 heures** (voir encadré ci-dessous). Pourtant, de nombreuses enquêtes font apparaître un fort sentiment général de **manque de temps**. Les personnes les plus concernées sont les **femmes**, qui doivent mener de front plusieurs existences. L'augmentation du niveau de **pouvoir d'achat** ne réduit pas cette impression, au contraire : plus celui-ci est élevé et plus l'impression de manquer de temps est forte.

Ce **paradoxe**, caractéristique de l'époque, s'explique de plusieurs façons. D'abord, le supplément de temps (notamment libre, voir p. 155) n'est pas **uniformément** réparti au cours de la vie ; il est surtout concentré pendant la période de la **retraite**. Par ailleurs, les **sollicitations** de toute nature sont de plus en plus nombreuses, particulièrement en matière **commerciale**, et chronophages.

Aussi, le désir de se procurer et d'utiliser tous les produits vantés par la publicité, de pratiquer toutes les activités et expériences proposées est totalement **irréalisable**. Il faudrait pour cela disposer de nombreuses vies. L'accroissement de l'**espérance de vie** prévisible dans la prochaine décennie (voir p. 36) n'y suffira pas. Ce constat entraîne une frustration (inconsciente) et alimente le paradoxe temporel.

UNE IMPATIENCE CHRONIQUE

Pour beaucoup de personnes, il est devenu insupportable d'attendre, que ce soit aux caisses des **magasins,** aux guichets de l'**administration**, chez le **médecin** ou à l'**hôpital** (où les malades sont improprement qualifiés de « patients »). Il en est de même dans les **embouteillages,** au **téléphone** pour obtenir une **information** ou devant un

35 heures : la réaction en chaîne

L'augmentation considérable du **temps libre** au fil des décennies a eu de nombreuses conséquences sur les modes de vie individuels et sur le fonctionnement social. Ce fut le cas en particulier de la mise en place de la semaine de **35 heures** (au lieu de 39) à partir de l'année **2000**. Elle a d'abord nécessité une période d'**apprentissage** pour ceux qui en ont bénéficié. Il s'agissait pour certains de perdre l'habitude de travailler comme avant, et pour d'autres de ne pas avoir peur d'être « en vacances » lorsque les autres étaient au travail. Surtout, chacun a dû faire des **choix** entre les multiples façons d'**utiliser** les heures dégagées. L'un des critères importants de décision a été bien sûr le **coût** des différentes activités de loisirs possibles.

Surtout, cette réforme a **remplacé** pour les salariés **4 heures de travail** (occupées et rémunérées) par **4 heures de temps libre** (qui sont restées rémunérées). Ces heures gagnées ont été en partie utilisées pour accroître certaines activités **domestiques** (télévision, Internet, loisirs créatifs…) ou **extérieures** (téléphonie mobile, pratiques sportives ou culturelles…).

Elle a aussi transformé la **perception** par les Français de leur situation **financière**. Pour la plupart, leur revenu était resté inchangé puisque la réforme s'était faite « **à salaire égal** ». Mais leurs **occasions de dépenser** ont été fortement stimulées, du fait qu'ils disposaient désormais de davantage de **temps** pour consommer. Cet effet a été largement **sous-estimé ;** il peut pourtant expliquer en partie la sensation de **baisse** du **pouvoir d'achat** de la majorité des Français, telle qu'elle est ressortie dans de nombreuses enquêtes après la mise en place de la loi (voir p. 294).

Si, comme cela paraît possible, une nouvelle baisse sensible de la durée de travail se produisait d'ici **2030** (voir p. 154), ses effets seraient sans doute semblables. Le sentiment de « **paupérisation** » pourrait ainsi s'accroître dans la population (surtout si la baisse de la durée ne s'accompagne pas d'un maintien au moins partiel, du revenu). Cela pourrait conduire à des **tensions** entre les travailleurs, les entreprises et les responsables politiques, sur fond d'automatisation des tâches et de remontée du chômage.

écran d'ordinateur pour obtenir l'affichage d'une **page Web**.

Dans les **hypermarchés**, le temps moyen passé pour faire ses courses était de 90 minutes en 1980 ; il a été divisé par plus de deux en trente ans, alors que le nombre de produits référencés s'est largement accru. Pour répondre à l'impatience, les distributeurs ont installé des *drives* (pour récupérer avec sa voiture les courses commandées en ligne). Ils généraliseront d'ici **2030** les caisses **instantanées** (avec scanner global du Caddie et paiement automatique), les **livraisons** à domicile en **une heure chrono**, et autres moyens de faire des courses sans perdre de temps.

Demain, l'usage d'Internet (ou de ses successeurs) sera encore plus rapide qu'aujourd'hui, avec l'accroissement des **débits**, la généralisation de la commande **vocale**, **gestuelle** ou, *in fine*, **cervicale** (directement par la **pensée**). Sur les sites marchands, les acheteurs pourront encore gagner quelques secondes pour **acheter** un produit, mais la **comparaison** préalable des offres leur prendra beaucoup plus de temps (sauf si elle est confiée à un robot, qui risque de ne pas être aussi efficace).

PLUS DE « CHRONODÉPENDANTS » QUE DE « CHRONOMAÎTRES »

L'homme et la femme modernes, surtout urbains, sont des individus **pressés**. Leur double souci de rapidité et d'efficacité est présent dans tous les actes de leur vie quotidienne. Beaucoup courent pour aller prendre un train ou un métro, réduisent le temps de préparation de leurs repas en réchauffant des plats surgelés dans un four à micro-ondes ou en se faisant livrer à domicile. Avec les télécommandes, les souris ou les écrans tactiles, ils **zappent** sur leurs écrans d'une information ou d'une image à l'autre.

Dans leur vie **professionnelle**, les actifs se disent volontiers **surchargés** (voire en situation de *burn-out*[1]), et l'organisation de réunions tient souvent du parcours du combattant. Dans leur vie personnelle, l'organisation d'un simple dîner entre amis est tout aussi compliquée ; elle implique souvent des changements de date, des désistements de dernière minute, des retards de la part des personnes conviées. Une étude a même montré que, dans les **ascenseurs**, le bouton le plus utilisé est celui de la fer-

---

1. Épuisement physique et/ou mental lié à la vie professionnelle.

LA TÉLÉVISION DÉPASSÉE PAR LES MÉDIAS NUMÉRIQUES

28. Temps moyen consacré chaque jour à la télévision et aux médias numériques par les Français (18 ans et plus, en heures : minutes)

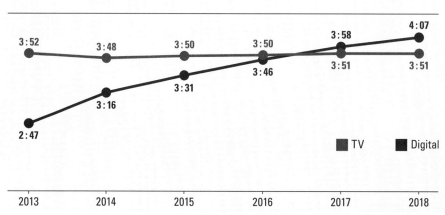

Le temps consacré simultanément à plusieurs médias est comptabilisé pour chacun d'eux. Par exemple, une heure consacrée à un média numérique tout en regardant la télévision est comptée à la fois comme une heure de télévision et une heure de média numérique.

e-marketer

meture rapide des portes[1], alors que c'était auparavant celui du rez-de-chaussée.

Les exemples de l'**ordinateur** ou du **smartphone** connectés à Internet sont aussi édifiants. Ainsi, la communication par mail ou SMS est souvent plus **chronophage** que lorsqu'elle s'effectuait par voie postale ou avec le téléphone fixe. De même, l'invention de l'**«hypertexte»** (liens cliquables présents sur les pages Internet) était aussi censée faire gagner du temps sur Internet ; elle pousse au contraire à en perdre, en incitant à passer d'un sujet à un autre en oubliant parfois l'objet initial de sa recherche. Faire les choses rapidement donne l'impression de vivre **intensément**. Mais la contrepartie, qui confirme la théorie de la relativité d'Einstein, est que *«plus l'on va vite et plus le temps est court»*.

On peut craindre que ce phénomène s'amplifie encore dans les prochaines années, malgré les promesses des fabricants d'**assis**-

tants numériques et autres **robots intelligents** censés aider les humains à effectuer certaines tâches ou à les faire à leur place. D'ici **2030**, le temps pourrait être encore plus «compté» qu'aujourd'hui. Les **«chronodépendants»**, esclaves des outils qui consomment et consument le temps, devraient être de plus en plus nombreux, au contraire des **«chronomaîtres»**, capables de le gérer avec sagesse et d'en savourer chaque seconde.

DES RYTHMES SOCIAUX MODIFIÉS

Les rythmes collectifs étaient autrefois **imposés** par la religion (messes et célébrations), les saisons (travail agricole), les obligations physiologiques (repas et repos). Ils ont été modifiés par le **travail industriel** (et les congés annuels qui l'ont ponctué), puis par l'arrivée de la **radio** et de la **télévision**, qui ont organisé à heures fixes des grands rendez-vous d'information et de divertissement. Ces rythmes sociaux induisaient aussi des **rites** (religieux ou laïques) et fournissaient des **repères**. Ils ont disparu avec la laïcisation de la société, la moindre différenciation des saisons, le refus des

---

1. Étude Otis. Il faut noter que d'autres études mettent en doute le fait que le bouton de fermeture immédiate de la porte fonctionne vraiment, en tout cas sur certains ascenseurs.

La tentation de la lenteur

La difficulté qu'éprouvent beaucoup Français à **gérer** le temps dont ils disposent rend celui-ci d'autant plus **rare** et **précieux** à leurs yeux. La **frustration** qui en résulte explique la résistance croissante des consommateurs au système marchand (voir p. 302). Elle devrait conduire à l'avenir de plus en plus de personnes à se tourner vers des modes de vie **« alternatifs »**, plus austères, ascétiques, voire **régressifs** (au sens d'un retour à des pratiques antérieures). Cela favorisera le développement de **contre-cultures** et de formes nouvelles de **marginalité**. D'une façon générale, le *slow motion* (vie au ralenti) devrait faire de nouveaux adeptes.

Cette tentation concernera en particulier les **urbains stressés**. Elle favorisera le développement de la **néoruralité** (voir p. 32), qui autorise un rythme de vie plus lent que dans les grandes villes et une plus grande harmonie avec la **nature**. L'engouement pour les produits alimentaires **biologiques**, associés à une forme d'agriculture plus **« lente »**, moins intensive, moins agressive pour l'environnement et la santé se poursuivra. On observera aussi un accroissement de pratiques **« hors du temps »** comme la **méditation**, le **yoga**, le **bouddhisme**, la **sophrologie** ou les **gymnastiques** douces. Les cures de **« désintoxication technologique »** permettront aussi de libérer du temps.

La sensation d'avoir le temps ou de le prendre sera demain un **plaisir** rare et cher (que de nombreux services et équipements chercheront comme aujourd'hui à vendre). Les pouvoirs publics poursuivront les campagnes (et les sanctions) pour réduire la **vitesse** sur les routes (y compris sans doute lorsque les voitures seront autonomes). Leur acceptation par une partie croissante de la population montrera la dimension **symbolique** de telles mesures. Confrontés à l'accélération du temps et à la moindre durée de vie des objets qui les entourent, de nombreux Français souhaiteront réapprendre la **lenteur**. Et s'offrir le luxe de **« perdre »** du temps plutôt que chercher à tout prix à en gagner. Mais ils seront sans doute **minoritaires**.

horaires fixes. Et surtout l'apparition d'**Internet**, lucarne ouverte en permanence sur le monde.

Demain, les rythmes seront encore plus **individualisés**. L'humeur et l'improvisation tiendront une place croissante. Le **temps à soi** (et pour soi) sera désormais prépondérant par rapport au temps imposé par les autres et celui qu'on leur accordera. Les temps **sociaux** (horaires de travail, fins de semaine, congés payés, retraite...) seront transformés par le télétravail, le travail à la tâche, l'ouverture des magasins sept jours sur sept (face à la concurrence du *e-commerce*), les plannings modulables, les multiples modes de *replay* permettant de revivre en **différé** des événements que l'on n'a pu ou voulu vivre en *live* (direct).

Le **découpage** de la vie entre formation, travail et retraite deviendra de plus en plus artificiel. Il ne sera plus compatible avec la demande sociale, ni avec les nécessités économiques. Les Français devront **simultanément** travailler et se former au cours de leur vie, plutôt que de manière alternée. La lutte contre le chômage sera facilitée par la mise en place d'un travail à **temps choisi**, facilement gérable grâce aux outils technologiques. Cela permettra de mieux partager l'emploi, mais aussi d'accroître la motivation des travailleurs, qui seront ainsi plus productifs et plus satisfaits.

LE MÉLANGE DES GENRES

L'un des moyens utilisés pour faire durer le temps est de faire **plusieurs choses à la fois**. Au risque d'être moins efficace dans la réalisation de chacune d'elles. Le **téléphone portable** a été l'outil emblématique de cette révolution. Il a favorisé la **fusion des genres** (parfois aussi leur confusion) et donné la possibilité de laisser ouvertes jusqu'à la dernière minute toutes les **options** dans la gestion de l'emploi du temps, sans obligation de **plani-**

fication (voir p. 357). Grâce à lui, le temps n'était plus figé, mais **flexible**, voire élastique. Les temps de la vie se sont ainsi de plus

Un nouvel espace-temps

Les progrès considérables qui ont déjà eu lieu en matière de **communication** ont non seulement transformé la relation au **temps**, mais aussi à l'**espace**. Le vieux rêve d'**ubiquité** a été réalisé grâce aux moyens de transport et surtout à l'électronique et l'informatique. Le **téléphone portable** a permis d'être **physiquement** présent à un endroit et **virtuellement** à un autre (par le texte, le son ou l'image). **Internet** a accru cette faculté dans des proportions considérables, en autorisant ce qu'on a baptisé le **«temps réel»** (alors qu'il devenait au contraire «virtuel»…). Le **GPS** indique en instantané et en continu où l'on se trouve et guide automatiquement vers la destination choisie. Le **TGV** a transformé la vie des Français et modifié la carte de France, si on ne dessine pas les **distances** qui séparent les gares, mais les **temps** de transport entre elles.

Au fil des années, le **temps** est aussi devenu de l'**information**. Elle constituera la **matière première** essentielle du troisième millénaire. Le **«travail du temps»**, caractéristique de la société de communication, prendra une importance beaucoup plus grande que le **temps du travail** (qui a déjà considérablement diminué). L'accroissement de la **vitesse des échanges** (électroniques ou physiques) et le **raccourcissement des durées** qui en résultera engendreront des modes de vie nouveaux.

Mais cette révolution sera aussi à l'origine de **difficultés** nouvelles, en supprimant les **bornes** temporelles et spatiales traditionnelles. La **«réalité virtuelle»** est en effet fondée sur une transformation ou une **«manipulation»** de l'espace «réel». Face à ce malaise socio-temporel, l'homme «postmoderne» va devoir se **réapproprier** le temps, et se **resituer** dans l'espace en trouvant de nouveaux **repères**.

en plus **déstructurés**. Les heures de repas sont devenues moins rigides et la pratique du grignotage a été favorisée. Les Français n'étaient plus alors «synchrones» (partageant une conception identique du temps) mais «polychrones[1]»; ils étaient capables de gérer plusieurs activités simultanément.

Demain, les différents temps de la journée seront encore moins exclusifs et univoques. Ils se mélangeront les uns aux autres dans un *zapping* généralisé. On s'occupera sans hésitation de ses affaires **personnelles** sur son lieu de travail, mais on **travaillera** aussi sur son lieu de vie; la généralisation du **télétravail** (voir p. 277) sera l'illustration de cette polychronie. On aura pris l'habitude de pratiquer plusieurs activités en même temps (écouter de la musique tout en regardant des images et en téléphonant, devant une télévision allumée…). Le temps ne sera plus découpé en séquences **continues**, mais en éléments **superposés**.

LE TEMPS DE PLUS EN PLUS RELATIF

La théorie de la relativité s'applique au temps tel qu'il est perçu et vécu par les humains. Il est ainsi appréhendé différemment selon l'**âge** : on est plus pressé lorsqu'on est jeune que lorsqu'on est âgé. Mais l'écoulement du temps paraît plus rapide au fur et à mesure que l'on vieillit. Sa perception varie aussi selon la **profession** ; les cadres sont plus impatients que les employés ou les agriculteurs, pour des raisons objectives (emploi du temps surchargé) ou subjectives (volonté de se donner l'image de quelqu'un de débordé). Le temps **ressenti** diffère enfin selon le système de **valeurs** : certains ont une vision positive du temps qui s'écoule et qui leur apporte chaque jour un peu plus d'expérience et de sagesse ; d'autres acceptent mal la lutte permanente (et finalement vaine) qu'ils mènent contre lui.

---

1. Notion introduite par Edward T. Hall dans *The Silent Language* (1959). L'adjectif «polychronique» décrit la capacité à assister à de multiples événements simultanément, par opposition à «monochronique», qui renvoie à une gestion séquentielle des événements ou activités.

À l'avenir, la durée **perçue** différera de plus en plus de l'activité à laquelle elle s'applique. Les minutes consacrées à faire la queue dans un magasin sembleront plus longues que celles consacrées aux loisirs.

À durée égale, la «**valeur**» du temps sera plus grande lorsqu'il paraîtra trop court. Il en sera ainsi dans toutes les circonstances de la vie. Plus encore qu'aujourd'hui, les «**temps morts**» seront rejetés, et les «**temps forts**» recherchés (voir p. 312).

L'**obsession** du temps qui passe devrait s'amplifier en même temps que les occasions d'en retirer du **plaisir** se multiplieront. Les plus agréables auront pour effet de faire oublier le temps **objectif** (celui en vigueur sur la Terre) en plongeant les individus dans un autre **espace-temps**, celui notamment de la **réalité virtuelle**. En revanche, si l'**espérance de vie** augmentait autant que le promettent certains chercheurs (voir p. 36), cela pourrait conduire à une **dévaluation** du temps. Sa valeur pourrait même finir par être **nulle**, de sorte que la vie n'aurait plus d'intérêt.

ET SI...

Les questions figurant dans cette rubrique ne sont pas des informations, mais des sujets de réflexion et de débat complétant les textes du chapitre qu'ils clôturent. Elles peuvent exprimer des souhaits, des craintes, des utopies ou tout élément susceptible d'accélérer, ralentir ou inverser les évolutions prévisibles.

... des mutations physiques ou mentales se transmettaient en une génération dans une partie de la population sous l'effet des phénomènes épigénétiques?

... le corps «matériel» occupait progressivement une place secondaire dans une société organisée autour du «virtuel», incitant à délaisser l'entretien du corps réel?

... des maladies nouvelles apparaissaient ou réapparaissaient, de façon «naturelle» ou «artificielle»: maladies infectieuses liées au changement climatique, choléra, douve du foie, maladie du charbon ou de Lyme, etc.?

... la grippe H1N1, le SRAS ou autres virus mutants se transmettaient des animaux aux humains et se développaient dans le monde, faisant en quelques mois des millions de victimes?

... une grande partie de la population n'avaient pas accès aux progrès de la médecine, pour des raisons financières (soins trop coûteux), géographiques (disponibilité limitée à certains territoires), culturelles (manque d'information sur les innovations existantes)?

... des individus refusaient par principe d'adopter les nouveaux soins proposés par la médecine, de peur des conséquences possibles, (valeurs, croyances religieuses...)?

... des entreprises (banques, assurances, administrations...) obtenaient l'accès aux banques de données sanitaires, et s'en servaient pour fixer leurs tarifs ou sélectionner leurs clients?

... des algorithmes dotés d'une «intelligence forte» décidaient eux-mêmes d'autres usages des données personnelles que ceux qui leur sont demandés (diagnostics, personnalisation…) et se passaient de l'intervention humaine pour proposer des traitements aux personnes concernées ?

… des algorithmes étaient infiltrés et «hackés» par des organismes ou des individus malfaisants, ayant ainsi le pouvoir de truquer les résultats, d'exercer un chantage sur les personnes ?

… les sociétés d'informatique remplaçaient progressivement les laboratoires pharmaceutiques ?

… des greffes de tête devenaient possibles sur des êtres humains vivants, avec le cerveau qui lui est associé ?

… le système de santé était préempté par les géants d'Internet, détenteurs de mégabases de données sur la plupart des humains, permettant une prévention et des soins plus efficaces que ceux de la médecine traditionnelle ?

… l'école publique était progressivement supprimée, pour son insuffisance de résultats et son coût beaucoup plus élevé que les méthodes et supports numériques d'apprentissage ?

… les étudiants refusaient de se rendre aux cours dans des universités paupérisées, dans des amphithéâtres où ils ont le sentiment de perdre leur temps, préférant suivre des cours sur Internet ?

… des robots intelligents remplaçaient des enseignants dans des classes ?

… l'apprentissage des langues devenait inutile, avec les progrès de la traduction simultanée, sous forme écrite ou orale ?

… les enseignants obtenaient des élèves le respect de leur autorité, soutenus par les parents et les médias ?

… La comparaison avec les autres pays était systématiquement pratiquée pour identifier et analyser les méthodes éducatives et leurs résultats ?

… certains acteurs de l'Éducation nationale abandonnaient les postures idéologiques pour s'ouvrir aux discussions constructives avec leurs interlocuteurs ?

… la liberté était donnée aux enseignants d'expérimenter des méthodes adaptées à leur propre personnalité et à celle de leurs élèves ?

… les activités artistiques et sportives étaient davantage intégrées aux programmes d'enseignement ?

… les élèves participaient aux décisions de réformes dans leur établissement et à leur mise en place ?

… les frais d'inscription dans les universités (très inférieurs à la moyenne européenne[1]) étaient sensiblement augmentés pour réduire l'écart avec les «grandes écoles», financer leur fonctionnement et leur remise en état, motiver les élèves à travailler pour amortir l'investissement ?

… les frais d'inscription dans les grandes écoles étaient sensiblement réduits, afin de diminuer les écarts avec les universités et permettre aux étudiants de familles modestes d'y entrer ?

… l'université se rapprochait vraiment des entreprises pour effectuer des travaux de recherche susceptibles d'avoir des applications pratiques mesurables ?

… le mérite des enseignants et des élèves était officiellement mesuré et récompensé par des avantages financiers, des promotions ou des distinctions, leur permettant d'obtenir des rémunérations comparables à celles pratiquées dans d'autres pays ?

… les Français décidaient de passer moins de temps devant des écrans pour se divertir et plus pour se former ?

---

1. 184 € par an en 1er cycle hors bourses (256 € en 2e cycle), contre un maximum de 14 241 € en Hongrie, 11 600 € en Lituanie, 10 567 € au Royaume-Uni, et la gratuité en Allemagne et dans les pays scandinaves.

FAMILLE

Les Français placent depuis longtemps la **famille** en tête de leurs **valeurs** et de leurs raisons de vivre. Elle est à leurs yeux une «tribu» dans laquelle on peut trouver l'affection, la confiance, la cohésion, la protection et l'entraide nécessaires pour résister au monde tel qu'il est. Le **foyer**, qui en est le cocon, est au centre de leur vie quotidienne. Ils y trouvent le confort, le repos, la douceur qui leur manquent à l'extérieur, et ils y pratiquent des activités de plus en plus nombreuses.

La **vie de famille** a déjà beaucoup évolué au fil du temps. Les grands mouvements du monde qui s'annoncent devraient modifier encore sensiblement les modes de vie des **couples**, ceux des **enfants** ou des **personnes âgées**. L'ensemble des fonctions domestiques sera impacté par les changements en cours : alimentation, hygiène, entretien, communication, activités intérieures… Les **transports**, qui permettent de rejoindre ou quitter le foyer, seront eux aussi largement concernés par les innovations attendues.

N.B. La prospective n'est pas une science exacte (voir p. 9). C'est pourquoi des textes (en italiques), placés en dessous des descriptions de certaines tendances et prévisions, présentent des perspectives alternatives, dans le cas où un changement important se produirait dans le contexte et modifierait ces prévisions.

COUPLES

L'histoire du couple a connu en France de nombreuses évolutions (synthétisées dans l'encadré ci-après). Elles ont été les conséquences des changements qui ont affecté les **systèmes de valeurs**, les **mentalités** collectives, les **conditions de vie**, ou la **législation**. Bien que sensibles sur la **durée**, ces évolutions se sont produites généralement plus **lentement** que dans d'autres domaines (communication, santé, consommation, loisirs…), davantage touchés par les changements de nature **technique** ou **économique**.

On peut pourtant s'attendre d'ici **2030** à une **accélération** des transformations de la vie en couple, dans le cadre d'un changement global de société qui sera lui-même de plus en plus rapide. Mais il faut souligner que la prévision en la matière est particulièrement **malaisée**, car elle doit aussi faire des hypothèses d'évolution de la **psychologie** des individus et des couples, en réaction aux changements intervenant dans leur environnement. D'autant que les **mentalités** seront sans doute plus volatiles pendant les périodes de fortes transformations que nous allons connaître, avant de connaître une certaine stabilisation.

DES TENDANCES LOURDES QUI DEVRAIENT SE CONFIRMER

L'évolution récente de la vie en couple peut se résumer à quelques tendances fortes, qui se vérifient d'année en année[1] :

- **Le nombre de personnes vivant en couple diminue.** En 2017, 30 millions de Français vivaient en couple, contre 32 millions en 2010. La baisse concerne surtout les jeunes (18-24 ans).
- **La première vie en couple commence plus tôt** : vers 18 ans pour les femmes, 20 ans pour les hommes.
- **La cohabitation est plus tardive**, sauf pour les générations récentes (personnes nées entre 1978 et 1987).

---

1. Données INSEE. Une compilation graphique des principaux changements a été réalisée par *Les Décodeurs* du journal *Le Monde*, en février 2018.

29. Évolution de la composition des ménages français

	Nombre de ménages		
	1990	1999	2014 en %
Ménage composé uniquement			
d'un homme seul	10,1	12,4	14,9
d'une femme seule	16,9	18,4	20,0
d'un couple sans enfant	23,4	24,5	25,6
d'un couple avec enfants[1]	36,4	31,6	25,8
dont avec enfants de moins de 18 ans	*29,1*	*25,0*	*21,0*
d'une famille monoparentale	6,8	7,6	8,7
dont avec enfants de moins de 18 ans	*3,7*	*4,5*	*5,6*
Ménage complexe	6,4	5,5	4,9
dont avec enfants de moins de 18 ans	*2,0*	*1,7*	*1,2*
Ensemble (en milliers)	**21 942**	**24 332**	**100,0**

1. Une partie des couples avec enfants sont des familles recomposées :
un enfant au moins est né d'une union précédente de l'un des conjoints.
France hors Mayotte, population des ménages.
Les « enfants » sont pris en compte sans limite d'âge, les « enfants de moins de 18 ans » le sont en âge révolu.
« France hors Mayotte ».
INSEE, recensements de la population 1990 (sondage au quart), 1999 et 2004 (exploitations complémentaires).

- **Le mariage est lui aussi retardé** : environ 33 ans pour les hommes, 31 ans pour les femmes, contre 25 et 23 ans en 1970.
- **Le premier enfant naît de plus en plus tard** : l'âge médian est de 31 ans pour les hommes et 29 ans pour les femmes nés entre 1968 et 1987, contre 27 et 24 ans pour ceux nés entre 1948 et 1957.
- **La proportion d'enfants nés hors mariage a beaucoup progressé** : 60 % des naissances, contre 37 % en 1994.
- **La part des mariages mixtes et entre deux étrangers s'est sensiblement accrue** : respectivement 14 % et 4 % en 2015, contre 6 % et 2 % en 1980.

DES MOTIVATIONS ÉMOTIONNELLES ET RATIONNELLES

En simplifiant (et en faisant preuve d'un peu de cynisme...), on peut considérer que les deux ressorts principaux de la vie en couple sont l'**amour** (mélange d'affection, d'émotion et de plaisir d'être ensemble) et l'**intérêt** (volonté de partager les difficultés de la vie plutôt que les subir seul). La décision de vivre avec une autre personne est donc dictée à la fois par des éléments **irrationnels** (sentiments, besoin de se perpétuer en ayant des enfants et en les élevant avec amour...), et d'autres **rationnels** (avantages pratiques, matériels, financiers, psychologiques d'être à deux pour affronter les contraintes de la société...).

Les motivations **irrationnelles** ne devraient pas disparaître dans les années à venir. Les êtres humains éprouvent un **besoin** naturel d'aimer et d'être aimés, et l'on ne voit guère ce qui pourrait le supprimer, sauf à modifier la « nature humaine » (une perspective qui n'est pas impossible à terme, voir p. 132). Le transfert d'affection vers une **machine** présentant une similarité anthropologique (robot humanoïde, ou voix synthétique comme dans le film *Her*[1]) est envisageable de la part de certaines per-

_____
1. Le film raconte l'histoire d'un homme qui devient amoureux d'une intelligence artificielle.

sonnes, en rupture avec leurs semblables. Il pourrait constituer pour elles une alternative à la présence humaine. Les robots pourraient en effet être considérés par certains comme plus « faciles à vivre ». Les risques de désaccord seraient moindres, le robot étant supposé être toujours au **service** de son utilisateur. Cette attitude serait comparable à celle des personnes qui, par lassitude ou misanthropie, disent préférer la compagnie d'un **animal** à celle d'un humain.

Les motivations **rationnelles** devraient en tout cas jouer un rôle croissant dans la vie des couples, compte tenu de l'évolution **économique** anticipée (pouvoir d'achat stagnant ou en baisse, voir p. 51), des **impôts et charges** à payer (qui ne devraient guère diminuer) et des envies de **consommer**, au-delà **des** dépenses dites « contraintes »

(voir p. 326). Dans ce contexte, le fait de disposer de deux salaires (lorsque c'est le cas) et de partager un même logement et de nombreux biens d'équipement représente des avantages matériels non négligeables.

*On peut cependant imaginer à l'inverse que l'**utilité pratique** de vivre en couple sera moins évidente, dans la mesure où les décisions individuelles seront facilitées par des **machines intelligentes** et pourront même être prises par elles, évitant ainsi des discussions avec le partenaire qui sont parfois des sources de conflits. Les motivations « **rationnelles** » de la mise en couple seraient alors réduites, ce qui ferait baisser la proportion de couples dans la population.*

DU COUPLE FUSIONNEL AU COUPLE « FISSIONNEL »

En France comme dans beaucoup d'autres pays développés, l'avenir devrait être marqué par le développement de l'**autonomie** de l'individu (voir p. 133). Chacun des membres du couple sera ainsi amené à prendre en charge sa propre vie. Il y sera également poussé par la baisse des convictions **religieuses** (voir p. 231), parmi lesquelles l'idée que chaque vie est dirigée

MOINS DE DIVORCES, CAR MOINS DE MARIAGES…

30. Évolution du nombre de divorces en France, et du nombre de divorces pour 100 mariages dans quelques pays

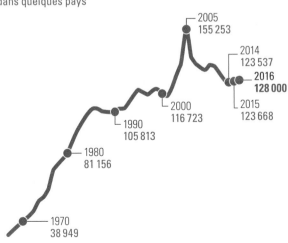

Portugal **72,2**
Belgique **61**
Espagne **57,9**
FRANCE **52,3**
Italie **42,4**
Royaume-Uni **41,7**
Allemagne **40,8**
États-Unis **38**

2005 155 253
2014 123 537
2016 128 000
2000 116 723
2015 123 668
1990 105 813
1980 81 156
1970 38 949

INSEE, Eurostat

par une «puissance extérieure». Si la vie n'est pas **«écrite»** quelque part, il devient nécessaire de l'écrire soi-même. *«Pour vous trouver, pensez par vous-même»* conseillait déjà Socrate. Mais les croyants considèrent que Dieu est en eux et qu'il peut donc dicter leurs pensées et leurs actes...

Ramené au couple, le sentiment croissant de **responsabilité personnelle** pourrait inciter chaque partenaire à penser d'abord à lui, plutôt qu'à l'autre. Le couple serait alors moins **«fusionnel»** ; il deviendrait au contraire **«fissionnel»**, c'est-à-dire capable d'exploser jusqu'à la rupture en cas de dysharmonie. Mais il serait en même temps **collaboratif**, chacun cherchant à accroître l'**efficacité** de son couple et sa durée de vie pour des raisons pratiques.

L'**autonomie** et l'**indépendance** de chaque partenaire devrait en tout cas être privilé-

En marche vers l'égalité des sexes

Si l'**égalité «totale»** entre les hommes et les femmes au sein du couple (comme au sein de la société) consiste à réaliser l'**indifférenciation** entre les sexes, elle ne sera probablement pas réalisée dans les prochaines années. Cela signifierait en effet que les femmes et les hommes seraient **«identiques»**, comme semblent le souhaiter certaines féministes radicales rêvant ainsi de la «fin de l'Histoire». On doit d'abord se demander si cette identité est **possible**, et ensuite si elle est **souhaitable**. Et l'on est plutôt amené à répondre **non** aux deux questions. D'abord parce que les sexes sont par **«nature»** (ou toute autre cause première) **différenciés**, ce qui leur confère en particulier la capacité à se reproduire, comme toute espèce vivante. Ces différences sont largement confirmées par les études menées en **biologie, physiologie** ou **psychologie**. Il faut aussi souligner le fait qu'elles ne permettent en aucune façon de **hiérarchiser** un sexe par rapport à l'autre.

Ce ne sont pas en réalité les **individus** des deux sexes qui doivent être **identiques**, mais leurs **droits**, dans tous les domaines de la vie : emploi, revenus, considération, statut professionnel et social... Malgré les progrès accomplis en la matière, de nombreux écarts restent à combler. Plusieurs évolutions en cours laissent penser qu'ils le seront dans les prochaines années. Elles concernent notamment la **technologie**. Les **robots domestiques** «intelligents» vont ainsi se multiplier au sein des foyers. Ils prendront en charge l'**entretien** du logement (robots aspirateurs, vitres autonettoyantes, voir p. 197). Ils feront également les **courses** (voir p. 319), la **cuisine**. Ils s'occuperont de la **gestion administrative** du foyer, et de bien d'autres tâches liées notamment à l'éducation des enfants. De sorte que les **femmes**, qui sont encore aujourd'hui davantage concernées que les hommes par ces **tâches**, en seront de plus en plus libérées pour en pratiquer d'autres.

Par ailleurs, l'**automatisation des tâches professionnelles** concernera davantage les femmes, à qui on proposera moins d'emplois peu qualifiés (ils seront occupés par des robots). Elles seront donc en compétition plus directe avec les hommes pour des fonctions plus gratifiantes et mieux rémunérées. D'autant qu'elles disposeront de **formations** et donc de **compétences** largement comparables. Il faut rappeler que les femmes sont déjà globalement **plus diplômées** que les hommes. Elles devraient en outre pouvoir suivre demain les mêmes **filières** qu'eux (notamment scientifiques) et donc se retrouver à égalité devant l'emploi.

Mais c'est surtout l'évolution des **mentalités masculines** qui permettra d'avancer vers la **parité** complète. Après avoir résisté pendant longtemps, les hommes seront obligés de convenir qu'il n'existe aucune **justification** rationnelle aux écarts de salaire (à poste et ancienneté égaux) entre les sexes. Ils se rendront compte que la **«mixité»** à tous les niveaux de la hiérarchie professionnelle des entreprises ou de n'importe quelle organisation (y compris l'État) est un **atout** pour prendre de meilleures décisions. Et que les réflexions et réunions «mixtes» sont plus enrichissantes et productives que celles qui ne comportent que des hommes.

VIVE LE COUPLE, LIBRE !

31. Évolution de la proportion de couples en union libre

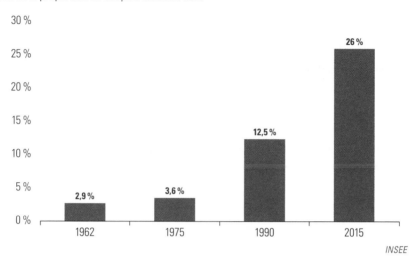

INSEE

giée demain par rapport à l'idée antérieure d'un couple vu comme une **entité globale**. Cette tendance sera favorisée par le fait que les **femmes** auront davantage l'envie, mais aussi la possibilité d'être **autonomes**.

Le couple sera cependant à l'image de la **société**. *Si celle-ci devait mettre en avant des valeurs de* **solidarité** *et de* **fraternité**, *l'individualisme diminuerait au sein du couple, qui pourrait redevenir* **fusionnel**. *Dans le couple comme dans la société, le* «**nous**» *reprendrait alors le dessus sur le* «**je**».

UN MOINDRE ENGAGEMENT PERSONNEL

Depuis le milieu des années **1960**, la vie de couple n'est plus centrée uniquement sur le **mariage**. Celui-ci a été progressivement complété, ou précédé, par l'**union libre**, puis par le **Pacs** (Pacte civil de solidarité, créé en 1999). L'importance croissante de la **vie personnelle** (voir encadré ci-dessous) et le refus des **contraintes** liées à la vie de couple devraient se confirmer dans les années à venir, notamment en matière administrative.

Contrairement au mariage, le **Pacs** n'est pas une «union» mais un **contrat**. Cela

présente pour ceux qui le choisissent plusieurs avantages, en tout cas moins de contraintes. Il peut être **dissous** facilement, par simple déclaration au greffe. Il permet à l'un des deux partenaires de bénéficier de la **protection sociale** de l'autre. Enfin, il n'implique pas un **devoir de secours** entre les partenaires. Les «**âmes**» (au sens laïque ou religieux) liées par le Pacs peuvent être «**sœurs**» mais elles ne sont pas «**jumelles**» comme elles peuvent l'être (en théorie) dans le mariage. Il est donc au total moins «**engageant**» et plus conforme au rythme de la vie «moderne», qui impose de faire des **choix successifs**, **révisables** à tout moment en fonction des circonstances.

Le nombre de **Pacs** devrait ainsi continuer de s'accroître. Il avait atteint 190 000 en 2016 et devrait rejoindre celui des mariages (235 000 en 2016) vers **2020**, puis le dépasser. Cela dépendra de la façon dont il sera de nouveau amendé, modernisé sur les plans financier et juridique[1], jusqu'à offrir à chaque partenaire des **protections**

1. La dernière modification en date a été apportée le 1er novembre 2017, avec l'enregistrement des Pacs en mairie (et non plus au tribunal d'instance), devant un officier d'état-civil.

Une brève histoire du couple

L'histoire du couple reflète et illustre celle de la société. Le XVIIIe siècle avait reconnu l'importance du **sentiment amoureux** dans l'union. La Révolution avait rendu possible la désunion par le **divorce** (le consentement mutuel sans recours au juge fut admis en 1792). Le couple et ses enfants furent considérés comme une même **entité** à la fin du XIXe. Mai 1968 a favorisé de nouveaux modes de vie en couple, notamment **l'union libre**. Le divorce par **consentement mutuel** (1975) ou le **Pacs** (1999) ont été d'autres étapes importantes de l'évolution des modes de vie en couple vers plus de **diversité**.

La dernière évolution en date a été le **« mariage pour tous »**, voté en 2015 au terme de très vifs débats au sein de la société et de nombreuses manifestations. Il permet à des personnes de même sexe de se marier **civilement**. Les discussions portent aujourd'hui sur l'accès à la **PMA** (procréation médicalement assistée, ou assistance médicale à la procréation, appellation préférée par certains médecins) des couples de **femmes homosexuelles**, et la légalisation de la **GPA** (gestion pour le compte d'autrui). D'autres débats auront lieu dans les prochaines années. Ils porteront par exemple sur le **transfert d'embryons après la mort du conjoint** ou les nouvelles possibilités offertes par les biotechnologies ou l'édition du génome (voir p. 136).

La disparition progressive du **modèle unique** de vie en couple est la conséquence du changement des mentalités. Le **mariage** n'est plus socialement considéré comme « obligatoire », pas plus que le fait d'avoir des **enfants**. L'homme ne doit pas être nécessairement plus **âgé** que la femme, ni gagner plus d'**argent** qu'elle. Le **divorce** est accepté depuis longtemps, même lorsque le couple a des enfants. Il est également admis que des femmes puissent **avoir et élever seules** des enfants si elles le souhaitent, même si la présence des deux parents est considérée comme préférable. La diversité des **parcours familiaux** est de plus en plus fréquente ; elle est considérée comme « normale » par les jeunes générations, à défaut d'être « souhaitable ».

Cette **mobilité** familiale n'est que l'une des illustrations d'un **« zapping »** généralisé. Dans la vie professionnelle, les actifs sont et seront amenés à changer plus fréquemment d'emploi, de secteur d'activité, de fonction, de région ou même de pays (voir p. 277). En matière de **consommation**, les Français sont et seront de plus en plus des « caméléons », éclectiques et opportunistes, capables de modifier leurs comportements d'achat au gré de leurs humeurs, des informations qu'ils reçoivent et des offres qui leur sont faites (voir p. 329). Les activités de **loisirs** sont et seront elles aussi marquées par des pratiques d'essai, d'abandon et de changement de plus en plus fréquentes (voir p. 347). La relation aux **autres** (famille, amis, relations…) en sera encore bouleversée, avec des appartenances et des « branchements » éphémères sur des groupes ou communautés (voir p. 244).

À cette **instabilité** de l'environnement socio-économique se sont ajoutés des changements majeurs : évolution de **la condition féminine** ; allongement de l'**espérance de vie** ; volonté de réussir sa vie de **couple** sans délaisser sa vie **personnelle**. Autant de facteurs qui expliquent les transformations spectaculaires observées en matière de mise en couple, de séparation, de multiplicité des modèles familiaux. Cette diversité devrait s'accroître à l'avenir, entraînant des **« accidents de parcours »** encore plus nombreux. Mais elle ne devrait pas remettre en cause le fort attachement des Français à la **famille**.

PLUS DE PACS QUE DE MARIAGES

32. Évolution du nombre de mariages et de Pacs

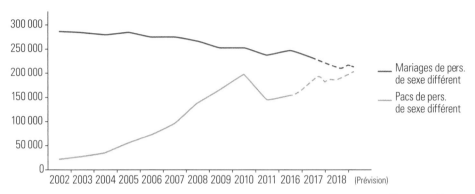

France hors Mayotte
INSEE

identiques à celles du mariage (notamment en matière de **transmission** de patrimoine, d'adoption ou d'acquisition de la **nationalité française**[1]), tout en échappant à ses **contraintes** administratives ou morales.

Le mariage traditionnel ne reviendrait en force que si les conditions extérieures apparaissaient plus difficiles à assumer seul, en cas par exemple de crise grave (économique, écologique, politique, géopolitique…) ou de forte dégradation de la vie collective (absence de système de valeurs partagé, conflits sociaux…), des « accidents » qui ne sont évidemment pas improbables.

UNE COHABITATION MOINS FRÉQUENTE

La mise en couple n'implique pas que les deux partenaires habitent dans le même **logement**. Beaucoup n'ont certes pas le choix, pour des raisons **matérielles** ; la location ou achat de deux logements et leur entretien sont coûteux et impliquent des dépenses supplémentaires de transport. Mais ceux qui en ont les moyens sont plus nombreux que par le passé à choisir la **décohabitation**. Chacun réside au moins partiellement dans son propre logement, et retrouve son compagnon le reste du temps. Une façon de concilier le besoin de **vie personnelle** et ses avantages, exacerbés par les offres multiples d'activités, de loisirs, de développement personnel, et les bénéfices de la vie à deux (affection, partage, sécurité, projets…). La proportion de couples « **décohabitants** » était de 10 % parmi ceux vivant en **union libre** en 2016 (qui représentaient 20 % de la population).

Ce mode de vie, qui alterne le « **je** » et le « **nous** », devrait plutôt se **stabiliser** dans les prochaines années. Il pourrait être notamment contraint par des raisons professionnelles (mutation de l'un des membres du couple l'obligeant à déménager, l'autre souhaitant conserver son emploi). Mais la possibilité croissante de **télétravailler** devrait réduire cette contrainte (voir p. 277). De plus, la baisse possible des revenus rendrait plus difficile cette décohabitation.

On devrait voir par ailleurs se développer la cohabitation de couples et familles dans un même lieu (individuel ou collectif), pour des raisons financières et/ou relationnelles.

---

1. Les personnes pacsées ne sont pas automatiquement héritières l'une de l'autre. L'adoption est individuelle ; elle ne confère l'autorité parentale qu'à un seul membre du couple. Un partenaire étranger ne pourra pas obtenir automatiquement la nationalité de l'autre, le Pacs ne pouvant lui servir que comme élément d'appréciation en sa faveur pour la délivrance de la carte de séjour.

LA TENTATION DU «POLYAMOUR»

Le **trio** amoureux n'est pas une nouveauté, mais il concernait jusqu'ici les couples mariés traditionnels dont l'un des membres se montrait durablement **infidèle**. L'avenir pourrait voir émerger une conception différente de la vie amoureuse, baptisée «polyamour». Elle consiste à vivre plusieurs liaisons **simultanées** et «officielles» au sens où elles ne sont pas cachées à l'ensemble des personnes concernées, qui sont *a priori* d'accord avec ce mode de vie. Le polyamour n'est donc pas «**exclusif**» (pratiqué par l'un ou les deux partenaires d'un couple avec une seule autre personne) mais «**inclusif**» (pratiqué éventuellement par **chacun** des protagonistes, avec une ou plusieurs autres personnes). Il ne s'agit plus alors seulement de **couples**, au sens restrictif, mais de personnes partageant totalement ou partiellement la vie de plusieurs autres.

Selon ses adeptes ou ses zélateurs, cette «innovation» (en fait une officialisation et élargissement de pratiques existantes mais le plus souvent cachées) se justifierait par une raison d'ordre philosophique : il ne serait pas «**naturel**» de n'aimer qu'une seule personne à la fois. L'amour pourrait être **partagé** avec plus d'un partenaire, sans perdre pour autant de sa **sincérité** et de son **intensité**. Ce serait donc la **civilisation** (et les usages qu'elle établit) qui aurait empêché l'expression de l'amour pluriel inhérent à notre espèce.

Le polyamour serait aussi une façon d'éviter la **monotonie**, mais aussi la frustration, le mensonge et les rancœurs. Il permettrait à ses pratiquants de tester en permanence leur pouvoir de séduction, de se sentir libres et de rester jeunes plus longtemps. On observera que ce point de vue existe depuis longtemps dans des pays où la **polygamie** est légale et largement pratiquée. Mais elle ne concerne que les **hommes**, qui seuls peuvent disposer librement de plusieurs épouses, réunies ou non au sein d'un harem. La **polyandrie** (une femme mariée avec plusieurs hommes ou, en élargissant le concept, vivant librement avec eux) pourrait de la même façon se développer, ne serait-ce que pour respecter l'égalité entre les sexes.

L'idée de cette union **libre** au sens le plus fort était déjà présente au début du XIXe siècle chez l'utopiste français Charles Fourier[1]. Sa mise en application d'ici **2030**

UN TIERS DE BEAUTÉ, DEUX TIERS DE PERSONNALITÉ

33. Critère de choix le plus important d'un(e) partenaire (2017, en %)

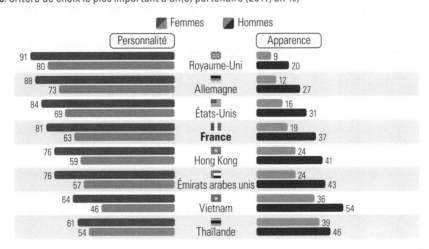

	Personnalité		Apparence	
	Femmes	Hommes	Femmes	Hommes
Royaume-Uni	91	80	9	20
Allemagne	88	73	12	27
États-Unis	84	69	16	31
France	81	63	19	37
Hong Kong	76	59	24	41
Émirats arabes unis	76	57	24	43
Vietnam	64	46	36	54
Thaïlande	61	54	39	46

Yougov

1. Elle est exprimée dans *Le Nouveau Monde amoureux*, rédigé en 1816 (republié chez Stock en 1999).

Qui se ressemble s'assemble

Comme bien d'autres moments de la vie, les rencontres amoureuses (ou de simple «confort», si l'amour n'est pas au rendez-vous) seront de plus en plus **numérisées.** Elles pourraient même être plus souvent organisées sur **Internet** que dans le monde «**réel**». Les offres des sites spécialisés seront par ailleurs de plus en plus «**segmentées**», avec la promesse de faciliter des rencontres entre des personnes ayant des **caractéristiques semblables,** grâce à des algorithmes performants. Plus que jamais, ceux qui **s'assembleront** se **ressembleront**, considérant que c'est la façon la plus sûre de trouver une harmonie au sein d'un couple.

L'**homogamie**, propension (très ancienne) à rechercher un conjoint dans le groupe social auquel on appartient, devrait ainsi s'accroître encore. Elle s'appuiera sur des critères tels que le «**niveau social**», mais aussi les préférences **culturelles**, **religieuses** ou **politiques**, ou simplement les pratiques de **loisirs**. Son contraire, l'**hétérogamie** (ou **mixité sociale**) serait ainsi l'exception, compte tenu des difficultés qu'elle est supposée impliquer, du fait des différences culturelles, au sens le plus large. On observe cependant que les critères de sélection du partenaire diffèrent selon le sexe : à la question «*à choisir, préférez-vous être en couple avec quelqu'un…* », 62 % des femmes choisissent la proposition «*… de très **cultivé*** », contre seulement 38 % des hommes, 21 % indiquent un autre critère : «*… qui sait très bien **faire l'amour*** » (contre 42 % des hommes). 12 % cochent la case : «*… de très **beau*** » (contre 8 % des hommes).

8 % enfin avouent leur préférence matérielle en cochant «*… de très **riche*** » (contre 9 % des hommes[1]). L'étude ne permet pas cependant de mesurer le niveau de **sincérité** des réponses.

Pour faciliter ces «rencontres» entre profils semblables, les sites de rencontre et autres intermédiaires spécialisés exploiteront des **bases de données** (mines d'or inépuisables) constituées à partir des informations détaillées fournies par les personnes inscrites. Elles seront complétées par d'autres éléments, regroupant les multiples **traces** laissées par chaque personne dans sa vie courante : actes de consommation ; textes, photos ou vidéos postés ou relayés sur les forums, blogs, réseaux sociaux. Ils feront ensuite travailler leurs ordinateurs pour identifier les personnes ayant des attitudes, comportements, opinions, valeurs, expériences, attentes, craintes… semblables.

La recherche (sur Internet ou dans la vie réelle) d'un compagnon ayant des caractéristiques **complémentaires**, voire **contraires** (hétérogamie) restera ainsi très minoritaire. À l'exception sans doute de l'**âge :** des hommes d'âge mûr chercheront plutôt des femmes plus jeunes, et réciproquement. Quant au niveau de **revenu**, les personnes financièrement peu aisées chercheront plutôt des partenaires qui le sont davantage (l'idéal étant que les deux disposent de revenus confortables, ce qui réduira le champ des possibles). Ces attentes pourront d'ailleurs se compenser, dans le cadre d'un «échange» de type «**jeunesse contre richesse**» ou l'inverse.

1. Sondage *L'Éléphant*/Ifop, décembre 2017.

---

témoignerait de la volonté de casser l'ensemble des **codes** sociaux et civilisationnels, à l'image de la révolution scientifique et technique. Elle marquerait ainsi une évolution importante de la «morale» collective. Ce serait une **disruption** sociale.

UNE SEXUALITÉ PLUS ÉGALITAIRE…

Les études fiables en la matière, et surtout récentes, sont rares. La plus complète

remonte en effet à 2006[1]. Elle faisait notamment apparaître une sexualité plus **égali-**

1. La plus récente et complète est *Contexte de la sexualité en France*, dirigée par Nathalie Bazos et Michel Bozon en 2006, sous l'égide de l'INSERM (Institut national de la santé et de la recherche médicale), de l'INED (Institut national des études démographiques), du CNRS (Centre national de la recherche scientifique) et de l'INVS (Institut de veille sanitaire), à l'initiative de l'ANRS (Agence nationale de recherche sur le sida et les hépatites virales).

taire, avec des femmes plus actives et des hommes prenant davantage en compte les désirs de leurs partenaires. L'**orgasme** était considéré comme une norme pour les deux sexes (90 % des hommes et 76 % des femmes déclaraient l'avoir atteint lors de leur dernier rapport). Les pratiques de **cunnilingus** et de **fellation** étaient devenues courantes pour tous, au contraire de la **masturbation** (90 % des hommes disaient l'avoir déjà pratiquée, contre 60 % des femmes).

Les hommes continuaient de déclarer en moyenne beaucoup plus de **partenaires** au cours de leur vie que les femmes (11,6 contre 4,4). Un écart plus difficile à expliquer mathématiquement que psychologiquement (surreprésentation de soi masculine et modestie ou objectivité féminine…). Cet écart apparaissait cependant un peu en diminution dans les générations récentes, comme l'indique un sondage de 2014 comptabilisant 13,1 partenaires pour les hommes et 6,9 pour les femmes[1]. On sait par ailleurs que le premier **baiser** se produit plus tôt (vers 14 ans) dans les générations actuelles, de même que la première relation sexuelle (vers 17,5 ans), mais la tendance semble être à la **stabilisation**. L'installation en couple avec le premier partenaire sexuel rencontré est également moins fréquente : 38 % des femmes et 23 % des hommes nés en 1980, contre respectivement 77 % et 41 % de ceux nés en 1950.

… PLUTÔT EN DIMINUTION DEPUIS QUELQUES ANNÉES…

On assisterait depuis quelques années à une **baisse de l'activité sexuelle**. La fréquence des **rapports sexuels** indiquée par l'étude de 2006 était de 8,7 par mois (soit 2,0 par semaine), identique pour les hommes et les femmes, alors que le sondage le plus récent disponible (2014[2]) indiquait seulement 1,7. Cette baisse est confirmée par une étude sérieuse, mais réalisée sur des couples **britanniques** (qui n'est donc pas obligatoi-

rement transposable à la France), auprès de personnes de 16 à 64 ans. Le nombre moyen de **rapports sexuels**, qui était de **6 par mois en 1990**, serait ainsi passé à **4 en 2000**, puis à **3 en 2010**[3]. Selon des analystes, la poursuite de cette tendance aboutirait à une quasi-**absence** de rapports sexuels en **2030**. Une telle évolution mettrait en cause les prévisions démographiques et modifierait le sens de la vie…

Cette baisse du **désir** sexuel pourrait s'expliquer notamment par l'accroissement des alternatives à cette «pratique de loisir». En témoigne le **temps** passé par les Français devant des écrans (voir p. 345), y compris dans leur chambre. Au point que 41 % d'entre eux disent préférer se priver de **sexe** pendant une semaine que de leur **téléphone portable**[4]. Il pourrait s'y ajouter les effets de la **pollution**, du **stress** et de la **fatigue** professionnelle. On pourrait ainsi rapprocher cette baisse de celle observée sur la **fertilité** des couples, tant chez l'homme que chez la femme (voir p. 177).

… MAIS QUI POURRAIT ÊTRE ARTIFICIELLEMENT AUGMENTÉE À L'AVENIR

Dans un futur assez proche, des développements technologiques permettront de **stimuler** le désir et la sexualité, par une représentation à la fois plus **fidèle** (même si elle est **virtuelle**) et améliorée de la «réa-

1. Sondage *Marianne*/Ifop, mai 2014.
2. Ibid.

3. Étude menée auprès de 15 000 Britanniques âgés de 16 à 74 ans, publiée dans la revue *The Lancet* en novembre 2013.
4. *Observatoire des pratiques numériques des Français* Bouygues/CSA Link, juillet 2017.

lité ». Elle fera pour cela appel à la très haute définition, la 3D, l'holographie, les capteurs sensoriels, les stimulations électriques du cerveau, etc. Des **sites** spécialisés proposeront de satisfaire les besoins des individus (ou de les ranimer) et d'aider les couples à faire l'amour d'une façon plus fréquente et plus diversifiée. Des *coachs*, des **MOOCs** (voir p. 275) leur expliqueront comment « **optimiser** » leurs rapports sexuels, voire assouvir certains fantasmes.

On pourrait ainsi assister à la naissance d'une sexualité totalement **dématérialisée**, dans laquelle les corps ne se toucheraient pas, ou seulement par le truchement de **capteurs** numériques transmettant des sensations de **toucher**, d'**odorat** et de **goût**. Elles compléteraient celles de la **vision** et de l'**ouïe**, déjà accessibles avec les équipements audiovisuels classiques. Ces techniques rendraient possibles des rapports sexuels **à distance** entre des humains. Des **robots** spécialement conçus pourraient également jouer le rôle de partenaires *in situ*. Un sondage réalisé aux États-Unis indique que 16 % des Américains seraient prêts à faire l'amour avec un robot si c'était possible (65 % non, 19 % hésitent)[1]. Si c'était le cas, 32 % se sentiraient trompés par leur partenaire (36 % des femmes et 29 % des hommes). Un sondage identique en **France** pourrait donner des résultats comparables, mais avec peut-être un décalage dans le temps.

L'allongement de la **durée de la vie** devrait aussi s'accompagner d'un allongement au moins égal de la **durée de vie sexuelle**, grâce à ces stimulants, complétés si nécessaire par des **aides chimiques**. Les technologies médicales (biotechs, nanotechs...) réduiront en outre les inconvénients du **vieillissement** dans ce domaine, comme dans d'autres. La perspective d'une fin de vie sans sexualité serait alors repoussée.

*L'accroissement de la sexualité dans les couples par des moyens virtuels n'est cependant pas acquis. Certains d'entre eux pourraient **rejeter** ces artifices et rechercher au contraire des relations plus authentiques et romantiques. Leur objectif serait alors de retrouver une sexualité « naturelle », quitte à ce que cette dernière soit moins active et durable.*

DAVANTAGE DE COUPLES HOMOSEXUELS...

Il est difficile de mesurer en France le nombre de personnes **homosexuelles**. Soit parce que les études en la matière ne sont pas autorisées par la *Loi informatique et liberté*, et doivent recevoir l'accord de la CNIL[2] (sauf exceptions), soit parce que les **déclarations** des personnes interrogées ne sont pas forcément sincères. La plus récente enquête disponible fait état d'une proportion d'environ **4 %**, beaucoup plus fréquente chez les hommes (7 %) que chez les femmes (1 %)[3]. Par ailleurs, 3 % des Français se disent **bisexuels**. La proportion (telle que mesurée) pourrait croître dans les prochaines années, pour plusieurs raisons liées au contexte sociétal prévisible :

- Une **acceptation** de plus en plus large de l'homosexualité, renforçant la sincérité des réponses aux enquêtes.
- Des **expériences** plus faciles et fréquentes, notamment pour les **jeunes**, permettant une prise de conscience plus précoce de leur homosexualité, lorsqu'elle existe.
- Un **contexte culturel** favorisant des pratiques **différentes**, par curiosité ou par défi, ou dans le but de mieux se connaître.

... OU BISEXUELS

Pour les mêmes raisons, la **bisexualité** devrait également être plus fréquente. Selon des sources diverses, on peut estimer que le nombre de personnes vivant en **couple homosexuel** était proche de 300 000 en **2017**. Ils étaient en moyenne plus **jeunes** que les couples hétérosexuels, avec un âge médian (qui sépare en deux

---

1. Sondage Yougov, septembre 2017.

2. Commission nationale de l'informatique et des libertés, créée en 1978.
3. Enquête Ifop pour le magazine *Marianne*, juillet 2014.

parties égales leur population) un peu inférieur à 40 ans, contre 48 ans pour les autres couples. À âge comparable, ils étaient également plus **diplômés** que les autres, et surtout plus **urbains** : les trois quarts d'entre eux vivaient dans de grands pôles urbains, contre seulement un peu plus de la moitié pour les autres couples. Près d'un couple homosexuel sur trois résidait en **Île-de-France** (30 %) contre 17 % des couples hétérosexuels.

En 2016, 3 % des **mariages** célébrés ont concerné des couples **homosexuels**, autorisés depuis seulement 2013 (année du «mariage pour tous»), au terme d'une fracturation de la société française. Cette proportion pourrait elle aussi **s'accroître**, au fur et à mesure que cette pratique se banalisera dans l'opinion. On devrait aussi observer une augmentation de la **part des couples homosexuels** dans l'ensemble des **couples pacsés**, qui sera lui-même croissant (voir p. 167).

DES UNIONS MOINS SOLIDES ET DURABLES

Le contexte **démographique** et **sociétal** n'incitera pas les couples à rester aussi longtemps unis que par le passé. L'allongement de l'**espérance de vie** augmentera mécaniquement leur durée potentielle, même si la mise en couple commence de plus en plus tard. Cette longévité accrue pourra provoquer une **usure** du désir et du plaisir d'être ensemble, d'autant que les incitations permanentes au *zapping* seront de plus en plus nombreuses, ainsi que les injonctions à «profiter de la vie». Il en serait alors de même du désir **sexuel**, qui tend généralement à s'émousser au fil du temps. La «**sexualité virtuelle**» constituerait alors une solution de remplacement plus ou moins satisfaisante (voir ci-dessous). Le **veuvage**, qui concernera toujours en priorité les femmes, constituera par ailleurs une obligation de mettre fin au couple.

Au total, les situations de **solitude** pourraient être plus nombreuses, même si elles ne s'accompagnent pas obligatoirement d'un sentiment d'**ennui**, compte tenu de la multiplication des activités de substitution aux relations humaines traditionnelles qui seront proposées. La solitude pourra aussi être comblée par l'usage généralisé, et à tout âge, des **sites de rencontres** et de recherche de partenaires. Les **réseaux sociaux** joueront aussi un rôle de mise en relation, dans la mesure où ils proposeront davantage que des listes d'«**amis**» au sens actuel du terme, très restreint aujourd'hui (voir p. 244). L'ensemble de ces pratiques devrait en tout cas accroître le nombre moyen de **vies en couple** (plus ou moins éphémères) pour une personne au cours de sa vie entière.

*On assisterait à la tendance inverse si les difficultés et l'instabilité du monde extérieur incitaient à créer un pôle de **stabilité** pour y faire face, rendant le couple plus **durable**.*

DES VIES SENTIMENTALES SUCCESSIVES

La **vie sentimentale** sera constituée demain, plus encore qu'aujourd'hui, d'une succession de rencontres, vies communes, séparations (temporaires ou définitives), divorces, retrouvailles éventuelles et remariages tout au long de la vie, y compris à des âges avancés. La proportion de **mariages** pourrait continuer de diminuer afin de maintenir le sentiment de liberté individuelle. Mais le mariage, lorsqu'il aurait lieu, pourrait être davantage «**réfléchi**». Il se produirait alors encore plus **tardivement** qu'aujourd'hui.

L'**âge moyen** au premier mariage, qui est actuellement de 33 ans pour les hommes et 31 ans pour les femmes, pourrait ainsi atteindre 35 ans pour les hommes et 33 ans pour les femmes en **2030**, surtout si l'espérance de vie s'allongeait fortement. Le nombre de **divorces**, en légère baisse depuis quelques années après avoir beaucoup augmenté dans les décennies précédentes, devrait continuer mécaniquement de **reculer**, du fait de la réduction du nombre de couples mariés.

Les modèles de vie de famille, déjà largement diversifiés depuis des décennies, le seraient donc encore davantage demain, dans le sens d'une **personnalisation** croissante, pas toujours compatible avec la vie de couple. Plus que jamais, le défi pour les partenaires sera d'être heureux **ensemble et séparément**. Un défi difficile à relever, qui pourrait se traduire par des ruptures plus fréquentes[1].

ENFANTS

Selon les plus récentes projections de l'INSEE (2016), la France compterait environ 71 millions d'habitants en 2030 (y compris l'outre-mer, avec Mayotte, voir p. 28). La répartition de la population serait sensiblement différente : **23 %** seraient âgés de **moins de 20 ans**, **47 %** de **20 à 59 ans** et **30 %** auraient **60 ans et plus**. La génération des **jeunes** serait alors largement moins nombreuse que celle des « **seniors** ». Cette évolution déjà engagée sera notamment la conséquence de la baisse des **naissances** et du **vieillissement** de la population. Elle pourrait cependant être en partie modifiée par les mouvements **migratoires** (voir p. 30).

Ce changement de composition de la société aura des conséquences sur les **modes de vie** de chacune des générations, et sur les relations qu'elles auront entre elles, que ce soit au sein de la famille ou de la société.

*Les changements qui devraient affecter trois catégories de population particulières, **enfants**, **jeunes et seniors**, en principe « **inactives** », sont évoqués successivement dans ce chapitre. Les modes de vie des autres générations, supposées **actives** (entre 20 et 60 ans), sont traités dans le chapitre* Travail *(p. 255).*

UNE FÉCONDITÉ EN BAISSE

Le **taux de fécondité**[2] des Françaises pourrait se stabiliser autour de **1,9** enfant par femme d'ici **2030** (il était de 1,93 en 2017). Il ne suffira donc pas à **renouveler les générations** à l'identique (il faudrait pour cela qu'il atteigne 2,1 enfants par femme). Le **taux de remplacement**[3] de la population serait ainsi inférieur à 90 %. Il serait encore inférieur si l'**espérance de vie** progressait de façon plus forte que prévu. Il faut donc s'attendre à une baisse du **nombre moyen d'enfants** par couple, sauf situation économique meilleure qu'anticipé. Malgré tout, la France resterait l'un des pays d'Europe les plus **prolifiques**, ce qui lui permettrait de continuer à accroître sa population sans trop augmenter son **âge moyen**. Mais sans pouvoir contrebalancer les effets du vieillissement.

*Ces spéculations font cependant abstraction des phénomènes de **migrations**, qui devraient être de plus en plus importants d'ici 2030 (voir p. 30), et sans doute plus encore au-delà, du fait de changements **climatiques** encore plus marqués. Or, ces migrations entraînent généralement un **rajeunissement** de la population dans les pays d'accueil. C'est ainsi que la plupart des pays situés à l'est de l'Union européenne, dont les taux de fécondité actuels sont compris entre 1,3 et 1,5 (par ordre croissant : Roumanie, Pologne, Slovénie, Slovaquie, Grèce, Hongrie, Italie, Allemagne), pourraient être amenés à lutter contre la baisse prévisible de leurs populations, si elles décidaient d'accueillir des migrants en nombres importants. La France, dont les habitants ne sont guère*

---

1. Un mathématicien de l'université du Washington (Seattle, États-Unis) a établi une équation capable selon lui de prédire à 100 % si les membres d'un couple vont se séparer. Il a pour cela transformé en paramètres chiffrés les expressions faciales, les gestes et les commentaires de dizaines de couples invités à discuter de sujets « sensibles », comme l'argent ou le sexe. Il a ensuite défini des formules mathématiques décrivant des caractéristiques de la relation conjugale, comme l'influence de l'humeur de l'un des partenaires sur celle de l'autre.

2. Le taux de fécondité à un âge donné (ou pour une tranche d'âge) est le nombre d'enfants nés vivants des femmes de cet âge au cours de l'année, rapporté à la population moyenne de l'année des femmes de même âge (INSEE).
3. Remplacement nombre pour nombre des générations en âge de procréer par les générations naissantes (INED).
Une génération assure son remplacement si le nombre de filles dans la génération des enfants est égal au nombre de femmes dans la génération des parents.

UNE FÉCONDITÉ ENCORE FORTE, MAIS EN BAISSE

34. Évolution du taux de fécondité depuis 1995 (en nombre d'enfants par femme)

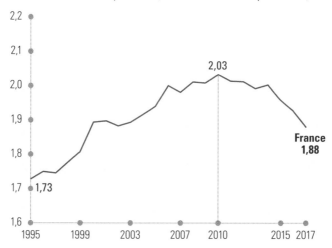

INSEE, Eurostat

tentés aujourd'hui d'ouvrir largement leurs portes aux étrangers (voir p. 245), le serait sans doute moins que ces pays à l'horizon 2030, compte tenu de sa situation démographique moins défavorable.

LE PREMIER ENFANT DE PLUS EN PLUS TARDIF

L'âge moyen des femmes à la naissance du **premier enfant** s'est sensiblement accru depuis le dernier quart du xxᵉ siècle, passant de **24 ans en 1974** à près de **30 ans en 2018**. Mais il faut se souvenir qu'il avait au contraire **diminué d'un an entre 1910 et 1974** (de 25 ans à 24 ans). Il devrait continuer d'augmenter dans les prochaines années, notamment pour les trois raisons suivantes :
- Une **mise en couple** de plus en plus tardive.
- Une efficacité accrue des méthodes de **procréation médicalement assistée** (PMA[1]).
- Un accroissement de l'**espérance de vie**,

qui décalera plus encore le «calendrier des naissances», avec à la fois des premières et des dernières naissances plus tardives, qui pourraient être en outre rendues plus faciles à (long) terme par des changements d'ordre **physiologique**.

L'âge moyen des **femmes** à leur premier accouchement pourrait ainsi passer de **30 ans en 2017** à **32 ans en 2030**, celui des **hommes de 33,4 ans à 35 ans**, en fonction de l'allongement de la durée de vie et des nouveaux recours légaux à la **PMA**[2]. La situation de la fécondité dépendra aussi pour certains couples de l'autorisation ou du maintien de l'interdiction de la **GPA** (gestation pour le compte d'autrui, plus familièrement baptisée «mère porteuse»).

On observera que cette évolution va dans le sens contraire de l'âge au **premier rapport sexuel**, qui lui a diminué : 17,6 ans pour les femmes, 17,2 ans pour les hommes dans les années 2000, soit environ **deux**

---

1. La PMA comporte deux techniques : insémination artificielle (introduction artificielle de sperme du conjoint ou d'un donneur) dans le col de l'utérus ou dans la cavité utérine de la femme pour obtenir la fécondation d'un ovule ; fécondation *in vitro* (FIV) consistant à recueillir des ovules et des spermatozoïdes, à procéder à une fécondation artificielle puis à introduire un ou

plusieurs des embryons obtenus dans l'utérus de la femme.
2. La procréation médicalement assistée aux couples d'homosexuelles et aux femmes seules a reçu un avis favorable du Comité consultatif national d'éthique en juin 2017.

ans de moins qu'en 1950[1]. Cette précocité est sans doute la conséquence de changements dans les **mœurs** (initiés ou concrétisés dans la foulée de Mai 1968). Elle a été aussi rendue possible par l'avancement de l'âge de la **puberté**, pour les deux sexes. En France, celui-ci aurait baissé en moyenne de **deux mois par décennie** entre le milieu du xixe siècle et celui du xxe siècle. L'âge de l'apparition des premières règles en France est aujourd'hui de 12,6 ans.

UNE BAISSE CONTINUE DE LA FERTILITÉ...

Dans un nombre croissant de couples, la volonté d'avoir des enfants se heurte à l'impossibilité **physiologique** d'en avoir. La fertilité est en effet en **diminution** pour les deux sexes. Au point que la part des couples **infertiles** représente environ **un quart après une année de tentatives**. Les gynécologues estiment que 15 % des couples qui consultent le font pour des raisons d'infertilité, une proportion en augmentation régulière. Cela explique le recours croissant à l'**aide médicale à la procréation** (PMA) qui représente actuellement environ 70 000 tentatives par an. Le taux de réussite des **FIV** (fécondations *in vitro*) est estimé entre 20 et 24 % par cycle[2] ; au total, 41 % des couples ayant eu recours à une FIV ont un bébé et les trois quarts des grossesses issues de cette technique aboutissent à une naissance. Près d'un quart d'entre elles (22 %) sont **gémellaires** (naissance de jumeaux).

Les **causes** avancées pour expliquer l'infertilité croissante des **femmes** sont de plusieurs natures : obstruction des trompes empêchant l'accès des spermatozoïdes à l'ovocyte ; troubles de l'ovulation ; âge de plus en plus tardif au moment du projet de procréation ; effets délétères du tabac, du stress, de la malnutrition. Mais la fertilité **masculine** est également en cause : la qualité et la quantité du **sperme** déclinent depuis des années, avec une diminution de

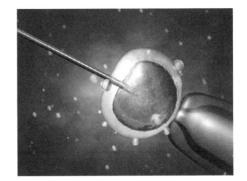

la teneur en spermatozoïdes de 1,9 % par an entre 1989 et 2005, soit un tiers au total[3]. La chute du taux de **testostérone** est une autre raison avancée.

... PROBABLEMENT AGGRAVÉE PAR DES FACTEURS ENVIRONNEMENTAUX

Ces causes d'infertilité risquent de se développer encore dans les prochaines années, et rendre plus aléatoire la procréation des couples. D'autant que la baisse constatée a très probablement des causes **environnementales**, en particulier les **pollutions** d'origine industrielle et agricole. Des substances comme le bisphénol A ou les phtalates (omniprésents dans les peintures, déodorants, matières plastiques, etc.) sont ainsi fortement suspectées.

De nombreux autres **perturbateurs endocriniens**[4] sont mis en cause : parabènes, pesticides, distribène, dioxines, etc. Ils sont présents notamment dans les produits d'hygiène-beauté et d'entretien, ainsi que dans les techniques de production agricole. Il faut y ajouter des «**métaux lourds**» comme le plomb, le mercure ou le cadmium, qui finissent par se déverser dans les océans et être ingérés par les poissons, c'est-à-dire *in fine* par les humains. Les recherches en la matière avancent plus vite que la législa-

1. Étude INSERM.
2. Agence de biomédecine.

3. Étude réalisée dans 126 centres de PMA en France métropolitaine, portant sur 26 609 hommes ayant donné leur sperme en vue d'une fécondation *in vitro*.
4. Substances chimiques extérieures à l'organisme pouvant interférer avec le système endocrinien et avoir des effets délétères sur son fonctionnement.

tion sanitaire, à l'échelle nationale ou européenne, compte tenu du poids des **lobbies** existants.

Sauf effort considérable (et efficace) en matière de restauration de l'**environnement**, on peut donc s'attendre d'ici **2030** à un taux d'infertilité élevé dans les couples. Il pourra cependant être au moins partiellement **compensé** par les techniques de procréation nouvelles.

BIENTÔT DES BÉBÉS « À LA CARTE »...

Comme dans les films et les ouvrages de science-fiction, les couples pourraient avoir un jour des bébés « sur-mesure ». Plusieurs méthodes sont principalement envisagées par les chercheurs pour y parvenir[1]. Le « **tri génétique** » permettrait de sélectionner les embryons à l'aide d'un diagnostic préimplantatoire détectant des anomalies éventuelles, dont la liste risque de s'allonger avec les progrès des recherches génétiques. Mais l'application du « principe de précaution » pourrait s'accompagner de pratiques plus discutables, avec la sélection par les parents de caractéristiques des bébés à naître, proposées sur catalogue (dans les pays où ce sera légal), ou de manière plus officieuse dans ceux qui l'interdisent.

La sélection pourra être « **artisanale** », avec le tri des donneurs de gamètes. Ainsi, en Californie, le *Fertility Institute*, qui se présente comme le « *leader mondial dans la sélection du genre* » propose de choisir le **sexe** de son futur enfant, ainsi que la **couleur de ses yeux**. Au Danemark, la banque de sperme *Cryos* stocke dans des cuves des dizaines de milliers d'échantillons, et propose à ses clients un « **catalogue** » permettant de choisir leur futur bébé parmi une liste de donneurs aux caractéristiques précises : taille, poids, origine ethnique, ou même « quotient émotionnel ».

... ET DES RISQUES DE DÉRIVE

Le tri des embryons pourrait aussi s'effectuer en théorie en fonction de leur futur **QI** (quotient intellectuel). Dès 1982, une banque de « *spermes de génies* » avait été créée en Californie dans ce but, mais elle avait fermé en 1999, faute d'un nombre suffisant de donneurs. Elle a été à l'origine de la naissance de 220 bébés. Une telle pratique fait d'abord l'hypothèse que les gènes (ou combinaisons de gènes) caractérisant le « génie » peuvent être identifiés. C'est-à-dire que ce que nous appelons « intelligence » serait **inné**, **héréditaire**, plutôt qu'**acquis**, comme résultat de l'éducation (familiale, scolaire...) et de l'expérience de la vie de chacun. Aucune étude ne permet de l'affirmer aujourd'hui[2], et les découvertes récentes en matière d'**épigénétique** vont dans le sens contraire (voir p. 506). Et, même si un lien était mesuré, cette pratique **eugéniste** serait moralement condamnable, compte tenu des inégalités qu'elle impliquerait, et des souvenirs douloureux qu'elle raviverait.

L'usage généralisé des *Big Data* dans ce domaine permettra peut-être demain d'établir des corrélations entre le génome et certaines caractéristiques physiques, intellectuelles, mentales, peut-être « morales ». Des laboratoires et des entreprises s'efforceront à coup sûr d'en tirer **profit**. Ils mettront d'abord en avant des promesses auxquelles les parents seront immanquablement sensibles : éviter des risques de maladie à leurs enfants à naître, mieux prendre en charge les prématurés, etc. L'**ectogénèse** (ou utérus artificiel[3]) pourrait aussi un jour éviter aux femmes d'avoir à porter elles-mêmes leurs enfants, comme le propose aujourd'hui la

---

1. Voir à ce propos l'ouvrage de Jean-François Bouvet, *Mutants (À quoi ressemblerons-nous demain ?)*, Flammarion, 2014.

2. Une étude récente portant sur les personnes nées aux États-Unis du « *sperme de génie* » dans les années 1980 et 1990 a montré qu'ils ont une vie plutôt comparable à celle des individus nés de parents « normaux ».

3. Méthode de procréation d'un être humain permettant le développement de l'embryon et du fœtus dans un utérus artificiel, assurant les diverses fonctions de l'utérus humain (nutrition, excrétion, etc.).

Les techno-bébés du futur

Les progrès des sciences biologiques pourraient bien surprendre dans les prochaines années, en rendant possibles des naissances **« contre nature »**, au sens où la nature ne pourrait les produire seule :

- **Des bébés sans père biologique.** Le procédé nécessite un **ovocyte** (d'origine féminine), et un **spermatozoïde** issu de cellules souches féminines (de peau par exemple) qui sont **dédifférenciées**, c'est-à-dire aptes à donner tous les types de cellules, y compris des spermatozoïdes. Ces derniers peuvent alors féconder l'ovocyte et former un **embryon**. Il faut noter que le bébé qui en sera issu ne pourra être qu'une **fille**, car son génome ne contiendra pas le chromosome masculin nécessaire (**Y**), absent des cellules de l'embryon, qui seront toutes féminines.

- **Des bébés à cinq parents.** La **GPA** (gestion pour autrui) implique la participation (au maximum) d'un père et d'une mère **génétiques** (pour concevoir l'embryon), de deux parents **adoptifs** qui ne sont pas les concepteurs (et peuvent être de sexe différent ou identique), ainsi que d'une **mère porteuse** qui transformera l'embryon en bébé et le confiera ensuite à ses parents adoptifs.

- **Des bébés nés dans un utérus greffé ou artificiel.** Des greffes d'utérus ont déjà été pratiquées, sur des femmes qui en étaient dépourvues à la naissance, ou qui en étaient privées à la suite d'un cancer ou d'un accident. Ces greffes pourraient être utilisées pour aider des **homosexuels** ou des **transsexuels** à avoir une grossesse. Certains verront dans cette technique un facteur d'**égalité** entre hommes et femmes, chacun des deux sexes pouvant alors porter un enfant. D'autres y verront une **transgression** inacceptable des « lois de nature ». Il est également possible d'envisager l'utilisation d'un utérus totalement **artificiel** pour concevoir un bébé **hors du ventre de sa mère**.

La **science** sera ainsi en mesure non seulement d'**aider** la **nature,** mais aussi de la **remplacer**. Cela ne manquera pas d'alimenter les débats au cours des prochaines années. Il faut cependant observer que la substitution existe déjà dans de nombreux cas, reconnus et autorisés par la législation de nombreux pays : IVG ; mariage homosexuel ; PMA ; GPA. Certains ajouteront l'accouchement par **césarienne**, de plus en plus pratiqué dans le monde développé, par nécessité ou sécurité, parfois par confort des femmes, voire dans le but d'optimiser la gestion des maternités. Sa part dans les accouchements est passée de 5 % en 1970 à plus de 50 % dans certaines régions du monde. Elle est de 21 % en France.

GPA[1] dans les pays (nombreux) où elle est autorisée. Des chercheurs s'orientent aussi vers la production d'**ovules** à partir de **cellules souches**.

Il paraît ensuite très probable que des « apprentis sorciers » proposeront aux parents de doter leurs enfants des meilleurs « atouts » pour réussir leur vie : un physique avenant, des capacités intellectuelles et/ou physiques supérieures. Le « hasard » (ou la « nature ») n'aura alors plus sa place dans la procréation. Certains argumenteront précisément que ces pratiques pourraient réduire les **inégalités** à la naissance, qui sont réelles et trop peu souvent prises en compte. Mais d'autres, sans doute majoritaires, répliqueront qu'elles **ajouteront** au contraire des inégalités, car tous les parents ne disposeront pas de la possibilité (notamment financière) d'offrir à leurs enfants ces « qualités ». Beaucoup préféreront aussi avoir des enfants qui leur ressemblent plutôt que des êtres « standardisés », qui perdraient ainsi une part de leur **identité** et de leur **humanité**.

---

1. Gestion pour autrui, familièrement appelée « mère porteuse ».

UN NOMBRE CROISSANT DE FAMILLES MONOPARENTALES

Les familles comptant un seul parent et un ou plusieurs enfants à charge représentent aujourd'hui quasiment **2 millions** de personnes (1,8 million en 2015)[1]. Leur part n'a cessé d'augmenter depuis des décennies, passant de 9,4 % en 1975 à 24 % en 2016. Elles sont composées dans 82 % des cas **d'une mère avec son ou ses enfants** à charge : 1,6 en moyenne, soit au total 3,5 millions d'enfants. Selon des estimations de l'Ined, entre un quart et un tiers des femmes connaissent au moins une fois une situation de monoparentalité au cours de leur vie.

Cette situation s'accompagne souvent de **difficultés** morales et matérielles. Plus d'un tiers de ces familles (35 %) dispose de revenus inférieurs au **seuil de pauvreté**[2], contre 12 % des personnes vivant en couple. Après **redistribution**, 20 % des familles monoparentales sont considérées comme pauvres, contre 7 % de celles comportant des couples avec enfants. Seules les allocations familiales et celles concernant le logement évitent à une partie des familles monoparentales de vivre dans un extrême dénuement.

L'accroissement prévisible du nombre de **ruptures** au sein des couples dans les années à venir (voir p. 174) augmentera mécaniquement celui des personnes vivant seules, dont beaucoup auront des enfants à charge. Mais ces situations seront le plus souvent **temporaires**. Leur durée moyenne, qui est aujourd'hui proche de 4 ans (contre 5,5 ans en 2011), pourrait encore se réduire. Il devrait en effet être plus facile de **reformer un couple** avant le départ des enfants du domicile familial, grâce aux possibilités de rencontres via Internet (voir p. 171). Le délai devrait rester plus court pour les **pères** concernés que pour les mères, les femmes acceptant plus facilement de s'occuper d'enfants qui ne sont pas les leurs. Comme aujourd'hui, les personnes les moins **diplômées** seront celles qui éprouveront le plus de difficultés.

MOINS DE FAMILLES NOMBREUSES

En 2011 (derniers chiffres connus), 16,5 % des familles comportaient au moins **trois enfants mineurs** au domicile (définition de la «**famille nombreuse**»), soit 1,3 million sur les 8 millions de familles existantes. La **diminution** régulière de cette proportion (18 % en 1999), devrait se poursuivre en même temps que les raisons de désirer une famille nombreuse continueront de s'estomper :

- Le souhait général d'avoir **à la fois une fille et un garçon** pourra être plus facilement exaucé avec deux enfants dont on pourra choisir le sexe, de sorte qu'il ne sera pas nécessaire de faire d'autres tentatives.
- Les **enfants uniques** souffrent moins aujourd'hui de l'être, dans un contexte social plus individualiste, et ils hésiteront moins à avoir eux-mêmes un seul enfant lorsqu'ils seront en couple.
- Les **membres d'une fratrie nombreuse** seront moins nombreux, compte tenu des difficultés pratiques d'élever plus de deux enfants et ils ne seront pas incités à créer eux-mêmes des familles nombreuses.
- La recherche d'une **réalisation personnelle** sera de moins en moins satisfaite par le simple fait d'avoir des enfants et de projeter sur eux les ambitions que l'on n'a pu réaliser pour soi-même.

---

1. Données INSEE issues du recensement de la population. Ménages comptant au moins un enfant de moins de 25 ans.
2. Fixé à 60 % du revenu médian des ménages. Chiffres 2015.

Cher troisième enfant

La question du **coût** de l'éducation des enfants jouera sans doute à l'avenir un rôle déterminant sur leur nombre, dans un contexte **économique** qui s'annonce assez peu dynamique. La relation entre les contraintes financières et le nombre d'enfants est illustrée par le fait que 45 % des **enfants pauvres** vivent aujourd'hui dans des **familles nombreuses**, dont le niveau de vie est très inférieur à celui des autres familles. Leur **taux de pauvreté**[1] atteint ainsi 21 %, contre 13 % en moyenne nationale[2].

Le coût supplémentaire représenté par le **troisième enfant** par rapport au deuxième est élevé et non linéaire. Il représente **2,5 fois celui du passage de un à deux enfants**. Il implique en effet des dépenses non proportionnelles telles que le changement de **logement** ou de **voiture**. L'écart **de niveau de vie** moyen entre une famille **sans enfant** et une famille en comportant **trois** est ainsi estimé à 7 000 euros par an. De plus, les revenus des familles nombreuses sont amputés pendant une période plus longue de ceux de la mère, contrainte de rester plus longtemps au foyer. Seules 36 % des mères **travaillent** juste après la naissance du troisième enfant, contre 69 % après le premier.

1. Proportion de la population concernée disposant d'un revenu inférieur à 60 % du revenu médian de l'ensemble de la population (INSEE).
2. Source INSEE.

JEUNES

LES JEUNES MOINS NOMBREUX

Au 1er janvier 2018, la proportion des jeunes âgés de **moins de 20 ans** était de **24,4 %**, soit un quart de la population française. Elle a diminué de 10 points depuis 1901 (34,3 %), au profit des personnes de **60 ans et plus**, qui sont plus nombreuses que les jeunes depuis 2016 (voir ci-après). Cette situation s'explique par la forte progression de l'**espérance de vie** (voir p. 36), ainsi que par la diminution du nombre des naissances entre 1965 et 1995, qui s'est de nouveau produite en 2017.

Si les tendances démographiques observées jusqu'ici se maintiennent, la **diminution** de la part des jeunes de moins de 20 ans devrait se poursuivre, à un rythme modéré, d'ici **2030**, jusqu'à **23 %**. Cette baisse relative du nombre de jeunes concernera aussi l'ensemble de l'**Union européenne**. Elle sera même davantage marquée dans la plupart des pays-membres qu'en France, du fait de leur taux de natalité plus faible (notamment en Italie et en Allemagne) : 1,58 en moyenne contre 1,95 en France.

ADOLESCENTS PLUS TÔT...

Depuis plusieurs décennies, on observe que les enfants mûrissent plus vite et entrent plus rapidement dans l'**adolescence**. Ce mouvement est favorisé par un environnement familial plus ouvert, qui autorise une plus grande **autonomie**. L'éducation des enfants est en effet généralement plus **libérale** que celle qu'ont reçue leurs parents. Cette précocité est largement liée à l'**environnement social**, avec notamment l'accès aux **médias** et l'usage des **équipements numériques** de communication (téléphone portable, tablette, ordinateur...) tous connectés à Internet, et notamment aux **réseaux sociaux** auxquels les jeunes sont très nombreux à adhérer (voir p. 369). À la maison, le téléviseur et le réfrigérateur sont souvent en libre-service, surtout lorsque les deux parents travaillent.

Aujourd'hui, la **préadolescence** se situe entre **9 et 11 ans**. Elle marque le début du processus d'autonomie au sein du foyer et à l'extérieur. À cet âge, les enfants s'intéressent à la musique, au sport, au cinéma, et cherchent à s'initier au monde des adultes. Ils se rendent seuls à l'école, reçoivent et dépensent de l'argent, participent aux décisions quotidiennes du ménage. À partir de

11 ans, l'entrée dans le **secondaire** marque un tournant.

Cette **précocité** de l'adolescence devrait continuer de s'**accroître** à l'avenir, car les enfants auront accès aux mêmes informations que les adultes, et seront encore plus tentés de «jouer aux grands», à l'école, en famille ou à l'extérieur. La multiplication des **équipements numériques** et des **écrans** (voir p. 354) contribuera largement à cette émancipation. Si elle réduit la période de développement de l'enfant (dont les pédiatres mesureront les conséquences éventuelles), elle favorise aussi le passage à l'**autonomie** nécessaire à l'adulte (voir p. 133).

... MAIS ADULTES PLUS TARD

La période de l'adolescence est ainsi placée sous le double signe du développement de la **personnalité** et de l'intégration au **groupe** (réel ou virtuel). On observe un **transfert** continu des modes de vie et des aspirations vers ceux de la tranche d'âge située au-dessus. Les 8-12 ans ont des comportements qui cherchent à ressembler à ceux des 12-15 ans de la génération qui précède. Les jeunes **filles** veulent s'habiller comme des femmes.

Mais ce désir de **vieillir** ne dure pas. Si l'adolescence arrive plus tôt, l'entrée dans la vie **adulte** est au contraire plus **tardive**. Entre 15 et 19 ans, l'accès au monde des adultes est en principe amorcé, avec une **stabilisation** des pratiques et des préférences. Mais l'âge officiel de la majorité (18 ans) ne correspond pas à celui de l'entrée dans le monde du **travail** et de l'**autonomie économique**. Celle-ci est retardée par la durée des études supérieures, et par la difficulté de trouver un premier emploi.

L'adolescence devrait se **prolonger** encore dans les années qui viennent, car les études seront encore plus longues, afin d'acquérir à la fois une culture générale et une «**employabilité**» (voir p. 148). Ce processus sera laborieux ; il sera souvent découpé en plusieurs phases d'**apprentissage**, de **travail**

LES VALEURS N'ATTENDENT PAS LE NOMBRE DES ANNÉES

35. Hiérarchie des valeurs des jeunes (15-22 ans, en %)

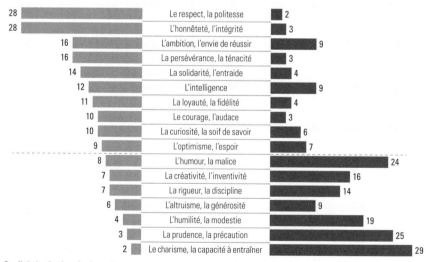

	Qualités jugées les plus importantes par les personnes interrogées		Qualités jugées les moins importantes
28	Le respect, la politesse		2
28	L'honnêteté, l'intégrité		3
16	L'ambition, l'envie de réussir		9
16	La persévérance, la ténacité		3
14	La solidarité, l'entraide		4
12	L'intelligence		9
11	La loyauté, la fidélité		4
10	Le courage, l'audace		3
10	La curiosité, la soif de savoir		6
9	L'optimisme, l'espoir		7
8	L'humour, la malice		24
7	La créativité, l'inventivité		16
7	La rigueur, la discipline		14
6	L'altruisme, la générosité		9
4	L'humilité, la modestie		19
3	La prudence, la précaution		25
2	Le charisme, la capacité à entraîner		29

Question posée : « Quelle est selon vous la qualité la plus importante ? »
Association Moteur/IFOP, juin 2017

Millenials : génération *Alter Ego*

Plus encore que ceux d'aujourd'hui, les jeunes de demain seront divers, multidimensionnels, zappeurs. Leur **instabilité** apparente sera d'abord liée à l'**hétérogénéité** de cette tranche d'âge, qui rassemble des individus ayant des situations personnelles très différentes. Elle sera aussi une réponse à la **complexité** et à la mobilité du monde et de la société. Surtout, elle constituera un mode d'**apprentissage** et de **développement** personnel.

Cette génération pourrait ainsi être baptisée ***Alter Ego***. *Ego*, d'abord, dans la mesure où la quête **identitaire** sera prioritaire. Mais aussi *Alter*, car guidée par le besoin de ne pas être seul, d'appartenir à des groupes permettant de s'intégrer progressivement dans la société. *Alter*, aussi, dans la mesure où les moins de 20 ans seront **« altermondialistes »** par nature et par nécessité. C'est à eux que reviendra en effet la tâche considérable de construire un **« autre monde »**, plus enthousiasmant, plus juste, plus durable que celui qu'ils auront reçu en héritage.

Ces jeunes seront aussi des **« alterconsommateurs »**, à la recherche d'un équilibre acceptable (et durable) entre le matériel et l'immatériel, le rationnel et l'irrationnel, le temporel et le spirituel. Enfin, ils seront **altruistes**, au sens où ils se sentiront concernés par les autres, qu'ils feront preuve à leur égard de **tolérance**, de **curiosité** et, jusqu'à un certain point, de **solidarité**.

Les jeunes portent aujourd'hui un regard **pessimiste**, **sévère** et parfois **cynique** sur la société. Mais ils sont **réalistes** et **pragmatiques**. Il ne faut donc pas désespérer d'eux et les accuser d'être superficiels, instables ou paresseux. Ils n'ont pas demandé à naître dans un monde où les **menaces** se sont accumulées : environnementales, économiques, financières, terroristes, démographiques, sociales, politiques, technologiques, etc. Ils vont devoir s'efforcer de **réconcilier** l'individuel et le collectif, le local et le global, l'accessoire et l'essentiel, le présent et l'avenir, choses que n'ont pas réussi à faire leurs **aînés**. Il faudra au contraire les **encourager** et les **aider** pour qu'ils y parviennent.

et d'inactivité. D'où des **allers-retours** nombreux au domicile des **parents**.

LE GROUPE, ÉLÉMENT FORT DE STRUCTURATION

L'univers des **adolescents** est largement influencé par leur appartenance à des «tribus». Ces groupes se fondent sur quatre centres d'intérêt principaux : **mode** ; **musique** ; **sport** ; **vidéo-cinéma**. Leurs membres s'identifient et se reconnaissent dans les **activités** qu'ils pratiquent et dans les **personnages** qu'ils choisissent comme modèles ou héros. Ils ont leurs **médias** favoris (magazines, émissions de radio ou de télévision, vidéos sur Internet). L'appartenance au groupe implique l'usage de certains **codes**, le partage de genres musicaux, le port de vêtements, accessoires et marques plébiscités par le groupe. Elle est souvent associée à une **gestuelle** (démarche, gestes communautaires d'identification), un **voca-**bulaire et une **façon de parler**. Ces différents éléments sont à la fois le résultat d'un **mimétisme** et d'une volonté de signifier une **appartenance**.

Ce processus de **structuration** de la personnalité ne devrait pas être bouleversé à l'avenir. Mais il pourrait être **accéléré** dans le temps (voir ci-dessus) et surtout plus **diversifié**. Les **types et les motifs d'appartenance** changeraient ainsi plus souvent pendant la période d'adolescence, afin de suivre des **modes** successives et d'afficher sa **personnalité**, si possible en entraînant des amis et d'autres congénères dans sa propre évolution.

La plupart des jeunes auront une approche **pragmatique** de la vie ; ils piocheront dans les différents courants de la «modernité» ce qui les intéresse à titre personnel, ce qui est susceptible de leur permettre d'affirmer leur identité ou leur différence. En attendant de se **lasser** et de renouveler leurs propres références. On pourrait aussi observer une désaffection pour les groupes «**réels**» (constitués de personnes avec lesquelles on a des activités communes dans la «vraie vie») au profit des **réseaux sociaux**.

Cette dernière perspective dépendra de l'évolution des réseaux sociaux eux-mêmes, notamment de leur capacité à servir de plates-formes médiatrices pour des jeunes. Ceux-ci pourraient en effet refuser et sanctionner la récupération et l'utilisation de leurs données personnelles, et rechercher des moyens plus anonymes d'échanger sur leur vie intime (voir p. 317).

SENIORS

DAVANTAGE DE SENIORS QUE DE JEUNES

Au 1er janvier **2018**, les personnes âgées d'**au moins 60 ans** représentaient plus d'un quart de la population **(25,6 %)**. Leur part a progressé de 5 points en vingt ans (20,4 % en 1998[1]). Elle a **doublé** depuis 1901 (12,7 %)[2]. Les personnes âgées de **75 ans ou plus** représentent près d'un habitant sur dix **(9,2 %)**, soit une hausse de 2 points en vingt ans. Elle a presque **quadruplé** depuis **1901** (2,5 %). La proportion de **seniors** a ainsi dépassé celle des **moins de 20 ans** depuis **2016**.

Ce **vieillissement** s'explique par les progrès continus et spectaculaires de l'espérance de vie (voir p. 36), ainsi que par la **diminution du nombre des naissances entre 1965 et 1995**, dans un contexte d'immigration limitée. Il a connu une nouvelle accélération à partir de 2006, avec l'arrivée à 60 ans des premiers enfants du baby-boom, nés en 1946 et il s'est poursuivi depuis.

Si les tendances démographiques observées jusqu'ici se maintiennent, la France

comptera **29,6 %** de seniors de **60 ans et plus** en 2030 ; **12,2 %** des Français auront **au moins 75 ans**[3]. Ces proportions pourraient même être supérieures si la baisse de **fécondité** amorcée en 2017 se confirmait ou s'amplifiait (voir p. 175). Cette forte augmentation, qui paraît inéluctable (sauf catastrophe sanitaire ou autre), correspond à l'arrivée dans cette classe d'âges de toutes les générations issues du baby-boom. Elle sera particulièrement marquée dans les prochaines années, jusqu'en **2040** ; elle continuera ensuite à progresser, mais plus modérément.

Le **vieillissement** de la population s'observe aussi dans l'ensemble de l'**Union européenne**. La proportion des **65 ans ou plus** (seuil adopté en Europe, tenant compte d'un âge légal de la retraite plus élevé qu'en France) y est passée en moyenne de 16,8 % à 19,2 % entre 2006 et 2016. Le pays où la part des seniors était la plus élevée était l'Italie (22,0 %), suivie par la Grèce et l'Allemagne. Le pays où elle était la plus faible était l'Irlande (13,2 %), derrière le Luxembourg et la Slovaquie. La proportion était de 19,6 % en **France**.

UNE DÉFINITION FLOUE DU «SENIORAT»

L'importance numérique des **seniors** dépend de la définition qu'on en donne, c'est-à-dire de l'**âge** à partir duquel une personne entre dans le «club du troisième âge». En complément de l'**âge civil** (réel), il faudrait d'abord distinguer l'âge «**physiologique**» (état objectif de vieillissement du corps d'une personne par rapport à la moyenne à cet âge), ainsi que l'âge «**psychologique**» (celui que les personnes se donnent à elles-mêmes, qui est généralement inférieur à l'âge civil, avec un écart grandissant en même temps que l'âge réel).

C'est le plus souvent le seuil de **60 ans** qui est utilisé en France. Mais la véritable **césure** (sociologique, psychologique

1. Les chiffres correspondent à la population de la France hors Mayotte jusqu'en 2013 et incluent Mayotte à partir de 2014.
2. Les chiffres de 1901 correspondent à la population de France métropolitaine hors Bas-Rhin, Haut-Rhin et Moselle.

3. Projections de population de l'INSEE (2013).

30 % DE SENIORS EN 2030

36. Évolution de la part des moins de 20 ans et des 60 ans et plus depuis 1960 et projections jusqu'en 2060 (en %)

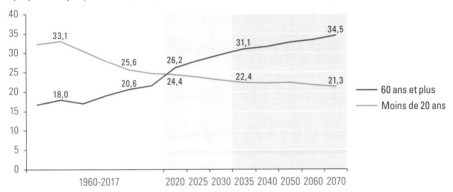

60 ans et plus
Moins de 20 ans

INSEE, scénario central des projections de population 1913-2070

et comportementale) correspond à l'âge de la **cessation d'activité professionnelle**, qui se produit en moyenne vers **62 ans**. La France compte ainsi au total quelque **17 millions** de seniors. Ils forment une population **hétérogène** en fonction de leur âge, de leur état de santé (les incapacités apparaissent plutôt au-delà de 75 ans), de leurs ressources financières et de leurs «vies antérieures». Compte tenu d'un différentiel d'espérance de vie entre les sexes encore proche de 6 ans, la population se **féminise** au fur et à mesure du vieillissement. À partir de 75 ans, les femmes sont deux fois plus nombreuses que les hommes. Et les **veuves** sont cinq fois plus nombreuses que les veufs, du fait de la **différence d'âge au mariage**, qui accroît les écarts en fin de vie.

17 MILLIONS DE CONSOMMATEURS

Pourtant, le «seniorat» commence bien avant dans l'esprit des entreprises, des publicitaires, des professionnels du marketing et des médias. Après la «**ménagère de moins de 50 ans**», c'est la **femme de 50 ans et plus** qui prend le relais, d'autant qu'elle reste généralement à cet âge et au-delà une «**bonne consommatrice**». Quel que soit le seuil utilisé, le **poids démographique** des «seniors» explique l'**attention** dont ils sont l'objet. Cet intérêt devrait s'accroître encore dans les années à venir, en proportion de l'évolution **démographique** prévue, de l'amélioration de l'état de **santé** attendu, et de l'envie de consommer intacte des seniors, même si elle évolue comme pour le reste de la population.

Aujourd'hui, **quatre générations** cohabitent de plus en plus souvent à un même moment dans la société française. Les enfants qui naissent auront, eux, de fortes chances de connaître **sept générations au cours de leur vie**, une situation tout à fait inédite dans l'histoire de la société (jusqu'au début du XXe siècle, on ne comptait le plus souvent que deux générations dans les familles).

Un chiffre symbolise à lui seul l'évolution démographique et sociétale intervenue depuis la seconde moitié du XXe siècle : la

Espérance de vie, expérience de vie

En même temps que le poids **démographique** des aînés va s'accroître, leur poids **économique** va progresser. Il se manifestera par l'importance de leurs dépenses de **consommation**, la diversification de leurs **activités**, leur intérêt grandissant pour les biens d'équipements **technologiques** et autres objets à venir.

L'augmentation prévisible de leur **espérance de vie** devrait s'accompagner chez eux d'une volonté d'accroître leur **« expérience de vie »**. La plupart des nouveaux seniors partageront un même objectif : *« profiter de la vie »* (voir p. 224). Outre l'envie, ils en auront le temps, et beaucoup disposeront des moyens financiers suffisants, même si les pensions ne progressent pas autant qu'ils le souhaiteraient. Le **niveau de vie** des retraités devrait en effet rester légèrement plus élevé que celui des actifs (p. 289). Leurs dépenses de **logement** seront généralement moins élevées du fait qu'ils en seront plus fréquemment **propriétaires** et qu'ils auront fini de rembourser leurs crédits immobiliers. Enfin, leurs **patrimoines** resteront en moyenne sensiblement supérieurs à ceux des plus jeunes et ils pourront le **mobiliser** en partie pour compléter leurs revenus.

Cette situation devrait permettre à la majorité des seniors de pratiquer des activités nombreuses et diverses : **manuelles** (jardinage, bricolage), **sportives**, **culturelles**, etc. Pour ceux qui pourront se le permettre, le **voyage** occupera une place importante, avec une tendance à des départs multiples au cours de l'année, des séjours souvent courts et des décisions plus tardives, en fonction des envies et des opportunités. La **bi-résidentialité** (deux lieux de vie utilisés à des périodes différentes au long de l'année, ou même de la semaine) pourra aussi se développer, en même temps que les rencontres **familiales** et la participation à des **associations**. Le **troisième âge** sera ainsi pour les seniors une **seconde vie**, riche en activités tant que leur santé le permettra.

durée moyenne de la retraite avait doublé **entre 1950 et 2000** : l'âge légal de la retraite était alors de 65 ans, et l'espérance de vie à cet âge était de 13,4 ans pour une femme et 10,4 ans pour un homme. Aujourd'hui, l'espérance de vie moyenne à l'âge moyen de cessation d'activité réelle (61 ans et 10 mois pour l'ensemble des nouveaux retraités) est d'environ **26 ans pour les femmes** et **21 ans pour les hommes**[1].

DES TENSIONS POSSIBLES ENTRE LES GÉNÉRATIONS...

Les relations entre les **générations** détermineront le climat social des prochaines années. Les risques de **tension** sont de plusieurs natures. D'abord, on peut prévoir que la pénétration et l'utilisation des nouvelles **technologies** seront très différentes entre les modes de vie des jeunes (notamment des *Millenials*, voir encadré ci-dessus) et ceux des seniors. Parmi ces derniers, les retraités récents seront comme c'est généralement le cas plus sensibles à la **« modernité »** que les plus âgés. Mais de nombreuses technologies auront une vocation **utilitaire** (robots compagnons), **sanitaire** (médecine personnalisée, participative, préventive, prédictive, voir p. 134) ou **récréative** (réalité virtuelle), qui ne pourra laisser les plus âgés indifférents. Par ailleurs, les technologies devraient être plus **« transparentes »** et moins **anxiogènes** pour les non-initiés.

Un autre facteur de tension, plus important, pourrait être lié au **travail** et aux **revenus**. Les retraités pourraient être amenés à rechercher des **activités rémunérées** pour compléter leurs revenus. **L'âge de départ à la retraite** devrait aussi être **retardé**, de façon à équilibrer les finances des caisses de retraite. Enfin, les retraités, qui disposent en moyenne d'un **revenu net légèrement plus élevé**

---

1. En 2016, pour les personnes résidant en France (INSEE). L'âge moyen de cessation d'activité était de 62 ans et 1 mois pour les femmes et 61 ans et 6 mois pour les hommes. L'espérance de vie à 60 ans prise en compte était de 27,6 ans pour une femme et 23,2 ans pour un homme.

LES ÂGES DE LA VIE

37. Âge médian aux différentes étapes de la vie d'adulte selon les générations
(France métropolitaine, personnes âgées de 25 à 65 ans en 2013, en années)

	Génération 1948-1957		Génération 1958-1967		Génération 1968-1977		Génération 1978-1988	
	Femmes	Hommes	Femmes	Hommes	Femmes	Hommes	Femmes	Hommes
Fin des études	16,5	16,8	17,8	17,5	19,3	19,2	19,8	19,7
Premier travail	17,3	16,8	18,6	17,7	20,0	19,3	19,9	19,6
Première relation amoureuse importante	19,0	21,0	18,9	21,2	18,8	20,8	18,4	20,2
Premier départ du foyer parental	19,5	21,0	19,5	20,8	20,1	21,5	19,6	20,9
Première cohabitation	21,4	23,5	21,9	24,5	22,7	25,4	22,5	24,9
Premier enfant[1]	23,8	27,0	26,6	29,8	28,2	31,5	///	///

1. L'âge médian n'est pas renseigné pour la génération 1978-1988 car plus de la moitié
des personnes n'ont pas encore d'enfant au moment de l'enquête.
50 % des hommes nés entre 1968 et 1977 ont eu leur premier enfant avant 31,5 ans.
INED-INSEE, Épic, 2013-2014

que les actifs (environ 3 %), risquent de se montrer réticents à l'idée de voir leurs pensions baisser (comme on l'a vu en 2018 avec la hausse de la **CSG**, non compensée pour les retraités au-delà d'un certain montant de pension). La France est pourtant, avec le Luxembourg, le seul pays de l'OCDE où les revenus moyens des personnes de 65 ans et plus sont supérieurs à ceux de l'ensemble de la population ; ils sont en moyenne inférieurs de 12 % dans les autres pays[1]. Ils les perçoivent en outre pendant plus longtemps qu'ailleurs, compte tenu de la durée plus longue de leur temps de retraite.

... MAIS SANS DOUTE PAS DE «GUERRE DES ÂGES»

La relation entre les générations risque d'être d'autant plus tendue que les revenus des **actifs** pourraient diminuer (voir p. 51) et que le **ratio de dépendance** tendrait vers **un actif pour un inactif** à l'horizon **2040**, contre deux pour un actuellement. Les jeunes devraient ainsi supporter par leur travail (s'ils en ont un) la charge croissante du **financement des retraites**. D'autant que le niveau très élevé de **l'endettement national** sera pour eux un autre défi difficile à relever.

Cependant, la perspective d'une véritable **guerre des âges** opposant des «**jeunes pauvres**» et des «**vieux riches**» n'apparaît pas probable. D'abord, parce que la situation des retraités pourrait être moins favorable demain qu'aujourd'hui, au fur et à mesure de la mise en place de réformes allant dans ce sens. Ensuite, parce qu'il ne faut pas sous-estimer la **solidarité** et la **compréhension** entre les générations, surtout à l'intérieur des familles. Elle est déjà à l'œuvre avec les transferts importants d'argent et d'aides non financières des grands-parents vers les enfants ou même les petits-enfants. Il faudra ainsi compter avec la capacité d'**adaptation** de la société, qui devra trouver un équilibre entre vie active et inactive, entre jeunes et anciens.

---

1. OCDE, 2017.

ET SI...

Les questions figurant dans cette rubrique ne sont pas des informations, mais des sujets de réflexion et de débat complétant les textes du chapitre qu'ils clôturent. Elles peuvent exprimer des souhaits, des craintes, des utopies ou tout élément susceptible d'accélérer, ralentir ou inverser les évolutions prévisibles.

... la notion même de couple disparaissait, afin de ne pas entraver la liberté de l'individu ?

... les femmes prenaient le pouvoir dans le couple, dans le but (conscient ou inconscient) de compenser la soumission qui leur a été imposée pendant des millénaires par les hommes ?

... le genre n'était plus une notion binaire (homme ou femme) comme aujourd'hui, mais ternaire, en prenant en compte les personnes « transgenres », qui disposeraient d'une reconnaissance légale, administrative et sociale ?

... l'on voyait réapparaître le « mariage de raison », fondé sur les intérêts matériels plutôt que sur les liens affectifs entre deux personnes ?

... la polyandrie et la polygamie faisaient demain l'objet d'une reconnaissance officielle ?

... la sexualité « réelle » disparaissait peu à peu au profit d'une sexualité virtuelle, ou d'autres activités ?

... la fécondité régressait très fortement, du fait de l'infertilité des couples ?

... les bébés pouvaient être conçus sans parents biologiques, à l'aide d'ovocytes et de spermatozoïdes artificiels ?

... la période de développement de l'enfance et de l'adolescence était raccourcie de quelques années, à l'aide des systèmes d'apprentissage virtuels ?

... l'espérance de vie s'allongeait d'au moins un an chaque année, grâce aux progrès de la science ?

FOYER

P our la plupart des Français, le **foyer** est et restera le centre névralgique de la vie. Son rôle est et sera d'abord de satisfaire leurs **besoins primaires** : abri, alimentation, repos, hygiène, sexualité... Il devra être aussi un lieu de **sécurité**, protégé de l'extérieur, mais aussi **connecté** à lui par des objets de plus en plus nombreux.

On peut cependant craindre que cette fonction de **protection** soit de plus en plus **aléatoire**, dans la mesure où beaucoup d'«agressions» pourront transiter par les objets connectés : **surveillance** ; **récupération de données** personnelles de toute nature ; **sabotages** ou prise de contrôle à distance des équipements du foyer, et autres actes délictueux.

Le foyer devra aussi répondre demain à d'autres attentes : **informations** fiables (vraies) sur l'état du monde en général et sur les centres d'intérêt personnels de chaque membre du foyer ; **relation aux autres** ; **activités domestiques** ; **développement personnel** ; **travail** ; **gestion** des affaires du ménage, etc.

Tant sur le plan **affectif** que **temporel** ou **financier**, le logement restera donc l'«investissement» le plus important de la vie. La symbolique du «**chez-soi**» restera prégnante, dans une époque où le besoin de tranquillité, voire d'isolement, sera croissant.

N.B. La prospective n'est pas une science exacte (voir p. 9). C'est pourquoi des textes (en italiques), placés en dessous des descriptions de certaines tendances et prévisions, présentent des perspectives alternatives, dans le cas où un changement important se produirait dans le contexte et modifierait ces prévisions.

LOGEMENT

UN HABITAT AUX DEUX TIERS URBAIN

Dans les années récentes (2010-2017), la population habitant en **zone urbaine**[1] a augmenté, mais la croissance des plus **grandes villes** (au-delà de 35 000 habitants) s'est ralentie, notamment celles comptant plus de 200 000 habitants, dont la part est passée de 12 % en 1968 à 9 % aujourd'hui. Un mouvement similaire s'est produit dans les **petites communes** (moins de 1 000 habitants) qui représentaient 16 % de la population en 1968 contre un peu plus de 13 % aujourd'hui. Ce sont les villes **moyennes et périurbaines** qui ont le plus **grossi**, accueillant de nombreux habitants déçus des grandes villes inadaptées à la vie contemporaine, mais craignant l'isolement des villages.

Ce phénomène de **concentration** dans les petites villes périurbaines devrait se pour-

---

1. Zone constituée d'unités urbaines, c'est-à-dire des communes ou ensembles de communes présentant une zone de bâti continu (pas de coupure de plus de 200 mètres entre deux constructions) comptant au moins 2000 habitants. Les communes rurales sont celles qui ne rentrent pas dans la constitution d'une unité urbaine : communes sans zone de bâti continu de 2000 habitants ; communes dont moins de la moitié de la population municipale est située dans une zone de bâti continu (INSEE).

LA BULLE IMMOBILIÈRE

38. Évolution de l'indice du prix des logements rapporté au revenu par ménage (France, Paris, Île-de-France, province, indice fixé à 1 au 1/1/1965)

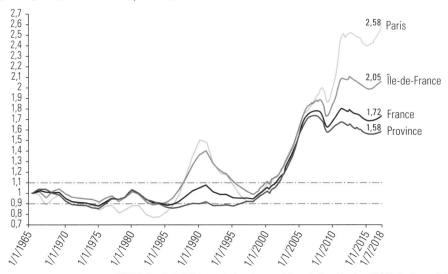

CGEDD d'après INSEE, bases de données notariales et indices Notaires-INSEE désaisonnalisés

suivre dans les prochaines années. En **2030**, les villes (au sens d'unités urbaines) seront les lieux de résidence et de vie de près des deux tiers de la population. Leur attractivité ne dépendra pas seulement de leur taille ou de l'importance de leur bassin d'emplois ; elle sera de plus en plus liée aux efforts réalisés pour les rendre «**intelligentes**» et «**durables**» (voir ci-après). Les nouvelles **technologies** joueront un rôle considérable dans cette transformation.

DES VILLES INTELLIGENTES...

La ville du futur sera moins étalée et plus **compacte**. Les **logements** seront plus **hauts**, mais aussi plus fréquemment **souterrains**, de façon à utiliser de façon optimale les surfaces foncières constructibles. La **mobilité** sera favorisée par le développement du transport **multimodal**, qui combinera des moyens collectifs (train, métro, tramway) et individuels : voiture, vélo (privé ou public, en libre service), taxi (classique ou VTC). La **voiture** deviendra progressivement **électrique**, **partagée** et **autonome** (voir p. 211),

au détriment de la voiture personnelle classique.

L'une des caractéristiques principales de la ville sera d'être **connectée** à des réseaux multiples, eux-mêmes interconnectés. Elle offrira à tous des connexions sans fil rapides (le **Wi-Fi** et ses successeurs). Les **quartiers** seront davantage **mixtes** en termes de **fonctions** (habitation, travail, loisirs, consommation...) et, sans doute dans une moindre mesure, de **population**. Ils seront également plus **animés**.

... DURABLES...

L'**économie** et l'**autonomie** seront les maîtres mots des villes modernes «**intelligentes**», telles celles (existantes ou en projet) de Neom (Arabie saoudite), Toronto (Canada), Masda (Abou Dhabi), Songdo (Corée du Sud) ou Singapour. Les *Smart Grids*[1] permettront de lutter contre le **gaspillage énergétique**,

---

1. Systèmes numérisés intelligents, capables d'intégrer les actions des différents utilisateurs, consommateurs et producteurs d'énergie afin de maintenir une fourniture optimale, continue, durable, économique et sécurisée.

public (éclairage) ou privé ; des capteurs et compteurs connectés seront installés dans les logements et sur la voirie. Des **éco-quartiers** seront construits pour répondre aux contraintes environnementales.

Les **services à domicile** (livraisons, ménage, aide ménagère, maintien à domicile…) seront plus rapides et fiables. Les approvisionnements en nourriture seront plus souvent d'origine locale ; une partie croissante de la production (qui devrait rester marginale d'ici 2030) sera même assurée par des **fermes et jardins urbains** (horizontaux, verticaux, souterrains). La gestion des **déchets** sera optimisée (ramassage, récupération, destruction, recyclage).

La gestion de la ville sera **interactive** et **participative**, dans le cadre d'une véritable **démocratie** urbaine. Les habitants seront amenés à donner leur avis sur les projets et les budgets. Ils pourront eux-mêmes proposer, choisir et expérimenter des solutions. La multiplication des **objets urbains connectés** permettra d'optimiser la **circulation** (feux tricolores intelligents…), de réduire ou supprimer les **files d'attente** dans les lieux publics (e-administration…), d'améliorer la **sécurité** (caméras, capteurs, drones, applications d'alerte…), d'**informer** en temps réel sur la qualité de l'air, de l'eau, de la circulation, des risques météorologiques, etc.

… ET ENNUYEUSES ?

Une question essentielle demeure cependant concernant l'avenir des « villes intelligentes ». Les transformations qu'elles subiront vont nécessiter des **investissements** importants, tant en infrastructures physiques que numériques. Les collectivités locales, dont les budgets sont limités et l'endettement souvent élevé, auront-elles les moyens de les réaliser, et dans quels délais ? Il faudra pour chaque projet établir un **bilan global**, faisant apparaître sa « rentabilité » espérée, en valorisant fortement les résultats attendus en matières **environnementale** et **sociétale**.

Une **participation** active (matérielle et immatérielle) devra sans doute être demandée aux habitants, particuliers comme entreprises (publiques ou privées). Les villes intelligentes ne pourront en effet se développer qu'en considérant leurs habitants et utilisateurs comme des

> ### Une brève histoire de l'habitat (1950-2030)
>
> L'habitat des Français a connu des transformations notables depuis la fin de la Seconde Guerre mondiale. Chaque décennie peut être résumée par un mot-clé.
> - **Années 1950** : la reconstruction.
> - **Années 1960** : les banlieues.
> - **Années 1970** : les « barres », les centres commerciaux, la voiture.
> - **Années 1980** : l'étalement urbain.
> - **Années 1990** : la « néoruralité ».
> - **Années 2000** : les zones piétonnes, le vélo en libre-service.
> - **Années 2010** : le logement économe.
> - *Années 2020 : le logement intelligent.*

acteurs essentiels. Ils devront être traités comme des **humains** et des **partenaires**, plutôt que comme des robots, des enfants ou des délinquants potentiels qu'il faut surveiller, contrôler, empêcher de nuire en réduisant leurs **libertés**. La ville « **zéro défaut** » fondée sur la notion d'efficacité (économique, sociale, énergétique, sécuritaire, environnementale…) devra aussi veiller à ne pas être vulnérable, uniforme… et **ennuyeuse**.

UN HABITAT COLLECTIF DIVERSIFIÉ

De nouveaux concepts d'habitat **collectif** devraient se développer d'ici 2030, afin d'accroître les capacités d'accueil et le confort dans les villes et agglomérations :
- **Densification verticale.** L'accroissement régulier et massif de la **population** (3,5 millions entre 2018 et 2030) et, plus encore, du nombre des **ménages** (voir p. 29) va accroître la **demande** de logements, notamment dans les villes et leurs

périphéries. Une des réponses possibles sera de **densifier** davantage l'habitat, en construisant des logements sur une plus grande **hauteur** (ou en ajoutant des étages à des constructions existantes, une solution déjà expérimentée à Paris et dans certaines grandes villes). Cela implique d'adapter les **services** urbains à cette densification : circulation automobile, stationnement, transports collectifs et «alternatifs», commerces, livraisons, services publics, services privés, etc. Après avoir longtemps résisté, la législation restreignant ou interdisant la construction d'immeubles de **grande hauteur** (tours) devrait être assouplie.

- **Densification horizontale.** Une autre façon de mieux utiliser le **foncier** disponible est de **réduire la surface au sol** occupée par les logements et leurs dépendances. C'est ce qui commence à apparaître avec le découpage de parcelles existantes (généralement dans l'habitat **individuel**) afin de construire de nouveaux logements sur les parcelles dégagées. Les adaptations nécessaires (législation, transports, commerces, services...) sont semblables à celles concernant la densification verticale. Dans les deux cas, l'**empreinte au sol par habitant** est accrue, ce qui peut avoir des conséquences sur l'environnement naturel et sur le mode de vie des ménages concernés.
- **Immeuble-ville.** Les limites **verticales** de construction sont plus faciles à repousser que les **horizontales**. La combinaison des deux donnera lieu à la réalisation d'immeubles conçus comme des villes **quasi autonomes**.
- **Villes-campagne.** Les villes existantes ou nouvelles seront de plus en plus «**végétalisées**». On utilisera pour cela des toits, des potagers, des vergers, des espaces fleuris intérieurs, qui s'ajouteront aux «espaces verts» classiques. Des «**fermes urbaines**» verront le jour et participeront (modestement mais symboliquement) à la production alimentaire, pour

le plus grand plaisir des «locavores[1]». Les végétaux seront également présents sur des surfaces **verticales** (murs), dans une démarche à la fois écologique, utilitaire et esthétique. La **qualité de vie** et celle des **relations sociales** en seront améliorées. La **pollution** sera moins présente et l'environnement mieux préservé.

- **Villes sous-marines.** Les mers et océans représentent un espace considérable et encore inexploité pour y établir la vie humaine, au-delà des îles habitées. Ce sont également des sources d'énergie, d'eau douce, de nourriture et de ressources naturelles, et des lieux propices au retraitement du CO_2. Des projets existent pour exploiter ces ressources, comme le Ocean Spiral de Shimizu (Japon). La France possède en outre le **second espace maritime du monde** (11 millions de km², juste derrière les États-Unis).
- **Villes ancrées ou flottantes.** Une autre façon d'utiliser la surface maritime ou fluviale est de construire des villes **au-dessus**, ancrées **fixement** sur le fond (à l'image de Venise) ou **flottantes**, à l'exemple des villages Uros du Pérou (sur le lac Titicaca), de Causeway Bay (Hong Kong) ou de bâtiments gagnés sur la mer aux Pays-Bas ou à Monaco. Ce type de construction permettrait également de lutter contre la **montée des eaux** liée au réchauffement de la planète. Outre la population habituelle, il pourrait

---

1. Personnes ne consommant que des aliments produits localement (dans des lieux «proches» de leur domicile).

accueillir des **migrants** et **réfugiés** climatiques, des **prisonniers** ou des **touristes**.

- **Îles-villes.** De nombreuses îles actuellement non occupées mais suffisamment **proches du continent** pourraient être loties et abriter des villes ou des villages, en utilisant les **nouvelles technologies** en matière de construction, de récupération et de stockage de l'énergie, de transports ou de production agricole. L'un des principaux défis sera de les relier de façon rapide et fiable au continent.
- **Bateaux-villes.** Le gigantisme des **bateaux de croisière** ou de **transport de marchandises** inspirera les architectes urbains et marins pour concevoir des « bateaux » d'un genre nouveau (mobiles ou fixes), dans lesquels de nombreux ménages pourront **vivre**, en disposant de toutes les commodités.
- **Villes souterraines.** Comme le dessous des mers, celui des **terres** est peu utilisé, sauf pour le transport (métro) ou le commerce. Il peut offrir une alternative à la vie en surface dans des zones au climat rigoureux (comme à Montréal ou Toronto au Canada). Des villes nouvelles souterraines pourront être construites dans des lieux propices sur le plan géologique. Les progrès spectaculaires en matière d'éclairage et de création d'ambiances faciliteront ce type de construction.
- **Villes spatiales.** Au fur et à mesure qu'il a « colonisé » la Terre, l'Homme a toujours rêvé de faire de même sur d'autres planètes. Il pourrait être en mesure de commencer à s'y implanter à terme, en commençant par **Mars**, qui fait actuellement l'objet de plusieurs projets, publics ou privés, qui ne sont pas de simples utopies (voir p. 217). La première présence humaine sur Mars pourrait avoir lieu vers 2030[1].
- **Écoquartiers**, **écocités**. Ces quartiers ou villages, déjà existants, intègrent dès leur conception des objectifs de « **développement durable** » : respect de l'environnement et de la **biodiversité** ; réduction des consommations **énergétiques** (avec un recours maximal aux énergies renouvelables) ; limitation de la présence et de l'usage de la **voiture**, remplacée par des transports alternatifs (transports en commun, vélo, marche à pied) ; réduction des consommations d'**eau** et de production de **déchets** ; recueil des eaux pluviales pour arroser les espaces verts, nettoyer la voie publique ou alimenter des toilettes ; utilisation d'**écomatériaux** ; recherche de **mixité** sociale, économique, culturelle et générationnelle.
- **Biomimétisme architectural.** L'observation et l'imitation de la nature et de ses **écosystèmes** a été à l'origine de nombreuses inventions, de l'avion de Clément Ader (inspiré du vol de la chauve-souris) au stade de Pékin (en forme de nid d'abeille), en passant par le profil de la locomotive du Shinkansen japonais (bec du martin-pêcheur) ou les combinaisons de plongée à rainures (inspirées de la peau du requin). L'habitat n'a pas été en reste : **esthétique végétale** de l'Art nouveau ; **architecture organique** fondée sur l'harmonie de l'habitat humain avec le monde naturel ; **architecture bionique** cherchant à réinterpréter le monde... Les architectes continueront de puiser dans la nature des idées pour faire progresser les constructions, notamment en matière de **résistance**, de **durabilité** ou d'**esthétique**, clés de l'évolution des espèces naturelles vivantes, telles que décrites par Charles Darwin.
- **Villes privées.** Les ressources de l'État, des régions et des communes étant de plus en plus réduites, et leur endettement élevé, des opérateurs privés participeront à la construction de villes en tant que **partenaires**. La France a déjà connu dans le passé des réalisations « **semi-privées** », comme celles de Michelin à Clermont-Ferrand ou de Peugeot à Montbéliard.
- **Résidences et établissements pour seniors.** Ils s'inscriront dans la logique de « **villages** » spécialisés, généralement privés, fermés et autogérés. Ils seront

---

1. Prévision de l'astronaute britannique Timothy Peake.

39. Évolution de la part de la population urbaine en France et prévisions jusqu'en 2050 (en % de la population totale)

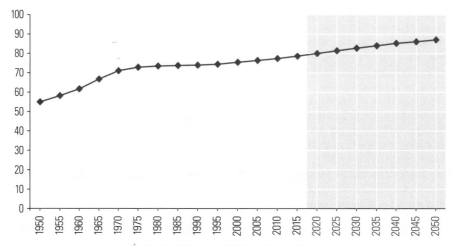

Étude de La Fabrique de la Cité dans le Rapport d'information de la commission de la culture, de l'éducation et de la communication du Sénat *(Louis Duvernois et Claudine Lepage, février 2017)*

cependant peu propices par principe à la **mixité** sociale, notamment en termes d'âge ou d'ex-statut social de leurs habitants.

- **Reconfiguration de friches industrielles.** La désindustrialisation de certaines régions a laissé inutilisées des superficies importantes de terrains, sur lesquelles on pourra construire de nouveaux ensembles, en réhabilitant ou en remplaçant les constructions existantes, souvent anciennes et en mauvais état.
- **Logements pour réfugiés et migrants.** Les constructions de «camps» et autres types de logements destinés aux réfugiés politiques ou climatiques pourraient se multiplier, notamment pour faire face de façon plus ou moins provisoire à des situations d'**urgence**.

Le défi majeur des concepteurs de l'habitat de demain est celui de la **mixité**, afin de faire vivre ensemble des ménages ayant des origines, des cultures, des croyances et des modes de vie différents. Plusieurs pistes sont et seront expérimentées : immeubles délibérément «**mixtes**» ; logements **sociaux**

construits dans des quartiers aisés ; lotissements **intergénérationnels**. À l'inverse, il paraît également probable que certaines constructions auront une destination «**ethnique**» ou «**communautaire**», prenant en compte des attentes spécifiques à certaines populations.

UN HABITAT INDIVIDUEL VARIÉ

L'habitat **individuel** se limitera de moins en moins à la maison de ville, au pavillon de banlieue, ou à la maison de campagne. D'autres modèles devraient émerger, de façon plus ou moins marginale : **capsules** et «**soucoupes**» ; **mobil-homes** de nouvelle génération ; maisons à assembler ; habitat **modulable** (à l'exemple des conteneurs) ; **mini-homes** pour personnes seules...

Indépendamment de leur forme extérieure, ces constructions devront répondre à des demandes de plus en plus diverses, qui donneront lieu à de nouveaux types d'habitat individuel :

- **Maisons à énergie positive** d'origine non fossile (solaire, éolien, géothermie...), renouvelable et non polluante.

- **Maisons transportables** de nouvelle génération, plus légères et faciles à déplacer, partiellement ou totalement démontables.
- **Maisons «exotiques»**: yourte de type mongolien, *teepee* indien, maison construite dans un arbre…
- **Habitat éphémère** pour gens du voyage, ouvriers saisonniers, artisans, artistes, sportifs, personnes précarisées…

Enfin, les propriétaires de **logements vacants,** qu'ils soient individuels ou collectifs, devraient être de plus en plus incités à les vendre ou les mettre en location.

20 HEURES PAR JOUR AU DOMICILE

Le **temps domestique** représentait en moyenne **18 heures et 39 minutes** par jour, sommeil compris, en **2018**[1]. On peut estimer qu'il sera proche de **20 heures en 2030.** Cette augmentation serait liée à plusieurs évolutions prévisibles :
- **La généralisation** des équipements numériques au foyer.
- L'accroissement du nombre d'**activités pratiquées à domicile** (achats, loisirs, formation, gestion du ménage…).
- La multiplication des possibilités de **livraison**.
- Le développement attendu du **télétravail** (voir p. 277).

Cette part considérable du temps passé chez soi s'expliquera aussi par l'**allongement de la durée de vie** et le **vieillissement** qu'il entraîne. Les fins de vie se dérouleront de plus en plus souvent au **domicile** plutôt qu'en institution, grâce à la multiplication des **aides humaines** (services spécialisés pour personnes âgées) mais aussi **artificielles** : robots compagnons ; services de surveillance et d'alerte automatisés, à partir de capteurs installés dans le logement et sur les personnes concernées…

---

1. Calcul effectué par l'auteur à partir de l'enquête *Emploi du temps des Français* 2010 de l'INSEE, actualisée selon les tendances plus récentes observées.

UN FOISONNEMENT DE MODES D'HABITATION

Outre les **types** d'habitation classiques (logement individuel ou collectif) décrits ci-dessus, on devrait voir se développer de nouveaux **modes**, permettant de répondre à des préoccupations **économiques** (partage des coûts), **sociales** (recherche de convivialité ou de regroupement familial) et **environnementales** (moindre empreinte écologique de l'habitat). Les perspectives en la matière sont nombreuses :
- **Habitat partagé.** Il pourra prendre la forme d'une maison comportant plusieurs logements distincts, occupés par plusieurs ménages (parfois appartenant à une même famille). Ces ménages se partageraient les **espaces** et les **charges** et se répartiraient les **tâches** communes. Ce mode d'habitation, né en Europe du Nord, devrait connaître un certain engouement chez les **personnes âgées**, souvent seules et peu aisées financièrement.
- **Habitat participatif.** Ce terme générique regroupe des démarches ayant pour objectif la «**réappropriation citoyenne de l'habitat**». Les ménages concernés deviendront acteurs de leur logement en «**coproduisant**» des bâtiments en lieu et place des promoteurs traditionnels. En pratique, des personnes ou ménages décideront de se **regrouper** pour concevoir un projet, rechercher le foncier, financer la construction, la réaliser, la gérer et l'entretenir. Ces projets, parfois aidés par des associations ou des municipalités (c'est le cas par exemple à Paris) seront orientés autour de valeurs de **solidarité, d'efficacité économique** (mutualisation des ressources et des espaces), de **mixité** (sociale et générationnelle), de **respect de l'environnement** et d'absence de **spéculation**.

Ce mouvement est déjà largement développé au nord de l'Europe (il représente 15 % du parc immobilier norvégien) et compte pour 5 % du parc suisse. Il représente une «**troisième voie**» d'accès au logement, entre promotion immobilière privée et logement social. Il part du principe que les citoyens doivent être des **acteurs** plutôt que des **clients** ou des **usagers**. Il s'inscrit dans la tendance plus générale de l'**économie collaborative**.

- **Habitat coopératif.** Ses motivations et valeurs sont semblables à celles des habitats « participatif » et « partagé » : solidarité, démocratie, écologie… Mais son statut juridique et financier est différent. Les ménages concernés sont individuellement **locataires** d'une partie d'un ensemble d'habitation : immeuble, lotissement ou toute autre forme d'habitat pouvant accueillir plusieurs ménages. Ils sont **collectivement propriétaires de parts sociales** de la coopérative, dont le prix de cession est encadré.

  La coopérative met par ailleurs à disposition de ses habitants des **services** et des **équipements collectifs** : ateliers de bricolage, buanderies, salles communes, chambres d'amis, etc. Ce mode d'habitation, aujourd'hui peu répandu (on ne compterait en France qu'une centaine de réalisations et projets répartis sur le territoire), pourrait se développer pour les mêmes raisons que l'habitat participatif.

- **Espaces mutualisés.** Mise à disposition d'un ensemble de ménages (appartenant à un même immeuble, lotissement, quartier ou village) de **lieux communs** dans lesquels ils peuvent effectuer certaines tâches : lavage du linge ; bricolage ; création artistique ; jeux ; lecture ; vidéo, etc. Les lavoirs présents sur les places des villages sont une illustration de cette pratique très ancienne.

- **Décohabitation.** La **discontinuité** croissante de la vie professionnelle (mutations) et familiale (séparations, divorces, modification de la composition du ménage) entraînera pour les membres des couples et ménages concernés l'obligation de **décohabitation** (vie dans des logements séparés, voir p. 169). Certains couples choisiront cette solution, d'autres y seront contraints. Cette évolution contri-

buera à l'accroissement de la demande de logements.

- **Néoruralité 2.0.** Le phénomène de la **néoruralité** devrait se poursuivre (voir p. 32). Il s'accompagnera d'une attente croissante d'un habitat permettant de vivre et de travailler en zone rurale ou semi-rurale. Cela impliquera la disponibilité de logements **câblés** et **connectés**, d'**équipements** fixes et mobiles, mais aussi de **services** liés (utilisation, entretien, réparation) et de **réseaux** (téléphoniques, informatiques, optiques…) à **haut débit**.

- **Location de courte durée.** Le développement de plates-formes comme Airbnb est l'illustration d'une transformation profonde des modes de location de logements pour de courts séjours. Il s'explique par trois avantages déterminants : **économie** (coût inférieur aux solutions traditionnelles) ; **praticité** (plate-forme de mise en relation facile d'utilisation) ; **convivialité** (relation entre « pairs » *a priori* plus confiante et détendue qu'entre professionnels et clients).

  Ce système représente une **concurrence** de plus en plus forte pour les hôteliers, les maisons d'hôtes et autres loueurs traditionnels (occasionnels ou professionnels). Elle est encore pour le moment **déloyale**, mais le déséquilibre administratif et fiscal devrait continuer de se résorber. Cela pourrait **affecter** la croissance observée depuis quelques années, notamment dans les villes à forte fréquentation touristique (Paris, Lyon, Nice, Bordeaux...). Cette pratique pourrait avoir aussi des répercussions sur la **conception** des logements neufs (surface, aménagement, possibilité de séparation en parties indépendantes) pour les ménages souhaitant pouvoir les louer, au moins occasionnellement, en tout ou partie.

- **Logement pour solo.** 9,5 millions de personnes environ vivent **seules** (célibataires, divorcés, veufs, étudiants, membres de couples «décohabitants»...), dont 5,5 millions de femmes et 4 millions d'hommes. La proportion, qui atteint 14 % de la population, a plus que doublé par rapport au début des années 1960 (6 %). Elle devrait encore s'accroître fortement dans les prochaines années, du fait de l'accès plus fréquent aux **études** supérieures, du nombre croissant de **ruptures** (divorces ou séparations) et du **vieillissement** de la population. 55 % des personnes de 80 ans et plus vivent aujourd'hui seules, principalement des femmes, et leur nombre va progresser encore (voir p. 184). Cela entraînera une demande de logements plus **petits** (mais permettant de loger occasionnellement des personnes de la famille) et spécialement **équipés** pour les personnes dépendantes, voire **médicalisés** dans le but de pouvoir les maintenir à domicile.

- **Usufruit locatif social.** Ce dispositif innovant, né au début des années 2000, repose sur un **démembrement temporaire** de propriété : l'**usufruit** du bien est détenu par un **bailleur social**, qui le loue à des ménages modestes (sélectionnés), pour un montant de loyer adapté. La **nue-propriété** appartient à un **investisseur privé**, qui ne perçoit aucun loyer mais bénéficie d'un régime fiscal favorable, et récupère à l'échéance la **pleine propriété** du bien, remis en état par le bailleur. Ce système[1] devrait se développer, de même

que, d'une façon plus générale, les opérations de **démembrement**.

- **Habitat modulable.** Son objectif est de permettre une adaptation du logement à l'évolution des besoins et souhaits de ses occupants. On a vu par exemple apparaître au cours des années 2000 des logements constitués de **conteneurs** usagés (ayant servi au transport de marchandises) que l'on peut facilement ajouter, supprimer, séparer ou cloisonner en fonction des besoins de superficie et d'agencement souhaités. Des containers **neufs** sont aujourd'hui également utilisés. D'autres systèmes modulables existent, avec notamment des **modules** en bois.

LES FONCTIONS TRADITIONNELLES À REVISITER...

Le **logement** de demain devra d'abord remplir ses fonctions **traditionnelles** : alimentation ; repos ; hygiène ; convivialité ; sécurité des personnes et des biens ; confort ; stockage (nourriture, vêtements, documents, objets...) ; espaces (privatifs et communs) ; loisirs ; entretien.

Ces fonctions **classiques** demeureront, mais chacune d'elles sera de plus en plus «**sophistiquée**», au fur et à mesure de l'évolution des **besoins** et de celle, connexe, des progrès **techniques**. Ainsi, l'approvisionnement alimentaire pourra être automatisé, le repos favorisé, l'hygiène améliorée, l'entretien facilité, l'espace «transformable».

... ET DES FONCTIONS NOUVELLES À REMPLIR

Le logement devra en outre apporter des réponses à des **attentes** plus récentes ou à venir :

- **Résistance aux catastrophes naturelles**, notamment d'origine **climatique** (vagues de chaleur, froid intense, inondations, séismes...).

- Possibilité de **communiquer** en tout lieu du logement, par tous supports et réseaux.

---

1. Encadré par la loi Engagement national pour le logement (ENL) de 2006, complétée par un décret de 2009.

LE CONFORT PARTAGÉ

40. Taux d'équipement des ménages (2016, en %)

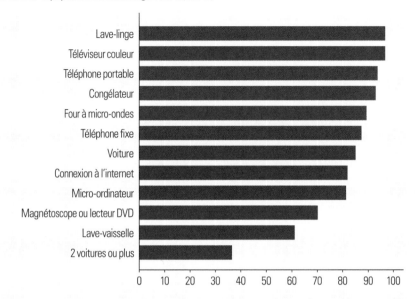

France métropolitaine, ensemble des ménages dont la personne de référence a 16 ans ou plus.
INSEE, SRCV-Silc

- Possibilité de **télétravailler** dans de bonnes conditions, dans une pièce si possible dédiée et spécialement équipée.
- **Accessibilité** aux personnes **handicapées** (salles de douche, passage d'un fauteuil roulant, systèmes d'alerte…).
- **Efficacité énergétique** maximale, visant l'autonomie, voire le surplus de production.
- **Modularité** en fonction des contraintes et souhaits du ménage, liés aux phases de son cycle de vie ou de son humeur (aménagement de l'espace, ameublement, décoration, éclairage…).
- **Gestion du foyer** (administration, finances…).
- **Automatisation** de certaines fonctions (gestion du chauffage, sécurité, arrosage des plantes, réglages d'ambiance, usages multimédias…). La «**domotique**», promise depuis des décennies, fera véritablement son entrée dans les foyers (voir p. 374).

- **Gestion des flux** entrants et sortants du logement : nourriture ; vêtements ; objets…

Ces demandes croissantes auront des incidences considérables sur la conception des logements. Elles impliqueront notamment une véritable **personnalisation**. Au total, le logement du futur sera à la fois **ego-logis** (réponse aux attentes individuelles de chaque personne du ménage), **éco-logis** (économique à l'achat ou la location, à l'usage et à l'entretien), **écolo-gis** (ayant une empreinte minimale ou positive sur l'environnement) et **techno-logis** (bénéficiaire des nouvelles techniques spécifiques au bâtiment et à d'autres domaines).

UNE MOBILITÉ RÉSIDENTIELLE ACCRUE

Les Français vivent dans une société de plus en plus «**nomade**», entourés d'outils leur permettant d'interagir en tout lieu et à tout moment. Pourtant, et contrairement à ce que l'on imagine souvent, la mobilité **résidentielle** n'a pas progressé. Après la **hausse** continue de la proportion de ménages qui avaient **déménagé** pendant les années **1950-1960**, les recensements de la population entre 1975 **et 1999** avaient montré au contraire une **diminution** : 81 % de déménagements entre 1990 et 1999, contre 88 % entre 1982 et 1990 et 94 % entre 1975 et 1982.

Les enquêtes réalisées depuis ont confirmé cette tendance. Sept Français sur dix vivent aujourd'hui dans la région où ils sont **nés**. La durée moyenne de résidence dans le même logement, qui était passée de 12 ans en 1984 à 14 ans en 1999, est désormais proche de 15 ans. La mobilité **future** sera conditionnée par le poids relatif de facteurs contradictoires. Plusieurs **incitations favorables au déménagement** peuvent être évoquées :

- **Ruptures** professionnelles et familiales plus nombreuses.
- Recherche d'un **cadre de vie** plus agréable (pour les actifs et les retraités).
- Nécessité de **changer** de logement (devenu trop petit ou trop grand).
- Souhait d'échapper aux inconvénients des **changements climatiques** (voir p. 12).
- Poursuite du mouvement de **néoruralité**, et redynamisation de certaines régions (voir p. 32).

Quel avenir pour les animaux de compagnie ?

Les animaux de **compagnie** sont largement présents dans les foyers : un ménage sur deux (49,9 %) en possède au moins un : 20,2 % un **chien** et 29,7 % un **chat**[1]. Soit au total 13,5 millions de chats, et 7,4 millions de chiens. Sans compter les quantités de hamsters, souris, poissons rouges ou oiseaux.

Il est difficile de prévoir l'évolution de la place des animaux dans les foyers à l'avenir[2]. Le souhait croissant des Français de maintenir un lien avec la « **nature** » amène à penser que les animaux familiers pourraient être plus nombreux. Mais la « relation avec le vivant » ne se limitera plus demain aux trois catégories habituelles : **humain**, **animal**, **végétal**. Il s'y ajoutera la relation de type « **virtuel** » avec des **robots**, qui chercheront à imiter les humains et devenir des interlocuteurs dotés d'« intelligence » et, peut-être demain, de **conscience**. Nul ne peut savoir aujourd'hui dans quelle mesure ces robots se **substitueront**, au moins en partie, aux chats, chiens et autres « compagnons » possibles. On peut en revanche estimer que les humains disposeront de moins de **temps** pour s'occuper des animaux.

Les Français seront en tout cas de plus en plus attachés à la **cause animale**. Leurs préoccupations concernent notamment les animaux destinés à l'alimentation humaine, dont le traitement est régulièrement dénoncé par des militants. Les vidéos tournées dans des abattoirs, qui montrent et dénoncent la **souffrance** animale, sont largement reprises sur les réseaux sociaux et par les autres médias. Elles ont contribué à la création d'un nouveau statut juridique de l'animal, en 2015, le reconnaissant désormais comme un *« être vivant doué de sensibilité*[3] » et non plus comme un *« bien meuble »* ; il n'est donc plus un **objet** mais un **sujet**.

Les animaux **sauvages** bénéficient aussi d'une image favorable, renforcée par la menace de leur **disparition**, en partie engagée (voir p. 457). L'**antispécisme** (qui s'oppose au **spécisme**, établissant une hiérarchie entre les espèces vivantes et plaçant les humains à son sommet) se répand dans la société. Cette attitude témoigne de l'inquiétude (légitime) des Français à l'égard de l'avenir du vivant.

---

1. Enquête Facco/Kantar TNS, 2016.
2. La réflexion prospective approfondie sur *La relation homme-animal* effectuée par le Centre d'analyse prospective, publiée en novembre 2016, retient cinq scénarios possibles à l'horizon 2030, et conclut qu'il n'est pas possible de définir le plus probable.

3. Article 515-14 du Code civil, voté le 28 janvier 2015, dans le cadre de la loi relative à la modernisation du droit.

balancées par des **freins** importants à la mobilité :

- **Crainte du «déménagement»** : pertes des repères et des habitudes (géographiques, culturels, professionnels, sociaux), qu'il faut recréer ailleurs.
- **Difficultés pratiques et stress liés au déménagement et au réemménagement** : travaux ; équipements ; formalités ; coûts...
- Mobilité **«virtuelle»** facilitée par les outils technologiques (voir p. 219).
- **Incertitudes** liées au changement climatique et à ses effets détaillés sur le territoire.
- **Insécurité potentielle dans des lieux que l'on ne connaît pas** : délinquance ; agressions ; catastrophes naturelles...
- **Baisse** possible des prix de l'immobilier (voir p. 190).
- **Peur générale du changement.**

À l'horizon **2030**, l'hypothèse qui paraît la plus vraisemblable est que **la mobilité résidentielle progressera modérément**. L'autonomie résidentielle des **jeunes** pourrait aussi être plus tardive, du fait notamment d'un chômage croissant (voir p. 47) et de la durée allongée de la période de formation. Aujourd'hui, 46 % des jeunes de 18 à 29 ans habitent chez leurs parents (INSEE), un taux en augmentation depuis le début des années 2000 (après une diminution amorcée au milieu des années 1990).

ALIMENTATION

Dans les années à venir, les **modes de consommation** alimentaires seront affectés par l'ensemble des changements décrits dans ce livre, dans le cadre d'un processus traditionnel d'influence réciproque : la **demande** suscitera des adaptations de l'offre ; **l'offre** provoquera en retour des évolutions de la demande. Ce système **«cybernétique»**, nourri par des informations changeantes au fil du temps sur les liens entre alimentation, santé, économie et environnement, produira des **équilibres successifs mais instables**.

UNE BAISSE HISTORIQUE DES DÉPENSES, INVERSÉE DEPUIS QUELQUES ANNÉES...

L'alimentation (produits alimentaires et boissons non alcoolisées) a été longtemps le **premier poste de dépense** des ménages : elle représentait 28,4 % du **revenu disponible brut**[1] en 1960[2]. Elle s'est régulièrement et sensiblement réduite depuis, jusqu'à atteindre un **minimum de 16,5 % en 2007**. S'agissant d'une valeur **relative** (exprimée en pourcentage des dépenses totales), sa baisse ne signifie pas que les Français mangent moins en quantité,

---

1. Le revenu disponible d'un ménage comprend les revenus d'activité (nets des cotisations sociales) de chaque personne active, les revenus du patrimoine, les transferts en provenance d'autres ménages et les prestations sociales (y compris les pensions de retraite et les indemnités de chômage), nets des impôts directs.
2. *50 ans de consommation*, INSEE, 2015. La part du budget alimentaion est passée de 34,6 % à 20,4 % dans la «dépense de consommation des ménages».

UN DÉBUT DE RENVERSEMENT DE TENDANCE POUR L'ALIMENTATION

41. Évolution des dépenses de consommation des ménages en produits alimentaires et boissons non alcoolisées (en % des dépenses totales de consommation)

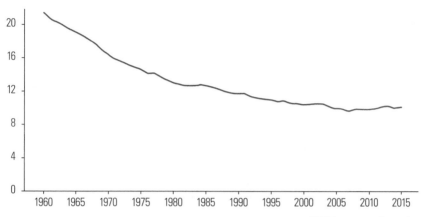

INSEE, comptes nationaux, base 2010

ou plus mal en qualité. Elle est surtout la conséquence du fait que leur **pouvoir d'achat** a beaucoup augmenté en cinquante ans et qu'ils en ont consacré une part croissante à d'autres types de dépenses que la nourriture, en particulier le logement, la santé, les loisirs, le transport et la communication.

Mais la crise financière de **2008** a eu des incidences sur les **comportements** alimentaires et les **arbitrages** effectués par les ménages. Elle a même provoqué une **inversion de tendance**, avec une hausse de la part de l'alimentation dans l'ensemble des dépenses de consommation à partir de 2009, qui ont représenté 10,0 % de leur budget en **2017** (avec les boissons non alcoolisées). Elle s'explique à la fois par l'augmentation des **prix** des produits alimentaires, en comparaison de ceux d'autres biens et services (notamment de ceux des biens d'équipement du foyer ou de la personne, qui ont plutôt diminué en monnaie constante) et la moindre **réactivité** des consommateurs aux prix alimentaires par rapport à d'autres dépenses. Il est en effet plus difficile de se passer de nourriture (ou de réduire sa ration calorique) que de ne pas renouveler sa garde-robe ou même, pour de nombreux Français, son téléphone portable.

... ET SANS DOUTE PENDANT LES SUIVANTES

La **hausse** des dépenses alimentaires devrait se poursuivre dans les prochaines années pour plusieurs raisons :
- La recherche d'une alimentation de meilleure **qualité nutritionnelle**, en réponse aux alertes de plus en plus nombreuses sur les risques d'une «mauvaise» alimentation et, à l'inverse, aux discours vantant les bienfaits d'une «**bonne**» alimentation. L'obtention de cette qualité coûtera en principe plus cher aux producteurs.
- La recherche de produits présentant une meilleure **qualité sanitaire**. Elle implique de consommer plus systématiquement des produits **bio**, sans **ingrédients nocifs** (pesticides, additifs, herbicides...). Les réactions hostiles à l'usage des **glyphosates**, en 2017, ont montré la méfiance des consommateurs et celle des autorités sanitaires (en même temps que la difficulté de prendre la décision politique de son interdiction au niveau européen...).

Le défi alimentaire

La **population mondiale** était de **3 milliards d'habitants en 1960**. Elle avait doublé en **2000** (6 milliards), en même temps que la production agricole. Elle a dépassé aujourd'hui **7,5 milliards**, et devrait atteindre **8,6 milliards** en **2030**[1]. La hausse de la population se situera surtout en Afrique (dans la zone du Sahel : Niger, Mali, Congo…) et en Inde (voir p. 28). Il faudra donc nourrir plus d'**un milliard** de personnes supplémentaires en 2030, avec une planète dont les terres cultivables devraient encore se réduire avec l'**urbanisation** et être appauvries par la **surexploitation**.

La production agricole *per capita* dans le monde a augmenté de 50 % depuis 1950. Mais une large part (soja, maïs…) a servi à nourrir les **animaux** destinés à la consommation humaine. 70 % de la surface agricole mondiale sont ainsi utilisés aujourd'hui, soit pour le **pâturage** du bétail, soit pour la production de **céréales** destinées à les nourrir[2]. Avec au total un rendement calorique très faible : si l'on produit en amont **100 calories végétales** à partir des terres, on n'obtient en aval qu'environ **15 calories d'origine animale**. Cela signifie que si tous les Humains ne mangeaient que de la **viande**, on ne pourrait en nourrir qu'environ **2,5 milliards** avec l'élevage et la production agricole existants. À l'inverse, si toute la population mondiale était **végétarienne** (ou si tous les animaux étaient élevés sur des prairies, sans nourriture provenant de l'extérieur), on pourrait en nourrir **11 milliards**.

Il apparaît donc souhaitable, et probable, que l'alimentation **végétale** continuera de progresser au détriment de la consommation **animale**, d'autant qu'elle est préférable sur le plan nutritionnel, selon les experts. Dans les pays les plus **pauvres**, seules **5 % des calories** consommées sont aujourd'hui d'origine **animale**, contre au moins **40 %** dans les plus **riches**. La crise alimentaire qui affecte certaines populations tient au fait que les pays **émergents** (près de la moitié de la population mondiale) adoptent le régime alimentaire des pays **développés**. Cela stimule la demande de **viande**, qui préempte plus de la moitié de la production céréalière, qui est ainsi inaccessible aux plus pauvres.

L'une des conditions pour parvenir à nourrir la planète en **2030** sera de mettre en place une **production durable**, adaptée aux changements climatiques qui vont affecter les cultures. Cela impliquerait notamment de pouvoir stocker du **gaz carbonique** dans la terre et de l'utiliser comme énergie renouvelable. Il faudrait aussi réduire les émissions de **méthane**, dont la moitié provient de la digestion des **bovins** (en modifiant par exemple le microbiote de leur système digestif). Il faudrait privilégier les **végétaux** adaptés, par exemple des céréales absorbant l'azote de l'air comme les légumineuses, plutôt que de l'apporter sous forme d'engrais azotés. Enfin, il faudrait réduire la consommation humaine de **sucre**, de **sel** et de **matières grasses**, nuisibles à la santé.

L'autre grand défi à relever est celui du **gaspillage**, très important dans les pays développés. Le volume mondial de pertes alimentaires est estimé à 1,3 milliard de tonnes par an pour la partie **comestible**[3], avec une empreinte carbone correspondante de 3,3 milliards de tonnes de CO_2 (en équivalent de gaz à effet de serre) rejetées chaque année dans l'atmosphère. Le volume annuel total d'**eau** utilisée pour produire de la nourriture perdue ou gaspillée (250 km³) équivaut au débit annuel du fleuve Volga (Russie), ou trois fois le volume du lac Léman. Au total, **28 % des superficies agricoles** du monde (soit 1,4 milliard d'hectares de terres) **servent à produire de la nourriture perdue ou gaspillée**. En **France**, ce gaspillage alimentaire est estimé à 137 kg par personne et par an (dont 79 kg dans les foyers et 58 kg dans la distribution, la restauration, la transformation et le conditionnement des produits dans les industries agroalimentaires).

La solution passe aussi par une meilleure **répartition de la consommation**, avec une

---

1. Prévision ONU.
2. FAO.
3. Source FAO.

baisse dans les pays riches où 1,9 milliard d'adultes sont en surpoids ou obèses (32 % d'hommes, 40 % de femmes) et une **hausse dans les pays pauvres**, essentiellement en Afrique et en Asie. Dans ces pays, la **malnutrition** touche encore 2,5 milliards de personnes, carencées en micronutriments essentiels comme le fer, la vitamine A ou l'iode, présentant des retards de croissance ou une maigreur extrême. L'un des objectifs prioritaires de développement durable de l'ONU à l'horizon 2030 est **d'éradiquer la faim dans le monde** (voir *Annexe* p. 520). Une réduction de 50 % du **gaspillage** et de 50 % des surfaces de production d'**aliments pour animaux** permettrait d'augmenter de 60 % la part des surfaces cultivées en **agriculture biologique**.

- Les **prix** plus élevés de ces aliments, qui seront obtenus par des cultures aux rendements inférieurs, avec des **garanties** et **labels** plus contraignants, dans des conditions **climatiques** dégradées par le réchauffement climatique. L'augmentation des prix devrait également permettre de mieux rémunérer les **producteurs** (et de répartir plus équitablement les marges entre eux et les distributeurs).

MOINS DE PRODUITS D'ORIGINE ANIMALE

Les **tendances** actuelles concernant la part des différents types d'aliments devraient pour la plupart se vérifier et concerner une part croissante de la population :
- Moins de **viande**, en conformité avec les conseils nutritionnels et la nécessité de réduire les activités d'élevage pour des raisons environnementales.
- Moins de **poisson**, du fait de la raréfaction des ressources des océans et rivières. Les poissons d'élevage ne devraient pas compenser cette baisse, sauf si leur alimentation et leur production s'améliorent sensiblement sur le plan sanitaire.
- Plus de **fruits et légumes**, pour des raisons nutritionnelles et parce que leur production sera facilitée.
- Moins de **produits laitiers**. L'évolution de leur consommation dépendra de l'image qu'ils auront auprès des consommateurs, notamment à travers le discours des nutritionnistes, qui ne leur est guère favorable depuis quelques années.
- La consommation de **pain** et de **céréales** pourrait progresser faiblement.

LES FRANÇAIS MOINS CARNIVORES

42. Évolution de la consommation individuelle de viande (base 100 en 1990)

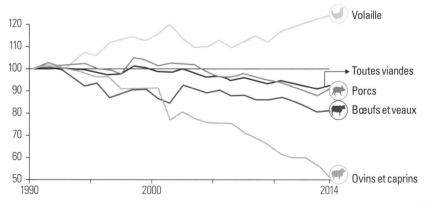

INSEE

- Les **produits transformés** et les **plats préparés** seraient davantage consommés pour des raisons pratiques, sous réserve d'une amélioration de leurs qualités nutritionnelles, souvent très médiocre.
- Le «**régime méditerranéen**» riche en fruits, légumes, céréales, poisson et huile d'olive, recommandé par de nombreux nutritionnistes, pourrait s'étendre hors de sa zone d'influence et devenir un modèle pour les Français.

Les consommateurs des pays développés comme la France seront de plus en plus sensibles aux **caractéristiques** des produits et de leurs modes de production. Ils seront demandeurs d'informations synthétiques sur leur intérêt nutritionnel sur les **emballages**, au-delà du **Nutriscore**[1] aujourd'hui présent sur certains produits, mais probablement trop synthétique.

UNE CONSOMMATION PLUS RÉDUITE DE SODAS ET D'ALCOOL

La consommation de **boissons non alcoolisées** devrait connaître plusieurs changements liés notamment aux attentes **nutritionnelles**:
- Désaffection croissante pour les sodas **sucrés** et préférence pour les produits **allégés** ou **sans calories**. Elle sera conditionnée à l'utilisation d'**édulcorants** moins suspects que ceux existant aujourd'hui (aspartame, sucralose, cyclamate, saccharine…).
- Hausse de la consommation de **jus de fruits** naturels, réputés bons pour la santé.
- Hausse de la consommation de **thé** ou d'eau de **noix de coco**.
- Intérêt croissant pour les boissons garanties «**bio**».

La consommation de boissons **alcoolisées** devrait devenir encore plus **occasionnelle** qu'aujourd'hui, du fait notamment d'une législation de plus en plus stricte et de prix plus élevés. Les volumes seraient ainsi plus faibles. La consommation de **vin**, inscrite dans la culture et la gastronomie françaises, devrait mieux résister que celle des alcools forts, mais elle serait limitée à des occasions **festives**, pour des raisons sanitaires et du fait des contraintes légales. Elle dépendra aussi de l'évolution de la **production** nationale, qui sera affectée par le réchauffement climatique, avec une remontée des vignes vers le nord du pays et l'utilisation de cépages adaptés, qui nécessitera quelques années.

Le *taux d'alcoolémie* autorisé dans le cadre de la circulation routière pourrait être relevé lorsque les *véhicules autonomes* seront répandus, du fait d'un risque d'accident réduit. La consommation de **vin** pourrait aussi s'accroître (en fréquence et en pénétration dans la population) si les discours scientifiques démontrent de façon irréfutable ses effets bénéfiques sur la santé, dans le cas de volumes modérés.

DES PRODUITS ET DES COMPORTEMENTS NOUVEAUX

Une étude prospective concernant la période 2017-2030[2], réalisée auprès d'experts de l'alimentation[3], met en évidence **dix tendances** principales susceptibles de se développer (présentées par ordre de **probabilité décroissante** et suivies parfois de commentaires sur leur faisabilité):
- Des **nouveaux produits à base de protéines végétales apparaîtront.** Cette tendance s'appuie sur la montée du **végétarisme**[4] et du **véganisme**[5]. Au-delà des produits à base de **blé** et de **soja** déjà existants, de nouvelles sources de **protéines végé-**

---

1. Système graphique indiquant la qualité nutritionnelle d'un produit à partir des éléments indiqués sur leur emballage. Il se présente sous forme de notes de A à E associées à des couleurs.

2. Étude Vigie Alimentation, réalisée par AlimAvenir avec Futuribles, publiée en novembre 2016. Commentaires synthétisés et complétés par l'auteur.
3. Une cinquantaine d'acteurs clés de la filière agroalimentaire (production, distribution, études…) ont attribué une note à chaque tendance.
4. Régime alimentaire excluant toute chair animale (viande, poisson), mais acceptant généralement la consommation d'aliments d'origine animale comme les œufs, le lait et les produits laitiers (fromage, yaourts).
5. Régime excluant, autant que possible en pratique, tout produit d'origine animale et adoptant un mode de vie respectueux des animaux (habillement, cosmétiques, loisirs…).

tales devraient être développées et donner lieu à des produits **mixtes**, s'appuyant sur les recommandations des nutritionnistes et du monde médical, et proposant des qualités organoleptiques acceptables.

- **Le végétarisme aura de plus en plus d'adeptes.** La tendance actuelle à la baisse de la consommation de **protéines animales**, sensible dans les pays développés, se confirmera, notamment chez les jeunes. Elle profitera aussi des difficultés de maintenir et accroître la **production animale**, pour des raisons à la fois **économiques**, **écologiques** (voir encadré p. 202), mais aussi **psychologiques** (liées au changement progressif de la relation homme-animal). Beaucoup de consommateurs seront végétariens malgré eux, car certains produits carnés seront remplacés par des substituts (viandes ou fromages synthétiques…). Certains consommateurs pourraient aussi devenir **vegans** sans le savoir ou le vouloir, en mangeant des omelettes sans œufs, des laitages sans lait, des «steaks» sans viande, etc.

*La **capacité d'adaptation alimentaire** des Français ne doit cependant pas être surestimée. L'aliment est, avec le médicament, le seul produit «ingéré» (voir encadré p. 207). Il a donc à ce titre un **statut** spécifique. De plus, la nourriture a dans la culture française une importante particulière (voir ci-après).*

- **Le e-commerce alimentaire** connaîtra une nouvelle croissance, favorisée par un meilleur respect de la **chaîne du froid** dans le transport, une optimisation de la **logistique** (notamment pour la livraison de produits frais) et les efforts déployés sur Internet par les grands acteurs de la distribution (enseignes traditionnelles et nouveaux acteurs).

- **L'offre de produits locaux** sera accrue dans les magasins d'alimentation, dans la mesure où les écarts de **prix** avec les produits importés seront réduits. Les informations communiquées aux consommateurs sur la **traçabilité** des produits et leur **qualité** (labels) devraient faciliter l'émergence de cette tendance.

- **La livraison de repas à domicile** sera de plus en plus fréquente et rapide. La demande profitera du **vieillissement** de la population (personnes seules, handicapées…), du souhait des classes aisées et des actifs de **gagner du temps** (notamment au moment du déjeuner) et de disposer de menus **personnalisés**. Cette évolution sera facilitée par les progrès de la **logistique** (gestion robotisée des entrepôts, livraison par drone…).

*La tendance inverse, baptisée **slow food**, pourrait se développer en parallèle dans des groupes sociaux lassés de la société de consommation et stressés par l'accélération générale.*

- **Les produits de l'agriculture biologique** seront de plus en plus recherchés, du fait des recommandations du corps médical et de la mise en évidence des risques sanitaires dus à la présence d'ingrédients nocifs dans la production traditionnelle. Leur disponibilité sera améliorée par l'accroissement des **surfaces cultivées en bio** et la **certification-labellisation** des produits qui en seront issus.

- **Les circuits courts et «alternatifs»** seront plus nombreux, afin de répondre au souhait des consommateurs de se rapprocher des producteurs agricoles, en dépendant moins des **intermédiaires**. Pour cela, les producteurs devront se professionnaliser, garantir la qualité et la sécurité de leurs produits, et les proposer à des prix jugés acceptables par les consommateurs.

- **La digitalisation de la préparation culinaire** sera favorisée par le développement et la commercialisation de nouveaux **appareils électroménagers «intelligents»** permettant de préparer des repas rapidement et sans compétences particulières à partir d'ingrédients bruts, qui retrouveront ainsi leur place à côté des plats préparés. Cette évolution dépendra du gain de temps et de qualité autorisé par ces appareils, ainsi que de leurs prix, aujourd'hui élevés.

- **L'alimentation connectée** utilisera les résultats des nombreux **capteurs** et indicateurs de santé et de mesure du **contenu nutritionnel** de l'alimentation. Elle tiendra compte des éventuelles carences, grâce à des applications dédiées et l'intercommunication avec les médecins. Les conditions principales de leur acceptation et de leur usage seront la **fiabilité**, le **coût** et la **confidentialité** des données recueillies.

- **La personnalisation de l'alimentation** se développera, avec l'offre d'aliments et de plats davantage adaptés aux **besoins** spécifiques et aux **souhaits** de chacun, en fonction des recommandations ou interdictions médicales, ou dans un but de **prévention** de certaines maladies. Elle prendra notamment en compte le **profil génétique** de chaque individu et les risques qu'il fera apparaître.

- **Les fermes urbaines** répondront (très partiellement) aux besoins de la population urbaine croissante, conférant un nouveau visage aux villes. Elles répondront aussi à une demande croissante de **proximité** des lieux de production.

*Leur développement implique de trouver un **modèle économique** pour des productions d'un prix de revient qui devrait être élevé, compte tenu du coût du foncier urbain, des aménagements nécessaires et des faibles surfaces concernées. Seuls des produits à haute valeur technologique ajoutée devraient être concernés.*

- **Les produits à base d'algues** (riches en protéines, vitamines, oligoéléments, antioxydants et minéraux, fer et magnésium) représenteront des apports nutritionnels et énergétiques, tout en préservant l'environnement. Une hausse de la consommation mondiale de 40 % est prévue d'ici 2030.

*La condition principale de leur utilisation, hors les **prix** proposés, est que les consommateurs occidentaux **acceptent** de les faire entrer dans leurs habitudes alimentaires.*

- **Les produits à base d'insectes**, consommés depuis longtemps dans de nombreuses régions du monde, pourraient concerner les populations occidentales, notamment sous des formes **«non figuratives»** (poudres, farines…). Elles pourraient également être utilisées pour l'alimentation **animale**.

*La condition de **changement des habitudes alimentaires** indiquée à propos des **algues** s'appliquera encore davantage aux **insectes**, le « **saut culturel** » à pratiquer étant encore plus important.*

LA CULTURE ALIMENTAIRE, FREIN POTENTIEL AU CHANGEMENT

L'avenir alimentaire est particulièrement difficile à imaginer. Il dépend en effet de facteurs à la fois économiques, écologiques, psychologiques et culturels très prégnants, car fortement inscrits dans l'identité nationale et l'imagerie collective. Les comportements alimentaires ne pourront donc pas être modifiés facilement et rapidement, même si les grands groupes de production (aidés par la distribution) déploient des efforts importants. Il leur faudra démontrer que les nouveaux produits proposés présentent des **avantages** nutritionnels, sanitaires, économiques et environnementaux importants et tangibles.

Indépendamment de leurs qualités objectives, le succès de produits **«de rupture»** tels que les algues, insectes ou aliments de synthèse dépendra aussi très largement de leur **acceptabilité** sociale. L'alimentation occupera encore demain une place de choix dans les modes de vie des Français. Elle devrait encore bénéficier d'une reconnaissance **internationale** et justifier son inscription au **patrimoine culturel immatériel de l'Humanité** par l'Unesco en 2010[1].

---

1. C'est précisément le *«repas gastronomique à la française, avec ses rituels et sa présentation»* qui a été inscrit.

Des aliments aux alicaments

On assiste depuis déjà quelques années à l'émergence d'une conception **naturaliste** de l'alimentation. Avec l'idée centrale que celle-ci doit non seulement nourrir le corps, mais aussi le **soigner**, ou en tout cas l'aider à **prévenir** certaines maladies. C'est ainsi que s'est accrue la consommation de **compléments** alimentaires et autres produits supposés avoir des vertus préventives, voire thérapeutiques. La vogue des aliments contenant des oméga-3 s'inscrit dans cette tendance, comme celle plus ou moins durable du jus de grenade, de l'avocat, du thé vert, du curcuma ou de la spiruline, dans l'attente de nouvelles **informations** scientifiques fondées, ou de **rumeurs** inventées.

Ces produits, que l'on peut baptiser **alicaments**[1], (ou « aliments fonctionnels », traduction du terme américain *functional foods*) sont la version moderne d'une conception très ancienne, et parfois « magique » des liens étroits entre **alimentation** et **santé**. La science a depuis largement confirmé ce lien et les discours médicaux en sont aujourd'hui imprégnés. Les experts reconnaissent de façon quasi unanime l'utilité de certains aliments comme moyens de **prévention**, sans aller jusqu'à valider leur capacité à véritablement **guérir** des maladies, notamment les plus complexes comme le cancer.

Il paraît probable que ces liens seront de plus en plus confirmés et que les producteurs alimentaires, en liaison avec le milieu **médical,** développeront des nouveaux produits ayant des vertus nouvelles. On peut aussi parier sur l'intérêt des **consommateurs** pour ces produits, dans un contexte d'intérêt prioritaire pour la santé et recherche de longévité. Les **distributeurs** joueront également un rôle important dans la diffusion de ces alicaments, qu'ils placeront dans des rayons spécialisés, ou aux côtés des produits **bio**. Ces derniers constituent en effet une forme particulière d'alicament, leur promesse n'étant pas d'**améliorer** l'état de santé de leurs consommateurs, mais plutôt d'éviter sa **dégradation**. Mais la marge entre les deux discours est ténue.

Un rapprochement similaire s'est produit entre l'univers de l'**alimentation** et celui de la **beauté**. Les produits concernés, baptisés *cosmetofoods* aux États-Unis (un secteur parfois baptisé **dermonutrition** en français), se situent à mi-chemin entre aliments et cosmétiques. Ils promettent de nourrir à la fois l'estomac et la peau, de lutter contre le dessèchement, les rides ou les coups de soleil. Parmi les exemples les plus anciens, on peut citer les carottes, supposées donner un teint rose, ou les concombres, utilisés pour rajeunir le visage. On a vu se développer au fil des années, et avec des succès variables, des jus de fruits **antioxydants**, des yaourts **cosmétiques**, des chocolats **anti-acné**, des laits **anti-âge**. L'avenir semble plutôt se situer du côté des **alicaments** que des *cosmetofoods*.

---

1. Le mot *alicament*, créé par l'auteur en 1995 (sauf invention antérieure ou simultanée par une autre personne, non identifiée…) a éré publié notamment dans *Tendances 1996*, (Larousse). Il a été repris dans les médias à partir de cette période. Il est entré dans les dictionnaires Larousse et Robert en l'an 2000.

Les aliments sont (avec les médicaments) les seuls produits **«incorporés»**, ce qui explique leur importance particulière (voir encadré ci-dessous). Ils sont surtout **indispensables à la vie**. C'est pourquoi toute innovation en ce domaine est et sera examinée avec précaution par la majorité des Français, et connaîtra en cas de succès une diffusion lente. Le temps des **«pilules alimentaires»** ne semble pas pour demain. Néanmoins, la cuisine en tant qu'**activité de loisir** devrait connaître des changements plus rapides, en particulier dans sa dimension **festive** (voir p. 379).

L'ALIMENTATION DE DEMAIN AU CARREFOUR DES TENDANCES

En guise de synthèse ou de complément aux tendances indiquées précédemment, on peut présager un certain nombre d'évolutions concernant l'**offre** de produits alimentaires, les comportements

---

C'était la première fois que la gastronomie d'un pays accédait à ce statut.

L'ère des « *Bobios* »

Les **Bobos** (Bourgeois Bohèmes) sont en règle générale plus vigilants que le reste de la population quant à la qualité de leur alimentation et de celle de leurs enfants. Ils seront demain de plus en plus sensibles aux discours des **experts** sur les **risques** liés à la consommation de certains produits du fait de leur **production** (usage de substances chimiques toxiques), de leur impact sur l'**environnement**. Ils seront plus concernés par le commerce alimentaire **équitable** (juste rémunération des agriculteurs ou éleveurs). Ils privilégient depuis quelques années les produits **bio**, et pourraient à l'avenir ne plus acheter que ceux-ci, dans la mesure où ils seront **disponibles** et garantis par des **labels** fiables, Disposant d'un **pouvoir d'achat** plus élevé que la moyenne, ils hésiteront moins à payer le supplément impliqué par le bio, qui devrait d'ailleurs se réduire à l'avenir avec son développement.

Ces nouveaux **« *Bobios* »** seront également pionniers en matière de passage au **végétal**, à titre unique ou principal selon les cas. Ils privilégieront les produits de production **locale** (moins de 150 km), qu'ils achèteront directement aux producteurs regroupés dans des **AMAP**[1] ou d'autres formes d'organisation. Cela leur permettra en outre d'avoir un contact direct avec eux, de se sentir ainsi moins éloignés de la **« nature »**, et d'échapper aux grandes enseignes de **distribution** qu'ils suspectent d'exploiter à la fois les producteurs et les consommateurs.

1. Associations pour le maintien d'une agriculture paysanne.

de **consommation** ou l'évolution de la **distribution**. Elles sont présentées ci-dessous comme des « prédictions », assorties évidemment des précautions nécessaires, exposées dès le début de cet ouvrage.

- **Les produits alimentaires seront véritablement traçables.** Leur étiquetage permettra de connaître facilement leur contenu nutritionnel, leur provenance et autres caractéristiques attendues par les consommateurs.
- Les **« produits sans »** (OGM, pesticides, herbicides, additifs, gluten, sucre ou sel ajouté, lactose...) envahiront les rayons des magasins d'alimentation. Ils répondront à un besoin croissant (conscient ou inconscient) d'**« allègement »**, témoignant d'une volonté de résistance au surpoids et à l'obésité, mais aussi plus largement à une société de **surabondance** et d'**inégalités** entre les individus.
- En complément au **végétarisme** et au **veganisme** (voir p. 204), on verra se développer le **flexitarisme**, qui autorise une consommation faible de **viande**. Avec lui pourrait s'affirmer une tendance à l'**« indulgence »** envers soi-même appliquée à l'alimentation, avec l'objectif de desserrer les **contraintes** pesant sur les individus et leur liberté de choix.
- Les produits **naturels**, simples, artisanaux, « faits maison », préparés « à l'ancienne », seront recherchés, comme présentant *a priori* moins de risques que les produits modernes et véhiculant une image d'**authenticité** et de **nostalgie**.
- Les produits **« exotiques »** seront appréciés, comme évocateurs d'autres cultures, modes de vie et « réalités », permettant de s'échapper de celles du quotidien.
- La pratique personnelle de la **cuisine** se développera, facilitée par les vidéos culinaires, la réalité augmentée ou virtuelle, et les nouveaux équipements et robots ménagers.
- L'alimentation sera **personnalisée**, avec notamment le développement de la **nutri-génétique** (prescription du type

d'alimentation selon les caractéristiques génétiques individuelles).

- La part des **protéines d'origine animale** diminuera dans les pays développés comme la France. Cependant, la FAO prévoit un **doublement** de la consommation de viande dans le **monde** en **2050**, lié à l'accroissement de la population et au changement de régime alimentaire des pays émergents. Les problèmes d'accès à la nourriture devraient ainsi s'accroître en Afrique et en Asie.

- Les **Occidentaux** pourront progressivement **élargir** leur registre alimentaire aux **algues**, **insectes** et **steaks** produits *in vitro* à partir de cellules souches de vache cultivées en laboratoire.

- Les **magasins d'alimentation seront transformés**. L'**hypermarché** aura en partie disparu. Sa surface sera plus réduite et la part des produits alimentaires accrue au détriment des autres rayons (bricolage, jardinage, bazar, électroménager...). Les magasins de **proximité** feront une place croissante à l'**alimentation immédiate** (pour le déjeuner ou pour satisfaire une envie de «snacking»). Ils seront plus souvent installés dans des **lieux de passage ou de transit** : gares, stations de métro, lieux publics...

- Les **restaurants** s'efforceront de **réenchanter** les moments d'alimentation en jouant sur la **polysensorialité** (décoration, éclairage, écrans tactiles, musique, odeurs, œuvres d'art...).

- Les **comportements** alimentaires seront de plus en plus différenciés entre les **groupes sociaux**. Les personnes **modestes** seront particulièrement sensibles aux **prix** des aliments, dont l'amplitude sera accrue par l'offre de nouveaux produits (bio, de substitution, complémentaires...). Elles fréquenteront moins les **magasins** proposant ces produits innovants. Les personnes peu **diplômées** seront moins attirées par ces innovations. Les membres de ces groupes seront aussi davantage touchés par le **surpoids** et l'**obésité**. Au total, les **inégalités** sociales seront renforcées.

- L'alimentation restera un **miroir** de la société.

TRANSPORT

Avec la diffusion de nouveaux outils, issus notamment de la révolution numérique, l'individu **moderne** est devenu «nomade». Il peut désormais être partout à la fois, rester connecté en permanence à l'ensemble du monde, à commencer par celui qui lui est proche : famille, amis et réseaux, travail, informations, lieux d'achat et de consommation, activités diverses... *Homo numericus* est également un *Homo mobilus*. Il faut pourtant relativiser cette affirmation. On constate en effet que les Français passent de plus en plus de temps à leur **domicile** (voir p. 195), et que leur mobilité est souvent plus **virtuelle** que **physique**.

UN BUDGET POTENTIELLEMENT EN BAISSE

La part des dépenses de **transport** des ménages s'était considérablement accrue entre 1960 et 1990, passant de **11 %** à **18 %**[1] des dépenses totales de consommation. L'accroissement des **taux d'équipement en voitures**, et les dépenses d'usage, entretien, réparation que cela implique, est la principale explication de cette forte hausse. Le budget s'était ensuite **stabilisé** (18 % en 2007), avec la baisse des **prix relatifs des véhicules** et l'ajustement des distances annuelles parcourues en fonction du prix des carburants. La part des transports ne représentait plus que **13 %** dans le budget des ménages en **2017**.

Cette part pourrait encore **diminuer** au cours des prochaines années, notamment en ce qui concerne les déplacements de **courte distance**, pour les raisons suivantes :

1. INSEE, *Cinquante ans de consommation des ménages*, édition 2009.

- La baisse d'usage de la **voiture personnelle** dans les **villes** (ainsi que du taux de **possession**), au profit des **transports collectifs**.
- La part croissante du **covoiturage**, permettant une économie des coûts (voir ci-après).
- Le développement du **télétravail** dans les entreprises, au moins à temps partiel (voir p. 277).
- Le développement de l'usage des **deux-roues** (notamment du **vélo**) dans les grandes et moyennes villes.
- La moindre **mobilité physique** des Français, qui pourront effectuer de plus en plus de tâches et d'activités depuis leur **domicile** (consommation, communication, formation, loisirs...).

UNE CONSOMMATION ÉNERGÉTIQUE RÉDUITE

Les projections de transport sur **courte distance**[1] (moins de 100 km) à l'horizon 2030 indiquent un prolongement des tendances de mobilité observées au cours des dernières années, avec des **réductions** de consommation de carburant encore plus sensibles, du fait d'une meilleure **efficacité énergétique** et du développement des **véhicules électriques**.

Pour les **longues distances** (déplacements sur plus de 100 km dont l'origine ou la destination se situe en France métropolitaine), la demande de transport de voyageurs pourrait croître d'ici 2030 au rythme assez faible de **1,1 %** par an (compte tenu de l'accroissement de la population pendant la période). Elle passerait de 954 à 1171 millions de voyages par an. Le **«trafic voyageurs»** sur les réseaux français augmenterait à un rythme similaire (**1,2 %** par an) et passe-

rait de 317 à 396 milliards de voyageurs-kilomètres.

L'agrégation de l'ensemble des projections voyageurs à **courte** et à **longue distance**, auxquelles sont ajoutées des projections concernant le transport de **marchandises**, aboutirait à une **augmentation du** trafic routier de 15 % à l'horizon 2030. Mais les émissions directes de CO_2 liées au transport **diminueraient** de 20 % par rapport à leur niveau de 2012, selon le scénario central retenu. La baisse atteindrait même 30 % à l'horizon 2050 si l'on poursuit la projection. Elle serait cependant insuffisante pour atteindre l'objectif de **facteur 4**[2] permettant de limiter les émissions françaises de gaz à effet de serre.

Parmi les mesures destinées à réduire les consommations polluantes figure l'arrêt de la production de voitures à moteur **Diesel**. Il est prévu en France d'ici 2040, afin de remplacer progressivement le parc par des véhicules électriques. À **Paris**, tous ceux à **moteur thermique** (essence ou diesel) devraient être interdits à la circulation en 2030, dans le cadre du nouveau «plan climat» proposé aux Parisiens.

MOINS DE VOITURES EN CIRCULATION

À l'échelle **européenne**, le **parc** de voitures en circulation pourrait **diminuer de 80 millions d'ici 2030**, en raison de la progression de l'**autopartage**[3], passant de 280 à 200 millions (–28%)[4]. Mais le **trafic** augmenterait, du fait que les voitures partagées seront davantage utilisées que les voitures particulières individuelles. Un véhicule partagé effectuerait en moyenne 58 000 km par an (l'équivalent d'un taxi), contre 13 000 km actuellement, soit quatre

---

1. Étude du ministère de l'Environnement, de l'Énergie et de la Mer, Commissariat général au développement durable (CGDD), juillet 2016. Les projections ont été réalisées à partir d'une hypothèse de reprise économique avec une croissance du PIB de 1,9 % par an entre 2012 et 2030. Le prix du pétrole retenu est de 93 € (valeur 2012) en 2030, conformément aux prévisions de l'Agence internationale de l'énergie (AIE).

2. Objectif ou engagement écologique pris dès 2010 consistant à diviser par 4 les émissions de gaz à effet de serre d'un pays ou d'un continent donné, à l'horizon de 2050. Il implique de réduire très fortement la consommation d'énergies fossiles, ainsi que la production de produits générant ces gaz, tels que la viande.
3. L'auto-partage est la mise à disposition d'un parc de véhicules à des usagers ayant souscrit un abonnement ou un contrat pour des déplacements courts ou occasionnels.
4. Étude du cabinet PricewaterhouseCoopers, 2017.

Un bilan carbone mitigé

Contrairement à l'opinion répandue (et entretenue), le **bilan carbone global** des **voitures électriques** (depuis leur fabrication jusqu'à leur élimination, sur toute leur durée de vie) n'est pas obligatoirement plus favorable que celui des **voitures classiques roulant à l'essence**. La question se pose notamment pour les voitures électriques d'une certaine **puissance**, par rapport à des voitures à essence de plus faible puissance. Ainsi, les bilans d'une Tesla modèle S P100D et d'une Mitsubishi Mirage sont sensiblement **équivalents**[1]. Or, la tendance du parc thermique est plutôt à une **réduction** de la puissance moyenne, ce qui ne sera pas obligatoirement le cas de celle des modèles électriques.

Il serait donc hâtif de considérer que les voitures électriques sont **par principe** plus écologiques que les voitures à propulsion classique. La fabrication et la recharge de leurs **batteries** sont notamment très consommatrices d'une énergie dont la production est aujourd'hui délétère sur le plan environnemental. Le développement des véhicules électriques dépendra donc de la capacité à les produire à partir d'énergies renouvelables propres. C'est le **pari** que font la plupart des constructeurs dans le monde.

1. Étude *Trancik Lab* du Massachusetts Institute of Technology.

---

fois plus, et devrait donc être remplacé plus fréquemment qu'aujourd'hui.

La **France** pourrait être touchée avec un peu de retard par cette évolution, compte tenu de l'attachement de nombreux Français à la voiture et d'une réticence au **partage**, dans un climat social plutôt marqué par la **méfiance** (voir p. 229). Mais ces résistances, qui toucheraient plutôt les personnes âgées, devraient s'estomper assez rapidement, du fait des avantages **économiques** des formules de partage et des gains **environnementaux** qu'ils permettent. Par ailleurs, l'**attachement** à la voiture personnelle devrait continuer de se réduire, du fait des contraintes croissantes liées à son usage : limitations de vitesse, multiplication des contrôles et des contraventions, etc.

DES VÉHICULES AU MOINS EN PARTIE ÉLECTRIQUES

La part des **voitures électriques et hybrides** pourrait dépasser celle des modèles à combustion roulant uniquement à l'essence ou au diesel à partir de **2030**[1]. Cette évolution spectaculaire serait favorisée par les **incitations** financières décidées par les pouvoirs publics pour lutter contre la pollution de l'air, la baisse du prix de fabrication des **batteries** et celle de la production des **énergies vertes** (solaire, éolien...). Ces modèles ne représenteraient cependant au total que 4 % du parc **mondial**, la grande majorité des pays ne disposant pas des moyens de réaliser cette transition.

Il faudra cependant s'interroger sur les avantages comparatifs **réels** des véhicules électriques en matière environnementale (voir encadré ci-dessous). S'ils sont aujourd'hui considérés comme «propres», au motif qu'ils n'émettent pas de CO_2 en roulant, cette réalité en cache une autre. Les voitures électriques émettent en effet **indirectement** du CO_2, par la production de l'électricité utilisée pour recharger leurs batteries. Mais cette pollution est moindre que celle des moteurs Diesel ou à essence : environ 9 tonnes d'équivalent CO_2 contre 22 tonnes sur l'ensemble du cycle de vie[2]. L'énergie utilisée en France est d'origine **nucléaire**, donc sans production directe de CO_2, mais l'objectif à terme est de réduire sa part.

1. Étude *The Electric Car Tipping Point* du cabinet Boston Consulting Group, 2017.

2. ADEME.

L'ÈRE « AUTONOMOBILE »...

Le **véhicule autonome** (ou sans chauffeur), est l'illustration parfaite de ce qu'est l'**innovation de rupture**. L'immense majorité des humains, même parmi les mieux informés, n'aurait pu imaginer il y a quelques années, qu'elle pourrait exister en dehors des ouvrages ou films de **science-fiction**. Ni que sa technologie se développerait à une telle vitesse, compte tenu de la **complexité** et de la **diversité** des problèmes à résoudre.

Ces difficultés sont pour une grande partie résolues. Équipée de **capteurs**, **radars** (dont un lidar, radar laser) et d'**algorithmes** dotés d'**intelligence artificielle**, « l'autonomobile » est capable de reconstituer en **trois dimensions** et en **«temps réel»** les situations possibles, de les **analyser** et de prendre les **décisions** lui permettant de circuler sur la chaussée en évitant les **obstacles**, en respectant la **signalisation** et en s'adaptant aux **souhaits** des passagers. Ces décisions sont transformées en mouvements par des **servocommandes** transmises à des systèmes mécaniques par les systèmes informatiques.

L'idée n'est pourtant pas récente, et les premiers prototypes ont été réalisés dans les années **1970**. Mais l'évolution décisive a été apportée par **Google** (via sa filiale Google X) et son projet d'Auto-Driving Car, en **2009**. La Google Car (et avec elle des Toyota Prius et une Audi TT complètement transformées) ont effectué 3,2 millions de kilomètres sur les routes de Californie et d'autres États américains consentants entre 2009 et 2015. Avec des taux d'accidents qui devraient être inférieurs à ceux dus à la conduite humaine de véhicules classiques. Celui qui s'est produit en mars 2018[1] a cependant montré qu'il n'est pas et ne pourra pas être **nul**. Ce

premier accident mortel devrait cependant retarder les développements.

... ÉTALÉE DANS LE TEMPS

Dans la course à la voiture autonome, il est difficile de savoir quelle entreprise domine aujourd'hui et empochera la mise demain. Si l'on se réfère au nombre de **brevets** déposés depuis 2010, ce sont deux entreprises **allemandes** qui arrivent en tête : Bosch (958) et Audi (516), devant Continental (439), Ford (402), General Motors (380), BMW (370), Toyota (362), Volkswagen (343), Daimler (339) et Google (338)[2]. On peut s'inquiéter de constater qu'aucune entreprise **française** ne figure dans ce palmarès.

Les premières « *autonomobiles* » devraient être commercialisées dans les prochaines années. Elles ne vont cependant pas remplacer rapidement l'ensemble des véhicules existants (39 millions dans le parc français, dont 32 millions de véhicules particuliers). Il faudra auparavant apporter des réponses dans de nombreux domaines :

- **Techniques** : sécurisation des logiciels ; réactions aux injonctions d'un policier ou d'un tiers...
- **Légales** : autorisations de circulation ; adoption de standards internationaux...
- **Sécuritaires** : assurances des véhicules et des personnes ; responsabilités en cas d'accidents (constructeur ; propriétaire ; réparateurs...).
- **Éthiques** : décisions à prendre dans des «situations de crise» («choix» des victimes) ; normes internationales pour ces

---

1. Une voiture autonome Uber a renversé et tué une cycliste qui traversait une route, son vélo à la main. L'enquête a montré deux mois plus tard que la cause de l'accident reste «humaine». Les capteurs avaient bien repéré la présence de la piétonne, mais un logiciel aux «faux positifs» (sacs plastiques, morceaux de papier et autres objets qui ne sont pas à éviter) avait été paramétré d'une façon trop tolérante.

2. Statista.

LA LONGUE MARCHE VERS L'« AUTONOMOBILE »

43. Déploiement du véhicule autonome (en % du parc automobile) selon deux scénarios

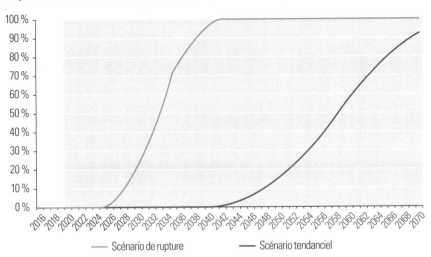

— Scénario de rupture   — Scénario tendanciel

France Stratégie

situations limites ; recueil et utilisation des données d'usage et de mobilité...

- **Économiques :** prix de vente aux particuliers ; subventions publiques éventuelles ; investissements pour la signalisation et l'aménagement des routes...
- **Sociales :** évolution des emplois dans la filière automobile, formations, reconversions...
- **Culturelles :** comment vaincre les réticences des Français, les convaincre d'abandonner le volant à un **robot** ? Surtout à l'intérieur des villes, où la circulation est particulièrement complexe, avec des piétons, cyclistes et automobilistes qui ne respectent pas tous les règles...

Cette **révolution** va remettre en question l'ensemble de la **filière automobile**, du constructeur jusqu'à l'utilisateur (notamment dans le cas de véhicules utilitaires) en passant par les concepteurs, équipementiers, garages, concessionnaires, transports de fret, transports publics, etc. Cela nécessitera des années. On peut cependant raisonnablement penser que les voitures neuves **achetées** en **2030** seront autonomes, avec pour ceux qui le souhaitent (et

sans doute avec un surcoût) la possibilité de **débrayer** l'automatisme pour prendre eux-mêmes le volant. Et retrouver les sensations passées.

DE L'« *EGOMOBILE* » À L'« *ÉCOLOMOBILE* »

Le contexte de « **crise** » à multiples facettes (économique, financière, sociale, morale, politique...) qui perdure en France depuis des années a évidemment eu des incidences sur la relation des Français à l'**automobile**. Elle est sans doute encore pour certains l'outil principal de la mobilité et de la liberté, mais elle a acquis un nouveau statut pour les autres. Contrairement au passé, tel que le décrivait Roland Barthes dans les années 1950[1], elle est moins *« consommée dans son image que dans son usage »*. Après avoir été une **vitrine** (permettant de donner aux autres une image de soi... ou de celui qu'on voudrait être, fonction statutaire), puis **un miroir** (renvoyant au propriétaire une image de lui-même, fonction identitaire), la voiture est devenue pour beaucoup un

---

1. *Mythologies*, Seuil, 1956.

LA ROUTE DE MOINS EN MOINS MEURTRIÈRE

44. Évolution de la mortalité sur les routes (en nombre de décès sur l'année)

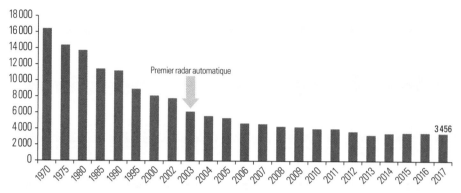

Sécurité routière

L'hydrogène, carburant du futur ?

L'hydrogène permet de produire de l'**électricité** en continu en transformant le gaz par électrolyse inversée, au sein d'une **« pile à combustible »**. Comme les voitures électriques, celles fonctionnant à hydrogène sont **silencieuses** et **non polluantes** (elles ne rejettent que de la vapeur d'eau). Mais elles offrent une **autonomie** plus longue, de 500 à 700 kilomètres, et un **temps de recharge** limité à quelques minutes. Le constructeur japonais Toyota, numéro un mondial de l'automobile, commercialise depuis décembre 2014 la première berline à hydrogène grand public, la Mirai.

Comme celui des véhicules électriques, le **bilan écologique global** de ces véhicules n'est pas parfait. Dans l'attente de pouvoir procéder par électrolyse de l'eau, la fabrication de l'hydrogène entraîne un rejet de CO_2. Comme pour les voitures électriques, le développement de ce type de véhicule implique aussi la création d'un réseau de **stations de recharge**. Même si les moteurs **électriques** ou **hybrides** ont aujourd'hui les faveurs des constructeurs, le moteur à **hydrogène** pourrait représenter une solution complémentaire à l'avenir. Les constructeurs français ne sont cependant pas en pointe dans ce domaine.

simple **outil**, permettant de se déplacer dans des conditions de **confort** (sans cesse amélioré), de **rapidité** (relative en milieu urbain) et de **sécurité** (indéniablement accrue).

Ce statut d'**outil** devrait être encore renforcé par l'usage de l'**«autonomobile»**, et apporter un gain supplémentaire de sécurité et de **tranquillité d'esprit** pour les passagers (dont les anciens conducteurs qui ne le seront plus). La circulation devrait en effet être moins encadrée qu'aujourd'hui par des mesures, incitations, injonctions, contraintes et sanctions privatives de **liberté**. Cependant, cette liberté retrouvée sera en permanence **«surveillée»** par un ensemble de capteurs, radars et caméras qui pourront indisposer leurs occupants, comme l'ensemble des systèmes qui les observeront dans toutes les circonstances de leur vie quotidienne.

L'automobile de demain devra en tout cas satisfaire et parfois **réconcilier** des attentes parfois peu compatibles : esthétique, vitesse, «praticité», sécurité, confort, convivialité, économie, préservation de l'environnement. Les Français pourraient ainsi passer de l'ère de l'**«egomobile»**, caractéristique d'un usage individualiste de la voiture, à celle de l'**«écolomobile»**, ayant comme objectif une empreinte écologique nulle sur la planète.

Île-de-France : la révolution des transports

Les transports en Île-de-France sont devenus en quelques années un **cauchemar** pour de nombreux habitants. 56 % des usagers des **transports collectifs** déclarent subir des difficultés chaque semaine dans leurs déplacements. Les **automobilistes** perdent en moyenne 40 minutes par semaine dans des bouchons (2016) et les transports routiers sont responsables de **32 % des émissions de gaz à effet de serre** de la région[1].

Un **plan d'urgence** est donc nécessaire pour transformer la situation des transports, à quelques années de l'organisation des jeux Olympiques. Les services de **mobilité à la demande** (taxis, VTC, services de covoiturage) font déjà partie du quotidien de certains Franciliens. Ils pourraient couvrir **100 %** de la région en **2024**, avec un temps d'attente inférieur à 10 minutes, et représenter **la moitié du transport privé** vers **2030**.

Le seul **covoiturage** pourrait permettre d'atteindre une moyenne de **deux passagers** par **véhicule** en **2030**, ce qui représenterait un progrès important, tant sur le plan **économique** qu'**écologique**. Par ailleurs, le nombre des **véhicules et deux-roues électriques en libre-service** devrait s'accroître (voir p. 218) au fur et à mesure de la baisse des prix, de l'allongement de l'autonomie des batteries et du nombre de bornes de recharge sur la voirie.

Enfin, des **voitures 100 % autonomes** devraient être commercialisées d'ici **2025**, avec cependant des prix élevés (environ 10 000 € de plus que les modèles non autonomes). Des **navettes** semi-**autonomes** (avec présence d'un technicien à bord) seront en circulation, comme c'est déjà le cas dans certaines villes comme Lyon. Des **flottes de navettes** électriques 100 % autonomes pourraient assurer une partie des transports publics en **2030**. Elles représenteraient **30 à 50 % des passagers-kilomètres de transport à la demande** et concerneraient notamment des personnes âgées ou handicapées, en complément des transports collectifs réguliers.

1. Étude *Mobility Nation* du Boston Consulting Group, 2017.

COVOITURAGE ET AUTOCARS

En France, les 33 millions de véhicules du parc ne sont utilisés en moyenne que pendant **5 %** du temps. Ce gaspillage des ressources explique le potentiel représenté par les **moyens de transport partagés et collectifs**. Deux modes de déplacement pourraient en particulier capter une part significative du trafic d'ici **2030** :

- Le **covoiturage**[1] **longue distance** (plus de 100 km), qui s'étendrait grâce au développement de services de mise en relation des covoitureurs via Internet.

- Le **transport par autocar**, libéralisé par la *Loi pour la croissance, l'activité et l'égalité des chances économiques* d'août 2015 (dite loi Macron).

À l'horizon **2030**, le **covoiturage** pourrait représenter en France 3 % des déplacements **longue distance** internes, une part comparable à celle des **autocars** (3,5 %). En supposant que ces deux modes de transport aient un quart de clientèle commune, leur part de marché conjointe sur les déplacements de longue distance pourrait atteindre 5 %[2].

DES ROBOTAXIS DANS LES VILLES

Des **flottes** de voitures entièrement autonomes devraient être prochainement proposées aux usagers, notamment pour les déplacements **urbains**. Comme les taxis, les

1. Le covoiturage est le partage d'un véhicule avec d'autres personnes pour des déplacements occasionnels (voyages) ou réguliers (trajets domicile-travail). Plusieurs personnes utilisent en même temps le véhicule de l'un d'entre eux, à titre gracieux ou en échange d'une participation aux frais directs de déplacement (carburant, péage). L'auto-partage est la mise à disposition d'un parc de véhicules à des usagers ayant souscrit un abonnement ou un contrat pour des déplacements courts ou occasionnels.

2. Op. cit. Étude du ministère de l'Environnement, de l'Énergie et de la Mer, Commissariat général au développement durable (CGDD), juillet 2016. Chiffres arrondis.

robotaxis se rendront à l'adresse de leurs clients et les transporteront jusqu'à destination, mais sans la présence de **conducteur**. Ce type de service pourrait se développer fortement d'ici **2030**. Son succès dépendra des **tarifs** qui seront pratiqués par les flottes ; ils devraient être sensiblement moins élevés que ceux des taxis classiques, dans la mesure où les compagnies offrant ces services n'auront pas de chauffeurs à rémunérer. Les véhicules pourront aussi être utilisés sans interruption (hors maintenance).

Ce nouveau mode de transport pourrait représenter **26 % des déplacements** en 2030[1]. Il pèserait également de façon significative sur les **achats** de véhicules (neufs ou d'occasion), avec une baisse en volume qui pourrait atteindre 60 % en France. Il serait en effet moins coûteux de recourir aux robotaxis que de disposer de son propre véhicule, qu'il faut assurer, garer, entretenir, faire réviser, avec un taux d'utilisation faible. Entre **propriété** et **usage**, les Français attentifs à l'économie et à l'écologie devraient trancher pour la seconde solution. Ces flottes pourront aussi concurrencer les **loueurs** classiques de véhicules, mais aussi les loueurs ou vendeurs de **parkings** (qui devront peut-être être reconvertis). On peut s'attendre à une forte **concurrence** entre constructeurs, géants d'Internet, sous-traitants, équipementiers et start-up pour préempter ce marché prometteur.

LA GUERRE DE L'AIR EN COURS

Dans l'**aérien**, la concurrence s'est mise en place dès le début des années **1980**. La compagnie Ryanair, née en 1985, a importé avec succès le modèle *low cost* américain en Europe, suivie par d'autres compagnies comme Virgin, EasyJet, Go, etc. Au point que ce type de transport représente désormais **un tiers du marché aérien** en France : 32 % des 48 millions de passagers transportés en 2016, contre 36 millions en 2013 (26 %). Il

est également responsable de l'essentiel de la croissance du marché et il a permis à de nombreux Français de découvrir l'avion.

Air France, la compagnie nationale, a réagi tardivement, empêtrée dans d'impossibles discussions avec les syndicats de **pilotes**, indifférents aux sommes considérables qu'ils ont fait perdre à la compagnie et à son écosystème, à la colère qu'ils ont engendrée chez les passagers, et à l'image de la France auprès des étrangers. Air France a ainsi perdu beaucoup de **temps** et d'**argent** avant de pouvoir lancer sa première riposte avec Transavia, puis avec Joon. Après une année 2017 qui lui avait permis de renouer avec les profits, les **grèves** de 2018 ont dégradé un peu plus son image de compagnie chère et peu fiable. Et montré sa grande fragilité interne.

D'ici **2030**, la compagnie devra poursuivre et accélérer son travail de rénovation et d'adaptation. Elle ne pourra y parvenir qu'en instaurant une relation de partenariat véritable avec ses collaborateurs, du bas de l'échelle jusqu'à son sommet. Elle devra ainsi rassurer son partenaire KLM, en bien meilleure posture, et éloigner le spectre de la faillite.

LA BATAILLE DU RAIL ENGAGÉE

La **SNCF** a bénéficié plus longtemps qu'Air France de son statut de monopole. L'invention et la mise en œuvre du **TGV** avaient inauguré une époque nouvelle. Il avait redessiné la carte de France chaque fois qu'une ligne était ouverte, réduisant les **temps de parcours** de façon spectaculaire : Lille et Tours n'étaient plus qu'à une

---

1. Étude du cabinet Roland Berger, 2017.

heure de Paris, Lyon et Rennes à 2 heures, Marseille et Bordeaux à 3 heures... Mais les **investissements** considérables réalisés n'ont pu être amortis, seules quelques lignes s'avérant rentables.

Les **TER** (trains express régionaux) ou **Intercités** ont connu les mêmes difficultés. Sur les 9 000 km de voies existants (sur 28 700 km au total), beaucoup sont en déficit. Quant aux **RER** (réseaux express régionaux) desservant la région parisienne, beaucoup sont souvent en mauvais état et cumulent les retards. Au total, la SNCF connaît un **déficit** récurrent et un **endettement** considérable (supérieur à 40 milliards d'euros). Le **train**, *« qui représentait plus de 90 % du transport de voyageurs au début du xxᵉ siècle, et encore près de 60 % en 1950, ne comptait plus que pour 9,2 % du transport de voyageurs en 2016*[1] *»* indiquait le rapport remis au Premier ministre en février 2018 sur le sujet. Ce recul considérable a profité à la **voiture**, avec les problèmes environnementaux que l'on sait.

Les erreurs de **gestion** et de **stratégie**, les **coûts** de fonctionnement, alourdis par le statut indéniablement avantageux des cheminots et l'opposition de syndicats radicaux (CGT et Sud-Rail notamment) ont sensiblement retardé l'**adaptation** nécessaire. Ils ont conduit à une politique de prix **élevés**, qui n'a pas encouragé l'usage du train, sans pour autant permettre d'entretenir les matériels et les infrastructures. C'est ainsi que les **dysfonctionnements** se sont multipliés au cours des dernières années.

Comme Air France, la SNCF a perdu l'image de **modernité** et de **fiabilité** dont elle avait pu se prévaloir. À la veille de l'ouverture à la **concurrence** des lignes nationales de voyageurs, prévue pour **2020**, les « usagers » (et de nombreuses entreprises) ont subi les grèves « perlées » du premier semestre 2018 qui avaient pour but de supprimer (ou au moins de retarder) la nécessaire réforme. La décennie à venir sera donc décisive pour le transport ferroviaire national, tant les enjeux économiques, sociaux et politiques sont importants pour le pays.

DES TRANSPORTS RÉVOLUTIONNAIRES À VENIR

Pendant qu'Air France et la SNCF entreprennent avec beaucoup de difficultés leur mue vers le xxiᵉ siècle, les transports du futur avancent à grands pas. Des projets à peine imaginables se développent, notamment aux États-Unis. C'est le cas en particulier de ceux d'Elon Musk, patron visionnaire et milliardaire, avec les **voitures électriques** (Tesla), les **fusées** de nouvelle génération (Space X) et l'**Hyperloop**. Ce dernier, actuellement en phase d'essai, est une capsule circulant par sustentation magnétique dans un tube spécial, avec un objectif de vitesse de **1 100 km/h**. Cette technologie, appliquée en France, placerait par exemple Lyon à moins de 30 minutes de Paris.

Le projet **spatial** de Space X lancé par le même personnage est encore plus fou (ou génial). Sa fusée BFR (Big Falcon Rocket[2] !) est capable de propulser 150 tonnes en orbite. Elle pourrait aller coloniser la planète **Mars** (pour assurer la survie, au moins partielle, de l'Humanité)... ou envoyer des passagers d'un point à un autre de la planète en moins d'une heure à une vitesse maximale de 27 000 km/h. Paris serait ainsi à une demi-heure de New York et à une heure de Los Angeles ! De son côté, Moon Express, jeune entreprise concurrente de Space X, envisage d'emmener des touristes sur la **Lune** d'ici une décennie, pour moins de 10 000 euros (on suppose que c'est le prix d'un aller-retour...). La Chine s'est elle aussi fixé l'objectif d'installer une **station lunaire habitée**, qui pourrait même ressembler à un palais.

Les **drones** constituent aussi l'avant-garde de moyens de transport révolutionnaires. Plus particulièrement destinés aux

---

1. Rapport rédigé par Jean-Cyril Spinetta sur *L'avenir du transport ferroviaire*, février 2018.

2. « Grosse fusée Falcon », également baptisée *Big fucking rocket* (« *Foutue grosse fusée* » dans une traduction polie...) par Elon Musk lui-même.

livraisons ; ils inspirent également un certain nombre de projets de **voitures volantes** (autonomes) qui pourraient aboutir d'ici quelques années, le temps que la législation, les nouveaux aiguilleurs du ciel et les compagnies d'assurances s'adaptent.

Il est évidemment difficile d'établir des **probabilités** de réalisation, et plus encore des **dates** de commercialisation pour ces projets véritablement **disruptifs**. Ils font l'objet de nombreuses annonces destinées à entretenir la notoriété de leurs créateurs et de leurs entreprises, et *in fine* de séduire des investisseurs (privés et publics), des chercheurs et des partenaires afin de pouvoir les réaliser. Outre la faisabilité **technique**, c'est la viabilité **économique** qui décidera de leur sort. Elle est elle aussi difficile à appréhender. Quels **prix** les clients potentiels seront-ils prêts à payer ? Le taux de remplissage sera-t-il suffisant pour rentabiliser les projets et les infrastructures qu'ils impliquent ? Une chose est certaine : ils alimentent le **rêve** dont les humains ont besoin pour imaginer l'avenir de façon **enthousiaste**. Et ils posent *a priori* moins de questions éthiques que les perspectives de manipulations génétiques ou de l'intelligence artificielle.

LE VÉLO, AVENIR DES VILLES

Loin des modes de transport futuristes décrits ci-dessus, le **vélo** représente aujourd'hui 3 % des déplacements des Français. 2 % des actifs l'utilisent pour se rendre à leur **travail**, 3 millions sont achetés chaque année. Il remplit trois fonctions distinctes et complémentaires : transport, loisir, sport. Il devrait sensiblement accroître son utilisation dans les années à venir, notamment dans les déplacements **urbains**. Il sera particulièrement présent dans les villes dotées de systèmes de vélos en **libre-service** et, plus récemment, **sans attache fixe** (*free floating*[1]). Les modèles à

assistance électrique seront également de plus en plus présents.

Il devrait ainsi y avoir plus de vélos que de voitures à **Paris** en **2030**[2], pour peu que le fiasco du **nouveau Vélib** en 2018 ne soit plus qu'un mauvais souvenir pour ses utilisateurs (ou plutôt ceux qui auraient souhaité l'être dès son démarrage officiel). L'avenir du vélo en libre-service sera aussi très dépendant du **vandalisme**, une forme d'incivilité très répandue en France. L'échec des tentatives de *free floating* dans certaines villes (la start-up Gobee. bike s'est retirée de Reims, Lille et Paris début 2018) en est le témoignage.

Pour ceux qui peuvent l'utiliser, le vélo présente de nombreux avantages en tant que moyen de transport : **coût** d'utilisation très faible ; **autonomie** ; **rapidité** (la vitesse moyenne à vélo dans les grandes villes est plus élevée qu'en voiture) ; **exercice physique** salutaire ; **impact écologique** nul. Son potentiel de développement est important puisque la distance moyenne parcourue à vélo est de 75 km en France, contre environ 900 km au Danemark et aux Pays-Bas, 300 km en Belgique, Allemagne et Suède. D'autant que 50 % des déplacements urbains des Français sont inférieurs à 5 km, 42 % à 3 km, 21 % à 1 km.

Le développement à venir du vélo sera cependant limité par certaines difficultés associées à son usage : **effort** physique à fournir (dans un contexte de vieillissement de la population) ; **inconfort** en cas d'intempérie ; **relation** parfois difficile avec les autres usagers de la chaussée ; difficulté à **garer** le vélo au domicile ou en ville. Son avenir sera aussi fortement lié aux évolutions de l'automobile (autonome, partagée, robotaxis, voitures en libre-service...), à l'amélioration de l'**intermodalité** et des efforts des villes pour favoriser leur usage (pistes cyclables, signalisation, etc.).

---

1. Flottes de vélos en libre-service non fixées à des bornes dans des stations dédiées, pouvant être pris et reposés n'importe où.

2. Selon Frédéric Héran, chercheur à l'université de Lille, dans *Télérama*, 11 novembre 2017.

LA SOLUTION MUTIMODALE

On peut distinguer trois types principaux de **mobilité**, selon les moyens utilisés :
- **Douce** : marche à pied ; vélo (classique ou électrique).
- **Individuelle** : voiture ; moto ; scooter.
- **Collective** : bus ; tram ; train ; bateau ; avion ; autopartage.

L'évolution de la mobilité « **physique** » sera favorisée par le développement dans les prochaines années des systèmes **multimodaux**, permettant d'utiliser de façon complémentaire, souple et efficace différents modes de locomotion pour aller d'un point à un autre. Cela impliquera une **organisation** différente et la mise en œuvre de nouveaux **services** :
- Des **parkings** (à voitures et vélos) près des gares ferroviaires et des autres moyens de transport.
- Des **transports collectifs** réguliers, fréquents, interconnectés et ne polluant pas.
- Une plus grande disponibilité de **transports à la demande** (taxis, robotaxis, autopartage…).
- Des véhicules en **libre-service** : vélos et autres deux-roues (classiques ou à assistance) ; voitures (classiques ou autonomes)[1].
- Des **systèmes intégrés et interopérables de localisation** des moyens de transport (hubs).
- Une offre de **mobilité partagée** entre particuliers, au moyen de plates-formes dédiées.

LA « MOBILITÉ VIRTUELLE » EN FORTE HAUSSE,...

Si la mobilité **physique** ou « réelle » est appelée à s'accroître d'ici **2030**, la mobilité « **virtuelle** » devrait connaître un essor considérable. Il sera en effet de plus en plus facile à chacun de se rendre dans les lieux de son choix, existants ou imaginaires sans sortir de chez soi. Le « **voyage** » sera instantané, possible à partir de n'importe quel **terminal** numérique (qui pourra remplacer

le terminal d'aéroport !). Il sera surtout de plus en plus riche, grâce à la « **réalité augmentée** ».

Ce voyage dans le **cyberespace** permettra d'éviter de se déplacer, mais aussi de préparer un déplacement. Il ne sera pas sujet aux aléas climatiques, aux accidents, vols et autres risques. Il sera moins **coûteux**, voire gratuit si le « voyageur » accepte de céder ses données personnelles à des fins d'exploitation commerciale. Les progrès attendus en la matière sont nombreux : 3D ; réalité virtuelle, augmentée ou mixte ; holographie ; vidéotransmission…

… COMPLÉMENT ET CONCURRENT DE LA MOBILITÉ « RÉELLE »

Chacune des techniques existantes ne cessera d'être améliorée par de nouveaux équipements, apportant une **expérience** plus riche. Les visites de **monuments**, de **sites** touristiques ou la présence dans des **salles de spectacles** pourront être évitées ou limitées (voir p. 344). Il en sera de même des visites d'appartements, d'hôtels ou de magasins, comme des **rendez-vous** personnels ou professionnels. Le **télétravail** (solitaire ou collaboratif) en sera largement facilité (voir p. 277). La **télé-éducation** pourrait compléter au moins en partie l'école traditionnelle (voir p. 144). Le **e-sport** pourrait s'ajouter au sport (voir p. 397).

Au fil des années, la **différence** entre réalité et virtualité devrait s'estomper fortement, au point même de disparaître chez les enfants et les jeunes, qui y seront habitués dès leur plus jeune âge. La **réalité virtuelle** offrira en outre des expériences impossibles à vivre dans la « **réalité réelle** », en autorisant des situations normalement impossibles (voler comme un oiseau, se déplacer à une vitesse extrême, se comporter comme un personnage de dessin animé ou un « superhéros » de cinéma…). C'est pourquoi le recours à ces formes de **mobilité** devrait se développer rapidement, et modifier la notion même de voyage ou de déplacement. Cette révolution bouleversera du même coup l'ensemble des acteurs concernés par

---

1. Malgré l'échec d'Autolib à Paris.

ces activités. Si le **temps** de transport «réel» diminue du fait de sa plus grande fluidité, celui consacré aux déplacements «virtuels» ne devrait cesser d'augmenter. Au risque de provoquer des **addictions** et une nouvelle forme de **sédentarité**.

ET SI...

Les questions figurant dans cette rubrique ne sont pas des informations, mais des sujets de réflexion et de débat complétant les textes du chapitre qu'ils clôturent. Elles peuvent exprimer des souhaits, des craintes, des utopies ou tout élément susceptible d'accélérer, ralentir ou inverser les évolutions prévisibles.

... les ménages décidaient en masse d'habiter à la campagne, pour échapper aux contraintes urbaines ?

... les villes devenaient des mégapoles sans fin, s'étendant sur la plus grande partie du territoire ?

... les habitants des villes ne sortaient plus de chez eux, ayant tout à disposition depuis leur domicile ?

... la propriété de la résidence principale devenait l'exception, par rapport aux autres modes d'habitation ?

... la mobilité résidentielle était remplacée par une mobilité virtuelle immersive, permettant de changer à volonté de décor et d'ambiance ?

... des textiles et papiers peints lumineux permettaient de modifier complètement l'éclairage, l'ambiance et le décor des logements ?

... les dépenses alimentaires reprenaient la première place dans le budget des ménages ?

... les ingrédients alimentaires jugés nocifs pour les humains étaient totalement interdits ?

... les modes alternatifs de production agricole remplaçaient les méthodes intensives, tout en permettant un meilleur rendement ?

... le bilan écologique global d'un produit alimentaire devait figurer sur son étiquette ?

... des applications sur smartphone permettaient de connaître précisément les contenus nutritionnels totaux et détaillés d'un repas et suggérer des produits pour équilibrer l'alimentation sur la semaine ou le mois ?

... la consommation de nourriture animale était rationnée, afin d'accroître les espaces cultivables ?

... on organisait des compétitions de voitures de sport autonomes (*Roboraces*), comme cela existe pour les voitures de sport électriques (*Formule E*) ?

... on proposait demain des billets de transport multimodal, permettant de prendre plusieurs moyens de transport complémentaires pour aller d'un point à un autre, et permettant de ne pas utiliser sa voiture.

... les véhicules électriques étaient interdits, pour cause de bilan écologique défavorable ?

... la majorité des humains refusaient de monter à bord de véhicules autonomes ?

... la SNCF et Air France disparaissaient, du fait d'un manque de compétitivité par rapport à leurs concurrents ?

SOCIÉTÉ

L es **crises** successives ont perturbé les modes de vie des Français, mais aussi leur façon de voir le monde et de concevoir l'avenir. De sorte qu'ils ne partagent plus aujourd'hui un ensemble de **valeurs** clairement identifiable, servant de ciment à l'ensemble de la nation. La société actuelle est **fracturée**, ses membres hésitant entre des **conceptions** différentes, parfois contradictoires. Elles devraient faire l'objet de débats intenses dans les années à venir, jusqu'à ce qu'un nouveau système commun émerge, permettant de nouveau aux Français de « **faire société** ».

N.B. La prospective n'est pas une science exacte (voir p. 9). C'est pourquoi des textes (en italiques), placés en dessous des descriptions de certaines tendances et prévisions, présentent des perspectives alternatives, dans le cas où un changement important se produirait dans le contexte et modifierait ces prévisions.

VALEURS

UN SYSTÈME DE VALEURS DEVENU FLOU...

Le triptyque républicain de **liberté**, **égalité**, **fraternité**, qui a longtemps été le fondement de la société, n'est plus reconnu comme tel par les Français depuis quelques années[1]. Cette situation d'**anomie**[2] est l'une des causes majeures (mais aussi une conséquence) des difficultés qu'a connues le pays depuis plusieurs décennies.

On peut faire remonter la mise en cause du système au milieu des années **1960**, avec la « révolution » de Mai **1968**. Les contestataires avaient alors exprimé un fort besoin de « modernité », basé sur la liberté individuelle et la remise en cause d'**institutions** jugées obsolètes et d'une « **société de consommation** » aliénante. Mais ils ont vite été bâillonnés par les partisans du statu quo, puis par la réalité économique, avec le premier **choc pétrolier** de **1973**.

---

1. En décembre 2013, 56 % des Français estimaient que la liberté était *« bien ou assez bien appliquée en France »*, contre 43 % de l'avis opposé (*« assez mal »* ou *« très mal »* appliquée). Ils n'étaient que 19 % à porter une appréciation positive en ce qui concerne l'égalité (80 % non) et 23 % pour la fraternité (75 % non). Enquête réalisée pour les éditions de l'Archipel par Harris Interactive, à l'occasion de la parution de l'ouvrage de Gérard Mermet : *Réinventer la France : manifeste pour une démocratie positive.*
2.. Étymologiquement : absence de structure. Notion introduite et développée par le sociologue Émile Durkheim dans *De la division du travail social* (1893) puis dans son étude sur le suicide. Elle désigne l'absence ou la disparition de valeurs communes (morales, civiques, religieuses), reconnues et partagées par l'ensemble de la population.

D'autres chocs se sont ensuite succédé :

- **Politique** en **1981** (arrivée de la gauche au pouvoir).
- **Financier** en **1987** (krach boursier).
- **Civilisationnel** en **1989** (chute du mur de Berlin).
- **Géopolitique** en **1991** (première guerre du Golfe).
- **Social** en **1995** (rejet de la réforme de la Sécurité sociale).
- **Symbolique** en **2000** (changement de millénaire).
- **Terroriste** en **2001** (attentats de Manhattan).
- **Idéologique** en **2002** (Jean-Marie Le Pen, candidat d'extrême droite, présent au second tour de l'élection présidentielle).
- **Européen** en **2005** (rejet du projet de Constitution européenne).
- **Bancaire** en **2007** (crise des *subprimes*).
- **Politique** en **2017** (élection d'Emmanuel Macron à la présidence de la République).

… QUI A ENTRAÎNÉ UNE PERTE D'IDENTITÉ COLLECTIVE

Les périodes que les Français ont qualifiées de «**crises**» tout au long de ces années n'étaient en réalité qu'une succession de **ruptures**. Elles constituaient aussi des **alertes** sur la nécessité de **s'adapter** à un monde de plus en plus mobile. Mais la France les a largement ignorées, considérant après chacune d'elles que tout allait redevenir «comme avant». Cette incompréhension s'est accompagnée d'un malaise social profond, et d'une **anomie**[1] croissante.

Le **flou** actuel dans l'appréhension du présent et la préparation de l'avenir ne pourra se poursuivre dans les prochaines années, sous peine d'aboutir à une véritable **paralysie** du pays. La question de l'**identité nationale** se posera donc avec force. Tant qu'ils n'en auront pas de vision claire et, surtout, partagée, les Français développeront des appartenances **communautaires**, multiples et antagonistes, fondées sur des centres d'intérêt, des opinions ou des croyances de nature politique, religieuse, ethnique, etc. Mais ils ne pourront pas «**faire société**».

Ces appartenances de substitution ne pourront en effet durablement et harmonieusement remplacer le **modèle républicain** aujourd'hui défaillant. Elles ne correspondront chacune qu'à une part de la personnalité de leurs membres, ou à un moment de leur vie. Dans le cas contraire (lorsque par exemple l'appartenance religieuse est prioritaire par rapport à l'appartenance collective), l'intégration à une société **laïque** est difficile. Elle peut être incompatible avec le partage d'un **système de valeurs** qui, par principe, n'est pas fondé sur le religieux. Et elle tend à mettre en concurrence les religions et leurs morales respectives, qui entraînent souvent des comportements et des modes de vie différents.

L'AUTONOMIE, UNE NOTION CENTRALE

La **quête identitaire** devrait ainsi revêtir une importance majeure dans les années qui viennent. Elle devra déboucher sur de nouveaux **repères** collectifs, permettant aux **individus** d'exister, d'être reconnus socialement en se **différenciant** les uns des autres, tout en acceptant des règles et des usages communs. Elle risque d'entraîner parfois des réactions de rejet, face à des évolutions ou perspectives vécues comme des malaises ou des menaces. Chaque individu, partie prenante d'un monde mouvant, partagé entre des sentiments multiples et souvent contradictoires, sera de plus en plus contraint à l'**autonomie**. Il devra pour cela construire et parfois reconstruire son identité pour se sentir à l'aise dans l'époque à venir.

L'analyse des grandes tendances en cours pour les prochaines années (voir toute la première partie du livre, sur *Le Décor*) et celle des débats et réflexions en cours laissent imaginer plusieurs formes d'**évolutions** :

- Un retour progressif à la **raison** et au **bon sens** après une période marquée par l'**ir-**

---

1. Ibid.

rationalité et la priorité accordée à l'**émotion** (voir p. 360).

- Un **sentiment de culpabilité** des individus-citoyens-consommateurs, les conduisant à une plus grande **responsabilité** personnelle, et à la recherche de modes de vie caractérisés par la « **frugalité** » (voir chapitre *Consommation* p. 302).

- Une moindre influence des « **prismes idéologiques** », qui ont montré leur impuissance à résoudre les problèmes de la société. L'élection d'Emmanuel Macron à la présidence de la République constitue un marqueur de cette volonté de « **faire la part des choses** » et de ne pas apporter de réponses **binaires** à des problèmes **complexes**. Indépendamment de tout jugement politique (ce n'est pas le propos de ce livre), l'observation du monde tend à montrer que le « **en même temps** » n'est pas un **tic** de langage ou le signe d'une **incapacité** à décider et à faire, mais la prise en compte de la complexité du monde et de la nécessité de s'ouvrir aux idées de toute provenance (« *et de droite et de gauche* » dans l'exemple indiqué). Bref, de **réconcilier** plutôt que de séparer

ou radicaliser. Il faut cependant noter que ces **prismes** sont toujours présents dans la société, sans doute parce qu'il est intellectuellement plus facile de choisir une vision du monde que de se montrer ouvert à toutes (ou au moins à plusieurs), supposées être concurrentes.

- Une moindre difficulté (progressive) à se **projeter** dans l'avenir, qui devrait être facilitée par une meilleure **pédagogie** des enjeux et des solutions proposées, et un **intérêt** croissant des citoyens pour les évolutions en cours, les **promesses** qu'elles contiennent, sans oublier bien sûr les **risques** qu'elles impliquent.
*La persistance au moins temporaire de l'**individualisme**, du **communautarisme** ou des **corporatismes** pourrait cependant créer de nouvelles tensions sociales, avant de laisser progressivement place à une vision **collective** et plus **apaisée** de l'avenir.*

- La priorité accordée à la **famille** et au **foyer** (voir p. 189).

- La volonté de **s'épanouir** à titre personnel par des activités diverses, **professionnelles** et/ou **extraprofessionnelles** tout en participant à la **vie collective**.

MORAL DES FRANÇAIS : ATTENTION, FRAGILE

45. Évolution de l'indicateur conjoncturel du moral des ménages*

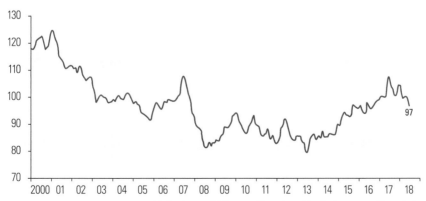

* Indicateur synthétique combinant les soldes de réponses positives et négatives à diverses questions concernant la perception de la situation actuelle et à venir, à titre personnel et collectif : niveau de vie, capacité d'épargne, chômage, opportunité d'acheter, évolution des prix…
L'indicateur est établi de telle sorte que sa moyenne sur longue période soit de 100 et l'écart-type de 10. Données corrigées des variations saisonnières.
INSEE

Ces évolutions seront portées en priorité par les individus **instruits** et **informés**, pour qui il sera plus facile de regarder l'avenir de façon **positive** et **participative**. Les autres seront plus circonspects ; ils pourraient même freiner les changements décrits ci-dessus en dénonçant notamment les **inégalités** dont elles seront porteuses et dont ils se sentiront être les victimes. Le résultat global dépendra de l'attitude des «**classes moyennes**», de la capacité d'entraînement des «**élites**», de la force de persuasion des **opposants** au changement. Et de l'esprit de **responsabilité** des citoyens en général.

UN OBJECTIF COMMUN :
PROFITER DE LA VIE

La France est par culture un pays **hédoniste**, et ce n'est pas par hasard qu'elle passe dans le monde pour le lieu du «**bien vivre**». Dans la continuité des décennies passées, les Français revendiqueront de plus en plus leur **plaisir** personnel, de préférence partagé avec la **famille** et avec les **amis** (ceux de la «vraie vie» ou ceux, «virtuels», qu'ils collectionneront sur les réseaux sociaux). Même parmi ceux qui n'en font pas un principe, on observera une volonté croissante de «**profiter de la vie**»… en attendant sans trop y penser les catastrophes toujours possibles.

Cette conception faussement **insouciante** concernera toutes les générations. Les **jeunes** l'exprimeront dès leur plus jeune âge par leur intérêt pour les **jeux de toute sorte** (qui deviendront de plus en plus «réalistes» grâce aux développements **technologiques**, voir p. 398). Ils conserveront en grandissant une conception **ludique** de la vie. Ils souhaiteront continuer de s'**amuser** en étudiant et en apprenant, de se **divertir** en travaillant, et si possible de se **réjouir** en se cultivant. Une fois sortis de la vie active, ils voudront aussi **profiter** du temps qui leur reste (et qui sera sensiblement allongé grâce aux progrès de la science, voir p. 36). Comme les autres, les retraités chercheront à se **distraire** par des activités nombreuses, isolées ou collectives, réelles ou virtuelles.

Chacun se sentira ainsi autorisé à satisfaire ses **envies**, sans autocensure, de façon **immédiate** plutôt que différée. Le **droit au plaisir** s'ajoutera à la liste déjà longue des droits de l'individu. La recherche du «**divertissement**» (au sens de Pascal, c'est-à-dire comme moyen d'échapper à la réalité) sera pour beaucoup plus importante que celle du **sens**. «*Les hommes n'ayant pu guérir la mort, la misère, l'ignorance, ils se sont avisés, pour se rendre heureux, de n'y point penser.*» (*Pensées*, 1670).

La vie idéale sera ainsi conçue comme une suite d'«**expériences**» agréables et sans cesse renouvelées, permettant d'oublier les dangers d'un monde globalisé et connecté. La société de consommation deviendra ainsi une «**société de consolation**» (voir p. 325).

La vérité introuvable

L'une des causes principales du malaise français contemporain est la difficulté croissante d'accéder à la «**vérité**» et aux **certitudes**. Tout d'abord parce qu'elles sont difficilement accessibles dans un monde de plus en plus **complexe**. Ensuite, parce que les **acteurs** de la société et les **experts** de toutes sortes (responsables politiques, économistes, sociologues, scientifiques…) expriment des points de vue différents et souvent contradictoires sur la plupart des sujets. Enfin, parce que certains leaders d'opinion ou simples citoyens n'hésitent pas à **déformer** la réalité, à faire circuler des **rumeurs** pour servir leur cause et dévaloriser leurs adversaires.

C'est ainsi que l'on a vu se développer depuis quelques années les *fake news* (fausses nouvelles) et les «**vérités alternatives**», façon contemporaine de désigner le **mensonge**. Cette tendance lourde est à la fois révélatrice de la difficulté d'identifier la «vérité», et de la **méfiance** des individus-citoyens-consommateurs-électeurs-lecteurs-spectateurs à l'égard de ceux qui sont censés l'établir ou la relayer.

Cette méfiance est le résultat de l'incessante **pression** des informations de toute nature dont chacun est la cible à tout moment de la journée, sur tous les supports. Elle risque fort de ne pas disparaître dans les prochaines années. Elle sera au contraire entretenue et amplifiée par la difficulté ou l'impossibilité de **trier** et de **vérifier** des informations de plus en plus nombreuses et de plus en plus souvent **orientées** par ceux qui les diffusent pour défendre leurs intérêts ou ceux de leurs mandants. Les **médias** les plus « objectifs » auront ainsi de plus en plus de difficulté à effectuer correctement leur travail de **vérification**, d'autant que beaucoup seront eux-mêmes suspects aux yeux du public. Ils risquent alors de se contenter de faire la part égale entre des thèses **contradictoires**, laissant chacun se faire son opinion à travers son propre prisme.

D'autres médias préféreront mettre en avant les conceptions différentes de celles communément admises ; la chasse aux **« idées reçues »** fera toujours vendre, de même que les **« révélations »** (souvent exagérées, parfois mensongères) et autres **annonces** fracassantes (celles par exemple émanant d'entreprises, start-up ou laboratoires de recherche laissant entendre qu'ils vont révolutionner ou **« disrupter »** leur domaine d'activité). Enfin, la **tolérance** sera souvent un alibi pour offrir une tribune à des attitudes et comportements **minoritaires** ou **marginaux**. Présentés avec force et talent, ces arguments pourront faire **basculer** une partie de l'opinion ou faire **douter** certains de leurs propres convictions.

Ces comportements médiatiques pourront être utiles lorsqu'ils permettront de faire progresser la connaissance à partir d'éléments **factuels** et validés. Mais la **profusion** et la **diffusion** d'informations invérifiables engendreront souvent la **confusion** dans les esprits. Elles entretiendront le climat de **défiance** existant. D'autant que les vérités du jour pourront être remises en question le lendemain. Le sentiment général qui prévaudra alors est que *« tout se vaut »*, et que donc *« rien*

ne vaut ». L'incertitude poussera selon les cas à la peur, à l'indifférence, au fatalisme ou à la révolte.

On notera par ailleurs que les **algorithmes**, qui sont à la base du fonctionnement des outils numériques, ne pourront pas toujours apporter des réponses « objectives » aux questions (voir p. 96). Ils sont en effet souvent conçus pour **imiter** les comportements humains. Ainsi, l'**intelligence artificielle** s'est développée en copiant les réseaux de neurones. Les algorithmes sauront demain **simuler** parfaitement (par exemple sous forme audio ou vidéo) le discours ou le comportement d'un être humain. Ils pourront grâce à la technologie lui faire prononcer des **phrases** qu'il n'a jamais dites ou montrer dans des vidéos des **actions** qu'il n'a pas effectuées. Comment alors distinguer entre la personne réelle et un clone numérique inventé de toutes pièces ? La **confusion** en sera renforcée, de même que la croyance en la théorie du **complot** (voir p. 361).

En réaction à ce dangereux retour à la **propagande** des années noires **du nazisme** ou du **communisme**, les médias devront généraliser le *fact-checking* (vérification des faits). Les **moteurs de recherche** et les **réseaux sociaux** devront authentifier les informations qu'ils diffusent et leurs sources, afin de ne pas participer à la **désinformation**. **La « post-vérité » est une arme de destruction massive de la démocratie.**

L'ÉMERGENCE DE VALEURS « POST-MATÉRIALISTES »

Le développement de valeurs telles que l'**autonomie**, la **tolérance** ou le **respect** d'autrui n'a pas été en France aussi fort et rapide qu'annoncé à partir du milieu des années 1960. L'accroissement général de la durée d'**instruction**, des **revenus** et des moyens d'**information** et de **communication** ne s'est pas accompagné d'un tel changement de mentalité. Au contraire, la génération issue du baby-boom s'est montrée très « **matérialiste** » dans ses attitudes et comportements. On voit cependant émerger depuis quelques années certaines valeurs « post-matérialistes[1] » : **quête identitaire** ou **spirituelle** ; remise en cause des **partis politiques** ; **désyndicalisation** ; **écologie**...

Ce mouvement de « **dématérialisation** » pourrait s'accroître dans la société en préparation. Il aboutirait à une vision différente du « **bonheur** », accordant une place croissante au **bien-être**, à l'**harmonie** et à la **réalisation de soi**. Avec en parallèle un intérêt accru pour les valeurs de **partage** et de **sobriété**, que l'on voit déjà apparaître dans les comportements de **consommation** (voir p. 321). L'**empathie** pourrait aussi devenir le maître mot des relations humaines de l'avenir, qu'elle soit « naturelle » ou « artificielle » (voir p. 250).

LA BIENVEILLANCE, CLÉ DU « VIVRE ENSEMBLE »

Dans le même esprit, la **gentillesse** serait aussi une valeur montante au cours des prochaines années. Elle était jusqu'ici plutôt considérée comme une marque de **faiblesse**, dans un monde **dur** aux faibles, où chacun se doit d'être vigilant pour ne pas « *se faire avoir* ». Qualifier quelqu'un de « gentil » n'était pas toujours jusqu'ici un compliment[2]. Le mot tend aujourd'hui à être connoté plus favorablement, mais il est plus « psychologiquement correct » de parler de **bienveillance**. Ces différents termes traduisent une même volonté, celle d'avoir une attitude **positive** envers les autres, plutôt que de les considérer *a priori* comme des **adversaires** ou des **concurrents**. Dans une société de moins en moins « religieuse » (voir p. 231), le principe chrétien « *aimez-vous les uns les autres*[3] » est souvent remplacé par « *méfiez-vous les uns des autres* ».

Face au sentiment d'un durcissement des rapports sociaux, l'**amabilité**, la **courtoisie**, l'**affabilité** et la **prévenance** pourraient apparaître comme des contrepoints nécessaires à la compétition, l'individualisme et le « chacun pour soi ». Les exemples d'agressivité, de « méchanceté » et d'agressivité sont en effet omniprésents dans les médias, des guerres aux faits divers criminels en passant par les « petites phrases » prononcées par les responsables politiques, les injures échangées entre automobilistes et autres incivilités.

Ces perspectives pourraient évidemment demeurer à l'état de souhaits, en se heurtant à la difficulté de faire converger des visions, des idéologies et des intérêts (personnels, corporatistes ou communautaires) souvent divergents. Leur réalisation dépendra du climat social qui prévaudra dans les prochaines années, lequel résultera du contexte économique, environnemental, géopolitique.

LE « MODÈLE RÉPUBLICAIN » À REFONDER

Basé sur la conception d'une collectivité nationale rassemblée autour d'un **système de valeurs** commun, le « **modèle républicain** » est en crise. Sa promesse de **liberté** est entravée par une législation toujours

---

1. Théorie sociologique énoncée dans les années 1970 par Ronald Inglehart, politologue américain, selon laquelle les valeurs individuelles passeraient de matérielles, économiques et physiques à « post-matérielles », c'est-à-dire centrées sur l'autonomie et l'expression individuelle.

2. En témoigne une réplique célèbre du film *Le Père Noël est une ordure* (1982) : « *Je n'aime pas dire du mal des gens, mais effectivement elle est gentille* »...

3. Dans l'Évangile de Jean, Jésus dit : « *Je vous donne un commandement nouveau : c'est de vous aimer les uns les autres. Comme je vous ai aimés, vous aussi aimez-vous les uns les autres.* »

plus contraignante. L'État préfère de plus en plus imposer des **interdits** aux citoyens, plutôt que d'encourager leur **responsabilité** en tant qu'individus. On pourra justifier cette pratique en disant qu'il est bien difficile d'obtenir d'eux qu'ils se montrent responsables de leurs actes en l'absence de contraintes. Mais c'est le résultat de leur « infantilisation » de longue date par un État omniprésent et omnipotent. Cette attitude devrait cependant se modifier à l'avenir, dans un contexte où l'**autonomie** sera encouragée (voir p. 133). Mais les libertés individuelles seront encore limitées par le développement incessant des systèmes de **sécurité**. Ils impliqueront une surveillance de tous les instants, qui sera sans doute mal supportée (voir p. 317).

La promesse d'**égalité** du modèle sera aussi difficile à tenir, du fait de l'accroissement probable des écarts dans de nombreux domaines : logement, santé, éducation, revenus, patrimoines... (voir p. 238). La **fraternité** pourrait en revanche être favorisée, avec la montée possible de valeurs **post-matérialistes** accordant une place plus importante aux relations humaines et à la solidarité (voir ci-dessus). Les systèmes d'**entraide** se développeront à l'échelle des familles, réseaux amicaux, « tribus », clans, communautés. Mais ils interviendront au sein de groupes **restreints** plutôt qu'au niveau de la **collectivité** nationale, avec un objectif souvent **défensif** et **sélectif**, que l'on peut estimer contraire à l'idée même de solidarité.

Les importants changements en cours dans les domaines scientifiques et technologiques n'auront pas seulement un impact sur les **modes de vie** des Français, décrits dans ces chapitres. Ils auront une forte incidence sur leur façon de voir le **monde**, de concevoir la place que leurs **semblables** (mais aussi ceux qui leur sont « **étrangers** ») doivent y occuper. Des débats auront lieu aussi sur les limites **éthiques** et **philosophiques** à la fraternité humaine, si elles doivent exister. Ils porteront ainsi sur les **valeurs** qui doivent fonder la vie person-nelle et collective. Plusieurs **visions du monde** devraient alors être en concurrence ou (de façon moins probable) se compléter au cours de la prochaine décennie (voir encadré ci-dessous).

LE « MODÈLE SOCIAL » À REVOIR

Le **modèle républicain** est difficilement dissociable du « **modèle social** » mis en place après la Seconde Guerre mondiale pour faciliter la reconstruction matérielle et morale de la France. Le second a sans aucun doute été utile à beaucoup de Français, notamment pendant les périodes de crise. Son système de redistribution généreux (en comparaison de celui en vigueur dans les autres pays développés) a servi d'**amortisseur**. Il a apporté des **compensations** utiles aux chômeurs, familles, malades, retraités et autres personnes en situation de difficulté ou précarité.

La refondation du **modèle social à la française** apparaît cependant nécessaire, car il a montré ses limites. D'abord **financières**, avec un coût de plus en plus élevé : le taux des prélèvements obligatoires, qui a atteint 46 % en 2017 constitue un record au sein de l'Union européenne. Malgré cela, le système a cumulé les **déficits**, qui ont dû être comblés par un très fort endettement. Une autre limite atteinte est celle de l'**équité**, avec le maintien de nombreux **régimes spéciaux**, perçus comme autant de facteurs d'inégalité ou d'injustice... par ceux qui n'en bénéficient pas. Une troisième limite semble avoir été franchie, celle de l'**efficacité**. De nombreuses études ont montré par exemple qu'à budget inférieur (en proportion du PIB), d'autres pays, comme notamment l'Allemagne ou les pays scandinaves, font mieux que la France pour assurer le remboursement des dépenses de maladie ou assurer la formation de leurs enfants.

Les débats sur la **rénovation** du modèle social vont donc se poursuivre dans les prochaines années. Ils devront prendre en compte les limites indiquées ci-dessus, mais aussi les évolutions du **contexte écono-**

mique, social, écologique, **technologique et politique** intervenues depuis la création du modèle, en 1945. En 2025, il sera ainsi âgé de 80 ans et nécessite dès aujourd'hui un *«check-up»*. Pendant ces huit décen- nies, la **population** aura augmenté de près de 30 millions de personnes, l'**espérance de vie** aura été prolongée d'environ 20 ans, le **plein emploi** aura sans doute disparu (voir p. 255), la **croissance** restera vraisembla-

Scientistes, Défaitistes, Fatalistes, Sobres ou *Indifférents*

Parmi les lourdes **menaces** qui pèsent sur l'avenir de la planète, notamment en matière d'environnement (voir p. 12), certaines ont déjà des effets mesurables : changements climatiques, disparition d'espèces animales ou végétales, fonte des glaces, etc. Face à elles, **cinq attitudes** devraient coexister dans les années à venir :

- Les *Scientistes* feront observer que la **science** et ses applications pratiques ont toujours permis jusqu'ici de **résoudre** les problèmes de la planète et même de faire **progresser** l'Humanité. Ils feront l'hypothèse que l'Histoire se répétera encore. Ils seront confortés dans cette perspective par le fait que les **innovations** en cours et à venir («de rupture» et «exponentielles») sont plus **prometteuses** que jamais, voire quasiment **«magiques»** pour certaines (voir chapitre *Innovations* p. 80).
- Les *Défaitistes* auront au contraire l'intime conviction qu'il est déjà **trop tard** et que le monde court à sa perte, voire à sa **destruction**. Avec lui, l'Humanité subira des crises graves et irrémédiables. Les **civilisations** disparaîtront, comme elles l'ont fait tout au long de l'Histoire. Les **sociétés** se déchireront sans pouvoir mettre leurs membres d'accord sur des tentatives de solution. Mieux vaut, dans ces conditions, *«profiter de la vie»* avant le déluge et l'apocalypse annoncés, plutôt que de se **battre** pour inverser le cours des choses.
- Les *Fatalistes* refuseront, eux, de croire que les menaces actuelles sont la conséquence de l'activité humaine, Ils continueront de penser que le monde est conduit par le **hasard**, soumis à des **cycles** que les humains ne peuvent contrôler, ou à une **Force** extérieure, d'essence **divine** ou **«naturelle»** selon leurs

convictions intimes. Ils se persuaderont que tout rentrera dans l'ordre à un moment ou un autre, et que l'Histoire se poursuivra. Parmi eux, les **croyants** se rassureront en pensant que leur Dieu protégera les Humains qu'il a créés en même temps que la Nature. *«Ne vous inquiétez pas du lendemain, car le lendemain aura soin de lui-même»* peut-on lire dans la Bible. Les **non-croyants** se diront que l'avenir est imprévisible mais sans doute écrit quelque part ; il est donc inconséquent et inutile de chercher à le prévoir ou l'infléchir. D'autant qu'il peut être heureux.

- Les *Sobres* estimeront que chaque individu est **co-responsable** de la situation du monde et de son pays, et doit se mobiliser à son échelle pour contrer les menaces. Mais, à l'inverse des *Scientistes*, les solutions qu'ils prôneront seront fondées sur le **principe de précaution** plutôt que sur celui d'**innovation**, qu'ils perçoivent comme une **fuite en avant**. Ils seront très sceptiques sur la capacité de la science à résoudre les problèmes qu'elle a elle-même engendrés. Ils prôneront la réduction du rythme de la **croissance** économique (c'est-à-dire de la **demande**), pour faire baisser l'**offre** censée la satisfaire. Le seul moyen de le faire sera selon eux de faire preuve de **sobriété**. Certains militeront même pour la **décroissance,** reprenant les thèses exprimées par le Club de Rome dans son rapport explosif de 1972[1].
- Les *Indifférents*. Ceux-là n'auront pas d'opinion arrêtée sur les dysfonctionnements

1. *Halte à la croissance ?*, rapport rédigé à la demande du Club de Rome par des chercheurs du MIT en 1970 et publié en 1972 sous le titre original *Halt to growth*. Un second rapport, publié en 2012 par le Smithonian Institute, a confirmé le premier en prônant des mesures radicales pour éloigner la menace.

du monde, pas plus que sur la façon de les résoudre. Ils écouteront avec un intérêt très relatif les discours sur l'avenir du monde mais ne se sentiront guère **concernés**, pour au moins trois raisons. D'abord, parce que beaucoup auront des préoccupations plus personnelles, centrées sur le **présent** ou le très court terme : trouver un emploi ; payer les factures ; résoudre des problèmes de santé ou de famille… Ensuite, parce qu'ils ne disposeront pas des **informations** nécessaires ni, souvent, de la **formation** suffisante pour se forger une opinion personnelle. Enfin, parce qu'ils se sentiront **impuissants** face aux menaces brandies par les scientifiques, les écologistes ou les politiques. Ils préféreront consacrer leur énergie à résoudre leurs propres difficultés.

S'il n'est guère possible (ni sans doute nécessaire) de **quantifier** le poids de chacun des cinq groupes (en pourcentage de la population), on peut évaluer l'impact de chacun. *A priori*, les **Défaitistes** et les **Indifférents** ne seront pas les plus **utiles pour inventer** l'avenir. Il faudra donc plutôt compter sur les deux autres groupes. Les **Scientistes** pourront apporter une partie des réponses, s'ils sont suffisamment avisés pour ne pas aggraver la situation. Ils devront s'exprimer, débattre, décider et agir en concertation avec les **Sobres**, qui pourront leur apporter la modération nécessaire, en échange de l'enthousiasme qui risque de leur manquer. Chacun devra en tout cas faire preuve de **bienveillance** envers les autres et d'un réel souci de **convergence** vers des réponses appropriées.

blement modérée et l'**endettement** encore bien trop élevé (voir p. 44).

Il faudra donc remettre le système à plat, sans idées préconçues ni tabous, avec seulement en tête des objectifs d'équité, d'équilibre financier, de solidarité, d'efficacité. Les Français, et leurs représentants dans les débats et négociations, devront faire preuve de **rationalité** et surtout d'un sens aigu de l'**intérêt général**. Ils devront se montrer **courageux** et sincèrement désireux de **résoudre** les problèmes, plutôt que

de les laisser empirer, en recherchant systématiquement le *statu quo*. Aucune prospective ne peut prévoir aujourd'hui s'ils en seront capables. Mais la raison incite à prédire que le refus de l'adaptation serait dangereux.

OPINIONS ET CROYANCES

Le **climat social** prévalent dans un pays dépend à la fois de **facteurs rationnels et objectifs**, tels qu'ils peuvent être mesurés par des chiffres et des statistiques publics. Ils concernent l'état de l'économie, les revenus, les prélèvements, le pouvoir d'achat, les inégalités, la qualité de l'environnement, le poids de la France dans le monde, etc.

Mais le climat social est aussi le résultat d'éléments **irrationnels** et **émotionnels** qui influencent les perceptions personnelles en matière de sécurité, justice, intégration, confiance dans les acteurs de la société et dans les concitoyens, les perspectives personnelles et collectives. Ces deux approches peuvent aboutir à des résultats sensiblement différents.

UN PESSIMISME DOMINANT ET RÉCURENT

L'approche **subjective**, telle qu'elle ressort des enquêtes d'opinions (qui sont elles-mêmes des façons **rationnelles** de «mesurer» des perceptions souvent irrationnelles), fait apparaître depuis des années un indéniable **pessimisme** des Français en ce qui concerne la France. Ainsi, parmi de nombreux autres, un sondage réalisé en décembre 2017[1] fournissait les résultats suivants:

- 59 % des Français se disaient **pessimistes** (très ou assez) quand ils pensaient à «*l'avenir de la France*», 41 % optimistes.
- 60 % estimaient que leurs **enfants** (ou leurs neveux ou nièces) «*vivront moins bien qu'aujourd'hui dans une dizaine d'années*» (44 % seulement en ce qui les concerne **personnellement**).
- 56 % considéraient que «*la priorité c'est de transformer en profondeur la France pour l'adapter au mieux au monde qui change*», 44 % que «*la priorité c'est de préserver la France telle qu'elle est pour protéger son identité face au monde qui change*».
- Lorsqu'ils entendaient «*parler dans l'actualité du débat sur la transformation de la France*», les mots qui traduisaient le mieux leur état d'esprit et leurs réactions étaient (par ordre décroissant, parmi la liste de mots proposée): **inquiétude** (41%); **méfiance** (38 %); **nécessité** (26 %); **espoir** (21%); **lassitude** (18%); **incompréhension** (14%); **optimisme** (11%).
- 55 % considéraient que «*la France ne va pas réussir à se transformer dans les prochaines années*», 45 % oui.

Il faut cependant ajouter à ces opinions pessimistes une raison d'espérer : 67 % estimaient dans le même sondage que «*la transformation de la France aura, dans les prochaines années, des effets positifs pour le pays*» (33 % non). Mais ce chiffre n'a de sens que pour ceux d'entre eux qui pensent que le pays parviendra à se transformer, qui sont minoritaires… On se réjouira donc davantage des déclarations des Français concernant leur avenir **personnel**, plus positives que leurs perceptions collectives, comme c'est généralement souvent le cas. 51 % se disaient **optimistes** en pensant à «*[leur] propre avenir et à celui de [leurs] proches*», 49 % pessimistes.

Il faut enfin rappeler que, lors de l'élection présidentielle de 2017, les électeurs français (en tout cas les 75 % qui se sont exprimés au second tour) ont pour les deux tiers d'entre eux indiqué leur refus de la politique de **fermeture** (anti-européenne et anti-immigration) prônée par la candidate du Front national, au profit de l'**ouverture** au monde défendue par Emmanuel Macon, avec cependant des écarts marqués selon la profession (voir graphique ci-dessous). Un choix contraire à celui qui avait été fait quelques mois auparavant aux États-Unis, et qui semblait plutôt traduire un **espoir** dans le monde qu'une désespérance justifiant un repli sur le pays. Les élections qui se sont produites ensuite en Allemagne, Autriche, Pologne ou Italie ont cependant montré que la volonté de fermeture n'a pas disparu.

UN BESOIN CROISSANT DE SPIRITUALITÉ…

Le lien social s'est appauvri au fil des décennies dans les lieux où il s'exerçait autrefois. Au **travail**, la contrainte d'efficacité a réduit les temps «improductifs» et les discussions à caractère personnel entre les salariés. Dans les **magasins**, les relations se sont progressivement limitées à quelques mots échangés à la caisse des hypermarchés. Dans la vie **familiale**, la télévision et les multiples écrans ont occupé une part croissante du temps autrefois consacré à discuter ensemble. Par ailleurs, la **science** et la **technologie**, pourtant de plus en plus présentes et puissantes, n'ont pas réussi à fournir les réponses aux questions essentielles concernant l'**origine** et le **sens** de la vie (p. 86). Ces éléments expliquent en partie le fait que les Français ne constituent

---

1. *Tableau de bord de la transformation en France*, Ifop pour Bo Com, décembre 2017.

CADRES ET RETRAITÉS MACRONISTES, OUVRIERS LEPENISTES

46. Vote au second tour de l'élection présidentielle de 2017 selon la profession

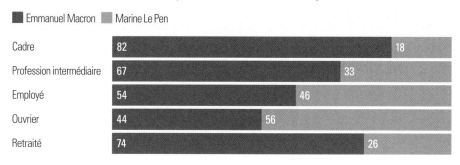

■ Emmanuel Macron ■ Marine Le Pen

	Macron	Le Pen
Cadre	82	18
Profession intermédiaire	67	33
Employé	54	46
Ouvrier	44	56
Retraité	74	26

Ipsos-Sopra Steria

plus une **nation** soudée par des **valeurs** communes et un **lien social** fort.

Cette évolution devrait entraîner dans les prochaines années une **frustration** croissante, car le besoin de **transcendance** et de **spiritualité** ne disparaîtra pas; il devrait au contraire se **renforcer**. Il ne sera guère satisfait par les pratiques de sociabilité offertes par les mouvements communautaires, les réseaux sociaux, la vie associative, la pratique sportive ou la consommation. Certains se tourneront alors vers d'autres sources d'explication : ésotérisme, religions «exotiques», sectes, voyance, astrologie, franc-maçonnerie, transhumanisme (voir encadré ci-après). D'autres, en recherche de systèmes de pensée plus classiques, chercheront des réponses dans la philosophie, le bouddhisme, ou des religions comme l'islam ou le judaïsme.

... MAIS DE PLUS EN PLUS D'ATHÉES ET D'AGNOSTIQUES

Dans un contexte d'«**hypermodernité**», où la science disposera d'un **pouvoir** inédit et favorisera la **rationalité**, la croyance en un Dieu identifié, unique et responsable de toute chose (bonne ou mauvaise pour l'Humanité qu'il a créée) pourra paraître **désuète** ou «**naïve**». La même attitude pourrait prévaloir à l'égard du respect par les croyants de règles et traditions millénaires et très codifiées, qui pourront sembler «dépassées». Ils seront ainsi amenés à se désintéresser de la religion, en devenant **athées**[1], ou **agnostiques**[2].

On pourrait aussi assister à une montée de l'**apostasie**[3], de la part de personnes anciennement croyantes, mais aussi de croyants en désaccord avec le contenu et la pratique de leur religion. Bien qu'elle soit très difficile à mesurer (pour des raisons de discrétion, tant du côté des apostats que de l'Église), il semble que ces évolutions soient déjà en cours en France chez les catholiques, si l'on en juge par la baisse régulière de la **pratique** ou la négation de l'existence d'une **vie dans l'au-delà** par 40 % des Français, ou l'**incapacité à se prononcer** sur ce sujet, reconnue par 31 %[4].

L'**apostasie** pourrait aussi se développer chez les **musulmans** français, chez qui la discrétion est encore accrue par le fait qu'elle est **interdite** par l'islam (lorsqu'elle suit une **conversion**)[5]. L'une des rares enquêtes abordant ce sujet[6], réalisée en 2016, indiquait qu'en France, 5 % des personnes

---

1. Personne niant l'existence de Dieu, incroyant.
2. Doctrine qui considère que l'absolu est inaccessible à l'esprit humain et qui préconise le refus de toute solution aux problèmes métaphysiques.
3. Abandon volontaire et public d'une religion, en particulier de la foi chrétienne.
4. Sondage *La Croix*/OpinionWay, octobre 2017.
5. Elle est même punie de la peine de mort dans certains pays musulmans (Mauritanie, Arabie saoudite, Somalie, Soudan...).
6. Étude réalisée par Hakim El Karoui (essayiste et consultant), publiée par l'Institut Montaigne en septembre 2016.

47. Part des différentes religions en France (appartenances déclarées, en % de la population de 18 ans et plus)*

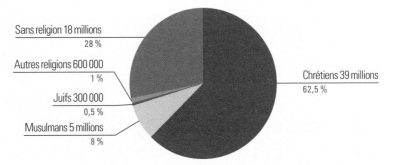

Sans religion 18 millions
28 %

Autres religions 600 000
1 %

Juifs 300 000
0,5 %

Musulmans 5 millions
8 %

Chrétiens 39 millions
62,5 %

* Estimations à partir de déclarations recueillies dans divers sondages (CSA 2013, Ifop 2010…),
sans précision de la pratique religieuse effective.

ayant au moins **un parent musulman** se déclaraient *« non-musulmanes »*. À l'inverse, 7,5 % se disaient *« musulmanes »* sans **qu'aucun de leurs deux parents** ne le soit. Ainsi, selon l'auteur de l'étude, *« Les trajectoires de sortie de la religion musulmane (ou de désaffiliation) apparaissent deux fois plus importantes que les trajectoires d'entrée, prenant à rebours les représentations faisant de l'islam une religion attirant massivement des individus a priori éloignés de cette tradition »*. L'enquête faisait cependant apparaître une augmentation du fait religieux chez les **plus jeunes** et les **moins éduqués**, à la recherche d'une échappatoire à une société dans laquelle ils ne se sentent pas acceptés.

DES PRATIQUES RELIGIEUSES INDIVIDUALISÉES

Pour la grande majorité des Français qui resteront **fidèles** à leur religion d'origine (en majorité, le catholicisme), celle-ci devrait jouer un **moindre rôle** dans leur vie. D'une manière générale, on devrait continuer d'observer une **« personnalisation »** des croyances et des pratiques. Les valeurs du christianisme survivraient ainsi de façon diffuse, alors que l'adhésion sans réserve aux **doctrines** diminuerait. Une large majorité souhaiterait une **« libéralisation »** de la religion catholique. Ils attendraient par

exemple qu'un homme marié puisse devenir prêtre, qu'un prêtre puisse se marier et qu'une femme puisse être nommée prêtre.

Les catholiques attacheraient aussi moins d'importance aux fonctions **sacerdotales** (prodiguer les sacrements) ou **doctrinales** (enseigner la religion ou le catéchisme, convertir…). Ils demanderaient à l'Église d'effectuer un travail surtout **social**, en aidant et réconfortant les plus déshérités, en animant la paroisse, en étant présente dans les lieux de souffrance… Par ailleurs, l'**intégrisme** devrait continuer d'exister, chez les catholiques comme dans d'autres religions. Il sera parfois envisagé comme un **substitut** à des systèmes politiques et sociaux jugés défaillants. Les risques d'attentats commis par des **islamistes** resteront notamment élevés (voir p. 64).

Si **Dieu « mourait »** dans les prochaines années, comme l'affirmait (en substance) Nietzsche[1], ce serait davantage en tant que **notion collective** que comme **certitude individuelle**. La **sphère privée** devrait

1. La phrase *« Dieu est mort »* apparaît pour la première fois dans *Le Gai Savoir* (1882), puis surtout dans *Ainsi parlait Zarathoustra* (entre 1883 et 1885). La phrase complète est : *« Dieu est mort ! Dieu reste mort ! Et c'est nous qui l'avons tué ! Comment nous consoler, nous les meurtriers des meurtriers ? Ce que le monde a possédé jusqu'à présent de plus sacré et de plus puissant a perdu son sang sous notre couteau. »*

Le transhumanisme, religion du futur ?

À ses débuts, la **science** s'est développée en **opposition** avec les religions. Elle s'est donné pour mission de trouver des **réponses objectives et rationnelles** en remplacement de celles proposées par les religions, au risque de se faire **excommunier** par les autorités religieuses, parfois même **exécuter** comme Copernic ou Giordano Bruno, pendant la période de l'Inquisition[1].

Mais la science n'a pas réussi à apporter les réponses aux grandes interrogations sur les origines de l'**univers**, pas plus que celles sur la **vie** et ce qu'elle devient après la **mort**. Les deux approches se sont donc développées en parallèle. Le **« hasard »** privilégié par les savants a même parfois rejoint la **« nécessité »** prônée par la foi, comme l'aurait déjà indiqué le philosophe grec Démocrite : *« Tout ce qui existe dans l'univers est le fruit du hasard et de la nécessité[2] ».*

Aujourd'hui, la science est de nouveau mise en question par les **créationnistes** (nombreux aux États-Unis), qui refusent notamment la **théorie de l'évolution** formulée par Darwin ou même celle du **réchauffement climatique** mis en évidence par les spécialistes. Dans ce contexte, les **transhumanistes** apparaissent comme une **« religion » potentielle**, en concurrence avec les autres, bien qu'elle soit beaucoup plus récente. Avec leur théorie de **« l'homme augmenté »** (voir p. 472), ils se présentent en effet comme des **démiurges**[3]. Il ne s'agit pas pour eux de créer le monde ou les êtres, mais de les **recréer**, en utilisant les résultats de la science et de la technologie. Comme Descartes, ils considèrent que l'Homme est le *« maître de la nature »* et qu'il a le droit (et même le devoir, selon eux) de la modifier, dans le but de l'améliorer.

Les théologiens commencent à s'interroger sur le transhumanisme, en même temps qu'il se répand dans le monde, comme une **alternative** à la foi. Ils lui reprochent de nier la **finitude** de l'Homme et d'ignorer la notion de **péché**. Ils expliquent qu'il repose sur *« un mélange assez hétéroclite d'ésotérisme religieux et de scientisme laïc[4] »* et qu'il *« percute à la fois l'incarnation, la grâce et la résurrection, soit trois fondamentaux de la foi chrétienne[5] ».* Le transhumanisme va en effet plus loin que la volonté de supprimer la maladie ou soulager la douleur ; il souhaite que l'**Homme** devienne son propre **Dieu**… et affirme que c'est possible.

Il sera cependant difficile aux croyants comme aux philosophes ou aux comités d'éthique de décider demain de ce qui est acceptable entre **réparation** (par exemple à l'aide de **prothèses**) et **augmentation**. On notera d'ailleurs que l'étymologie du mot **« prothèse »** (le latin *prosthesis*) signifie *« ajouter une lettre au commencement d'un mot ».* Elle n'exprime donc pas l'idée de **remplacer**, mais celle d'**accroître ou augmenter**, ce que promettent précisément les transhumanistes. Il paraît en tout cas difficilement niable que l'histoire de l'espèce est celle d'une augmentation ininterrompue de ses capacités (voir p. 80), que ce soit pour penser, écrire, lire, voir, parler, courir, grandir, guérir, vieillir, etc. Il reste à débattre de sa « finalité » ultime : **mourir**. Et décider si le transhumanisme est une **philosophie**, une **religion**, une **secte**, une **utopie** passagère ou une **« solution »** pour l'avenir.

---

1. Période d'obscurantisme amor par le pape Grégoire IX en 1231. Elle prévoyait que les « hérétiques » ne pouvaient être jugés que par des tribunaux ecclésiastiques (et non plus laïcs), dont les juges ne dépendaient que du pape. Elle s'est répandue dès 1240 partout en Europe, à l'exception de l'Angleterre.
2. Voir aussi l'ouvrage de Jacques Monot : *Le Hasard et la Nécessité*, Le Seuil, 1970.
3. Nom donné par les platoniciens au Dieu qui crée le monde, constitue les êtres.

4. Phrase prononcée par le théologien protestant Denis Müller.
5. Jean-Guilhem Xerri, biologiste chargé en 2013 par l'épiscopat français d'une réflexion sur le transhumanisme.

occuper en effet une importance croissante, et la **foi** serait moins qu'aujourd'hui une «tradition» familiale ou sociale. Elle deviendrait une question éminemment **personnelle**. En attendant d'avoir une réponse, beaucoup de Français s'efforceront de «bricoler» des croyances et des comportements sur-mesure, sans lien réel avec les dogmes et les structures de l'Église. Ils «piocheront» aussi dans d'autres croyances ce qui leur apparaîtra conforme à leur mode de vie et de pensée. Les pratiques religieuses seront ainsi adaptées, éclatées, modifiées en fonction des circonstances de la vie. À côté, ou peut-être à la place des religions classiques, devrait se profiler l'invention de **formes de spiritualité multiples**.

UNE VISION ANTHROPOMORPHIQUE DE LA VIE

Le **lien** entre l'Humanité et la Nature s'est largement distendu avec l'**industrialisation** et l'expansion **démographique** (voir p. 27), et beaucoup de Français souhaiteraient aujourd'hui le **restaurer**. C'est pourquoi leur attachement aux animaux s'accroît (voir p. 199). De nombreux signes en témoignent : montée du **végétarisme** et des autres formes de refus de manger de la viande (voir p. 204) ; indignation face aux conditions d'élevage ou d'abattage des animaux destinés à la **consommation** ; rejet de la **corrida** ; moindre pratique de la **chasse** ; demande d'une «déclaration des droits des animaux» (voir p. 199)... On note un regain d'intérêt semblable pour le **végétal**, dont on explique aujourd'hui qu'il a une vie riche et complexe, et même qu'il s'«exprime» (plantes, arbres[1]...).

Cet intérêt renouvelé pour le vivant s'apparente à un **animisme**[2] contemporain, qui peut s'expliquer de trois façons :

- Il renvoie à une vision **anthropomorphique**[3] de la vie : les êtres vivants ressemblent aux humains et sont donc à ce titre doués d'intelligence, de conscience et d'émotions.
- Il traduit le besoin global de **spiritualité** (voir ci-dessus) et la recherche d'une origine commune de la vie.
- Il témoigne de la prise de conscience par les humains de la **disparition** de certaines espèces et des **menaces** qui pèsent sur les autres (voir p. 13).

UNE INTERROGATION SUR LA NOTION DE PROGRÈS...

La croyance dans le **progrès** a été soutenue depuis des siècles (Bacon, Condorcet, Comte...). Elle reposait sur trois idées-forces : la confiance absolue dans la **science** et dans la technique ; le primat de la **raison** sur la passion ; la réalisation de soi-même par le **travail**. Le bien-fondé de ces idées est mis en doute depuis plusieurs décennies. Il risque de l'être davantage dans les années à venir. La **science** présentera de plus en plus une double facette, avec des perspectives aussi fascinantes qu'effrayantes (voir p. 96). La **raison** sera souvent obscurcie par la passion, moteur de la vie individuelle et collective. Dans une société résolument hédoniste (voir p. 224), chacun s'efforcera de «profiter de la vie» **ici et maintenant**, à défaut de savoir s'il pourra le faire «**ailleurs et plus tard**». Quant à la place du **travail**, elle sera sans doute réduite, avec un taux d'emploi insuffisant (voir p. 255) et peut-être une nouvelle diminution du temps consacré à la vie professionnelle, qui profitera aux **loisirs** (voir p. 154).

La **confiance** dans le progrès sera donc moins forte et l'**inquiétude** plus vive. Elle sera nourrie par les risques liés aux formes modernes d'insécurité : cyberguerre, terrorisme religieux, armes nucléaires, manipulations génétiques, intelligence artificielle, etc (voir p. 63). Ces peurs s'ajouteront à la montée (objective ou ressentie) de la **précarité**, dans un contexte de **mondialisation** et de **surveillance** généralisée, avec un **environnement** dégradé, et une montée des

---

1. Voir *La Vie secrète des arbres*, Peter Wohlleben, Les Arènes, 2017.
2. Conception générale qui attribue aux êtres de l'univers, aux choses, une âme analogue à l'âme humaine.
3. Tendant à attribuer aux animaux et aux choses des réactions humaines, ou à concevoir Dieu à l'image de l'homme.

des menaces pesant sur la vie en général (voir p. 12).

D'autres craintes se développeront, liées aux avancées de la science et de la technologie. Ainsi, 51 % des Français n'envisageraient pas de se fier à un **diagnostic médical** établi sans intervention humaine (contre seulement 21 % de réponses positives, 27 % ne se prononçant pas) ; 39 % disaient qu'ils ne pourraient avoir confiance dans les nouvelles technologies pour gérer automatiquement leurs **informations financières** ; 38 % n'étaient pas prêts à faire confiance à un **véhicule entièrement autonome**[1]. Ces **anxiétés** contemporaines ne sont pas sans rappeler les craintes, eschatologiques ou apocalyptiques, du Moyen Âge : épidémie, famine, guerre, diable, sorciers, démons, colère divine, fin du monde...

... ET SUR LES PERSPECTIVES DE L'INTELLIGENCE ARTIFICIELLE...

Les Français observent avec fascination les **prouesses** de l'intelligence artificielle, capable de battre les humains aux échecs, au poker ou au jeu de Go (voir p. 86). Mais ils sont inquiets de ses **promesses**, telles qu'elles sont évoquées par les chercheurs, les futurologues ou les auteurs de science-fiction. D'autant que leurs visions convergent pour décrire un monde **bouleversé**, voire plongé dans le **chaos**.

C'est surtout la perspective de l'avènement d'une intelligente artificielle « forte » (voir p. 509) qui alimente les craintes. Les mythes ou fantasmes de **Prométhée**, **Golem**, **Faust** ou **Frankenstein** (le « *Prométhée moderne* » selon son auteur Marie Shelley) n'ont pas disparu de la mentalité collective. Chacun illustre à sa manière le danger de vouloir se mettre à la place du Créateur. Prométhée délivre les hommes de l'ignorance et leur donne le pouvoir divin de « **jouer avec le feu** », ce qui résume assez bien la volonté actuelle de la science de dépasser l'Homme... et le risque que cela comporte. Le **Golem** de la légende juive est transformé

en poussière après avoir voulu incarner la **vérité**[2]. **Faust** paye avec son âme les faveurs qu'il obtient du Diable. **Frankenstein** meurt après avoir abandonné sa « créature » monstrueuse.

... SI ELLE ÉTAIT UN JOUR DOTÉE D'UNE CONSCIENCE

La question qui se posera demain ne sera pas d'accepter ou de rejeter l'idée que des **machines** font mieux que des **humains**. Cela a été vrai de tout temps, depuis la roue jusqu'à la machine à commande numérique, en passant par la calculette. Mais les machines ont atteint aujourd'hui une **supériorité** dans bien d'autres domaines : reconnaissance de formes, de sons, traitement de données nombreuses et complexes, jeux de réflexion, apprentissage, mémorisation, capacité prédictive... En attendant mieux encore.

La prochaine étape serait bien plus impressionnante et problématique encore : celle de la création d'une **conscience**. Ne serait-ce que parce que l'on ne sait pas la définir chez un être **humain**, ni la localiser. Cela signifierait que l'IA serait en mesure de « **comprendre** » ce qu'elle fait, ce qui n'est pas le cas aujourd'hui. Rien ne permet d'affirmer que ce sera possible. Mais il n'est pas inutile de se demander ce que cela impliquerait. L'intelligence ainsi créée pourrait-elle (ou voudrait-elle) entrer en **guerre** contre les humains[3] ? Selon certaines personnalités du monde numérique, et non des moindres (Elon Musk, Bill Gates ou le regretté Stephen Hawking, signataires d'une pétition en la matière), l'hypothèse n'est pas à exclure. Ils considèrent qu'il faudrait plutôt « **hybrider** » les deux « espèces » pour que la plus « faible » (humaine) ne se laisse pas dominer par l'autre, qu'elles cohabitent et s'entendent sur des règles **morales** communes.

---

1. Sondage VMware/OpinionWay, octobre 2017.

2. Sur son front figurait le mot *emet* (« vérité »), qui devient *met* (« mort ») après effacement de la première lettre.
3. Voir par exemple l'ouvrage de Laurent Alexandre, *La Guerre des intelligences*, Jean-Claude Lattès, 2017.

Mais de nombreux chercheurs estiment que ce risque est **nul**, et que «par principe», l'IA ne pourra **jamais** être consciente. Dans l'impossibilité de trancher, on peut seulement indiquer que beaucoup de savants au Moyen Âge (ou même au xxᵉ siècle) auraient jugé impossible l'invention du GPS ou de la voiture autonome. On rappellera aussi que les humains, pourtant tous dotés d'une conscience, sont souvent en **guerre** les uns

C'était mieux avant?

À la question, fondamentale, de la réalité du **«progrès»**, on peut proposer deux types de réponses, **contradictoires**. La première est de nature **quantitative**. Elle permet de reconnaître que l'évolution sociale est placée depuis des décennies sous le signe **«plus»**. Les Français disposent ainsi de plus de **temps**, avec l'accroissement spectaculaire de l'espérance de vie et du temps libre (p. 155). Leur niveau d'**instruction** s'est accru, avec un allongement de la scolarité de quatre ans en moyenne depuis le début des années 1950. Ils ont aussi gagné plus d'**argent**, comme en atteste l'accroissement continu sur des décennies de leur **pouvoir d'achat**, même s'il est contesté (p. 294). On peut en donner pour preuve l'accroissement du **confort** des foyers, dont témoignent par exemple les taux d'équipement en électroménager, automobile, appareils de communication ou de loisirs. D'autant que, dans le même temps, le **taux d'épargne** des ménages a plutôt progressé. Par ailleurs, les Français ont à leur disposition (beaucoup) plus d'**informations** que par le passé, du fait de la multiplication des sources (radios, télévisions, journaux et magazines, Internet…), qui sont en outre souvent accessibles gratuitement.

L'autre façon d'approcher le changement social est **qualitative** ; c'est alors le signe **«moins»** qui prévaut. L'époque est ainsi caractérisée par une diminution, voire une disparition des **certitudes**. Les Français ont le sentiment qu'ils sont moins en **sécurité** dans leur vie quotidienne. Ils font de moins en moins **confiance** aux institutions, aux médias, aux «autres». Ils sont persuadés (souvent à juste titre) que l'**égalité** est partout en baisse. Ces convictions se traduisent évidemment par une moindre **sérénité** dans leurs attitudes et leurs comportements, leur perception du monde et de l'avenir.

En un **demi-siècle**, (1968-2017), force est de constater en tout cas que les indicateurs socio-démographiques de la société française ont connu des évolutions spectaculaires. Quelques exemples[1] :

- **10 à 12 ans de vie en plus.** L'espérance de vie a progressé de 10,2 ans pour les **femmes** (85,4 ans contre 75,2 ans), 11,7 ans pour les **hommes**. (79,5 ans contre 67,8 ans).
- **Plus de personnes âgées.** Un Français sur 5 a **plus de 65 ans**, contre un sur 8 en 1968.
- **Baisse des mariages.** 228 000 en 2017 (dont 7 000 entre personnes de même sexe), contre 356 600 en 1968.
- **Un solde naturel (naissances moins décès) divisé par deux.** De 310 500 à 155 000 (2017)…
- **Cinq fois plus de bacheliers.** 42 % de la population, contre 8 %.
- **Plus de femmes actives (15 à 64 ans).** 7 sur 10, contre 5 sur 10.
- **3,5 fois plus de chômeurs**. 8,6 % de chômeurs (au sens du BIT) fin 2017 contre 2,5 %.
- **Un budget alimentation en forte baisse relative.** 10,0 % des dépenses des ménages, contre 17,5 %, du fait de la forte augmentation du pouvoir d'achat, qui a permis de dépenser plus sur d'autres postes.
- **Un PIB par habitant multiplié par 2,5.** 32 000 € contre 13 600 €.

Chacun peut ainsi établir son propre bilan des avantages et des inconvénients, et décider si pour lui le verre dans lequel il boit est davantage rempli que vide, ou le contraire. Et juger si la **«modernité»** est porteuse de **progrès** ou si elle est un **cadeau empoisonné**.

---

1. Année la plus proche disponible, généralement 2017 (INSEE).

contre les autres. C'est pourquoi les développements de l'IA nécessiteront plus que jamais de débattre sur l'**avenir** de l'Humanité. Et surtout sur sa **responsabilité** à l'égard de la planète et de la vie.

LE HASARD REJETÉ...

Comme la **plupart** des habitants «riches» de la planète, les Français voudront demain réduire la part du **hasard** dans leur vie et dans les mouvements du monde. Car ils le considéreront de plus en plus comme un **risque**. Ils attendront donc des institutions une **protection** totale contre lui, jusqu'à ce qu'il soit réduit à **zéro**. Cette attente sera déçue, car le hasard est indissociable de la **vie** ; la **science** tente, depuis qu'elle existe, d'expliquer qu'il est à l'origine de l'apparition du vivant, même si les **religions** l'attribuent à un Dieu, moins abstrait dans sa conception et sa représentation. À quoi pourrait en effet ressembler le **hasard** ?

L'**Histoire** semble en tout cas confirmer l'imprévisibilité pour les simples humains du cours des événements. Ainsi, la **philosophie** et l'art de la Grèce antique auraient été probablement différents si l'empereur Alexandre, menacé par un Perse sur un champ de bataille, n'avait été sauvé par son garde du corps. De simples **aléas météorologiques** ont à plusieurs reprises modifié le cours du monde. Si l'été de l'an **1529** n'avait été si humide, les Turcs auraient pu prendre Venise et (peut-être) s'installer plus faci-

lement et durablement en Occident. Si les conditions avaient été plus clémentes le **6 juin 1944** (notamment le vent et la forte marée), le débarquement allié aurait sans doute provoqué moins de pertes. Si la centrale de Fukushima n'avait pas subi des secousses sismiques, la catastrophe aurait été évitée (ou repoussée)... La **sérendipité**[1], autre mot (à consonance peu euphonique) pour désigner le **hasard**, a été à l'origine de découvertes essentielles comme l'Amérique par Christophe Colomb, la pénicilline par Fleming, mais aussi le four à micro-ondes, l'aspartame, le téflon ou le Viagra.

... MAIS INÉVITABLE

L'avenir sera aussi en partie le résultat de circonstances dictées par le **hasard**, en l'absence d'autres explications (par exemple de nature religieuse). L'«**effet papillon**» (le simple battement d'ailes d'un papillon à un endroit du monde déclenchant une tornade à l'autre bout) provoquera encore des événements inattendus. Les **cygnes noirs** (événements imprévisibles mais probables[2]) continueront d'exister. Les **causes** de tous les accidents ne pourront être toutes identifiées et donc supprimées. Cependant, les développements de la science et de la technologie permettront de **réduire** la part du hasard. La simulation, la modélisation, les études statistiques, l'intelligence artificielle aideront à prévoir, prédire, présager, préserver, expérimenter.

Beaucoup de Français ne voudront connaître du hasard que sa face positive, c'est-à-dire la **chance** ou la **fortune** (au sens ancien du terme[3]). Dans son sens financier, ils continueront de la solliciter, par exemple en jouant à des jeux d'argent (voir p. 399). Le **contrôle** social de l'activité scientifique leur apparaîtra aussi de plus en plus nécessaire ;

---

1. Réalisation d'une découverte scientifique ou une innovation technique de façon inattendue, à la suite d'un concours de circonstances, ou dans le cadre d'une recherche portant sur un autre sujet.
2. Appellation utilisée par le statisticien et essayiste Nassim Taieb.
3. Puissance mystérieuse censée fixer le sort des humains.

ils considéreront (à juste titre sans doute) que la science est une chose trop importante pour être laissée aux seuls savants. Ils voudront de même contrôler les **responsables** politiques et économiques. Ils demanderont à être consultés ou représentés avant que soient prises des décisions importantes pour leur avenir. Face aux différents types de pouvoirs, ils voudront se poser en **contre-pouvoir**. C'est l'un des rôles de la **démocratie** que de réduire la **part de hasard** dans les décisions publiques, et en tout cas de la rendre plus acceptable par les citoyens.

VIE SOCIALE

UNE MEILLEURE COHABITATION POSSIBLE

Les dernières décennies ont montré la difficulté des Français à **cohabiter** et **construire ensemble** l'avenir du pays, et de partager pour cela un même **système de valeurs**, baptisé « **modèle républicain** » (voir p. 226). Ces difficultés à « **faire société** » pourraient être moindres dans les années à venir, avec l'émergence d'une vision plus **équilibrée**, fondée sur un mouvement préalable de **réconciliation** nationale. C'est cette volonté qui s'est manifestée lors de l'**élection présidentielle de 2017**, même s'il existe d'autres explications (notamment l'élimination inattendue d'autres candidats et le manque d'assise électorale de l'adversaire finale).

La confirmation de ce scénario dépendra bien sûr de la situation économique et sociale de la France d'ici 2022, et de celle de son **environnement international**. Elle dépendra aussi de la restauration de la **confiance** entre les acteurs politiques et le « peuple ». Elle sera enfin conditionnée par l'amélioration du fonctionnement de la **démocratie**. Cela nécessite la mise en place d'une « **démocratie positive**[1] », à la fois **colla**borative et **délibérative**, mais d'abord véritablement **représentative** de la population.

L'**implication** et la **participation** des **citoyens** aux décisions sont en effet nécessaires pour qu'ils puissent **contribuer** de façon effective et continue aux **transformations** à opérer et à leur **mise en œuvre**. Ces phases de **co-création**, puis d'**appropriation** des changements sont des conditions essentielles de l'adaptation du pays. Elles devraient être favorisées par le développement des **technologies civiques**[2], qui ont pour but de faciliter la participation des citoyens et leur accès à l'ensemble des données publiques, tant au plan local que national.

DES INÉGALITÉS DE PLUS EN PLUS NOMBREUSES…

Après s'être sensiblement **réduites** pendant plusieurs décennies (notamment entr 1950 et 1980), un certain nombre d'**inégalités** entre les Français se sont **accrues** pendant la dernière. Quelques exemples[3] :

- Les 10 % de ménages les plus **aisés** perçoivent 27 % des **revenus** totaux.
- Les 10 % de ménages les plus **fortunés** possèdent 47 % du **patrimoine** total.
- Un actif sur quatre est en situation de **mal-emploi** (chômage, précarité, temps partiel subi).
- À poste équivalent, les **femmes** gagnent 10,5 % de moins que les hommes (ce qui signifie que les hommes gagnent 12 % de plus qu'elles).
- 60 % des **enfants d'ouvriers non qualifiés** n'arrivent pas jusqu'au **baccalauréat**, contre 9 % des enfants d'enseignants.
- 1,8 million de personnes sont allocataires du **RSA socle** (+ 365 000 entre 2006 et 2016).
- L'écart d'**espérance de vie** à la naissance entre **cadres** et **ouvriers** est de 6,2 ans.

---

1. Voir à ce propos l'ouvrage de l'auteur *Réinventer la France (Manifeste pour une démocratie positive)*, L'Archipel, 2014.

---

2. De nombreuses plates-formes existent sur Internet, pour améliorer la démocratie par la participation citoyenne : Démocratie ouverte ; Démocratie Libre ; Parlement et Citoyens; Arcadie; Voxe; Fluicity…
3. Voir sur ce sujet *L'Observatoire des inégalités, Rapport 2017* (chiffres 2013 à 2016 selon les thèmes).

UNE VIE AMICALE MOINS RICHE APRÈS 50 ANS

48. Rencontres et communication avec la famille et les amis (au moins une fois par semaine) selon le sexe, la vie de couple, l'âge et le niveau de vie (en % de la population concernée)

	Communications[2] ou rencontres	
	Famille[1]	Amis
Ensemble en 2011	**72**	**60**
Ensemble en 2015	**75**	**63**
Sexe		
Femmes	80	64
Hommes	69	62
Vie en couple		
En couple	76	56
Pas en couple	72	74
Âge		
16-24 ans	67	92
25-39 ans	78	69
40-49 ans	68	57
50-64 ans	75	53
65 ans ou plus	80	54
Quintile de niveau de vie		
1er	73	67
2e	77	62
3e	76	62
4e	72	62
5e	75	62

1. En dehors des membres de la famille vivant dans le ménage.
2. Communications par téléphone, SMS, Internet, courrier.
Personnes âgées de 16 ans ou plus résidant en ménages ordinaires en France métropolitaine.
INSEE, enquêtes Statistiques sur les ressources et conditions de vie (SRCV) 2011 et 2015.

- La France compte 38 % d'**immigrés pauvres** contre 11 % de **non-immigrés** (seuil de 60 % du revenu médian).

... PLUTÔT MOINS FORTES QUE DANS D'AUTRES PAYS...

Il faut noter cependant que la **France** reste l'un des pays de l'Union européenne les **moins concernés** par les **inégalités**. Et l'Europe n'est pas la région du monde la plus touchée ; la **part du revenu national** allant aux **10 % des plus gros revenus** n'y est que de 37 %, contre 41 % en **Chine**, 46 % en **Russie**[1]. Les **États-Unis** sont devenus le

pays développé le plus inégalitaire : la part des **1 % les plus riches**, qui était de 10 % en 1980, a **doublé** depuis.

À l'échelle **mondiale**, la moitié de la population a vu son revenu augmenter depuis le début des années 1980, principalement sous l'effet de la forte croissance en Asie. Mais les **1 % les plus riches** ont perçu à eux seuls **27 % du cumul de la croissance mondiale** pendant cette période, tandis que les **50 % les plus pauvres** n'en ont reçu que **12 %**. Certains financiers affichent des revenus bien au-delà de tout seuil d'«**indécence**». Ainsi, les **25 premiers gérants de *hedge funds*** (fonds spéculatifs) ont accumulé

1. *Rapport sur les inégalités mondiales*, Facundo Alvaredo, Lucas Chancel, Thomas Piketty, Emmanuel Saez et Gabriel Zucman, décembre 2017.

LA FRANCE MOINS INÉGALE QUE LES ÉTATS-UNIS ET LA CHINE

49. Évolution de la part du revenu national détenue par les 1 % les plus riches en France, aux États-Unis et en Chine.

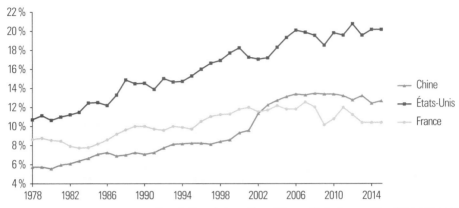

Légende :
— Chine
— États-Unis
— France

Alvaredo, Facundo, Lucas Chancel, Thomas Piketty, Emmanuel Saez & Gabriel Zucman, dans Global inequality dynamics : New findings from WID.world, NBER, working paper, n° 23119, *février 2017.*

ensemble **16,8 milliards de dollars** en 2017[1] (leur meilleure année a été cependant 2013, avec 24,3 milliards de dollars) grâce à la progression des marchés, notamment boursiers. On se souvient qu'en 2007, le système financier avait dû être sauvé par les États, avec l'argent des citoyens. Ne pourraient-ils à leur tour contribuer à sauver le monde de la misère (voir p. 483) ?

À défaut de pouvoir **supprimer** les inégalités existantes en France au cours des prochaines années, l'un des enjeux majeurs sera de les **réduire**, ou au minimum de les stabiliser, malgré les tendances actuelles à l'accroissement. L'une des voies possibles serait de faire en sorte que les **victimes** des

inégalités ne soient pas toujours les mêmes, de façon à ce que chacun ait la perspective de **sortir un jour de la précarité**. Cela implique de les aider à « rebondir », par un **suivi** personnalisé, une **formation** professionnelle adaptée, dans le cadre d'un **modèle social** rénové (voir p. 227).

… MAIS SUSCEPTIBLES DE S'ACCROÎTRE

La sensibilité aux **inégalités** de toute sorte (revenus, patrimoines, éducation, santé, culture…) est particulièrement forte dans le pays : 76 % des Français considèrent que la société française est **inégalitaire** (dont 22 % *« très inégalitaire »*) ; seuls 20 % la qualifient de *« plutôt égalitaire »* ou *« très égalitaire »*[2]. Ce jugement pessimiste se traduit par une forte demande d'**équité**, nourrie par la crainte individuelle de devoir faire plus d'efforts et de sacrifices que les « autres ». Il pourrait être encore plus fréquent dans les prochaines années, car les menaces d'un nouvel **accroissement** des inégalités existent. Par exemple :

- Les **progrès scientifiques** et leurs applications risquent de ne pas être accessibles à tous, pour des raisons financières.

1. Classement établi par le magazine *Forbes* en 2018.

2. *Baromètre annuel PEP/Kantar sur les inégalités en France et en régions*, décembre 2017.

La mixité impossible

On observe depuis quelques années un phénomène croissant de **« séparatisme social »** dans la tranche dite **« supérieure »** de la population française. Elle est composée de ceux que l'on appelle encore les **CSP +** (catégories socioprofessionnelles supérieures), bien que la nomenclature de l'INSEE ait changé depuis 1982[1]. Les contacts et interactions entre ses membres et le reste de la population sont de moins en moins nombreux[2]. Cet **éloignement** pourrait encore se renforcer d'ici **2030**, pour les raisons exposées dans ce chapitre.

De manière plus ou moins consciente et volontaire, les membres de la « classe supérieure » risquent en effet d'être de plus en plus **coupés** des autres. Dans un climat social un peu tendu, ils chercheront à préserver et à cultiver un **« entre-soi »** jugé par eux plus confortable que la **mixité sociale**. Ces attitudes et comportements auront pour effet de creuser un peu plus le fossé entre la **« France d'en haut »** et celle d'**« en bas »**. Le phénomène sera particulièrement apparent dans les grandes villes, en particulier à **Paris**, où les ménages aisés seront de plus en plus majoritaires, du fait des prix élevés de l'**immobilier**, des emplois surtout **tertiaires** destinés à des **cadres** (qui représentent déjà la moitié de la population parisienne, contre un quart au niveau national), au détriment des catégories d'**ouvriers** et **employés**.

Cette évolution vers un **« communautarisme »** fondé sur l'argent serait la conséquence de l'écart croissant entre la perception du monde des **« Tranquilles »** et celle des **« Fragiles »** (voir p. 297). **Optimisme** et sentiment de **supériorité** des premiers. **Pessimisme** et sentiment d'être **laissés pour compte** des seconds. Avec dans les deux cas la crainte de se mélanger avec des personnes qui n'ont pas la même éducation scolaire, la même culture, les mêmes activités professionnelles, les mêmes types de loisirs, les mêmes idées politiques et les mêmes moyens financiers.

C'est ce qui explique par exemple que la classe « supérieure » envoie aujourd'hui ses enfants dans les **« bonnes »** écoles (souvent de statut **privé**), auxquelles les moins aisés accèdent peu. Ces écarts pourraient s'accroître demain, même si un enseignement de qualité est disponible pour tous, notamment grâce à **Internet** (voir p. 144). Les plus aisés continueront de faire profiter leurs enfants des diverses formes de **coaching** (réel ou virtuel) qui seront disponibles, et souvent payantes, d'ici **2030** (voir p. 142). Les **« grandes écoles »** et leurs équivalents (ou compléments) du futur risquent aussi de rester beaucoup plus accessibles aux enfants de **« bonnes familles »**. Une expression qui sous-entend que les autres familles ne le seraient pas, et qui en dit long sur le « séparatisme » existant.

Le déclin du **« brassage social »** qui s'était mis en place dans les années 1970 peut s'expliquer par la suppression du **service militaire** (1996) ou la quasi-disparition des **colonies de vacances** (voir p. 412) au profit de séjours thématiques plus « clivants ». Mais le phénomène est aussi présent dans les **stades** (où les tribunes sont « segmentées ») ou dans les **musées** (où les classes « populaires » continuent d'être peu présentes, voir p. 383). Ce phénomène n'a pas été pris en compte par les **partis** politiques « traditionnels » de droite comme de gauche, qui se sont **« embourgeoisés »**. Il a à l'inverse profité aux partis **populistes** qui en ont fait leur fonds de commerce, transformant cet entre-soi en un **« complot »** du **« système »** contre les « pauvres ». Une attitude qui tend à **éloigner** encore davantage les groupes sociaux concernés.

Deux **mondes parallèles** se croisent ainsi sans se regarder et sans chercher à construire ensemble un avenir acceptable pour tous. Cette illustration du proverbe selon lequel *« qui se ressemble s'assemble »* pourrait provoquer demain une **« guerre des classes »**. Elle pourrait inciter une partie de la classe aisée à partir à l'étranger. Elle pourrait aussi être accrue dans la perspective d'une **immigration** massive (voir p. 245).

---

1. Elle utilise depuis 1982 les PCS, professions et catégories socioprofessionnelles.
2. Voir l'analyse réalisée par Jérôme Fourquet pour la Fondation Jean Jaurès, publiée en février 2018.

- Les écarts de nature **culturelle** (manque d'information, hésitation, peur...) pourraient empêcher certaines catégories sociales de profiter des progrès.
- La **marge de manœuvre budgétaire** de l'État serait insuffisante pour réduire les nouveaux écarts.
- Une **remise à plat du «modèle social»** à la française pourrait intervenir pour améliorer son rapport coût/efficacité, en réduisant le niveau global d'assistance.
- La persistance de **corporatismes** rendrait difficile l'amélioration uniforme du sort de ceux qui ne sont pas représentés et défendus.

Le choix qui a été fait en 2017 d'une politique d'**ouverture** (au progrès, à l'Europe et au monde) ne pourra aboutir à un climat social serein que si des réformes **structurelles** sont engagées et si elles conduisent à des résultats tangibles à court terme. Cela suppose le rétablissement de la **confiance** des citoyens envers les acteurs politiques et économiques. Une autre condition est la mise en place d'une forme de «**démocratie collaborative**», nourrie par une **vision** partagée, une action **juste** et **courageuse**. Elle seule permettra de définir et de mettre en place un «**programme commun**» à une grande majorité des Français, **ambitieux**, **attractif**, **crédible**, et **participatif**.

DES FACTURES ÉCONOMIQUES ET DES FRACTURES SOCIALES...

La France se trouve depuis quelques années déjà dans une situation doublement inconfortable. Sur le plan **économique**, elle souffre d'une croissance inférieure à celle de ses voisins européens, insuffisante pour créer de l'emploi et résorber le chômage. Avec la crise financière des années 2008-2012, cette **anémie** s'est transformée en maladie chronique. La conséquence en a été une aggravation des **déficits**, un très fort accroissement de la **dette** publique, une érosion des parts de marché des entreprises françaises en matière de **commerce extérieur**.

Sur le plan **social**, la France vit aussi depuis des années dans une situation d'**anomie**, au sens défini par Durkheim (voir p. 221). Les Français ne se reconnaissent plus dans un **système de valeurs** commun nécessaire à l'organisation de leur vie collective. Cette disparition des repères se traduit par un **pessimisme** élevé et croissant, sans équivalent dans les autres pays développés. Il explique la difficulté de **vivre ensemble**, accroît le fossé entre le peuple et les «élites» (voir encadré ci-dessus). Il incite à la désignation de **boucs-émissaires** qui seraient responsables de la «crise». Le «**modèle républicain**» n'est plus le creuset qui pendant longtemps a donné un sens à la société et des objectifs communs aux citoyens (voir p. 226).

L'**anémie** économique (les «factures») et l'**anomie** sociale (les «fractures») s'alimentent et se renforcent mutuellement. Leur conjonction a rendu impossible pendant des décennies le **sursaut** national nécessaire pour sortir de la crise, engager et mettre en œuvre des réformes de fond, réconcilier les Français avec la politique et leur faire accepter les efforts pour insérer la France dans l'époque à venir. Le temps presse pour rattraper le retard accumulé.

... DIFFICILES À RÉDUIRE

Dans un scénario plutôt optimiste, la double situation délétère de la France pourrait s'**améliorer** d'ici 2030. Sur le plan économique d'abord, avec une meilleure maîtrise des **dépenses publiques**, et en faisant l'hypothèse d'une **croissance durable** au niveau mondial, sans crise majeure, permettant de commencer à réduire le niveau de la dette nationale. Sur le plan **social**, le redressement du pays implique de mettre en cause des «**acquis**» dont certains représentent de véritables **tabous** : statut des fonctionnaires ; système de formation continue ; fonctionnement de la SNCF ; régimes spéciaux de retraite ; aides au logement ; financement des syndicats, etc. Il faudra y ajouter des actions de longue haleine mais urgentes comme le développement des **énergies renouvelables**.

Ces réformes ressemblent cependant à des **travaux d'Hercule**. Elles ne pourront être réalisées qu'avec l'assentiment d'une majorité (de préférence large) de Français, condition pour réduire les **fractures** comme les **factures**. Les deux facettes principales de la vie collective, l'**économique** et le **social**, seront donc comme toujours intimement liées. La réussite de l'une sera étroitement conditionnée par celle de l'autre. Mais c'est par le volet **social** qu'il faudrait commencer, afin de créer un état d'esprit favorable pour réformer le volet **économique**.

La difficulté sera de convaincre les Français qu'on ne réglera pas le problème de la redistribution sociale et des inégalités en augmentant les dépenses, sans accroître la création de valeur au plan économique (dont le sens devra être élargi). Il faudrait au contraire les réduire, en dépensant plus **efficacement**, *donc en étant plus* **créatif** *et plus soucieux de l'*interêt* **général**. *Cet équilibre demandera une* **habileté** *politique exceptionnelle, au service d'une vision* **ambitieuse**, **équitable** *et* **partagée** *de l'avenir. Dans une société traversée de fortes tensions, cela impliquera des essais et des erreurs, donc des retards. C'est pourquoi on peut penser que les* **transformations** *nécessaires se réaliseront à un rythme relativement* **lent**.

UNE SOCIÉTÉ HORIZONTALE ET COLLABORATIVE

Les **innovations technologiques** à venir auront des incidences fortes sur la vie sociale des Français. Ils auront de plus en plus la possibilité d'y **participer**. Avec par exemple le *crowdfunding* (financement par la foule), un mode de collecte de fonds réalisé par l'intermédiaire d'une plate-forme Internet. Il permet à des individus de financer directement et collectivement des projets présentés par d'autres individus. Le *crowdsourcing* (production participative) est une autre façon de mobiliser la communauté des internautes pour les inciter à contribuer au développement des entreprises (des PME aux multinationales) par des suggestions ou des votes concernant la conception ou l'amélioration de produits, le choix de leurs noms, de la communication, etc. Ce type de démarche pourrait même aboutir à la création de véritables «**marques de consommateurs**» (voir p. 308). Le **covoiturage**, l'**autopartage**, l'**échange de logements**, les **forums**, les sites d'**entraide**, de **pétitions** ou ceux regroupant les **avis** de consommateurs sont d'autres exemples de la société **collaborative** en construction.

Cette **participation** des individus-citoyens-consommateurs-usagers-patients à la marche du pays devrait en effet se généraliser dans les prochaines années. Elle illustrera la transformation d'une société qui fut pendant très longtemps «**verticale**», **hiérarchisée** (avec un fonctionnement de haut en bas) et **rigide** en une société «**horizontale**», **participative** et **souple**. Une façon de renforcer à la fois la **démocratie** et l'**efficacité**, en misant sur l'«**intelligence collective**». Celle-ci peut être définie comme un usage **solidaire** (plutôt que solitaire) et «**synergique**[1]» des **intelligences individuelles**, de plus en plus faciles à mobiliser et à faire travailler ensemble. Il pourrait en sortir des solutions originales aux problèmes présents et à venir, parfois meilleures que celles proposées par des experts. Cette intelligence collective pourrait en outre permettre l'instauration d'une **cyberdémocratie**, qui favoriserait le dialogue et la coopération entre les acteurs de la société et les citoyens.

---

1. La synergie est la mise en commun de plusieurs actions concourant à un effet unique et aboutissant à une économie de moyens.

Quel avenir pour les réseaux sociaux ?

Les Facebook, Twitter, Instagram, LinkedIn et autres réseaux seront-ils encore demain les supports majeurs des **relations sociales** ? On peut d'abord imaginer que les relations **virtuelles** continueront de jouer un rôle important, sans doute encore accru. Mais les **critiques** envers les réseaux devraient aussi se poursuivre et s'accroître : clauses abusives et même illicites d'utilisation imposées aux membres ; harcèlement par des messages incitant à un usage toujours plus intensif des sites ; censures de certains contenus ou au contraire diffusion de certains autres qui ne devraient pas y figurer… Sans oublier bien sûr la **récupération de données** et leur commercialisation sans accord explicite. Elle peut être parfois indirecte, comme en témoigne le scandale du vol de données personnelles sur Facebook révélé en mars 2018[1], qui a probablement contribué (avec d'autres actions illégales sur Internet) à l'élection de Donald Trump.

Certains vont plus loin, en affirmant que les réseaux créent une **dépendance**, qui peut être assimilée à une maladie. Ou même que, tels des *hackers*, ils *« exploitent une faille dans le cerveau humain[2] »*, en l'occurrence la recherche de gratification par les *« like »* et les commentaires déposés sur leurs pages, qui les incitent à **« poster »** de plus en plus. On observera cependant que le besoin de **valorisation ou d'estime de soi** est inhérent à la nature humaine, et qu'il n'est donc pas anormal de chercher à le satisfaire.

Cela n'empêche pas de s'inquiéter des témoignages de **méchanceté gratuite**, voire de **haine**, présents sur les différents supports d'expression interactive. On y démolit les points de vue et leurs auteurs en cherchant à imposer les siens, au moyen d'arguments souvent spécieux, dans des textes incohérents, rédigés dans une langue illisible qui doit faire se retourner Mérimée dans sa tombe. Ce manque de **tolérance**, de réflexion (et, souvent, de culture) témoigne de la difficulté (parfois de l'impossibilité) de **débattre** de façon apaisée, respectueuse, raisonnée, argumentée, bienveillante, pour construire un **consensus** plutôt que nourrir une **polémique** et dresser les individus les uns contre les autres.

Des **résistances** devraient donc se développer à l'égard des réseaux tout-puissants. Elles se traduiront par des plaintes, pétitions, boycotts, si les **responsables** de ces réseaux ne comprennent pas que la **vie privée** a un caractère **essentiel**, notamment en Europe, et singulièrement en France (davantage qu'aux États-Unis ou en Asie). Or, cette notion ne semble pas être évidente pour eux, comme en témoignent régulièrement leurs prises de parole. Cet autisme (naturel ou feint) a ainsi amené à plusieurs occasions ces réseaux à revenir sur des dispositions rejetées par leurs membres, montrant que le **rapport de force** peut s'inverser.

On peut imaginer que les internautes organiseront demain leurs **propres réseaux** pour garantir la confidentialité qu'ils revendiquent, à condition de pouvoir trouver les financements que cela implique. On peut aussi s'attendre à ce que les **gouvernements** légifèrent, sous la pression de citoyens en colère, à l'échelle nationale ou, pour plus d'efficacité, internationale. D'autres **modèles économiques** devront alors être mis en place par les réseaux existants pour survivre. Ils seront basés sur d'autres sources de revenus que la vente des données généreusement fournies par les membres, Mais d'autres réseaux, n'ayant pas de vocation **lucrative** (associatifs, privés…) pourraient apparaître et les concurrencer.

---

1. Une entreprise spécialisée dans la communication stratégique (Cambridge Analytica) a récupéré sans leur consentement les données de 87 millions d'utilisateurs de Facebook, qui lui ont permis d'élaborer un logiciel de prédiction et d'influence des votes des électeurs, qu'elle a fourni illégalement aux responsables de la campagne de Donald Trump, avec les résultats de leur traitement par le logiciel prédictif. Ces données ont été obtenues via une application proposant des tests psychologiques, téléchargée par 270000 utilisateurs du réseau social. L'entreprise a pu accéder également aux données de leurs «amis».
2. Selon Sean Parker, cofondateur de Napster, pionnier du *peer-to-peer*, et l'un des premiers investisseurs de Facebook (2017).

6 MILLIONS D'IMMIGRÉS

50. Évolution du nombre et de la part des immigrés et descendants d'immigrés dans la population totale (en milliers et en %)

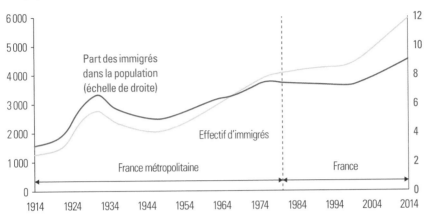

France métropolitaine de 1914 à 1982, France de 1983 à 2014.
INSEE, recensements de la population de 1911 à 2014.

Il ne faut pas pour autant considérer la *capacité de participation croissante des individus à la vie collective (via les outils numériques) de façon **naïve** et **angélique***. *La simple consultation du contenu des réseaux sociaux ou des commentaires d'articles de presse permet de se rendre compte qu'ils sont souvent des déversoirs à fiel, des canaux de diffusion de fausses nouvelles (voir p. 224) et des outils de propagande au service de causes discutables.*

L'IMMIGRATION, UN FACTEUR DE DIVISION...

L'attitude actuelle des Français à l'égard des **étrangers** est globalement peu favorable à leur libre entrée dans le pays et à leur intégration dans la vie collective (éducative, professionnelle, sociale, culturelle). En janvier 2018, deux Français sur trois (64 %, et jusqu'à 79 % chez les moins diplômés) estimaient que «**le rythme d'immigration est trop élevé**»[1]. 66 % se disaient d'accord pour «**mettre fin aux accords de Schengen**» et 60 % à l'idée de «**permettre le vote des étrangers aux élections locales**».

57 % soutenaient en revanche celle de «**supprimer le regroupement familial**». On peut penser que cette attitude majoritairement hostile à l'immigration le restera dans les années à venir.

*L'hostilité envers l'immigration pourrait cependant évoluer, et peut-être **s'inverser**, à plusieurs **conditions** :*
- *Une **pédagogie** active, mettant en avant l'apport des émigrés à la société.*
- *Une **situation économique assainie**, permettant d'envisager l'avenir de façon plus **optimiste**.*
- *Une **situation sociale apaisée** avec le rétablissement d'une relation de **confiance** entre les citoyens et les acteurs politiques et économiques, sociaux, médiatiques.*
- *La montée des **valeurs post-matérialistes** (voir p. 226) favorisant les notions de partage, de solidarité, de tolérance et de bienveillance, au détriment des valeurs d'enrichissement et de renforcement de l'identité nationale et de fermeture au monde.*
- *La volonté affichée (et mise en pratique) par les personnes immigrées d'assumer tous les **devoirs** que l'acquisition de la nationalité française (ou la simple résidence en France) implique : **respect des lois** de la République ;*

1. Sondage *L'Express*/Ifop, décembre 2017.

Intégration ou assimilation ?

Les interrogations sur l'**identité** de la France et sur l'aptitude des Français à **vivre ensemble** sont inséparables de celles concernant la place faite aux **« minorités »**, quelle que soit la définition qu'on en donne. Le **« modèle républicain »** a longtemps intégré en **assimilant**. Il imposait aux étrangers arrivant dans le pays de se conformer non seulement aux lois en vigueur, mais aux usages régissant les relations entre les individus. Cela impliquait d'adhérer au **système de valeurs** et à la **culture** du pays d'accueil et de les placer au-dessus des systèmes d'appartenance personnels, notamment culturels ou religieux.

Ces exigences sont devenues plus difficiles à imposer et surtout à justifier au fur et à mesure que le système de valeurs s'est délité (voir p. 221), et que la « culture nationale » s'est **diversifiée**, **individualisée**. Elles sont même apparues contradictoires avec les principes de liberté individuelle, de reconnaissance et d'acceptation des **différences** (modes de vie, religion, culture) qui caractérisaient le pays des « Lumières ». C'est ainsi que la « machine à assimiler » est tombée en panne et que la cohabitation entre « Français » et « étrangers » (dont beaucoup sont en réalité français, par naissance ou par acquisition) est devenue un objet de **débat** et d'**inquiétude**, qui a provoqué notamment la montée de l'extrême droite.

Les Français devront trancher dans les prochaines années entre un retour à une **assimilation** qui serait par nature « autoritaire », et une **intégration** progressive, qui ne serait pas susceptible d'être accusée de **laxisme**. La solution tient sans doute, comme souvent, dans la recherche d'un **point d'équilibre** auquel pourrait adhérer une large majorité de citoyens, dans l'accueil de leurs **hôtes**. Il est d'ailleurs révélateur que ce mot qualifie dans la langue française à la fois ceux qui **reçoivent** et ceux qui sont **reçus**. Ils ont vocation à être confondus lorsque le processus d'intégration fonctionne.

apprentissage et pratique de la **langue française** ; non-interférence de la **pratique religieuse** avec la vie professionnelle et sociale…

- La reconnaissance par les Français de l'**égalité** naturelle des droits des personnes dites « de souche » et de celles d'origine étrangère (récente ou ancienne) et le refus de toute forme de **discrimination**.
- Une « **sélection** » explicite des candidats à l'immigration en France à partir de critères **objectifs** (cause de l'immigration, éducation, compétences, expérience, connaissance de la langue, promesse d'emploi, situation familiale…) mais aussi **subjectifs** (volonté d'intégration, capacités relationnelles, niveau culturel…).

Il ne paraît guère probable que l'ensemble de ces conditions soient vérifiées d'ici **2030**, ni qu'elles soient considérées comme **suffisantes** par tous les Français. Notamment par ceux qui se sentiront toujours **menacés** dans leur vie personnelle par la présence de personnes d'origine étrangère et/ou qui craindront qu'elle remette en cause l'**identité** et la **culture** nationales.

… NOTAMMENT CELLE D'OBÉDIENCE MUSULMANE

Les Français associent souvent immigration et **islam**. Ils y sont incités par la théorie du *« Grand Remplacement*[1] *»* diffusée par l'extrême droite et une partie de la droite « dure ». Sans entrer dans ce fantasme, une étude *a priori* non orientée sur le plan idéologique ou politique, portant sur 30 pays et publiée fin 2017, prévoit aussi un accroissement sensible de la part des **musulmans** dans la population d'ici 2050[2]. Dans le scénario de « **migration moyenne** », elle passerait de **4,9 % en 2016** à **11,2 % en 2050** dans le « **scénario moyen** »,

1. Op. cit. Théorie conspirationniste décrivant et condamnant le risque du remplacement de la population dite « de souche » ou d'origine européenne par une population originaire d'autres pays, notamment d'Afrique noire et du Maghreb, de confession généralement musulmane. Elle a été introduite en France par l'écrivain Renaud Camus, engagé à l'extrême droite (dans un ouvrage éponyme paru en 2011).
2. Étude *PEW Reseach Center*, réalisée à l'échelle **européenne** (les 28 pays de l'UE plus la Suisse et la Norvège) publiée en novembre 2017.

à **14 %** dans celui de «**migration élevée**», et à **7,4 %** dans celui de «**migration zéro**» (du fait d'une population musulmane plus jeune et plus fertile que la moyenne des Européens, même si le taux de fécondité des immigrés tend à se rapprocher de celui des «natifs»). Pour la **France**, la proportion d'immigrés musulmans serait de **12,7 % en 2050**, contre **8,8 % en 2016**.

À l'échelle **européenne**, l'immigration (de toutes origines) constituera le moyen le plus efficace de lutter contre la baisse de la population prévisible dans certains pays comme l'Italie ou l'Allemagne. La question se posera différemment pour la **France**, qui devrait connaître une natalité encore dynamique, ce qui ne l'incitera pas à ouvrir ses portes, notamment aux musulmans dont l'intégration apparaît aujourd'hui la moins facile.

L'immigration ne dépendra pas seulement de la politique de l'«offre» qui sera décidée et mise en œuvre. Elle sera aussi largement dépendante de la «demande», elle-même liée à son attractivité auprès des populations des pays émetteurs, musulmans ou non.

UNE RECOMPOSITION SOCIALE EN COURS

Les membres des «**classes moyennes**», qui s'étaient développées en France à partir des années 1960, ont eu longtemps des comportements relativement **homogènes**. Mais ces classes ont changé de **statut** avec les bouleversements économiques, sociologiques et technologiques, notamment depuis le milieu des années 1990. De sorte que leur définition en tant qu'entité n'a aujourd'hui plus guère de sens, car elles ont éclaté en plusieurs groupes distincts. Dans la **nébuleuse** sociale actuelle, on peut en déceler quatre principaux[1]:

- Au-dessus de la société planent toujours ceux que l'on appelle les «**élites**» de la nation. Mais le **pouvoir** économique, politique, social, culturel, intellectuel ou médiatique s'est déplacé. Il est aujourd'hui dans les mains d'une nouvelle «**aristocratie du savoir**», que l'on pourrait baptiser **cognitariat**. Ses membres sont patrons, cadres supérieurs, professions libérales, gros commerçants, mais aussi leaders politiques, chercheurs, experts, responsables d'associations, journalistes, artistes, etc. Le **pouvoir** de ce groupe devrait encore **s'accroître** d'ici 2030, car il est le mieux armé pour s'adapter au monde en préparation et en tirer avantage.

- Au-dessous du cognitariat s'est constitué une sorte de **protectorat**, apparu au cours des années de crise, bien avant 2007, et inhérent au «**modèle français**». Il est composé de l'ensemble des fonctionnaires, de certaines professions libérales jusqu'ici peu menacées (pharmaciens, huissiers, notaires...), d'employés et cadres d'entreprises du secteur privé non concurrentiel ou protégé (certaines spécialités médicales ou paramédicales, banque, assurance...). Il faut y ajouter une grande partie des retraités et préretraités, dont la situation financière est le plus souvent correcte, en tout cas plus sûre et prévisible que celle de la plupart des actifs. Une partie de ce groupe risque de se trouver **paupérisée** dans les années à venir, compte tenu des difficultés probables de maintenir les aides sociales.

- La «classe moyenne supérieure» est devenue une **néobourgeoisie** composée de commerçants, petits patrons, employés ou même ouvriers qualifiés, ainsi que de certains membres de professions libérales (médecins, architectes, avocats...).

1. Cette typologie actualise celle décrite par l'auteur dans *Francoscopie 2013* (Larousse), car elle apparaît toujours pertinente. Elle permet en outre de décrire les évolutions prévisibles pour chacun des groupes identifiés.

Ils disposent d'un pouvoir d'achat acceptable ou même souvent confortable, mais restent vulnérables à l'évolution de la conjoncture économique et au bouleversement des hiérarchies professionnelles. Ce groupe pourrait se **scinder** en deux avec l'avènement d'une société du risque, dans laquelle chacun devra être de plus en plus **autonome** (voir p. 133). Ceux qui seront en mesure de l'assumer rejoindront le **cognitariat** ; d'autres seront précarisés et rejoindront l'étage inférieur de la pyramide.

- La «classe moyenne» a engendré vers le bas un **néoprolétariat** aux conditions de vie plus précaires. Car la société française n'est plus intégratrice ; elle n'est plus *centripète* mais *centrifuge* (voir encadré ci-dessous). Elle tend à **marginaliser** les plus vulnérables, membres de la «**France d'en bas**», composée d'agriculteurs, d'ouvriers et employés peu qualifiés, d'indépendants en difficulté. La partie la plus fragile de ce groupe est constituée des «**nouveaux pauvres**», souvent exclus de la vie professionnelle, de la vie culturelle et sociale. On compte aussi parmi eux des actifs, souvent à temps partiel ou occasionnels. À l'intérieur de ce groupe, ceux qui pourront se **former** réintégreront la **classe moyenne**, les autres resteront **marginalisés**, dépendants des aides publiques.

Dans les années à venir, les **mouvements** devraient être nombreux et rapides au sein de la société. Mais ils seront souvent **subis**. L'**ascenseur social** fonctionnera de nouveau, mais le sens de la montée sera réservé à ceux qui en auront l'ambition et les moyens. D'autres seront contraints de **descendre** les étages. Il est important qu'ils aient la perspective de pouvoir les **remonter**.

UNE SOCIABILITÉ GLOBALEMENT RÉDUITE...

Les années passées ont été marquées par une diminution du «**lien social**», au sens traditionnel. C'est la conséquence de la dis-

---

La *société centrifuge*

Le **modèle social** français s'est longtemps caractérisé par sa volonté d'**intégrer** chaque citoyen, et par son **aptitude** à le faire. Il utilisait pour cela les **institutions républicaines** : école, armée, protection sociale et redistribution des revenus. Mais l'**école** a éprouvé de plus en plus de difficultés à remplir cette mission (voir p. 138), l'**armée** de conscription a disparu et le système de **protection** a accru l'endettement du pays, d'autant qu'il a été beaucoup sollicité en période de crise.

Après avoir été soumise à des forces de type **centripète**, qui tendaient à maintenir ou ramener l'ensemble des citoyens à l'intérieur de la machine, la société française a donc été soumise à des forces **centrifuges**. Elles ont projeté un nombre croissant de personnes vers les **marges** et même exclu certaines d'entre elles. Ces forces devraient rester à l'œuvre dans les années qui viennent. Elles pourraient même

s'accroître, avec l'obligation faite à chacun de **s'adapter** à des changements de plus en plus rapides, initiés notamment par les **innovations technologiques** (voir p. 83).

Les victimes seront les personnes qui ne disposent pas des **atouts** nécessaires pour assumer leur autonomie, prendre les bonnes décisions, conduire leur destin. Ces atouts sont en particulier l'**éducation**, la **culture générale**, la maîtrise des **outils de la modernité**, la **santé**, la **jeunesse**, la **créativité**, la **mobilité** personnelle, la disposition de **réseaux** relationnels mobilisables en cas de difficulté.

La vie devrait ainsi être de plus en plus «**compétitive**». Elle éliminera ceux qui seront les moins armés pour s'intégrer, au terme de multiples processus de **sélection**. La société deviendrait ainsi un gigantesque *casting* multipliant les phases d'**élimination**, sur fond de discours **égalitaristes**.

LES FRANÇAIS NOSTALGIQUES

51. Sentiment d'évolution de la qualité de vie dans quelques pays*

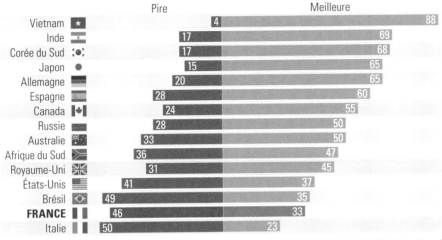

	Pire	Meilleure
Vietnam	4	88
Inde	17	69
Corée du Sud	17	68
Japon	15	65
Allemagne	20	65
Espagne	28	60
Canada	24	55
Russie	28	50
Australie	33	50
Afrique du Sud	36	47
Royaume-Uni	31	45
États-Unis	41	37
Brésil	49	35
FRANCE	46	33
Italie	50	23

* Question posée : « La vie dans votre pays est-elle pire ou meilleure aujourd'hui qu'elle l'était il y a 50 ans ? ».
Pew Research Center, juillet 2017

parition des points de repère collectifs qui en constituaient traditionnellement le socle, notamment la **pratique religieuse** (p. 230) et l'**engagement** idéologique (p. 221), syndical ou politique. À défaut d'être moins forts, les liens **familiaux** sont devenus moins durables, avec la multiplication des divorces et des familles recomposées (p. 174). Le nombre de personnes **seules** s'est aussi beaucoup accru (p. 29). De plus, les Français ont eu moins d'occasions d'échanger dans leur **vie professionnelle**, du fait des contraintes de productivité.

Le **manque de temps** ressenti (voir p. 155) a aussi favorisé le délitement de la sociabilité. Il en est de même de l'«**individualisme**», que l'on peut préférer appeler **autonomie,** ou encore «*egologie*». Les prétextes collectifs de **rassemblement** se sont réduits ; à l'exception des élections présidentielles, les meetings électoraux sont souvent boudés et le «banquet républicain» n'est plus qu'un souvenir. Les lieux traditionnels de **convivialité** (petits commerces, cafés...) se sont raréfiés. Enfin, la **télévision** a cessé de jouer un rôle de «**lieu commun**» familial, avec le multiéquipement du foyer et

l'apparition des nouveaux écrans (ordinateur, smartphone, tablette...). Les **rassemblements** spontanés qui avaient eu lieu lors des victoires en Coupe du monde de football (en 1998 et 2018), de l'Euro (en 2000 et en 2016) ou du changement de millénaire en 2000-2001 ont été remplacés par d'autres, beaucoup moins joyeux, comme les **attentats** perpétrés depuis 2015.

... QUI DEVRA ÊTRE RÉINVENTÉE

Les Français n'ont cependant pas perdu le goût de l'**échange**, voire de la **communion**, mais ils les pratiquent sous des formes bien différentes. Le temps consacré à la communication «**virtuelle**» a connu une véritable explosion, avec le téléphone mobile et Internet (voir p. 354) : textos, courriels, forums, blogs ou «murs personnels» des réseaux sociaux (voir p. 244). Les **médias** offrent aussi des espaces croissants d'**expression** et d'**interaction** à leurs lecteurs, auditeurs ou téléspectateurs.

À l'avenir, la «**mise en réseaux**» des Français devrait être de plus en plus systématique. Elle entraînera une nouvelle évolution du lien social, avec des relations plus souvent **virtuelles**, plus **sélectives**, visuellement plus **riches** (avec la 3D, la réalité augmentée ou l'holographie…) mais aussi plus **éphémères**, du fait de la recherche permanente de nouveaux «amis» ou relations, de nouvelles «expériences».

L'**e-solidarité** apparue avec le développement d'Internet devrait aussi poursuivre son développement: forums d'entraide dans tous les secteurs ; informations «consuméristes» ; échanges de «bons plans» ; mise à disposition entre pairs de fichiers informa-

Quid d'une empathie artificielle?

Ce n'est sans doute pas un hasard si les Français sont considérés dans le monde comme un peuple de **râleurs**, de gens **arrogants**, incapables de **dialoguer** et de trouver des **consensus**. Comment faire en sorte qu'ils puissent se parler, s'écouter, se respecter et débattre ensemble sur l'avenir du pays (à commencer par les acteurs politiques de la société)? Cela suppose de donner la priorité à la **raison** et à l'**intérêt général** sur l'émotion et les avantages personnels, corporatistes ou communautaires. De former des citoyens **responsables** et **solidaires**. De permettre notamment un examen objectif des «**avantages acquis**», souvent même «exquis» pour ceux qui en bénéficient et qui ne se soucient guère de savoir que ce sont les «autres» qui les financent et que cela génère des **inégalités**.

L'évolution des **mentalités**, qui sont inscrites dans une histoire et une culture généralement anciennes, est un processus particulièrement lent, que l'on ne peut pas ordonner lorsqu'il ne s'impose pas de lui-même. Il ne le fait généralement qu'après un **drame**, alors qu'il serait bien préférable de le faire **avant**. Si l'on ne peut faire appel à la nature humaine (dans sa version française), faut-il alors faire appel à la **science**, pour qu'elle rende les cerveaux plus **empathiques** ? La révolution numérique, qui travaille activement au développement de l'**intelligence artificielle**, pourrait-elle (et devrait-elle) chercher à mettre au point une «**empathie artificielle**»?

Il paraît d'abord probable que les fabricants de **robots** devront le faire pour faciliter la relation de ceux-ci avec les humains. Mais qu'en sera-t-il des **humains** eux-mêmes? Si l'idée est évidemment très **discutable** d'un point de vue **moral**, elle n'est pas *a priori* **irréalisable** sur le plan scientifique ; on peut même s'étonner qu'elle ne figure

pas (en tout cas officiellement) dans les projets de certains chercheurs. On pourrait par exemple agir sur la sécrétion d'hormones telles que l'**ocytocine**, dont on connaît les effets bénéfiques en matière de comportement (observé notamment chez les femmes enceintes). Ou bombarder le cerveau **d'ondes à très basse fréquence**, dont on sait qu'elles sont propices à l'apaisement des relations humaines. Ou multiplier les «**neurones miroirs**[1]», instruments privilégiés de l'altruisme…

Les chercheurs, neurologues, philosophes, journalistes et simples citoyens s'intéresseront probablement à ce sujet. Il pourrait même constituer l'un des grands débats **éthiques** du XXIe siècle, dans la perspective d'un individu qui ne serait pas seulement «**augmenté**» dans ses capacités physiques et mentales, comme le proposent les transhumanistes (voir p. 132), mais «**amélioré**» dans sa capacité d'**empathie** et de bienveillance à l'égard des autres.

On peut ainsi «rêver» d'une France où les responsables politiques, économiques ou sociaux seraient capables de s'entendre pour le bien commun, mettant ainsi un terme à la **culture de l'affrontement** qui prévaut depuis longtemps dans le pays (voir p. 75). Un pays qui serait alors peuplé de citoyens de **bonne foi**, de **bon sens** et de **bonne volonté**. Mais l'idéal serait évidemment d'y parvenir sans recourir à la science. Car le rêve pourrait alors devenir cauchemar.

---

1. Les neurones miroirs présents dans le cerveau fonctionnent dès qu'un individu effectue une action, mais aussi lorsqu'il observe une autre personne en train de réaliser une action. Ces neurones imitent l'action de ceux du sujet observé. Découverts en 1996 par un groupe de neurologues italiens dirigé par Giacomo Rizzolatti, ils joueraient un rôle prépondérant dans l'apprentissage par imitation. Ils seraient également impliqués dans le processus affectif de l'empathie.

tiques ; diffusion de vraies ou (de plus en plus fréquemment) de fausses informations, scoops, buzz, rumeurs, canulars ; signatures de pétitions ; relais de messages humanitaires ; dons virtuels aux associations ; jeux caritatifs ; clics humanitaires. Les **robots** pourraient être bientôt considérés comme des compagnons (des «ropotes»…). Les **liens**, réels ou virtuels, devraient devenir plus importants que les **biens**.

UNE DIMINUTION DE LA DÉLINQUANCE MATÉRIELLE…

L'analyse des crimes et des délits **enregistrés** par la police et la gendarmerie montre des évolutions contrastées des différents types de délinquance en France. Parmi les actes «**classiques**» et «**physiques**», la majorité a connu une **baisse** au cours des cinq dernières années (entre 2013 et 2017). La plus forte a été celle des **vols avec armes** (à feu, blanches ou par destination[1]), avec 8 500 actes recensés en 2017, soit une baisse de 40 % en quatre ans. Elle arrive devant les **vols sans armes**, dix fois plus nombreux (86 800 actes, en baisse de 24 %). Les vols de **véhicules** (quatre ou deux-roues) ont également diminué (153 700 en 2017, - 12 %), ainsi que ceux d'**accessoires sur les véhicules** (97 600). Les vols **à l'intérieur des véhicules** se sont eux, stabilisés, à un niveau élevé (263 100). C'est le cas aussi du nombre de **cambriolages de logements** (249 900), après une hausse de plusieurs années.

Une seule catégorie a connu une hausse continue : les **coups et blessures volontaires** sur personnes de 15 ans et plus (229 000 actes, +9 % depuis 2013). 825 **homicides** ont été enregistrés en 2017, un nombre difficile à comparer à celui des années précédentes, marquées par les **attentats** meurtriers perpétrés depuis janvier 2015 dans les locaux du journal *Charlie Hebdo*. Enfin, les **violences sexuelles** (viols et autres agressions, y compris le harcèlement) ont fait respectivement l'objet de 16 200 et 24 000 enregistrements (en hausse de 10 et de 12 %), sans qu'il soit possible d'établir un lien avec la «libération de la parole» des victimes amorcée par la médiatisation de l'affaire Weinstein en octobre 2017.

La course éternelle entre les délinquants, escrocs en tout genre et ceux chargés de les empêcher de nuire ne devrait pas connaître de pause d'ici **2030**. Elle devrait cependant tourner à l'avantage des seconds dans certains domaines, avec la multiplication des **systèmes de sécurité** dans les logements, les véhicules, grâce à la multiplication des caméras, capteurs d'environnement et autres objets connectés. Il sera de plus en plus difficile aux cambrioleurs ou aux agresseurs de contourner ces systèmes, qui seront suivis à la trace pendant et après leurs forfaits. Ils pourraient même l'être **avant**, avec le développement d'outils **prédictifs**, tels ceux déjà mis en place dans certaines villes ou quartiers[2]. La police sera de plus en plus «**scientifique**» et automatisée.

… MAIS UN FORT ACCROISSEMENT DE LA DÉLINQUANCE VIRTUELLE…

Le nombre et l'évolution des délits de nature **immatérielle** (en «col blanc»), le plus souvent réalisés via des ordinateurs, sont plus difficiles à mesurer. Ils sont en effet beaucoup plus rarement **déclarés** par les particuliers et surtout les entreprises qui en sont victimes, de peur d'écorner leur image

---

1. Objets qui ne sont pas par nature destinés à être des armes, mais qui sont utilisés comme telles dans certaines situations.

2. Des intelligences artificielles établissent des probabilités de délit à partir de certaines statistiques issues de bases de données globales et locales.

auprès de leurs clients. Ils sont de toute évidence de plus en plus **fréquents** et **graves** ; certaines enquêtes font par exemple état d'une PME sur deux touchée par ces actes.

Leurs **conséquences** pourraient s'accroître dans les années qui viennent, notamment pour les délits réalisés à distance par des *hackers* capables de pénétrer les ordinateurs et supports informatiques et d'en prendre le contrôle. Ces délinquants pourront occasionner des nuisances considérables, en pratiquant un **sabotage** à grande échelle dans des lieux privés ou publics, et s'enrichir facilement en volant virtuellement de l'**argent** sur les comptes bancaires ou en rançonnant leurs victimes, tout en restant **anonymes**. Ces pratiques s'ajouteront aux traditionnels **virus**, **spams**, **publicités forcées** et autres dommages devenus courants. La « **paranoïa** » informatique devrait ainsi se généraliser. Elle sera alimentée par les annonces expliquant que des systèmes jusqu'ici considérés comme **inviolables** ne le sont pas[1].

... MENAÇANT LA STABILITÉ DU PAYS

La menace de la **délinquance virtuelle**, ou **cyberdélinquance**, est sans aucun doute la plus inquiétante de toutes, y compris le **terrorisme** dont elle sera probablement l'une des formes. Elle peut amener une entreprise à la **faillite**, pousser un individu au **suicide**, détruire des **documents** ou des biens. Elle peut **paralyser** ou **déstabiliser** un pays en sabotant des hôpitaux, des systèmes de distribution d'énergie, des médias, la circulation routière, ou en modifiant les résultats d'une **élection**.

Les scénarios ne manquent pas de ces catastrophes déclenchées par des individus irresponsables ou sans moralité, travaillant pour leur propre compte ou celui d'une

organisation, seuls ou en équipe. Certaines technologies comme la **blockchain** (stockage et transmission d'informations sécurisées, fonctionnant sans organe central de contrôle, anonyme et infalsifiable) pourraient permettre de contrer les tentatives de détournement. Jusqu'à ce que des *hackers* identifient des failles dans les systèmes, permettant de les pénétrer et de les pirater.

Cette menace réelle mais **invisible** pose de nombreuses questions. Comment y faire face ? Les compagnies d'**assurances** pourront-elles assurer ce risque avec des primes acceptables pour leurs clients ? Les particuliers pourront-ils continuer de naviguer sur **Internet**, de s'entourer d'**objets connectés** sans prendre des risques inconsidérés ? Quel sera le **pouvoir** des *hackers*, des mafias et autres individus ou organisations malveillants (y compris des États) soucieux de nuire, de s'enrichir ou de déstabiliser leurs concurrents ?

Une réaction de rejet de la part des utilisateurs des technologies numériques n'est pas à exclure dans les prochaines années. Elle pourrait aller jusqu'au boycott de certains produits ou entreprises, y compris parmi les plus importantes (voir p. 303).

UNE INFLATION SÉCURITAIRE

Dans un monde de plus en plus **anxiogène**, la demande de **sécurité** ne devrait pas cesser de s'accroître. La revendication du « **risque zéro** » sera partagée par de nombreux citoyens. Les dispositifs de **prévention** devraient donc se multiplier dans de nombreux domaines : santé ; environnement ; énergie ; délinquance... Face au sentiment croissant d'**insécurité** et à la **paranoïa** ambiante, les gouvernements seront amenés à durcir les **réglementations**. Le « **principe de précaution** » sera brandi chaque fois qu'un risque apparaîtra, au détriment de celui d'**innovation** ou d'**expérimentation**. Chaque fait divers sera largement relayé par les **médias** et des polémiques surgiront, incitant les politiques à prendre dans l'urgence des mesures pour éviter qu'il se reproduise. L'**arrestation** et la **sanction** des délinquants seront priori-

---

1. On a par exemple appris en janvier 2018 que les microprocesseurs fabriqués par Intel et d'autres depuis des années, qui constituent le cœur de millions d'ordinateurs, présentent des failles exploitables par des pirates. En les exploitant, ceux-ci pourraient extraire des milliards de données personnelles, dont les numéros de cartes de crédit, comptes bancaires, etc.

Liberté ou sécurité

Le besoin de **sécurité** est-il compatible avec celui de **liberté** ? La question se pose par exemple en matière **économique**, avec les coups de canif portés aux pratiques libérales au profit du **protectionnisme**, dans de nombreux pays du monde. Sans s'en vanter comme en Chine, ou en le clamant haut et fort comme aux États-Unis. La question se pose aussi en matière **scientifique** et **sociale**.

En France, l'application du **« principe de précaution »** est une restriction à la liberté d'innover ; si on le suivait à la lettre, il faudrait être certain qu'il n'existe **aucun risque** lorsqu'on expérimente quelque chose de nouveau, ce qui ne paraît guère possible selon un autre principe, celui d'**incertitude**. Les réductions de liberté des citoyens se sont aussi multipliées sur les **routes** (radars, limitations de vitesse…), dans les **villes** (caméras de surveillance, contrôles de stationnement, reconnaissance faciale…). Plus récemment, la tendance à la **« codification »** croissante des relations entre hommes et femmes pour prévenir toute « agression à caractère sexuel » (une intention évidemment louable sur le fond) risque de les rendre plus **complexes**.

Au niveau européen, la tendance est également davantage à la **sécurité** qu'à la **liberté**, avec le durcissement de la législation dans des pays comme la Pologne (remise en cause de l'avortement) ou la tendance xénophobe constatée en Hongrie ou en Italie. L'**intolérance** gagne ainsi du terrain. L'Égypte interdit l'**athéisme**, comme d'autres pays musulmans l'**apostat** (voir p. 231). Dans onze pays (à population majoritairement musulmane), l'**homosexualité** est passible de la peine de mort[1]. Les citoyens des **dictatures** subissent des atteintes aux droits humains les plus élémentaires. Dans les **démocraties** (aussi imparfaites soient-elles), ils sont parfois **complices** (actifs ou passifs) de ces dispositions, prêts à échanger de la liberté contre plus de sécurité. Mais *« La trop grande sécurité des peuples est toujours l'avant-coureur de leur servitude »* comme l'expliquait Jean-Paul Marat[2], qui paya de sa vie son combat pour la liberté.

———
1. Afghanistan, Arabie saoudite, Brunei, Iran, Mauritanie, Nigeria (dans les États du Nord ayant adopté la charia), Pakistan, Qatar, Soudan, Somalie (dans les émirats islamiques régis par Al-Shabbaab, où s'applique la charia), Yémen. (Wikipedia, liste actualisée au début 2018).
2. Dans *Les Chaînes de l'esclavage*, 1774.

———

taires par rapport à leur **réinsertion** dans la société, avec pour conséquences une nouvelle dégradation des conditions de détention (surpeuplement, suicides des détenus…) et des **récidives** plus fréquentes.

On pourrait assister en outre à une généralisation des mesures de **prévention**, avec la **surveillance** quasi permanente des citoyens (à l'image de ce qui se pratique en Chine, voir p. 57), par la vidéosurveillance ou le **stockage** de leurs données de communication (téléphonie, Internet), un traitement jusqu'ici réservé aux **terroristes** potentiels et à la criminalité organisée. Certains, notamment parmi ceux qui tirent profit de cette inflation sécuritaire, feront valoir que ces mesures n'auront pas de conséquences pour ceux qui n'auront *« rien à se reprocher »*. Mais beaucoup d'entre eux s'inquiéteront (à juste titre) de voir leur vie privée sans cesse

violée, sans accord de leur part et sans transparence. Ils revendiqueront le **droit de propriété** de leurs données et le **« droit à l'oubli »**.

On devra aussi s'interroger sur le **coût** considérable de la sécurité, et mesurer l'**efficacité** des dispositifs mis en place. Plusieurs études réalisées à l'échelle nationale[1] ou régionale[2] semblent indiquer par exemple

———
1. Un rapport de la Cour des comptes de 2011 constatait que *« le taux d'élucidation des faits de délinquance de proximité n'a pas davantage progressé dans ces CSP [circonscriptions de sécurité publique] équipées de caméras de vidéosurveillance de la voie publique que dans celles qui ne le sont pas. Pour les faits de délinquance pris globalement, il s'est même davantage amélioré dans les CSP non vidéosurveillées »*.
2. Une étude réalisée à Rennes en 2017 (*La vidéosurveillance et la prévention de la délinquance : quel impact ?* par Éric Heilmann) indique également que *« la vidéosurveillance n'a pas apporté la preuve de son efficacité en matière de prévention de la délinquance à Rennes… Quand à la mythologie [selon laquelle] elle permettrait d'identifier l'auteur d'une infraction, elle ne résiste pas au principe de réalité »*.

que la **vidéosurveillance** contribue assez peu à l'élucidation de la délinquance. On a aussi constaté un risque important d'erreurs inhérent à l'enregistrement de données (lors de la saisie ou de la mise à jour) : en 2008, des vérifications effectuées sur demande par la CNIL avaient conclu que seuls 17 % des fichiers du STIC (système de traitement des infractions constatées contenant des données sur 28 millions de victimes et 5,5 millions de suspects) étaient exacts et conformes à la loi. On devra enfin, et peut-être surtout, mesurer les effets de l'**inflation sécuritaire** en cours et à venir sur les **libertés** individuelles. Beaucoup avaient déjà été anticipés par George Orwell dans *1984*, pourtant publié en 1949. **Big Brother** et **Big Data**, même combat ?

ET SI...

Les questions figurant dans cette rubrique ne sont pas des informations, mais des sujets de réflexion et de débat complétant les textes du chapitre qu'ils clôturent. Elles peuvent exprimer des souhaits, des craintes, des utopies ou tout élément susceptible d'accélérer, ralentir ou inverser les évolutions prévisibles.

... le processus en cours d'autonomie renforçait l'individualisme et l'indifférence aux autres ?

... l'hédonisme était une façon d'oublier le réel et l'avenir ?

... les citoyens satisfaits s'exprimaient aussi sur les réseaux sociaux pour équilibrer leurs contenus ?

... la tonalité des prises de parole sur Internet devenait bienveillante, tolérante, informée ?

... la propriété des données personnelles était légalement reconnue et garantie, leur recueil et leur usage soumis à un accord explicite des personnes concernées ?

... les entreprises recueillant et exploitant des données personnelles à des fins commerciales rémunéraient leurs propriétaires en contrepartie de leur apport aux profits réalisés grâce à eux ?

... l'on ajoutait au triptyque républicain (liberté, égalité, fraternité) une quatrième dimension : la responsabilité ?

... la spiritualité était toujours compatible avec la rationalité ?

... la tolérance était une vertu prônée par toutes les religions à l'égard de toutes les autres, ainsi qu'envers les athées et les agnostiques ?

... l'existence du hasard était acceptée par chacun, quelle que soit sa croyance ?

... l'on considérait que l'accroissement des inégalités est le fondement du mal-être social et de la difficulté à vivre ensemble ?

... l'on reconnaissait que si certains « réussissent » mieux que les autres, c'est essentiellement du fait de caractéristiques personnelles (physiques, mentales, comportementales...) innées ou acquises dans le milieu familial, dont ils ne sont pas en réalité responsables ?

... la question de l'immigration était abordée avec un mélange de réalisme et d'humanité, qui transcende largement les appartenances politiques et idéologiques ?

... la « morale » était présentée comme une façon d'être honnête envers les autres afin d'être digne par rapport à soi-même ?

TRAVAIL

L'avenir du travail est légitimement l'une des préoccupations majeures des Français pour l'avenir. Y en aura-t-il suffisamment ? Comment évolueront les **métiers actuels** ? Quels emplois seront-ils menacés par des **robots** ? Quels seront les **nouveaux métiers** ? Comment s'y **former** ? Les **prévisions** en la matière sont à la fois très utiles et très complexes. Elles doivent en effet estimer non seulement le nombre et la nature des emplois concernés par ces changements, mais aussi le **rythme** auquel certains seront **supprimés** (ou modifiés), ainsi que celui de leur **remplacement** (lorsqu'il sera possible). Les questions posées sont donc à la fois **quantitatives** et **qualitatives**.

N.B. La prospective n'est pas une science exacte (voir p. 9). C'est pourquoi des textes (en italiques), placés en dessous des descriptions de certaines tendances et prévisions, présentent des perspectives alternatives, dans le cas où un changement important se produirait dans le contexte et modifierait ces prévisions.

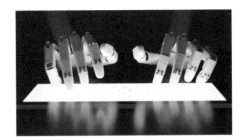

EMPLOIS

DES MILLIONS D'EMPLOIS CONCERNÉS PAR LA « *ROBOLUTION* »

Ce sont aujourd'hui les **robots** qui concentrent l'attention, alimentent les réflexions et, souvent, les fantasmes des médias, des experts et de la population. Mais ils ne sont pas les seules causes de la **grande transition** en cours dans le monde du travail. L'emploi sera aussi transformé par d'autres innovations technologiques : véhicules autonomes, imprimantes 3D, assistants personnels et autres équipements connectés. Tous seront dotés de capacités nouvelles et spectaculaires grâce à des logiciels, programmes et algorithmes de plus en plus sophistiqués.

Ces équipements seront de plus en plus **autonomes** (afin de réduire le coût de leur supervision) et le plus souvent pourvus d'**intelligence artificielle**. Elle sera d'abord « faible » et concernera des systèmes capables de résoudre des problèmes **spécifiques** en simulant l'intelligence humaine de façon assez **grossière**. Puis leur intelligence deviendra peut-être « forte », avec un comportement **généraliste** comparable à celui d'un **humain**. Cela impliquera qu'elle soit dotée comme lui d'une **conscience**, de « sentiments » et d'une compréhension de ses propres raisonnements. Cela signifierait aussi que l'on pourrait créer une conscience sur un **support matériel non biologique**, alors que la conscience humaine se situe *a priori* sur un **support matériel biologique**. La limite à la création d'une intelligence artificielle forte est peut-être celle de l'intelligence humaine, qui n'est pas assez forte elle-même pour être en mesure de tout comprendre...

UN DÉCALAGE ENTRE DESTRUCTIONS ET CRÉATIONS...

Les études sur les conséquences de la « robolution » sont assez peu nombreuses en **France**, ce qui témoigne d'une réflexion encore insuffisante sur le sujet. Il faut donc s'intéresser à des études **internationales**.

Les plus **optimistes** se réfugient derrière les précédentes révolutions industrielles et la fameuse théorie de la «**destruction créatrice**»[1] proposée par l'économiste Joseph Schumpeter dans les années 1940. Elle décrit une évolution simultanée de la disparition des emplois et de leur remplacement. Dans cette veine, on peut citer une étude de 2017 réalisée par la société Dell et le club de réflexion *Institute of the future*. Elle conclut que **85 % des emplois de 2030 n'existent pas aujourd'hui**, mais considère que la **transition** entre les anciens et les nouveaux sera **rapide**.

On trouve cependant peu d'autres études «schumpeteriennes», pariant sur un **rééquilibrage harmonieux** de l'emploi. Celle réalisée en 2016 au MIT et à l'Université de Boston[2] prévoyait que l'apparition des robots dans un secteur se traduirait par une **création d'emplois qualifiés** et **recyclerait les anciens métiers manuels**. La transition serait ainsi globalement **bénéfique**, tant pour le niveau global de l'emploi que pour celui de la rémunération des actifs. Pourtant, l'observation de l'**évolution réelle** de l'emploi industriel aux États-Unis entre 1990 et 2007 par les **mêmes chercheurs**, publiée un an plus tard (mai 2017), **infirmait** ces prévisions. Les auteurs concluaient que la robotisation avait produit au contraire «*un effet négatif sérieux et marqué des robots sur l'emploi et les salaires*» pendant cette période. La réalité infirmait donc la prévision.

... ENTRAÎNANT UN DÉFICIT GLOBAL D'EMPLOIS...

D'autres études et simulations sont encore plus **pessimistes**, estimant qu'il y aura au minimum un **décalage** temporel important et même, pour certains types d'emplois, une **réduction** significative et définitive de leur nombre. Celle réalisée par l'université d'Oxford en 2014 avait créé un choc dans l'opinion mondiale, en concluant que **47 % des métiers** (sur plus de 700 analysés) étaient **automatisables** d'ici vingt ans : secrétaires, téléconseillers, analystes financiers, dockers, employés de banque, réceptionnistes, arbitres sportifs, chauffeurs, caissiers, comptables, ouvriers de montage, etc. Elle affirmait qu'ils **ne pourraient pas être remplacés** rapidement et en totalité. L'argument avait été repris en France lors de la campagne présidentielle par le candidat socialiste Benoît Hamon, qui en avait fait l'argument principal de sa proposition phare de **revenu universel**.

L'étude publiée par *McKinsey Global Institute* en 2017[3] va dans le même sens. Elle estime que les robots remplaceront **800 millions d'actifs** dans le monde d'ici **2030**. Certains emplois, qui nécessitent une main-d'œuvre peu qualifiée, seraient automatisables à hauteur de 90 % de l'ensemble des tâches effectuées. D'autres ne seraient en revanche automatisables qu'à 10 ou 20 %, du fait de l'incapacité (provisoire ?) des machines à remplacer efficacement les personnes qui les occupent.

La principale conclusion de cette étude est que, même s'il y a **théoriquement** suffisamment de travail pour maintenir le **plein emploi** jusqu'en **2030** dans la plupart des scénarios envisagés, les **transitions** (transformations, suppressions, remplacements des métiers et activités actuels) seront très difficiles pour les entreprises, et donc pour de nombreux actifs. Elles le seront sans doute bien davantage que celles qui se sont produites dans le passé dans les secteurs de l'agriculture et de la fabrication industrielle. Moins de 5 % des métiers actuels seraient **totalement automatisables**, et environ 60 % auraient environ un tiers (30 %) de leurs activités automatisables. Le scénario central retenu prévoit que 375 millions de personnes, soit **14 % de la main-d'œuvre mondiale**, devront **changer de métier** et acquérir de nouvelles compétences du fait de l'automatisation. Ces chiffres précis

---

1. Théorie explicitée dans *Capitalisme, Socialisme et Démocratie*, publié en anglais en 1942, traduit en français en 1951, et en partie inspirée par les œuvres de Friedrich Nietzsche, Werner Sombart et Karl Marx.
2. Daron Acemoglu et Pascual Restrepo.

---

3. L'étude porte sur 46 pays, représentant 80 % de la main-d'œuvre dans le monde.

reposent évidemment sur des **hypothèses** nombreuses, aux multiples interactions, qui peuvent être démenties par les faits. Leurs **marges d'incertitude** sont donc élevées.

… Y COMPRIS EN FRANCE

L'étude McKinsey mentionnée ci-dessus comporte un volet **français**. Il indique que 43 % des emplois existants pourraient être touchés par l'automatisation d'ici **2050** (et non plus **2030**). Un taux voisin de la moyenne des 46 pays étudiés ; le plus élevé concerne le Japon (55,7 %), le plus faible l'Afrique du Sud (41 %). À plus brève échéance, d'ici **2025**, cela représenterait pour la France une disparition de **3 millions** de postes. L'enquête estime cependant (à juste titre) que la France fera partie des pays avancés dont la population sera **vieillissante**, et connaîtra donc une baisse de la **population active** (si l'âge légal de la retraite n'est pas repoussé autant que l'âge moyen de décès). Le pays bénéficierait ainsi de la productivité apportée par l'auto-matisation et donc à ce titre d'un regain de **croissance**.

On peut cependant s'interroger sur cette promesse rassurante. Dans une économie «classique», la **croissance** est en principe **créatrice** d'emplois, mais la plupart des études citées ci-dessus concluent au contraire à une baisse, au moins pendant le temps de la **transition** vers l'économie automatisée. Il y a donc là une contradiction apparente. Elle traduit la grande difficulté de prévoir des phénomènes multifactoriels, qui sont en outre fortement **intercorrélés**. On peut y voir aussi l'indice que l'économie à venir ne sera en rien «classique» et que les **outils** pour l'analyser restent à inventer.

UN MANQUE DE TRAVAILLEURS TRÈS QUALIFIÉS

Pour la France comme pour le reste du monde, il est ainsi très difficile de conclure sur l'avenir de l'emploi et, surtout, sur le calendrier de son évolution. Il faut en tout cas se garder de confondre des prévisions

UNE POPULATION ACTIVE EN STAGNATION

52. Évolution de la population active depuis 1975 et projection jusqu'en 2070 (en milliers d'actifs, scénario central)

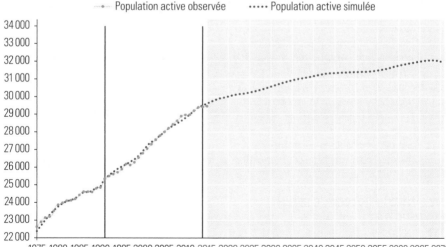

Population des ménages de 15 ans ou plus en âge courant ;
France métropolitaine jusqu'en 1990, France hors Mayotte de 1991 à 2013, France à partir de 2014.
Projections de population active 2016-2070, INSEE.

ou perspectives établies à l'horizon **2050** avec celles que l'on peut dessiner pour **2030**, horizon choisi pour ce livre. Par principe, les moins éloignées ont plus de chances de se vérifier que les plus proches, d'autant que la période **2030-2050** paraît aujourd'hui très peu **accessible** aux esprits humains, même les plus visionnaires. Elle ne l'est pas davantage aux **machines** dites «intelligentes» elles-mêmes, qui sont bien incapables de prédire actuellement ce qu'elles deviendront dans plus de trente ans. Car cela ne dépend pas (encore ?) d'elles.

Une chose apparaît en revanche assez probable, bien que non «schumpeterienne»: le temps qui sera nécessaire à la **formation** aux nouveaux emplois (qualifiés) sera plus long que celui qu'ils mettront à **apparaître**. Un **déficit** devrait donc se produire entre l'offre et la demande de ces emplois, pendant une certaine durée. Selon une étude récente[1], il pourrait représenter **1,5 million de postes entre 2019 et 2030** en France (85 millions à l'échelle mondiale) représentant une perte de 175 milliards d'euros pour l'économie nationale (6 900 milliards d'euros à l'échelle mondiale). À l'inverse, le pays pourrait connaître un surplus de **1,7 million de salariés** ayant un niveau de formation **peu élevé**, insuffisant pour trouver un emploi.

*Les effectifs de la **population active** française devraient **peu augmenter** d'ici 2030 (voir graphique ci-après), du fait de la pyramide des âges et si l'on fait l'hypothèse d'un **maintien de l'âge légal de la retraite**. Cette situation permettrait alors de ne pas accroître le besoin de créations d'emplois. Mais elle paraît assez peu probable si l'espérance de vie continue de s'accroître et le ratio actifs/inactifs diminue.*

UNE ÉVOLUTION DIFFICILEMENT RÉVERSIBLE

D'ici **2030**, le changement radical du monde du travail (robotisation) concer-

nera principalement les pays **développés** et quelques grands pays émergents comme la Chine ou l'Inde. Les pays **pauvres** devraient être beaucoup moins concernés, car leurs coûts de main-d'œuvre sont faibles et l'**avantage compétitif de la robotisation** y serait beaucoup moins sensible qu'ailleurs. De plus, les **investissements** nécessaires seront hors de portée de la plupart des entreprises dans ces pays.

La transformation est en tout cas engagée dans les pays «riches» ou les grands émergents, et elle paraît **irréversible**. Les premiers emplois concernés seront les métiers **manuels**, notamment **répétitifs**, généralement faciles à remplacer par des robots (ou des *cobots*, travaillant avec des ouvriers moins nombreux mais plus qualifiés). Une illustration spectaculaire en est donnée par l'entreprise chinoise Foxconn (qui fabrique notamment des smartphones). Dans l'une de ses usines (qui emploient au total 1,2 million de personnes), elle a fait passer en peu d'années son effectif **de 110 000 à 50 000 employés** en installant des **robots**. Bien que le salaire moyen chinois soit encore faible en comparaison de celui des pays les plus développés, il a triplé au cours des dix dernières années, ce qui explique cette décision sur le plan **économique**. Mais elle pourrait avoir des conséquences négatives sur le plan **social**.

Il serait cependant étonnant que la robotisation de la planète (même dans les pays les plus avancés) se produise très rapidement. La durée de la diffusion du **téléphone portable** (puis du smartphone), qui a été la plus courte de l'histoire des grandes innovations, s'est tout de même étalée sur vingt ans, même si l'on prend comme point de départ la seconde génération (du début des années 1990 jusqu'à 2010). La diffusion des **robots** et autres modes d'automatisation devrait être encore plus longue, car beaucoup plus complexe et plus coûteuse à mettre en œuvre. On peut donc estimer que les **actifs humains** potentiellement concernés par la «*robolution*» ne seront pas tous mis sur la touche et remplacés d'ici **2030**.

---

1. Étude Korn Ferry International (cabinet de conseil en gestion des talents et des organisations), avril 2018.

LA FRANCE ENCORE PEU AUTOMATISÉE

Même si elle a amorcé sa transition, la **France** semble aujourd'hui plutôt en retard en matière d'automatisation des tâches par rapport aux autres pays développés. Avec une densité de **132 robots industriels pour 10 000 employés**, elle se situait à la 18e place mondiale en **2016**[1]. À titre de comparaison, l'Allemagne, pays le plus automatisé d'Europe, avait une densité de **309 robots** pour 10 000 employés. D'autres pays européens étaient également plus «robotisés» que la France (par ordre décroissant) : Suède (223), Danemark, Italie, Espagne, Pays-Bas, Autriche, Finlande, Slovénie, Slovaquie. Pour la France, le taux d'accroissement du nombre de robots était estimé selon les sources entre 5 et 10 % jusqu'en **2020**.

Il n'existe cependant pas de corrélation apparente (inverse) entre la densité de **robots** et le **chômage,** contrairement à ce que prévoient la plupart des études citées. Ainsi, les taux de chômage de la France et de l'Allemagne étaient respectivement de 10 % et 4 % en 2016. Mais il faut considérer que ces études raisonnent **globalement**, sans prendre en compte les situations comparatives des pays. Or, dans la réalité, lorsqu'un pays est **plus automatisé** que les autres, il peut réduire davantage qu'eux ses prix de revient et gagner des parts de marché à leur détriment, ce qui lui permet de **créer des emplois**. Mais son **avantage compétitif se réduit** lorsque les autres pays s'automatisent à leur tour, de sorte que la corrélation avec le taux de chômage peut de nouveau apparaître.

Plusieurs raisons peuvent expliquer le «retard» relatif de la France en matière d'automatisation :

- Le fait que l'économie de la France repose beaucoup moins sur l'**industrie** que celle de l'Allemagne.
- Le nombre très élevé de **petites** entreprises et d'entreprises de **taille inter**médiaire (ETI), dont beaucoup ne disposent pas des moyens financiers suffisants pour investir dans ces machines, ni de **marchés** permettant de les amortir rapidement (notamment à l'exportation, avec une balance commerciale très déficitaire pour la France).

Taxer les robots ?

Les **machines** destinées à remplacer des travailleurs **humains** dans les usines ou les bureaux nécessiteront des **investissements** conséquents pour les entreprises concernées. Mais elles en tireront en contrepartie de nombreux **avantages**. Les robots sont en effet généralement plus **précis** que les humains et ils se «**trompent**» moins souvent. Ils sont capables de travailler **24 heures sur 24**, sans se plaindre (en tout cas tant qu'ils ne sont pas dotés de «conscience»…). Ils ne sont pas **syndiqués** (le jour où ils en seront capables, ils n'auront pas besoin de le faire, leur pouvoir leur permettant d'imposer des règles sans les négocier avec les humains…). Ils peuvent ainsi être «**licenciés**» sans préavis ni indemnité. Les entreprises qui les emploient n'ont pas à payer pour eux des **charges sociales**, car la maladie, le chômage ou la retraite sont des situations humaines qui ne les concernent pas. D'autant qu'ils n'ont pas (encore ?) de **statut**.

Enfin, lorsqu'ils remplacent un ou (généralement) plusieurs travailleurs humains, ces derniers doivent être **formés** pour occuper d'autres emplois, nécessitant d'autres **compétences**. Cela suppose d'abord que les nouveaux emplois soient en **nombre suffisant**, ce qui n'est pas assuré. Cela représente en outre une dépense importante, qui ne sera pas *a priori* à la charge des entreprises concernées, mais de la **collectivité**. C'est pourquoi il faut s'attendre à ce que le débat sur la «**taxation des robots**», sous une forme ou une autre, se développe rapidement. Et avec lui, la réflexion sur le «serpent de mer» que constitue le **revenu universel** (voir p. 293).

---

1. *World Robotics Report 2017*, International Federation of Robotics, 2018.

- Le recours à une **main-d'œuvre bon marché** hors des frontières avec les **délocalisations**.
- La crainte d'une **opposition syndicale** forte, qui entraverait l'activité de l'entreprise. Pourtant, une centrale comme la CFDT (désormais premier syndicat français) ne se montre pas hostile à la robotisation, estimant même qu'elle peut *« permettre à des entreprises d'accroître leur part de marché, et rendre le travail industriel plus attractif pour les jeunes et les femmes*[1] *»*.

... MAIS UN RATTRAPAGE À VENIR

On peut imaginer que la France cherchera à **rattraper** son retard initial, comme elle a l'habitude de le faire lorsqu'apparaissent de nouvelles technologies ; ce fut le cas par exemple pour l'adoption du téléphone mobile, c'est le cas aujourd'hui de la digitalisation des PME. Deux facteurs au moins devraient favoriser ce rattrapage :

- Le **coût social** de la robotisation devrait être inférieur à celui de l'**immobilisme**. Dans le second cas, la perte de compétitivité par rapport aux pays avancés aurait en effet des conséquences économiques (et donc sociales) délétères.
- La robotisation ne concernera pas seulement l'**industrie**. Elle va toucher de nombreux secteurs dans les **services**, comme les banques et les assurances, qui se préparent déjà à la transition. Ainsi, la Société Générale prévoit d'avoir automatisé 80 % des processus internes entre les agences et le *back-office* d'ici seulement **2020**.

La **réflexion** engagée dans le pays devrait ainsi déboucher sur un développement de l'équipement et de l'usage des nouvelles technologies d'ici **2030**. À condition qu'elle s'accompagne de **pédagogie** de la part des pouvoirs publics, de **réalisme** de la part des entreprises et des partenaires sociaux, mais aussi des Français, en tant qu'actifs et/ou de citoyens.

UN TAUX DE CHÔMAGE ÉLEVÉ JUSQU'EN 2025...

Le taux de chômage d'ici **2030** sera d'abord déterminé par le solde entre les **créations** et les **destructions** d'emploi. Celui-ci pourrait être **négatif** pendant quelques années (peut-être jusqu'en **2025**), compte tenu de l'automatisation accélérée qui devrait se produire d'ici là. Il retrouverait ensuite progressivement un **équilibre** sous l'effet de la création de **nouveaux métiers** dans de nouveaux domaines. Et profiterait de la **relocalisation** d'activités et d'usines installées à l'étranger, qui n'offriraient plus les mêmes avantages en termes de **compétitivité**.

Le taux de chômage dépendra aussi de l'évolution de la **population active**. Selon les prévisions démographiques de l'INSEE, elle pourrait augmenter assez faiblement d'ici **2030**[2] : 30,6 millions contre 29,8 millions en **2017** (voir graphique p. 257). Cet accroissement de 800 000 actifs serait en outre très inférieur à celui de la population du pays, qui atteindrait 4 millions (voir p. 28). Il résulterait d'un taux d'activité des **seniors** accru jusqu'en **2025**, conséquence de l'allongement de la **durée du travail** provoquée par les réformes des retraites de 1993, 2003 et 2010 et du nombre élevé de personnes atteignant les classes d'âge concernées. Le taux de chômage serait ainsi poussé à la hausse pendant cette période, et pourrait dépasser **10 %** de la population active.

1. Philippe Portier, secrétaire général de la fédération métallurgie de la CFDT., dans *Libération*, 17 mai 2017.

2. Source INSEE, projections 2011 actualisées par l'auteur.

Le chômage pourrait se réduire à partir de **2025**, sous l'effet de trois événements principaux :

- L'arrivée aux âges de fort taux d'activité des **générations creuses**, nées pendant les années 1980-1990.
- La stagnation de la **population active** totale (qui diminuerait en proportion de la population totale).
- Un nouvel **avancement** probable de **l'âge de la retraite** dans les années à venir, destiné à compenser les augmentations d'**espérance de vie** (voir p. 36). Il pourrait être comme elle de **2 ans**, ce qui le porterait à 64, voire 65 ans pour réduire l'écart avec les autres grands pays européens, sous réserve que cela ne mette pas en péril le financement des **pensions**.

De nombreux facteurs interviendront dans l'évolution effective du taux de chômage : la **croissance** économique (voir p. 41) ; la réglementation sur l'**indem-**

Les nouveaux luddites

Les grèves à la SNCF au cours du premier semestre 2018 contre la réforme souhaitée par le gouvernement ont illustré une nouvelle fois l'**« esprit de résistance »** de nombreux salariés du secteur public face au **changement**. Dans le même temps, les employés et les pilotes d'Air France se mettaient eux aussi en grève pour obtenir une augmentation de salaire immédiate de 6 %, au motif que la compagnie avait fait des bénéfices en 2017 pour la première fois depuis des années.

On peut comprendre la crainte des cheminots (plus que celle des pilotes) face aux changements que toute réforme implique sur les **habitudes**, surtout dans les secteurs (encore) monopolistiques. On notera cependant que la réforme prévue ne remettra pas en cause les avantages (indéniables et conséquents) dont ils bénéficient ; ils ont été garantis à vie dès le début du processus pour tous ceux qui en disposent aujourd'hui. Mais personne ne peut nier la nécessité de **réformer le transport ferroviaire ou aérien**, dans un contexte de concurrence croissante (existante pour l'avion, à venir pour le train). Les retards, les déficits, les pertes de part de marché et l'endettement des entreprises concernées témoignent de la gravité de la situation et mettent en péril leur survie.

Dans un autre style, la « résistance » française au changement fait penser à celle des **luddites** anglais des débuts de la Révolution industrielle (1811-1812), qui cassaient les métiers à tisser mécaniques accusés de leur faire perdre leur emploi. Ils furent suivis à partir de 1831 en France par la « révolte des canuts » dans la région de Lyon.

La casse opérée par les « luddites » français contemporains est **économique** et **sociale**. Elle fait monter les prix des billets payés par les voyageurs et les impôts des Français, contraints de combler les déficits et demain de rembourser la dette qui sera reprise en grande partie par l'État (35 milliards d'euros). La casse consiste aussi en une nouvelle **dégradation du service**, un **retard** très dommageable à l'indispensable transformation et un **coût** induit considérable pour de nombreuses entreprises qui ne peuvent assurer leur activité. Elle crée un **climat social délétère** dans lequel des **minorités à fort pouvoir de blocage** peuvent imposer leur point de vue sur la majorité, qui reste toujours trop **silencieuse**. Enfin, cette situation profite scandaleusement à tous les casseurs, anarchistes et autres irréductibles rêvant de détruire la société.

Il serait donc à la fois plus **responsable** et plus **efficace** pour les syndicats (en particulier ceux qui s'opposent quasi systématiquement à toute réforme) d'**accepter** les réorganisations nécessaires et d'y **participer** dans un état d'esprit **constructif**, permettant ainsi de restaurer un climat de **confiance** entre les « partenaires sociaux », chacun y mettant du sien. Mais, depuis des décennies, c'est au contraire la **mentalité d'affrontement** qui prévaut. Elle a fait perdre à la France énormément de temps et d'argent. Il est plus que temps que l'**éthique de responsabilité** l'emporte sur celle de **conviction** (voir p. 490). Au bénéfice de tous.

BIENTÔT UN COTISANT POUR UN RETRAITÉ

53. Évolution du nombre de cotisants pour un retraité et projection jusqu'en 2050 (tous régimes de retraite confondus).

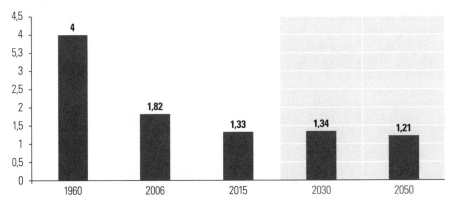

CNAV, Conseil d'orientation des retraites

nisation du chômage ; l'évolution du **tissu industriel** de la France ; le nombre des **créations d'entreprises**, leur pérennité et le nombre d'emplois qu'elles engendreront ; la confirmation ou l'infirmation des prévisions actuelles en matière de **créations-destructions** d'emplois liés aux nouvelles **technologies**. Une **modélisation** précise et surtout **fiable** de l'ensemble de ces éléments (et d'autres qui seraient de l'ordre de l'accident) est *a priori* impossible. Au total, les raisons d'imaginer une **diminution** du chômage apparaissent ainsi **moins nombreuses et probables** que celles pouvant amener à son **augmentation**.

La transition écologique (passage de l'économie à l'« écolonomie » ou économie verte, voir p. 48) pourrait permettre de créer plus de 24 millions d'emplois d'ici à 2030, si l'on parvenait à limiter le réchauffement planétaire en-dessous de 2 °C[1].

... SUIVI D'UNE ÉVOLUTION PLUS FAVORABLE

Même si la transition risque d'être assez rude, le catastrophisme n'est pas de mise en matière d'emploi. D'abord parce que le rythme et l'efficacité des **formations** et **réorientations** des vies professionnelles devrait **s'accélérer**, de façon à réduire le temps de **latence** entre destructions et créations d'emplois, entre emplois disponibles et personnes en mesure de les occuper.

Si l'on prend l'exemple du marché à venir des **véhicules autonomes**, il pourrait passer au niveau **mondial** de quelque 20 milliards d'euros en **2017** (tous types et usages confondus) à 640 milliards d'euros en **2030**, dont 460 milliards pour les véhicules terrestres, 97 pour l'aérien, 54 pour le maritime, 18 pour le ferroviaire, 7 pour le spatial[2]. Mais il pourrait au total engendrer en réalité 2950 milliards d'euros, si on y ajoute les **activités marchandes induites** : maintenance, réparation, révision, énergie, location, partage, divertissement embarqué, sécurité, assurance... Cela représenterait de très nombreux emplois, dont certains se **substitueraient** à ceux qui existent et d'autres seraient **nouveaux**. La

1. Rapport de l'Organisation internationale du travail (OIT) intitulé *Emploi et questions sociales dans le monde*, 2018. Sur les 163 secteurs économiques analysés par les rédacteurs du rapport, seuls 14 devraient subir des suppressions d'emplois supérieures à 10 000 postes à l'échelle mondiale, les autres bénéficiant d'une création nette d'emplois.

2. Cabinet Oliver Wyman, 2017.

L'occasion de renverser la table

La période de **transition** qui accompagnera la « **robolution** » sera l'occasion de repenser l'ensemble du **système professionnel** mis en place au fil du temps. De nombreux sujets devront être abordés, y compris ceux considérés aujourd'hui comme **tabous**, dans le but d'adapter la France au monde qui émerge :

- La conception philosophique du **travail** et de sa place dans la vie des individus et de la collectivité.
- La **formation, initiale** mais aussi **continue** nécessaire pour faire face aux besoins de l'économie et de la société, et aux changements qui vont se succéder (voir chapitre **Instruction**).
- La **rémunération** des différents types d'activité et les **écarts** « acceptables » par la société.
- Les « **avantages acquis** » par certains salariés, professions ou corporations et leur **révision** éventuelle.
- Les **statuts** des travailleurs (salariés, indépendants, intermittents…) et leur **unification** éventuelle.
- La **durée du travail** et son **individualisation** (afin qu'elle soit choisie plutôt que subie).
- L'**âge de la retraite** et son adaptation au **contexte** économique, démographique et social, la sécurisation de son **financement** pour qu'il ne soit pas à la charge des générations futures d'actifs.
- La pertinence et la faisabilité d'un **revenu universel** de complément ou de substitution, en lieu et place des **minima sociaux**.
- La **taxation des robots** pour amortir les suppressions d'emplois qu'ils pourront occasionner.
- La **responsabilité sociale des entreprises** dans le maintien et la création d'emplois.
- L'attitude des **syndicats** face au changement et aux mesures d'**adaptation** qu'il nécessite.
- Le **partage des richesses**, au nom de la **solidarité** humaine, si possible à un niveau **international**.
- La **fiscalité des revenus** du travail et du capital, si possible également à un niveau international (afin d'éviter les concurrences déloyales et les fuites de capitaux et de talents).

plupart nécessiteront en tout cas des compétences différentes, qu'il faudra acquérir.

Cette perspective favorable n'est évidemment pas certaine. Ainsi, certains experts estiment qu'en **France**, l'arrivée des véhicules autonomes pourrait **supprimer** 100 000 emplois de chauffeurs de taxi et de VTC[1]. Sans préciser combien pourraient être créés, directement ou indirectement. D'autant que le processus de remplacement du parc sera probablement long (voir p. 213).

Par ailleurs, la **notion** même de **travail** devrait évoluer, tant sur le plan **qualitatif**. Les actifs ne seraient plus « obligés » de travailler de façon **continue**, entre la fin des études et la retraite ; les périodes de travail pourraient **alterner** avec des périodes « sabbatiques »

ou se **mélanger** à d'autres types d'activités, rémunérées ou non. Le changement serait aussi **quantitatif**, avec une **durée** de travail (journalière, hebdomadaire ou annuelle) individualisée selon les moments de la vie, les besoins et les souhaits des **personnes** et des **organisations** qui les emploient, à temps plein ou partiel, à titre unique ou non.

MÉTIERS

DE NOMBREUX MÉTIERS MENACÉS…

La **disparition de métiers** a accompagné toutes les évolutions et révolutions de la société, au rythme des **innovations** technologiques ou sociétales. C'est ainsi que l'on a vu disparaître les fiacres, les allumeurs de réverbères, les vendeurs de glaces en morceaux ou les composteurs de billets

---

1. Erwann Tison, directeur des études de l'Institut Sapiens.

de métro. Ils ont été **remplacés** dans les mêmes secteurs par d'autres métiers : taxis, électriciens, vendeurs d'électroménager, contrôleurs...

La différence avec la situation actuelle et probablement future est que ces substitutions se sont faites **lentement** ; les métiers créés ont souvent engendré plus d'emplois que ceux détruits, de sorte que la plupart des actifs concernés ont pu retrouver des emplois et continuer de travailler sans discontinuer. Plus récemment, l'adaptation s'est faite avec plus de difficulté et le décalage temporel s'est accru. Le **chômage** a progressé, jusqu'à atteindre officiellement un actif sur dix, soit 3,5 millions d'actifs, et concerner en réalité plus de 5 millions de personnes en situation de précarité professionnelle (voir encadré page suivante).

Les prochaines années devraient être marquées par la **disparition** au moins partielle de nombreux métiers, sous l'effet des innovations en cours et de celles qui sont attendues. Parmi eux, on peut citer pêle-mêle (et à des échéances variables) : chauffeur routier ; chauffeur de taxi ; conducteur de métro ; démarcheur téléphonique ; téléconseiller ; secrétaire ; *trader* ; ouvrier (surtout non spécialisé) ; comptable ; employé de banque *(back office)* ; employé d'assurances ; bibliothécaire ; moniteur d'auto-école ; magasinier ; réceptionniste d'hôtel ; recruteur ; agent de sécurité ; conseiller en placements ; professeur ; vendeur ; traducteur ; agent immobilier ; caissier...

... DANS TOUS LES SECTEURS D'ACTIVITÉ...

On pourrait imaginer que la robotisation concernera essentiellement l'**industrie**. Celle-ci sera bien sûr fortement impactée, plus encore qu'elle ne l'a été par l'installation des **machines-outils** ou à **commande numérique**, ancêtres des robots. Mais la part des emplois qu'elle représente est relativement faible ; elle n'était que de **13,6 en 2016**[1], soit 3,6 millions de personnes actives. Elle pourrait se situer en dessous de 10 % en **2030**, ce qui représenterait une perte d'environ un million d'emplois, avec un impact important compte tenu de la faible croissance de la population active pendant la période.

L'économie française est très largement centrée sur les **services**, destinés aux personnes, aux ménages, aux entreprises, aux administrations. Ils pèsent actuellement pour **76 % des emplois**, soit 20 millions de personnes travaillant dans le commerce, les transports, la réparation automobile, la restauration, l'information-communication, la finance-assurance, l'immobilier, les activités scientifiques et techniques, etc. Tous ne verront évidemment pas leur métier **disparaître**, mais la plupart le verront se **transformer**. Ce pourrait être le cas notamment d'enseignants, transporteurs, scientifiques, communicants, financiers.

... Y COMPRIS L'AGRICULTURE

Le secteur **agricole** a déjà vécu la période de la mécanisation, qui a réduit considérablement son **poids** dans l'emploi, tout en accroissant sa **productivité**. La part des agriculteurs exploitants dans la population active est ainsi passée de **16 % en 1975** à **1,4 % en 2016**, soit une division par dix. Dans le même temps, celle des ouvriers et des artisans-commerçants-chefs d'entreprise était divisée par deux. La part des cadres et professions intellectuelles supérieures avait, elle, plus que triplé (de 5,0 % à 17,8 %).

Les exploitations agricoles seront concernées par les **révolutions scientifiques et**

1. Enquête emploi 2017, INSEE.

Précarisation, fin du salariat, ubérisation?

Les bouleversements annoncés en matière d'emploi sont souvent justifiés par la poursuite de tendances qui seraient déjà en cours, comme la **« précarisation »** des emplois, la **« fin du salariat »** ou l'**« ubérisation »** de l'économie. Ces tendances, considérées comme des faits établis, sont à **relativiser** dans leurs conséquences, voire à **remettre en question**[1].

- On peut d'abord s'interroger sur l'évolution des emplois dits **« précaires »**. On constate ainsi que la part des **contrats à durée déterminée** (CDD) dans la population active salariée est largement **minoritaire** (10,8 % en 2017[2]) ; celle de l'**intérim** était de 3,0 % et celle de l'**apprentissage** (un statut moins précaire que les deux précédents) était de 1,6 %. Cela signifie que la très grande majorité des salariés **(84,6 %)** bénéficiaient d'un **contrat à durée indéterminée** (CDI) ou étaient **fonctionnaires** (ce qui réduit sensiblement le risque de précarité et totalement celui du chômage). On observe cependant une **baisse** de la part des **CDI** de 1,5 point sur une dizaine d'années depuis 2006 (France métropolitaine), qui pourrait se confirmer à l'avenir, dans un univers économique instable. Il faut également préciser que la part des emplois précaires dans la population active avait **doublé entre 1980 et 2000**.

- La **fin du salariat** n'est pas, quant à elle, vraiment inscrite dans l'évolution récente. Les **salariés** représentaient **88,4 % des actifs occupés** en France (métropolitaine) en **2017**, contre **88,4 % en 2000**, une proportion inchangée. La part des **non-salariés**[3] n'a donc pas non plus évolué (11,6 % en 2017 comme en 2000). Leur nombre n'était ainsi que de 3,1 millions sur 26,9 millions d'actifs. Il a en outre été « gonflé » par la création du statut **d'auto-entrepreneur** en 2008 (devenu **micro-entrepreneur** depuis

2017). Une augmentation plutôt artificielle dans la mesure où quatre sur dix d'entre eux ne génèrent aucun revenu et qu'un sur deux seulement exerce ce statut à titre principal. Ce constat n'empêche pas cependant de penser que leur nombre pourrait s'accroître sensiblement à l'avenir (voir p. 268).

- Enfin, l'**« ubérisation »** progressive des activités et des emplois, spectaculaire dans certains domaines avec par exemple **Airbnb** (locations de logements entre particuliers) ou **Amazon** (qui a commencé par vendre des livres, et s'est aujourd'hui diversifiée dans de très nombreux secteurs), n'apparaît pas assurée. Ainsi, la société **Uber**, référence du secteur (elle lui a donné son nom), connaît des **difficultés** juridiques (difficultés d'obtention des autorisations d'exercer dans certaines villes), sociales (grogne des chauffeurs mal rémunérés) et financières (avec un déficit cumulé de plus de 4 milliards de dollars depuis sa création en 2009).

- La perspective de cette **« nouvelle économie »** dépend aussi de la définition que l'on adopte. Si l'ubérisation consiste en une *« utilisation de services permettant aux professionnels et aux clients de se mettre en contact direct, de manière quasi instantanée, grâce à l'utilisation des nouvelles technologies*[4] », il est plus que probable qu'elle pèsera de plus en plus sur l'économie. D'autant qu'on peut y intégrer l'ensemble du **e-commerce** qui répond à cette définition (voir p. 332).

- Si en revanche la définition est limitée aux activités appartenant véritablement à l'**économie collaborative**, fondée sur le **partage** (de véhicules, locaux, savoirs, compétences, temps et autres « biens » matériels ou immatériels), l'ubérisation en serait exclue, car elle s'apparente davantage à un **« capitalisme de plate-forme »**, qui retire de la valeur de ce qui relèverait plutôt du partage, de la mutualisation, de l'optimisation des ressources et de la préoccupation environnementale.

---

1. Voir sur ce thème le dossier réalisé par la revue *Sciences humaines* en novembre 2016, dont les thèmes sont ici actualisés et réinterprétés.
2. *Enquête Emploi 2017*, INSEE, avril 2018.
3. Agriculteurs exploitants, artisans, commerçants et assimilés, chefs d'entreprise de 10 salariés ou plus, professions libérales et assimilées (nomenclature INSEE).

---

4. Wikipedia.

technologiques (drones, satellites, OGM, semences…). Mais elles le seront sans doute plus encore par l'accroissement des **contraintes environnementales** (réduction des gaz à effet de serre, reconstitution des terres, diminution des intrants[1]…) et les **attentes sociales** (qualité gustative, nutritionnelle et sanitaire des aliments, respect des animaux, entretien des paysages…). L'une des perspectives les plus probables est leur évolution vers l'**agro-écologie** et l'**agriculture biologique**, alternatives aux méthodes de **production intensive** encore largement pratiquées (voir p. 205).

*Si la plupart des **secteurs** de l'économie sont potentiellement concernés par la « **robolution** », il faut préciser que, dans chacun d'eux, des métiers et des emplois seront **préservés**. Il s'agira en priorité de ceux qui ont une forte **valeur ajoutée humaine**, impliquant une capacité d'analyse fine, une sensibilité à l'émotion, une dimension relationnelle, ou un « **tour de main** » difficile à reproduire avec une machine. Ce sera par exemple le cas des métiers **artisanaux** ou **artistiques** tels que coiffeur, potier, conseiller juridique, psychologue, conseiller conjugal, écrivain, peintre, sculpteur, etc.*

LES « COLS BLANCS » TOUCHÉS COMME LES AUTRES

La réduction probable (même si elle est temporaire) du nombre d'emplois disponibles ne concernera pas seulement les ouvriers, remplaçables par des **robots**. Elle touchera aussi de nombreux métiers exercés par des « **cols blancs** », qui ne travaillent pas en usine mais dans des bureaux. Ainsi, le travail des **comptables** pourra être effectué par des **algorithmes** (on ne parle plus alors de « robots » car il s'agit de logiciels **immatériels**, non « incorporés » dans une machine à forme humaine). Ils seront ali-

mentés par toutes les données nécessaires (qu'ils pourront trouver dans des bases spécifiques) pour établir les comptes de bilan ou d'exploitation des entreprises. Les comptables en capacité de le faire pourront certes se concentrer sur l'**analyse** et le **conseil**, mais ces activités pourraient aussi être réalisées (à terme) de façon automatique et « intelligente » par des algorithmes. C'est déjà le cas dans la **finance**, où des « conseillers virtuels » en placements sont capables de sélectionner les meilleures opportunités en analysant les gigantesques bases de données existantes.

On peut imaginer la même évolution pour les professions **médicales** (voir ci-dessous) ou juridiques. Ainsi, les **avocats** pourraient être déchargés du fastidieux travail de recherche dans les textes de lois ou de jurisprudence (particulièrement volumineux en France) et privilégier d'autres dimensions de leur métier, notamment **relationnelles**. Il en serait de même des métiers de **conseil** en général.

*On pourra sans doute aussi un jour remplacer les **prospectivistes** par des entités virtuelles… qu'ils doivent être en principe les premiers à annoncer (avec le risque de se tromper…). Elles seraient à la fois plus rationnelles et objectives qu'eux et pourraient intégrer beaucoup plus d'informations. Mais il faudra sans doute pas mal de temps, car elles devront être capables de les synthétiser, de vérifier leur provenance, ce qui demandera une **intelligence « forte »**. De plus, la prospective n'est pas une « science » comme indiqué en introduction à cet ouvrage (voir p. 9), ce qui rendra le travail de ces entités encore plus complexe à effectuer.*

LE SECTEUR DE LA SANTÉ PARTICULIÈREMENT CONCERNÉ

Une part importante, et même sans doute prépondérante, des **innovations de rupture** devrait concerner le secteur de la **santé**. Les pistes de recherche y sont en effet particulièrement nombreuses et leurs conséquences possibles considérables (voir p. 128). Les médecins pourront bientôt

---

1. Produits apportés aux terres et aux cultures ne provenant ni de leur exploitation ni de leur proximité. Ce sont en particulier les produits fertilisants (engrais et amendements), phytosanitaires (pesticides et produits contre les parasites), activateurs ou retardateurs de croissance, ainsi que les semences et plants.

déléguer le **diagnostic** de nombreuses maladies comme le cancer (presque 400 000 cas par an) à des machines dotées d'**intelligence artificielle**. Celle-ci sera constituée à partir d'une «**expérience artificielle**», acquise très rapidement à partir de grandes quantités d'informations (notamment de photographies) leur permettant d'effectuer des comparaisons pertinentes. D'ores et déjà, les diagnostics de certains **cancers** s'avèrent plus fiables que ceux établis par des cancérologues. Le recours à des diagnostics automatisés pourrait même être **systématique** d'ici 2030. Les malades disposeront aussi de nouvelles **thérapies** : immunothérapie, biotechnologies, nanotechnologies, thérapies géniques… Ils bénéficieront de la médecine des «**4P**» : préventive, personnalisée, prédictive et participative (voir p. 154).

Les médecins, chirurgiens, dentistes ou vétérinaires ne disparaîtront cependant pas massivement (d'autant qu'ils sont aujourd'hui en nombre insuffisant dans certaines spécialités ou régions). Mais ils pourront consacrer plus de temps à la **relation** avec leurs patients, complétant la dimension purement technique de leur mission par une dimension humaine et psychologique plus approfondie. Les «**médecins de l'âme**» ou de l'esprit (psychologues, psychiatres, psychanalystes…) seraient moins concernés (ou plus tardivement) que ceux du **corps**. La connaissance intime du **cerveau** apparaît en effet plus complexe que celle des autres organes, et chaque porte ouverte par la science en fait apparaître d'autres, plus difficiles encore à ouvrir.

LA MAJORITÉ DES EMPLOIS À RÉINVENTER

Certaines études (dont celle de *Dell/Institute for the future* déjà citée) estiment qu'au moins **80 % des emplois de 2030**

Métiers nouveaux, métiers préservés

De très nombreux nouveaux métiers devraient émerger dans les dix prochaines années, en lien avec les nouvelles technologies. Par exemple : responsable de la sécurité numérique (un métier à l'avenir assuré) ; concepteur de *chatbots* (systèmes conversationnels capables de faire dialoguer une personne avec un robot en langage «naturel», identique à celui utilisé entre des personnes) ; imprimeur 3D ; garagiste pour voitures électriques ou plus tard autonomes ; pilote de drone ; contrôleur de trafic aérien pour drones ; analyste de données (assisté par des systèmes «intelligents») ; développeur d'intelligence artificielle ; *coach* numérique ; responsable de la diversité (recrutement de personnes appartenant aux minorités) ; courtier de données personnelles (création de profils individuels ou collectifs à des fins généralement commerciales) ; concepteur de ville intelligente (et les métiers plus spécialisés dans ce domaine : énergie, transports, relations avec l'administration, communication…) ; contrôleur éthique dans l'entreprise… Il faut bien sûr ajouter à la liste les **concepteurs**, **fabricants** ou **vendeurs** de **robots** et tous les métiers qui permettront de mettre en place la «**robolution**».

D'une façon générale, les emplois, fonctions ou tâches qui seront **préservés** demain seront de trois types :

- Ceux qui impliquent des **relations humaines fortes**, qui ne pourront être assurées par des robots : médecins généralistes (hors actes automatisables), psychologues, psychanalystes, psychiatres, certains artisans et petits commerçants, religieux, *coachs*…
- Ceux nécessitant des **compétences** particulières : artistes ; chercheurs ; cuisiniers ; pâtissiers ; jardiniers ; sportifs de haut niveau (mais une partie d'entre elles pourront être automatisées)…
- Ceux pouvant être **complémentaires** des tâches effectuées par les robots : ouvriers spécialisés ; employés chargés de donner des instructions aux machines ou de surveiller leur fonctionnement.

n'existent pas aujourd'hui. Seront concernées des activités qui pourront être remplies de façon plus efficace par des outils numériques (machines, logiciels, algorithmes), y compris des tâches **intellectuelles** dans de nombreux domaines (voir ci-dessus).

Le monde entre en effet dans une nouvelle **phase** de la révolution numérique, qui sera marquée par l'avènement d'une véritable **intelligence cognitive**. Elle sera capable d'**interpréter** des données et d'en tirer des **conclusions** souvent plus fiables que les humains. Ce sera le cas par exemple dans le domaine de la **finance** où les *traders* et les gestionnaires de patrimoine pourront être remplacés par des algorithmes. C'est déjà le cas avec le *trading* **haute fréquence**, qui permet de réaliser automatiquement des transactions (achats et ventes de valeurs mobilières, à la hausse ou à la baisse) dans des temps extrêmement courts (quelques microsecondes) sur des volumes importants, permettant de réaliser par accumulation des bénéfices importants.

DE PLUS EN PLUS DE TRAVAILLEURS INDÉPENDANTS

Si les emplois sont amenés à changer, il devrait en être de même des **statuts** des travailleurs. On peut ainsi prévoir que la part des travailleurs **non salariés** (ou **indépendants**) augmentera, même si l'évolution passée et récente rend toute projection difficile (voir encadré p. 265). Leur nombre avait en effet fortement diminué entre 1970 et la fin des années 1990, passant de 20 % à 10 %, sous l'effet notamment du déclin de l'emploi agricole (provoqué par

27 MILLIONS D'ACTIFS

54. Statut d'emploi, catégorie socioprofessionnelle et situation de sous-emploi des actifs occupés (en % moyen annuel, 2016)*

	Ensemble	Hommes	Femmes
	Répartition (en %)	Répartition (en %)	Répartition (en %)
Ensemble	**100,0**	**100,0**	**100,0**
Personnes en situation de sous-emploi	6,5	3,7	9,4
Par temps de travail			
Temps complet	81,2	91,8	69,9
Temps partiel	18,8	8,2	30,1
Par statut			
Non-salariés	11,8	15,0	8,4
Salariés	88,2	85,0	91,6
Intérimaires	2,3	3,3	1,4
Apprentis	1,4	1,8	1,0
Contrats à durée déterminée	9,2	7,3	11,3
Contrats à durée indéterminée	75,2	72,7	77,9
Par catégorie socioprofessionnelle			
Agriculteurs exploitants	1,8	2,6	1,0
Artisans, commerçants et chefs d'entreprise	6,6	9,0	4,0
Cadres et professions intellectuelles supérieures	17,8	20,4	14,9
Professions intermédiaires	25,8	23,6	28,2
Employés	27,4	12,6	43,2
Ouvriers	20,3	31,5	8,3

* Sur 13,8 millions d'hommes et 12,8 millions de femmes actifs occupés.

INSEE

la mécanisation), puis du petit commerce, concurrencé par l'apparition et le développement de la grande distribution. Cette part avait ensuite stagné jusqu'à la crise de 2007. Elle a ensuite augmenté de façon massive, mais artificielle (voir p. 265) avec la création en 2008 du statut d'**auto-entrepreneur** (devenu administrativement **micro-entrepreneur** en 2017). De sorte que les indépendants pèsent aujourd'hui **12 % de la population active**.

Les années à venir devraient voir une nouvelle et forte **hausse** de la part des indépendants dans la population active. Les études existantes fournissent des prévisions très différentes à cet égard : de 14 %[1] à environ un tiers des actifs[2]. Elle pourrait être plutôt dans le **haut** de cette fourchette si l'on se réfère aux facteurs suivants[3] :

- L'accroissement de la **pluriactivité** : travailleurs exerçant au moins ponctuellement un travail indépendant et pouvant être par ailleurs salariés, micro-entrepreneurs, chômeurs ou inactifs (retraités ou étudiants).
- Les dispositions **législatives** favorables aux micro-entrepreneurs (telles celles de 2017, qui prévoient un doublement du plafond de chiffre d'affaires).
- La **précarisation** du marché du travail et l'accroissement du nombre de contrats à durée déterminée, ainsi que des personnes se situant dans le « halo[4] » du chômage.
- La recherche de **revenus** plus élevés que dans le salariat et la constitution d'un **patrimoine** par la création d'entreprise.
- Les pratiques croissantes d'**externalisation** par les entreprises (repli sur le cœur de métier et sous-traitance des autres tâches).

1. France Stratégies.
2. Voir par exemple l'ouvrage *Travailler pour soi* de Denis Pennel (directeur de la Ciett, la fédération mondiale des services privés pour l'emploi), Le Seuil, 2013, ou celui de Jean-Pierre Gaudard, *La Fin du salariat* (François Bourin, 2013).
3. Voir étude de l'*Observatoire Alptis de la protection sociale*, en collaboration avec Futuribles (mars 2017).
4. Personnes souhaitant travailler mais qui ne sont pas comptabilisées comme chômeurs selon la définition du Bureau international du travail (INSEE).

- Le développement de **plates-formes collaboratives** permettant à des particuliers de proposer leurs services à d'autres particuliers (bricolage ; jardinage ; ménage...).

Cette évolution ne concernera pas seulement la **France** : un tiers des emplois **américains** sont actuellement occupés par des indépendants ; la perspective serait d'un sur deux dès 2020.

VIE PROFESSIONNELLE

UN TEMPS DE TRAVAIL DE PLUS EN PLUS RÉDUIT...

Le temps de travail d'une **vie** moyenne représentait **5,8 années pleines** (journées de 24 heures, semaines de 7 jours, années de 52 semaines) en **2018** pour un **homme**[5], soit deux fois moins qu'en **1900** (12 années). Le temps absolu de travail a donc diminué de **moitié** en un peu plus d'un siècle, alors que l'espérance de vie s'est accrue des **trois quarts** (73 %), passant de 45,9 ans en 1900 à 79,5 ans en 2018, soit un gain de 33,6 ans. Ces chiffres mesurent l'évolution extrêmement spectaculaire qui s'est produite en un siècle, au profit du **temps libre** qui a été, lui, multiplié par plus de **cinq** (voir p. 155).

Cette tendance séculaire à la baisse devrait se confirmer d'ici **2030**. On peut même faire l'hypothèse d'une nouvelle

5. Les données pour les femmes n'étaient pas disponibles en 1900, de sorte que celles disponibles pour les dates plus rapprochées n'ont pu être prises en compte que pour les hommes, afin de pouvoir mesurer les évolutions dans le temps.

400 HEURES DE TRAVAIL ANNUEL EN MOINS EN 50 ANS

55. Évolution de la durée annuelle de travail des salariés depuis 1950
(en heures annuelles par salarié)

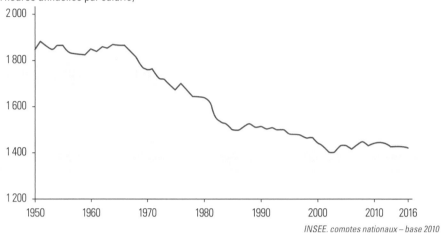

INSEE. comptes nationaux – base 2010

baisse de la durée hebdomadaire, de même nature que celle décidée en 2000 par la loi Aubry (voir p. 156). Elle aurait aussi pour but de **partager véritablement** le travail, s'il était devenu trop rare du fait de la **robotisation** massive de très nombreuses tâches. Mais elle serait cette fois **personnalisée**, en donnant le **choix** à chaque salarié, en fonction de ses besoins financiers, de son envie et de sa satisfaction de travailler (tout en prenant en compte les contraintes des entreprises). Le temps de travail ne représenterait plus alors pour un homme que **5,3 années pleines** de sa vie (voir p. 154).

... QUI NE REPRÉSENTERAIT QUE 9 % DU TEMPS ÉVEILLÉ D'UNE VIE

Une autre façon de mesurer l'évolution de l'emploi du temps de la vie est de ne tenir compte que du temps «**éveillé**», c'est-à-dire en enlevant le temps de **sommeil**. La dernière enquête disponible de l'INSEE (2010) indiquait une moyenne de 8 h 24 par jour pour les hommes, mais elle concernait le temps passé **couché**, qui est supérieur à celui du sommeil. D'autres enquêtes[1] indi-

quaient un temps de sommeil effectif de l'ordre de **7 heures et demie** (moyenne entre les jours de semaine et de week-end), alors qu'il était de 9 heures au début du xxᵉ siècle. Cette diminution sensible s'explique par la moindre **fatigue** physique liée au travail, la généralisation de la **lumière** dans les lieux de vie et la présence croissante des équipements de **loisir** (télévision, ordinateur, téléphone…), qui ont prolongé la durée de veille. Le **stress** engendré par la vie professionnelle a sans doute également joué un rôle dans cette évolution.

Le temps de sommeil véritable compte donc en **2018** pour moins d'un tiers (31 %) du temps total de vie, soit **24,7 années pleines** (voir p. 155). Le temps **éveillé** est ainsi de 69 %, soit l'équivalent de **54,8 années pleines** sur une espérance de vie de 79,5 ans (pour les hommes). Dans cette hypothèse, les **6 années de travail** de 2018 représentent **11 % du temps de vie éveillé**. À titre de comparaison, sa part était estimée à **42 % en 1900** et à **48 % en 1800** (voir graphique p. 153). Elle a donc été presque **divisée par quatre** entre 1900 et 2018.

Si l'on effectue le même type de calcul pour **2030**, la part du temps de travail apparaît encore plus faible : **5,3 années pleines**

---

1. Par exemple celle de l'Institut du sommeil et de la vigilance/BVA, 2011.

sur **59,5 années pleines de vie éveillée**, soit **9 %** seulement du **temps de vie éveillé** (voir p. 155).

LE FONCTIONNEMENT DES ENTREPRISES BOULEVERSÉ

Confrontées à des changements de plus en plus rapides dans leur environnement humain, technologique, économique, concurrentiel, administratif ou juridique, les entreprises vont devoir **s'adapter**, de plusieurs façons :

- Redéfinition des **valeurs** et des **missions** générales de l'entreprise.
- Attachement au **bien-être** et à l'épanouissement des collaborateurs.
- Attention particulière attachée à la **responsabilité environnementale**.
- **Agilité** permettant d'intégrer rapidement les **changements** en cours ou à venir.
- Recherche de la **diversité** des **profils de collaborateurs** (âge, sexe, origine, formation, culture, expérience…).
- Facilitation de la **créativité** par l'ouverture, la confiance, le dialogue et la récompense.
- Réduction du nombre d'échelons **hiérarchiques**.

Des créations nombreuses, mais souvent éphémères

La **nouvelle économie** induite par les **technologies de rupture** va engendrer de très nombreuses opportunités de produits et de services adaptés aux personnes, ménages, entreprises ou administrations. La tentation sera forte, notamment chez les **jeunes**, de créer des start-up et de vivre ainsi des **expériences** professionnelles enrichissantes et valorisantes au cours de leur carrière. Ils y seront encouragés par :

- Un **marché de l'emploi** difficile et mobile, même pour les **diplômés** (le niveau des connaissances scolaires passées sera moins valorisé que les qualités permettant d'en **acquérir** de nouvelles).
- La place croissante accordée au statut d'**indépendant** et de **« pluriactif »**.
- Des **financements** facilités par le nombre croissant d'**investisseurs** à la recherche des futures « licornes » (entreprises valorisées plus d'un milliard de dollars) et le *crowdfunding* (financement par les particuliers).
- La possibilité de s'adresser à un **marché planétaire** via Internet et de miser sur la **« longue traîne**[1] **»**, complément du marché principal

auquel les grands acteurs ne s'intéressent guère.

- La possibilité de créer rapidement des **prototypes** (matériels ou immatériels) ou des **sites** de présentation et de vente, pour un coût relativement modique (3D et logiciels de réalité virtuelle).

Toutes ces start-up ne parviendront pas à survivre et à se développer, du fait de leur **multiplication**, de la difficulté de **capter l'attention** de clients potentiels de plus en plus sollicités. Elles seront aussi menacées par l'évolution très rapide des **technologies**, qui pourront rendre **obsolètes** celles sur lesquelles elles sont fondées. D'autant que le pouvoir d'achat et l'envie des **consommateurs** auront des limites (voir p. 313).

Parmi celles qui **réussiront**, certaines pourront le faire de manière spectaculaire et durable. Cela dépendra bien sûr de la pertinence de leur idée de départ, de la qualité de l'offre qui en résultera, mais aussi de l'**écosystème** dont elles auront bénéficié (ou qu'elles auront su développer elles-mêmes). Celui-ci s'annonce **favorable** en France avec la montée en puissance des **incubateurs**[2], qui devraient permettre à des entreprises d'émerger et de croître dans les prochaines années.

---

1. Francisation du concept américain de *long trail*, basé sur le fait qu'un marché est composé d'une partie très concentrée (par exemple, 20 % des acheteurs représentent 80 % des ventes, loi de Paretto) et d'une longue addition de petits acheteurs représentant le reste du marché (par exemple, 80 % comptant pour 20 %).

---

2. Structure d'accompagnement et d'encouragement de projets de créations d'entreprises, leur offrant un hébergement, des conseils, éventuellement des financements pendant les premières phases.

LA FRANCE PARESSEUSE ?

56. Durée annuelle moyenne de travail des salariés à temps plein dans 18 pays de l'Union européenne (en heures, 2015)

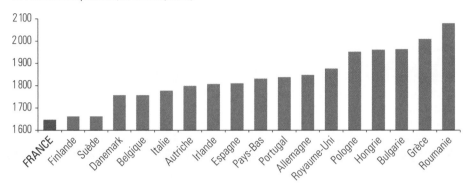

Eurostat

- Transferts et échanges permanents des **compétences** présentes à l'intérieur de l'entreprise.
- **Participation** active des collaborateurs aux réflexions et décisions concernant l'avenir.
- **Cohabitation** et **collaboration** avec les **machines**.
- **Implication** de l'entreprise dans des **causes** spécifiques, conformes à ses valeurs.

Les entreprises de demain devront ainsi être **agiles**, **horizontales**, **apprenantes**, **efficaces**, **collaboratives**, **créatives**, **vertueuses**. Elles devront se montrer à la fois **« veillantes »** (à l'affût des changements et capables de les intégrer dans leur démarche) et **bienveillantes** (envers leurs collaborateurs) pour réussir durablement et obtenir un niveau de **satisfaction** élevé des employés.

DES LIEUX DE TRAVAIL REVISITÉS

Le bouleversement du fonctionnement des entreprises se traduira dans la conception des lieux de travail, qui devront être aussi des lieux de vie. Les **usines** feront sans doute une large place aux **robots** et aux **cobots** (robots collaborant avec des humains). Les bureaux devraient être plus **conviviaux**, s'inspirant des nouveaux aménagements des **logements** (voir p. 197). Ils utiliseront notamment les avancées de la **domotique**, appliquées aux besoins de l'entreprise. Le **décor** et l'**ambiance** seront modifiables en fonction du type de tâche à accomplir par une personne ou, le plus souvent, en équipe. Les **espaces** seront **modulables**.

Tout sera fait pour réduire les différences **hiérarchiques**, favoriser la **créativité**, réduire la séparation entre **vie professionnelle** et **vie personnelle**, favoriser le **bien-être** des employés. L'approche globale du travail sera **ludique**, notamment à destination des jeunes, qui y seront particulièrement sensibles. L'**efficacité** sera un objectif central et elle sera favorisée par le **confort** (physique mais aussi et surtout mental) des collaborateurs. Cela pourrait remettre en question le développement des **open spaces**, espaces ouverts et bruyants, manquant d'intimité, de confidentialité et n'incitant pas à la réflexion (personnelle ou collective).

Le plaisir de travailler sera favorisé par la dimension **polysensorielle** des lieux : décors ; odeurs ; sons ; sensations tactiles et goûts agréables, stimulants ou reposants. Les pièces de travail seront bien sûr **connectées** pour faciliter tous les types de communication ; en veillant à **sécuriser** au maximum les données, afin d'éviter des vols potentiellement désastreux pour les entreprises. De nombreux équipements permettront d'améliorer la productivité : assistants personnels, systèmes vidéo ou holographiques, imprimantes 3D, etc. Ils seront complétés par des **espaces annexes** destinés au bien-être : restaurants, salles de sport, de jeu, de sieste ou de méditation, conciergeries, garderies d'enfant, garage à vélo, etc.

DES COLLABORATEURS PLUS SATISFAITS...

Comme les individus, les **entreprises** seront de plus en plus confrontées aux contraintes des **marchés**, amplifiées par l'**instabilité** ambiante, la **compétition** croissante et la **rapidité** inédite des changements. Beaucoup resteront sans doute concentrées en priorité sur leur **vocation économique**, plutôt que sur leur **responsabilité sociale**. Mais elles seront de plus en plus nombreuses à comprendre que leurs **collaborateurs** sont plus **efficaces** s'ils sont...

- en bonne **santé physique**. Elles feront donc des efforts importants pour : mesurer leur état de santé (grâce notamment à des capteurs et à des visites médicales régulières, classiques ou « automatisées ») ; limiter le nombre d'**heures de travail** afin de ne pas risquer le *burn-out*; inciter à faire de l'**exercice** (sport, compétition...)...
- en bonne **santé morale** et **mentale**. Elles feront en sorte de les **valoriser**, de leur donner la possibilité de pratiquer la **relaxation** ou la **méditation**, de leur faire suivre des **stages** dédiés, de les faire conseiller par des *coachs*, de créer un **climat** favorable (confiance, bienveillance, empathie), de concevoir des **lieux de travail** agréables et conviviaux, de leur permettre de concilier leur vie professionnelle avec leur **vie familiale**, **amicale**, **sociale**, d'accorder une place à l'**intelligence émotionnelle**...
- bien **formés** et bénéficient d'une **actualisation** permanente de leurs connaissances et compétences. Elles mettront à leur disposition des moyens pour y parvenir, ainsi que des aides à l'adaptation personnelle au **changement** (voir ci-après)...

LES FRANÇAIS PLUS SATISFAITS DE LEUR TRAVAIL QUE DE LEUR VIE À PARTIR DE 45 ANS

57. Niveau de satisfaction déclaré par rapport au travail, au logement et à la vie en général en fonction de l'âge (note moyenne sur 10, 2015)

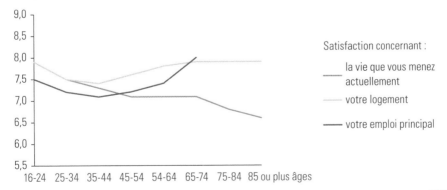

Satisfaction concernant :
— la vie que vous menez actuellement
— votre logement
— votre emploi principal

INSEE

... ET PLUS IMPLIQUÉS

L'**image** de l'entreprise, à l'extérieur comme à l'intérieur, sera d'autant plus favorable qu'elle sera portée par des collaborateurs **heureux** et **fiers** de travailler pour elle. Elle devra donc faire en sorte de les **associer** aux décisions, de les **informer** des résultats, de les **récompenser** en cas de bons résultats, de favoriser la **convivialité**, etc. Les **difficultés** et **crises** seront aussi plus faciles à traverser si les collaborateurs se sentent **partie prenante** de l'entreprise. Autant de raisons pour mettre en œuvre les efforts décrits ci-dessus.

Le mélange des **générations** permettra d'enrichir les réflexions et diversifier les méthodes ; à cet égard, l'intégration des *Millenials* (nés après 1995) sera un atout important. Pour la même raison, la **mixité**, avec un objectif de parité (y compris dans les organes de direction), sera également un avantage réel, afin ne pas « oublier » la moitié de la planète dans les discussions et décisions au sein de l'entreprise.

Ces comportements ne seront pas l'apanage des entreprises du secteur **privé**, confrontées à une concurrence de plus en plus forte. Ils devront concerner aussi le secteur **public**, à qui l'État demandera de plus en plus d'être efficace et de *« faire mieux avec moins »*, de **rénover** ses méthodes de travail et sa vision du monde. Il apparaît probable que le secteur public pèsera moins qu'aujourd'hui dans l'ensemble de l'économie, du fait de la suppression d'un certain nombre de **monopoles** liée à l'ouverture à la concurrence, d'un recours croissant à l'**externalisation** de certaines tâches auprès d'entreprises privées spécialisées (dans le but de réduire les **coûts** et de se concentrer sur les domaines de **compétence**). Des **privatisations**, partielles ou totales, de certaines entreprises publiques non stratégiques pourront être décidées, dans le but notamment de faire entrer de l'argent dans les caisses de l'État.

DES ENTREPRISES PLUS RESPONSABLES

La recherche toujours croissante d'**efficacité** dans les entreprises devrait s'accompagner à l'avenir d'un plus grand respect de la « **morale** », sous la pression de l'opinion publique, des réglementations, des médias, des employés eux-mêmes et, il faut l'espérer, sous l'impulsion spontanée des **dirigeants**. Car il paraît évident que l'on est plus satisfait de soi si l'on se comporte de façon irréprochable. Cela ne suffira évidemment pas à garantir la réussite ; encore faudra-t-il offrir de **bons produits ou services** et réussir à les vendre en faisant un bénéfice suffisant pour rémunérer les intervenants (salariés, actionnaires...) et investir dans l'avenir.

Il est par ailleurs de plus en plus apparent que les entreprises « **vertueuses** » obtiennent de meilleurs résultats que celles qui n'ont pas de scrupules et composent avec la morale, ou qui n'assument pas leurs erreurs. C'est pourquoi certains **fonds d'investissement**, dont la priorité est généralement plus financière que sociale, se sont spécialisés dans les entreprises **socialement responsables** (parfois appelées « éthiques »), qui offrent souvent de meilleures perspectives de gain que les autres. Les critères utilisés pour les identifier sont nombreux : formation du personnel ; qualité du dialogue social ; respect des droits des employés ; prévention des accidents ; qualité des relations avec la chaîne de sous-traitance, etc. Les critères de **responsabilité environnementale** sont tout aussi variés : réduction des émissions de gaz à effet de serre ; gestion des déchets ; prévention des risques, etc.

L'engouement dont ces fonds bénéficient depuis quelques années met en évidence l'incidence favorable des pratiques **responsables** sur les résultats des entreprises. Ainsi, une étude conduite en 2016[1] a montré que celles qui emploient au moins 20 % de **femmes** (une proportion en théorie pourtant faible...) dans des positions de **direction** réussissent mieux que les autres, selon plusieurs indicateurs comme le bénéfice ou le rendement des fonds propres. Un encouragement,

---

1. Étude de la banque UBS, mars 2016.

Des avantages et des opportunités

Au-delà des **craintes** et des **incertitudes** qu'elle engendrera ; la mise en œuvre de la **révolution numérique** dans l'économie présentera un certain nombre d'**avantages** et d'**opportunités** pour les **actifs**. Elle leur permettra de ne plus subir les contraintes d'**horaires,** car ils pourront **télétravailler** depuis leur domicile (voir p. 277). Ils seront de plus en plus souvent rémunérés à la **tâche** effectuée et en fonction de sa **« qualité »**, plutôt qu'au nombre d'heures travaillées, ce qui devrait être une motivation et une valorisation. Beaucoup pourront (ou devront) travailler avec plusieurs **employeurs** (s'ils sont **« plurisalariés »**) ou directement pour des **« clients »** (s'ils sont **indépendants**), afin de diversifier leurs activités et leurs sources de revenus. Leurs missions seront aussi plus **larges**, avec une dimension **internationale** qui enrichira leurs connaissances et leurs expériences.

Pour les entreprises **délocalisées** (pour cause de coûts trop élevés sur leur propre territoire), la révolution numérique permettra de **relocaliser** certaines activités, notamment de production. On estime en effet que, si une **délocalisation** permet d'économiser jusqu'à 65 % sur le coût du travail, une **robotisation** peut réduire ce coût de 90 %[1]; et donc justifier un rapatriement, assorti d'embauches locales.

1. Étude réalisée et publiée par le quotidien britannique *The Guardian*, en 2015.

s'il en fallait, à la **parité**, et plus largement à la **diversité** des collaborateurs. Une preuve aussi que les engagements à caractère **social** ou **moral** ne sont pas des contraintes ou des freins au succès et à la pérennité, mais au contraire des **accélérateurs**. Elles pourraient bien en être demain des **conditions**.

L'IMPORTANCE PRIMORDIALE DE LA FORMATION

S'il apparaît probable qu'une grande partie des métiers et professions va **disparaître** ou en tout cas se **transformer** d'ici 2030 (voir pages précédentes), il est plus difficile d'imaginer la **liste** complète des **nouveaux** métiers, professions et emplois que cette révolution va engendrer (voir p. 267), ainsi que les **nombres d'emplois** qu'ils vont engendrer. La seule évidence est qu'il faudra **former** les actifs et ceux qui aspirent à l'être (les chômeurs), afin qu'ils puissent jouer un rôle dans la **nouvelle économie** en marche, ou en trouver un nouveau pour ceux qui n'en ont plus.

Les **nouvelles technologies**, qui vont imposer aux actifs des nouvelles **compétences**, sont aussi celles qui vont leur permettre de les **acquérir**. Les stages réguliers de remise à niveau ou d'apprentissage de nouvelles activités prendront grâce à elles une nouvelle dimension, bien plus efficace car véritablement **personnalisée**. La **réalité virtuelle** permettra d'explorer des univers professionnels inconnus. Des **MOOCs** (voir p. 144) seront disponibles à tout moment et en tout lieu, sur tous les thèmes pour s'y former. Les **sciences cognitives** faciliteront l'**apprentissage**, qui pourrait être demain « imprimé » sans effort dans le cerveau pendant le sommeil. Ou qui pourrait lui être **ajouté** sous forme d'**implants**...

Des *coachs* hyperspécialisés (réels ou virtuels) serviront de guides personnels pour vérifier que les nouveaux savoirs sont compris et intégrés, et que les savoirs antérieurs devenus obsolètes sont mis à jour. D'autres types de formation seront dispensés pour stimuler la **créativité** et la « pensée latérale[1] ».

Mais ces formations techniques et spécialisées ne suffiront pas aux actifs pour être pleinement **efficaces** et **satisfaits** de leur vie professionnelle. Ils devront auparavant être préparés à accepter la nécessité

1. Ensemble de techniques conçues par Edward de Bono, médecin et philosophe, afin de stimuler la créativité. Elles consistent à approcher les problèmes sous des angles différents, au lieu de se concentrer sur une approche unique et classique.

De l'individu anonyme à l'individu-marque ?

Pour qu'une personne trouve sa place durablement dans la vie **professionnelle** (mais aussi dans la société en général), il lui faudra de plus en plus être **autonome** (voir p. 133). Chaque individu sera en effet soumis à des **pressions** diverses, formelles ou non, qui l'obligeront à **prendre en charge** lui-même sa **trajectoire professionnelle**. En matière d'emploi, chacun devra ainsi « **optimiser** » son parcours et faire en sorte de « rebondir » chaque fois que ce sera nécessaire. Il pourra obtenir de l'aide auprès de ses **réseaux**, mais aussi de *coachs* dont ce sera le métier, et qui apporteront une aide psychologique spécialisée dans la vie **professionnelle**, en complément des « **psys** » qui interviendront dans la vie **personnelle**.

Indépendant ou **salarié**, chacun sera ainsi « **responsable** » de son parcours. Il lui faudra « **vendre** » sa capacité de travail et faire en sorte qu'elle soit « achetée » et appréciée. **L'individu** sera ainsi de fait une petite **entreprise**. Il devra même se comporter comme s'il était une « **marque** » et la gérer au mieux[1]. Pour la faire exister, il devra lui conférer une image et des **attributs** : caractéristiques personnelles, valeurs, compétences, objectifs, réalisations (tout ce qui figure habituellement sur un CV). Il lui faudra ensuite construire sa **notoriété,** en se faisant connaître et estimer par les moyens disponibles,

notamment digitaux (réseaux sociaux, blogs, expressions et interventions diverses…).

Il devra aussi vérifier sans cesse sa **réputation** dans le monde réel et virtuel. Il pourra (et aura tout intérêt à) la mesurer grâce aux nombreux indicateurs disponibles sur Internet ; nombre de « **pages vues** » sur son site, de **citations** de son nom, de « *like* » sur les réseaux sociaux, de « **suiveurs** » sur Twitter ou YouTube, etc. Sa **communication** devra être le reflet (de préférence favorable) d'un **style** personnel qui sera mis en évidence, voire parfois « en scène ». Il pourra pour cela raconter son « **histoire** » *(story telling)*, relater de façon convaincante ses **expériences**, ses **réalisations** passées, ses **projets**. Il pourra ainsi se **différencier** des autres, avec qui il sera en **concurrence**.

Ce parallèle entre les **individus** et les **marques**, et la référence à des pratiques de **marketing** pourront paraître choquants, notamment pour ceux qui sont hostiles au monde de l'entreprise et au « libéralisme ». Ils traduisent en effet une vision plutôt « **dure** » de la société, dans laquelle la **confrontation** aux autres est parfois plus présente que la **collaboration**. Mais on peut penser à l'inverse (dans une perception plus « rousseauiste » que « voltairienne ») que l'**individu-marque** est un être moins « **froid** » que l'entreprise collective, et qu'il pourra se montrer **responsable** et « **moral** ». D'autant que, placé sans cesse sous le regard des autres, il devra le prouver.

---

1. Ce concept est baptisé *personal branding* aux États-Unis.

---

du **changement** et adhérer à son principe. Car il constituera la **base** de leur vie quotidienne, au bureau comme à la maison (les deux lieux seront d'ailleurs de plus en plus souvent confondus avec le télétravail, voir page suivante). Le changement connaîtra aussi une **accélération** qu'il leur faudra supporter et à laquelle ils devront même **contribuer**, en particulier dans leur vie professionnelle. Sous peine d'être marginalisés.

DES COMPÉTENCES INDIVIDUELLES DIVERSIFIÉES

Les changements à venir dans le fonctionnement des **entreprises** auront des conséquences importantes sur les qualités et compétences qu'elles attendront de leurs **collaborateurs**. On peut en distinguer treize principales[1] :

---

1. Liste modifiée, enrichie et adaptée à l'environnement français, à partir de celle proposée par Guthrie Jensen (Global Training Consultants), *The 10 skills you need to thrive in the Fourth Industrial Revolution*, présentée au Forum de Davos de 2016.

- Capacité à résoudre des **problèmes complexes** en les découpant en questions plus simples.
- Capacité à **apprendre** et envie d'**actualiser** et **renouveler** ses connaissances.
- Capacité d'**interprétation** des traitements effectués sur des **bases de données**.
- **Imagination** permettant d'élargir le cadre de réflexion et d'inventer des **solutions nouvelles**.
- Gestion harmonieuse des **relations humaines**, dans un esprit de médiation.
- Capacité à **travailler en équipe** sans chercher à imposer son **point de vue** personnel.
- Capacité à travailler à l'échelle **internationale**, **mobilité**.
- **Intelligence émotionnelle** : empathie, bienveillance, respect des autres.
- **Curiosité** personnelle, ouverture à la **nouveauté**.
- Intérêt pour les **nouvelles technologies** et capacité à les **utiliser**.
- **Culture générale** permettant d'élargir la vision d'un problème et de trouver des **repères** dans le passé pour innover.
- **Esprit de synthèse** permettant de résumer, décrire et hiérarchiser les **résultats d'une réflexion** personnelle ou collective.
- **Capacité à décider**, en choisissant **rationnellement** entre les options possibles.
- **Efficacité** dans le travail et la **résolution de problèmes** (concision, rapidité, capacité de conviction à l'oral et à l'écrit…).

LA MOBILITÉ VALORISÉE

Les actifs de demain seront plus mobiles, dans tous les sens du terme. Leur mobilité devra être **géographique**, avec des emplois successifs dans des villes, régions et, de plus en plus fréquemment, des **pays** différents selon les opportunités et les nécessités. Cette mobilité ne s'exercera pas uniquement dans le monde «**réel**» ; elle sera de plus en plus souvent **immatérielle**, par outils et écrans interposés. Le **télétravail** se généralisera (voir encadré ci-après) ; il permettra aux personnes concernées d'être

L'essor du télétravail

Annoncé depuis des années, le **télétravail** n'avait pas connu jusqu'ici le développement attendu. Il est récemment entré dans les mœurs de nombreuses entreprises. Les conditions sont réunies pour qu'il se développe largement dans les prochaines années. La grande majorité des **actifs** sont prêts à l'accepter ; ils sont même de plus en plus nombreux à **demander** à le pratiquer. Ils y voient le moyen de mieux gérer leur **temps**, d'éviter des frais de transport (et leurs incidences sur l'**environnement**), de mieux **harmoniser** leur vie professionnelle, familiale ou personnelle… parfois même de pouvoir continuer à travailler pendant des périodes de grève (voir encadré suivant).

De leur côté, les **entreprises** sont conscientes qu'elles peuvent améliorer grâce au télétravail leur **productivité**, réduire le taux d'**absentéisme** et accroître la **satisfaction** de leurs employés. D'autant que les **outils numériques** de **travail** (personnel ou collaboratif) et de **communication** sont largement disponibles et de plus en plus performants. Les freins **économiques** et les résistances **psychologiques** sont donc levés pour que le télétravail représente une part significative de l'**activité** d'ici **2030**.

MOINS D'UN SALARIE SUR 10 SYNDIQUÉ

58. Proportion de salariés membres d'un syndicat dans quelques pays de l'OCDE (en %, 2014)

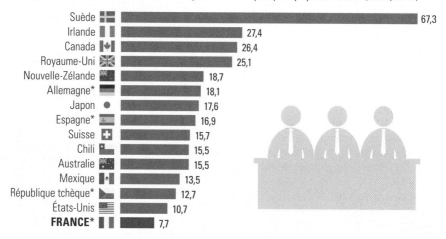

Suède	67,3
Irlande	27,4
Canada	26,4
Royaume-Uni	25,1
Nouvelle-Zélande	18,7
Allemagne*	18,1
Japon	17,6
Espagne*	16,9
Suisse	15,7
Chili	15,5
Australie	15,5
Mexique	13,5
République tchèque*	12,7
États-Unis	10,7
FRANCE*	7,7

* Données 2013.
OCDE

plus autonomes, mais aussi plus efficaces. Elles travailleront de façon **collaborative**, comme parties d'une **intelligence collective** et **créative**.

La mobilité devra être également **mentale** et **intellectuelle**. Elle nécessitera d'être en situation permanente de **veille**, c'est-à-dire prête à apprendre et à mettre en cause les connaissances existantes. Les actifs devront les **actualiser** en permanence, à partir des dernières découvertes et innovations dans leurs domaines d'activité, mais aussi dans leurs domaines d'intérêt personnel. La **culture générale** sera en effet un réservoir dans lequel ils pourront puiser pour progresser eux-mêmes et faire progresser leur communauté professionnelle.

Au total, la capacité à **acquérir de nouvelles connaissances** sera demain plus importante que l'étendue de celles **déjà acquises**. Cette évolution remettra en cause certaines missions du **système éducatif** et son fonctionnement (voir p. 138). Les actifs devront aussi être en mesure de **transmettre** leurs connaissances, compétences, attitudes et comportements au sein de leur univers professionnel. La **pédagogie** et la capacité à travailler de façon **inter-**

génerationnelle et **muticulturelle** seront ainsi des qualités recherchées.

UN FAIBLE TAUX ACTUEL DE SYNDICALISATION...

La France est un pays **peu syndicalisé** en comparaison des autres pays développés : **11 %** des salariés étaient adhérents à une centrale en 2013 (dernière année disponible)[1], contre 23 % en moyenne dans l'ensemble des pays de l'**Union européenne**. Le taux indiqué est une estimation ; il comprend ainsi les adhérents **retraités**, mais pas ceux de **syndicats autonomes**. Il a connu en tout cas une forte baisse au fil des décennies. Il était de l'ordre de 30 % dans les années 1950 (voir graphique ci-après). Il s'est ensuite stabilisé vers 20 % à la fin des Trente Glorieuses, puis il a poursuivi sa chute depuis les années 1970.

Le taux de syndicalisation est deux fois plus élevé dans le secteur **public** que dans le **privé** (20 % contre 9 %). Il varie sensiblement selon la **taille** des entreprises : 14 %

1. DARES (Direction de l'Animation de la Recherche, des Études et des Statistiques), publication des chiffres en mai 2016.

La grève, une spécialité française

Une étude allemande réalisée en 2016[1] montre qu'au cours de la période **2005-2013** (ou **2005-2014** selon les pays), le **nombre moyen de journées de travail perdues chaque année pour cause de grève a atteint en France le record de 139 jours pour 1 000 salariés**, contre 110 au Canada, 84 en Belgique, 71 en Finlande, 63 en Espagne, 55 en Norvège, 28 en Irlande, 23 au Royaume-Uni, 16 en Allemagne, 9 aux États-Unis et 1 en Suisse. Bien qu'il soit difficile de comparer avec précision les données fournies par chaque pays (comte tenu de méthodes de calcul parfois différentes), cette étude arrive après d'autres qui donnent des résultats semblables. Elle confirme l'existence d'une véritable **« gréviculture »** au sein de certains syndicats français.

Le coût en est très élevé sur le plan économique, social et politique. Dans le secteur souvent concerné des **transports**, les « usagers »

subissent une **triple peine**. Ils doivent d'abord trouver des solutions de **déplacement alternatives**, ce qui nécessite du temps, de l'argent et occasionne du stress. Ils paient ensuite plus cher leurs **billets**, dont le prix intègre les coûts subis par les entreprises en grève. En ce qui concerne les entreprises **publiques**, les usagers paient aussi en tant que **contribuables,** car elles doivent être renflouées par l'État. Dans le secteur **privé**, ce sont les **consommateurs** qui sont mis à contribution. Ils achètent eux aussi plus cher les produits et services vendus par les entreprises, qui tentent ainsi de récupérer le manque à gagner lié aux grèves. Cette **culture de l'affrontement** repose sur un postulat, selon lequel les patrons sont des **ennemis** de classe et les salariés des **exploités**. Cette posture idéologique interdit un **dialogue** constructif entre des « partenaires sociaux » qui ne peuvent se comprendre, contrairement à ce qui est couramment pratiqué dans la plupart des autres pays.

1. Institut WSI, associé à la Fondation Hans Böckler, proche des syndicats allemands.

dans celles de plus de 200 salariés, moins de 5 % dans celles de moins de 50 salariés. C'est dans les transports qu'il est le plus élevé (18 %), devant la banque-assurance (13 %), l'industrie (12 %). Il est inférieur à 5 % dans le commerce, l'hôtellerie-restauration et la construction. Il est moins élevé chez les jeunes : 3 % parmi les moins de 30 ans, contre 14 % chez les 50-59 ans. Les huit organisations de salariés compteraient au total environ 3 millions d'affiliés.

... QUI POURRAIT PROGRESSER DANS CERTAINES CONDITIONS...

Malgré la difficulté particulière du « dialogue social » en France, le faible taux actuel de syndicalisation pourrait s'**accroître** dans les années qui viennent, à certaines **conditions**. Le préalable serait que les syndicats soient davantage **représentatifs** (au sens statistique) des salariés qu'ils défendent. Il faudrait ensuite qu'ils aient des attitudes et

comportements plus **constructifs** et moins **politisés** (pour certains d'entre eux, CGT en tête) lors des débats et négociations. Mais cela implique aussi que les **gouvernements** à fibre **« libérale »** et les **entreprises** (en particulier les plus grandes) se montrent plus attentifs, plus pédagogues et plus ouverts au dialogue. Et qu'ils ne prêtent pas le flan aux accusations de « **mépris** » qui leur sont souvent adressées. Les « partenaires sociaux » donneraient alors moins l'impression d'être des **adversaires**, parfois même des **ennemis** (de classe notamment).

Une progression du syndicalisme, en nombre et en efficacité, serait alors envisageable. Elle pourrait aussi être favorisée par l'évolution de la société vers un modèle plus **raisonnable**, fondé sur des **valeurs post-matérialistes** (voir p. 226), qui ne serait plus centré sur l'**argent**. Ce modèle pourrait répondre aux défis induits par la transition à la fois technologique et écologique qui devrait avoir lieu d'ici **2030** (et au-delà). Il serait moins **critiquable** par les syndicats, en particulier s'il permettait de réduire les **inégalités**. Les **acteurs** de la vie politique et économique renouvelée considéreraient alors les représentants syndicaux comme de véritables **interlocuteurs**. Ils les impliqueraient davantage dans les décisions concernant la vie professionnelle : automatisation des tâches ; harmonisation des statuts entre secteur public et secteur privé ; durée du travail : évolution de l'âge de la retraite ; répartition de la valeur créée par l'entreprise ; échelles de revenus, etc.

Une analyse attentive de l'état de l'**opinion** montre que les Français sont nombreux à appeler de leurs vœux une mutation de ce type. Pourvu qu'on leur propose un **cheminement** clair et crédible, au terme duquel il y aurait beaucoup plus de **gagnants** que de perdants. Et qu'au total, la société se trouve plus **équilibrée**, et repose davantage centrée sur des valeurs **humaines** que matérielles. Le fait que la CFDT soit devenue en mars 2017 le premier syndicat français[1] peut être interprété comme une illustration de ce souhait.

… ET FAVORISER LE CLIMAT SOCIAL

Si ces conditions étaient réunies, les Français auraient de leur côté une image bien plus favorable des syndicats. Ils leur feraient confiance pour trouver des **consensus** sur les grandes questions concernant le travail. Le taux d'adhésion pourrait alors progresser, favorisant la **représentativité** des grandes centrales et incitant les plus politisées à abandonner les **postures** qui leur sont reprochées par une grande partie de l'opinion.

Dans cette hypothèse, les mesures d'**adaptation** nécessaires en matière économique et sociale pourraient être prises plus rapidement, de manière plus complète, dans un climat plus propice. Les **grèves**

seraient moins nombreuses et de nouveaux rapports s'installeraient entre les parties prenantes. Cette vision, qui peut sembler *a priori* « **angélique** », paraît d'autant plus souhaitable que le redressement de la France nécessite une unité nationale renforcée. Il faudra aussi pour cela que le **chef de l'État** et le **gouvernement** en place bénéficient de la **confiance** d'une majorité des Français.

L'unité nationale sera au contraire impossible si l'opposition politique cherche à utiliser les syndicats pour organiser avec eux un « front populaire » rassemblant tous les mécontents au nom d'une « convergence des luttes » contre ceux qui veulent transformer la société française et la moderniser. Leur action aura pour conséquence de dresser les Français les uns contre les autres et de leur faire oublier les enjeux. Le syndicalisme en sortirait sans doute encore plus politisé, ce qui ne faciliterait ni leur recrutement de nouveaux adhérents ni l'efficacité de leur dialogue avec les pouvoirs publics et les entreprises.

UNE IMAGE DU TRAVAIL À RÉNOVER

Pour les raisons évoquées plus haut, l'image du travail s'est dégradée dans le pays. Pourtant, dans les enquêtes d'opinion, le travail apparaît comme une dimension **importante** de la vie des Français. Une majorité de salariés le perçoivent d'ailleurs comme une source potentielle d'**épanouissement** et se déclarent plutôt **satisfaits** globalement de leur travail. Mais le nombre de maladies professionnelles, les cas de *burn-out* ou les taux d'absentéisme élevés témoignent d'un **malaise**. Deux sources de

---

1. Selon le calcul de représentativité de la Direction générale du travail (DGT) établi tous les quatre ans, avec 26,4 %, devant la CGT (25,9 %).

frustration sont principalement citées : le manque d'**autonomie** dans l'exercice des activités ; le manque de **reconnaissance** des compétences et des performances des collaborateurs. On peut regrouper ces critiques en parlant plus généralement d'un manque de **sens** donné au travail, lié à la **culture hédoniste**, mais aussi à l'insuffisance de l'**information**, de la **participation** et de l'**implication** des actifs.

La France est en effet l'un des pays où les **hiérarchies** au sein des entreprises restent les plus marquées et les relations les moins directes et franches. C'est sans doute ce qui explique que les salariés français affichent un niveau de **confiance** dans leurs dirigeants plus faible que dans les autres pays européens (à l'exception de l'Espagne)[1]. Cette situation de défiance à l'égard des responsables d'entreprise, mais aussi politiques, sociaux, ou syndicaux est l'une des causes principales du «mal français». C'est sur la capacité de la France à restaurer la **confiance** que se jouera son avenir.

UN RISQUE DE RÉACTIONS EN CHAÎNE

Personne ne peut décrire avec certitude ce que sera la situation de l'emploi en France et ailleurs d'ici **2030**. Le scénario qui paraît le plus probable, au moins dans un premier temps (et en l'absence d'événements encore plus imprévisibles), est celui d'une **destruction importante** d'emplois, liée à l'**automatisation** de multiples tâches. Elle apporterait d'importants gains de **productivité**[2], contrairement aux scénarios tablant sur une **stagnation** séculaire de la productivité, qui serait amorcée depuis une trentaine d'années. Malgré le désir qu'on éprouve de le soutenir et de l'argumenter, le scénario optimiste consistant à affirmer que de **nouveaux** emplois remplaceront de façon **synchrone** les anciens (voire en nombre supérieur...) n'apparaît

1. Sondage Sofres, juin 2014.
2. Des chercheurs de Nokia Bell Labs prévoient une accélération brutale de la productivité dans les prochaines années, avec un point d'inflexion aux alentours de 2030. Elle résulterait de l'impact de la diffusion des technologies digitales : énergie (compteurs intelligents, énergies renouvelables et *smart grids*) ; santé (mesure des paramètres en continu et administration intelligente des soins) ; transport (véhicules autonomes) ; communication (réseaux haut débit, smartphones, assistants cognitifs, e-commerce) ; production : fabrication additive, *cloud* à faible temps de latence.

Une conception schizophrène du travail

La conception du travail en France a d'abord été **«religieuse»** : «*Tu gagneras ta vie à la sueur de ton front*[1]». Cette représentation n'est plus guère répandue aujourd'hui et devrait l'être de moins en moins du fait de l'**influence décroissante** de la religion sur la vie quotidienne (voir p. 231). Une autre conception, **«libertaire»**, est apparue au début des années 1970, dans la mouvance des revendications de **Mai 68**. Le travail a connu ensuite une période **«aventurière»** pendant la parenthèse de la **«nouvelle économie»** des années 1990, marquées par la naissance des **start-up**, puis l'explosion de la **bulle Internet**.

Demain, la conception du travail pourrait devenir **«schizophrène»**. Elle serait partagée entre la **nécessité** de gagner sa vie et la **crainte** de la perdre en travaillant. La nécessité sera bien sûr d'avoir un **emploi** et d'en retirer de quoi **vivre** correctement (et **plus** si possible, afin de satisfaire ses **envies** ou céder à celles que lui suggère l'environnement marchand). La crainte sera celle du chômage, dans un contexte d'incertitude sur l'évolution de l'emploi (voir p. 255). Elle s'accompagnera de la volonté de **s'accomplir**, non seulement dans le travail, mais aussi dans des activités personnelles ou collectives librement choisies (voir chapitre *Loisirs*, p. 339).

1. Phrase tirée de la Bible (Genèse 3:19). Le libellé exact est le suivant : «*À la sueur de ton visage, tu mangeras du pain jusqu'à ce que tu retournes au sol, car c'est de lui que tu as été pris. Oui, tu es poussière et à la poussière tu retourneras*».

pas le plus probable, en tout cas sur le **moyen terme**.

À cet égard, l'exemple de la **Chine** doit faire réfléchir. Ses dirigeants ont mis en place un ambitieux programme de **robotisation** à l'échéance de 2025. L'une des motivations du pouvoir en place (dont le président est désormais inamovible) était sans doute de réduire le **risque d'un arrêt massif de la production**. Un risque que pouvaient laisser craindre des mouvements d'ouvriers de plus en plus nombreux dans toutes les régions. Ces arrêts auraient en effet de lourdes conséquences sur la **croissance économique** du pays, condamné à le maintenir à un niveau élevé, du fait de sa croissance démographique et de la demande générale d'amélioration du **niveau de vie** et de perspective d'accession à la «**classe moyenne**».

Mais la robotisation a déjà supprimé de nombreux emplois dans le pays (à l'exemple de Foxconn, voir p. 258), et la grogne risque de s'étendre si le chômage s'accroît. Ce ne serait plus alors la **croissance économique** que les dirigeants devraient préserver, mais la **paix sociale**. Le choix entre les deux est d'autant plus difficile que ces deux facteurs ne sont pas indépendants : une révolte sociale entraînerait une baisse de la croissance, qui aggraverait à son tour la contestation. Au prix, peut-être, d'une nouvelle révolution chinoise...

La **France**, de son côté, n'est pas à l'abri d'un tel **enchaînement**. Elle est certes moins engagée que la Chine dans un effort de **robotisation**, mais elle est «en avance» sur elle quant à leur densité dans les entreprises. Les **conditions de vie** sont indéniablement meilleures que dans «l'Empire du milieu». Mais il est nécessaire qu'elle réfléchisse au scénario qui pourrait conduire à une **crise économique et sociale**. Afin qu'il ne se produise pas.

DES PISTES À EXPÉRIMENTER

Si l'on admet la **prévision** (qui n'est qu'une **hypothèse argumentée**) d'un **recul** de l'emploi, et les conséquences dommageables qu'il pourrait avoir pour les Français, plusieurs pistes devraient être débattues et éventuellement expérimentées pour y faire face :

- **Une réduction spectaculaire du temps de travail** permettant de **partager** véritablement l'emploi (et le non-emploi).
- **L'instauration d'un revenu universel** permettant à chacun de disposer d'un minimum de moyens pour vivre pendant sa **reconversion** professionnelle, condition de la restauration de son «**employabilité**». Sa mise en œuvre prévue en Italie par le gouvernement de coalition pourra difficilement servir de test, tant la situation du pays s'annonce difficile.
- **Une modification drastique du système de formation** pour le rendre plus rapide, efficace et accessible (financièrement et pratiquement) à tous ceux qui en ont besoin, sans distinction.
- **Une remise à plat du modèle social**, accordant une place prioritaire à l'**indemnisation du chômage**, en contrepartie de la baisse d'autres prestations et d'une remise en cause du «**système de la consommation**» (voir p. 321).
- **Une taxation des robots et des systèmes d'automatisation** qui réduisent le nombre de métiers et d'emplois (voir p. 259).
- **Une suppression (totale ou partielle) des robots**, décidée au niveau international, afin de recréer les emplois disparus. Cette décision paraît peu probable. Son processus serait en efffet aussi complexe que celui d'une destruction générale des armes atomiques, les robots étant alors considérés comme des «**armes de destruction massive**» de l'emploi.
- **Un effort de solidarité sans précédent de la part des «riches»** en faveur des «pauvres» (voir encadré ci-après).

La mise en œuvre d'une ou de plusieurs de ces propositions ne dépendra pas seulement de la volonté des **Français**. Elle sera fortement liée au comportement des **autres** pays du monde (notamment des plus puissants). Des décisions unilatérales de la France auraient en effet comme conséquence de réduire sa **compétitivité** économique et donc d'**aggraver** ses difficultés. Mais un **consensus** international ne pourrait être envisageable que si tous les pays souffraient de la même façon de la révolution digitale et robotique, ce qui paraît aujourd'hui peu vraisemblable. Des solutions restent donc à trouver pour passer sans trop de dommages la période de **transition** à venir.

DES RESPONSABILITÉS NOUVELLES POUR LES ENTREPRISES...

Face aux **révolutions technologiques** en cours (notamment celles de la robotisation et de l'intelligence artificielle) et la réaction en chaîne qu'elles pourraient provoquer (**productivité**, **licenciements**, **chômage**, **paupérisation**, **révolte**), les entreprises se trouvent placées devant un **choix** essentiel pour l'avenir. Elles doivent (re) définir leurs **responsabilités** et établir une hiérarchie entre elles. Doivent-elles être seulement, ou d'abord, efficaces en matière **économique**, afin de réaliser des **profits**, verser des **dividendes** à leurs actionnaires, des salaires à leurs collaborateurs et apporter des **services** à leurs clients ? Ou doivent-elles assumer également d'autres responsabilités, de nature **sociale** : créer des **emplois**, assurer le « **bonheur** » de leurs salariés et fournisseurs, respecter l'**environnement** et participer à sa restauration, contribuer à des causes humanitaires, etc. ?

Ainsi formulée, la question appelle *a priori* une réponse **affirmative** évidente, tant du point de vue de la **morale** que de celui de l'**efficacité**, ces deux notions étant corrélées (voir p. 274). De plus en plus d'entreprises intègrent tout ou partie de ces fonctions dans leurs **discours**, pour répondre aux pressions de l'opinion, de leurs clients ou aux contraintes légales. Elles affirment haut et fort leur **responsabilité** non seulement **économique**, mais aussi **sociale et environnementale**. Mais il semble qu'elles ne parviennent pas globalement à les transformer en actes, si l'on en juge par le taux de **chômage** ou la montée des **inégalités**. Il faut dire à leur décharge que l'on attend beaucoup d'elles, au-delà de leurs **missions de base** : créer de bons produits, les vendre avec profit (après avoir rémunéré leurs employés) et assurer leur pérennité.

... QUI JOUERONT UN RÔLE DÉTERMINANT DANS LES ANNÉES À VENIR

La situation déjà complexe des entreprises pourrait l'être encore davantage dans les prochaines années. Leur responsabilité **économique** devrait les pousser à **automatiser** ce qui peut l'être pour rester compétitives. Mais cela aura des conséquences **sociales** importantes en termes d'emploi, de relation au travail, de rémunération et, *in fine*, de modes de vie. Comment pourront-elles répondre à ces défis ? Parmi les pistes possibles figure celle **du revenu universel** (voir p. 293). Sa mise en œuvre serait la reconnaissance de l'impossibilité du **plein emploi** et du droit de chacun à disposer d'un minimum vital. Il rendrait du même coup plus acceptable le « **grand remplacement** » redouté (potentiellement plus dommageable que celui dénoncé par les partis xénophobes) : celui des travailleurs par des robots. Mais bien d'autres pistes peuvent être envisagées et mises en œuvre (voir ci-dessus).

On observera que la question, centrale, de la **responsabilité** des entreprises (sociale, économique, environnementale) est très fortement corrélée à l'évolution **technologique**. C'est pourquoi elle devra aussi être aussi posée aux **scientifiques**, **chercheurs** ou **ingénieurs** qui mettent au point les technologies de l'avenir. Ils ne peuvent ignorer les conséquences potentiellement néfastes de leur travail sur l'emploi en général, et ses nombreux autres effets induits sur la vie individuelle et collective. Peuvent-ils s'en exonérer en prétendant que ce n'est pas **leur problème**, et que c'est à d'autres de créer des emplois pour **remplacer** ceux qu'ils vont contribuer à détruire ? La question n'est guère débattue au sein de ces professions, davantage passionnées par la **mise au point** de fascinantes innovations qu'inquiètes des **usages** qui pourront en être faits.

ET SI...

Les questions figurant dans cette rubrique ne sont pas des informations, mais des sujets de réflexion et de débat complétant les textes du chapitre qu'ils clôturent. Elles peuvent exprimer des souhaits, des craintes, des utopies ou tout élément susceptible d'accélérer, ralentir ou inverser les évolutions prévisibles.

... l'emploi était d'abord considéré comme une participation à la vie collective, impliquant une rémunération ?

... les robots bénéficiaient d'un statut juridique ?

... un organisme international composé de chercheurs, responsables politiques, philosophes et simples citoyens était créé pour réfléchir aux questions posées par les nouvelles technologies et leurs conséquences sur l'emploi ?

... un moratoire sur l'usage des robots était décidé au niveau international afin de ne pas entrer dans une spirale infernale de destruction massive d'emplois ?

... un boycott était organisé par les consommateurs à l'encontre des entreprises qui suppriment des emplois en les remplaçant par des robots ?

... les entreprises réussissant à créer des emplois tout en évitant la robotisation bénéficiaient de primes ou autres avantages ?

... les syndicats s'interdisaient d'intervenir politiquement pendant les périodes électorales ?

... les salariés définissaient eux-mêmes leurs tâches et ne rendaient des comptes que sur les résultats obtenus ?

... les salariés devenaient tous dès leur embauche actionnaires (au moins symboliquement) de leur entreprise ?

... les salariés pouvaient consacrer chaque année quelques journées (rémunérées ou non) à une ou plusieurs causes de leur choix ?

... les salariés pouvaient consacrer chaque année quelques journées (rémunérées ou non) à un projet professionnel susceptible de créer des emplois ?

ARGENT

L'argent occupe indéniablement une place centrale dans la vie des Français. Il est un sujet de **discussion** et, de **préoccupation**. La crainte la plus largement (et, souvent, exagérément) partagée est de ne pas en avoir assez pour satisfaire ses **besoins essentiels** et ceux de sa **famille** (se nourrir, se loger, se soigner, se protéger...), mais aussi **d'autres fonctions** qui ont pris au fil du temps une importance croissante : communiquer, s'informer, se déplacer, se divertir... Bref, «**profiter de la vie**».

L'argent est ainsi omniprésent dans les **esprits**, dans les **conversations** et dans les **médias**. Mais sa plus grande **transparence** cache encore beaucoup de «**non-dits**», de peurs, de **frustrations**... et de **contre-vérités**. Le thème des **revenus** des individus et des ménages, et celui, qui en découle, du **pouvoir d'achat**, sont souvent abordés de façon **subjective**. C'est pourquoi il est important, avant d'envisager leur évolution **possible** d'ici **2030**, d'examiner le plus **objectivement** possible celle qui s'est produite dans le passé récent.

N.B. La prospective n'est pas une science exacte (voir p. 9). C'est pourquoi des textes (en italiques), placés en dessous des descriptions de certaines tendances et prévisions, présentent des perspectives alternatives, dans le cas où un changement important se produirait dans le contexte et modifierait ces prévisions.

IMAGE

UNE RELATION COMPLEXE À L'ARGENT

La mentalité française a longtemps été **hostile** à l'argent, comme en témoigne la tradition littéraire et intellectuelle, de La Bruyère à Péguy en passant par Balzac ou Zola. Les proverbes, qui sont souvent l'expression de la culture populaire, traduisent un certain mépris à son égard : *«L'argent ne fait pas le bonheur»* ; *«Plaie d'argent n'est pas mortelle»* ; *«L'argent est un bon serviteur et un mauvais maître»*...

L'émergence de la **société de consommation** a modifié cette image de l'argent, en le rendant de plus en plus désirable, sans pour autant effacer le mépris culturel qui lui est associé. Au début des années 1980, la **gauche**, idéologiquement hostile au *«mur de l'argent»*, avait ainsi reconnu la notion de **profit**, et l'existence d'une «**économie de marché**». Gagner de l'argent, et rêver d'en avoir beaucoup, sont des objectifs devenus peu à peu communs et acceptables. Les années **1980** ont paradoxalement été celles de la **réconciliation** (trompeuse et provisoire) des Français avec l'argent. Dès son élection en 2002, Nicolas Sarkozy tentait aussi vainement de décomplexer les Français à l'égard de l'argent en inaugurant un quinquennat qui allait être qualifié de *«bling-bling»*.

Les crises économiques successives ont rendu l'argent plus «**cher**», au sens de désirable, notamment pour tous ceux qui

craignaient de voir leur **pouvoir d'achat** réduit. Elles ont aussi rendu l'argent des **autres** moins acceptable, voire insupportable. C'est ainsi que la **finance** est devenue l'*« ennemie »* pour François Hollande, arrivé au pouvoir en 2012. Elle n'a guère été **réhabilitée** en 2017 par l'élection d'Emmanuel Macron, accusé d'être le **« président des riches »**, après avoir fortement réduit l'impôt sur la fortune (limité désormais aux biens immobiliers), celui sur le capital (taxe unique à 30 %), ou de façon plus anecdotique (et paradoxale) l'*exit tax* destinée à empêcher l'expatriation des plus fortunés.

Cette image complexe et **péjorative** de l'argent risque de se renforcer dans les prochaines années, avec la difficulté croissante d'en **gagner** (voir p. 51), du fait notamment d'un taux de **chômage** qui devrait rester élevé (voir p. 47) et de la situation financière du pays, qui ne permettra pas de répondre aux demandes multiples d'accroissement du pouvoir d'achat, si l'on s'efforce de l'assainir.

UNE « VALEUR » OMNIPRÉSENTE ET OMNIPOTENTE

L'argent remplit de nombreuses fonctions, à la fois collectives et individuelles. Il constitue l'un des principaux **marqueurs** sociaux (avec l'âge, le sexe et l'apparence physique). Il est largement corrélé au **statut**

L'argent solide, liquide, gazeux

L'argent a connu les **trois états de la matière**. Longtemps **solide**, il était constitué d'*« espèces sonnantes et trébuchantes[1] »* ; Zola parlait à son propos de la *« toute-puissante pièce de cent sous »*. Puis on a parlé d'argent **« liquide »** ; bien qu'il soit constitué en réalité de pièces et de billets bien **matériels**, il pouvait être **« versé »** sur un compte ou à un prestataire. Il **« coulait »** facilement, si l'on avait les poches percées ou la dépense facile. Une approche **physiologique** montre que l'argent est aussi assimilé aux **liquides corporels** ; il est le **« sang »** du corps social, il s'**infiltre** dans tous les compartiments de la vie. Il s'apparente même au **sperme** pour les hommes, à qui il confère un **pouvoir** et apporte un **plaisir** qui peuvent être rapprochés de ceux liés à la sexualité.

L'argent liquide s'est ensuite **dématérialisé** pour devenir un **« gaz »**. Un gaz *a priori* invisible puisqu'il est surtout électronique, mais qui n'est pas pour autant **incolore** ; on parle ainsi de la *« couleur de l'argent »* (le dollar est le billet **« vert »**, l'or est le métal **« jaune »**). Le gaz serait aussi **inodore** si l'on se réfère à la sagesse populaire : *« L'argent n'a pas d'odeur »*. Mais il n'est pas **« indolore »**, lorsque le compte n'est pas approvisionné…

Avec la **carte bancaire** ou la **carte de crédit**, les transactions (dépenses, recettes) sont devenues **virtuelles**. Leur usage n'est même plus nécessaire avec les transferts **électroniques ;** de simples **codes** suffisent pour effectuer des achats sur **Internet**. La dimension **ludique** de l'argent en est renforcée. Le passage à l'**euro**, même s'il a été assez mal vécu par les Français (p. 295), a montré que l'image de l'argent était au fond assez peu liée aux moyens utilisés pour le transférer. L'arrivée des **cryptomonnaies** ne devrait pas avoir davantage d'effet sur l'image de l'argent, mais elle pourrait modifier les comportements (voir p. 503).

Une chose paraît en tout cas probable : l'**argent** ne va pas disparaître demain en tant que moyen d'**échange** et de **mesure** des revenus, des dépenses ou des performances (et contre-performances) des économies. Il pourrait en revanche totalement disparaître dans ses formes **matérialisées**, comme les **pièces** et **billets**, mais aussi sans doute les **chèques**, que la France est l'un des rares pays à utiliser encore, massivement. Les banques les rendront progressivement obsolètes, en les faisant payer et/ou en les remplaçant par des écritures électroniques (virements, monnaies virtuelles…).

---

1. Expression utilisée à partir du XVIe siècle pour désigner la monnaie. Elle était *« sonnante »* par le bruit qu'elle faisait dans les poches ou en tombant. Elle était *« trébuchante »* lorsqu'elle était pesée sur un *« trébuchet »* (balance à plateaux servant à la pesée de l'or, l'argent ou les bijoux).

de chacun et à la place qu'il occupe dans la pyramide (ou la nébuleuse) sociale. Il est à ce titre partie prenante de l'**identité** et participe à l'**estime de soi**, qui n'est pas indépendante du regard des autres. L'argent est aussi un vecteur de **lien social** ; il permet de faire des cadeaux à ceux que l'on aime, d'inviter des amis ou des relations, de montrer sa **richesse** (en dépensant) ou sa **solidarité** (en donnant). Dans une vision qui reste imprégnée de culture judéo-chrétienne, il permet d'**acheter**, mais aussi de se « **racheter** ».

L'argent reste chargé de symboles et porteur d'un **imaginaire** fort. Il est un instrument à la fois **rationnel** (gestion) et **irrationnel** (compulsion, obsession). Il permet d'assouvir des **désirs** et il est lui-même **objet** de désir. Au point de devenir parfois une **drogue** ou d'engendrer la **violence**. Si l'argent n'apporte pas réellement le **bonheur** (comme le montrent de nombreuses enquêtes, voir p. 273), chacun se comporte comme s'il en était la condition nécessaire, jusqu'à ce qu'il s'aperçoive qu'elle n'est pas suffisante. Mais ce constat est évidemment plus facile pour les **riches** que pour ceux qui sont (ou se sentent) **pauvres**.

L'argent est un outil de **liberté** individuelle, mais aussi de **domination** sur les autres. Dans la société de consommation, il permet de s'inscrire dans la **mode** et dans la **modernité**, en donnant accès à leurs attributs les plus visibles (produits, équipements, marques…). Il pose des questions de **morale**, car il est souvent considéré comme corrupteur et inégalitaire. L'argent est en résumé un **ingrédient** inséparable de la **vie**. Il est, comme l'indique un proverbe allemand « *un autre sang* ».

UNE TRANSPARENCE FAVORISANT LA FRUSTRATION

L'argent occupera encore demain une place **essentielle**, sinon **obsessionnelle**, dans la société. Il fera encore la une des médias et continuera de nourrir les conversations des Français. Les **inégalités**, qui risquent d'être accrues, seront étalées au grand jour et de moins en moins supportées. Ainsi, les Français ne comprendront pas et n'accepteront pas que des chefs d'entreprise, des footballeurs ou des acteurs de cinéma puissent percevoir des revenus représentant plus de 1 000 années de SMIC (soit 18 millions d'euros brut de 2018).

La **transparence** croissante sur les écarts indécents renforcera le sentiment d'**injustice** des salariés, persuadés (même à tort, voir p. 294) que leur **pouvoir d'achat** a diminué. Elle exacerbera la **colère** et la **frustration**. Les Français ne pourront comprendre et accepter que les entreprises qui licencient ou subissent des pertes offrent à leurs dirigeants des **salaires** mirobolants, des **primes** démesurées, des **parachutes** dorés, des **retraites** « chapeau ». Ils ne comprendront pas non plus que les profits des entreprises aillent principalement dans la poche des **actionnaires**, la part des salariés étant très réduite (voir p. 53).

Les Français ne se réconcilieront sans doute pas totalement avec l'argent demain. Les **traditions** culturelles et religieuses continueront de peser sur leurs attitudes. À l'inverse du protestantisme, la religion **catholique** a en effet toujours été circonspecte à l'égard de l'**enrichissement**. Par ailleurs, le rôle central de l'**État** et la nationalisation des outils économiques (notamment des banques) ont été des **freins** à la reconnaissance et à l'acceptation de l'économie de marché, du libéralisme et du capitalisme, des mots à consonance plutôt péjorative pour de nombreux Français.

C'est ce qui explique notamment que la **culture économique** est moins développée en France que dans les pays anglo-saxons. Qui sait vraiment ce que représente le PIB, la parité de la monnaie, le pouvoir d'achat ou un intérêt composé ? L'État reste très présent dans l'**épargne**, à travers les livrets, plans et autres produits à fiscalité dérogatoire. L'hostilité envers les fonds de pension est une autre illustration de la singularité française. Enfin, les **dérives** du système capitaliste, les révélations sur les « **paradis fiscaux** » et les spéculations apparues au grand jour depuis 2007 ont légitimement accru l'hostilité des Français envers « l'argent des autres ». Seule une rupture avec ces pratiques pourrait modifier le regard qu'ils portent sur l'argent.

UNE PERSPECTIVE D'APAISEMENT

La relation des Français à l'argent pourrait être cependant plus **détendue** demain, si l'émergence de valeurs **post-matérialistes** se confirmait (voir p. 226). Elle aurait en particulier les conséquences suivantes :

- Une quête de **sens** et la recherche d'un « bonheur » plus **qualitatif** que quantitatif accessible au plus grand nombre, dans lequel l'argent jouerait un rôle moins central.
- La prise de conscience de la **nécessité** d'œuvrer ensemble à la **restauration de l'environnement** (ou d'empêcher sa **destruction** totale), quel qu'en soit le prix.
- La volonté de créer un monde plus **juste** et sans pauvreté, en réduisant notamment les **inégalités monétaires**.
- Un sentiment général de **responsabilité** à l'égard de ses semblables et des générations futures auxquelles on devra moins léguer de l'argent que des perspectives d'**avenir** acceptables.
- La volonté de **partager** avec les autres des richesses dont beaucoup ne sont pas financières.

REVENUS

UN SALAIRE NET MOYEN DE 2 350 EUROS PAR MOIS, UN NIVEAU DE VIE MÉDIAN DE 1 750 EUROS

Le calcul, la comparaison dans le temps (évolution) et dans l'espace (entre les pays) des « **revenus** » des Français sont des opérations **complexes**, qui nécessitent un maximum de **rigueur** et d'**objectivité**. C'est pourquoi elles donnent souvent lieu à des **polémiques**, notamment entre des interlocuteurs ayant des conceptions idéologiques ou politiques différentes. Et, souvent, une connaissance limitée du sujet.

Les résultats dépendent d'abord de l'**indicateur** utilisé. Ce sont les **salaires** (nets) qui sont le plus souvent utilisés comme référence ; ils ne représentent pourtant qu'une partie des revenus totaux des ménages (qui intègrent des **prestations** sociales et sont soumis à des **impôts** et **taxes**, voir *Pouvoir d'achat* p. 294). Si l'on s'en tient cependant au salaire (net et en équivalent temps plein) des personnes travaillant dans le secteur **privé**, il était en moyenne de **2 250 euros par mois en 2015** (dernière année disponible). Les **femmes** percevaient en moyenne 18,4 % de moins que les hommes.

Dans le secteur **public**, trois catégories de salariés sont à distinguer :

- Les **2,2 millions d'agents civils de l'État**[1] (hors militaires) ont perçu en 2015 un salaire moyen en équivalent temps plein de **2 495 euros net par mois**. À caractéristiques identiques, l'écart femmes/hommes n'était que de 3 %.
- Les **1,9 million de salariés de la Fonction publique territoriale** ont perçu en 2015 un salaire moyen en équivalent temps plein de **1 891 euros net par mois**. Cette moyenne prend en compte tous les agents civils, tous emplois et catégories confondus, qu'ils soient fonctionnaires ou non. À caractéristiques identiques, l'écart femmes/hommes était de 4,6 %.
- Les **1,2 million de salariés de la Fonction publique hospitalière** ont perçu en 2015 un salaire moyen en équivalent temps plein de **2 239 euros net par mois**.

Le **point d'indice** des fonctionnaires ayant été « gelé » entre 2010 et 2016, l'augmentation des salaires dans la Fonction publique a été inférieure à celle du secteur privé. Si l'on fait l'hypothèse que les salaires

---

1. 2,2 millions de salariés civils travaillent dans la Fonction publique de l'État (FPE), hors les 300 000 militaires, soit 2,1 millions d'équivalents temps plein (EQTP), répartis pour trois quarts dans les ministères et un quart dans les établissements publics administratifs (EPA). Trois quarts des agents sont fonctionnaires et un quart ne l'est pas (environ 555 000 contractuels, bénéficiaires de contrats aidés ou salariés relevant d'autres statuts, tels que les ouvriers d'État, les enseignants des établissements privés sous contrat et les apprentis).

| ins nets en Euro | 3908,16 |
| t à payer en Euro | 2044,14 |

| in imposable Jour | Avantages en nature | Base Pr. de rés Val. abs. récup Val. congés pa |
| 4.048,07 | | Retenues non |

moyens auront augmenté en moyenne de 5 % entre fin 2015 et fin 2018 (sur trois ans) dans le privé et 3 % dans le public (primes, ancienneté...), leurs niveaux mensuels net à **fin 2018** seraient respectivement de : **2 369 euros dans le privé, 2 569 euros dans la Fonction publique d'État et 1 947 euros dans la Fonction publique territoriale**. En tenant compte des poids respectifs de ces trois catégories (en nombre d'actifs), le **salaire moyen de l'ensemble des actifs** s'établirait donc à environ **2 350 euros net par mois** pour **2018**.

Mais l'indicateur le plus complet des revenus est sans doute le **niveau de vie**. Il mesure le **revenu disponible des ménages (tous revenus confondus, nets de charges, après prestations sociales et impôts)** en tenant compte du nombre de personnes qu'ils comportent[1]. En 2015 (dernière année disponible), le niveau de vie **médian** (qui partage la population en deux moitiés) s'élevait à 20 300 euros. Il a modérément progressé depuis, et on peut l'estimer à environ **21 000 euros pour 2018**, soit **1 750 euros par mois et par unité de consommation** (et non par **ménage**). Il est par construction très inférieur au salaire net moyen défini ci-dessus, mais permet plus facilement de comparer les conditions de vie matérielles des ménages.

DES ÉCARTS PLUTÔT EN HAUSSE DEPUIS VINGT ANS...

Les **écarts** de revenus entre les Français dépendent également de l'**indicateur** que l'on utilise pour les mesurer. On peut choisir par exemple le **rapport entre le premier et le dernier décile**[2] (le neuvième) **des niveaux de vie** indiqués ci-dessus. Ils dépendent également de l'échelle de **temps** que l'on considère. Sur près d'un demi-siècle (soit depuis le début des années **1970**), on constate par exemple que les écarts ont **diminué**. Mais depuis le début des années **1990**, ils ont eu au contraire tendance à s'**accroître**. Si l'on observe seulement les **dix dernières années**, le mouvement est plus incertain ; augmentations et diminutions alternent autour d'une valeur moyenne stable[3].

On peut aussi utiliser un indicateur spécifique d'inégalités, le **coefficient de Gini**[4], qui prend en compte **l'ensemble des revenus des ménages, des plus faibles aux plus élevés** (contrairement au rapport interdécile précédent, qui ne considère que les revenus extrêmes). Comme dans la comparaison précédente, cette approche fait apparaître une **réduction des écarts de revenus entre le début des années 1970 et celui des années 1990**, suivie d'une inversion (avec un sommet en 2011, identique à la situation qui prévalait en 1979).

En conclusion de ces analyses, il ressort que les **écarts** (au sens **mathématique**) entre les revenus des ménages ou les **inégalités** (au sens «**social**») ont cessé de se réduire depuis le milieu des années 1990 ; ils se sont alors **accrus**, tout en restant **modérés**. Cette rupture de tendance explique l'inquiétude de nombreux Français, dont la fibre

---

1. Revenu disponible du ménage divisé par le nombre d'unités de consommation (uc). Les unités de consommation sont calculées selon l'échelle d'équivalence dite de l'OCDE modifiée qui attribue 1 uc au premier adulte du ménage, 0,5 uc aux autres personnes de 14 ans ou plus et 0,3 uc aux enfants de moins de 14 ans. Le niveau de vie est donc le même pour tous les individus d'un même ménage. (INSEE)

2. Dans le cas de la distribution de revenus, le premier décile est celui au-dessous duquel se situent les 10 % les moins élevés ; le neuvième est celui au-dessus duquel se situent les 10 % les plus élevés.
3. Voir sur ces questions les comparaisons et les graphiques présentés par *l'Observatoire des inégalités*.
4. Il mesure (par une formule mathématique complexe) la dispersion entre des valeurs numériques (écart moyen relatif, divisé par la moyenne pour le mettre à l'échelle). Le résultat varie entre 0 (égalité parfaite) et 1 (inégalité maximale théorique). Entre 0 et 1, l'inégalité est d'autant plus forte que l'indice de Gini est élevé.

égalitariste est d'autant plus forte qu'ils ont le sentiment de faire partie de ceux qui ont été désavantagés.

… QUI POURRAIENT ENCORE S'ACCROÎTRE…

Comme indiqué dans le chapitre *Économie* (voir p. 40), le scénario apparaissant le plus probable pour les années à venir n'est pas celui d'une hausse sensible des **revenus** et du **pouvoir d'achat**. Ses éléments constitutifs (emploi, revenus du travail, revenus du capital, charges sociales, impôts, taxes et autres prélèvements sociaux, évolution des prix à la consommation…) devraient plutôt évoluer dans le sens d'une **stagnation**, et même d'une **diminution** pour certaines catégories. À l'appui de cette thèse, on peut citer plusieurs facteurs convergents, déjà évoqués :

- Une **croissance** assez faible du PIB, sauf si une «**économie verte**» (fondée sur la restauration de l'environnement et l'optimisation des coûts de l'énergie) se mettait en place rapidement, et créait de nouvelles activités.
- Une disparition massive d'**emplois** dans certains secteurs, du fait de la robotisation (voir p. 255).
- Une réduction des **sureffectifs** estimés dans certaines branches du secteur public[1], qui ne seraient pas supprimés par le non-remplacement de **fonctionnaires** partant à la retraite.
- La nécessité pour de nombreuses entreprises d'accroître leur **productivité** et leurs **marges** dans un contexte de **concurrence planétaire**, en recourant notamment à l'**automatisation.**
- Des **déficits publics** encore importants, notamment en matière de **santé** et de financement des **retraites**, qui viendraient accroître l'**endettement** national.

---

[1]. Plusieurs rapports de la Cour des comptes prônent une réduction globale des dépenses publiques (février 2018), ou soulignent une productivité insuffisante dans les collectivités territoriales (temps de travail inférieur à la durée réglementaire, absentéisme plus élevé que dans le privé, dysfonctionnements, doublons, etc., voir par exemple le rapport publié en octobre 2016).

- Une aggravation des **intérêts** à verser pour la dette, après une remontée probable des **taux d'intérêt**. Elle pourrait cependant être compensée mécaniquement (au moins en partie) par une remontée de l'**inflation**.
- Dans ce contexte de transition, une baisse sensible des **prélèvements sociaux** serait exclue. Le **vieillissement** de la population et la réduction du nombre d'actifs cotisants pousseraient à la diminution des **pensions** des retraités.

Ces évolutions plutôt **défavorables** d'un point de vue économique et financier (sauf pour les adeptes de la «décroissance[2]») seraient évidemment aggravées en cas de déclenchement d'une nouvelle **crise financière** en Europe et dans le monde, provoquée par exemple par un affaiblissement des banques, des compagnies d'assurances, un *krach* boursier ou immobilier.

*Ce scénario pessimiste pourrait être modifié, voire inversé, si des **ruptures technologiques** permettaient de réduire de façon rapide et spectaculaire les coûts **énergétiques** et de créer des **emplois** en nombre dans des nouveaux secteurs.*

… SELON LA SITUATION DE L'EMPLOI…

L'évolution générale dépendra d'abord de celle du niveau d'**emploi**. Si celui-ci diminue, ce qui est la perspective la plus probable (voir p. 255), le taux de **chômage** augmentera. Cela exercera une **pression** à la baisse sur les **salaires** de ceux qui disposent d'un emploi, renforcée par la menace du remplacement des postes de travail par des **robots** moins coûteux et plus efficaces. Par ailleurs, les indemnités de **chômage** pourraient être moins généreuses afin de ne pas grever davantage les dépenses publiques et éviter de creuser les déficits des caisses de chômage. Pour les mêmes raisons, les **pensions de retraite** pourraient diminuer, au motif que les retraités disposent d'un

---

[2]. Diminution du PIB dans le but de réduire les atteintes à l'environnement, supprimer l'«aliénation au travail» et le «productivisme», et sortir de la «société de communication».

revenu moyen un peu supérieur à celui des actifs et qu'ils détiennent une partie importante du **patrimoine** des ménages. Ces baisses de revenus tiendraient aussi au fait qu'il faudra bien faire entrer de l'argent dans les caisses de l'État, si l'on ne veut pas aggraver la **dette nationale**.

Une baisse des **charges sociales** pourrait permettre aux entreprises de préserver ou améliorer leur compétitivité, et aux travailleurs de compenser partiellement une baisse de revenu. Mais dans ces conditions, la **réduction des impôts et prélèvements obligatoires** (promise par la plupart des gouvernements) ne pourrait être significative, sous peine d'accroître encore les **déficits publics** et l'**endettement** (dont le remboursement pourrait en outre être fortement mis en péril par une hausse des **taux d'intérêt**). Enfin, les revenus que les ménages tireraient de leur **épargne** pourraient diminuer (voir p. 298), ce qui ne favoriserait pas le montant total de leurs revenus, et ne les encouragerait pas à puiser dans cette épargne pour maintenir leur **consommation**.

... ET CELLE DES PRIX

Les revenus ne sont pas indépendants du taux d'inflation, et ils évoluent généralement dans le même sens. Après des années de très faible hausse des prix, ceux-ci pourraient globalement **s'accroître** dans les prochaines années (voir p. 43). Mais les prix de certains produits et services, notamment **dématérialisés**, pourraient baisser, du fait de leur faible coût marginal de duplication. Ces produits et services seront de plus en plus nombreux. La diminution de la **demande**, la **concurrence** croissante et mondialisée et les gains de productivité pourraient aussi limiter en partie les effets combinés d'une **hausse globale du taux d'inflation** et d'une **baisse des revenus des ménages**.

Comme indiqué dans le chapitre *Économie* (voir p. 40), les conséquences du scénario « austère » doivent être **relativisées**. Pour une grande majorité des Français, une baisse du pouvoir d'achat n'aurait pas d'incidence importante sur leurs modes de vie, dans la mesure où ils pourront puiser dans leur **épargne**, qui est et restera globalement **abondante** (voir p. 298). Par ailleurs, cette situation ne ferait **qu'annuler une partie de la hausse** du pouvoir d'achat dont beaucoup ont bénéficié pendant des décennies (voir p. 294). Ils pourront alors se souvenir qu'ils ne considéraient pas à l'époque leur situation comme catastrophique. Beaucoup prétendent d'ailleurs que « *c'était mieux avant* »...

Ce discours de **consolation** n'est, certes, pas très « politiquement et socialement correct ». Si chacun sait bien que « *l'argent ne fait pas le bonheur* », peu de Français souhaitent pour autant la fin du « **toujours plus** » auquel ils ont été longtemps habitués (sans en être toujours conscients) et qu'ils assimilent à la notion de **progrès**.

La « mécanique » décrite dans le « scénario austère » pourrait aussi être infirmée par un **renversement** *des fondements de la* **société de consommation actuelle**, *au profit d'une* « *société de sobriété* ». *Ce scénario alternatif, qui n'est pas improbable (voir p. 321), modifierait en profondeur les attitudes et les comportements à l'égard de l'argent et de ses usages, au profit de valeurs plus* **qualitatives**.

DES ÉCARTS IMPORTANTS DE PATRIMOINE...

En **2017**, les **10 %** de Français les plus **riches** détenaient **plus de la moitié** du patrimoine privé du pays alors que les **50%** les plus **pauvres** en possédaient à peine **5%**[1]. Plus haut encore dans la pyramide, **1%** d'**ultra-riches** détenaient **22%** de la fortune globale, contre **17 %** en **2007**. En **2018**, les **40 milliardaires** français recensés possédaient à eux seuls autant que les **40 %** les plus **pauvres** de la population, soit **27 millions** de personnes. Les causes de la montée de ces inégalités sont nombreuses :

- La hausse très forte des **très hauts revenus**.

1. ONG Oxfam dans le rapport *Partager la richesse avec celles et ceux qui la créent*, 2017.

- Le **taux d'épargne** beaucoup plus élevé des «riches» par rapport aux «pauvres» et la **rentabilité** très supérieure de leurs placements.
- Le moindre rôle joué par la **redistribution sociale** (allocations et minima sociaux) ou **fiscale** (du fait de la réduction de la **progressivité** de l'impôt, liée à la baisse des taux marginaux supérieurs).
- La baisse de l'**impôt sur les sociétés**, accroissant les revenus et dividendes de leurs propriétaires et actionnaires.
- L'**évasion fiscale** de certains revenus et patrimoines.
- La suppression récente de l'**ISF** (sur les placements mobiliers).

... QUI POURRAIENT ENCORE S'AMPLIFIER...

D'ici **2030**, la baisse moyenne des revenus des ménages envisagée s'accompagnerait d'une nouvelle montée des inégalités, ce qui la rendrait moins supportable pour ceux qui en seraient les victimes, mais aussi pour ceux qui l'estimeraient **moralement** injustifiable et/ou **socialement** dangereuse. Cette tendance, déjà amorcée aujourd'hui (voir p. 238), serait en effet contraire à l'esprit **égalitariste** de la population, même s'il s'accompagne parfois d'une mentalité plutôt «**libérale**» en matière économique.

Cet **accroissement des inégalités** est inscrit dans le développement des **fractures** sociales existantes (voir p. 242), mais aussi dans l'apparition possible de celles à **venir**.

La plus importante est celle qui risque de se produire entre les personnes capables d'actualiser leurs **connaissances** et d'accroître leurs **compétences**, conditions de plus en plus nécessaires pour trouver un emploi (voir p. 140) et celles qui éprouveront des difficultés à le faire. Les écarts de **revenus** et de **niveau de vie** seraient ainsi croissants entre les premiers et les seconds, dont une partie serait sans emploi et disposerait d'indemnités réduites.

... AVEC QUELQUES EXCEPTIONS

Toutes les inégalités monétaires ne devraient pas s'accroître. Ainsi, les écarts de revenus entre les **hommes et les femmes** (les premiers gagnent en moyenne 18 % de plus que les secondes à fonction égale, dans le secteur privé) devraient se **réduire**, voire **disparaître** d'ici **2030**. Ce mouvement serait d'abord la conséquence de la lutte des femmes pour obtenir l'égalité de traitement, et de leur présence croissante dans les lieux de pouvoir politique, économique et social. Elle sera aussi rendue possible par **la prise de conscience** des hommes, qui sera confirmée par des **réglementations** sans ambiguïté (ou la simple application de celles qui existent), des **contrôles** plus stricts et l'accroissement des **sanctions** pour les entreprises en infraction. Il faut noter que cette égalisation nécessaire des **revenus** pourrait entraîner une **baisse** (en valeur relative) de ceux des **hommes**, dans un contexte de baisse généralisée du pouvoir d'achat moyen.

D'autres inégalités mal supportées par les Français devraient également s'estomper ou disparaître. Celles concernant les avantages accordés aux **fonctionnaires**, par rapport aux salariés du secteur **privé**: moindres charges sociales, âge avancé de la retraite, montant plus élevé des pensions, privilèges de certains hauts fonctionnaires, etc. À cet égard, la remise en cause du statut des **cheminots** montre qu'il est possible (même si cela reste très difficile dans le pays) de débattre des «**avantages acquis**» souvent de très longue date, dans un **contexte** très

Le revenu universel, option ou utopie ?

De tout temps, la **misère** de certains a côtoyé l'**opulence** d'autres. C'est pourquoi l'idée que chacun puisse être assuré d'un **minimum de ressources pour vivre**, sans distinction, n'est pas récente. On peut la faire remonter à la fin du XVIIIe siècle. Elle a été portée par des **intellectuels** et **humanistes** comme Thomas Paine[1] et des **penseurs** socialistes du XIXe, puis des **libéraux** comme Milton Friedman[2] au XXe. La crainte qu'une **révolution industrielle** accélérée détruise plus d'emplois qu'elle n'en crée ne s'est **pas vérifiée** lors des périodes précédentes. Mais elle revient en force aujourd'hui avec la **robotisation**, qui peut laisser penser que le **plein emploi** ne sera plus possible à l'avenir (voir p. 255).

Le concept de **revenu universel** est donc de nouveau en débat. Séduisant *a priori* d'un point de vue **moral** et **philosophique**, il ne fait cependant pas l'unanimité. Il se heurte en particulier à la difficulté pratique de sa mise en œuvre, à commencer par son **financement**. Ses adeptes estiment qu'il pourrait être au moins en partie résolu en supprimant l'ensemble des **allocations** personnalisées existantes, et en les regroupant dans un revenu de base.

Une autre crainte serait alors que des citoyens profitent de cette « aubaine » pour ne pas travailler. On pourra répondre que cela réduirait d'autant le nombre de chômeurs à indemniser. La somme versée serait sans doute insuffisante pour vivre **« correctement »**, au sens contemporain du terme, en particulier en milieu urbain (compte tenu notamment des frais de logement). Il faut noter que le RSA français (revenu de solidarité active) s'approche du RU, mais il ne présente pas les caractéristiques d'**universalité** et d'**inconditionnalité** de ce dernier.

Avant même la question du **financement,** le débat devra porter sur la question de **principe** : chaque citoyen a-t-il le « devoir » de **participer à la production** collective de richesses, ou peut-il en recevoir une part sans contrepartie active ? L'**impossibilité** pratique de contribuer (faute d'emplois disponibles) apporterait une réponse indirecte à cette question. Mais elle ne serait que provisoire.

La création d'un revenu universel, sous l'impulsion possible des générations Y ou Z *(Millenials),* pourrait donner à la **« valeur travail »** un sens différent de celui d'aujourd'hui. D'autres types d'activité peuvent en effet permettre aux individus de s'épanouir, de se réaliser et de s'engager dans d'autres lieux de sociabilité, tout en « créant de la valeur » sur le plan collectif. Début 2018, 67 % des Français se disaient cependant **opposés** à la création d'un revenu universel (d'un montant proposé de 600 à 800 euros mensuels versés à chaque citoyen sans conditions de ressources)[3].

---

1. Thomas Paine a publié en 1975 *La Justice agraire,* expliquant que la réforme de privatisation des terres agricoles *(enclosure)* appauvrit les paysans anglais et que l'appropriation des terres du « patrimoine naturel commun » par une minorité nuit aux libertés individuelles. Il propose donc que ceux qui sont spoliés soient indemnisés par l'État.
2. Milton Friedman proposait dans *Capitalism et freedom* un « impôt négatif », somme fixe versée à tous les citoyens pour réduire la pauvreté.

---

3. Sondage *Public Sénat-Les Échos-Radio Classique/ Opinionway,* janvier 2018.

---

différent sur les plans pratique (conditions de travail), économique (croissance, situation de la SNCF) et social (perspectives, sensibilité aux inégalités). Ces ajustements ne doivent pas avoir pour objet de stigmatiser les **personnes** qui bénéficient de ces avantages, mais les « **systèmes** » qui les ont fait naître, et de décider en concertation s'il est aujourd'hui **moralement juste** et **financièrement possible** de les maintenir.

DES REVENUS VARIABLES TOUT AU LONG DE LA VIE

Les vies professionnelles seront très vraisemblablement de plus en plus **mouvementées** à l'avenir, avec des changements d'entreprise (pour les salariés), d'emploi, de fonction, de responsabilités, de secteur d'activité, de région et de pays, entrecoupés pour beaucoup de périodes d'inactivité. La **mobilité**, géographique, intellectuelle et mentale, sera la règle pour tous (voir p. 277). Il en sera de même pour les **revenus**, qui varieront dans le temps et seront parfois même inexistants lors de périodes de transition non couvertes par une assurance (chômage ou autre). Cette instabilité devrait être encore plus prononcée pour les **indépendants** et les **pluriactifs** (voir p. 275). Elle rendra pour eux l'avenir encore moins prévisible, et les **projets de vie** moins faciles à concevoir et à mettre en œuvre. Les banques seraient également plus réticentes à **prêter** de l'argent, ce qui nuirait à la fois à la **consommation** et à l'acquisition de biens **immobiliers**.

La période de la **retraite** correspondrait aussi à une période de **baisse** des revenus, avec un «taux de remplacement» inférieur à celui existant aujourd'hui. La volonté d'équité sociale pourrait enfin se traduire par une **harmonisation** des revenus et des avantages afférents entre le **secteur public** (dont le périmètre pourrait être réduit, dans un souci de réduction des dépenses publiques) et le **secteur privé**. Dans cette perspective, les retraités devraient donc prévoir plus à l'avance le financement de leur **fin de vie**, notamment par l'**épargne** et les **placements** (voir ci-après). D'autant que l'espérance de vie au moment de la retraite sera de plus en plus longue si, comme on peut le prévoir, le retardement de l'âge légal de cessation d'activité est inférieur au gain d'espérance de vie. Ce dernier est estimé de façon conservatoire à **2 ans** d'ici **2030**, mais il ne prend pas en compte les **progrès** et les **promesses** des nombreuses recherches en cours ayant pour but de prolonger la vie (voir p. 36).

POUVOIR D'ACHAT

SIX DÉCENNIES DE HAUSSE…

Le **pouvoir d'achat** moyen des ménages avait connu une hausse considérable au cours des **Trente Glorieuses** (1946-1975). Si on le mesure par «**unité de consommation**»[1] (afin de gommer les écarts de dépenses liées au nombre de personnes par ménage), il a **plus que doublé** pendant cette période.

La hausse s'est poursuivie pendant les décennies suivantes, mais à un rythme moins soutenu : 2,5 % par an en moyenne **entre 1975 et 1990** ; environ 1 % **entre 1991 et 2010**. Mais le pouvoir d'achat des ménages par unité de consommation a quand même **de nouveau doublé entre 1970 et 2010**. La **crise de 2008** a eu ensuite des effets délétères, notamment en 2009 et 2011. Un «rattrapage» est intervenu depuis 2012, de sorte que le pouvoir d'achat a globalement **stagné entre 2010 et 2016**.

Sur longue période, l'**accroissement** du pouvoir d'achat est en tout cas indéniable et spectaculaire. Au-delà même des **statistiques** nationales (plus fiables que les discours tenus par des personnes ou des organismes mal informés ou parfois délibérément «paupéristes»), cette évolution positive est confirmée par celle des **taux d'équipement des ménages**, tant en ce qui concerne les biens électroménagers que ceux concernant le transport, les loisirs, la communication ou le confort sanitaire. La diminution de la part **relative** des **dépenses d'alimentation** (elles ont continué de croître régulièrement en valeur **absolue**, voir p. 200) ou d'**habillement** (voir p. 307) témoigne aussi de la capacité financière accrue des ménages à satisfaire des besoins moins «basiques» : loisirs ; transport ; communication ; équipement de la maison…

… MAIS UN SENTIMENT GÉNÉRAL DE BAISSE…

De nombreux Français ne sont pourtant pas convaincus de l'accroissement du pouvoir d'achat dont ils ont bénéficié (pour la très grande majorité), avant la stagnation récente. Leur **sentiment** est au contraire

---

1. Une pondération de 1 est attribuée à la personne de référence du ménage, 0,5 pour les autres personnes de 14 ans ou plus, 0,3 pour les personnes de moins de 14 ans.

59. Évolution de la perception de la situation financière et du niveau de vie par les Français

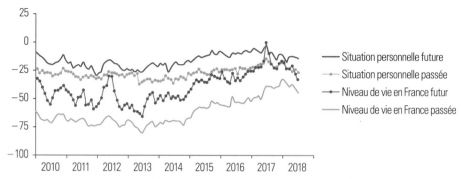

* Soldes d'opinions positives et négatives (en points) sur l'évolution (passée et future, à douze mois)
de la situation financière personnelle et du niveau de vie en France, corrigés des variations saisonnières.
INSEE

celui d'une baisse continue et accélérée. Il a commencé à apparaître dans les sondages avant la fin du XXᵉ siècle. Il s'est nourri à la fois de l'impression que le **revenu disponible** n'augmentait pas (du fait de la hausse des impôts et des taxes diverses) et de la conviction que les **prix** s'accroissaient.

En matière d'inflation **perçue**, l'arrivée de l'euro (en 2002) a constitué un moment clé. Pourtant, selon l'INSEE, elle ne s'est pas accompagnée d'une hausse sensible. L'indice des prix à la consommation a progressé en moyenne de **2 % entre 2002 et 2012**, soit une hausse cumulée de **14 %** ; en comparaison, l'inflation cumulée durant la période **1990-2000** avait atteint **17 %**. Cette mise en cause de l'euro par les citoyens a aussi alimenté leur scepticisme à l'égard de **l'Union européenne**. Il s'est traduit notamment par le *« Non »* **au référendum de 2005** sur le traité de Constitution européenne, sorte de « mini-Frexit », qui n'a d'ailleurs pas été vraiment pris en compte par les instances concernées.

... DÛ À PLUSIEURS CAUSES

Outre la surestimation de **l'effet euro**, on peut citer bien d'autres explications au **sentiment** de baisse du pouvoir d'achat ressenti par les Français :

- La difficulté pour eux de **pondérer** l'évolution des prix dans les différents secteurs selon la part qu'ils représentent **réellement** dans leur budget. Ainsi, une hausse générale des prix **alimentaires**, particulièrement visible par les ménages, ne pèse en réalité que pour environ 15 % en moyenne sur celle de leurs dépenses totales.
- La sensibilité particulière aux **biens et services quotidiens** ayant connu une forte **augmentation** (pain, café, timbre...), alors que d'autres achats plus importants mais moins fréquents ont bénéficié d'une **baisse** continue des prix (automobiles, équipements électroniques...).
- L'accroissement des « **dépenses contraintes** » (logement, assurances, abonnements divers...), qualifiées ainsi car elles sont difficilement compressibles, notamment pour les ménages modestes.
- Le **mécontentement** général de la population, et l'idée répandue que *« c'était mieux avant »*.
- Le **manque de pédagogie** des pouvoirs publics, des acteurs économiques et sociaux pour informer sur ces sujets complexes.
- La propension des **médias** à mettre en exergue les situations difficiles de certains ménages plutôt que de montrer

UN TAUX DE PAUVRETÉ STABLE SUR VINGT ANS

60. Évolution du taux de pauvreté* (en %) et du nombre de personnes concernées (en milliers) depuis 1996

	1996	2002	2008	2010	2010[1]	2012	2012[2]	2013	2014	2015	2016
Taux de pauvreté (en %)	14,5	12,9	13,0	14,1	14,0	13,9	14,2	13,8	14,0	14,2	13,9
Nombre de personnes pauvres (en milliers)	8 179	7 495	7 836	8 617	8 520	8 540	8 760	8 563	8 732	8 875	8 700

* Proportion de personnes percevant un revenu inférieur au seuil de pauvreté défini (60 % du revenu médian de la population).
Exemple : 1015 euros par mois en 2015, 1523 euros pour un couple sans enfant, variable ensuite selon le nombre d'enfants.
France métropolitaine, personnes vivant au sein d'un ménage dont le revenu déclaré
à l'administration fiscale est positif ou nul et dont la personne de référence n'est pas étudiante.
INSEE-DGI, enquêtes Revenus fiscaux et sociaux rétropolées 1996-2014 ;
INSEE-DGFiP-Cnaf-Cnav-CCMSA, enquêtes Revenus fiscaux et sociaux 2005-2015.

l'amélioration de celle du plus grand nombre.

- La perte de revenus liée aux périodes de **chômage**.
- L'**omission** fréquente de certaines **sources** de **revenus** dans les chiffres avancés : primes, allocations et indemnités diverses, avantages accordés aux ménages à faibles ressources, placements financiers...
- Le sentiment général de **vulnérabilité** et de **précarité**, notamment en matière d'emploi.
- L'accroissement des **inégalités** entre les ménages situés aux deux extrémités de l'échelle des **revenus** (et, plus encore, des **patrimoines**).
- Le **mode de calcul officiel** du pouvoir d'achat, qui augmente artificiellement (de 12 % en moyenne) les revenus des **propriétaires** par l'imputation de «loyers» qu'ils se verseraient à eux-mêmes, et accroît donc l'écart avec les locataires.
- Le fait qu'environ un **quart des dépenses** réelles des ménages sont pour eux invisibles car payées par la **collectivité** (éducation, santé, culture...).

L'ignorance de ces différents éléments a alimenté en France la conviction d'une **baisse générale et régulière** du pouvoir d'achat **moyen**, contredisant les chiffres de la comptabilité nationale, qui devraient pourtant servir de référence. Mais le fantasme partagé a joué le rôle d'une «**prophétie autoréalisatrice**» : une baisse est réellement intervenue à la suite de la

crise de 2007, effacée depuis. La difficulté pour les Français d'appréhender objectivement les chiffres est à la fois la cause et la conséquence de leur **défiance** à l'égard des **acteurs** politiques et économiques du pays.

DES ÉVOLUTIONS CONTRADICTOIRES DU MORAL DES FRANÇAIS

D'une manière générale, les Français figurent depuis des années parmi les peuples les plus **pessimistes** du monde, comme en attestent de nombreuses enquêtes internationales (voir p. 280). Il faut cependant nuancer ce pessimisme **collectif** (sentiment largement majoritaire que **la France va mal**) par les chiffres plus rassurants des perceptions **individuelles** : les enquêtes montrent que chaque Français, pris individuellement, estime que sa situation n'est pas si mauvaise et se déclare plutôt heureux (voir p. 273)...

Ce paradoxe apparent s'explique par le fait que les Français sont souvent (et légitimement, au regard de certains indicateurs économiques et sociaux) **inquiets** de l'état de leur pays. Pourtant, beaucoup n'en sont guère affectés dans leur vie personnelle (les *Tranquilles*, voir encadré ci-contre). Une autre raison est que le climat social est morose, voire délétère, et que les médias diffusent plus souvent les «**mauvaises nouvelles**» que les bonnes, mettent plus souvent en évidence les **dysfonctionnements** que les succès.

Tranquilles, Agiles et *Fragiles* : trois France face à l'argent

Les économistes évoquent le plus souvent la **« crise »** sur le mode **« macro »**, à partir d'indicateurs globaux : PIB, déficit commercial, endettement, chômage, inflation… Les **médias**, de leur côté (notamment la télévision) ont tendance à utiliser le mode **« micro »**, en montrant des cas particuliers, le plus souvent en situation de difficulté.

Ces deux approches sont insuffisantes. Il est nécessaire de leur en adjoindre une autre, qui « segmente » la société selon les différents **groupes sociaux** qui la composent. Car les effets de la « crise », nom donné à la période difficile d'adaptation au changement (qui d'ailleurs n'aura sans doute pas de fin…) ne sont pas du tout les mêmes pour chacun de ces groupes, selon les caractéristiques des personnes qui les composent. La France peut ainsi être divisée en trois groupes : les *Tranquilles*, les *Agiles*, les *Fragiles*.

Le groupe des *Tranquilles* comprend d'abord tous les actifs dont la vie professionnelle et les revenus sont **peu menacés** par la conjoncture : fonctionnaires ; employés des secteurs peu affectés (pharmacie, télécommunications, alimentation, nouvelles technologies…) ou d'entreprises **dynamiques**, bénéficiant d'un carnet de commandes bien rempli et d'une bonne visibilité. On peut y ajouter la majeure partie des **retraités**, non menacés par le chômage et disposant en moyenne d'un revenu stable et prévisible, même s'il n'est plus indexé sur le coût de la vie et s'il a connu en **2018** une érosion (1,7 % de CSG non compensée, au-delà d'un seuil de pension). Les personnes et ménages concernés peuvent ainsi continuer de consommer sans changer fondamentalement leurs habitudes.

Le groupe des *Agiles* est lui constitué d'actifs ayant un **risque modéré mais réel de perdre leur emploi** ou de voir leur revenu diminuer. Mais ils disposent d'une **formation** initiale de bon niveau, ou d'une **qualification** professionnelle recherchée, d'un **réseau** familial ou amical mobilisable. Ils bénéficient en outre de caractéristiques personnelles qui leur confèrent une **capacité de « rebond »** : optimisme, volonté, énergie, dynamisme, mobilité (géographique, mais aussi mentale). L'agilité est généralement plus répandue chez les **jeunes**, même si leur réseau relationnel est moins étoffé que celui de personnes plus âgées.

Enfin, le groupe des *Fragiles* compte l'ensemble des autres ménages. Il regroupe notamment les personnes qui ont une faible **qualification**, une **mobilité** géographique réduite, une situation **financière** précaire, des **contraintes** familiales ou personnelles fortes.

Il est difficile de **quantifier** chacun de ces trois groupes et ce n'est pas l'objet de cette typologie. Il faudrait pour cela croiser les critères **sociodémographiques** traditionnels (âge, profession, situation de famille, habitat, revenu…) avec des critères d'ordre **psychologique** : vision de la vie ; capacité d'adaptation… Il faudrait aussi distinguer parmi les ménages **biactifs** (où les deux membres du couple travaillent, modèle dominant) ceux qui comptent un actif **« tranquille »** et un autre **« agile »** ou **« fragile »**, en observant toutefois que dans ces « couples mixtes », les difficultés de l'un des deux membres sont généralement amorties par la plus grande stabilité de l'autre.

On peut cependant estimer grossièrement que les deux premiers groupes (*Tranquilles* et *Agiles*) représentent plus des trois quarts des ménages. Cela signifie notamment que le moteur de la **consommation** ne devrait pas s'arrêter dans les prochaines années, même s'il connaît une baisse de régime. Il faut également rappeler que la France dispose d'**« amortisseurs de crise »** efficaces : un système de protection sociale généreux ; des mécanismes de redistribution nombreux ; un taux d'épargne élevé. Un atout en temps de difficulté, qui peut cependant être un handicap pour profiter d'une reprise économique.

Les indicateurs de l'année **2017** avaient cependant montré une évolution **encourageante**. Le «**moral**» des ménages (qui est un indicateur de leur **niveau de confiance**), tel qu'il est mesuré mensuellement par l'INSEE[1], s'était inscrit à son **plus haut niveau depuis dix ans** (le précédent record datait d'octobre 2007, avant la crise des *subprimes*). L'opinion des ménages sur leur **situation financière personnelle future** avait ainsi gagné 3 points. Les Français se montraient aussi moins pessimistes sur le **chômage**. Le résultat de l'**élection présidentielle** avait sans doute joué un rôle dans l'évolution de ces indicateurs de perception.

Les chiffres du premier semestre **2018** ont cependant montré une baisse, et un retour à la **moyenne de long terme** (100 points), notamment sur la perception du **niveau de vie futur** en France ou l'évolution de l'**économie** en général. Comme si le pessimisme était l'état «normal» de l'opinion nationale.

PATRIMOINE

UNE ÉPARGNE TOUJOURS ABONDANTE, MAIS SUSCEPTIBLE DE SE RÉDUIRE

Le taux d'épargne des Français a toujours été l'un des plus élevés d'Europe et du monde développé. Il s'établissait à **14 % en 2017**, malgré une baisse de 2 points par rapport à 2009 (liée à la crise des *subprimes*), mais de 1 point seulement par rapport à une **moyenne de 15 %** (stable) depuis **1992**. Il avait atteint un maximum de **22 % en 1974**, avant de «plonger» jusqu'à **13 % en 1987**. Il n'était que de **13,5 %[2] en 2016**, mais n'était dépassé que par la Slovénie (18,2 %) et l'Allemagne (17,1 %).

1. Soldes des anticipations positives et négatives sur un ensemble d'indicateurs de perception, notamment du contexte économique en France (niveau de vie passé et futur, chômage, inflation anticipée) et de la situation personnelle (financière passée et future, capacité d'épargne, opportunité de faire des achats…).
2. Le chiffre INSEE est établi en «base 2000». Il est supérieur d'un point à celui indiqué par Eurostat (13,5 %, en prévisionnel), établi sur des bases différentes.

La **baisse** possible (en monnaie constante) des **revenus moyens** évoquée précédemment pourrait avoir pour conséquence une **diminution** de la part de l'épargne dans le revenu disponible des ménages, à niveau de **consommation** (en volume et en prix) et de **fiscalité** inchangé. Le taux d'épargne pourrait en revanche être maintenu si les Français décidaient de réduire leur niveau moyen de **consommation**, dans l'hypothèse d'un changement de modèle de société, ou de baisse globale des **prix**.

À l'inverse, la volonté de consommer plus (et de répondre ainsi aux sollicitations croissantes de l'offre) dans un contexte de **baisse du pouvoir d'achat** impliquerait un recours à l'**épargne** existante, qui réduirait d'autant le patrimoine global des ménages. Par ailleurs, les **placements** financiers supposés «**sans risque**» (assurance-vie en euros, livrets, immobilier…) risqueraient d'avoir un **rendement** plus faible, en période d'**inflation** éventuellement accrue (voir p. 43). L'**incertitude** ambiante pourrait aussi provoquer une **diminution du rendement** des placements plus aléatoires comme les **valeurs mobilières** (actions, obligations, fonds, produits complexes, nouvelles monnaies…).

Au total, le **patrimoine** des ménages, notamment celui des **classes modestes et moyennes** (moins informées sur ces questions et moins «mobiles» que les ménages aisés) connaîtrait des évolutions **contrastées** et de forte **amplitude** selon les années et les placements choisis.

UNE FISCALITÉ EN VOIE DE REFONDATION

Les **défis** d'ordre économique, social, environnemental et politique auxquels seront confrontés les gouvernements successifs d'ici à **2030** seront pour le moins difficiles à résoudre et l'équation économique n'a pas de solution mathématique (voir encadré p. 45). Parmi les multiples changements à mettre en œuvre pour s'en approcher, une refonte de la **fiscalité** paraît inévitable. Elle devrait comporter au moins deux volets :

UN EURO ÉPARGNÉ POUR SEPT EUROS DE REVENU

61. Évolution du taux d'épargne des ménages depuis 1975 (France entière, en % du revenu disponible brut)

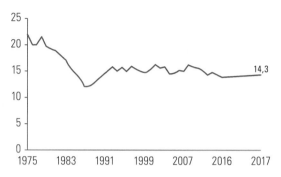

- Le volet **écologique** serait particulièrement important. Il consisterait à faire payer les dégâts causés à l'environnement par ceux qui en sont les auteurs (pollueurs payeurs...). C'est le rôle, probablement croissant, de la **contribution climat-énergie**[1] (ou «**taxe carbone**») votée en 2015, dont le montant devrait être **multiplié par quatre entre 2016 et 2030**. Son montant, fixé à 22 euros la tonne de CO_2 pour 2016, devrait ainsi passer à 100 euros en 2030, sauf changements dans la politique de «**transition énergétique**», dont l'ambition dans le secteur nucléaire a déjà été revue à la baisse fin 2017.

- Le volet **entreprises**. Il concernerait en particulier celles, françaises ou étrangères, qui ne payent pas ou très peu d'impôts en France par rapport à leurs **activités réelles** sur le territoire. Ce sont ainsi des sommes considérables qui échappent chaque année au fisc (et donc au budget de l'État) grâce à d'habiles montages de sociétés-écrans situées dans les «**paradis fiscaux**». Les estimations sont par nature difficiles à établir ; les chiffres le plus souvent avancés (ce qui ne signifie pas obligatoirement qu'ils soient les plus fiables) se situent entre **60 et 80 milliards d'euros**[2]. De quoi soulager sérieusement les finances publiques.

L'objectif de la lutte contre ces opérations d'«optimisation», qui ne sont pas toutes «illégales», est précisément de mettre en accord la **légalité** et la **moralité**. La première étape consistera à **éradiquer** les pratiques mises en œuvre dans les «pays d'accueil» dans lesquels la notion de moralité n'a guère de place. Il ne paraît pas impossible que cela soit **réalisé d'ici 2030**. Des progrès réels ont en effet eu lieu au cours des dernières années, sous l'effet de l'action conjuguée des États, de l'Union européenne et surtout des «**lanceurs d'alerte**» (qui ont notamment mis au jour les *Panama papers* en 2016 et les *Paradise papers* en 2017, largement relayés par la presse internationale).

La fiscalité française devrait être par ailleurs plus **stable** dans les années à venir que dans les années passées, si les gouvernements comprennent que c'est une condition préalable à la **création d'emplois** par les entreprises, qu'elles soient françaises ou étrangères. Cependant, des changements notamment **politiques** pourraient remettre

---

1. La contribution climat-énergie est une taxe ajoutée au prix de vente des services et des produits. Elle est définie en fonction de la quantité de gaz à effet de serre émise par un «pollueur». Elle est l'une des causes de l'augmentation des prix des carburants, en particulier du gazole.

2. Estimation avancée notamment par le syndicat des finances publiques Solidaires.

en cause certaines réformes récentes et plutôt **impopulaires** comme le remplacement de l'ISF par l'**IFI** (dont l'assiette est limitée aux seuls biens immobiliers) ou la *flat tax* au taux unique de 30 % sur les revenus du **capital**. Cela dépendra de l'état de l'**économie** (croissance, chômage, commerce extérieur, endettement) et de celui de la **société**, en tout cas de la **perception** que les Français en auront au moment des **élections**, notamment lors des présidentielles de 2022 et 2027.

Vers une baisse des prix de l'immobilier ?

Les prix de l'**immobilier** ont connu en France une très forte hausse pendant les **années 2000**, en comparaison de l'évolution du **revenu disponible des ménages**, avec une **multiplication par 2,5** en moyenne nationale de ce ratio, soit une hausse de 150 % (voir p. 190). Cette hausse irrationnelle a été interrompue par la crise des *subprimes* (d'origine immobilière, il faut le rappeler) entre 2008 et 2010, avant de connaître une nouvelle et forte hausse en 2009-2010 (surtout à Paris et en Île-de-France).

Cette seconde hausse a été suivie d'une baisse limitée entre 2011 et 2015. Elle laissait entrevoir un « atterrissage en douceur », c'est-à-dire un retour progressif à l'intérieur du **« tunnel »** constaté depuis le milieu des années 1960, une zone comprise entre 90 % et 100 % du prix moyen de l'immobilier converti en indice (voir graphique p. 190). Mais la hausse a repris depuis **2016**.

À l'horizon **2030**, le scénario qui paraît le plus probable, et en tout cas le plus **raisonnable**, est celui d'une **baisse des prix**, voire d'un éclatement de la **bulle immobilière** en cas de crise économique ou financière ; d'abord à Paris et dans certaines grandes villes. Le signal en serait donné par la hausse des **taux d'intérêt** (historiquement bas depuis quelques années). Elle devrait intervenir d'abord aux États-Unis, puis en Europe et n'épargnera pas la France. Cette baisse permettrait aussi de sortir de la période de faible **inflation** (avec un risque associé de déflation). Elle réduirait la part de la **dette** publique dans le PIB (équivalente à une année de production en 2018, contre 5 mois il y a dix ans). Elle renchérirait en revanche le coût annuel de son remboursement (qui représente environ 41 milliards d'euros pour 2018).

DES PATRIMOINES GLOBALEMENT RÉTRÉCIS

Le montant moyen du patrimoine des ménages se situe aujourd'hui à environ **250 000 euros**[1]. Son évolution d'ici **2030** dépendra d'abord du niveau de leur **consommation**. Si le scénario d'un maintien de celle-ci par un prélèvement sur l'**épargne** indiqué plus haut se confirmait, le patrimoine serait amputé. Il le serait d'autant plus que ce comportement se poursuivrait pendant plusieurs années.

La fortune des ménages dépendra aussi largement de l'évolution des prix de l'immobilier, qui représente aujourd'hui en moyenne les deux tiers de leur patrimoine (net de dettes). Ces prix pourraient baisser, après la très forte hausse enregistrée depuis 1999 (voir encadré et graphique ci-après).

Quant au patrimoine **financier** (livrets, valeurs mobilières, assurance-vie…), son évolution ne devrait pas être très sensible à la conjoncture pour la grande majorité des ménages, qui sont globalement prudents en matière de placements. Les revenus du **capital** représentent aujourd'hui en moyenne moins de 10 % de leur revenu disponible. Mais les rendements des livrets défiscalisés et de l'assurance-vie en euros devraient être faibles, surtout si le taux d'inflation remonte (voir p. 43).

Les **écarts** de patrimoine entre les ménages pourraient ainsi **s'accroître**, notamment parce que les plus riches sont mieux informés et conseillés que les autres et obtiennent traditionnellement un **rendement** supérieur de leurs placements. Les **héritages** et **donations** représentent égale-

---

1. INSEE, 2017.

LES INÉGALITÉS DE PATRIMOINE DE NOUVEAU EN HAUSSE

62. Évolution de la part du patrimoine national détenue par les 1 % les plus aisés en France, en Grande-Bretagne, aux États-Unis et en Chine (en %)

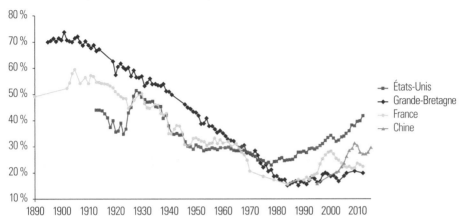

Alvaredo, Facundo, Lucas Chancel, Thomas Piketty, Emmanuel Saez & Gabriel Zucman, dans Global inequality dynamics: New findings from WID.world, NBER, working paper, n° 23119, février 2017.

ment des montants très inégaux selon les ménages, ce qui augmente sensiblement les **inégalités** de fortune. Avec l'allongement attendu de la durée de vie, les **successions** seront plus tardives. Mais à l'inverse, les **donations** pourraient avoir lieu plus tôt, dans le but d'aider les enfants ou petits-enfants pendant les périodes difficiles.

Enfin, la suppression de la partie mobilière de l'**ISF** depuis 2018 (remplacé par l'**IFI**, impôt sur les seules valeurs immobilières) est un autre élément de renforcement des inégalités de patrimoine. Au total, les **10 %** des ménages les **plus** aisés pourraient posséder en **2030** environ **60 %** des richesses, contre 50 % aujourd'hui.

ET SI...

Les questions figurant dans cette rubrique ne sont pas des informations, mais des sujets de réflexion et de débat complétant les textes du chapitre qu'ils clôturent. Elles peuvent exprimer des souhaits, des craintes, des utopies ou tout élément susceptible d'accélérer, ralentir ou inverser les évolutions prévisibles.

... l'usage du chèque devenait bientôt payant, ou interdit ?

... l'argent disparaissait comme moyen de transaction, remplacé par le troc des biens et services ?

... une monnaie virtuelle (cyptomonnaie) remplaçait l'euro ou le dollar dans les échanges nationaux et internationaux ?

... l'héritage était davantage taxé, avec une progressivité accrue, afin de ne pas accroître les inégalités entre les individus ?

... les régimes spéciaux de retraite étaient tous supprimés pour rejoindre le régime général ?

... les gains aux jeux étaient taxés en tant que revenus ?

... les paradis fiscaux européens étaient tous supprimés ?

... une harmonisation européenne de la fiscalité était mise en place ?

... les fondations créées par les grandes entreprises n'étaient plus subventionnées par les États (donc par les citoyens) ?

CONSOMMATION

L'évolution des **modes de consommation** est le miroir le plus fidèle de celle de la société, car elle concerne pratiquement tous les domaines de la vie quotidienne. Pour envisager les attitudes et comportements des consommateurs à l'horizon **2030**, il est nécessaire de se pencher sur les **tendances** déjà présentes (signaux forts), dont beaucoup devraient se prolonger, et d'autres s'infléchir. Il faut également s'intéresser à des signaux d'intensité plus **faible**, qui pourraient avoir demain des incidences fortes. Il faut enfin anticiper ou imaginer des **bouleversements** probables ou possibles, qui ne se traduisent pas encore par des signaux, même faibles.

Cela commence par l'examen de l'état actuel et probable de la **demande**. Son rôle restera demain encore déterminant sur les attentes, attitudes et comportements des consommateurs. Les entreprises devront bien sûr y répondre, mais l'évolution de leur **offre** sera plus importante que jamais, compte tenu des multiples **innovations** attendues en matière technologique. D'autant que nombre d'entre elles s'annoncent comme de véritables **ruptures** (voir chapitre *Prouesses et promesses*, p. 103). Elle pourra dans certains cas transformer les conceptions et les agissements des consommateurs. La confrontation des évolutions de la demande et de l'offre devrait donner naissance à un nouveau «**système de la consommation**». Ces trois thèmes sont abordés dans ce chapitre.

N.B. La prospective n'est pas une science exacte (voir p. 9). C'est pourquoi des textes (en italiques), placés en dessous des descriptions de certaines tendances et prévisions, présentent des perspectives alternatives, dans le cas où un changement important se produirait dans le contexte et modifierait ces prévisions.

ATTITUDES

DÉFIANCE

L'histoire mouvementée des dernières décennies dans le monde et en France (voir encadré ci-après) a entraîné une détérioration progressive de la relation entre les consommateurs et les entreprises, entre la **demande** et l'**offre** de biens et de services. Elle se manifeste par une **méfiance** croissante à l'égard des fabricants et des distributeurs. Les **marques** doivent sans cesse faire la preuve de leur capacité à rendre des services, tenir leurs promesses, s'adapter, innover. Il en est de même des **enseignes** de distribution, qui doivent répondre à des attentes de plus en plus nombreuses de la part de leurs clients. Pour exister et assurer leur pérennité, elles doivent choisir un positionnement afin de se **différencier** de leurs concurrents, mais aussi le justifier sur la durée par une **offre ajustée** en permanence (voir p. 329) et un **comportement vertueux**.

Les **pratiques commerciales** des entreprises seront demain de plus en plus **scrutées** par les consommateurs, qui en rendront compte à leurs «pairs» par tous les moyens (notamment numériques), en particulier lorsqu'ils les jugeront **incorrectes**. Ils attribueront systématiquement des **notes**

aux produits et aux prestataires, les commenteront sans indulgence, relateront leurs bonnes et leurs mauvaises **expériences**, se feront selon les cas **censeurs** ou **prescripteurs**. Leur jugement pèsera de plus en plus lourd dans les décisions des autres consommateurs, pour qui la rubrique « *Avis* » sera de plus en plus incontournable.

La condition du recours croissant aux « pairs » est qu'il soit **fiable**, *c'est-à-dire objectif, sincère, et non « manipulé » (comme c'est assez souvent le cas aujourd'hui) par des marques qui achètent des avis favorables. Des* **labels** *certifiant la sincérité de ces avis seront recherchés. Ils devront eux-mêmes être fiables.*

Les **médias** joueront aussi la carte du **consumérisme** ; ils se feront les défenseurs des consommateurs (qui sont aussi leur public), leur prodigueront des conseils, dénonceront les « arnaques », éclaireront des zones d'ombre (produits fabriqués à l'étranger dans des conditions illégales ou discutables sur le plan moral, manque de transparence…), mettront en garde contre le manque de responsabilité **environnementale** de certaines entreprises, dénonceront les **revenus** abusifs de certains dirigeants. Les entreprises, marques et enseignes seront en permanence **surveillées** et **dénoncées** en cas de manquement à la morale, à la loi ou à leurs engagements. Elles seront **sanctionnées** (autant que possible) par la loi et, surtout, par les consommateurs.

50 ans de consommation

La confiance des Français dans la société et dans l'avenir avait été ébranlée à partir du milieu des années **1960**. Cette réflexion collective avait provoqué l'explosion de **Mai 1968**. Elle avait été interrompue par la crise économique de **1974** (premier choc pétrolier), le « tournant de la rigueur » de **1983** et le krach financier de **1987**. L'espoir d'un monde apaisé et démocratique, né en **1989** après la chute du **mur de Berlin**, s'est vite effondré lors de la première **guerre du Golfe en Irak (1991)**. La France, de son côté, connaissait une nouvelle secousse en **1995**, avec les grèves de décembre contre le plan Juppé de refonte du système social (retraite, maladie, allocations familiales…), montrant ainsi sa difficulté à se réformer.

La fin des années **1990** a été marquée par l'explosion de la **« bulle Internet »**, qui a suivi l'avènement de la **« nouvelle économie »**, fondée sur la révolution numérique. Celle-ci avait laissé espérer une nouvelle période de forte croissance, avec à la clé de nombreuses créations d'**emplois** (notamment par les start-up), une hausse des **revenus** et de nouveaux **progrès** bénéfiques à l'ensemble de la société.

Les attentats du **11 septembre 2001** à New York ont mis fin à ces espoirs. Ils ont montré la **fragilité** des démocraties et donné la mesure de la menace **islamiste** sur le monde. L'année suivante, la très grande majorité des Français était traumatisée par l'arrivée du candidat du **Front national** au second tour de l'élection présidentielle, et se mobilisait contre lui (82 % des voix en faveur de Jacques Chirac). En **2005**, la France se distinguait encore de ses voisins européens en votant « Non » (à 55 %) au **référendum** portant sur le traité constitutionnel de l'Union.

La crise financière de **2008** a de nouveau mis en évidence les dangers d'une économie irrationnelle, et accentué le mécontentement déjà grand des Français. Elle a ralenti la croissance, appauvri le pays et provoqué une montée inquiétante du chômage et de la dette publique.

Le début du **XXIe siècle** a ainsi été placé sous le signe de la **vulnérabilité** économique et sociale. Il a accru la tentation de sortir de la crise par des solutions de **repli**, prônées par les partis politiques extrêmes. Mais les Français ont massivement rejeté ces solutions qu'ils ont jugées trop aventureuses. Ils ont préféré l'ouverture, l'équilibre, et la « modernité », espérant pouvoir sortir ainsi des **« crises »** successives. Mais les leçons n'ont pas été tirées par les différents protagonistes et d'autres chocs surgiront dans les années qui viennent.

COMPÉTENCE

L'usage des **outils** nés de la révolution numérique (blogs, forums, comparateurs de prix, commentaires d'articles et informations…) a donné aux consommateurs la possibilité de **décrypter** de plus en plus précisément les offres des entreprises et des marques. Ils sont donc plus que jamais en mesure de décider **rationnellement**, même si l'exercice est encore plus complexe, malgré (ou, souvent, à cause de) la multiplication des **informations** disponibles. Certains **acheteurs** en savent ainsi davantage, après une recherche approfondie sur Internet concernant un produit, et les produits concurrents que les **vendeurs** ou les **conseillers** à qui ils s'adressent dans les magasins.

Cette **compétence** croissante du client est *a priori* une bonne nouvelle pour les **marques**. Elles pourront ainsi faire valoir plus facilement leurs arguments auprès de lui, en termes de fonctionnalité, de qualité, de prix, de service ou tout autre élément leur permettant de se **différencier positivement** par rapport aux marques concurrentes. Cela les obligera à mieux former leurs vendeurs, à maîtriser leur **communication** et à adapter toute la chaîne du **service client**, de la simple réponse aux questions à la gestion des réclamations. Leur **réputation** et leur **image**, conditions de leur **développement**, seront en jeu à chaque instant. Tout manquement pourra être la source d'une mise en cause, voire d'une crise dans les cas jugés graves par des consommateurs dont les réactions seront largement amplifiées par la **caisse de résonance médiatique et numérique**.

EXIGENCE

Dans ce contexte de **méfiance** généralisée, les consommateurs attendent toujours **plus et mieux**. Ils acceptent mal aujourd'hui les attentes aux caisses, les ruptures de stock, les produits non conformes, les hausses de prix injustifiées ou «masquées», le harcèlement commercial, les promesses non tenues. Outre leur attente du «**juste prix**» ou si possible de la «**bonne affaire**», ils sont de plus en plus demandeurs de **services** (informations, livraison à domicile, facilités de paiement…) et de **garanties** (reprise, réparation, échange…).

Cette exigence devrait s'amplifier encore à l'avenir, dopée par des offres toujours plus spectaculaires, dans leurs promesses et leur mise en scène. Mais en cas d'insatisfaction, les clients n'hésiteront pas à manifester leur mécontentement et à le **partager** sur tous les réseaux. D'autant qu'ils y seront largement incités par de nombreux sites qui ont compris que ce rôle de médiation est appelé à se développer. Il représente une audience potentielle considérable et un véritable «fonds de commerce» pour ceux qui servent ainsi de médiateurs. Les acheteurs insatisfaits pourront ainsi inciter au **boycott** des produits mis en cause, voire engager des **procédures judiciaires** à l'encontre de prestataires jugés défaillants, via des actions **de groupe**[1]. La **méfiance** alliée à la **compétence** justifiera l'**exigence** croissante des consommateurs, au moins à leurs yeux.

OPPORTUNISME

Les consommateurs disposent de plus en plus d'**informations** sur les offres de produits et services. Elles leur parviennent par les **canaux traditionnels** (publicité presse-radio-télévision, publicité extérieure, mailings, prospectus, marketing téléphonique…), mais aussi massivement sur les **supports numériques**, via les mails (et les spams), les moteurs de recherche (liens sponsorisés), les irruptions publicitaires sur les sites (pour les internautes qui ne sont pas encore équipés de bloqueurs), les pages commerciales des réseaux sociaux, les SMS reçus sur les téléphones, etc. Sans compter les alertes qu'ils ont eux-mêmes program-

---

1. Introduite en France par la loi de mars 2014 relative à la consommation (article 1). Elle autorise les consommateurs victimes d'un même préjudice de se regrouper et d'agir en justice contre un prestataire. Les plaignants peuvent ainsi se défendre avec un seul dossier et un seul avocat.

Les Français plutôt publiphobes

On constate que les Français sont globalement peu **publiphiles** : 75 % d'entre eux disent par exemple ne pas être attentifs à la publicité à la **télévision** (79 % des hommes et 71 % des femmes, 87 % des 50 ans et plus contre 58 % des 18-24 ans)[1]. 89 % se rendent dans un autre espace (cuisine, toilettes, chambre…) pendant les coupures publicitaires, 85 % en profitent pour changer de chaîne, 68 % baissent ou coupent le son de la télévision.

Demain, la **publicité** pourrait être cependant plus appréciée, si elle devient plus **attractive** (avec des images plus spectaculaires, une présentation plus ludique, davantage d'offres à saisir…) et **interactive** (possibilité de choisir entre plusieurs scénarios de spots publicitaires, de donner un avis, de commander directement un produit…). Ces améliorations seront facilitées sur les écrans et objets connectés à Internet.

L'information à caractère commercial sera en tout cas beaucoup plus **« ciblée »** grâce à l'exploitation de plus en plus « intelligente » des **bases de données**, dans la limite de ce qui sera permis par la loi (dans la mesure où elle aura les moyens de se faire respecter). Cette **personnalisation** pourra être ressentie comme un **service** par certains clients, soucieux de ne pas avoir à faire des recherches et sensibles aux **promotions** « spéciales » et « uniques » qui lui seront proposées. Mais d'autres en seront **agacés** et plus publiphobes que jamais. Les prestataires devront miser sur l'**opportunisme** des uns et respecter la volonté des autres de ne pas être dérangés, au moins sans leur permission.

1. Sondage Sync/OpinionWay, octobre 2017.

---

mées et qui leur sont adressées quotidiennement. Chaque individu-consommateur reçoit chez lui ou croise sur sa route au cours d'une journée plusieurs **milliers** d'offres ou d'incitations commerciales (souvent sans en être conscient).

Le « harcèlement » devrait en tout cas s'accroître à l'avenir, notamment dans les situations de mobilité, pour inciter les consommateurs à se rendre dans les points de vente pour profiter d'opportunités. Jusqu'à ce que les « victimes » de ce harcèlement **désactivent** ces fonctions sur leurs équipements nomades (téléphones et autres objets connectés). Ou jusqu'à ce qu'une nouvelle version de la **loi RGPD** (voir p. 318) l'interdise, en Europe et peut-être ailleurs.

CULPABILITÉ

Les **satisfactions** liées à la consommation (qui tend à devenir une « **consolation** », dans un monde complexe et vulnérable, voir p. 325) ont des contreparties financières et mentales pour les consommateurs. Elles impliquent pour eux des dépenses, parfois des dettes, souvent des **frustrations** ou des **déceptions**. Les contreparties ne sont pas seulement individuelles ; elles sont aussi **collectives**. La consommation est en effet un moteur essentiel de l'activité économique ; elle crée ou maintient des emplois, permet la création de richesses, qui peuvent ensuite être partagées.

Demain, les Français seront de plus en plus conscients qu'en consommant, ils favorisent la pollution et les atteintes à **l'environnement**. Cette conséquence est d'ailleurs inscrite dans l'étymologie latine du mot : *consumare* signifie détruire (en « consumant »). Avec le développement des menaces et les preuves de plus en plus apparentes de leur véracité, chacun peut comprendre que ses actes de consommation menacent la survie de la planète et du monde vivant, donc de l'espèce humaine. Beaucoup de Français aujourd'hui hésitants seront ainsi convaincus que la consommation constitue une **fuite en avant**, qu'elle apporte une **illusion** de bonheur, très fugitive. Ils se rendront compte qu'elle crée une **accoutumance** et une **dépendance** qui incite à renouveler sans cesse l'expérience.

La **société de consommation-consolation** est aussi une société de **consumation**.

RESPONSABILITÉ

La **culpabilité** qui sera ressenti demain par les consommateurs devrait entraîner des comportements plus **responsables** de leur part. C'est déjà le cas dans certains domaines comme l'alimentation. C'est ainsi qu'ils font preuve d'un engouement croissant pour les produits «**verts**», promettant de mieux protéger la planète et ses habitants. On voit se développer depuis quelques années les achats de produits alimentaires ou d'entretien «**bio**», qui utilisent moins d'ingrédients nocifs ou soupçonnés de l'être. Une autre illustration est l'intérêt pour le «**commerce équitable**», qui prend en compte les conditions de rémunération et de travail dans les pays producteurs. De même, les produits «**made in France**» ne sont pas seulement achetés par réflexe nationaliste ou protectionniste, mais aussi écologique.

Les pratiques de consommation devraient ainsi être moins «**boulimiques**» à l'avenir. Les ménages seront moins enclins à **stocker** des objets ou au contraire à les **éliminer** dès qu'ils ne les utilisent plus. Ils chercheront plutôt à les donner, les échanger ou faciliter leur **recyclage**. Ils les **renouvelleront** moins souvent, sauf lorsque des **innovations** technologiques tangibles le justifieront. Sinon, ils chercheront plutôt à prolonger leur durée de vie, en les **réparant** lorsque ce sera possible. Les achats d'**occasion** seront aussi plus fréquents, un comportement déjà largement favorisé par le développement des

plates-formes d'échanges entre particuliers, dont *Le bon coin* est le symbole.

Cette **responsabilité** croissante du consommateur sera particulièrement apparente dans le développement de l'«**économie de partage**», amorcé depuis plusieurs années (voir p. 328). Elle consistera à **optimiser** l'utilisation de **biens individuels** en leur donnant un **usage collectif**, gratuit ou payant. C'est le cas par exemple du **covoiturage**, qui permet d'améliorer le taux d'utilisation d'un véhicule, tout en partageant équitablement le coût d'un trajet entre le propriétaire de la voiture et un ou plusieurs passagers. Ce sera le cas aussi avec la **mutualisation** de toutes sortes d'équipements et de biens (lave-linge, barbecue, outils de jardinage ou bricolage…), les **prêts de matériels** ou les **échanges de services** entre amis ou voisins (déménagement, aide scolaire, baby-sitting, dépannage informatique…).

COMPORTEMENTS

Le consommateur de demain sera le produit des tendances décrites précédemment, et d'autres précisées ci-dessous. Il s'efforcera d'être le **maître** du jeu, de sorte que le **rapport de force** entre l'offre et la demande ne devrait pas cesser ; il pourrait même être **exacerbé**. Mais c'est le consommateur qui détiendra le **pouvoir ultime**, celui de dire oui ou non aux sollicitations qui lui seront adressées.

AUTONOMIE

Dans le mot «**consommation**», les consommateurs percevront de plus en plus l'idée de «**sommation**». C'est pourquoi beaucoup réagiront négativement aux pressions marchandes, si elles ne leur conviennent pas ou si elles les dérangent dans leur vie quotidienne. C'est notamment le cas du **démarchage téléphonique**, dont le «rendement» pourrait ainsi baisser régulièrement, sauf s'il modifie sensiblement ses pratiques, qui permettent d'identifier la nature de l'appel dès la première seconde (et de réagir avant de subir

63. Consommation effective des ménages par fonction (2017, en %)

Type de dépense	Valeur (en milliards d'euros)	Poids dans la consommation effective totale (en %)
Dépenses de consommation des ménages	**1 191,5**	**74,8**
Alimentation et boissons non alcoolisées	159,8	10,0
Boissons alcoolisées et tabac	45,0	2,8
Articles d'habillement et chaussures	45,4	2,8
Logement, chauffage, éclairage	316,6	19,9
Équipement du logement	58,7	3,7
Santé[1]	50,4	3,2
Transports	164,0	10,3
Communications	30,1	1,9
Loisirs et culture	96,5	6,1
Éducation	5,5	0,3
Hôtels, cafés et restaurants	88,1	5,5
Autres biens et services	148,0	9,3
Correction territoriale (tourisme)	17,0	- 1,1
Dépenses de consommation des ISBLSM[2]	**48,1**	**3,0**
Dépenses de consommation des APU[3]	**353,6**	**22,2**
dont : santé	*161*	*10,1*
éducation	*99,2*	*6,2*
action sociale	*55,6*	*3,5*
logement	*15,5*	*1,0*
Total	**1 592,8**	**100,0**

1. Après remboursement de la Sécurité sociale mais avant remboursement des organismes complémentaires.
2. Dépense de consommation des institutions sans but lucratif au service des ménages.
3. Dépense de consommation individualisable des administrations.

Champ : France.

INSEE, comptes nationaux, base 2014

le discours commercial qui suit[1], le « *bonjour monsieur [ou madame]* ». Avec **Internet**, les consommateurs disposent d'un moyen efficace de **s'informer** eux-mêmes. Ils sont **maîtres** de leur **temps** et de l'**usage** qu'ils font de leur souris, de leur pavé ou de leur écran tactile. Une pression du doigt (ou demain un simple mot ou geste) suffit pour passer d'un site à un autre, sans avoir à se **justifier**. Une pression qui permet d'échapper à une autre, exercée par le prestataire, qui s'efforce de retenir les visiteurs de son site.

Les consommateurs seront ainsi demain de plus en plus attentifs à ne pas se laisser **influencer** ou, pire, « **manipuler** » par les discours des vendeurs, même (et peut-être

surtout) s'ils sont de plus en plus **personnalisés**. Ils veilleront au contraire à conserver et affirmer leur **autonomie** et **résister** aux tentations (sauf lorsqu'elles leur paraîtront… irrésistibles). Ils deviendront ainsi **acteurs** plus que témoins, justifiant leur appellation de « **consomm'acteurs** ». Cette attitude modifiera en profondeur les modes de consommation et les relations entre l'offre et la demande. Elle favorisera aussi la **responsabilisation** croissante de la demande (voir ci-dessus).

HORIZONTALITÉ

La relation traditionnellement « **verticale** » entre les consommateurs et les marques tend à devenir de plus en plus « **horizontale** », du fait d'un rejet général de l'**autorité** mais aussi et surtout de la possibilité offerte aux individus-consommateurs

1. 92 % des Français trouvent ces appels téléphoniques « *agaçants* » (82 % « *tout à fait agaçants* »), 92 % également « *trop fréquents* », et 11 % seulement « *utiles* » (UFC-Que Choisir/Opinionway, juin 2018).

de s'exprimer, d'**influencer** leurs «pairs», de **faire pression** sur les prestataires et sur les marques. D'autant que leurs avis sont jugés plus **crédibles** que ceux des vendeurs, car ils reposent sur des **expériences vécues** plutôt que sur des promesses souvent excessives, mises en scène par la publicité et véhiculées par toute la communication.

Les consommateurs sont ainsi en train de reconquérir un **pouvoir** qui leur avait été en partie confisqué par les marques, les fabricants ou les distributeurs. Pendant longtemps, la relation verticale a fonctionné **de haut en bas** entre l'offre et la demande. Grâce aux nouveaux outils de communication, celle-ci peut s'exercer **de bas en haut**, ce qui inverse la relation au profit des clients. Ces mêmes outils leur per-

mettent aussi d'échanger entre eux, «**latéralement**» et de modifier le rapport de forces traditionnel (mais le plus souvent camouflé) entre vendeurs et acheteurs. Une **nouvelle ère** s'est donc engagée dans la société de consommation, dont les conséquences n'ont pas encore toutes été imaginées.

DE LA POSSESSION À L'USAGE...

Les consommateurs sont de plus en plus conscients des inconvénients liés à l'**acquisition** et à la **possession** des objets : coût d'entretien, de réparation, d'assurance, de revente... Ils savent aussi que l'évolution technologique rend les produits et les équipements plus rapidement **obsolètes**. Beaucoup sont d'ailleurs persuadés que cette obsolescence est «**programmée**» par

Vers des «marques de consommateurs[1]»

Certaines entreprises, marques ou enseignes, ont réagi **tardivement** aux mutations du monde, et de façon parfois caricaturale. C'est ainsi qu'elles délivrent depuis une dizaine d'années le même message, avec quasiment la même formulation : *«Nous allons mettre le client au centre de notre réflexion»*. Avec quelques variantes : *«... de notre stratégie»*, *«... de notre action»*, *«... de nos pratiques»*. Il serait d'ailleurs peut-être plus judicieux de dire *«au cœur»*, plutôt qu'au «centre», pour donner à ces stratégies une dimension plus affective, relationnelle, empathique. On peut en tout cas se demander pourquoi il a fallu si longtemps aux entreprises pour réaliser à quel point le client est **essentiel** à leur existence et à leur survie...

La «crise» aidant, beaucoup de marques «nationales» ont été considérées par les consommateurs comme des **signes extérieurs de richesse** (même en dehors de l'univers du luxe) par des citoyens qui se sentaient de plus en plus paupérisés (voir p. 294). Mais certaines marques ont continué de faire preuve d'**ostentation**, voire

d'**arrogance** dans une société qui attendait d'elles plus de **modestie**. Elles ont ainsi fait le lit des **«marques de distributeurs»**, qui ont conquis des parts de marché importantes (environ 30 % en volume et en moyenne, tous secteurs confondus dans la grande distribution).

Compte tenu de l'évolution des relations entre l'offre et la demande, on peut imaginer demain l'émergence d'une troisième catégorie : les **«marques de consommateurs»**. Ces derniers pourraient alors prendre en charge (ou diriger) tout ou partie des tâches concernées, de la production à la commercialisation :

- Les **produits** seraient conçus, testés et sélectionnés par (ou en tout cas avec) des consommateurs volontaires et compétents. La production serait de préférence non délocalisée, pour satisfaire la demande croissante de *«Made in France»*. Elle serait contrôlée par un **«comité de consommateurs»** spécialement désigné.
- Les **prix**, éléments déterminants de l'offre, seraient fixés avec ou par ce «comité», en toute transparence, avec une publication des coûts et des marges. Une partie des profits réalisés pourrait être réinvestie dans des **baisses**

1. Texte actualisé et enrichi à partir de celui publié par l'auteur dans *Le marketing est mort, vive le marketing !* (ouvrage collectif réalisé dans le cadre du Comité scientifique de l'ADETEM), éditions Kawa, 2013.

les fabricants, ce qui nourrit la **défiance** à leur égard (voir p. 302). Ils savent également que c'est l'intérêt des entreprises d'accroître la **fréquence de renouvellement** des produits.

C'est pourquoi la **propriété** apporte aujourd'hui moins de satisfaction que par le passé ; c'est son **utilisation** qui prime. Acheter n'est donc plus le seul mode d'accès à la consommation. Les Français envisagent de plus en plus la **location** (voiture, outil, robe de mariée...), l'**abonnement** à un service ou toute autre formule qui ne transfère pas la propriété mais permet la **jouissance**. Ce terme porte d'ailleurs en lui l'explication psychologique de son succès. À l'inverse, et dans le même registre, on voit se développer dans les attitudes contempo-raines la crainte d'être « **possédé** » par ce que l'on possède.

... PRÉFÉRÉ À L'USURE

L'achat d'un bien ou d'un équipement devrait être ainsi moins fréquent dans une **économie collaborative** et une **société mutualisée** (voir p. 328). D'autant que le coût de duplication de nombreux biens **numérisés** est quasiment nul et que le **recyclage** des objets matériels est problématique d'un point de vue environnemental. L'**usage** présente ainsi l'avantage d'être à la fois moins **coûteux** pour l'utilisateur et moins **nocif** pour la collectivité. Il constitue par ailleurs un prétexte à la **convivialité** entre les individus, peu présente dans le commerce actuel.

de prix, ce qui permettrait d'accroître les parts de marché.

- La **distribution** pourrait également être assurée (au moins en partie) par les consommateurs eux-mêmes, dont certains aménageraient des points de vente ou des *show-rooms* dans leurs logements. Le référencement dans des points de vente classiques ou des plates-formes Internet pourrait par ailleurs être efficacement « poussé » par l'intermédiaire des réseaux sociaux.
- La **communication** serait pilotée et prise en charge par les clients et diffusée sur les médias communautaires (blogs, réseaux sociaux, forums...).

Les clients seraient ainsi à la fois fournisseurs, adhérents, distributeurs, médiateurs, ambassadeurs... et acheteurs. Peut-être aussi, pour certains, actionnaires.

Par ailleurs, un **bilan écologique global** serait réalisé depuis l'amont (conception et fabrication des produits) jusqu'à l'aval (élimination ou recyclage des déchets) afin de s'assurer que la marque a une attitude « responsable » sur le plan **environnemental**. À toutes les étapes du processus, la **transparence** serait totale. Un compte d'exploitation détaillé serait mis à disposition de tous.

L'idée de l'entreprise « **participative** » n'est pas nouvelle. Elle a été partiellement initiée par des firmes qui ont créé des produits dans lesquels une partie (voire l'essentiel) de la valeur ajoutée provient des clients eux-mêmes ou d'intervenants extérieurs à l'entreprise. C'est sur cette idée que reposent par exemple Ikea, Lego, Wikipedia, eBay, Mozilla, YouTube, Facebook, Twitter, TripAdvisor, etc. Mais les véritables précurseurs ont été les **coopératives**, les **mutuelles** ou les **SEL** (systèmes d'échange locaux).

Le développement d'**Internet** permet d'ajouter le **communautaire** au **participatif**, redonnant de la modernité aux principes fondateurs de ces entreprises. Les clients sont ainsi non seulement des interlocuteurs **individuels** des marques (relation **verticale**), mais aussi des **membres** d'un groupe ou d'une communauté (relation **horizontale**). Le développement de « marques de consommateurs » devrait permettre d'aller plus loin dans la démarche participative. Elles pourront miser sur l'**intelligence collective** et donner encore plus de pouvoir aux consommateurs. Elles pourront aussi inciter les entreprises classiques à se réinventer et à mettre véritablement le consommateur au centre ou au « cœur » de leur stratégie.

À l'avenir, les consommateurs souhaiteront ainsi bénéficier de l'**usage**, si possible sans l'**usure**. Cette attitude est déjà apparente chez les jeunes, qui s'attachent moins aux objets que leurs aînés et n'hésitent pas à se les échanger. De leur côté, les entreprises se rendront compte que leur vocation n'est pas tant de **produire** et/ou **vendre** des biens matériels que de proposer à leurs clients la **satisfaction** (matérielle et immatérielle) de leurs besoins ou de leurs désirs. C'est pourquoi elles **diversifieront** leur approche commerciale en proposant d'autres formules que la vente classique. La **location** se développera ainsi dans de nombreux secteurs (véhicules, biens d'équipement, outils, plantes, meubles...). La **copropriété** ou la **colocation** prendront aussi une place croissante, en permettant de répartir les coûts entre plusieurs acheteurs ou locataires. L'émergence de «**l'économie du partage**» est la conséquence de cette évolution.

DU DEHORS AU-DEDANS

L'attachement croissant au **foyer** (voir p. 189) incitera à y faire entrer de plus en plus d'activités habituellement pratiquées à l'extérieur. Ce souhait sera favorisé par la multiplication des produits et des services **dématérialisés** accessibles en ligne via Internet, et le développement du **e-commerce** (voir p. 332). À l'inverse, de nombreux produits pourront être **matérialisés** à domicile grâce aux **imprimantes 3D**. Enfin, les **services à domicile** vont continuer à se développer (livraisons, soins du corps, médecine, ménage, etc.).

Le consommateur moderne, que l'on décrit souvent comme mobile et «**nomade**», devrait être en réalité de plus en plus **sédentaire**, tant les possibilités qu'il aura

---

Le pouvoir au client

Le «**système de la consommation**» repose depuis toujours sur la capacité des vendeurs à convaincre des acheteurs potentiels, et sur l'envie de ces derniers de se laisser persuader (ou au contraire sur leur résistance). Pendant des décennies, les vendeurs ont joué un rôle dominant, à coups d'**innovations**, de **communication** et de **marketing**. Au risque de créer une sensation de «harcèlement» chez les consommateurs. Ce sentiment a été accentué récemment avec l'usage généralisé des **Big Data**, mégabases de données de plus en plus détaillées permettant aux entreprises de «**cibler**» les consommateurs de façon individuelle et de leur proposer du «sur-mesure». Le **marketing de masse** a ainsi fait place à un «**marketing de la personne**».

Le **rapport de force** a commencé à s'inverser dans les années 2000, avec le développement d'**Internet**, qui a apporté aux consommateurs de nouveaux moyens de s'informer, comparer les offres (directement ou via des sites spécialisés) et de s'échanger les «bons» et les «mauvais» plans (voir p. 328). La crise financière de **2008** a accentué cette évolution, et l'on a vu apparaître des modes de consommation de plus en plus «**malins**». Le consommateur ne se valorisait plus en montrant qu'il pouvait **dépenser** de l'argent, mais qu'il était capable au contraire d'en **économiser**, et d'acquérir la **maîtrise** de sa consommation.

Le client est aujourd'hui conscient de sa **force**, et de la possibilité qu'il a de la **multiplier** par des actions **collectives**. Il peut faire part de ses expériences aux autres consommateurs pour les encourager à choisir un produit, une marque ou une enseigne de distribution. Ou au contraire les **dissuader** de le faire en exposant les difficultés qu'il a lui-même subies. Les entreprises devront de plus en plus tenir compte de ce **rééquilibrage**, Elles ne pourront plus considérer les individus comme de simples **clients** (réels ou potentiels), mais comme des **partenaires**. Le **marketing** devra se réinventer, pour devenir une **relation** sincère, raisonnable et équilibrée entre des personnes. Ce qui n'exclura pas d'utiliser des «machines» pour la préparer, l'organiser et l'optimiser.

de pratiquer chez lui des activités seront nombreuses (voir p. 344). Son nomadisme sera donc de plus en plus **virtuel**. Il pourra se transporter partout dans le monde et le visiter grâce à la **réalité virtuelle** depuis son canapé, équipé de lunettes spéciales et de capteurs simulant des lieux et recréant des sensations, et même d'en inventer. Il pourra ainsi pratiquer de nombreuses activités de **loisirs** (sport, culture, tourisme...) mais aussi **professionnelles** (télétravail), et vivre de nouvelles expériences, impossibles dans le monde «réel». Avec le risque de ne plus avoir envie de le fréquenter, parce qu'il offre moins de possibilités, comme le montre par exemple le film de Steven Spielberg, *Ready Player One* (sorti en France en 2018).

DU MATÉRIEL À L'IMMATÉRIEL

Les développements à venir de la révolution numérique iront dans le sens d'un **remplacement** des objets «réels» par des objets «**virtuels**». Les **biens physiques** deviendront ainsi de plus en plus des **services**. C'est déjà le cas avec les **logiciels** utilisés par les ordinateurs, qui remplacent le papier, le crayon, le dictionnaire, le poste de radio, le téléviseur... Les **sites** Internet se substituent aux magasins, aux journaux, magazines, livres, DVD, encyclopédies, jeux de société... Les **applications** utilisables sur des smartphones ont des fonctions semblables ; elles peuvent aussi contenir de nombreux équipements plus mobiles : lampe torche, boussole, calculatrice, niveau à bulle, ticket de métro, billet de train ou d'avion,

porte-monnnaie... Dans les prochaines années, les **images**, **vidéos**, **hologrammes** et autres composants de la «**réalité virtuelle**» sont appelés à compléter la «**réalité réelle**» (voir p. 346) et même dans certains cas la remplacer.

Les avantages de cette **dématérialisation** sont nombreux. Leur fabrication est plus simple que celle des objets matériels. Leur production en **série** se fait à un coût marginal nul ou très faible ; la **duplication** d'un logiciel ou d'un algorithme ne nécessite en effet pas de matière et ne prend quasiment pas de temps. Il en est de même de sa **diffusion**, qui ne nécessite le plus souvent qu'un accès à Internet, dont la quasi-totalité des Français disposeront dans les cinq ans à venir (sur des équipements fixes et/ou mobiles). Il est donc plus facile pour les entreprises concernées d'**amortir** leurs coûts de développement, de réaliser des **marges** confortables tout en pratiquant des **prix** raisonnables, dès que le nombre d'exemplaires vendus dépasse un certain seuil. Et celui-ci est d'autant plus facile à atteindre que le marché des produits dématérialisés est par nature planétaire.

Ces biens immatériels ne sont cependant pas exempts d'inconvénients. Leur usage nécessite d'abord un **support physique**, qui peut être coûteux (ordinateur, smartphone, tablette, robot...). Leur **longévité** n'est pas garantie, du fait de la **destruction** possible des supports et de la nécessité de réaliser des mises à jour régulières des logiciels, sous peine d'**obsolescence**. Enfin, leur «**transparence**» (absence de réalité matérielle, invisibilité) entraîne souvent paradoxalement une «**opacité**» pour l'utilisateur (incapable de comprendre ce qui se cache derrière les algorithmes ou logiciels...), qui peut être **anxiogène**. Surtout, la **sécurité** des contenus dématérialisés n'est pas assurée, du fait du piratage croissant, et de la quasi-impossibilité de protéger totalement et durablement les **données personnelles** qu'ils contiennent. Les logiciels eux-mêmes présentent souvent des «failles» découvertes et exploitées par des individus ou organisations malfaisants.

Ils peuvent aussi contenir des **bogues** non repérés par les concepteurs[1].

DU *LOW COST* AU *LOW PRINT*

Certains consommateurs sont prêts à dépenser plus pour s'assurer que les produits qu'ils achètent sont conformes aux **normes environnementales** ; dans ce domaine comme dans d'autres, ils sont devenus **responsables** (voir p. 306). Plutôt que les produits *low cost* (premier prix), ils recherchent de plus en plus ceux que l'on pourrait qualifier de *low print*, c'est-à-dire présentant une **empreinte écologique** globale minimale au cours de leur cycle de production-transport-utilisation-élimination.

Ce souci de plus en plus partagé (voir p. 21) devrait se traduire de plus en plus nettement demain dans les comportements de consommation. Certains donneront la priorité à des produits fabriqués **localement**, afin de réduire les temps et les coûts de transport et leurs conséquences en matière d'émission de gaz à effet de serre. D'autres décideront d'acheter **moins**, de supprimer les **intermédiaires**, ou de **renouveler** leurs produits moins souvent. Un nombre croissant privilégiera les marques ou les enseignes qui font des **efforts** réels et efficaces en matière de sauvegarde de l'environnement.

Ce changement risque de se heurter à la difficulté d'**identifier** clairement les offres *low print*. Parmi les acteurs à qui ils font confiance pour respecter l'environnement, les consommateurs placent les **entreprises** en dernière position, loin derrière les associations de citoyens et de consommateurs, les organisations internationales, les municipalités, les partis écologistes et l'État. Mais la fidélité dont ils font preuve à l'égard des marques qui leur paraissent «**écores-**

ponsables**»** s'accroît en même temps que la méfiance qu'ils manifestent envers les autres marques.

Pour ces raisons, les consommateurs privilégieront de plus en plus les entreprises et les marques «**engagées**». Ils accorderont un intérêt particulier à celles qui s'inscrivent dans une démarche de responsabilité, de citoyenneté, et qui s'efforcent sincèrement et efficacement de contribuer au **développement durable** de l'économie et de la planète. Il s'avère en outre que les entreprises concernées sont plus **profitables** et mieux **considérées** que les autres (voir p. 274). Elles auront donc toutes les raisons de s'engager dans cette voie.

DES TEMPS MORTS AUX TEMPS FORTS

Le **temps** est la matière première de la vie et elle n'est pas (pour le moment en tout cas) «**renouvelable**». Le temps disponible est donc considéré comme **rare** et **précieux**. Même s'il s'allongeait fortement (voir p. 155), il devrait continuer de l'être, car il serait insuffisant pour satisfaire toutes les **envies** et répondre à toutes les **sollicitations**. Les consommateurs accepteront ainsi de moins en moins de consacrer du **temps** à chercher, comprendre, comparer, choisir les produits et services qu'ils souhaitent se procurer. Ils voudront supprimer ce qu'ils considèrent comme des «**temps morts**» (attentes, recherches vaines d'interlocuteurs, réponses insatisfaisantes aux questions, retours de produits...). Ils voudront au contraire multiplier ce qui constituera à leurs yeux des «**temps forts**» (satisfaction par rapport aux produits, aux services, aux prix, à la relation humaine...).

Pour cela, ils attendront des offres de consommation simples et **compréhensibles**. Dans les magasins **physiques**, elles passeront par une limitation du nombre de références proposées, des choix facilités par une **présélection** déjà opérée par l'enseigne. Cette attente a été l'une des raisons du succès initial des magasins de **maxidiscompte** par rapport aux hypermarchés, au-delà des **prix** bas qu'ils pratiquaient. Le

---

1. Parmi de multiples exemples, on peut citer la mise à jour (le plus souvent forcée) du logiciel d'exploitation Windows 10 de Microsoft vers la version Rollback, en 2018. Elle a sans doute rendu inutilisables des millions d'ordinateurs dans le monde, avec des conséquences parfois considérables pour leurs utilisateurs : pertes de données, coûts matériels, temps perdu, stress... Microsoft n'a pas assumé sa responsabilité, pourtant évidente, dans les problèmes occasionnés.

Pouvoir, vouloir et savoir d'achat

L'accroissement du **pouvoir d'achat** reste l'attente prioritaire de la majorité des Français. Si l'on s'efforce d'être **réaliste** (plutôt que délibérément optimisme quelle que soit la conjoncture), il paraît difficile de penser que leur vœu se réalisera d'ici **2030** ; c'est au mieux à une stagnation que l'on peut s'attendre, voire à une **diminution** pour certaines catégories sociales (voir p. 51).

Quelle sera dans ce contexte la **motivation** des Français à consommer, c'est-à-dire l'évolution de leur **vouloir d'achat** ? Il devrait rester globalement élevé, si aucune **alternative** crédible à la « société de consommation » n'émerge d'ici là. La tentation d'occuper son temps en consommant des biens et des services pourrait au contraire être accrue par l'apparition d'offres nouvelles et attractives, issues notamment des innovations technologiques. Elles donneront de l'intérêt à la vie (à défaut peut-être de lui conférer du **sens**), notamment si elles comportent une dimension **ludique** et **« magique »** : réalité virtuelle ; intelligence artificielle ; impression en 3D ; Internet des objets ; interface homme-machine, etc.

La préservation des **ressources** et l'optimisation de leur usage devraient cependant devenir une préoccupation majeure des Français, pour des raisons à la fois **économiques** et **environnementales**. La préservation, et même la restauration de la vie sous toutes ses formes, deviendra un enjeu essentiel (peut-être même aussi un « jeu », ce qui permettrait de dédramatiser la situation). C'est pour répondre à cet enjeu que se développeront les Amazon, Airbnb ou BlaBlaCar de demain, dans de nombreux domaines. Ces nouvelles pratiques répondront en outre à une quête de **convivialité** et de **confiance** des consommateurs. On peut donc estimer que, pour beaucoup d'entre eux, las de la **« fuite en avant »** inhérente à la consommation à outrance, ou inquiets de ses conséquences sur la planète (et/ou disposant de revenus limités ou en baisse) le vouloir d'achat sera en **diminution**.

Cela ne signifie pas que l'**envie** de consommer disparaîtra, mais qu'elle sera satisfaite autrement. Dans ce monde complexe et menacé, toutes les formes de **« divertissement »** (au sens pascalien de volonté d'échapper à la « réalité ») offertes par la consommation seront en effet bien accueillies. Mais elles n'impliqueront pas toutes un **achat** et une **dépense**. Ainsi, l'émergence de l'**économie du partage** et plus largement de la **société horizontale**, qui privilégie les relations entre « pairs », devrait transformer le système de la consommation et le rendre plus durable.

Au contraire du **pouvoir d'achat** et du **vouloir d'achat**, le **savoir d'achat** devrait, lui, continuer de s'accroître, grâce à l'omniprésence des moyens d'**information**, de **comparaison** et de **notation** accessibles aux consommateurs. Le *C to C (consumer to consumer)* permettra aux individus connectés de connaître en temps réel et de façon de plus en plus fiable les caractéristiques, avantages et inconvénients d'une offre, grâce aux témoignages disponibles. Chacun pourra d'ailleurs sélectionner grâce à des algorithmes sophistiqués les avis des personnes qui lui **ressemblent** le plus et qui sont donc *a priori* de bon conseil.

---

temps passé dans ces magasins (par ailleurs non conçus pour la « promenade ») a été fortement réduit. Cette démarche sera demain celle de la grande distribution, qui ne sait comment renouveler son offre dans les **hypermarchés** (voir ci-après).

DE L'ÉLOIGNEMENT À LA PROXIMITÉ

Une autre façon de réduire le temps consacré aux courses dans les magasins est de les rapprocher de leurs clients. C'est ce qui explique l'engouement constaté depuis quelques années pour les **commerces de proximité** et les **supermarchés de centre-ville**. Et, à l'inverse, la désaffection pour les grandes surfaces souvent installées dans des banlieues peu accessibles, comme les **hypermarchés** et les **centres commerciaux** (voir p. 334). Les hypermarchés ont réagi en créant des *drives*, qui permettent aux clients de **gagner du temps** en récupérant leurs courses auprès de guichets dédiés, après avoir passé leurs commandes sur Internet. Mais cela ne permet pas de les ramener à l'intérieur des magasins.

La demande de **proximité** devrait s'accroître encore à l'avenir. Elle sera non seulement **géographique** (distance à parcourir, temps nécessaire), mais aussi **psychologique** (distance « mentale » entre un vendeur et un acheteur, convivialité, empathie…). Les clients de plus en plus **impatients** demanderont des **réponses** immédiates et pertinentes à leurs questions, sur tous les supports (téléphone, mail, SMS, plate-forme, etc.). Ils privilégieront la **navigation** intuitive, ergonomique et « optimisée » sur les sites **internet** (par la voix, les gestes, la reconnaissance faciale…). Ils refuseront de devoir chaque fois faire usage d'**identifiants** et de **codes d'accès**, exercice fastidieux et dangereux (car tous sont piratables). Ces codes devront être remplacés par des procédures de **reconnaissance** automatiques, et sûres. Pour des raisons semblables, les clients souhaiteront aussi des **délais de livraison** de plus en plus courts. Ils s'attendront à un traitement rapide et efficace de leurs **réclamations**. Ils ne se contenteront pas d'accusés de réception et de réponses robotisées qui n'apportent aucune solution aux problèmes posés.

DE LA PLANIFICATION À L'IMPROVISATION

La difficulté d'anticiper l'avenir, même à court terme, et le souhait de garder ouverts tous les **possibles** jusqu'au dernier moment favorisent les comportements d'**improvisation** par rapport à ceux de **planification** (voir p. 314). Ce sera d'autant plus vrai à l'avenir que la gestion du temps pourra être assurée en grande partie par des **assistants** électroniques qui organiseront les journées de leurs propriétaires et contrôleront le respect de leurs agendas, en les avertissant au fur et à mesure des tâches à effectuer, tels des fidèles secrétaires. Les **objets connectés** joueront également ce rôle de gardien du temps, pour des tâches plus spécialisées.

Cette tendance sera amplifiée par le souhait des consommateurs de se libérer des **contraintes** temporelles tout en profitant des **opportunités** qui se présenteront à tout moment, quitte à bouleverser le planning prévu. C'est là l'une des conséquences de la volonté de multiplier et d'enrichir les « **expériences de vie** » (voir p. 186). Ces attentes constitueront des **opportunités commerciales** pour les entreprises et pour les marques qui sauront déclencher des actes de consommation imprévus, « **en temps réel** », à la manière des **achats d'impulsion** classiques dans les magasins. Les propositions promotionnelles pourraient ainsi se multiplier sur les smartphones, dès qu'une

Du rapport qualité/prix au rapport valeur/coût

La **qualité** d'une offre, telle qu'elle est perçue par le consommateur, ne peut être réduite à celle du **produit** ou **service** qu'elle contient (valeur d'**usage**). Il faut y ajouter des **valeurs immatérielles** telles que l'**image du prestataire**, sa **responsabilité** (économique, sociale, environnementale), la qualité des **relations** qu'il entretient avec le client.

De la même façon, le **prix** affiché d'un produit ou d'un service n'est plus que l'un des éléments du **coût global** de son acquisition. Il faut y ajouter d'autres dépenses engendrées par l'acte d'achat, par exemple l'**énergie** consommée (fatigue, essence, frais de parking…). Le coût intègre également la notion de **temps**, dimension de plus en plus essentielle de la consommation (voir p. 158). On peut en effet donner au temps une valeur « comptable » *(« Le temps, c'est de l'argent »)*. Il représente en tout cas un « prix psychologique » de plus en plus élevé. Ainsi, celui consacré à la **démarche** d'achat (information, comparaison des offres, décision) vient en concurrence avec d'autres activités possibles. Il peut être considéré comme un **« coût d'opportunité »,** au sens financier du terme.

Le modèle de décision d'achat des consommateurs s'est ainsi transformé. Il intègre les nouvelles attitudes et les nouveaux comportements en vigueur. C'est en fonction de l'estimation d'un **coût global**, attaché à une **valeur globale**, que chaque offre est évaluée. Au terme de cette procédure en partie inconsciente et en tout cas informelle, l'acheteur choisit l'offre qui représente pour lui le meilleur **« rapport valeur/coût »**, une notion plus complexe mais plus explicative (et éventuellement prédictive) que le traditionnel rapport qualité/prix.

personne aura été repérée par un système de **reconnaissance faciale**, et associée à sa **« fiche »**, à l'entrée d'un **centre commercial**, ou à proximité d'une **boutique**. L'offre pourra ainsi être totalement **personnalisée**, y compris peut-être bientôt en fonction de l'**humeur** apparente de la personne.

UNE MONTÉE EN GAMME GÉNÉRATRICE D'INÉGALITÉS

La répartition des dépenses des consommateurs sur un marché donné ou sur l'ensemble des dépenses des ménages peut être mesurée sur un graphique en deux dimensions (voir page suivante). L'**axe vertical** indique le gradient des **prix**, du « premier prix » (généralement qualifié de « bas de gamme » ou d'« entrée de gamme ») au prix le plus élevé (luxe ou premium), en passant par les prix « moyens ». L'**axe horizontal** indique le montant des **achats** réalisés (ou leur part des dépenses totales des ménages) à chaque niveau de prix. Le graphique résultant a eu longtemps (pendant la période **1945-1980**) la forme d'un **losange**, avec une part prépondérante des achats en **moyenne gamme**, qui devenait de plus en plus réduite lorsqu'on montait ou descendait en gamme.

Dans la période qui a suivi **(1981-2008)**, la poursuite de la hausse du **pouvoir d'achat** a incité les consommateurs à **« monter en gamme »**. Ils y ont été encouragés par une **offre** de plus en plus innovante. Mais les inégalités de revenus se sont accrues, renforcées par les **« crises »** économiques (celle de 2008 est la dernière en date). Les consommateurs les plus **aisés**, en capacité de se faire plaisir sans compter, se sont dirigés vers le **haut de gamme (premium)**, tandis que les plus **modestes** ont été contraints de privilégier les **prix les plus bas** *(low cost)*. Ils y ont été aidés par des **médias** de plus en plus **consuméristes**, puis par le développement du **e-commerce** qui leur a permis d'accéder aux conseils et notations prodigués par les « pairs », et de profiter des opportunités. Le graphique ressemblait alors à un **« sablier »**, pincé au milieu, large en haut et en bas.

On pourrait assister dans les années à venir à une nouvelle évolution : l'intérêt croissant pour des offres davantage **haut de**

DU LOSANGE AU « TROU DE SERRURE »

64. Évolution du poids des achats en valeur (figurés verticalement) en fonction des prix d'achat (figurés horizontalement)

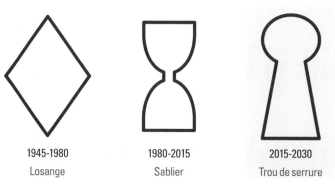

1945-1980	1980-2015	2015-2030
Losange	Sablier	Trou de serrure

Gérard Mermet

gamme, mais **plus accessibles que le luxe**, au détriment des prix «moyens», plus difficiles à situer dans les gammes en termes de **rapport valeur/coût** (voir encadré page précédente). Ce changement conduirait à une répartition des achats en prix et en valeur en forme de **«trou de serrure»**: étroit en son centre, avec une partie haute élargie vers le milieu (gamme «luxe de masse») mais de plus en plus étroite jusqu'au sommet (premium). Cette évolution se traduira par l'**accroissement du prix moyen payé**, compensé pour les budgets moyens par des économies sur certains postes et le recours de plus en plus fréquent aux modes de consommation **alternatifs** (location, occasion, troc…).

UNE FORTE REVENDICATION DE RESPECT DE LA VIE PRIVÉE

Les années à venir devraient être marquées par de nouveaux développements des **mégabases de données** *(Big Data)* destinées à «cibler» très précisément les offres marchandes en fonction des caractéristiques des clients ou prospects. Le développement d'Internet et la multiplication prévue des **objets connectés, fixes** (au foyer) ou **nomades** (portables), vont accroître le nombre et la diversité de ces données. L'usage de l'**intelligence artificielle** contri-

buera à accroître leur capacité **explicative** et surtout **prédictive**. Elle alimentera aussi la **paranoïa** des consommateurs liée à la peur permanente du vol d'informations, du «viol» d'identité ou de toute autre forme d'«**agression virtuelle**». Cette peur sera renforcée par la gravité potentielle de ces agressions, sur les plans psychologique, relationnel, matériel, financier et par l'**invisibilité** de l'agresseur. Ainsi que son **impunité**, dans la plupart des cas.

L'une des craintes principales des individus-consommateurs est donc la préservation de leurs **données personnelles**. On notera que le mot «données» est **approprié** car il s'agit bien d'un **«don»** de leur part, à des entreprises qui les recueillent (souvent sans le dire), les utilisent ou les revendent à leur seul profit, sans contrepartie matérielle pour les généreux «donateurs», alors que les bénéficiaires sont très loin d'être des œuvres de charité. Dans le meilleur (?) des cas, le modèle actuel promet un échange «**gagnant-gagnant**» : **utilisation gratuite des données** personnelles contre **accès gratuit à un service**. Ainsi, lorsqu'un particulier télécharge une **application** (surtout non payante) sur son smartphone, il doit en général autoriser le diffuseur à accéder aux informations en principe très confidentielles qu'il contient : photos, mails, sms et beaucoup d'autres qui n'ont le plus souvent aucun rapport avec l'objet de l'application.

UN MANQUE DE TRANSPARENCE DE PLUS EN PLUS MAL ACCEPTÉ...

Ces échanges **«données contre services»** sont très déséquilibrés, et ils se font généralement dans la plus grande **opacité**. Nul ne sait précisément quelles informations personnelles sont récoltées, où elles vont, à qui et à quoi elles servent ou serviront demain, à qui elles seront vendues, à quel prix, pendant combien de temps, etc. Une chose est en revanche certaine : ces données peuvent servir non seulement à **influencer** les comportements des personnes, mais aussi à les **surveiller**, éventuellement à leur **voler** de l'argent sur leurs comptes, à **dévoiler** leur vie intime. Elles peuvent avoir des conséquences dramatiques sur eux, leur vie familiale, professionnelle, amicale, sociale.

Ces pratiques scandaleuses pourraient se multiplier, car elles sont difficiles à éradiquer. Elles affecteront aussi bien des **particuliers** que des **entreprises**. De très nombreuses bases de données de grandes entreprises ont ainsi déjà été pillées, sans que le public en soit informé, afin de ne pas l'inquiéter. Certaines affaires de grande ampleur ont cependant été révélées, surtout celles concernant des particuliers. En 2016, les «profils» de **87 millions d'Américains** inscrits sur Facebook ont ainsi été volés ; ils ont servi à **influencer les votes en faveur de Donald Trump**. Une ingérence inadmissible dans la vie politique et démocratique d'un pays, qui s'est ajoutée aux actions attribuées à la Russie dans le même but. Leurs auteurs porteront ainsi une très lourde responsabilité sur l'évolution du monde, jusqu'à la fin du mandat du président américain.

... QUI DEVRA ÊTRE COMBLÉ DANS LES PROCHAINES ANNÉES

Ces pratiques ne pourront être acceptées par les individus-citoyens-consommateurs-internautes, pas plus que par les entreprises. Chacun devra tenter de se protéger (en cryptant ses données, en les sauvegardant systématiquement...). Mais cela ne suffira pas. La disparition de l'**anonymat** est déjà aujourd'hui pratiquement actée par les opérateurs de **Big Data**, sans parler des *hackers* qui en font leur fonds de commerce. Leur argument principal est que *«celui qui n'a rien à cacher n'a rien à craindre»*, ce qui traduit bien leur volonté de dicter les conduites des gens et de décider de ce qui est bien ou mal dans le monde. Des lanceurs d'alerte comme Edward Snowden[1] ont montré que les personnes surveillées (potentiellement tous les habitants de la planète) ont en réalité beaucoup à craindre. À commencer par ceux qui, comme lui, informent le public sur ces pratiques inspirées de *1984* de George Orwell, des dictatures et autres régimes policiers présents dans le monde.

Les relations entre les protagonistes devront en tout cas être plus **équitables à l'avenir**. L'une des pistes envisageables est que les entreprises achètent les données à leur propriétaire. Ce système (baptisé *Data purchase*) est déjà pratiqué à très petite échelle par des sites internet, à l'image de l'américain Datacoup[2], de la start-up française ControleTechniqueGratuit.com[3], ou de certaines applications[4] qui rétribuent les internautes répondant régulièrement à des questionnaires ou livrant des informations sur leurs habitudes de consommation... Beaucoup d'entreprises pourraient cependant accepter de les suivre, compte tenu des enjeux économiques considérables. Le marché des **données personnelles** dans l'Union européenne (à 28 pays) était

---

1. Ancien employé de la CIA et de la NSA (services de renseignement américains), à tendance libertarienne. Il a révélé les détails de programmes de surveillance de masse américains et britanniques, et fait l'objet d'accusations d'espionnage. Il a obtenu le droit d'asile (jusqu'en 2020) en Russie.
2. Datacoup rémunère les internautes en contrepartie d'un accès aux données issues de leurs comptes bancaires ou de leurs échanges sur les réseaux sociaux.
3. Les internautes acceptant de céder des données personnelles bénéficient d'un contrôle technique gratuit dans des centres agréés.
4. Winminute, Click and Walk, Bemyeye, Mobeye, Kwalead, etc.

Vers des *Big Data* inversées ?

La réaction des individus-consommateurs-citoyens à la toute-puissance des *Big Data* pourrait être de deux natures. D'abord, le **refus** des pratiques de recueil de données, considéré comme un **vol** (voire un **« viol »**) lorsqu'il est pratiqué sans le consentement explicite des personnes (voir ci-dessus).

La seconde riposte, qui concernerait surtout les **consommateurs**, pourrait être de développer par eux-mêmes des **bases de données** concernant les **offres** : produits, services, fabricants, distributeurs, marques, enseignes, intermédiaires divers… Ils pourraient le faire en se regroupant, par le biais de l'**économie du partage**. Ces bases de données développées en ***open source*** (accès libre) par des personnes compétentes seraient mises à disposition des consommateurs (gratuitement ou non) et enrichies par eux en permanence, selon un modèle collaboratif semblable à celui de Wikipedia (encyclopédie) ou de Waze (GPS).

On aboutirait ainsi à des « *Big Data* **inversées »** permettant aux consommateurs de disposer d'une information très précise sur les prestataires et leurs offres, dans tous les secteurs, avec des algorithmes d'analyse automatique leur permettant d'optimiser leurs achats. Ce serait une réponse à l'exploitation à grande échelle des bases de données personnelles pratiquée aujourd'hui par de nombreuses entreprises et cela permettrait un rééquilibrage des forces en matière d'information.

évalué à **60 milliards d'euros en 2016**[1]. Il devrait peser **80 milliards d'euros en 2020**, et même **430 milliards** si l'on tient compte des emplois et des revenus indirectement générés par l'exploitation des données. Mais l'exaspération des internautes pourrait freiner sensiblement cette évolution (voir p. 322).

En tout état de cause, la **loi** devra mettre en place des régulations, des contrôles et des sanctions contre ceux qui bafouent les libertés, à l'échelon national ou, de préférence, international. L'Union européenne a réalisé un premier pas important en la matière avec la **GDPR**[2], dont on saura bientôt si elle est efficace. Mais les données personnelles ne seront pas pour autant à l'abri des **escrocs**, qui disposent avec le numérique d'une possibilité de **s'enrichir** sans prendre de grands **risques** (voir p. 251). Les personnes ou organisations mal intentionnées pourront continuer de **nuire** à la réputation des gens et des organisations en faisant circuler leurs données, ou en en fabriquant de fausses à leur sujet. C'est pourquoi un autre droit devra être accordé, baptisé **obfuscation** : celui de supprimer des informations **négatives** dans les résultats des moteurs de recherche, ou au minimum de les éloigner dans les listes afin de rendre leur consultation plus difficile.

---

1. Source cabinet IDC.
2. General Data Protection Regulation (GDPR), loi sur la protection des données personnelles adoptée en 2016 au Parlement européen et entrée en vigueur en mai 2018. Elle prévoit notamment pour le propriétaire des données : la nécessité d'un accord explicite et positif de sa part pour la collecte de ses données (art. 7) ; le droit de savoir à quoi servent ses données (art. 13 et 14) ; le droit d'accès et de rectification, de consultation et de modification de ses données (art. 15 et 16) ; le « droit à l'oubli » (suppression et limitation de conservation des données, art. 17) ; le droit de portabilité (récupérer ses données pour les transférer ailleurs, art. 20) ; le droit de s'opposer à tout moment au traitement de ses données (art 21) ; le droit de ne pas faire l'objet d'une décision fondée exclusivement sur un traitement automatisé (art. 22) ; la gestion des données uniquement nécessaires à la finalité réelle (art. 5) ; le droit de voir ses données systématiquement protégées (sécurité, art. 32) ; le droit à l'information en cas de fuite de données (art. 33).

LA CONSOMMATION EN RÉVOLUTION

L'horizon **2030** choisi dans cette étude peut paraître trop court pour que de grandes évolutions voient le jour en matière de **consommation**. D'autant que les modes de consommation s'inscrivent dans une **culture et des mentalités** qui connaissent des changements assez lents. Mais leur rythme pourrait justement s'accroître, sous l'effet des **innovations de rupture** introduites par l'offre. Ainsi, l'arrivée du **téléphone portable** a transformé les comportements des Français en quelques années, ainsi que leur conception du monde. **Google**, entreprise emblématique de la révolution numérique, est née il y a seulement **vingt ans** (1998). **Deux ans** après, elle avait référencé **un milliard de pages Web**. **Dix ans après**, elle était cotée **176 milliards de dollars** à Wall Street. Elle répond aujourd'hui à plus de **3,5 milliards de requêtes par jour**. Avec **Google Earth** et **Google Street**, elle permet à chacun de se rendre virtuellement en quelques clics sur n'importe quelle parcelle de territoire de la planète. Elle a testé avec succès la **voiture sans chauffeur** et prépare d'autres innovations **«disruptives»** comme l'ascenseur spatial, l'Internet des objets, la livraison par drones, la détection individuelle de certaines maladies avant même leur apparition, etc.

On pourrait citer aussi les développements de l'**intelligence artificielle**, de la **robotique**, de la **reconnaissance vocale**, de la **traduction simultanée** ou de l'**économie collaborative** (covoiturage, *crowdfunding*, plates-formes de location entre particuliers...) et d'autres (r)évolutions récentes qui vont transformer la vie quotidienne. Les chercheurs de la *Singularity University*, en Californie (financés par des entreprises comme Google ou la Nasa), vont d'ailleurs bien plus loin dans leurs prévisions : ils estiment que les progrès **exponentiels** en cours (fondés sur la loi de Moore en matière de puissance de calcul des ordinateurs[1])

préparent l'avènement d'une ère post-humaine, qu'ils ont baptisée **transhumanisme** (voir p. 132). On peut constater en tout cas que la science-fiction est depuis quelques années dépassée par la puissance des innovations. Avec les promesses et les menaces qu'elles représentent.

LE CONSOMMATEUR AUGMENTÉ

On ne **naît** pas consommateur, on le **devient**. C'est pourquoi il est toujours nécessaire, si l'on veut comprendre ses comportements et son évolution, de s'intéresser à l'**individu** qui se trouve derrière. L'être humain de **2030** se caractérisera d'abord (dans les pays développés) par le fait qu'il sera **«augmenté»**. L'innovation dans les grands domaines scientifiques et technologiques (biotechs, infotechs, nanotechs, neurotechs...) aura des incidences considérables sur sa façon de s'alimenter, sa santé, son travail, son logement, sa manière de se transporter, de s'habiller, de se divertir... C'est-à-dire au total de **consommer**.

Cet individu augmenté vivra sensiblement plus **longtemps**, grâce aux progrès permis par les cellules souches, l'immunothérapie, les traitements personnalisés et ciblés des maladies comme le cancer et d'autres innovations attendues en matière informatique. Il disposera instantanément, à volonté et en tout lieu (gratuitement ou non) de toute l'**information** qu'il souhaitera. Il **travaillera** moins longtemps, souvent depuis son domicile et en tant qu'entrepreneur individuel, avec l'obligation de se **former** en permanence. Il pourra aussi **ne pas travailler**, du fait d'un taux de rotation élevé des emplois, ou s'il peut être remplacé par un ou plusieurs robots, dans la mesure

---

1. La loi de Moore stipulait dès 1965 de façon empirique que le nombre de transistors par circuit de même taille allait doubler, à prix constants, tous les ans : cette durée de doublement a ensuite été portée à dix-huit mois. Cela

signifie que la puissance des ordinateurs s'est accrue de manière exponentielle. Cette croissance exponentielle s'est vérifiée jusqu'ici, mais elle a une limite physique, celle de la taille des atomes. Malgré les progrès encore possibles de la lithographie (avec des générations de circuits de quelques nanomètres), elle pourrait être atteinte dans les prochaines années. D'autres technologies devront alors prendre le relais, telles que l'ordinateur quantique ou optique.

Consommer en 2030

Les évolutions prévisibles en matière **technologique, sociétale, environnementale, éthique** ou **philosophique** à l'horizon **2030** seront particulièrement apparentes en matière de **consommation**. Les attitudes et les comportements des consommateurs de l'avenir pourraient être résumés par les tendances suivantes, toutes mentionnées dans ce chapitre :

- Une préférence pour les produits issus de la production **locale**, ou à défaut le **« made in France »**.
- Un intérêt pour le **« fait à la main »** et le **« fait maison »**.
- Une préoccupation croissante pour la **santé** (physique et mentale).
- Un besoin de **personnalisation** et de **sur-mesure**.
- Une volonté de réduire le **gaspillage** dans tous les domaines.
- Une recherche de **sens**, de **sensations** et d'**expériences** par la consommation.
- Une sensation permanente de **harcèlement commercial** et de **manipulation mentale**.

- Une **impatience** croissante et un souhait d'**optimiser** la gestion du temps.
- La multiplication des **« temps forts »** et la suppression des **« temps morts »**.
- Des choix de consommation plus **rationnels**, aidés par de nouveaux outils de décision.
- Une prise en compte des dimensions **environnementales**.
- Une **indifférenciation** croissante entre la consommation **réelle** et **virtuelle**, avec cependant un besoin de se **déconnecter** parfois de la **consommation numérique**.
- Une forte attente de **transparence**, **vertu**, **vérité**.
- Une tendance à consommer de façon plus **sobre**.

Le consommateur de **2030** pourra aussi se définir par un certain nombre de **verbes d'action** résumant son état d'esprit et ses comportements : participer, personnaliser, collaborer, partager, mutualiser, expérimenter, communier, jouir, réduire, sauvegarder, diversifier, optimiser.

---

où il disposera de revenus par ailleurs (voir p. 293).

L'individu augmenté se **déplacera** plus vite, de façon plus sûre, en étant déchargé de la conduite automobile, ce qui lui permettra de se consacrer à d'autres tâches. Il pourra être doté de **capacités** nouvelles en termes de mémoire, d'intelligence, d'empathie, de force physique et même d'imagination, grâce à des puces implantées dans ses membres ou dans son cerveau, à des substances chimiques nouvelles, des exosquelettes, etc.

DE LA « VITRINE » AU « MIROIR », EN PASSANT PAR LA FENÊTRE

Avec l'avènement et le développement de la « société de consommation », les motivations à l'achat et à la dépense ont progressivement répondu à un besoin d'**identification sociale** : « *Dis-moi ce que tu consommes et je te dirai ce que tu es* ». Cette attitude permet, consciemment ou inconsciemment, de communiquer aux autres une certaine **image de soi**. C'est la fonction **« vitrine »** de la consommation. Les types d'achats réalisés par un individu ou un ménage véhiculent en effet de nombreuses informations sur :

- **Son appartenance** à un groupe social.
- Ses **modes de vie** dans différents domaines : alimentation ; habillement ; loisirs ; culture...
- Son **pouvoir d'achat** et éventuellement son niveau de **patrimoine**.
- Son **état d'esprit** (moderne, classique...).
- Ses **goûts** (conformisme, différenciation, marginalité...).
- Ses **centres d'intérêt** (loisirs, culture...)

Mais la consommation a aussi une fonction, celle de «miroir». L'image renvoyée n'est alors plus destinée aux autres ; elle est un **révélateur** de soi-même : «*Je consomme comme je suis*» et «*Je suis ce que je consomme*». Elle est le reflet de l'«**identité**» de l'individu concerné. Cette image **autocentrée** lui permet de :

- Se **découvrir** soi-même.
- S'**apprécier** (estime de soi).
- Se **surprendre** (changer de décor).
- **Jouer à être un autre** (et à changer de vie…).

Ces deux «**usages**» de la consommation, en tant qu'image envoyée aux autres (vitrine) ou tournée vers soi (miroir), ne peuvent être quantifiés. D'autant moins qu'ils coexistent souvent chez une même personne, dans des proportions variables, qui peuvent en outre changer selon les moments. On peut cependant avancer l'hypothèse que la fonction «**miroir**» se développera davantage dans les prochaines années que celle de «**vitrine**». C'est ce que l'on observe déjà dans certains domaines, où la consommation est moins ostentatoire et «extravertie», davantage **réflexive** et «**introvertie**». C'est le cas par exemple en matière d'achat automobile, vestimentaire ou de pratiques de loisirs.

À ces deux rôles de **vitrine** et de **miroir** de la consommation, on peut ajouter un troisième : celui de **fenêtre**, ouverte sur la société et sur chacun de ses membres. Elle constitue en effet le meilleur moyen d'observer et décrypter leurs **motivations, attitudes, habitudes** et **comportements**. Elle révèle leurs **désirs**, leurs **plaisirs**, mais aussi leurs **frustrations**. Elle met en évidence les **évolutions** dans le temps et les **inégalités** entre les groupes sociaux et entre les individus. Elle permet d'établir des **comparaisons** avec les autres pays, montrant à la fois les différences et les convergences. Elle constitue pour celui qui regarde un incomparable outil de **découverte**, de **compréhension**, parfois d'**étonnement**, toujours de **réflexion**.

SOCIÉTÉ ET SOBRIÉTÉ

LA SOCIÉTÉ D'ABONDANCE

Le **temps** dont les Français disposent est de plus en plus abondant (voir p. 153). Il reste cependant très insuffisant pour qu'ils puissent espérer répondre à toutes les **sollicitations** qui leur parviennent par Internet, téléphone, courrier et autres supports (visibles ou cachés, classiques ou modernes, réels ou virtuels…). Comme le temps, l'**argent** qu'ils peuvent dépenser (et qui s'est accru pendant des décennies, avant de stagner plus récemment, voir p. 294) reste insuffisant pour qu'ils puissent tout essayer, tout expérimenter, tout acheter. Il est en outre possible que le «vouloir d'achat» ne progresse guère au cours des dix prochaines années (voir p. 313).

De son côté, l'**offre** commerciale a connu une **croissance** considérable, et la **concurrence** exacerbée entre les marques explique l'envolée du nombre de produits et services proposés. Il suffit de se poster devant les rayons d'un hypermarché pour constater la diversité des gammes de yaourts, de pâtes, de produits d'entretien ou de brosses à dents… et la difficulté de choisir. Le développement d'**Internet**, «mégamarché» planétaire, a encore multiplié les offres. Les besoins les plus simples font ainsi l'objet de multiples propositions de produits, dont la plupart sembleraient totalement inutiles à des «visiteurs» venus du Moyen Âge. La première caractéristique de la société de consommation est l'**abondance**.

DES PROMESSES NON TENUES

Pour l'individu-consommateur contemporain, et plus encore pour celui de demain, il sera plus que jamais impossible de faire le tour des offres existantes dans tous les domaines. D'autant que la **révolution digitale**, qui promettait de faire **gagner** du temps, a abouti au résultat inverse : ses utilisateurs en perdent souvent en «naviguant» sur les flots infinis de l'océan **Internet**. Au point que certains doivent traiter leur addiction en faisant des cures de «*détox*» en se privant des multiples outils connectés au monde, partout et en permanence.

La **curiosité** humaine qui, contrairement à l'adage, est sans doute le plus beau et le plus utile des «défauts», est sans cesse éveillée et nourrie par l'**information** à caractère général ou commercial (les deux étant souvent mêlés). Pour éveiller l'intérêt, les informateurs et les influenceurs manient habilement les promesses d'instantanéité et de «révélations». Ils fournissent de la matière à **penser** (ce qui ne signifie pas toujours «réfléchir»), à **échanger** avec les autres, et s'efforcent de donner le sentiment de vivre au rythme effréné du monde. Mais beaucoup de Français se rendent compte qu'il s'agit souvent de **leurres**. Ils constatent qu'ils **s'épuisent** autant qu'ils **s'instruisent** à

ce jeu. Les bénéfices ressentis ne sont ainsi pas toujours conformes aux attentes et aux promesses.

PROFUSION ET CONFUSION

Le décalage entre les possibilités temporelles et financières des «**gens**» (considérés avant tout comme des **consommateurs** potentiels) et les **offres** de toute nature a induit chez beaucoup d'entre eux un sentiment de frustration, de lassitude, de «trop-plein». La **profusion** a engendré la **confusion**. Le «**temps de cerveau**» disponible de chacun étant limité, il y a «embouteillage» dans les têtes. Contrairement à ce qu'affirme le proverbe, l'**abondance de biens** peut **nuire**. Elle peut en tout cas semer le **doute** dans les esprits, provoquer un sentiment de **culpabilité** (voir p. 305),

Marketing personnalisé : les consommateurs exaspérés

Les professionnels du **marketing** disposent avec les outils numériques de moyens extrêmement sophistiqués de collecter et analyser des données multiples sur les attitudes et les comportements des **consommateurs**, et de les exploiter en «personnalisant» à l'extrême leur communication. Mais ces pratiques sont de plus en plus massivement **dénoncées**, et même **déjouées** par leurs destinataires. Au point où la **révolte** gronde.

Ainsi, 64 % des internautes n'apprécient pas qu'on leur suggère des produits correspondant à leur profil et à leurs goûts (72 % disent même rejeter les publicités ciblées de cette façon)[1]. 65 % déclarent ne pas aimer recevoir des *newsletters* ou des promotions de produits par mail. 74 % n'apprécient pas qu'on les suive en tant que client dans le cadre d'une «*expérience continue entre magasin et digital*» (l'approche **multicanal** de plus en plus utilisée par les marques). 81 % se disent «*préoccupés par la collecte et l'utilisation de leurs données par des sites de e-commerce*». 60 % avouent d'ailleurs fournir de **fausses informations** aux sites concernés. Les taux de rejet

augmentent avec l'**âge** des personnes interrogées, mais les jeunes ne sont pas pour autant satisfaits de la tournure des relations.

Plutôt que l'**adhésion**, ces techniques de marketing généralisées produisent au contraire une **exaspération** palpable chez la plupart des consommateurs, qui se sentent «**harcelés**». D'autant qu'elles sont souvent sournoises, parfois illégales et généralement non souhaitées. Leur **efficacité** sera ainsi de plus en plus incertaine. Les entreprises devront rapidement prendre la mesure de cette situation si elles ne veulent pas détériorer davantage leur **image** et détruire durablement la **confiance** de leurs clients et prospects. Elles devront se montrer beaucoup plus **vertueuses** et **respectueuses** dans leurs pratiques, et ne pas se laisser griser par la puissance des outils disponibles. Ceux-ci deviendront d'ailleurs **inopérants** si les consommateurs décident de reprendre le pouvoir, en **désactivant** sur leurs terminaux toutes les formes d'espionnage, de vol et de viols de leur vie privée. Ou s'ils décident de les tromper en leur fournissant de **fausses informations**. La contrepartie est qu'ils devront payer plus cher certains produits et services, présentés aujourd'hui comme «**gratuits**».

---

1. Sondage Emakina/Odoxa, mai 2018.

mettre en évidence et accroître les **inégalités**, favoriser le **gaspillage**.

De très nombreux consommateurs sont donc en **réflexion**. Ils ne veulent être ni **complices**, ni **victimes** de la société actuelle (voir ci-après). Beaucoup dénoncent les pressions et « harcèlements » permanents qu'ils subissent, par la publicité omniprésente, le remplacement de plus en plus rapide des produits par des nouveaux, les promotions de toutes sortes (parfois trompeuses) conçues pour les inciter à l'achat. D'une manière générale, les pratiques de « **marketing** » restent mal vues en France. D'autant que les consommateurs d'aujourd'hui sont de plus en plus avertis et **responsables** (voir p. 306). Les **médias** les ont beaucoup aidés à décrypter les offres et à déjouer ses « **pièges** ». Les **réseaux sociaux** et autres supports d'expression et d'échange ont permis de dénoncer les pratiques peu vertueuses.

LE « SYSTÈME » EN ACCUSATION

La conséquence est une mise en question croissante du « **système** » qui a conduit à ce déséquilibre et à cette insatisfaction : la « **société de consommation** ». Elle a été ainsi baptisée dès les années **1950** aux États-Unis[1]. La France a été touchée plus tard par le phénomène, mais le succès croissant du **Salon des Arts ménagers**[2] dans ces années-là était déjà le signe de son émergence. L'analyse critique de ce nouveau type de société n'a commencé que dans les années **1960**, avec les ouvrages de Barthes, Perec ou Baudrillard[3]. Elle a été l'une des causes des « événements » de **Mai1968**, qui témoignaient du refus d'une vie balisée par les notions de production et de consommation, associées dans une même vision matérialiste. Près d'un siècle auparavant, Karl Marx avait déjà dénoncé le « ***féti-chisme de la marchandise***[4] » et l'aliénation (dépossession de soi) à laquelle il conduit, en accusant le **capitalisme**.

La **crise pétrolière** du milieu des années **1970** a mis ces critiques et revendications entre parenthèses, mais elles ont resurgi régulièrement dans l'opinion. Elles sont aujourd'hui réactivées, et amplifiées, par les préoccupations **environnementales**. Mais le **matérialisme** est toujours présent, faute d'**alternative** jugée suffisamment crédible et séduisante par la population. La **pulsion acheteuse** (ou parfois la « fièvre ») est en outre entretenue par la pression **publicitaire** et celle des **médias**, qui en vivent pour une bonne part. Mais la **réflexion** se poursuit dans l'opinion.

NI COMPLICES, NI VICTIMES

S'ils ne souhaitent pas être **complices** du système, les consommateurs ne veulent surtout pas en être les **victimes**. C'est pourquoi ils sont nombreux à dénoncer les pratiques irresponsables, illégales, en tout cas non « vertueuses » à leurs yeux de certaines entreprises. Elles peuvent concerner des **produits** non conformes aux attentes et aux promesses des fabricants et/ou des distributeurs. Elles se focalisent souvent sur les **prix** pratiqués, trop élevés, trompeurs (lorsqu'il s'y ajoute des suppléments, des frais de livraison, de garantie…) et les **fausses promotions** qui fleurissent sur Internet (avec notamment des prix barrés « gonflés »).

---

1. Par des sociologues américains comme David Riesman, auteur (avec Nathan Glazer et Reuel Denney) de l'ouvrage *The Lonely Crowd* en 1950, qui n'a été traduit en France qu'en 1964, sous le titre *La Foule solitaire*.
2. Le Salon des Arts ménagers a ouvert ses portes en 1923, avant de connaître une explosion de sa fréquentation dans les années 1950.

3. Voir notamment les *Mythologies* de Roland Barthes (Seuil, 1957), *Les Choses* de Georges Perec (Julliard, 1965) ou *La Société de consommation* de Jean Baudrillard (Gallimard, 1970).
4. Tome 1 du *Capital* (1867).

Valeur économique et valeurs sociales

La notion de **valeur** est à la fois essentielle et ambiguë. Elle a en effet deux usages principaux, l'un **social,** l'autre **économique**. Les deux sont liés et le seront sans doute plus encore à l'avenir. Dans le premier cas (social), le mot est généralement utilisé au pluriel. Les valeurs qui sous-tendront la société et la consommation demain devraient être moins **matérielles** (post-matérielles, voir p. 226). Cela devrait favoriser la consommation de biens et de services **numériques**, mais aussi privilégier la recherche de satisfactions **non-marchandes**, notamment de relation, de sens et d'engagement.

En matière **économique**, la notion de valeur est également centrale. Elle figure le plus souvent dans l'expression **« création de valeur »**. Tous les théoriciens, de Smith à Marx en passant par Ricardo, Keynes ou Galbraith, l'ont introduite dans leur raisonnement, sous des formes différentes. Mais ce sont sans doute ceux de l'**École marginaliste** qui seront les plus utiles dans la compréhension de l'économie future. Carl Menger, William Stanley Jevons et Léon Walras, qui en furent les fondateurs à la fin du XIXᵉ siècle, avaient compris (indépendamment les uns des autres et de façon quasi simultanée) que la « valeur » d'un bien ne dépend pas de la **quantité de travail** nécessaire à sa production, mais de l'**utilité** qu'attribuent les consommateurs à l'obtention d'une unité **supplémentaire** de ce bien.

Cette utilité tend à **diminuer** au fur et à mesure de l'accroissement du nombre de celles déjà possédées et elle diffère selon les **indivdus**. Elle pourrait se réduire encore davantage au cours des prochaines années. Pour des raisons économiques, écologiques, psychologiques et sociétales, la consommation future devrait être en effet plus **sobre,** plus **rationnelle** et plus **responsable**, moins en recherche de **possession**, d'**accumulation** et d'insouciance.

D'une manière générale, les **promesses** non tenues sont de plus en plus mal acceptées et supportées. Elles sont alors **dénoncées** sur la place publique et **sanctionnées** par des consommateurs « lanceurs d'alertes ». Les systèmes de **notation** qui ont fleuri sur la Toile sont devenus des éléments importants dans la décision finale d'acheter ou non. Le « bouche-à-oreille numérique » *(buzz)* se répand à grande échelle et à grande vitesse. Il joue un rôle efficace de **contre-pouvoir**, peut détruire une réputation, condamner un produit, détruire une marque. Les entreprises ne sauraient l'ignorer, et la gestion des **mécontentements** est devenue pour elles une fonction essentielle, par les enjeux qu'elle représente à court et moyen terme.

DES STRATÉGIES D'ADAPTATION

Sur le plan **quantitatif**, le scénario qui paraît le plus probable pour demain est le **maintien** d'un niveau relativement élevé de consommation. Car les **besoins** seront toujours nombreux, et les **tentations** fortes d'expérimenter de nouveaux produits et services *a priori* séduisants, issus des dernières innovations.

Les changements seront pour l'essentiel d'ordre **qualitatif**. Ils concerneront les **attitudes** et les **comportements** des **individus-citoyens-consommateurs**. Ces trois facettes complémentaires entraîneront la mise en place de **stratégies d'adaptation** aux changements qui surviendront :

- **Arbitrages** croissants entre les **dépenses** possibles, au profit de celles qui apporteront le plus de **satisfaction** et de **bien-être**. Mais, contrairement à aujourd'hui, la **concentration** se fera moins sur des **postes budgétaires** (alimentation, logement, habillement, santé, transport, communication, loisirs...) que sur des offres **spécifiques** jugées attractives dans chacun de ces domaines.
- Recherche systématique d'avis, **conseils** et de **recommandations** auprès des **pairs** (forums, réseaux sociaux...) ainsi que sur des sites spécialisés de **comparaison** des

offres, qui seront eux-mêmes **notés** par les consommateurs en fonction de l'**objectivité** des informations qu'ils fournissent.

- Pratiques croissantes **d'expérimentation** de produits et services nouveaux, avant leur adoption ou leur rejet.
- Désir général de **changement**, favorisé par le rythme de renouvellement de l'offre. Il entraînera une moindre **fidélité** aux marques et aux enseignes du commerce «traditionnel» (points de vente «physiques»). La situation sera différente dans le **e-commerce**, où la notoriété et l'image des marques joueront au contraire un rôle de réassurance, face à des opérateurs nouveaux ou peu connus. Le développement d'**Internet** se poursuivra (voir p. 363). Sa croissance dépendra cependant de sa capacité à apporter une plus grande **sécurité** de la vie privée à ses utilisateurs et une meilleure **protection** contre les «arnaques» : produits non conformes ou non livrés, prix excessifs, piratage des moyens de paiement, hameçonnage[1] (ou *phishing*).
- Développement de la «**consommation collaborative**» et de l'«**économie de partage**» (voir p. 328) : achats d'occasion ; shopping virtuel ; troc ; recyclage ; enchères, achats groupés ; achats locaux ; dons ; monnaies locales...
- **Frugalité** volontaire pour les ménages en rupture avec le «système» ou **privation** subie pour les ménages modestes (voir p. 323).
- Recherche d'**autonomie** et de **libre arbitre** par rapport aux offres et résistance au «**harcèlement commercial**», notamment numérique (bannières publicitaires, *spams*, ciblage individualisé à partir du *Big Data*, sollicitations permanentes, impossibilité de sortir des fichiers de prospection...).
- **Responsabilisation** croissante de la demande, en matière économique, sociale

et environnementale, dans le cadre d'une «**consommation raisonnée**».
- Diminution du «**vouloir d'achat**» et accroissement du «**savoir d'achat**» (voir encadré p. 313).

LA «SOCIÉTÉ DE CONSOLATION»

La **stagnation** (réelle ou ressentie) du **pouvoir d'achat** des ménages depuis la crise financière de 2008, ou sa **diminution** pour certaines catégories de ménages touchés par le chômage, la précarité, l'endettement ou l'accroissement de la part de leurs «**dépenses contraintes**[2]», ont modifié les attitudes et les comportements en matière de consommation (voir graphique ci-après). Ces changements s'inscrivent dans un contexte de questionnement sur les bienfaits de cette société et sur les notions de «**progrès**» ou de «**bonheur**» qui lui étaient jusqu'ici associées. Après un demi-siècle de pratique, la société de consommation tend à devenir une «**société de consolation**», dans laquelle la dépense et la jouissance sont des moyens d'oublier le quotidien, de s'en «**divertir**», au sens de s'en échapper.

Cette évolution concerne d'abord les ménages **modestes**, qui craignent de voir baisser durablement leur niveau de vie matériel. Eux ne sont pas blasés par la consommation. Leurs besoins et envies sont loin d'être satisfaits ; ils sont même aiguisés par le fait que d'autres sont en mesure de se les offrir. Mais cet état d'esprit concerne aussi certains ménages **aisés** (parfois qualifiés de *Bobos*). Eux peuvent se permettre

---

1. Type d'escroquerie par mail consistant à prendre l'identité d'une entreprise pour inciter les destinataires à dévoiler leurs données personnelles et notamment bancaires sous divers prétextes (mise à jour, cadeaux...).

2. Dépenses «pré-engagées» (ou incompressibles, ou fixes) de type contractuel, difficilement renégociable. La liste officielle établie par l'INSEE comprend : les dépenses liées au logement (y compris, dans le cas de la comptabilité nationale, les loyers imputés) ; celles relatives à l'eau, au gaz, à l'électricité et aux autres combustibles utilisés dans les habitations ; les services de télécommunications ; les frais de cantine ; les services de télévision (redevance télévisuelle, abonnements à des chaînes payantes) ; les assurances (hors assurance-vie) ; les services financiers (y compris, dans le cas de la comptabilité nationale), les services d'intermédiation financière indirectement mesurés. On pourrait compléter cette longue liste en ajoutant pour certains ménages des dépenses d'alimentation, les impôts et taxes ou les frais liés au transport pour se rendre au travail.

30 % DES DÉPENSES « PRÉ-ENGAGÉES »

65. Évolution de la part des dépenses pré-engagées* des ménages depuis 1975 (en % du revenu disponible brut)

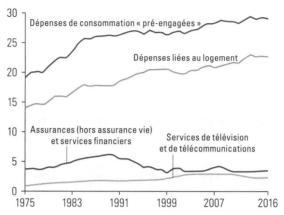

* Voir définition dans le texte
INSEE, comptes nationaux, base 2010

le «luxe» de critiquer un **«système de la consommation»** qu'ils jugent trop matérialiste, responsable de la dégradation de l'environnement, et même immoral. Mais cela ne les empêche pas de continuer de le pratiquer, en attendant «mieux».

VERS UNE SOCIÉTÉ DE CONSOMMATION 3S : SIMPLE, SOBRE ET SOLIDAIRE

Le modèle de consommation qui pourrait s'installer dans les prochaines années devrait être moins **«boulimique»** que celui qu'il remplacera. Sa caractéristique principale pourrait même être la **sobriété**. Elle serait alimentée par la prise de conscience **environnementale** et l'urgence des défis à relever (voir p. 21). L'**autonomie** croissante des individus (voir p. 133) les amènera aussi à agir de façon plus **réfléchie** et **responsable**, afin de ne pas participer à une nouvelle dégradation, qui aurait de lourdes conséquences.

Leur comportement serait ainsi plus **solidaire**, à l'égard de la société tout entière, et même au-delà des frontières nationales, envers l'humanité. Cette solidarité dans l'espace s'inscrirait également dans le **temps** ; elle s'adresserait aux **générations** futures, considérant qu'il serait irresponsable de leur léguer un héritage ingérable. D'autant qu'elles ne pourraient pas choisir de le refuser.

La stagnation (ou baisse) des **revenus** devrait également contribuer à ce changement d'attitude et de comportement. Les personnes les plus modestes n'auront guère le choix. Pour les autres, cette évolution sera la conséquence d'une **réflexion** individuelle (mais aussi collective dans les groupes sociaux concernés) et d'un **mûrissement** progressif. Elle pourra les conduire à une forme moderne de **«simplicité volontaire[1]»**, en opposition avec la **complexité subie** induite par la société de consommation actuelle.

On pourrait enfin assister à des comportements croissants de **«sobriété»** dans les modes de vie et de consommation. Pour beaucoup d'individus, l'expérience accumulée montre en effet que la recherche du **«toujours plus»** engendre toujours plus... d'**insatisfaction** et de **frustration**.

---

1. Notion associée à des modes de vie ascétiques pratiqués dans l'Antiquité par des mystiques (stoïciens, cyniques, épicuriens) ou au Moyen Âge par des membres de communautés religieuses (moines).

Alterconsommateurs

Les accusations portées contre la **société de consommation** sont nombreuses, souvent anciennes et virulentes. On lui reproche en particulier d'être fabriquée et entretenue par un système **capitaliste** ultralibéral, globalisant, productiviste, dont l'unique objet et projet est le profit et l'accumulation de **capital** pour quelques-uns, la **précarité** pour les autres. Au prix d'une insupportable montée des **inégalités**.

Ces critiques émanent d'organisations devenues puissantes comme Attac, Greenpeace, Amnesty International, Action contre la faim, Terre solidaire et d'autres. Leurs discours sont de plus en plus documentés, argumentés et conceptualisés par des **chercheurs**, **philosophes**, **intellectuels** et **écologistes** qui jouent le rôle de **« lanceurs d'alerte »**. Tous dénoncent le **mépris** pour la Terre et la Nature dont fait preuve le « système », qui les considère comme des **« choses »** au service exclusif des humains. Au motif que ceux-ci détiendraient par l'intelligence propre à leur espèce des **droits** absolus sur leur environnement. Y compris celui de le **détruire,** à force de l'exploiter.

Face à des pratiques qu'elles jugent **criminelles** pour la planète, **aliénantes** pour ses habitants et **dangereuses** pour leur survie, ces organisations proposent des solutions alternatives : déclaration des **droits de la Nature** ou de la **« Terre-Mère »** ; **patrimoine mondial commun** aux humains ; **démocratie participative** ; rejet de la propriété privée au profit de la **gestion collective** des biens ; **décroissance** ; **démondialisation** ; **éco-socialisme** ; **souveraineté alimentaire** ; **économie solidaire**, etc.

Compte tenu des défis écologiques, économiques et sociaux à relever en urgence, ces conceptions devraient être mieux prises en compte à l'avenir, voire intégrées. Elles devront concilier les besoins matériels des **humains** (en tout cas les plus essentiels) et la préservation de la **nature** qui les héberge et leur fait don de ses ressources. Cela pourrait conduire à une nouvelle conception du monde, centrée sur le **développement durable** (rejeté toutefois par certains mouvements **altermondialistes**).

Le modèle alternatif, quel qu'il soit, devra pour réussir être **accepté**, et si possible **choisi** par des populations qui resteront encore avides de **croissance**, de **« progrès »**, de **pouvoir d'achat** et de **consommation**. Cette **« révolution culturelle »** paraît nécessaire, dans des formes qui restent à définir plus précisément. Mais elle prendra du temps.

Cette sobriété pourrait ainsi s'avérer « **heureuse** », selon l'expression de l'un de ses inspirateurs, Pierre Rabhi[1]. D'autant qu'elle n'interdirait pas de céder parfois aux tentations de la **consommation-plaisir**. La sobriété n'est pas obligatoirement une **ascèse**. La réflexion en cours sur la société de consommation, ses excès et ses insuffisances, pourrait ainsi donner naissance à une « **société 3S** » fondée sur la **simplicité**, la **sobriété** et la **solidarité**. Trois valeurs susceptibles de compléter celles du tryptique républicain.

UNE CONSOMMATION DE PLUS EN PLUS RAISONNÉE

Pour les raisons exposées, la conception plus **qualitative** de la consommation ne

---

1. Agroécologiste, fondateur de l'association Colibris, auteur de *Vers la sobriété heureuse*, Actes Sud, 2010.

devrait pas avoir de fortes répercussions sur son volume. Les **incitations** à dépenser seront fortes, avec l'apparition de nouveaux produits promettant à la fois le **plaisir du présent** et l'**oubli du réel**. Une baisse des revenus ne serait sans doute pas suffisante pour entraîner une «**déconsommation**» massive. Une partie des individus qui la subiraient pourrait en effet puiser un peu dans leur **épargne** pour l'éviter (voir p. 298).

La consommation devrait donc continuer de jouer son rôle de **moteur** de l'économie et assurer un minimum de **croissance** du PIB. Elle sera favorisée par l'**innovation** technologique dans de nombreux domaines, qui devrait apporter de nouveaux services aux individus et aux ménages, en termes de confort, de sécurité, de découverte, d'évasion. Elle profitera aussi de la croissance **démographique**, plus forte en France que dans les pays voisins (voir p. 28). Elle sera surtout favorisée par le **temps libre** abondant (voir p. 155), accru par l'augmentation de l'**espérance de vie** et la présence de **robots** effectuant certaines tâches peu intéressantes et chronophages.

Cette poursuite nécessaire et probable de la consommation devrait cependant être plus **responsable** et **raisonnable**. Elle prendra davantage en compte les contraintes **environnementales**. Celles-ci pourront être intégrées par les consommateurs à leur initiative ou pour se conformer à des **réglementations** plus strictes. Elle sera aussi «modulée» par l'intégration dans les prix de vente des produits des **coûts** induits tout au long de leur cycle de vie pour réduire et compenser leur impact écologique. Une manière de **responsabiliser** les consommateurs, mais aussi de **décourager** ceux qui ne seraient pas encore conscients de cette nécessité.

L'ÈRE DE LA CONSOMMATION COLLABORATIVE…

Le **contexte** socio-éco-écologique plus difficile attendu pour les années à venir devrait modifier sensiblement les **pratiques** de consommation. L'objectif principal ne serait plus de **dépenser plus pour avoir mieux**, mais de **dépenser moins pour obtenir autant**, ou **dépenser autant pour avoir davantage**. Deux façons différentes pour le consommateur de tenir compte de ses **possibilités** personnelles, de résister à la «**dictature de l'offre**» et de se

---

Bobos, Écolos et Décroissants

La réaction au «**système de la consommation**» a donné naissance en particulier à trois nouvelles catégories de consommateurs :

- Les **Bobos**, pris entre l'**envie** de consommer et la **culpabilité** à l'égard de ses conséquences.
- Les **Écolos**, soucieux de préserver l'**environnement** pour les générations futures.
- Les **Décroissants**, convaincus que le rythme de **consommation-destruction** n'est plus supportable pour la planète et qu'il faut viser une **croissance nulle ou négative**.

Parmi les autres Français, beaucoup continuent d'accorder une place importante, voire prioritaire à la consommation dans leur vie, considérant qu'elle est un moyen irremplaçable de la rendre confortable et agréable. Les **alternatives** qui leur sont proposées (décroissance, austérité…) ne leur apparaissent pas comme des solutions nécessaires.

C'est ce qui explique que la «crise» économique et le questionnement en cours sur le rôle central de la consommation ne se sont pas traduits par une baisse de celle-ci. Les Français ont continué d'acheter, en effectuant des **arbitrages** entre les postes, en recherchant le meilleur équilibre entre le prix payé et la satisfaction obtenue (voir p. 315). Mais les perspectives **économiques** et **environnementales** devraient accélérer les changements de comportement.

montrer **responsable**. Cela pourra même prendre la forme d'un **jeu** pour certains, qui ne seront pas soumis à des contraintes financières.

La «résistance» sera cependant rendue plus difficile par l'offre de produits et services réellement **nouveaux** et **attractifs**, notamment issus des **nouvelles technologies**. On avait pu le constater lors de l'arrivée des équipements issus de la révolution numérique : ordinateurs, smartphones, tablettes... Pour montrer leur volonté de changement, les consommateurs devraient se tourner de plus en plus vers la «**consommation collaborative**», encore appelée «**économie du partage**». Elle présente à leurs yeux quatre avantages distincts mais complémentaires :

- La possibilité de **dépenser moins**, en profitant des échanges entre particuliers, achats groupés, achats d'occasion, etc.
- Le sentiment **d'être plus responsable envers l'environnement** en allongeant la durée de vie des produits (par la réparation, le renouvellement moins fréquent, le don, etc.).
- L'opportunité d'être **acteurs** de leur consommation plutôt que **victimes** du «**système**», en échangeant non seulement des **informations** avec d'autres consommmateurs, mais aussi des **biens** et des **services**.
- La satisfaction de nouer des **relations humaines**, de vivre des moments de **convivialité**, qui ont souvent disparu dans les relations commerciales asymétriques de type «professionnelles».

Pour les entreprises, la consommation collaborative est aussi une opportunité, celle d'intégrer davantage le client dans l'ensemble du processus. En lui permettant de participer à l'offre, dans ses différentes phases : conception, production, communication, distribution, définition du prix... Et d'éviter que les consommateurs créent leurs **propres marques**, qui viendraient en concurrence avec celles des **fabricants** et des **distributeurs** (voir p. 308).

... ET DE LA MUTUALISATION

Les pratiques de **mutualisation** devraient progresser dans les années à venir. Elles pourront s'appliquer aussi bien à la mise en commun de biens **matériels** (équipements, objets, bâtiments...) que de **services immatériels** (informations, connaissances, temps, idées...). Ces biens et services pourront être mis à disposition de façon **gratuite** ou **payante**, éventuellement par un système d'**échange non monétaire** (ou passant par des monnaies locales ou des **crypto-monnaies**, voir p. 503). La mutualisation pourra concerner toutes les catégories de population : jeunes ou âgées, aisées ou modestes, urbaines ou rurales...

Ces pratiques n'auront pas comme seul objectif celui de sauvegarder l'**environnement**. Elles répondront aussi à des motivations **économiques** (économiser), **sociales** (réduire les inégalités), et **psychologiques** (accroître l'estime de soi). Elles constitueront un moyen de «**consommer autrement**», en achetant de façon plus «intelligente» ou en pratiquant la «**frugalité**» (voir p. 326). Elles permettront par ailleurs de faire preuve de **clairvoyance**, d'**autorité** et d'**autonomie**, en s'écartant d'un système marchand incapable de faire face aux enjeux de l'avenir et à l'urgence du changement.

L'OFFRE

La consommation de demain sera le résultat des nouveaux comportements, attitudes et motivations des «**consommateurs augmentés**» engendrés par un contexte d'inquiétude légitime. Les entreprises et les marques ont tout intérêt à l'imaginer dès maintenant, si elles veulent être en mesure de proposer demain des **offres** adaptées. Il ne s'agit pas seulement pour elles d'anticiper ce que seront les «**besoins**» de leurs clients réels et potentiels, mais aussi de mettre au point des produits et services qui seront susceptibles de les intéresser et qu'ils ne sont pas en mesure d'imaginer.

UNE CONNAISSANCE DÉTAILLÉE DES CLIENTS

Grâce aux multiples **capteurs** portés par les individus augmentés et connectés à Internet, aux progrès de l'analyse des *Big Data*, associés à l'évolution des sciences **cognitives** (neurosciences), les entreprises pourront connaître de plus en plus précisément les caractéristiques personnelles, les goûts, habitudes et attentes de chaque individu. Ces données seront collectées par divers moyens (questionnaires, cookies...), stockées dans des *data centers* (centres de données) et analysées par des **algorithmes** «intelligents». Elles permettront aux entreprises de **cibler** de plus en plus précisément leurs offres, en termes de produits ou de communication.

Elles pourront même aider les marques à **prévoir** les envies des clients et leur proposer de les satisfaire **avant** même qu'ils ne les ressentent et les aient exprimés (ce que s'efforcent de faire des entreprises comme Amazon avec le **marketing prédictif**). Certaines pourront pousser l'anticipation jusqu'à **livrer** des objets au domicile d'un client sans avoir reçu de commande de sa part. Cette nouvelle forme d'**ingérence** dans la vie privée des gens risque cependant d'être mal perçue par certains d'entre eux (voir p. 317).

L'utilisation systématique de **capteurs** donnera sans doute aux consommateurs le sentiment (fondé) d'être «**traqués**» (le mot anglais pour capteur est d'ailleurs *tracker*). Sa définition est lourde de sens : «*poursuivre sans relâche, pourchasser*». Or, les Français n'auront pas tous envie d'être traqués en permanence.

Il faudra compter, cependant, avec la **résistance** croissante des consommateurs à toutes les formes de pistage non souhaitées, pratiquées à leur insu et portant atteinte au **secret** de leur vie privée (voir p. 328), et au respect de la propriété des données personnelles, qui leur revient légitimement.

UNE DISTRIBUTION «MULTICANAL»

Les pratiques de distribution seront également bouleversées. Les **points de vente physiques** poursuivront leur transformation, en devenant des *showrooms*, des espaces **multicanaux** et **multisupports**, des lieux d'**information** et de conseils prodigués aux clients par des spécialistes. Ils devront être aussi des lieux de **convivialité** et d'échange avec d'autres clients («pairs») avec lesquels chacun pourra partager des **expériences** réellement vécues. Ce seront enfin des **ateliers,** dans lesquels il sera possible d'expérimenter avant d'acheter.

La fonction de **livraison** disparaîtra pour certains produits avec le développement de l'**impression 3D**, au domicile ou dans une boutique (dédiée ou offrant ce service parmi d'autres). On pourra ainsi facilement **matérialiser** un objet à partir d'un fichier numérique, à faible coût et faible impact environnemental, tout en créant des activités nouvelles pour des commerces.

Il sera aussi possible de créer des emplois liés à des produits **non dématérialisables**, avec la multiplication des **points de livraison** de proximité pouvant concerner différents types de commerce. La livraison par **drone** pourrait également se développer... à condition d'être **autorisée**. Dans de nombreux domaines (textile, ameublement, décoration, accessoires de mode, optique...), des logiciels et applications de **simulation** permettront de se rendre compte si les objets sont bien adaptés aux besoins.

DES PRIX QUI DEVRAIENT GLOBALEMENT AUGMENTER

L'évolution des **prix** des produits et services dépendra de plusieurs facteurs complémentaires. On peut ainsi évoquer des raisons allant dans le sens d'une **hausse**. Celle-ci serait principalement due au développement de nouveaux **modèles économiques** : abonnements ; forfaits ; gratuité du service de base et paiement des services complémentaires (modèle *freemium*); fausse gratuité avec paiement par la publicité...

On peut ainsi prévoir que des services aujourd'hui «gratuits» (en apparence) deviendront demain **payants**, notamment si la **publicité**, de plus en plus mal acceptée, se faisait plus rare dans un certain nombre de médias numériques. Ou si la collecte des **données personnelles** devait être rémunérée (voir p. 317), ou si les **médias** ne parvenaient pas à se financer autrement qu'en faisant payer leurs informations. Cette tendance **inflationniste** pourrait être favorisée par une augmentation des coûts de l'énergie (voir p. 46) et d'une façon plus générale, de la rénovation de l'environnement.

*Mais l'évolution des prix pourrait aussi aller dans le sens d'une **baisse**, si l'on prend en compte les tendances suivantes :*

- *La **concurrence** de plus en plus forte, notamment de la part des pays à bas coût de production.*
- *La stagnation ou la baisse du **pouvoir d'achat** moyen des ménages (voir p. 51) incitant à l'économie.*
- *Les développements à venir des outils de **comparaison** et d'avis émanant des « pairs ».*
- *La baisse des **coûts de production** grâce à la généralisation des **robots** et aux nouvelles techniques de production.*
- *Le fait que les produits et services **dématérialisés** peuvent être dupliqués pour un coût nul (voir p. 371).*
- *La **participation** des consommateurs à certaines phases du processus (voir p. 328).*

*Entre ces deux approches contradictoires, la balance semble pencher plutôt en faveur de la seconde, celle de la **hausse des prix**. Elle reposerait sur la part croissante de **nouveaux produits et services innovants**, nécessitant des investissements importants qu'il faudra amortir, et des nouveaux **modèles***

Des prix calculés « à la tête du client »

L'évolution des prix souhaitée par les consommateurs n'est pas seulement leur **baisse**. Elle concerne leur **cohérence**. Elle consisterait à les rendre plus conformes au **« bon sens »** des acheteurs, plutôt qu'à la **« capacité contributive »** (au chiffre d'affaires de l'entreprise) de chacun d'eux, telle qu'elle est estimée par des algorithmes en fonction des mégadonnées individuelles dont ils disposent.

Un retour au **« juste prix »** (ou « légitime dépense ») permettrait notamment de réduire les **écarts** parfois éloignés de toute logique humaine pour un produit ou service selon les clients, leurs caractéristiques, le moment de leur achat et autres critères utilisés pour définir des prix **instantanés** et **personnalisés**. Le rapport peut être par exemple de un à cinq pour un même billet d'avion ou de train. Il est cependant à craindre que cette évolution (qui serait plutôt déflationniste) soit contraire au **« ciblage »** permis par l'exploitation des mégabases de données, qui a pour but d'optimiser les profits des entreprises.

économiques qui devront être mis en place, compte tenu notamment de la disparition progressive de la « *gratuité* ». Mais cette **hausse** tendancielle de certains prix pourrait être compensée par la **baisse** d'autres prix et services notamment dans le numérique.

UNE COMMUNICATION BASÉE SUR LES RÉSEAUX

La **publicité** classique (dans sa forme comme dans ses supports) devrait être de moins en moins présente. Elle cédera la place à des formules plus modernes, basées sur le principe ancien du **« bouche-à-oreille »**: blogs ; forums ; réseaux sociaux ; chaînes Web... Les **« grands médias »** traditionnels comme la télévision pourraient être délaissés au profit de ces nouveaux médias (longtemps qualifiés de « hors médias», mais aujourd'hui majoritaires dans les investissements). La **communication** sera d'autant plus efficace qu'elle sera **attendue** ou en tout cas **acceptée** par les consommateurs, plutôt qu'**imposée** par les médias. Elle devrait aussi recourir de plus en plus à la création d'**événements,** de préférence surprenants, susceptibles d'attirer des participants et, surtout, d'être repris dans les médias et sur les réseaux.

Plus que jamais, la condition pour se faire connaître, développer (et entretenir) une **image** favorable de l'entreprise ou de la marque sera d'être **créatif**. On peut en outre mentionner plusieurs conditions pour que la créativité soit efficace : elle devra être **pertinente** (liée au produit ou service que l'on souhaite promouvoir, afin qu'il ne soit pas ignoré ou immédiatement oublié), **étonnante** ou **drôle** afin d'être relayée, **courte** afin que les destinataires acceptent d'y prêter attention. Les individus-consommateurs, «augmentés» ou non, n'accorderont en effet une «part de cerveau» que si cela en vaut vraiment la peine à leurs yeux. Cet intérêt sera très variable selon les groupes sociaux et les personnes, ce qui justifie l'importance de bien les connaître.

UN DÉVELOPPEMENT CONTINU DU E-COMMERCE...

La croissance du commerce via **Internet** a été spectaculaire au cours des dernières années. Elle a bénéficié de celle du **taux**

Le marketing à réinventer

Même s'il constitue une fonction nécessaire des entreprises, le **marketing** n'est guère valorisé par les consommateurs français. Or, les entreprises sont en train de développer de nouvelles pratiques en la matière : marketing **personnalisé** (offre sur-mesure) ; marketing **prédictif** (basé sur l'exploitation des mégabases de données) ; marketing **expérientiel** (optimisant la satisfaction du client) ; marketing **collaboratif** (impliquant le client) ; **neuromarketing** (destiné à déclencher dans le cerveau des réactions favorables à l'offre), etc. Le risque est que l'**image** du marketing en sorte encore plus **dégradée.**

Pour l'éviter, les *« marketeurs »* devront d'abord cesser de s'inscrire dans un **rapport de force** entre l'offre et la demande, tel qu'il existe aujourd'hui et qui leur est de moins en moins favorable (voir p. 310). Ils devront entrer de plain-pied dans l'**économie collaborative**, en faisant participer des clients dès l'amont, condition pour que leur apport soit réel et efficace. Les entreprises pourraient aussi dans le même esprit mettre en place une représentation des clients **au sein** de leurs comités directeurs. Elles pourraient même encourager et aider la création de véritables **« marques de consommateurs »** (voir p. 308).

Le marketing jouera demain plus que jamais un rôle essentiel d'**observateur** des consommateurs. Mais cette fonction de **« veille »** devra être rénovée. Elle pourra être en partie **automatisée** grâce à des algorithmes «intelligents» d'**analyse de contenus**, en s'appuyant notamment sur les progrès en cours de l'**analyse sémantique**. Mais les entreprises ne devront pas se laisser griser par ces possibilités, et croire que l'identification des **tendances** est le préalable nécessaire à la création de nouveaux produits et services. La créativité fonctionne souvent sur des ressorts moins rationnels, plus émotionnels, donc moins facilement mesurables et prévisibles.

Le processus d'innovation pourra être **accompagné et** facilité par les **clients** actuels ou potentiels. Mais il ne pourra leur être **délégué**. Le succès d'entreprises comme Airbnb ou Blablacar, l'échec des Google Glasses de Google ou celui, plus relatif, de la montre connectée d'Apple montrent qu'il est difficile d'anticiper précisément l'accueil qui sera fait à une innovation. Il est en revanche important et possible de favoriser son **appropriation** par les consommateurs, en les faisant participer au processus. Au total, ce sont donc tous les ingrédients du mix qui vont devoir être revus par les responsables du **« marketing augmenté »**.

LE E-COMMERCE MULTIPLIÉ PAR VINGT DEPUIS 2005

66. Évolution du chiffre d'affaires annuel du e-commerce en France (en milliards d'euros)

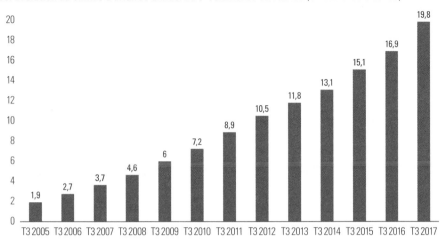

iCE/Fevad

d'équipement des ménages en ordinateurs, tablettes et smartphones, et du taux de connexion à Internet. La proportion de Français disposant d'un ordinateur fixe connecté était de **85 %** au début **2018**, contre 75 % fin 2010 et 17 % fin 2000[1] ; 73 % avaient par ailleurs une connexion mobile, via un smartphone. Le e-commerce a aussi profité de l'accroissement du nombre de **sites de commerce en ligne** : on en comptait 204 000 début 2017[2] (contre 82 000 en 2010), avec une très grande diversité de secteurs représentés, y compris ceux que l'on croyait **incompatibles** avec ce canal, comme l'habillement, les produits de luxe, l'ameublement ou, plus récemment, l'optique. Le nombre de sites marchands actifs avait augmenté de 10 % sur un an.

En **2017**, le **chiffre d'affaires** du e-commerce a ainsi dépassé 80 milliards d'euros en France, en progression de 14 % par rapport à 2016 (72 milliards)[3]. Il a **doublé**

entre 2013 et 2017, pour représenter près de 10 % des ventes de détail. 1,2 milliard de **transactions** en ligne ont été enregistrées (+ 21 %). Le nombre des **acheteurs** français en ligne avait atteint 37 millions au cours de l'année, soit un million de plus en un an. Près de neuf internautes sur dix avaient effectué au moins un achat. Le e-commerce représentait ainsi près de 10 % du commerce total en 2017. Le **montant moyen** des achats était cependant en baisse de 5 %, à 65,50 euros, à comparer à 90 euros en moyenne sur la période 2005-2011. Mais il était largement compensé par l'accroissement de la **fréquence** des achats, de sorte qu'en dix ans, le **panier moyen annuel** est passé de 763 euros (2007) à **2 184 euros (2017)**.

Cette croissance est appelée à se poursuivre avec la généralisation des **équipements**, fixes et mobiles, et les **développements** technologiques à venir : connexions à très haut débit ; commande vocale des fonctions et de la navigation sur les sites ; images et vidéos en 3D ; réalité virtuelle ; holographie ; logiciels d'essayage de vêtements et accessoires ; logiciels de configuration virtuelle de meubles et objets

---

1. *Baromètre du numérique 2017* ARCEP-CGE-Agence du Numérique, réalisé par le CRÉDOC.
2. Sauf autres mentions, les chiffres sont issus du Baromètre FEVAD/CSA, de janvier 2017.
3. Médiamétrie/NetRatings, FEVAD (Fédération du e-commerce et de la vente à distance).

de décoration ; stimulation artificielle des sens (odorat, toucher, goût) ; accélération des délais de livraison ; paiement en ligne sécurisé... Le **chiffre d'affaires** devrait atteindre **100 milliards d'euros dès 2019**. Ces innovations pourraient permettre au e-commerce de représenter plus d'**un quart des ventes de détail en 2030**.

... QUI TRANSITERA DE PLUS EN PLUS PAR LES ÉQUIPEMENTS MOBILES

Le **m-commerce** (achat via un terminal mobile de type smartphone, tablette, phablette[1] ou autre...) a connu une forte hausse dans les dernières années. 9,3 millions de Français équipés avaient déjà effectué des achats à partir de leur téléphone mobile en 2016[2], soit un quart des «mobinautes» (disposant d'une connexion à Internet).

Les équipements mobiles de l'avenir seront encore plus utilisés. Ils bénéficieront de nombreuses innovations technologiques, notamment d'une **autonomie** très supérieure, permettant un usage prolongé. Ils favoriseront en outre les **achats d'impulsion** : en 2016, 22 % des e-acheteurs s'étaient déjà rendus dans un magasin, un restaurant, un cinéma à la suite de la réception d'une offre ciblée géolocalisée. Le **m-commerce** pourrait ainsi connaître une hausse supérieure à celle du **e-commerce** réalisé à partir d'équipements fixes.

Cet accroissement du commerce à distance profitera aussi aux **boutiques physiques** disposant de **sites Internet**. 41 % des petits et moyens commerçants déclaraient ainsi en 2017 avoir obtenu par cette présence «**bicanale**» ou «**phygitale**» (mélange de commerce «en dur» et numérique) un élargissement de leur zone de chalandise[3], 40 % une augmentation de leur chiffre d'affaires en magasin physique. 35 % estimaient que leurs clients étaient mieux informés,

29 % avaient constaté une augmentation de la fréquentation de leurs boutiques.

LES GRANDES SURFACES PHYSIQUES MENACÉES...

La concurrence devrait être de plus en plus rude entre les magasins «**physiques**» (ou «réels») et les magasins **virtuels**, disponibles via les canaux et supports digitaux. Elle est déjà apparente dans la difficulté des **hypermarchés** à maintenir leur part de l'activité commerciale. Après avoir été grignotée par les magasins de *hard discount* (maxidiscompte), celle-ci l'est aujourd'hui par les **sites de commerce en ligne**, notamment pour la partie **non-alimentaire** de l'offre en hypermarché. De sorte que la part de marché de ces magasins devrait être bientôt inférieure à 50 %.

Les **hypermarchés** ont réagi en créant des *drives* (voir p. 157), en baissant leurs **prix** sur certains produits, en réduisant la part des rayons **non-alimentaires**, en créant leurs propres **sites de commande en ligne** ou en cédant une part de leur **superficie**, devenue trop grande. Mais le concept du «*tout sous le même toit*» reste menacé, voire condamné dans sa forme actuelle. L'avenir à l'**international** risque de se compliquer aussi, notamment dans les pays émergents qui pourraient passer directement au **e-commerce**.

Le problème se pose également aux **centres commerciaux**, qui vont devoir trouver un nouveau souffle. La situation des **États-Unis** pourrait préfigurer celle de la France : la fréquentation des *shopping malls* y a diminué de moitié entre 2014 et 2017 ; plus d'un tiers de ceux qui restent

---

1. Produit de taille intermédiaire entre smartphone et tablette numérique.
2. *Observatoire des usages Internet* (individus de 11 ans et plus), Médiamétrie, 2017.
3. *Profil du e-commerçant (spécial TPE-PME)*, Oxatis/Kpmg, janvier 2017.

pourraient fermer d'ici 2020 et des chaînes comme Sears. Macy's ou JC Peney sont en grande difficulté. En vingt ans, Amazon a créé un empire commercial plus important que Wallmart (créée en 1962, et presque trois plus âgée), et distribue désormais aussi des produits alimentaires. Les gros opérateurs numériques pourraient ainsi racheter les grandes enseignes physiques dans une optique de présence **omnicanale** enserrant complètement les consommateurs.

… ET CONTRAINTES DE SE RÉINVENTER

D'autres transformations seront nécessaires pour convaincre les clients de se déplacer, sans avoir l'impression d'effectuer la «**corvée des courses**». Les hypermarchés pourraient ainsi proposer aux clients des **ateliers** de formation (cuisine, santé, écologie…), des lieux de **restauration**, de **divertissement**, de **culture** (expositions, rencontres…). Ils pourraient offrir davantage de produits alimentaires **frais**, produits **localement** (ou en tout cas *made in France*), **labellisés**, ainsi que des **informations**, **conseils** et **services** en matière nutritionnelle et sanitaire.

La situation **française** est moins dramatique, mais la désaffection des consommateurs est sensible à l'égard des grandes surfaces : éloignement ; manque de charme ; bruit ; concurrence du e-commerce… La stagnation ou baisse du **pouvoir d'achat des classes moyennes** à l'avenir renforcerait ce phénomène. Les concepts de grandes surfaces physiques sont donc à revoir et les mêmes pistes peuvent être explorées dans le cas des hypermarchés ou des centres commerciaux. La rénovation a commencé, avec la création d'espaces plus **attractifs**, devenus des lieux de vie, d'étonnement, de plaisir et de convivialité.

DES PISTES D'ADAPTATION POSSIBLES…

Malgré les difficultés, les magasins **physiques** ne sont pas condamnés. À condition qu'ils s'adaptent aux mutations en cours en matière technologique, mais aussi démographique, économique, politique, juridique, financière. Ils devront également prendre en compte les changements dans les **systèmes de valeurs** des individus (voir p. 221), qui auront une traduction directe dans les attitudes et les comportements des **consommateurs**. Cela impliquera une remise en cause dans de nombreux domaines et une forte capacité d'**innovation**. Ils devront ainsi :

- **Proposer aux clients une expérience** de visite et d'achat riche et moderne, c'est-à-dire en particulier jouer sur les **sens** et les **émotions**.
- **Satisfaire leur curiosité**, en leur proposant régulièrement des nouveaux produits et services.
- **Répondre à leurs questions**, leurs **incertitudes**, leur besoin de **réassurance**, par un effort permanent de **pédagogie** et un affichage apparent des prix.
- **Exaucer leur attente de convivialité** (non seulement avec les représentants de l'enseigne, mais avec les autres **clients**) en leur fournissant des prétextes pour échanger.
- **Mettre l'offre en scène et en valeur**, tant en ce qui concerne les produits et les services que la communication, le parcours dans le magasin, les services «récréatifs», etc.
- **Enrichir l'offre** avec un mélange optimisé de marques nationales, marques de distributeurs, marques locales, marques de start-up, et même «marques de consommateurs» (voir p. 308).
- **Adapter les formats** de magasins aux **zones de chalandise**, en faisant en sorte de réduire les temps de parcours.
- **Utiliser les nouvelles technologies** : vitrines et présentations holographiques ; impression 3D de certains produits ; self-scanning ou scanning automatique ; robots de réassortiment ; paiement sans caisse ; paiement par mobile ; reconnaissance visuelle et vocale, etc.
- **Utiliser les *Big Data*** (avec l'intelligence artificielle permettant de les analyser) et les outils basés sur les **neurosciences** pour mieux connaître les clients (réels et

potentiels) et leur apporter les meilleurs services possibles. À condition d'avoir leur **autorisation**, expresse et révocable à tout moment, pour recueillir, stocker, analyser et exploiter leurs données personnelles. Cela suppose d'établir une véritable relation de **confiance** avec eux, clé de voûte d'une **efficacité commerciale** durable.

- Jouer la carte du «**phygital**» (boutiques physiques et sites Internet) afin de bénéficier de la complémentarité entre les deux modes d'achat, l'un pouvant (et devant) renvoyer à l'autre.

... POUR OFFRIR DES AVANTAGES TANGIBLES

La croissance du **e-commerce** ne supprimera pas l'intérêt de se rendre dans les magasins traditionnels. Ceux-ci continueront de proposer une **présence et une assistance humaine**, qui restera un atout (voir encadré ci-dessous). Ainsi, 52 % des **cyber-acheteurs** se rendent préalablement dans une enseigne «**physique**» avant d'acheter en ligne[1]. Mais la situation **inverse** est également fréquente : 69 % des acheteurs en magasin se sont renseignés sur Internet avant d'effectuer leur achat. Les magasins pourront donc être parfois utilisés comme des **showrooms**, déclencheurs (ou non) d'achats en ligne, tandis qu'Internet pourra servir à trouver un magasin dans lequel on se rendra pour acheter. Ces comportements profiteront aux commerces qui seront à la fois présents en ligne et «en dur », à la condition que l'**achat** se fasse dans l'enseigne visitée et non dans une autre enseigne proposant le même produit.

Le magasin «physique» du futur devrait donc avoir une double finalité. Il complétera dans certains cas le magasin «virtuel», mais pourra aussi s'en distinguer complètement. Les marques et les enseignes de distribution seront pour la plupart présentes sur tous

---

La relation humaine plébiscitée

79 % des consommateurs français disent préférer traiter directement avec une **personne** pour résoudre leurs problèmes ou obtenir un conseil, plutôt qu'avec un **intermédiaire digital**[1]. **58 %** estiment que le **magasin** est le meilleur canal pour obtenir un service personnalisé. **44 %** sont *a priori* mieux disposés à acheter des produits (neufs ou de « seconde main ») dans le cadre d'une **discussion en face-à-face**. Ils sont également 44 % à préférer se rendre en magasin pour obtenir des conseils avant de commander sur Internet.

En cas de problème, les sanctions sont immédiates et fortes. 55 % des cyberacheteurs déclarent avoir **changé de fournisseur** au cours des douze derniers mois à cause d'une mauvaise expérience avec un service client digital. La principale difficulté, évoquée par 81 % des acheteurs, est la difficulté à **joindre** les entreprises. 68 % disent souhaiter un service client plus **simple** et **pratique** et, pour 66 % plus **rapide**. Ils sont 22 % à déclarer poster des **critiques** sur les réseaux sociaux après une mauvaise expérience, afin d'exprimer leur mécontentement. Les clients souhaitent aussi en majorité une plus grande **fluidité** entre la relation digitale et la relation humaine, l'une complétant l'autre.

Enfin, les préoccupations concernant la récupération, la protection et l'exploitation (interne ou externe) des **données personnelles** sont de plus en plus fortes. 83 % des consommateurs estiment *« essentiel »* que les entreprises protègent la **confidentialité** des données de leurs clients. On ne peut pas parler de souhait ou d'attente en la matière, mais de **revendication**. Sa satisfaction est une condition de l'avenir du commerce.

1. Accenture Strategy (mai 2016).

---

1. Enquête FEVAD, 2017.

TOURISME ET CULTURE PRIORITAIRES

67. Parts de marché (en %) et chiffres d'affaires (en milliards d'euros) du e-commerce par secteur d'activité

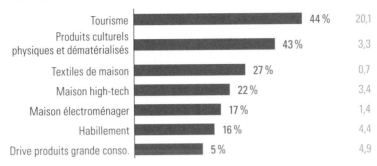

Tourisme	44 %	20,1
Produits culturels physiques et dématérialisés	43 %	3,3
Textiles de maison	27 %	0,7
Maison high-tech	22 %	3,4
Maison électroménager	17 %	1,4
Habillement	16 %	4,4
Drive produits grande conso.	5 %	4,9

Fevad avec GfK, IFM, Nielsen, PhocusWright/L'Echo touristique

les **supports**, à tous les **moments** et en tous **lieux** pour leurs clients ou prospects. Mais ce sont eux qui choisiront leur lieu d'achat en fonction de leur disponibilité, de leur humeur, du moment, de l'endroit où ils se trouveront, des offres auxquelles ils pourront accéder, dont ils seront informés le plus souvent sur leur mobile. Ils prendront aussi en compte dans leurs décisions les **expériences** qu'ils ont pu vivre auparavant avec chacun des modes d'achat. Ils intègreront enfin les avis souvent déterminants de leurs **pairs**, surtout s'ils sont concordants. Leur objectif final sera comme aujourd'hui d'optimiser le **rapport valeur/coût** de leur achat (voir p. 315).

La **pérennité** des magasins « physiques » dépendra ainsi de leur capacité à s'adapter à ces nouveaux modes d'achat (voir p. 306). Il leur faudra présenter des **avantages** tangibles par rapport aux canaux virtuels : présence réelle des produits, assistance humaine, animation, attractivité du lieu, etc. Cela leur permettra de compenser leurs **inconvénients**, tels qu'ils seront perçus par les consommateurs : distance, limitation des horaires d'ouverture, temps et frais d'accès, absence de comparaison avec d'autres offres, fatigue physique, etc. À terme, l'imbrication entre réel et virtuel devrait s'accroître, de sorte qu'il n'y aura pas opposition, mais com-

plémentarité. Les jeunes générations sont déjà dans une logique de **fusion** entre ces deux univers.

UNE DIMINUTION DES FREINS À L'ACHAT EN LIGNE

L'avantage principal pour les consommateurs de se rendre dans un magasin « **physique** » restera la possibilité qu'il leur offre de voir et toucher « **en vrai** » un article avant de l'acheter. Mais ce frein, inhérent au commerce virtuel actuel, devrait se réduire avec les progrès attendus dans la **présentation** des produits : images, vidéos, zooms, mise en situation, hologrammes, simulateurs, réalité augmentée ou virtuelle, diffuseurs d'odeurs, gants permettant de créer des sensations tactiles, etc. L'hésitation à acheter sans voir est d'ailleurs déjà en partie levée aujourd'hui, avec la possibilité offerte par de nombreux sites de **retourner** gratuitement un produit non satisfaisant, pendant une période de 14 jours ; 39 % des cyberacheteurs l'avaient déjà fait en 2016[1].

D'autres freins à l'achat virtuel risquent de ne pas être totalement résolus, comme la crainte du **piratage** de la carte bancaire et la récupération des **données personnelles** ou leur vol (voir p. 317). Les magasins

---

1. Enquête FEVAD (2017).

«en dur» continueront également de béné-ficier de leur **proximité géographique** (lorsque c'est le cas) avec le client. Mais cet avantage est très relatif : l'achat **en ligne** n'est pas considéré par l'acheteur comme étant effectué «**à distance**» mais plu chez le client. C'est notamment le cas pour les **jeunes générations**, en particulier les «*Milleniaux*», qui n'opposent pas **réalité** et **virtualité**. Par ailleurs, le recours à un humain jouant le rôle de **conseil** est moins important à leurs yeux, dans la mesure où ils disposent sur Internet d'informations très précises sur chaque produit, ainsi que les avis de ceux qui les ont achetés et utilisés.

ET SI...

Les questions figurant dans cette rubrique ne sont pas des informations, mais des sujets de réflexion et de débat complétant les textes du chapitre qu'ils clôturent. Elles peuvent exprimer des souhaits, des craintes, des utopies ou tout élément susceptible d'accélérer, ralentir ou inverser les évolutions prévisibles.

... les consommateurs décidaient de faire une grève (temporaire ou épisodique) de la consommation (au-delà du *boycott* de produits) ?

... les bases de données personnelles des consommateurs étaient massivement piratées par des *hackers* pour les rançonner ?

... une grande multinationale du numérique décidait de faire élire des responsables politiques qu'elle pourrait ensuite manipuler à son profit ?

... les prix des produits intégraient leur coût environnemental réel pour la planète afin de contribuer à la prise de conscience générale ?

... la plupart des produits et objets de la vie courante étaient dématérialisés ?

... les prix de vente des voitures étaient obligatoirement indiqués dans les publicités, en plus (ou à la place) de celui de la location longue durée, pour que les consommateurs puissent mieux comparer ?

... les entreprises qui ne répondent pas aux appels téléphoniques ou aux mails envoyés par des clients étaient identifiées et placées sur une liste rouge ?

... les consommateurs pouvaient obtenir d'être (réellement) supprimés des listes de démarchage par téléphone ?

... les prix prohibitifs de certaines prothèses auditives étaient sanctionnés ?

... les marges des entreprises sur les produits étaient consultables par les consommateurs ?

... les arnaques commerciales par mail étaient automatiquement repérées par des algorithmes et immédiatement supprimées ?

... les *spams* publicitaires étaient automatiquement et sûrement repérés par des algorithmes et immédiatement supprimés des boîtes de messagerie des Internautes qui le souhaitent ?

LOISIRS

omme l'individu ou le consommateur, les loisirs de demain seront
« **augmentés** ». Augmentée aussi sera
la « **réalité** » proposée en lieu et place de la
réalité « **vraie** ». Laquelle est en fait une
réalité **perçue**, fruit d'une **interprétation**
personnelle constituée ou reconstituée
par les sens et le cerveau. Mais les réalités
nouvelles et augmentées se différencieront de la réalité quotidienne *tangible*[1] par le
fait qu'elles seront **numérisées**, **virtuelles**,
dématérialisées. Les loisirs de demain donneront ainsi accès à des mondes différents,
parmi lesquels chacun pourra choisir à
volonté, et au sein desquels il pourra « naviguer ».

*N.B. La prospective n'est pas une science
exacte (voir p. 9). C'est pourquoi des textes
(en italiques), placés en dessous des descriptions de certaines tendances et prévisions,
présentent des perspectives alternatives, dans
le cas où un changement important se produirait dans le contexte et modifierait ces prévisions.*

TEMPS LIBRE

LE DIVERTISSEMENT PRIORITAIRE

Le **loisir** a été inventé par l'Homme pour
différencier les activités auxquelles il est
contraint (la satisfaction de ses besoins
primaires, comme le repos ou l'alimenta-
tion, le travail...) de celles qu'il peut **choisir**,
même si sa liberté n'est jamais totale en la
matière. Cette distinction, très ancienne, a
vraiment pris son sens après la révolution
industrielle de la fin du XIXᵉ siècle. Elle a été
officialisée au XXᵉ siècle par la reconnaissance d'un « **droit au loisir** », qui a donné
lieu notamment à la **réduction du temps de
travail** et au développement progressif des
« **congés payés** ».

La reconnaissance du loisir a été à l'origine d'une nouvelle **catégorie** d'activités
économiques, qui s'est beaucoup développée à partir des années 1960. La branche
ayant connu la plus forte croissante a été
celle du **divertissement**, fondée sur le
besoin d'oublier (les contraintes de la vie),
se délasser, s'amuser, « profiter ». Ce phénomène a été illustré notamment par l'invention de la **télévision**. Au point que les **loisirs**
occupent aujourd'hui une part largement
plus importante que le travail dans l'emploi
du temps des Français (voir p. 155).

UNE SOCIÉTÉ DE PLUS EN PLUS
HÉDONISTE ET LUDIQUE

La société à venir sera sans doute encore
plus **hédoniste** qu'aujourd'hui, même si
elle devient plus **responsable** (voir p. 321).

---

1. La définition de l'adverbe *tangible* est la suivante :
*Qu'on connaît par le toucher (réalité tangible). Que chacun
peut constater, qui ne saurait être mis en doute* (Larousse).
Elle devra sans doute être modifiée pour prendre en
compte le fait que la *réalité virtuelle* est une « autre » réalité, et qu'elle pourra aussi bientôt être touchée (grâce
aux technologiques haptiques capables de créer des
sensations tactiles artificielles par l'intermédiaire de
gants électroniques).

Elle fera toujours du **plaisir** une motivation importante, sinon principale, de la vie quotidienne des Français. Mais elle devra être en même temps consciente des **menaces** qui pourraient « gâcher le plaisir » : catastrophes naturelles ou artificielles, attentats, chômage, difficulté de gérer sa propre destinée ; conflits ; absence de maîtrise des innovations, etc. Chacun recherchera le maximum de **satisfactions** pour un minimum d'**efforts**. Mais il lui faudra quand même accomplir ceux qui seront nécessités par sa situation personnelle, professionnelle, familiale, sociale.

La société future sera également **ludique**, ne serait-ce que parce que l'individu porte en lui le goût du **jeu** (voir p. 398). Celui-ci peut être un moyen de raisonner (ou au contraire de se laisser « agir » par le « hasard »), de se confronter à lui-même et aux autres, d'apprendre et de comprendre le fonctionnement des choses. *Homo ludens* a sans doute toujours coexisté avec *Homo sapiens* (voir p. 398). Le lien devrait encore se renforcer à l'avenir entre ces deux ancêtres, dans une société de plus en plus **laïque** ; ses membres, dont beaucoup seront **athées** ou **agnostiques** (voir p. 231) préféreront être heureux « *ici et maintenant* » plutôt qu'« *ailleurs et plus tard* », comme le proposent la plupart des croyances religieuses. La société à venir ne pourra en tout cas être celle de l'**insouciance**. Son hédonisme devra être teinté de **responsabilité**.

DE PLUS EN PLUS DE TEMPS LIBRE...

Les Français consacrent un temps croissant à des activités non professionnelles. Ils sont d'ailleurs dans le monde ceux qui disposent au cours de leur vie du **temps libre** le plus abondant, compte tenu d'une durée de **travail** annuelle réduite (du fait de **congés** longs), d'une **espérance de vie** élevée, en particulier pour les femmes (voir p. 36) et d'un départ à la **retraite** précoce. En **2030**, ce temps libre sera encore plus abondant : il représentera près d'un tiers du temps éveillé d'une vie (29 % contre seulement 9 % pour

le travail, voir p. 155). De quoi inciter les Français à pratiquer de nombreux **loisirs**.

Ce temps supplémentaire disponible sera utilisé, car la **nature humaine** (et la nature en général), a « *horreur du vide* » comme l'avait indiqué Aristote il y a plus de 2000 ans. On observera cependant que les Français n'ont pas horreur des **vacances**, alors que ce mot a précisément le sens de « *vide* »[1] ; ils en sont au contraire friands. L'**offre** d'activités de loisirs à venir devrait les satisfaire, car elle va s'accroître dans des proportions considérables. Elle est en préparation dans les laboratoires de recherche et dans les start-up, et l'on peut déjà en voir les premières applications, par exemple dans les domaines très prometteurs de la **réalité virtuelle**, **augmentée** ou **mixte**. Cette offre s'appuiera également sur d'autres **innovations** de rupture, qui vont ouvrir aux loisirs des champs d'application totalement nouveaux.

... ET DE DÉPENSES DE LOISIRS

Plus que le **temps** qui leur est consacré, les **dépenses** de loisirs sont difficiles à estimer, car elles sont multiples et non globalisées. Les activités de **loisirs** ne semblent pas constituer en effet un domaine d'étude majeur pour les statisticiens. La comptabilité nationale indique que les dépenses de « **loisir-culture** » représentaient 6,1 % du budget disponible des ménages en 2017 (consommation effective des ménages, comprenant les dépenses effectuées par l'État pour les ménages, comme la santé ou l'éducation). Mais elle ne prend pas en compte un certain nombre de dépenses liées aux loisirs, figurant dans d'**autres rubriques** du budget des ménages.

Ainsi, le poste **transport** (10 %[2]) concerne aussi en partie des activités de loisir, telles que l'utilisation de la voiture en week-end ou en vacances. C'est le cas aussi du poste **communication** (téléphone, Internet), qui pèse 2 % et concerne en bonne partie des échanges avec la famille ou les amis à ranger

---

1. Vacance est tiré du latin *vacuum*, qui signifie vide.
2. Les chiffres qui suivent, qui ne sont donnés que pour effectuer une estimation, sont arrondis à l'unité.

LE PRIX DES LOISIRS CULTURELS

68. Évolution des dépenses culturelles et de loisirs depuis 2000 (en % par ordre décroissant en 2017)

Type de dépense	2000	2010	2016	2017
Presse, livres et papeterie	19,0	16,3	14,6	15,3
Jardinage, animaux de compagnie	11,0	12,4	13,7	14,4
Jeux, jouets, articles de sport	12,2	12,6	13,4	14,4
Services récréatifs et sportifs (1)	8,8	10,5	12,6	13,2
Services culturels (2)	12,8	13,7	14,9	11,9
Jeux de hasard	8,3	8,8	9,9	10,8
Télévision, hi-fi, vidéo, photo	11,0	11,6	8,8	7,6
Autres biens culturels et de loisir	3,9	4,6	5,3	5,6
Informatique	6,1	5,4	4,5	4,8
Disques, cassettes, pellicules photo	7,0	4,2	2,3	2,0
Total	**100,0**	**100,0**	**100,0**	**100,0**

(1) : développements et tirage de photos, etc.
Sport, location de matériel sportif, fêtes foraines, parcs d'attractions, voyages à forfait, week-ends, etc.
(2) : cinéma, spectacles vivants, musées, abonnements audiovisuels (y c. redevance TV).
INSEE, comptes nationaux – base 2010

dans les loisirs. Il en est de même de certaines dépenses d'**alimentation**, lorsqu'elles ont un caractère **festif** (réceptions à domicile...), ce qui est de plus en plus souvent le cas. Le poste «**hôtels-cafés-restaurants**» (5 %) pourrait quant à lui être affecté pour l'essentiel aux loisirs. Le poste **habillement** (3 %) comprend des achats de vêtements destinés à des activités ludiques et de détente, notamment sportives. Enfin, la rubrique «**autres biens et services**» (8 %) comprend pour partie des dépenses d'assurance pour les loisirs.

En ajoutant ces différentes composantes, on arrive à une dépense totale très supérieure à celle du seul poste **loisirs-culture**. Il est difficile de l'estimer avec précision, car on ne connaît pas pour l'ensemble des ménages la part de chacune d'elles qui leur est véritablement affectée. On peut cependant considérer que l'ensemble dépasse aujourd'hui **20 % de la consommation** effective des ménages au sens de l'INSEE. De sorte que les loisirs représentent le **premier** poste de dépense des ménages, juste devant le logement (19 %, hors équipement). Cette part devrait encore s'accroître d'ici **2030**. Elle pourrait atteindre un **quart** du budget

des ménages, si l'on prend en compte les offres de nouvelles activités à venir, impliquant l'achat de nouveaux équipements, abonnements et autres coûts.

DES MOTIVATIONS MULTIPLES

Demain comme aujourd'hui, la recherche de **plaisir** dans les activités de loisirs constituera la motivation principale. Mais elle pourra prendre des formes différentes :

- La **distraction**, moyen d'échapper au quotidien et à ses vicissitudes.
- L'**émotion** induite notamment par la compétition avec les autres ou avec soi-même, sous toutes ses formes, qu'elle se traduise par la victoire ou la défaite.
- Le **rire**, facteur de décontraction, d'optimisme, de détente et facilitateur de relations humaines.
- La **connaissance**, facteur de compréhension du monde et de développement personnel.
- L'**expérience**, moyen de vivre des situations inédites et intenses.
- Le **changement d'identité**, faculté de devenir un autre pour un temps et d'échapper à ce que l'on est.

UNE MOINDRE INCIDENCE DE L'ÂGE...

Parmi les très nombreuses activités de loisir existantes, la très grande majorité **diminuent** avec l'âge : sports, spectacles, activités de plein air, activités culturelles, etc. Seules deux **augmentent** : la lecture des journaux et le temps passé devant la télévision. Les écarts sont davantage liés à des effets de **génération** qu'à l'âge proprement dit. On constate ainsi que les personnes de 75 ans et plus appartiennent à une génération pour laquelle la notion même de loisir a été une **découverte**, qui ne les a concernées que tardivement. Nées pour la plupart avant la fin de la Seconde Guerre mondiale, elles ont dû consacrer l'essentiel de leur temps au **travail**, pour des raisons souvent **matérielles**, mais aussi **philosophiques** ou **spirituelles** (voir p. 230). Certaines activités aujourd'hui considérées comme «normales» paraissaient donc un peu **futiles** aux aînés. Ils sont cependant nombreux à tenter de rattraper le «retard» qu'ils ont pris par rapport aux plus jeunes, en ayant une retraite active. Mais la césure inhérente à l'âge s'est **déplacée** avec le temps, de sorte que les écarts de mentalité et de comportement en matière de loisirs ont **diminué** entre les générations.

Au cours de la prochaine décennie, l'accroissement de l'**espérance de vie** et l'amélioration de l'état de **santé** renforceront encore chez les inactifs l'envie de vivre pleinement le reste de leur vie, même si l'évolution de leur **pouvoir d'achat** connaît une pause (voir p. 51). L'évolution des mœurs qui s'est amorcée depuis les années 1990 est en effet irréversible. En **2030**, il semblera sans doute normal aux retraités de pratiquer les multiples formes d'activités de loisirs proposées, lorsqu'ils en auront la capacité physique et financière. Ils y seront en outre fortement encouragés par les **prestataires**, conscients du poids économique des «seniors». La plupart développeront pour eux des offres accessibles, ou parfois spécifiques (mais sans le dire haut et fort, afin de ne pas froisser ces clients nombreux et susceptibles).

... DU SEXE...

La société devrait poursuivre d'ici **2030** son chemin vers une participation **égalitaire** (ou en tout cas plus équilibrée) des femmes à la vie économique, sociale et culturelle du pays. Le mouvement concernera aussi les pratiques de **loisirs**. Les écarts actuels se réduiront. Les femmes seront ainsi plus nombreuses qu'aujourd'hui à s'intéresser aux **sports de vitesse**, de **force** ou d'**équipe**, ou aux activités à fort contenu **technologique** (jeux vidéo, applications sur smartphones...). Lorsque les différences plus ou moins «**objectives**» (telle que la force physique) n'entreront pas en jeu, elles pourront pratiquer des loisirs avec des hommes, et même concourir avec eux.

La **convergence** attendue se fera aussi dans l'autre sens. Les **hommes** s'intéresseront aussi à certaines activités aujourd'hui plutôt féminines. Ils sont en effet moins concernés que les femmes par la **lecture** (livres et magazines), les échanges sur les **réseaux sociaux**, les **sports de souplesse** (danse, gymnastique, yoga...) ou les sorties de type **culturel** (musées, expositions...). Un rattrapage au moins partiel devrait avoir lieu.

Pour se développer, ce mouvement de convergence devra commencer dès l'**enfance**. Il remettra en cause certains **stéréotypes** fortement ancrés dans la culture commune. Ainsi, en matière sportive, la **grâce** et l'**agilité** sont associées aux **filles**, tandis que la **force** et l'esprit de **compétition** sont attribués aux **garçons**. Pratiquer un sport qui n'est pas en **conformité** avec

ces images sociales est donc difficile pour chacun des sexes, d'autant qu'elles sont entretenues par les parents dès le plus jeune âge.

On peut ainsi prévoir que les loisirs seront demain moins «sexués». Mais le rapprochement des pratiques ne devrait pas devenir pour autant une nouvelle «norme sociale», impliquant une **contrainte**. L'**égalité** des droits entre les femmes et les hommes ne signifie pas que les unes et les autres aient des goûts et des comportements **identiques**.

... ET, POUR CERTAINES ACTIVITÉS, DU NIVEAU D'INSTRUCTION

La plupart des activités de loisir, à l'**exception** de celles dites «**de masse**» (radio, télévision) et des **jeux d'argent** du type Loto, PMU ou poker, sont beaucoup plus fréquemment pratiquées par des personnes **diplômées** (ayant au moins le baccalauréat ou un diplôme équivalent) que par les autres. Les activités à caractère **culturel** (lecture, pratique de la musique, théâtre, musées, etc.) sont celles qui sont le plus corrélées au niveau d'instruction. Ainsi, la moitié des Bac + 4 et plus vont au **théâtre** au moins une fois dans l'année, contre seulement un dixième de ceux qui n'ont aucun diplôme[1] La fréquentation des **musées-expositions** ou **monuments historiques** est également largement différenciée : 18 % des premiers contre 3 et 8 % des seconds.

Ces disparités devraient se réduire un peu dans les prochaines années, du fait d'un **accès** plus généralisé aux informations et aux offres de loisirs. La plus grande «horizontalité» de la société abolira certaines «hiérarchies», explicites ou implicites. Cependant, le «mur invisible» du **capital culturel**[2] acquis pendant l'enfance dans le milieu social, qui oriente vers certaines activités plutôt que d'autres, ne sera pas totalement brisé. Les prestataires de loisirs à fort pouvoir de différenciation de «**classe**» chercheront sans doute à les réduire en démocratisant leur accès, ne serait-ce que pour élargir leur clientèle. Ce sera plus facile pour les **nouveaux loisirs** que pour les anciens, pour lesquels les attributions symboliques n'existeront pas.

Par ailleurs, on peut penser que les disparités actuelles entre les zones **urbaines** et **rurales** diminueront avec l'accroissement général des **équipements** culturels collectifs, l'amélioration des moyens de **transport** (voir p. 209) et, surtout, la **dématérialisation** de nombreux loisirs. Mais la fréquentation des musées, théâtres et spectacles vivants restera plus forte dans les **grandes villes** et à **Paris**, du fait d'une **offre** plus riche et d'un **profil sociodémographique** des habitants plus favorable en termes de capital économique et culturel.

UNE MONTÉE EN GAMME GÉNÉRALE

Le caractère **spectaculaire** des loisirs fondés sur les **innovations** technologiques pourrait dévaloriser certaines offres plus **classiques**, voire «**ringardiser**» certaines d'entre elles. Ce pourrait être le cas par exemple en ce qui concerne le **tourisme** «réel» traditionnel. Il continuera certes d'intéresser des adeptes de l'authentique et de la «**nature**», qui refusent par principe de vivre dans l'artifice. Mais leur nombre pourrait se raréfier au fur et à mesure que des formes de «**tourisme virtuel**» se développeront et se diffuseront (voir p. 404). D'autant que les **géants** du numérique qui seront souvent à la base de ces innovations (ou qui feront l'acquisition des start-up qui les auront inventées) disposeront de moyens quasi illimités pour les faire connaître et les démocratiser.

Ces évolutions de l'offre entraîneront des attentes de plus en plus fortes de la part des

---

1. Enquêtes Ministère de la Culture.
2. Notion qualifiant l'aisance sociale, la capacité d'expression, l'intérêt pour les biens culturels et les diplômes, acquis tout au long de l'enfance dans le milieu social auquel on appartient. Elle a été développée par le sociologue Pierre Bourdieu, qui en faisait la cause principale des inégalités sociales, avec le capital

---

social (réseaux relationnels...) et le capital économique (revenus, patrimoine) qui sont souvent de pair.

LES SENIORS MOINS SATISFAITS DE LEURS LOISIRS

69. Niveau de satisfaction déclaré par rapport aux loisirs selon l'âge (note moyenne sur 10)

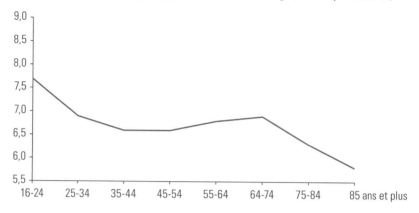

INSEE, enquête SRCV 2015

clients. Cela se traduira par une **montée en gamme** générale, c'est-à-dire une **dépense** accrue pour les loisirs. Le budget global des ménages sera donc arbitré en leur faveur. Comme il ne sera guère extensible, cela signifie que les offres de gamme moyenne seront moins recherchées (et que d'autres domaines de dépenses seront affectés).

Ce mouvement spécifique aux loisirs rejoindra celui prévu pour la **consommation** en général. Il privilégiera de plus en plus les produits jugés attractifs en termes d'«**expérience**», pour lesquels les consommateurs seront prêts à payer assez cher. Dans cette logique, les produits et services liés aux loisirs de haut de gamme ou de **luxe** seront favorisés, de même que ceux offrant des «**privilèges**» de toute nature : rareté de l'expérience ; sélection par l'argent ; offre personnalisée ; services complémentaires.

INNOVATIONS

DES EXPÉRIENCES ENRICHIES PAR LES TECHNOLOGIES

Le nombre et la complexité des activités de loisirs proposés au public ne devraient cesser de s'accroître dans les prochaines années, profitant en particulier des développements **technologiques**. Celles concernant la **réalité virtuelle**, la **réalité augmentée** ou **mixte** (mélange des deux) apparaissent comme les plus porteuses. On pourra grâce à elles se déplacer à volonté dans le **temps** et l'**espace**, s'**immerger** dans des univers de toute sorte (voir ci-après).

Les loisirs du futur proposeront toujours des films, livres, spectacles, jeux vidéo et autres contenus existants, mais tous seront «augmentés». Ils ne se contenteront plus d'**informations** numérisées (textes, images, vidéos, sons, infographies...) mais offriront des **expériences** multimédias totalement nouvelles, issues de l'imagination d'ingénieurs et de créatifs recrutés à prix d'or par les multinationales de l'industrie numérique. Les «*ludotechs*» devraient ainsi être un secteur particulièrement porteur d'ici **2030**.

Les expériences proposées seront de plus en plus **polysensorielles**. La technologie **haptique** permettra de reproduire la sensation du **toucher** dans un environnement virtuel. Des capteurs et des logiciels imiteront aussi les **sens** de l'**odorat** et du **goût**, en plus de ceux qui sont déjà parfaitement simulés, la **vision** et l'**ouïe**. Chacun de ces sens pourra être non seulement **simulé**, mais aussi **stimulé** (ou «**augmenté**» pour utiliser l'un des mots-clés de l'avenir), avec par exemple des capacités de zoom, de plan élargi, de repérage de l'infrarouge ou de l'ultraviolet pour la vision, de perception de fréquences en principes inaudibles à l'oreille humaine (ultra ou infrasons), de sensations tactiles, olfactives, ou gustatives inédites.

LES SENS EXACERBÉS

Au-delà des cinq sens classiques, les loisirs numériques pourront aussi demain simuler et stimuler chez leurs utilisateurs **d'autres sens**, certains présents chez tous les humains à des degrés divers (équilibre, orientation, temps écoulé, température…) ou seulement chez certains d'entre eux :

sensation de champ magnétique, de présence d'un objet, d'une matière ou d'une personne *a priori* invisibles, empathie (compréhension de l'état d'esprit d'une autre personne), perception du danger, voire de l'avenir…

Il sera peut-être possible également de **créer des nouveaux sens** : voir à travers un objet opaque comme un mur, un vêtement ou un épiderme humain (sans recourir à des moyens dangereux comme les rayons X) ; décoder les **pensées** et les **rêves** d'une personne ; communiquer par **télépathie** (voir p. 106), etc.

Ces multiples sens reproduits, augmentés ou inventés fonctionneront par exemple

La vie numérisée

Depuis 2017, les Français passent plus de temps devant un écran **connecté à Internet** (via un ordinateur fixe, de bureau ou personnel, ou un téléphone mobile) que devant un écran de **télévision**[1] : 4 h 07 par jour contre 2 h 47 en 2013 (hors télévision en ligne). Le temps consacré à la télévision est resté assez stable au cours des dernières années, tandis que celui consacré aux **médias numériques** a fortement progressé. De la même façon, la consommation de ces médias sur les écrans des **téléphones** au cours d'une journée a dépassé celle réalisée sur des **ordinateurs** fixes ou mobiles, personnels ou professionnels.

Ces **inversions** préfigurent les **évolutions** à venir. Les Français devraient passer une partie croissante de leur temps libre devant des **écrans** (télévision, ordinateur, tablette, téléphone et autres écrans d'objets connectés). Le temps qu'ils y consacreront pourrait dépasser **6 heures par jour**. On peut d'ailleurs imaginer que dans la plupart des foyers et des lieux de travail, les écrans seront allumés **en permanence**, si leur **consommation énergétique** est réduite et dans les logements qui seront autonomes sur ce plan.

Les écarts actuels liés à l'**âge** (les personnes âgées regardent plus la **télévision** que les plus

jeunes) ou au **sexe** (les femmes la regardent moins que les hommes) se **résorberont** un peu, mais ne disparaîtront pas. L'usage des **ordinateurs** continuera également d'être plus fréquent chez les **jeunes** et chez les **hommes**. Certains jeunes (notamment les lycéens et les étudiants) ont déjà en partie remplacé la télévision par l'**ordinateur** ou, de plus en plus, par le **smartphone**, tous deux connectés à Internet.

Après l'étape des écrans **incurvés** (déjà disponibles, mais peu achetés), devrait arriver celle des écrans **pliables** qui pourront réduire l'encombrement des matériels, notamment mobiles. Puis **viendra** celle de la **suppression** progressive des écrans aujourd'hui **intégrés** aux équipements de réception des contenus (textes, images, vidéos…). Ils seront remplacés par d'autres supports, constitués de toutes sortes de matières et surfaces (de préférence **planes),** utilisées telles quelles ou adaptées : murs, sols, plafonds, tables, bureaux, etc. Ces supports non dédiés disparaîtront ensuite à leur tour, au profit de l'« air », avec les développements de l'**holographie**[2].

---

1. Estimations *e-Marketer* pour 2017.

2. Méthode de photographie ou de vidéo en relief utilisant les interférences produites par la superposition de deux faisceaux laser, l'un provenant directement de l'appareil producteur, l'autre diffracté par l'objet à photographier.

à partir de fréquences transformées en vibrations, reçues et décodées par le **cerveau** après un apprentissage spécifique. Les commandes des équipements et logiciels concernés seront de moins en moins matérielles (boutons); elles pourront être **vocales** ou **gestuelles**. Elles seront même sans doute **cervicales**, au moyen de la **pensée** analysée directement dans le cerveau (ou à sa surface), décryptée et transformée en instruction, puis en action. Les perspectives ouvertes par les **neurosciences** en la matière sont considérables (voir p. 86).

L'IMMERSION DANS DES UNIVERS VIRTUELS

Parmi les technologies phares en cours de développement (dont les premières générations sont déjà disponibles) figurent sans aucun doute celles qui seront retenues pour créer la **réalité augmentée**, **virtuelle** ou **mixte** de demain. Il faut d'abord distinguer ces trois appellations:

- La **réalité augmentée** consiste à insérer en **temps réel** des contenus complémentaires en surimpression sur une **image classique de la «réalité»** (même si toute image est en elle-même une représentation **virtuelle**, qu'elle soit perçue par les yeux d'une personne ou un appareil numérique) en **deux ou trois dimensions**. L'image peut aussi être **matérialisée** (sur support papier par exemple). Cette «augmentation» de la réalité peut avoir des applications **pédagogiques**: informations sur un bâtiment existant, qui peut aussi être inséré artificiellement à l'endroit où il se trouvait avant sa destruction; précisions sur le contexte historique d'un lieu; décryptage d'une œuvre d'art dans un musée; détails biographiques concernant un personnage... D'autres applications peuvent être **utilitaires**: tableau de bord virtuel d'un pilote d'avion ou d'un conducteur de voiture; offre promotionnelle d'un magasin proche; informations et alertes émanant des médias...
- La **réalité virtuelle** consiste à créer un **univers qui n'existe pas matériellement**:

reconstitution d'une époque disparue, d'une bataille ou de tout autre événement passé ou futur; jeux solitaires ou en groupe, en compétition avec d'autres joueurs ou des logiciels programmes... Les **jeux vidéo** constituent la meilleure illustration des possibilités offertes par la réalité virtuelle, même s'ils n'offrent pas toujours une vision pacifique du monde et ne sont pas les plus utiles à l'apprentissage de la vie sociale chez les enfants et les adolescents, (ou à son amélioration chez les adultes).

- La **réalité mixte** (parfois aussi appelée réalité **hybride**) est un **mélange** des deux technologies précédentes. Son principe est de **fusionner** le monde réel (lieux, objets, personnes...) et le monde virtuel (environnement, contenus en surimpression...). L'utilisateur peut ainsi rester dans le lieu où l'on se trouve vraiment (logement, bureau, rue...), tout en pouvant modifier son environnement (objets, paysages, personnes...) et interagir avec lui. Par exemple, «prendre» avec sa main (virtuelle) un objet également virtuel qui s'affiche dans son champ de vision (lunettes de réalité mixte) et le «poser» sur un élément de l'environnement réel (table, sol...). Une façon totalement inédite et troublante de voir le monde et de le modifier.

Ces techniques nécessitent des **supports** intégrant la **vision numérique** (casque ou lunettes), des équipements informatiques et des **logiciels** permettant de les diffuser (intégrés ou non dans les supports). Le niveau d'**immersion** de la personne est

plus élevé dans le cas de la réalité **virtuelle**, dans laquelle le décor est totalement laissé à l'imagination de son créateur, avec un pouvoir **onirique** important.

DES APPLICATIONS SANS LIMITE...

Les nouvelles **technologies** imprègneront les loisirs comme la plupart des secteurs d'activité humaine : médecine, design, conduite automobile, communication, publicité, etc. Les applications des «**nouvelles réalités**» devraient ainsi se multiplier en matière **culturelle** (pour les spectateurs et les créateurs, professionnels ou amateurs), **sportive**, ou surtout **touristique** (voir encadré ci-dessous). Leur pénétration dans la vie personnelle (mais aussi professionnelle) sera sans doute assez *rapide, en particulier pour les technologies qui ouvriront des champs nouveaux, aux applications infinies, et offriront à leurs* utilisateurs des **expériences** *inédites et spectaculaires, utiles ou ludiques selon les cas. Leur* **diffusion** *nécessitera cependant des apprentissages, car elles bousculeront les* **habitudes**. Elle commencera donc par les plus jeunes, et les personnes les plus ouvertes à la nouveauté.

Le **monde** apparaîtra ainsi sous d'autres formes, **hyper réalistes** ou totalement **imaginaires** (mais avec le plus souvent un souci de «réalisme» par la qualité du graphisme et l'intensité des sensations procurées). Il sera possible aussi se déplacer dans d'**autres mondes** ou univers «réels» et inaccessibles comme les planètes et les galaxies. Il n'est pas certain que des **standards** internationaux s'imposeront, afin que les divers équipements soient compatibles, à l'image des jeux vidéo qui ne sont utilisables qu'à partir de consoles ou de plates-formes appartenant à des marques dont chacune développe ses propres normes.

L'accès à des applications de réalité virtuelle se fait aujourd'hui dans 90 % des cas à l'aide d'un **smartphone,** mais d'autres supports dédiés seront disponibles, moins lourds et encombrants, permettant des usages (le plus souvent mobiles) plus confortables et un accès aux différents types de **réalité**. Le développement des techniques

de *low latency* (faible temps de latence) comme la **5G** devrait apporter un progrès sensible, en raccourcissant le délai entre le mouvement de l'utilisateur et la restitution de l'image correspondante. L'utilisation de l'**intelligence artificielle** rendra ces technologies encore plus performantes, personnalisées et interactives.

... MAIS DES TAUX D'ABANDON POTENTIELLEMENT ÉLEVÉS

On observe depuis déjà des années une tendance à faire des **essais** nombreux et successifs (parfois simultanés) d'activités de loisirs différentes, qui sont suivis d'**abandons** tout aussi nombreux (c'est le cas notamment en matière de pratique sportive, voir p. 392). Cette tendance est surtout apparente chez les **jeunes**, désireux d'expérimenter les multiples activités existantes avant de choisir celles qui leur conviennent le mieux.

Ce **zapping** sera favorisé et généralisé à l'avenir par la multiplication des **nouvelles activités** proposées et leur forte attractivité probable. La tentation ne concernera pas seulement les jeunes, mais l'ensemble de la population, à la recherche d'«*innovations waouh*[1]». Il est cependant trop tôt pour prévoir les taux d'**abandon** que connaîtront ces innovations. Cela revient à se demander si le virtuel engendrera une **lassitude** plus grande que le réel. Les données dont on dispose sur les offres existantes (notamment sur les **jeux vidéo**) montrent à la fois un risque d'**addiction** chez les personnes totalement séduites et une certaine forme de **rejet** chez celles qui ne le sont pas, ou qui n'ont même pas envie d'essayer. L'**âge** et le **rapport au monde** apparaissent comme des critères importants pour expliquer ces deux attitudes opposées ; les jeunes, ainsi que les personnes plutôt déçues par le réel sont les plus susceptibles de chercher des compensations dans le virtuel.

---

1. Exclamation d'origine américaine exprimant la surprise et l'admiration devant quelque chose ou quelqu'un. Synonyme emphatique par exemple de «super» et autres expressions du même type.

La technologie, avenir du tourisme ?

Le **tourisme virtuel** apparaît comme l'un des domaines d'application privilégiés des nouvelles technologies (voir *Vacances* p. 400). Il est promis de ce fait à un grand avenir. Pour ceux qui n'auront pas les moyens, le temps ou l'envie de visiter le **« vrai » monde**, des **alternatives virtuelles** leur seront proposées. Ils pourront facilement, à moindre coût et sans danger, plonger avec les requins en Polynésie, visiter dans le détail les temples d'Angkor, survoler en hélicoptère ou en parapente les Andes ou le Machu Picchu, escalader l'Everest ou le Mont-Blanc, se baigner sur les plages des Antilles, visiter les plus grands musées du monde, aller faire un tour sur Mars… ou simplement grimper au sommet de la tour Eiffel. Le tout en **immersion** totale dans des décors où ils pourront se déplacer sur 360°, voir, entendre, toucher, sentir, et vivre des expériences littéralement hors du commun.

Mais le virtuel ne se substituera pas totalement au « réel », car il entraînera en réaction un besoin d'**authenticité**. Les **voyagistes** « traditionnels » ne sont donc pas condamnés, pas plus que les **agences de voyages**. Ils pourront continuer à proposer des « vrais » voyages et séjours, mais ils devront aussi utiliser les **outils numériques** pour communiquer et interagir avec leurs clients. Ils pourront aussi leur donner un **« avant-goût »** de leurs voyages en leur permettant de s'immerger dans leur futur hôtel, leur village de vacances ou les sites qu'ils s'apprêtent à visiter, de façon plus convaincante qu'avec les simples **photos** ou **vidéos** figurant sur un **site** Internet ou un **catalogue** papier.

Mais certains clients préféreront ne pas en savoir trop sur leur destination. Quitte à réserver les visites virtuelles pour **« après »**, afin de se remémorer des **souvenirs vécus**. D'ici quelques années, ils pourront d'ailleurs disposer d'équipements qui remplaceront les appareils photos-vidéo numériques actuels et leur permettront d'enregistrer eux-mêmes ces souvenirs en **réalité virtuelle**.

Les professionnels pourront aussi recourir aux **blockchains** (pour garantir les transactions), à l'**intelligence artificielle** et aux **Big Data** (pour décrypter les goûts et attentes des clients), remplacer les guides par des casques de **réalité virtuelle** ou des **robots**. Au risque de décevoir certains clients friands de **relations humaines**.

TOUTES LES FORMES DE LOISIRS CONCERNÉES

De très nombreux acteurs du marché particulièrement large des loisirs utiliseront les nouvelles technologies **numériques** pour renouveler leur offre. Les grands **studios de cinéma**, déjà habitués aux usages numériques (notamment pour la réalisation de décors virtuels et d'effets spéciaux) seront parmi les premiers à offrir de nouvelles **expériences**, placées sous le signe de l'**immersion**. Mais il faudra pour cela que les **salles** soient équipées, avec des fauteuils et des équipements adaptés, afin de proposer mieux que ce que les particuliers pourront obtenir avec leurs équipements personnels.

Les **médias numériques** (chaînes de télévision, organes de presse, stations de radio et tous autres sites Internet) seront aussi concernés (voir ci-après). Comme pour le cinéma, les technologies leur permettront d'offrir une véritable immersion dans les **contenus**, avec des visites plus attractives et interactives de leurs sites. Il en sera de même des **salles de spectacles** ou de **concerts**, et des **musées**, qui vont pouvoir (et sans doute devoir) renouveler leur offre en profondeur, en transformant les spectateurs en **acteurs** à part entière tout au long de leurs visites. Ces établissements « physiques » seront en effet concurrencés par des versions **virtuelles** de plus en plus réalistes, utilisables à domicile et sans doute moins coûteuses d'accès (lorsque l'investissement initial sera amorti, le coût de l'utilisateur supplémentaire sera quasi nul, comme dans toute activité numérique).

La première phase d'usages professionnels (mais aussi personnels) de ces techniques est déjà engagée, mais elle reste parfois «expérimentale», par exemple en matière de réalité virtuelle. Une deuxième phase, plus **«grand public»**, devrait commencer vers **2020**, avec l'usage de technologies de nouvelle génération, bien plus performantes. Conscientes du potentiel qu'elles représentent, les entreprises de tous secteurs les utiliseront aussi pour leur **communication**, dans le but de présenter leurs produits de la façon la plus spectaculaire. La **publicité** se nourrira ainsi de ces nouveaux moyens de conquérir une part du *«temps de cerveau humain[1]»*. Les découvertes des **neurosciences** en la matière devraient les aider à y parvenir.

Une réaction de rejet n'est cependant pas à exclure de la part des publics concernés, conscients de ces méthodes et hostiles à leur généralisation. Comme pour l'usage de toute donnée personnelle (voir p. 317), un équilibre devra donc être trouvé entre la compréhension des mécanismes mentaux et leur utilisation à des fins de «manipulation», sous peine de boycott individuel ou collectif.

MÉDIAS

LES MÉDIAS CLASSIQUES EN TRANSITION

Un média est un *«procédé permettant la distribution, la diffusion ou la communication d'œuvres, de documents, ou de messages sonores ou audiovisuels (presse, cinéma, affiche, radiodiffusion, télédiffusion, vidéographie, télédistribution, télématique, télécommunication)»*. Les médias sont et seront donc au cœur des **loisirs** des Français.

Étymologiquement, un média se situe au **milieu** d'un système, en l'occurrence du **système social**. Il joue un rôle d'**intermédiaire** (médiateur) entre un émetteur et un ou plu-

sieurs destinataires (parfois très nombreux lorsqu'il s'agit du «grand public»), qui l'utilisent pour s'informer ou échanger entre eux, mais aussi avec lui. Il peut servir à communiquer de façon **unilatérale** (lorsqu'il s'adresse à son public sans dialoguer avec lui) ou **interactive**, avec la possibilité d'une réciprocité. Cette dernière est de plus en plus attendue par les Français, au point de se banaliser.

Le nombre et la diversité des médias n'ont cessé de croître depuis des décennies. La **presse**, les **magazines**, les **livres**, la **télévision**, la **radio** ou le **cinéma** sont parmi les plus **anciens**. Il faut leur ajouter bien d'autres **«supports»** d'informations, dont beaucoup ont une vocation **publicitaire** : affiches, prospectus, brochures, catalogues, spots radio ou télévision, bannières Internet... Sans parler des innombrables **objets** de consommation (produits alimentaires, d'entretien, d'hygiène-beauté, d'habillement...) qui sont aussi, par nature, des supports de communication, par leurs emballages ou suremballages.

Tous ces médias, notamment les plus «historiques», sont appelés à se **transformer** pour ne pas disparaître sous la vague puissante des nouveaux arrivants. Ce mouvement, largement amorcé, devrait se poursuivre et **s'accélérer** au cours de la prochaine décennie.

LA PRESSE ÉCRITE MENACÉE...

Entre 2007 et 2015, le chiffre d'affaires de l'ensemble de la **presse écrite** est passé de 10,8 à 7,5 milliards d'euros, soit une baisse de 30 %. Ce très fort recul est dû pour une large part au développement des outils **numériques**, qui ont bouleversé son modèle économique, fondé pour une large part sur les recettes **publicitaires**. La diminution rapide et continue de ces revenus avait commencé avec la quasi-disparition des **petites annonces**. Elle s'est poursuivie avec la baisse des tarifs et des volumes de la publicité commerciale, qui a suivi (et amplifié) la baisse des audiences.

Surtout, les **«infomédiaires»**, nouveaux intermédiaires entre les médias et le public,

---

1. L'expression est tirée d'une phrase prononcée par Patrick Le Lay en 2004 (il était alors président-directeur général du groupe TF1) à propos du rôle de la chaîne vis-à-vis de ses annonceurs : *«Ce que nous vendons à Coca-Cola, c'est du temps de cerveau humain disponible».*

LA PQN EN DÉCLIN

70. Évolution de la presse écrite quotidienne nationale (en milliers d'exemplaires, % de ventes, milliers d'euros)

	1999	2000	2010	2015
Nombre de titres	**9**	**10**	**10**	**9**
Diffusion totale annuelle	**567 848**	**482 922**	**395 019**	**302 609**
Vente au numéro	54,24 %	47,41 %	35,26 %	39,79 %
Vente par abonnement	14,60 %	22,93 %	37,15 %	33,95 %
Chiffre d'affaires	1 037 839	1 144 702	743 075	625 585
Recettes de ventes	427 458	480 121	452 915	421 258
Dont ventes au numéro	346 022	330 701	281 280	263 034
Dont ventes par abonnement	81 436	149 420	171 635	158 224
Recettes de Publicité	610 381	664 582	290 161	204 327
Dont publicité commerciale	340 430	515 204	272 233	191 941
Dont petites annonces	269 950	149 377	17 927	12 386

tels le moteur de recherche et les réseaux sociaux, sont apparus. Leur développement très rapide et la capacité qu'ils offraient de mesurer précisément l'**efficacité** de la publicité (nombre de visiteurs d'un site, temps passé, lieu de consultation, nombre d'achats, types, montants, etc.) leur ont permis de récupérer l'essentiel des revenus publicitaires autrefois perçus par la presse écrite.

Le modèle «**vertical**» qui prévalait (le lecteur achetait un média précis pour y trouver le type d'information qu'il cherchait) a alors laissé place à un modèle «**horizontal**», où les Internautes sont envoyés vers des médias en fonction des articles signalés sur les moteurs de recherche et les réseaux sociaux, après une analyse réalisée par des **algorithmes** dont le fonctionnement reste secret, et donc obscur.

La presse écrite de demain (journaux et magazines) ne pourra pas, sauf celle qui opérera sur des «niches», survivre sans être accessible sur les différents **supports** existants. Le **papier** devra renvoyer aux **écrans** et réciproquement, par des processus directs et instantanés permettant l'actualisation, l'interactivité, l'enrichissement des contenus et de l'«**expérience**» des utilisateurs.

... MAIS EN VOIE DE RÉINVENTION

Les supports **numériques** ont fourni à la presse **papier** des opportunités pour mettre en place de nouveaux **modèles économiques** et se développer. Certains médias ont capitalisé sur les fortes audiences qu'ils ont réussi à générer sur leurs sites Internet, grâce à la qualité de leurs **contenus** et à leur **notoriété** antérieure, tout en jouant la carte de la **gratuité** pour les visiteurs. Ils bénéficient aussi de reprises sur les **réseaux sociaux** (notamment lorsqu'ils publient des vidéos incitatives), ce qui est un bon argument pour séduire les annonceurs. Au-delà de la vente de publicité, ils comptent également sur la constitution de **bases de données** qualifiées, qu'ils peuvent utiliser à leur profit, mais également revendre à d'autres utilisateurs.

Un autre modèle économique utilisé mise au contraire sur la **vente** de tout ou partie des contenus. Elle peut s'effectuer **à l'unité**, ou au moyen d'**abonnements** payants.

Alors que la méthode précédente s'adresse à tous les types de visiteurs des sites, celle-ci vise des publics plus précis, intéressés par le média et désireux d'adhérer à une « communauté » de lecteurs avec lesquels ils peuvent échanger. Certains titres tentent de **combiner** les deux stratégies : accès **gratuit** à certains contenus et **monétisation** d'autres présentant une forte **valeur ajoutée** pour les visiteurs.

La presse écrite dans son ensemble (sur support papier et/ou numérique) n'est pas pour autant totalement tirée d'affaire. Elle pourrait dans les années à venir trouver son salut dans une plus forte **segmentation** des contenus et donc des « **marques** » (titres), en utilisant notamment les **bases de données** qu'elle a constituées. Elle devrait ainsi renforcer la dimension **communautaire** des audiences, à partir de thématiques, de profils socio-démographiques, de valeurs et d'opinions partagés. La réussite dépendra du degré d'**interactivité** mis en place entre le média et ses « adhérents »

Lire et écrire : le malaise

Contrairement à ce qui était annoncé (et redouté par ceux qui se sentaient menacés), l'émergence des **médias numériques** n'a pas fait disparaître l'**écrit** au profit de l'**écran**. Si les **images** et les **vidéos** sont omniprésentes sur les sites Internet (et de plus en plus professionnelles), les **textes** sont aussi de plus en plus nombreux. Car eux seuls peuvent exprimer toutes les **nuances** de la pensée et nourrir les multiples débats engendrés par l'époque.

Mais les compétences nationales en matière de **lecture** et d'**écriture** (dans le cadre d'une communication devenue **interactive**) apparaissent aujourd'hui très affaiblies. Les **classements internationaux** réalisés chaque année témoignent en effet d'une **baisse de niveau** préoccupante de la **France** en ces matières (voir p. 138). Ainsi, les résultats de l'étude internationale Pirls, qui mesure les performances en lecture à la fin de la quatrième année de scolarité obligatoire (CM1 pour la France) sont révélateurs : avec un total de 511 points en 2017 contre 520 en 2011, les élèves français se situent **en dessous de la moyenne** des pays de l'Union européenne (540). Ils occupaient la 34e position sur 50 dans le classement. La France était le seul pays avec les Pays-Bas dont le score déclinait depuis 2001.

De façon plus générale, il suffit de lire les **courriels** (rédigés par des particuliers ou des professionnels), de **naviguer** sur les forums et les réseaux sociaux ou même de consulter les articles publiés par certains **médias** (surtout numériques) pour constater les **offenses** faites à la langue française. Elles mettent en évidence l'affaiblissement des **compétences** et l'incapacité croissante à s'**exprimer** clairement. Deux évolutions préoccupantes, et génératrices de **violence**.

Qu'elle transite par écrit ou l'oral, l'expression par les **mots** est pourtant une composante majeure de la **culture** (voir p. 124). Elle est un outil nécessaire à la **compréhension** du monde et une condition pour s'y **intégrer**, dans la vie personnelle, professionnelle, amicale ou sociale. Dans la société qui vient, les personnes incapables de s'exprimer clairement et correctement seront de plus en plus **handicapées**. Pour enrayer cette dérive, il est impératif que les **médias** donnent l'exemple, que les **familles** valorisent l'expression écrite et la lecture dans l'éducation de leurs enfants, que l'**école** leur redonne de l'importance. La langue est le vecteur principal de la **liberté** et de la **civilisation**. Les différences de niveau dans sa pratique et sa maîtrise sont les facteurs premiers des **inégalités**.

LES NEWS MAGAZINES EN DIFFICULTÉ

71. Évolution de l'activité des news magazines (en milliers d'exemplaires, % de ventes, milliers d'euros)

	1999	2000	2010	2015
Nombre de titres	**5**	**5**	**5**	**5**
Diffusion totale annuelle	**85 348**	**81 861**	**90 297**	**72 418**
Tirage total annuel	100 802	97 795	109 252	92 796
Vente au numéro	31,0 %	27,2 %	22,3 %	19,57 %
Vente par abonnement	51,5 %	55,4 %	59,5 %	57,33 %
Chiffre d'affaires	**336 761**	**320 346**	**295 063**	**235 058**
Recettes de ventes	**153 635**	**157 445**	**200 377**	**173 264**
Dont ventes au numéro	74 957	64 535	85 655	70 416
Dont ventes par abonnement	78 678	92 910	114 722	102 848
Recettes de Publicité	**183 125**	**94 367**		
Dont publicité commerciale	131 753	91 061		
Dont petites annonces	51 372	3 306		

d'une part, et entre ceux-ci d'autre part. L'intensité de la **participation** aux contenus sera également essentielle. On pourrait ainsi voir émerger des **marques de presse** fondées, alimentées et gérées par des lecteurs, selon le même principe que les «**marques de consommateurs**» (voir p. 308).

LE LIVRE PAPIER «AUGMENTÉ»...

Le monde de l'**édition** se sent et se dit menacé par le numérique depuis des années, mais il a globalement résisté. Hors le secteur des **dictionnaires et encyclopédies**, qui a été véritablement sinistré avec l'arrivée de Wikipedia et des encyclopédies en ligne, son chiffre d'affaires n'a pas reculé. Les ventes de **e-books** ne représentaient en France que 9 % du chiffre d'affaires total de l'édition en 2017[1], un pourcentage sensiblement inférieur à celui constaté dans les pays anglo-saxons (environ 20 % aux États-Unis, malgré une

baisse depuis 2015, due en partie à la hausse des prix).

On peut s'attendre dans les prochaines années à ce que la **cohabitation** entre les deux mondes se poursuive. Mais ce sera au prix d'un renouvellement de celui inauguré par Gutenberg. Le livre **papier** devra tirer profit de sa caractéristique principale et l'enrichir : un **objet** «réel», en trois dimensions, que l'on aime avoir entre les mains, regarder, sentir, lire bien sûr ou consulter, classer dans sa bibliothèque et utiliser comme prétexte à une conversation. La «**3D réelle**» restera pour lui un atout, car sa troisième dimension (celle de l'**épaisseur**) facilite la navigation et la **mémorisation** «spatiale» des contenus par rapport à l'affichage en deux dimensions sur écran. Cet avantage pourrait toutefois se réduire avec les générations nées dans le numérique, pour qui la «3D virtuelle» est suffisante.

Le **livre imprimé** devra aussi jouer la complémentarité avec le numérique en proposant des **liens** conduisant à des infor-

---

1. Syndicat National de l'Édition, 2017.

mations complémentaires. Il gagnera à établir une véritable **interactivité** entre le lecteur et l'auteur, ainsi qu'avec l'éditeur. Il pourra ainsi être «**augmenté**» et proposer une nouvelle **expérience** de lecture, adaptée aux lecteurs de demain. Des livres pour **enfants** sont en préparation, dans lesquels des personnages s'animent lorsqu'on les touche, grâce à des capteurs et à l'utilisation de surfaces planes comme écrans de projections.

... ET LE LIVRE NUMÉRIQUE ENRICHI

De son côté, le **e-book** de demain ne pourra plus être la simple **mise en ligne** du fichier numérique sur lequel le livre papier a été rédigé, mis en pages, imprimé. Il devra faciliter la **navigation** à l'**intérieur** du contenu (renvois de pages, index, définitions…), comme à l'**extérieur** via des **liens hypertextes**. Le lecteur pourra ainsi accéder à des informations **complémentaires**. Il pourra aussi donner son avis et participer lui-même à un **travail collaboratif**, en suggérant des modifications, en proposant une fin différente pour un roman, en effectuant des mises à jour pour des documents, en illustrant par des exemples écrits, des images ou des vidéos, etc.

L'e-book pourra aussi être **imprimé** à domicile de façon **personnalisée** et **artistique** (notamment la couverture) grâce aux imprimantes 3D. On peut prévoir également une montée en puissance de l'**autoédition**, réalisée de façon solitaire ou plutôt via des **plates-formes** (généralistes, type Amazon, ou spécialisées), qui offrent une souplesse et une réactivité plus grandes que celles de l'édition classique. Et qui permettront de faire émerger de nouveaux auteurs, que les éditeurs s'efforceront ensuite de faire venir chez eux.

L'EXPLOSION DES MÉDIAS NUMÉRIQUES

Aux médias traditionnels cités ci-dessus se sont adjoints depuis quelques années des **supports électroniques et numériques** de communication : ordinateurs (fixes, portables, netbooks, tablettes, «phablettes[1]»…), téléphones portables et smartphones, lecteurs de fichiers MP3 ou MP4, CD, DVD, BluRay, etc. Des supports «**périphériques**» ont complété les équipements, spécifiquement destinés au **stockage** (disques durs internes ou externes, cartes SD, MMC, clés USB…). Certains sont désormais situés à grande distance des appareils ; ils sont poétiquement baptisés *clouds*, nuages beaucoup plus terrestres que célestes, disséminés dans les millions de serveurs présents dans le monde. La nouvelle vague est celle des **objets connectés** qui devraient envahir les logements et tous les lieux de vie, sous réserve que les Français les adoptent.

Les **équipements** et les **supports matériels** fonctionnent le plus souvent grâce à des **réseaux** (hertziens, par câble, satellite, fibre optique, ADSL, 3G, 3G+, 4G, bientôt 5G…) qui permettent d'établir les communications, unilatérales, bilatérales ou multilatérales. Ils nécessitent également des serveurs informatiques, des services de messagerie, des logiciels ou des applications. Ils donnent aussi accès à d'autres réseaux, qualifiés de **sociaux** (Facebook, LinkedIn, Twitter…), intermédiaires de plus en plus **puissants** (voir p. 244) permettant à leurs membres d'échanger des informations de toute nature (parfois même attentatoires à la morale, à l'exemple des pages d'incitation au djihadisme ou à d'autres formes de violence).

Pour plus de clarté, ces différentes composantes de cet univers médiatique gagneraient à être **classées**. Mais les critères possibles sont nombreux et leurs croisements complexes. On peut ainsi distinguer les médias **numériques** des **analogiques**, les médias **matériels** des **immatériels**, les médias **anciens** des **récents**, les mono-**médias** des **multimédias**, les médias **interactifs** des **univoques**[2], etc. On peut aussi

---

1. Op. cit. Appareils de communication au format intermédiaire entre smartphone la tablette numérique.
2. Qui ne fonctionne que dans un sens.

LA TECHNOLOGIE OMNIPRÉSENTE

72. Évolution des principaux taux d'équipement en outils numériques des Français (en %)*

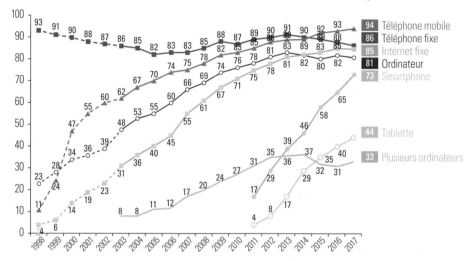

	Valeur
Téléphone mobile	94
Téléphone fixe	86
Internet fixe	85
Ordinateur	81
Smartphone	73
Tablette	44
Plusieurs ordinateurs	33

*Avant 2003, (en pointillé), les résultats portent sur les 18 ans et plus. À partir de 2003, ils portent sur les 12 ans et plus.

CRÉDOC

distinguer ceux qui sont **«d'accès direct»** (livres, journaux, magazines...) de ceux qui nécessitent un **équipement** pour être utilisés : téléviseur pour regarder les chaînes, lecteur pour lire un DVD, téléphone pour appeler ou être appelé, etc. Ces classements sont finalement peu opératoires, car la plupart des médias peuvent entrer dans plusieurs «cases». Il est en tout cas probable que la complexité et la puissance des médias **«modernes»** se renforceront dans les prochaines années, dans un contexte où la communication sera omniprésente, de façon volontaire ou subie.

DES MÉNAGES SURÉQUIPÉS

Les Français sont équipés de très nombreux appareils et supports permettant d'accéder à l'information et à la communication. La quasi-totalité des ménages disposent aujourd'hui de plusieurs appareils dédiés à la **radio**, d'un ou plusieurs **téléviseurs**, lisent plusieurs **journaux** ou **magazines**. Début **2018**, 94 % des personnes de 12 ans et plus possédaient un **téléphone**

mobile, 86 % d'un téléphone fixe[1]. 73 % étaient équipés d'un **smartphone**, contre 17 % en **2011**, 81 % d'un **ordinateur** connecté à **Internet** (33 % en avaient même plusieurs), 44 % d'une **tablette**. Les Français sont également nombreux à être abonnés à des **services** proposés par des opérateurs (télévision, Internet, téléphonie fixe ou mobile...) et inscrits sur des **réseaux sociaux**. Il faut cependant noter que, dans la même

1. Baromètre du numérique 2018 ARCEP-CGE-Agence du Numérique, réalisé par le CRÉDOC.

L'obsolescence par l'innovation

La quasi-totalité des ménages possède aujourd'hui un **téléviseur** (95 % au début 2018) ; les Français en possèdent même en moyenne 1,7 par foyer, à quoi s'ajoutent d'autres appareils permettant de capter la télévision (ordinateurs, smartphones, tablettes…). Pour développer leurs ventes, les fabricants d'appareils numériques n'ont pas d'autre choix que de proposer toujours plus d'**innovations**, censées apporter des avantages réels à leurs utilisateurs et les inciter à renouveler leurs équipements. C'est ainsi que les **téléviseurs** ont connu beaucoup d'évolutions depuis la première expérience de transmission d'images (le 30 octobre 1925, à Londres) : diffusion en couleur (1967) ; télévision par satellite (1966) ; écrans plats (années 1990) ; télévision numérique terrestre (2005) ; téléviseur connecté (2009) ; image en relief (2010) ; écran incurvé (2014) ; ultra haute définition 4 k (2015), etc.

Les téléviseurs de demain offriront de nouvelles **expériences** à des publics qui ne seront plus composés de téléspectateurs, mais de **« téléspectacteurs »** friands d'interactivité. Ils pourront choisir des **angles de vue** différents (matchs, spectacles…), demander des informations complémentaires en **réalité augmentée** (puis en réalité **virtuelle**), bénéficier de la **8K**, que l'on pourrait baptiser **« hypra résolution »** (les autres préfixes synonymes de quantité étant épuisés : méga- ; archi-, extra-, hyper-, super-, sur-, ultra-, supra-, hypra-…).

La télévision sera aussi dotée de nombreux accessoires : manettes, joysticks, caméras, capteurs, diffuseurs d'odeurs, contrôleurs d'ambiance… Elle deviendra **immersive**, comme tous les médias numériques (voir p. 346). La **radio** ne sera pas en reste. Elle proposera toujours plus d'**interactivité** à des auditeurs qui seront de véritables fournisseurs de **contenus**. Les émissions pourront comme aujourd'hui être écoutées en **direct** ou en **différé** *(podcasts)*, mais aussi **en radio filmée** ou **à la demande**, chez soi ou en tout lieu, sur tout **support** numérique. Ce média se développera sur de nouvelles fréquences FM, en 4G ou bientôt 5G, tandis que le DAB +[1] devrait progressivement couvrir le territoire.

---

1. *Digital Audio Broadcasting*, ou radio numérique terrestre (RNT), lancée en France en 2018. Elle opère sur des gammes de fréquence plus élevées que la FM (174-223 MHz contre 87-108 MHz). Elle offre un son de meilleure qualité, une meilleure continuité d'écoute en situation de mobilité et un enrichissement des flux audio par l'affichage de données numériques complémentaires.

---

enquête, 42 % de ceux qui résidaient dans des villes moyennes déclaraient *« ne pas du tout profiter des opportunités offertes par le numérique »* (contre 22 % de ceux habitant en région parisienne).

D'ici **2030**, la quasi totalité des **ménages** devrait être équipée des appareils **fixes** cités ci-dessus. Il en sera de même des **personnes** (à raison de 2,1 en moyenne par ménage) en ce qui concerne les appareils **mobiles**. D'autant que les prix des terminaux **« de base »** seront peu élevés, tout en offrant des performances très supérieures à celles des appareils actuels (même de haut de gamme) qui seront **« ringardisés »** ou considérés comme *vintage*. Ainsi, la plupart des smartphones seront dotés de la reconnaissance **biométrique** sécurisée, de **batteries** de très longue durée à énergie solaire ou recharge quasi immédiate par induction (ou autre technologie), de la **navigation** à très grande vitesse (après la 5G à venir, la **6G** devrait être lancée d'ici 2030).

Les **assistants numériques** et autres **objets connectés** domestiques ou mobiles pourraient aussi trouver leur place (voir ci-dessous). Bien que n'étant sans doute pas encore dotés d'une **« intelligence artificielle forte**[1]**»**, ils pourront « dialoguer »

---

1. L'intelligence artificielle dite « forte » (ou parfois « ascendante ») est celle qui se rapprocherait de l'intelligence humaine. Cela signifie qu'elle serait dotée de l'équivalent d'une « conscience » d'elle-même. Cela

en **langage naturel** avec leurs interlocuteurs grâce aux progrès de l'**analyse sémantique**[1]. Avec l'ambition d'échanger demain des arguments avec eux et, peut-être, tenter de les convaincre de leur point de vue[2]. On devrait assister à la domination des appareils **mobiles** sur les **fixes**. Certains de ces objets extérieurs ou portables pourraient d'ailleurs être remplacés par des **implants** miniaturisés dans le **corps**, voire dans le **cerveau** des individus qui le souhaiteront. L'horizon **2030** paraît cependant trop proche pour que ce mouvement soit véritablement massif.

Ces prévisions de numérisation croissante de la vie quotidienne pourraient ne pas s'avérer si les terminaux et autres objets communicants du futur sont jugés trop intrusifs par les humains, et trop peu respectueux de leurs données personnelles (voir p. 317). Cette attitude serait induite par des raisons philosophiques plus qu'économiques. Le profil de ces «technorebelles» serait semblable à celui des personnes qui refusent aujourd'hui d'avoir chez elles un téléviseur, ou sur elles un téléphone portable.

DES UTILISATEURS DE PLUS EN PLUS «ASSISTÉS»

Avec les réserves exprimées ci-dessus, il paraît probable que la plupart des appareils d'information et de communication de l'avenir seront connectés en permanence à **Internet** (et à d'autres réseaux qui pourraient naître d'ici là). Ils le seront le plus souvent par l'intermédiaire d'**assistants intelligents** contenus dans ces appareils, fixes ou mobiles, qui devraient en être au moins à leur troisième génération en 2030.

On pourra communiquer avec ces assistants en **langage naturel** (voire par la simple **pensée** pour des ordres simples). Ils devraient être en mesure par exemple de :

- Fournir des **informations** sur tous les sujets, après **vérification** de ces informations (afin d'éviter de relayer les *fake news* ou «vérités alternatives», voir p. 224).
- Effectuer sur demande des **achats** et veiller à leur bon acheminement, ou réserver des **services** (transport, restauration, loisir...).
- Optimiser les **déplacements** en choisissant les modes de mobilité et leur combinaison (multimodalité).
- Organiser toutes les **communications** (famille, amis, collègues, autres...).
- Rendre compte, prioriser et synthétiser les **messages** reçus de toute nature.
- Gérer l'**emploi du temps** de leurs utilisateurs.
- Accomplir les **tâches administratives** et/ou les rappeler.
- Gérer la **comptabilité**, les comptes en banque, l'épargne.
- **Divertir** (diffusion de musique, photos, vidéos, lectures, jeux...).
- Suivre l'évolution des **indicateurs de santé** (via des capteurs et applications spécialisées), transmettre les données à des professionnels et alerter en cas de problème.
- Fournir des **conseils** pour en matière alimentaire, sanitaire ou tout autre domaine de la vie courante.

Comme l'ordinateur ou le smartphone, l'assistant numérique devrait ainsi s'affirmer comme un «couteau suisse» digital. Il regroupera un ensemble de technologies ayant vocation à être appliquées à tous les secteurs : éducation, santé, information, communica-

---

permettrait alors aux machines de «comprendre» ce qu'elles font (ce qui n'est pas le cas aujourd'hui) et éventuellement de «décider» de ne pas faire certaines choses, ou de faire d'autres qui ne sont pas prévues, voire néfastes. Son développement propre suivrait un cheminement semblable à celui d'un enfant, mais avec un apprentissage bien plus rapide. Dans une conversation avec un humain, celui-ci ne pourrait pas se rendre compte qu'il a affaire à une machine. Elle serait alors capable de passer avec succès le test de Turing.
1. Technique d'analyse des phrases (écrites ou orales) et de leur forme pour déterminer leur sens. Elle complète l'analyse lexicale, qui est effectuée à l'échelle des mots.
2. Ce que tente de faire l'algorithme *Project Debater* d'IBM, possible successeur du célèbre Watson, intelligence artificielle qui s'était par exemple illustrée en battant des candidats humains au jeu télévisé *Jeopardy!* (trouver la question correspondant à des réponses fournies comme indices) en 2011.

tion, mobilité, travail, consommation, divertissement... Avec la mission dans chacun d'eux de **faciliter** (parfois en automatisant) et **optimiser** la vie quotidienne.

La tenue de cette promesse devra cependant être démontrée, et les **contreparties** *qu'elle implique (inconvénients et risques) expliqués et acceptés. La* **confiance** *sera donc la clé du succès de ces outils dans la société. La* **méfiance** *(voir ci-dessous), la crainte d'une violation des* **données personnelles** *(voir p. 317) ou le sentiment d'être dépossédé de sa vie seraient ainsi des causes de rejet des assistants numériques.*

LE TÉLÉPHONE PORTABLE, OUTIL INCONTOURNABLE...

94 % des Français étaient équipés d'un téléphone **portable** début 2018, soit davantage que d'abonnés à une ligne **fixe** (86 %). La désaffection pour le téléphone fixe devrait se poursuivre dans les prochaines années, jusqu'à peut-être sa **disparition**. La connexion à **Internet** se fait aussi plus souvent aujourd'hui via un téléphone **mobile** que par un **ordinateur**. Ainsi, les **réseaux sociaux** sont consultés et alimentés dans 61 % des cas via un **smartphone**. De sorte que celui-ci se situe désormais à égalité avec l'**ordinateur** pour les usages associés aux **loisirs** : regarder des vidéos, jouer en ligne...

Les **messageries instantanées** disponibles sur les smartphones sont utilisées par plus de quatre Français sur dix, plus souvent pour envoyer des messages **écrits** que pour téléphoner. Leur usage tend à devenir **quotidien**, notamment chez les jeunes : 35 % des 12 ans et plus, et jusqu'à 65 % des 18-24 ans. Elles permettent de poster des photos, d'échanger avec des **groupes** constitués au sein de la même messagerie. Ces messageries pourraient dans les prochaines années **détrôner les SMS**, et même les appels téléphoniques classiques via un opérateur. Déjà, 26 % des 12-17 ans les utilisent plus souvent que le téléphone mobile classique pour téléphoner (28 % sont dans la situation inverse). Trois fois

sur quatre, les utilisateurs de messageries recourent d'ailleurs à plusieurs applications différentes.

... CRÉATEUR D'UN NOUVEL ESPACE-TEMPS...

Avec l'ordinateur et Internet, le **téléphone portable** est l'un des outils symboliques de la **société numérique** et des nouveaux modes de vie qui l'accompagnent. Il a bouleversé pour de nombreux utilisateurs la façon de gérer le **temps**, en permettant de modifier l'organisation des activités et des tâches. La notion de **planification** tend ainsi à disparaître au profit d'une gestion de la vie «**en temps réel**» faite d'improvisations, d'ajustements et changements successifs. Cette évolution est particulièrement sensible dans le comportement des **jeunes**, qui ont souvent une vision à très court terme et très flexible de leur emploi du temps.

Le mobile modifie aussi le rapport à l'**espace**, en réalisant le vieux rêve d'**ubiquité** : on peut grâce à lui être présent, au moins virtuellement, à plusieurs endroits en même temps. Cette faculté explique la tendance forte au **mélange des vies** : personnelle, familiale, professionnelle, sociale. Avec les avantages et les inconvénients que cela implique : amélioration de l'efficacité par la «**joignabilité**», mais accroissement de la «**corvéabilité**» et de la «**traçabilité**», avec un risque accru d'intrusion dans la vie privée (voir p. 366).

Demain, beaucoup de Français continueront sans doute d'utiliser la **géolocalisation** sur leurs mobiles, de façon à bénéficier de services associés (GPS, recherche de commerces à proximité...). Mais ils seront de plus en plus conscients du «**pistage**» dont ils seront l'objet, et des formes diverses de **harcèlement**, notamment commercial (publicité, promotions, incitations diverses) que cela impliquera. Chacun tranchera alors pour lui-même entre les avantages et les inconvénients de ce pistage. La décision pourra varier selon les moments et l'humeur, à condition que le «**débrayage**» ne soit pas (volontairement) rendu complexe pour les utilisateurs qui vivent de la collecte de ces données.

On peut prévoir que chaque utilisateur exigera de rester seul **maître** de sa vie privée et de disposer pour cela de toutes les informations nécessaires : qui le surveille, pourquoi, en lui offrant quelle contrepartie ? L'avenir proche dira si les dispositions prévues dans la **General Data Protection Regulation** (GDPR, loi européenne sur la protection des données entrée en vigueur en mai 2018, voir p. 318) rendront le rapport de force plus acceptable ou si elles inciteront à l'abandon de certains usages.

… ET D'UN RAPPORT DIFFÉRENT AUX AUTRES ET À SOI-MÊME

D'une façon générale, le portable a transformé le rapport que l'on a avec soi-même. La **«joignabilité»** offre potentiellement la sensation grisante d'être «important». Une satisfaction proportionnelle au nombre de **contacts** dans le répertoire téléphonique ou d'**«amis»** et de **«like»** sur les réseaux sociaux (voir p. 369). Le portable permet à certains d'**exister**. Il donne à beaucoup une **contenance** dans certaines situations publiques, dans les transports en commun ou dans la rue, où la proportion de personnes utilisant simultanément leur appareil est étonnante, si on tente de la regarder de l'extérieur. Il véhicule une image de soi, à travers le choix de la marque, du modèle, de la sonnerie d'appel ou du fond d'écran personnalisé. Dans une société de plus en plus **«centrifuge»** (voir p. 248), le portable est et restera demain un moyen de lutter contre la **solitude**.

*L'usage du portable implique d'être en «**état de veille**», c'est-à-dire prêt à décrocher et à répondre à un interlocuteur. Comme pour les machines, le maintien de cet état entraîne chez les humains une **consommation d'énergie** ; il engendre de la **fatigue** et du **stress**. L'analyse que faisait le philosophe Alain Ehrenberg de l'état de la société en l'an 2000 devrait ainsi se vérifier dans la prochaine décennie : «En l'absence de toute règle établie, chacun dépense une énergie considérable à tenter de définir les siennes[1]».*

DE L'INTIME À L'EXTIME

Comme ceux d'Internet, les usages diversifiés du téléphone **mobile** continueront demain de transformer les relations humaines, tant sur le plan familial ou amical que social ou professionnel. La faculté de joindre et d'être joint à tout moment favorisera à la fois le **nomadisme** et le **tribalisme**. À la différence des tribus **traditionnelles**, qui impliquent une présence dans un même lieu, les membres de ces groupes modernes formeront des **diasporas** (voir p. 364).

Le portable sera aussi l'outil de la **multi-appartenance** ; il permettra de se «brancher» sur des réseaux distincts et complémentaires (famille, amis, relations, collègues de travail, groupes divers…), de façon souvent **éphémère**. S'il restera d'abord un moyen efficace pour chacun de garder le contact avec les membres de son univers, il servira aussi parfois à les **tenir à distance**, de transformer le contact réel en une relation **virtuelle**, **aseptisée**, plus facile à **gérer**.

Outil de la modernité et de l'efficacité, le mobile sera de plus en plus au carrefour de toutes les vies qui composent *la* vie, en les mélangeant toutes. Il fusionnera ainsi l'intime et l'**extime**[2]. Au risque d'entraîner une fuite en avant, une dépendance à l'égard des autres qui traduirait une incapacité à se retrouver seul face à soi-même.

---

1. Dans son ouvrage *La fatigue d'être soi (Dépression et Société)*, Odile Jacob, 2000.
2. Part d'intimité qui est volontairement rendue publique, par opposition à intime.

RADIO, PRESSE, TÉLÉVISION : LE TIERCÉ GAGNANT

73. Crédibilité des différents médias (% de réponses positives à l'affirmation : « *Les choses se sont passées vraiment ou à peu près comme le journal, la radio, la télévision, Internet les raconte* », 2017)

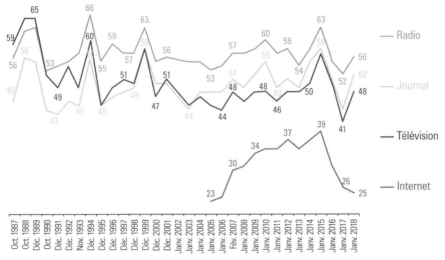

Kantar Sofres/La Croix

UNE FORTE DÉFIANCE ENVERS LES MÉDIAS...

Parmi les principaux **médias** auprès desquels les Français s'informent, c'est la **radio** qui leur paraît le plus **fiable**, avec cependant un taux de confiance très relatif : 56 % estimaient en 2018 que « les choses se sont passées en général comme la radio le raconte »[1]. La **télévision** et la **presse écrite** n'inspiraient confiance qu'à respectivement 48 % et 52 % des personnes interrogées. On observe que ce tiercé **radio-journaux-télévision** reste inchangé dans son ordre depuis 30 ans. Plus de six Français sur dix estimaient par ailleurs que les **journalistes** ne sont pas **indépendants** vis-à-vis des **partis politiques** (68 %) ni des **pressions de l'argent** (62 %).

L'arrivée d'**Internet**, devenu aujourd'hui le média le plus consulté par les jeunes pour l'information, n'a pas amélioré ce bas niveau de confiance, au contraire : seuls 25 % des

Français considéraient que «*les choses s'étaient passées comme elles étaient présentées*» sur ce média. Quant aux **réseaux sociaux**, ils étaient considérés comme un vecteur d'informations très peu fiable : 16 % seulement des Français déclaraient faire confiance à des **contenus (articles et autres) partagés par un contact**. Un chiffre qui montre que les Internautes, qui sont souvent eux-mêmes producteurs et transmetteurs d'informations, ne considèrent pas systématiquement leurs «amis» comme des sources fiables, dès lors qu'il peut s'agir d'**opinions** plutôt que d'**expériences** vécues. Le niveau de confiance s'élevait cependant à 38 % quand ces contenus émanaient d'un **média**, ce qui par comparaison est un peu rassurant, mais reste très insuffisant.

... QUI POURRAIT ENCORE S'AGGRAVER

D'ici **2030**, la question de la **fiabilité** des informations sera d'autant plus essentielle que les principales sources seront les médias **numériques**, plus suspects que

---

1. *Baromètre annuel de la confiance des Français dans les médias*, La Croix/Kantar Public, 2018.

les autres d'inventer et colporter à grande vitesse des **fausses nouvelles**, **rumeurs** et **mensonges** (*fake news*) pudiquement rebaptisés «**vérités alternatives**» (voir p. 224). Les **enjeux** (économiques, sociaux, politiques) de l'information seront en effet croissants, de même que les tentatives et les moyens de **désinformation**, du fait des fortes audiences numériques et de la très puissante chambre d'écho offerte par les Internautes.

Le travail de **vérification** sera donc essentiel à la stabilité et à la cohésion de la société. Il pourra être en partie effectué automatiquement par des **algorithmes intelligents**, mais leur fiabilité ne sera pas totale (voir p. 96). Le recours à l'intervention **humaine** restera donc souvent nécessaire... à condition qu'elle ne soit pas le fait d'**imposteurs**. L'information devra en tout cas être **réglementée**, **contrôlée** et **sanctionnée** de façon efficace et dissuasive par des organismes indépendants à l'échelle nationale et internationale. Sinon, le **cancer** des *fake news* risque d'engendrer et de diffuser beaucoup de **métastases**.

INFORMATION, SURINFORMATION, DÉSINFORMATION

La naissance et le développement d'**Internet** ont représenté une véritable rupture dans l'accès et la relation à l'information. Le Web est en effet une **médiathèque planétaire** contenant tous les savoirs et l'intelligence du monde, accessible à chacun, à tout moment et en tout lieu. L'**interactivité** qui s'y est ajoutée est à la fois un **bienfait** et un **danger**. Au fil du temps, les tentatives d'**influence** se sont multipliées, notamment via des sites au contenu **immoral** (islamisme, racisme, nazisme, pédophilie, pornographie, incitations à la violence...) ou même des incitations du même type postées sur les réseaux sociaux.

Les développements attendus d'ici **2030** devraient encore accroître l'**ambivalence** d'Internet et les risques qu'il présente de **désinformation** et de **manipulation**. Le *buzz* (ou «rumeur électronique») pourra être propagé et relayé par des **consommateurs** mécontents, des **citoyens** en colère, des individus **irascibles** ou **irrationnels**, des **concurrents** peu scrupuleux, des **marques** faisant de la «communication», des **idéologues** désireux de faire passer leurs messages, ou des **groupuscules** terroristes souhaitant recruter... Il sera de plus en plus difficile de **trier** et de **valider** les informations émises.

De très nombreux messages truqués et de *fake news* inonderont ainsi les boîtes de messagerie, les blogs, les forums, les sites et les réseaux de toute sorte. Ils seront signés par leurs émetteurs ou dissimulés derrière des pseudonymes. Les dégâts occasionnés pourront être importants. L'**image** et la réputation de personnes, produits, entreprises ou institutions sera ternie, voire détruite. Ces effets seront d'autant plus graves que la diffusion sera large et instantanée. Il sera extrêmement difficile de l'**interrompre**, et tout autant de la **démentir**.

Comme toujours, l'**influence** la plus forte s'exercera sur les esprits les plus **faibles**, et malléables. Les **sectes** trouveront là un nouveau moyen d'endoctrinement et de recrutement. Sous couvert de la **liberté d'expression**, des idéologies douteuses ou véritablement dangereuses se fraieront un passage. Comme celui de tous les lieux publics, l'usage d'Internet devra être réglementé et contrôlé. En respectant évidemment la **loi**, la **morale** et la **liberté d'expression.** Ce sera l'un des **défis** majeurs de l'avenir.

L'ÉMOTION PLUS FORTE QUE LA RAISON

Une analyse des contenus de l'ensemble des médias montre sans ambiguïté la place qu'y occupe l'**émotion**. Les films, les magazines ou les journaux télévisés sont emplis d'images, de sons et de textes montrant tout l'éventail qu'elle couvre entre l'amour et la haine, la seconde étant très présente. Sur les plateaux de télévision, à la radio ou dans les échanges sur Internet, ceux qui parlent avec leurs «**tripes**» obtiennent plus facilement l'adhésion du public que ceux qui partent de faits et de chiffres *a priori* «objectifs».

Demain plus encore qu'aujourd'hui, l'**affectif** sera plus «**effectif**» (au sens d'efficace) que le raisonnement. Dans une société d'incertitude et de méfiance, le registre de l'**objectivité** sera moins convaincant, car moins empathique, que celui de la **subjectivité**. D'autant que le public ne pourra pas vérifier les informations, souvent contradictoires qui lui seront assénées comme des vérités (voir encadré ci-dessous). Il fera plutôt confiance à celui qui parle fort, au nom du «**peuple**», en désignant les exploi-

Crédulité et complotisme

La **défiance** des Français à l'égard des médias explique sans doute en partie la propension de certains d'entre eux au **conspirationnisme** ou au **complotisme**. Ces deux attitudes ont été mises en évidence par une enquête[1] aux résultats inquiétants :

- **55 %** des Français sont d'accord («*plutôt*» ou «*tout à fait*») sur le fait que «*le ministère de la santé est de mèche avec l'industrie pharmaceutique pour cacher au grand public la réalité sur la nocivité des vaccins*» (45 % pas d'accord).
- **48 %** considèrent que l'**immigration** est «*un projet politique de remplacement d'une civilisation par une autre organisé délibérément par nos élites politiques, intellectuelles et médiatiques et auquel il convient de mettre fin en renvoyant ces populations d'où elles viennent.*». Une courte majorité (52 %) n'est cependant pas d'accord. Si 53 % estiment au contraire que «*Les pays européens ont le devoir d'accueillir les personnes poussées à l'exil par la guerre et la misère, et c'est aussi leur intérêt économique à long terme*», 47 % ne sont pas d'accord.
- **32 %** considèrent que «*le virus du sida a été créé en laboratoire et testé sur la population africaine avant de se répandre à travers le monde.*» (68 % pas d'accord).
- **29 %** considèrent que «*au sein du gouvernement américain, certains étaient informés des attentats du 11 septembre 2001, mais qu'ils ont délibérément laissé faire pour* ensuite justifier une intervention militaire en Afghanistan et en Irak.*» et 6 % que «*des membres de l'administration et du gouvernement américain ont planifié et orchestré activement ces attentats*».
- **24 %** considèrent qu'«*il existe un projet secret appelé le Nouvel Ordre Mondial consistant à mettre en place une dictature oligarchique planétaire.*» (72 % pas d'accord).
- **20 %** considèrent que «*certaines traînées blanches créées par le passage des avions dans le ciel sont composées de produits chimiques délibérément répandus pour des raisons tenues secrètes.*» (80 % pas d'accord).
- **16 %** considèrent que «*les Américains ne sont jamais allés sur la Lune et la NASA a fabriqué des fausses preuves et de fausses images de l'atterrissage de la mission Apollo sur la Lune.*» (84 % pas d'accord).
- **9 %** considèrent qu'«*il est possible que la Terre soit plate et non pas ronde comme on nous le dit depuis l'école.*» (91 % pas d'accord).

Sur ces sujets comme sur beaucoup d'autres, il apparaît qu'une partie non négligeable de la population est prête à remettre en question des certitudes absolues (la rotondité de la Terre…) ou à croire croire à des histoires inventées qui défient le **bon sens** (le complot planétaire, les trucages de la NASA…). Le pays de **Descartes** porte de plus en plus mal son nom. Lui-même d'ailleurs se trompait en affirmant que «*La raison est la seule chose qui nous rend hommes.*». Il en est d'autres, comme la **crédulité** ou le déni de réalité.

1. Sondage Fondation Jean-Jaurès-Conspiracy Watch/Ifop, décembre 2017.

teurs et plaignant les exploités, en illustrant son propos par des exemples frappants, même s'ils sont marginaux et non représentatifs de la situation réelle. À l'inverse, celui qui argumente, revient au général, intellectualise et semble parler du « haut » de la pyramide sociale (élite, « système ») sera a priori déconsidéré.

On peut craindre par ailleurs que le poids déjà considérable des **médias numériques** ne s'accroisse encore dans les prochaines années. Et avec lui la part de l'**émotion** dans le débat public. Les commentaires, réactions et discours des Internautes sur les **réseaux sociaux** pourraient aussi être encore plus qu'aujourd'hui guidés par la **colère** et le **ressentiment,** plutôt que par la **compassion** et la **bienveillance**. Ils pourraient aussi être « noyautés » et instrumentalisés pour diffuser des **idéologies** malsaines, accroissant encore la **crédulité** d'une partie de la population, et sa propension au **complotisme** (voir encadré ci-après). C'est la société tout entière qui serait alors fragilisée, et la démocratie mise à mal.

LA DÉMOCRATIE FRAGILISÉE

La prime à l'émotion décrite ci-dessus aboutit souvent à une **simplification** de la réalité ou, pire, à sa **distorsion**. Demain, l'émotion et la **démocratie** ne feront sans doute pas bon ménage. Le **« populisme »** sera toujours présent en filigrane (s'il n'est pas au premier plan), prêt à profiter de la moindre faille, essayant en permanence de la créer, en dressant les Français les uns contre les autres. Il utilisera à son profit la **« force des faibles »**, qui sera renforcée par leur accès à la parole, notamment sur les réseaux sociaux, ainsi que dans bien d'autres médias. Leur statut de **« vraies gens »** parlant avec leurs mots simples et forts des problèmes qu'ils vivent au quotidien (pouvoir d'achat, emploi, maladie...) mettra souvent en difficulté les responsables, notamment politiques, a priori suspectés de ne pas dire la vérité ou de mépriser les faibles.

Dans cette priorité donnée à l'émotion, la **télévision** et **Internet** joueront un rôle particulier, lié à leur nature même. Si l'on se réfère à la distinction établie par McLuhan[1] (bien qu'elle soit discutable dans son argumentation), ces deux médias (surtout le premier) sont **« froids »** : leurs contenus sont globalement plutôt pauvres (en tout cas ceux qui sont les plus utilisés), mais ils sollicitent **plusieurs sens** (notamment la vision et l'ouïe). Surtout, ils nécessitent une **« reconstruction »** par le destinataire pour devenir **« signifiants »**. Lorsque cette phase de réflexion et d'exercice du libre arbitre est peu présente, ce qui est souvent le cas avec ces médias, ils ont un **impact** fort sur le cerveau, qui **subit** alors les messages. À l'inverse, les médias **« chauds »** ont des contenus souvent plus riches, sollicitent un seul sens (la vision pour le **livre** ou le journal, l'ouïe pour la **radio**) et peuvent plus facilement être interprétés et évalués.

Dans le même ordre d'idée, les déclarations de **« célébrités »**, questionnées sur des sujets hors de leurs domaines de compétences ont souvent plus de poids, dans les médias **« froids »,** que celles des « experts » ou des « intellectuels », pourtant a priori plus légitimes, qui eux ont une force de conviction plus grande dans les médias **« chauds »**. On pourrait ainsi compléter une autre thèse de McLuhan, selon laquelle **« le média est le message[2] »** en affirmant que l'**émetteur** (son identité, sa popularité, son image) est aussi une partie importante du message.

La société de **2030**, caractérisée par les avancées **scientifiques** et techniques, pourrait ainsi être paradoxalement celle de l'**irrationalité**. Toute évolution, lorsqu'elle est ambiguë et ambivalente comme ce sera le cas, engendre une réaction contraire. Les

---

1. Sociologue canadien, dans *Understanding Media : The extensions of man*, 1964, traduit en français sous le titre *Pour comprendre les médias*, publié en 1968.
2. Dans *The Medium is the Massage An Inventory of Effects* co-écrit par Marshall McLLuhan et le designer Quentin Fiore, publié en 1967. Selon certaines sources, le mot *massage* aurait été imprimé par erreur au lieu de *message*. Le lapsus, si c'en est bien un, serait comme souvent révélateur à la fois en Français (le *message* aurait un effet de *massage* sur le cerveau du destinataire) et en anglais : *Mess Age* serait l'âge de la confusion, *Mass Age* celui des médias de masse.

LA TÉLÉVISION RESTE LA PRINCIPALE SOURCE D'INFORMATION

74. Hiérarchie des moyens d'information utilisés (en % de réponses à la question posée : « *En général, par quel moyen d'information êtes-vous d'abord informé de l'actualité nationale ou internationale ?* », 2018)

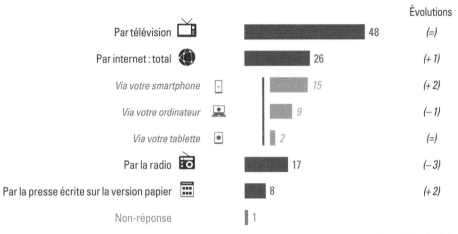

		Évolutions
Par télévision	48	(=)
Par internet : total	26	(+ 1)
Via votre smartphone	15	(+ 2)
Via votre ordinateur	9	(– 1)
Via votre tablette	2	(=)
Par la radio	17	(– 3)
Par la presse écrite sur la version papier	8	(+ 2)
Non-réponse	1	

Kantar Sofres/La Croix

outils favorables à la démocratie pourraient aussi servir à la détruire, en tout cas à la fragiliser.

INTERNET

LE MONDE PRIS DANS LA TOILE...

Au regard de l'histoire humaine, **Internet** représentera indiscutablement un **saut technologique** considérable, aux conséquences innombrables. Le « *village global*[1] » prévu par l'incontournable McLuhan au début des années 1960 sera demain une réalité, même si des frontières physiques sont rétablies. Avec environ 5 milliards d'Internautes en **2030**, la majorité des humains l'habiteront. Le réseau abolira (au moins dans son principe) les **séparations spatiales** (géographiques ou politiques), **temporelles** et, au moins partiellement, **culturelles** et **mentales**. Il apportera à chaque personne connectée un supplément d'information, d'expression et de liberté (dans la

mesure où son accès ne sera pas restreint ou interdit par les autorités). La **convivialité** ainsi proposée sera bien sûr **virtuelle**. Mais elle constituera une réponse possible à la **solitude** engendrée par une « **société de communication** » qui ressemble souvent à une « *société d'excommunication* », au sens laïque du terme.

Internet est potentiellement l'outil d'élaboration d'une société **mondiale**, capable de peser sur les États et de peser sur les cultures, peut-être demain de se **substituer** à eux. C'est pourquoi il alimente les craintes croissantes des Français sur la **mondialisation** et ses effets éventuellement **uniformisateurs** sur les peuples et les individus. Il fournit aussi des arguments à tous ceux qui

---

1. Ibid. McLuhan utilisera plus tard l'expression de « *théâtre global* ».

craignent que le monde ne devienne **virtuel**, que leur pays perde sa **souveraineté** et son identité en laissant pénétrer tous ceux qui souhaitent y entrer. Il redonne ainsi de la vigueur au désir latent de **protectionnisme**, fonds de commerce des **populistes**.

Internet offre en tout cas des formes multiples de **communication** et, potentiellement, de **collaboration**. Il se caractérise par la multiplicité de ses **usages** possibles : information ; divertissement ; jeu ; communication ; consommation ; relations avec les entreprises et les institutions... Il renforce l'**autonomie** et le poids des **individus-citoyens-consommateurs**. Il donne à chacun la possibilité d'**exister** et d'être **reconnu** par les autres, de devenir **citoyen du monde**. Ou au moins d'appartenir à une

ou plusieurs «**tribus**» planétaires qui sont en fait de nouvelles «**diasporas**» constituées de personnes ayant des centres d'intérêt communs, mais qui sont séparées géographiquement (voir p. 358).

... LA FRANCE AUSSI

88 % des Français ont utilisé **Internet** en 2017, soit 57 millions sur 65 millions[1] d'habitants (ce qui implique que de nombreux mineurs y ont accès...). Les personnes qui ne sont pas connectées sont le plus souvent des personnes âgées, qui n'ont pas eu la possibilité de **s'initier** à l'informatique au cours de leur vie active, ou qui sont **réfractaires** aux technologies, ou qui les considèrent comme **inutiles**, voire **nuisibles** à leur qualité de vie.

Les ordinateurs et autres supports permettant d'accéder à Internet s'intègrent en tout cas de plus en plus dans le quotidien de toutes les générations, et les **craintes** à son égard tendent à diminuer. En trois ans, le sentiment d'être **capable** de se servir d'un **ordinateur** a progressé de 12 points, à 67 % en 2017 contre 55 % en 2014[2]. Globalement, 69 % des 12 ans et plus s'estimaient **compétents** pour utiliser les objets numériques.

De fait, les Français se montrent aujourd'hui plus **vigilants**, voire «**experts**» dans certains usages :

- 69 % ont déjà renoncé à installer une **application** afin de protéger leurs **données personnelles**.
- 69 % également ont déjà **refusé** d'être **géolocalisés** en ouvrant une page Internet ou dans une application.
- Près d'une personne sur deux (48 %) a déjà pris des dispositions pour **ne pas laisser de traces** sur Internet.
- Une sur six (17 %) a déjà éteint son téléphone mobile pour éviter d'être **tracée**.

Dans la population française, les trois quarts des adultes se disent prêts à adopter de **nouvelles technologies** ou services numériques : 24 % immédiatement et 52 %

Le septième continent

Pour les curieux, Internet est un univers à explorer, un **continent virtuel** recouvrant tous les autres. Alors que le monde « réel » ne réserve plus de véritable *terra incognita*, il permet de participer à une **aventure** moderne sans précédent. Il est un **labyrinthe** dans lequel chacun peut s'engager, sans savoir ce qu'il trouvera en chemin, ni où il aboutira. Il permet de s'exprimer, d'échanger, de se **montrer** tel qu'on est ou au contraire tel qu'on voudrait être, en se cachant derrière des pseudonymes, des avatars et des chimères. On peut y être soi, un autre ou plusieurs...

Le développement du réseau aura une influence croissante sur l'évolution des sociétés et sur l'avenir de la planète. Internet a déjà transformé la notion de **distance** (le prix des services ou des communications numérisés est indépendant de l'éloignement) et celle de **temps**, avec l'accès instantané à une multitude de sites et fonctions. La Toile autorise une **interactivité** totale, qui a donné naissance à un **«spectacteur»**, de la vie et du monde à la fois passif et actif. Un nomade sédentaire.

---

1. Étude Hootsuite-We are social, 2017.
2. Ibid.

progressivement. Mais tous n'ont pas pris la mesure des **risques** réels que cela peut entraîner.

UN FACTEUR D'ACCROISSEMENT DES INÉGALITÉS

La contrepartie des **bénéfices** et des **promesses** d'Internet pour l'avenir est le risque de **dérives** inhérentes à un outil qui est par nature difficile, voire impossible à **contrôler**. Internet est aussi potentiellement porteur de nouvelles **inégalités**. Entre ceux, d'abord, qui seront **connectés** et ceux qui ne le seront pas (certains pays continueront de restreindre ou d'interdire l'accès à tout ou partie du réseau). Entre ceux qui disposeront de **hauts débits** et ceux (de moins en moins nombreux) qui continueront de subir la lenteur d'affichage des textes et des images.

Les inégalités concerneront aussi les **usages**. Entre les utilisateurs qui iront au plus **simple** (informations de base, jeux, distractions de toutes sortes...) et ceux qui s'en serviront comme d'un outil de **réflexion** et d'**enrichissement** pour développer leurs compétences, leurs réseaux relationnels ou leurs affaires. Entre ceux qui resteront du côté **sombre** de la Toile (sites pornographiques, d'incitation à la violence ou au racisme...) et ceux qui chercheront à rendre le monde meilleur, dans le respect et l'échange avec les autres. Internet sera donc demain à l'origine de nouvelles **fractures** : culturelles, sociales, philosophiques, morales, idéologiques.

Un autre risque est le caractère **solitaire** de l'utilisation d'Internet, et le fait qu'il favorise les relations à **distance** plutôt qu'à proximité, au détriment notamment de la **cellule familiale**. Il est en cela différent de la **télévision**, qui avait jusqu'ici une dimension plus **conviviale**, qu'elle est en train de perdre avec la généralisation des usages

LA FRACTURE NUMÉRIQUE

75. Usage de différents matériels multimédia selon la catégorie professionnelle (2016)

en %

	Utilisation d'un ordinateur[1,2]	Connexion à l'internet[1]	Connexion à l'internet tous les jours ou presque	Connexion à l'internet mobile[1,3]	Connexion à l'internet sur le lieu de travail[1]
Agriculteurs, artisans et commerçants	87,3	90,3	75,0	61,6	54,4
Cadres et professions libérales	97,4	99,4	92,9	88,1	94,4
Professions intermédiaires	96,0	96,5	83,6	74,0	78,9
Employés	88,3	89,5	73,4	64,4	53,7
Ouvriers	81,0	86,2	63,8	60,3	39,2
Ensemble	**90,2**	**92,4**	**77,6**	**69,9**	**64,3**

1. Au cours des trois derniers mois.
2. Données 2015.
3. Connexion à l'internet hors du domicile ou du lieu de travail, grâce à un *smartphone*, une tablette, un ordinateur portable ou tout autre appareil mobile.
Actifs occupés de 15 ans ou plus vivant en France dans un ménage ordinaire.
INSEE

individualisés. Il paraît probable en tout cas que le temps passé devant les **écrans** augmentera encore (voir p. 380). Il viendra alors en déduction de celui disponible pour l'entourage **familial** et **social**.

Le risque existe ainsi qu'une **cybersociété**, virtuelle et planétaire, se substitue demain aux sociétés réelles et à dimension nationale. Certains Internautes trouveront en effet la première plus **séduisante** et **sécurisante** que les secondes, car les contacts y seront indirects, distanciés, aseptisés.

UNE MENACE SUR LES SOCIÉTÉS…

On peut également craindre à l'avenir une recrudescence d'actes **terroristes** de grande envergure, transitant par Internet. Ils pourraient provoquer des dégâts économiques considérables dans les **services publics** (santé, distribution d'eau ou d'électricité, téléphone, contrôle aérien, sécurité sociale…), les **systèmes de défense** nationaux (avec, par exemple, des déclenchements intempestifs de procédures d'urgence) ou au sein des **entreprises privées**. On devrait assister par ailleurs à des opérations de plus en plus nombreuses de **«cyberchantage»** (avec demandes de rançons) à l'encontre d'institutions, d'entreprises ou de particuliers.

Pour les **délinquants** en général, Internet constituera en effet un formidable champ d'action. Aux terroristes, il offrira un accès facile et d'une efficacité redoutable, permettant de déclencher des paniques collectives et de **déstabiliser** les démocraties. Un «11 septembre virtuel» n'aurait sans doute pas de conséquences aussi tragiques en termes de vies humaines détruites que celui vécu par les Américains en 2011. Il pourrait en revanche avoir des effets délétères sur le **fonctionnement** des sociétés et occasionner des dégâts **matériels** considérables.

Une autre catastrophe, bien moins probable, serait que la **«mémoire de l'humanité»** détenue par Internet soit un jour effacée, volontairement ou non. Elle est en effet numérisée et stockée sur des **supports** électroniques (serveurs) qui peuvent être détruits ou sabotés, malgré les précautions prises.

*Cependant, à l'inverse des **livres** irremplaçables qui ont disparu avec la bibliothèque d'Alexandrie[1], il y a quelque 2 000 ans, les documents numérisés sont très facilement **duplicables**.*

… ET LES LIBERTÉS INDIVIDUELLES…

Les risques d'**intrusion** dans la vie privée via les outils numériques pourraient en théorie disparaître avec l'arrivée des ordinateurs **quantiques**[2], d'ici 2030. Cela suppose qu'ils soient disponibles et répandus, ce qui ne sera sans doute pas le cas. Ces risques pourraient cependant être réduits par un usage généralisé des **blockchains**[3]. En attendant, les **virus**, **cookies**, et autres **spywares** introduits dans les ordinateurs par la plupart des logiciels ou des sites resteront des «mouchards» permettant de conserver la **trace** des activités, des centres d'intérêt et des habitudes de chacun, de surveiller à distance les faits et gestes de toute une population, à l'instar de ce qu'est en train de mettre en place la Chine (voir p. 57).

L'usage généralisé du **Wi-Fi** permet aussi aux indiscrets ayant quelques compétences en informatique d'en savoir plus sur leurs voisins et de «squatter» leurs réseaux per-

1. Fondée en 288 avant J.-C., la bibliothèque d'Alexandrie (Égypte), a été définitivement détruite au plus tard entre 48 av. J.-C. et 642. Les causes de sa disparition (guerre, séisme, raz de marée…) ne sont pas connues. Elle était la plus célèbre de l'Antiquité et réunissait les ouvrages les plus importants de l'époque.
2. Ordinateurs capables d'effectuer des calculs en utilisant directement les lois de la physique quantique, notamment celle de superposition des états quantiques. Alors qu'un ordinateur classique manipule des *bits* d'information (suites binaires de 0 et de 1), l'ordinateur quantique utilise des *qubits (quantum bits)*, superpositions simultanées de ces deux états, comme dans l'état de *spin* d'un photon ou d'un électron.
3. Op. cit. Technologie de stockage et de transmission d'informations, transparente, sécurisée, fonctionnant sans organe central de contrôle. Le fonctionnement est assuré par des «mineurs», qui utilisent leurs propres ordinateurs pour valider les transactions (contre rémunération). Cette technique peut être assimilée à un grand livre comptable public, anonyme et en principe infalsifiable (Blockchain France).

sonnels. À plus grande échelle, la récupération de **données** précises sur les foyers et les personnes, à des fins **commerciales,** est le but de nombreuses entreprises. Ces pratiques devraient entraîner une **méfiance** croissante de la part des Internautes, qui pourrait les amener à **boycotter** certains sites trop curieux ou à fournir délibérément des informations **erronées** (voir p. 101).

Enfin, Internet est souvent considéré comme une incitation à la **sédentarité,** qui serait du même coup une privation de liberté, un asservissement. Ce danger apparaît contradictoire avec la tendance au «nomadisme» (utilisation d'outils mobiles), mais celle-ci est contredite par le temps de plus en plus important passé par les Français à leur domicile (voir p. 195). Les «accros» du Web passent ainsi des heures devant leur écran, oubliant la vie extérieure.

*On constate souvent, à l'inverse que les Internautes les plus actifs ont souvent une vie extérieure plus **riche** que les personnes non connectées.*

... MAIS LA PROMESSE D'UNE NOUVELLE CIVILISATION

Le développement d'Internet aura des incidences de plus en plus apparentes sur les **modes de vie individuels** et sur le fonctionnement des **sociétés.** Il confirmera la révolution engagée dans les modes d'acquisition de la connaissance (voir chapitre *Instruction,* p. 138). Le Web restera un **hypermarché** planétaire dans lequel toutes les marchandises seront vendues, achetées,

échangées ; il pourrait ainsi concentrer en **2030** environ 20 % du PIB mondial. Il sera l'instrument majeur de la création d'une **société planétaire multiculturelle,** dans laquelle le **virtuel** occupera une place croissante, même s'il ne se substituera pas au **réel.** On y trouvera des transpositions et des représentations de la «vraie vie» qui, peu à peu se mélangeront avec elle.

L'une des particularités d'Internet est de placer chaque individu au **centre** de la Toile et non pas sur l'un des multiples fils qui partiraient d'un centre éloigné. Il crée ainsi des **opportunités** nouvelles en termes de liberté, d'autonomie, d'expression personnelle et de convivialité. Mais il fait aussi de l'utilisateur une **cible** facile pour tous ceux

Un pour tous, tous pour un

La civilisation initiée par Internet est fondée sur le double principe de l'**autonomie de chacun** et de sa **relation** possible à **tous**. Elle est déjà caractérisée par le passage du vertical à l'**horizontal**, et par la **«mise en réseau»** (et en fiches...) de la plupart des habitants connectés de la planète. Elle marquera aussi le passage du longitudinal au **transversal**. Contrairement aux autres innovations technologiques, les applications d'Internet concernent en effet tous les domaines de la vie : personnelle, professionnelle, familiale, amicale, sociale.

Une autre de ses caractéristiques est d'être dans son principe un **média «pur»**. Comme la ligne téléphonique, Internet est un **«tuyau»** mis à la disposition des usagers. Ceux-ci peuvent y faire passer n'importe quel contenu, en plus de ceux proposés par des prestataires professionnels (entreprises, institutions, associations...). Comme aujourd'hui, ce contenu sera demain gratuit ou payant, moral ou immoral, simple ou complexe, distrayant ou sérieux. C'est la part de chacun de ces choix possibles dans les usages qui déterminera l'avenir de la civilisation Internet.

qui veulent s'adresser à lui pour lui vendre quelque chose, le désinformer, le manipuler, voire l'escroquer.

VERS UN WEB DE PLUS EN PLUS MARCHAND

L'avenir d'Internet dépendra d'abord de l'attitude des différentes parties prenantes. Les **cyberacteurs**, notamment les institutions et les marchands, devront se montrer **vertueux**, en respectant la morale et les libertés individuelles. Les **Internautes** devront de leur côté accepter des **règles de comportement**, qui restent à inventer et qui ne pourront être vraiment efficaces qu'à l'échelle **planétaire**. Contrairement à l'utopie initiale de ses créateurs, le Web ne pourra pas rester un **non-lieu** bénéficiant d'un **non-droit**.

Mais la **vertu** ne sera sans doute pas toujours présente chez les **utilisateurs** du réseau, ni chez les acteurs, désireux avant tout d'en tirer **profit**. À cet égard, la suppression de la **neutralité du Web** fin 2017[1], qui en était l'un des principes fondateurs (non-discrimination dans l'accès à l'information et à l'échange de données) est une première menace. Elle permet potentiellement aux opérateurs de faire payer l'accès à certains sites, au prétexte par exemple qu'ils font transiter des fichiers volumineux. Ou à des fournisseurs d'accès de ralentir le téléchargement gratuit de vidéos par des Internautes pour les inciter à utiliser leurs services payants. Internet ne serait donc plus un **« bien public »** tel qu'il avait été créé à l'origine.

Enfin, l'avenir du réseau dépendra de sa capacité **physique** à faire face à l'augmentation prévisible du **trafic**. De nombreux sites seront fragilisés par les **failles** de sécurité ou les **attaques** malveillantes dont ils seront les cibles. Les fournisseurs d'accès pourront alors librement limiter l'accès à certains d'entre eux.

---

1. Le 14 décembre 2017, par un vote de la Commission Fédérale de la Communication (FCC), agence américaine de régulation des télécommunications.

LE NUMÉRIQUE, UNE RÉVOLUTION TECHNIQUE...

L'une des caractéristiques communes aux innovations technologiques en général (qui est aussi un frein à leur généralisation) est qu'elles remettent en question les **modes de vie** et les **références culturelles**. De même que l'**imprimerie** avait bouleversé la diffusion de la connaissance et le **téléphone** transformé les relations entre les individus, l'**ordinateur** et ses dérivés numériques imposent une « logique » et des pratiques différentes de celles qui prévalaient avant eux.

L'émergence et le développement des médias numériques ont sans aucun doute favorisé l'accès de chacun à la **culture générale**. Mais ces indéniables progrès ont une contrepartie, dont on devrait voir des effets encore amplifiés à l'avenir. La **culture** sera de plus en plus **fragmentée**, **parcellaire**. Elle risque de constituer par accumulation une « **mosaïque** » plutôt qu'une **image d'ensemble cohérente**, telle que la fournissait la culture traditionnelle. Elle serait alors moins facile à **mobiliser** dans la vie quotidienne et permettrait moins facilement à chaque individu de se **situer** dans le monde, de **comprendre** son évolution et de se **projeter** dans l'avenir.

... MAIS AUSSI CULTURELLE

Les médias **numériques** et les nouveaux équipements de **loisir** sont à l'origine d'une véritable **rupture culturelle**. Elle se traduit d'abord par la transformation de la relation des Français aux **médias**. Ainsi, la **navigation** sur les supports électroniques ou sur les sites Internet est très différente de la **lecture** des livres, des journaux et des magazines, ou de la **consultation** des dictionnaires et encyclopédies, réceptacles antérieurs de la **connaissance**.

La **linéarité** a fait place à la **circularité**, rendue possible par les **liens hypertextes**. Par un simple **clic** de souris, il devenait possible de trouver immédiatement des milliers de **réponses** à une question et de s'informer sur les thèmes pouvant lui être associés. Le **multimédia** a permis d'accéder à tous les types d'information : texte, image fixe, séquence animée, son. Le mode d'accès au savoir n'était plus fermé ou limité, mais **ouvert** et **illimité**. Il devenait en outre totalement **personnalisé**. Les Français ont vécu cette révolution sans **enthousiasme** particulier, mais sans **réticence** majeure. Ils vont devoir dans les années à venir s'adapter aux changements qu'elle va induire dans leur façon de vivre, de penser et d'agir.

UN POIDS IMPORTANT DES RÉSEAUX SOCIAUX...

Avant l'invention d'Internet, les réseaux sociaux étaient des **regroupements** de taille souvent limitée de personnes ayant des caractéristiques, des goûts et/ou des objectifs **communs**, désireuses de se **structurer** pour échanger ou agir ensemble, dans un contexte personnel ou professionnel. Cette définition s'applique ainsi à de nombreuses formes de rassemblement : clubs, communautés, tribus, groupes, syndicats, fédérations, unions, etc.

Dès la naissance d'Internet, d'autres types de réseaux se sont créés spontanément ; ils regroupaient des amis de la vie réelle dans des listes de contacts et de diffusion permettant l'échange d'informations de toute nature. D'autres réseaux, proposés par des **intermédiaires**, se sont développés pour aider leurs membres à fédérer et élargir leurs cercles d'amis, à trouver des partenaires commerciaux, des emplois ou accéder à certains services. Ces réseaux, qui se sont considérablement élargis, peuvent avoir une vocation **généraliste**, comme Facebook (échanges interpersonnels), Twitter (microblogging), Youtube (vidéo), Myspace (musique), FlickR, Pinterest, Instagram ou Snapchat (photos), Foursquare (échanges géolocalisés), Whatsapp (messagerie). D'autres sont destinés à une utilisation **professionnelle** comme LinkedIn ou Viadeo (partage de CV) ou Slideshare (diaporamas). Il faut aussi mentionner les services d'**intermédiation** à but directement commercial, comme les sites de rencontre (Meetic, Match, Attractive World...) qui proposent à leurs membres de trouver l'âme sœur, ou ceux d'achat-vente d'occasion, comme eBay ou Leboncoin...

LES SENIORS PEU CONCERNÉS PAR LES RÉSEAUX SOCIAUX

76. Taux de pénétration des réseaux sociaux selon la tranche d'âge (en %, 2017)

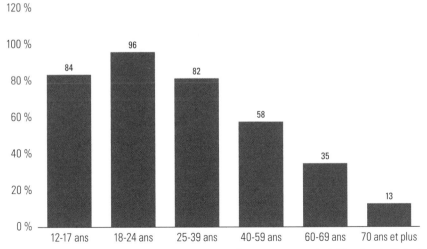

ARCEP, Conseil Général de l'Économie, de l'Industrie, de l'Énergie et des Technologies ; Agence du numérique ; CRÉDOC

LES RÉSEAUX SOCIAUX PEU CRÉDIBLES

77. Niveau de confiance dans les informations diffusées sur les réseaux sociaux (en % des réponses à la question posée : *« Avez-vous confiance dans les informations qui circulent sur les réseaux sociaux [comme Twitter ou Facebook par exemple] ? »*)

Kantar Sofres/La Croix

... QUI POURRAIT SE RÉDUIRE À L'AVENIR

En 2017, 60 % des personnes qui ont utilisé Internet (88 % des Français) se sont rendues sur les **réseaux sociaux** chaque mois, (2 millions de plus sur un an, soit 31 millions d'inscrits actifs)[1], avec une connexion quotidienne dans 91 % des cas. Elles leur ont consacré en moyenne 1 h 22 par jour (sur 4 h 48 de connexion à Internet).

L'accroissement régulier de l'usage de ces réseaux, constaté depuis des années, pourrait **ne pas se confirmer** à l'avenir. D'abord parce qu'ils sont **chronophages** et qu'ils entreront en concurrence avec d'autres activités à venir (notamment les usages de la réalité virtuelle ou augmentée, voir p. 346). Mais aussi parce qu'une certaine **lassitude** pourrait s'installer, du fait de leur dimension souvent répétitive et égocentrée, et à la pauvreté relative de leurs contenus. Enfin, et peut-être surtout, par l'**hésitation** probablement croissante de céder gratuitement (et souvent en toute opacité) des **données personnelles** qui constituent une

mine d'or pour les opérateurs de ces sites (voir p. 317).

La pérennité des réseaux passera donc par leur capacité à **innover** mais aussi à **rassurer**, dans le but de recruter et fidéliser. Elle dépendra *in fine* de leur **crédibilité** et de leur **utilité**. Le jeu du «chat» (le réseau) et de la souris (l'adhérent) concernant le recueil et l'utilisation des **données personnelles** ne pourra en effet se poursuivre longtemps dans l'ambiguïté, parfois la dissimulation, de plus en plus dans la **paranoïa** (voir p. 244). Des **règles** devront être précisées, acceptées, mises en place, et respectées, sous peine de **sanctions**, prononcées par les juges mais avant tout décidées par les utilisateurs.

*Il ne faut cependant pas minimiser le rôle **individuel** des réseaux sociaux, qui pourrait justifier la poursuite de leur développement : valorisation de soi ; appartenance à un groupe ; échanges... Il ne faudrait pas non plus ignorer leur rôle **collectif**. Les réseaux forgent en partie l'**opinion**. Ils constituent une force potentielle de **mobilisation**, virtuelle (nature et tonalité des contenus) ou réelle : flashmobs[2],*

---

1. Étude Hootsuite We are social, 2017 Voir : https://www.blogdumoderateur.com/etat-lieux-2018-internet-reseaux-sociaux/

---

2. Rassemblements de rue improvisés via les réseaux sociaux.

Des millions d'amis

La très grande majorité des Français (neuf sur dix) sont aujourd'hui **connectés** à Internet. Ils sont ainsi en mesure de ***poster*** (s'exprimer et communiquer avec tout ou partie de la population), par divers moyens. Les plus « anciens » sont le mail (ou courriel) et le SMS (qui ne nécessite pas Internet). Ils ont été complétés au fil des années par les blogs, forums et, surtout, les **réseaux sociaux**, etc. Certains ont connu des succès considérables. En 2018, 59 % des Français (67 % des Internautes français) étaient inscrits[1]. Une proportion qui place cependant la France parmi les pays les moins touchés en Europe par la « *réseauphilie* », avec l'Allemagne.

L'élargissement du cercle des **« amis »** de chaque membre d'un réseau social est un phénomène **révélateur**. Il illustre d'abord une conception plutôt **dévalorisée** de ce qu'est ou devrait être un ami (au sens par exemple de Montaigne et la Boétie[2]). La recherche de la **quantité** de correspondants prime souvent dans les réseaux sur la **qualité** des relations qu'on entretient avec eux. Car l'amitié dont il s'agit est moins liée à des « *atomes crochus* » qu'à des centres d'intérêt proches et des amis communs. Les amis des amis ont ici vocation à devenir amis, avec l'aide active (et parfois la lourde insistance) des opérateurs de réseaux.

Ceux-ci ont en effet tout intérêt à accroître toujours plus la taille de leurs gigantesques bases de données personnelles. Les utilisateurs laissent beaucoup de **traces** (textes, photos, vidéos, commentaires des uns sur les autres, lieux fréquentés, activités pratiquées…) qui sont stockées par les opérateurs et commercialisées auprès d'entreprises présentées comme des « partenaires » qui souhaitent **cibler** avec précision leurs clients potentiels et optimiser ainsi leurs dépenses de marketing. Ces entreprises vont d'ailleurs elles-mêmes à la « pêche » aux données, en créant et animant leurs propres **pages** sur les réseaux sociaux, qui sont ainsi des **« points de contact »** obligés des marques avec leurs clients, rebaptisés ***fans***.

« *apéros géants* » ou ***manifestations*** *massives comme celles qui se sont déroulées pendant le* « *printemps arabe* » *en Tunisie, ou peu après en Égypte. Les* ***individus*** *connectés pourront encore demain constituer des* ***foules*** *avec lesquelles il faudra compter.*

LE MEILLEUR ET LE PIRE

Les **technologies numériques** (ou digitales) ont ouvert une nouvelle ère dans la **diffusion** et l'**échange** de l'**information** sous toutes ses formes. Les opérations sont en outre **instantanées**, et ne dépendent pratiquement pas du nombre de destinataires, la **duplication** étant quasi gratuite. Par ailleurs, les copies de fichiers numériques ont une **qualité** identique à l'original, quel que soit leur nombre, car il n'y a pas de déperdition dans le processus numérique (ou très peu en cas de compression des données). Le **savoir**, et par conséquent le **pouvoir**, se trouvent ainsi plus faciles à partager qu'ils ne l'ont jamais été. Pourtant, de nombreuses **inégalités** demeurent dans la réalité et la « frac-

1. Op.cit. *Baromètre du numérique 2017*, ARCEP-CGE-Agence du Numérique, réalisé par le CRÉDOC.
2. « *Parce que c'était lui, parce que c'était moi* » (dans les *Essais* de Montaigne). Leur amitié n'a cependant duré que durant les quatre années qui ont précédé le décès de La Boétie, en 1563.

ture **numérique**» risque de s'accentuer à l'avenir (voir p. 365).

Par ailleurs, chaque **récepteur** d'information est potentiellement **émetteur**, grâce à l'**interactivité** des médias et des réseaux. Les relations de dépendance **verticale** sont donc remplacées par des relations **horizontales**. Dans ce contexte, les **intermédiaires** peuvent être moins nombreux et les relations plus directes entre les interlocuteurs.

Cependant, Internet a en même temps favorisé l'apparition de nombreuses **plates-formes** de mise en relation : sites de rencontres ; réseaux d'échange et de partage ; sites de ventes entre particuliers ; courtiers en travaux pour l'habitat ; mandataires de biens immobiliers, etc.

La société numérique permet à chacun d'entrer en communication **directe**, **instantanée** et (pour le moment) souvent **gra-**

Débrancher, le luxe de demain ?

L'usage par les Français des outils issus des technologies ne pourra continuer de s'accroître que s'il leur apporte de véritables **satisfactions** en termes de services rendus, de facilité d'utilisation, de qualité d'expérience. Comme dans toutes leurs décisions de **consommation**, celles-ci seront la conséquence de l'estimation, rationnelle ou intuitive, du «**rapport valeur/coût**» (voir p. 315). Au total, la course en avant technologique pourrait être **interrompue** par la prise de conscience de ses effets parfois **délétères** sur le plan individuel et/ou collectif :

- Le **temps** de plus en plus important requis par les usages numériques. L'accroissement du **temps disponible** restera inférieur à celui du nombre de **sollicitations**, notamment marchandes, ce qui entraînera une frustration.
- La **fatigue** et le **stress** engendrés par l'usage des outils (casques, lunettes spéciales, électrodes et autres accessoires).
- Le risque de «**techno-dépendance**» (addiction) et le désir de ne pas y succomber.
- La difficulté de certaines personnes à vivre dans le «**virtuel**» après en avoir fait l'expérience, et la volonté de revenir au «réel».
- Les conséquences néfastes sur l'**environnement** : utilisation de matières premières non renouvelables ; bilan carbone global défavorable lié notamment à une forte consommation d'énergie.
- Le **coût global** élevé des appareils et des services associés (abonnements, consommables).
- L'**obsolescence** rapide des équipements et le coût engendré par leur **renouvellement**.

- La **lassitude** et la diminution progressive du **plaisir** d'usage et de la découverte des innovations.

Ces raisons pourraient amener certaines personnes à se sentir **victimes** ou **esclaves** de ces outils. Elles décideraient alors de se «**désintoxiquer**», en leur accordant moins de place dans leur vie, ou en se déconnectant totalement. Cette réaction pourrait être **temporaire**, le temps de «respirer» un peu, ou (sans doute plus rarement) **définitive**, entraînant un retour à des modes de vie antérieurs.

Pouvoir se «**débrancher**» pourrait ainsi devenir demain un **luxe**, alors que c'était la capacité à être «**connecté**» (après avoir été «branché», dans les années 1980…) qui conférait jusqu'ici du **prestige**, au point que le mot était synonyme de «modernité». La «**guerre des écrans**» pourrait ainsi se transformer en une «**guerre aux écrans**» (avant que ceux-ci disparaissent pour être remplacés par des surfaces non dédiées ou l'holographie). Rien n'est moins sûr, car les tentations resteront fortes, et il sera difficile de se placer ainsi **hors de la société**.

On remarquera enfin, toutes proportions gardées, que le verbe «**débrancher**» est associé à la notion d'**euthanasie** (on «débranche», à leur demande, des malades incurables ou en phase terminale pour abréger leurs souffrances et leur permettre de mourir dignement). Pour les personnes dépendantes des outils technologiques, le «débranchement» impliquerait ainsi une sorte de **mort sociale**. Il pourrait être aussi une façon de leur redonner de la **vie**.

tuite avec tous les autres, et d'échanger des informations, des idées ou des biens. Elle peut favoriser le développement d'une formidable **intelligence collective** ou au contraire déboucher sur une **manipulation** des esprits (voir ci-dessus). Elle transforme le fonctionnement des sociétés et inaugure peut-être une nouvelle forme de **démocratie**. Mais elle élargit en même temps le champ d'action et d'influence de ceux qui cherchent à attenter à la morale, refusent de se conformer aux lois, s'efforcent à paralyser ou détruire les systèmes sociaux. Plus encore que les autres innovations majeures qui ont jalonné son histoire (voir p. 80), la numérisation de l'information porte en elle le **meilleur ou le pire** pour l'avenir de l'humanité. Probablement le meilleur **et** le pire.

ACTIVITÉS DOMESTIQUES

DES BRICOLEURS ÉCLECTIQUES...

77 % des Français effectuent régulièrement chez eux des travaux de **bricolage**[1]. Ces activités ne sont pas seulement l'apanage des hommes, les femmes y participant de plus en plus largement (73 %). Parmi les bricoleurs, 22 % se considèrent comme « **expérimentés** » et 55 % « **peu expérimentés** » (23 % ne savent pas dans quel groupe se ranger). 83 % des femmes font de la **peinture** (78 % des hommes), 77 % de la **décoration** (60 % des hommes). À l'inverse, les hommes sont plus concernés par l'**électricité** (61 % contre 25 % des femmes), la **plomberie** (51 % contre 23 %) et l'**isolation** (37 % contre 14 %).

Les **motivations** des bricoleurs sont de trois ordres : l'**utilité** (« réaliser des petites réparations », 77 %) ; l'**économie** (59 %) ; le **plaisir** (41 %), 8 % apprécient *« le sentiment d'avoir accompli quelque chose de ses propres mains »*. Ces motivations ne sont pas exclusives les unes des autres, mais il existe entre elles une **hiérarchie**. La **nécessité** de « faire » provoque souvent le **plaisir** d'« avoir fait », auquel s'ajoute la satisfaction

d'avoir « **appris** à faire ». Et de ce fait d'avoir **progressé** en compétence, et de s'être ainsi **valorisé** à ses propres yeux et à ceux de son entourage.

... ET DE PLUS EN PLUS NOMBREUX

Les activités de bricolage ont connu un développement important et relativement régulier au cours des dernières décennies (avec un rythme réduit après la crise de 2008, suivi d'une reprise, plus modérée, à partir de 2011). Cette pratique devrait être favorisée à l'**avenir** par plusieurs facteurs :

- L'**envie** des ménages d'améliorer le **confort** de leur logement et de le **moderniser**, dans un contexte de **transformation** dans tous les domaines.
- L'accroissement de la **population** et celle, encore plus importante, du **nombre de ménages** (voir p. 29).
- L'obligation légale à venir d'effectuer certains **travaux de mise en conformité**, notamment en matière **énergétique**. Ils pourront être confiés à des **entreprises** spécialisées, mais aussi parfois réalisés par des **bricoleurs** compétents, conseillés par les fabricants de solutions et les magasins de bricolage (qui trouveront là des occasions de recruter de nouveaux clients), ainsi que par des amis, relations, sites spécialisés et communautaires.
- L'augmentation des **mises en chantier de logements**, dont les propriétaires ou locataires seront amenés à effectuer des travaux d'aménagement et de décoration. La construction neuve devrait en effet connaître une hausse dans les prochaines années, afin de faire face à la croissance **démographique** (population, ménages) et de combler le **déficit** accumulé (environ un million de logements).
- Une évolution plutôt peu favorable du **pouvoir d'achat** des ménages (voir p. 294), qui pourra les amener à « faire eux-mêmes » en économisant, plutôt que de recourir à des prestataires coûteux.
- Le fort développement de l'**offre** de solutions et de conseils (voir p. 393), avec l'apparition de nouveaux domaines

1. Sondage Cashback Poulpeo/Yougov, mai 2017.

Technobricoleurs

Les nouvelles technologies vont s'introduire de plus en plus dans la maison. La **domotique** longtemps promise mais toujours repoussée va pouvoir se développer avec l'arrivée de nombreux **objets connectés**, dont certains remplaceront des solutions mécaniques traditionnelles. Ainsi, les **éclairages** seront commandés à distance et modifieront l'ambiance à volonté. Des **simulateurs** de décoration et des **configurateurs** d'aménagement permettront de de rendre compte en **réalité augmentée** de l'effet d'une peinture sur un mur, d'un revêtement de sol, d'un meuble ou d'un tapis, avant de les choisir. Des **poignées de portes** seront remplacées par des dispositifs de fermeture **sans clés**, connectés à un smartphone. Les systèmes de **surveillance** et de commande à distance de fonctions domestiques (chauffage, four, volets, arrosage…) seront banalisés.

Ces nouvelles technologies fourniront des occasions de bricoler dans de nouveaux domaines. Certaines personnes souhaiteront pouvoir **réparer** elles-mêmes leurs équipements : ordinateurs, téléphones mobiles, imprimantes 3D, etc. Elles pourront aussi être **aidées** ou **guidées** à distance pour y parvenir grâce à la **réalité augmentée**, plus efficace que l'assistance par téléphone. Ces aides permettront d'accroître la durée de vie des matériels, en limitant les effets d'une obsolescence rapide sur l'**environnement**. Ils permettront également une **économie** non négligeable pour les ménages.

Dans la même veine, on devrait observer un intérêt croissant pour le bricolage à vocation **écologique**, qui utilisera des **matériaux** et des **techniques** respectueux de l'environnement et cherchera à réduire la consommation **énergétique** du logement : isolation, géothermie, solaire, récupération des eaux, éoliennes pour particuliers…

comme la domotique, devenue «**maison connectée**» (voir encadré ci-contre).

- La proportion croissante de personnes disposant de **temps libre**, notamment les retraités et, peut-être, les actifs en général dans la perspective d'une nouvelle baisse de la durée de travail (voir p. 269).

Le bricolage sera de plus en plus considéré comme un moyen de lutter contre la tendance à l'**abstraction**, à la **dématérialisation** (ou «virtualisation») qui caractérisera la société, en s'adonnant à des activités **manuelles** et **concrètes**. Il répondra aussi à la **parcellisation** du travail présente dans la vie professionnelle ; la plupart des salariés (ouvriers, employés, mais aussi cadres) ne seront concernés que par une partie des processus concourant à l'activité de leur entreprise, ce qui entraînera une certaine frustration.

Outre son intérêt en matière d'**aménagement** du logement, le bricolage sera ainsi un facteur d'**équilibre** et de satisfaction personnelle pour ceux qui le pratiqueront : expression de soi ; création ; fierté du résultat obtenu ; personnalisation du cadre de vie. Il favorisera aussi les **relations** au sein du foyer, en permettant d'élaborer et de réaliser des **projets en commun** (notamment en couple).

UNE OFFRE DE PLUS EN PLUS LARGE

Les **grandes surfaces** représentent aujourd'hui plus des trois quarts (77 %) du marché du bricolage (qui a dépassé 25 milliards d'euros en 2017, soit une **dépense** de plus de 800 euros par ménage[1]). Elles devraient être beaucoup moins menacées que celles d'**alimentation** (hypermarchés, voir p. 334), car leurs clients auront besoin d'un **choix** très large, avec des gammes profondes dans des domaines qui seront de plus en plus variés. Ils auront aussi besoin de **conseils** pratiques et sérieux. Ils pourront les trouver en particulier sur Internet, dans la multitude de vidéos disponibles pour chaque type d'opération, proposées par des

---

1. Chiffres Unibal, 2018.

professionnels (sur leurs propres sites) ou des **amateurs** (sur les forums ou les chaînes vidéo comme Youtube). Aujourd'hui, pour obtenir des conseils, 53 % des bricoleurs s'adressent à un **tiers**, 52 % recherchent des tutoriels sur **Internet** (40 % sur des forums), et 40 % se rendent dans des **magasins**[258].

Ces magasins joueront de plus en plus la carte du **conseil**, ce qui devrait nécessiter un plus grand nombre d'employés formés sur les plans **technique** et **relationnel**. Il paraît en effet assez peu probable que l'**automatisation** (ou robotisation) de la relation avec le client puisse concerner massivement le bricolage dans les prochaines années. Il faudrait en effet pour cela que les robots soient dotés d'une **«intelligence forte»** (voir p. 509), c'est-à-dire d'une véritable capacité de **compréhension** des demandes (qui seront exprimées dans un «langage naturel» particulièrement complexe à décoder pour une machine). Cela supposerait en outre une **«empathie artificielle»** (voir p. 250) permettant aux machines de se mettre à la place des clients et de leur apporter des réponses vraiment personnalisées.

DES COMMUNAUTÉS DE BRICOLEURS

En attendant que la **robotisation du conseil** soit possible (et acceptée), les réponses devront être données par des **humains** compétents et disponibles. Elles pourront aussi être déléguées à des **«pairs»**, bricoleurs ayant connu et résolu les mêmes difficultés. La constitution et l'entretien d'une **«communauté»** de clients qui échangent des questions et des solutions seront ainsi pour les enseignes des sources importantes d'éco-nomies, d'efficacité et de fidélisation. Ceux qui seront **aidés** seront satisfaits (et pourront aider à leur tour) ; ceux qui aideront se senti-ront **valorisés**. Un système gagnant-gagnant.

Toutes les personnes qui **débutent** en bri-colage, ou envisagent de le faire, y seront encouragées par la présence d'**ateliers**, de **démonstrations** organisées par les grandes enseignes dans des lieux dédiés (à l'intérieur ou à l'extérieur des magasins). Ces cours et ces occasions d'essayer par soi-même seront aussi destinés à convaincre les bricoleurs de niveau moyen d'entreprendre des tra-vaux plus **importants** et **complexes**, ce qui les amènera bien sûr à acheter davantage dans les magasins. Les **femmes** seront aussi des «cibles» importantes, car elles seront de plus en plus nombreuses à bricoler, soit parce qu'elles sont seules (célibataires, familles monoparentales, veuves...), soit parce qu'elles apprécieront de réaliser des travaux d'emménagement et d'embellisse-ment avec la personne qui partage leur vie.

On peut cependant prévoir que les **maga-sins** seront de plus en plus concurrencés par les achats sur **Internet** (qui représentent aujourd'hui moins de 5 % des dépenses totales, hors ventes en ligne des grandes surfaces de bricolage). Ils le seront aussi par l'**économie collaborative** qui se met pro-gressivement en place, dans ce domaine comme dans d'autres ; elle facilitera notam-ment les **prêts** de matériels et outillages entre particuliers.

JARDINAGE : UN ENGOUEMENT «NATUREL»...

Neuf ménages français sur dix (89 %) possèdent un **jardin** ou d'autres lieux **«fleu-rissables»** (balcons ou terrasses)[1]. dans les 29,3 millions de **résidences principales**[2]. Si l'on ajoute les **nombreuses résidences secondaires** pourvues de tels espaces, on arrive à un total d'environ 28 millions, dont au moins 22 millions de jardins. En toute logique, ils sont plus nombreux dans le

1. Promojardin, 2017.
2. INSEE, 2017.

Sud du pays : 40 % de l'ensemble sont situés dans le Sud-Est (où un tiers des logements ont une terrasse) ; ils sont moins nombreux dans le Nord ou en Île-de-France (22 %). 77 % des jardins ont une **pelouse** et 38 % un coin **potager**. La grande majorité des Français concernés (80 %) considèrent cependant ces espaces comme des lieux de **détente** plutôt que de **jardinage** (68 %).

Les **dépenses** de jardinage sont estimées à 8 milliards d'euros pour 2018. Elles sont largement dépendantes de la **météo** et peuvent donc varier assez sensiblement selon les années. Le jardinage est perçu comme un **plaisir** plutôt qu'une contrainte, par 75 % des Français qui le pratiquent régulièrement[1]. Il constitue une activité **partagée** : 40 % jardinent avec leur conjoint, 20 % avec leurs enfants, 14 % avec d'autres membres de leur famille. Pour la moitié des jardiniers (53 %), c'est une activité **facile**, voire très facile à pratiquer.

… ET UN FORT POTENTIEL

Comme pour le bricolage, l'**intérêt** pour le jardinage et sa **pratique** devraient s'accroître à l'avenir, pour des raisons parfois similaires, mais également distinctes :

- Le souhait des ménages de se rapprocher de la **nature**, par souci **environnemental** ou **esthétique**.
- Le fait que les nouveaux **logements en construction** comporteront plus systématiquement des jardins et espaces fleurissables, pour répondre aux souhaits des occupants.
- L'accroissement de la **population** et celle, plus importante encore, du **nombre de ménages** (voir p. 29)
- Le fort développement de l'**offre** de produits et de conseils (voir ci-après).
- La proportion croissante de personnes disposant de **temps libre**, notamment les retraités et, peut-être les actifs en général, dont la durée de travail pourrait diminuer (voir p. 269).

Si elles apparaissent un peu moins nombreuses que pour le bricolage, ces raisons de s'adonner au jardinage n'en sont pas moins fortes. **Bricolage** et **jardinage** devraient être ainsi les « mamelles[2] » de la France des années à venir, auxquelles les Français puiseront pour nourrir leur besoin d'**activités manuelles et naturelles**.

DES MOTIVATIONS DIVERSIFIÉES

L'intérêt croissant pour le jardinage, sensible depuis le début des années **2000**, est d'abord apparu dans les ménages **aisés**. Pour les cadres, jardiner est devenu un moyen de lutter contre le stress, de pratiquer une activité physique susceptible de compenser pendant les week-ends le mode de vie sédentaire de la semaine. Ce phénomène a été favorisé par la mise en place des 35 heures pour les employés et des RTT pour les cadres, qui ont permis aux salariés de passer plus de temps chez eux.

D'autres motivations interviennent dans la pratique du jardinage : proximité avec la **nature ;** embellissement du **cadre de vie ; valorisation** de soi ; **économie ;** possibilité de cultiver des **fruits et légumes**. Le jardinage est aussi un prétexte pour **échanger** et **transmettre** au sein du foyer ; près des trois quarts des Français le pratiquent au moins occasionnellement en famille. Le jardinage peut ainsi permettre de renouer le lien oublié avec l'environnement, de retrouver un **rythme** « naturel » et harmonieux, et jouer un rôle d'**antidépresseur**.

S'il est massivement considéré comme un loisir et un plaisir, le jardinage demande du **temps** et de la **compétence**. C'est pourquoi un ménage sur dix a déjà fait appel aux services d'un jardinier ou paysagiste **professionnel**, que ce soit pour la création ou l'entretien de son jardin. Les plus enclins à recourir à ce type de prestation sont les retraités, les femmes et les ménages habitant en milieu

---

1. Sondage *Mon Eden-Rustica*/CCM Benchmark, mars 2015.

2. Détournement de la célèbre phrase de Sully, ministre et surintendant des Finances d'Henri IV, dans *Économies Royales* (1600). La phrase originale est : « *Labourage et pâturage sont les deux mamelles dont la France est alimentée et les vraies mines et trésors du Pérou* ».

rural. Le nombre d'entreprises ou de particuliers (notamment des micro-entrepreneurs) proposant des **prestations** de ce type devrait s'accroître dans les prochaines années.

DES INNOVATIONS ATTENDUES

Les jardiniers débutants ou même confirmés seront de plus en plus en recherche de **conseils** pratiques, afin de ne pas faire d'erreurs et de ne pas «maltraiter» la nature. Ils pourront prendre la forme de **tutoriels**, **vidéos** ou **MOOCs** accessibles sur des sites Internet et sur des applications mobiles. Mais, comme dans bien d'autres domaines, les Français concernés seront aussi friands de témoignages et **recommandations** émanant de leurs «**pairs**», via des forums, dans le cadre de **sites communautaires** qui pourront être créés spontanément, ou organisés et gérés par les grandes **enseignes**.

Ces conseils seront d'autant plus nécessaires que les **conditions météorologiques** sont appelées à changer et connaître davantage de variations tout au long de l'année (voir p. 14). Le **réchauffement climatique** aura ainsi de nombreuses conséquences sur l'entretien des jardins. Les variétés de **plantes** et d'**arbres** adaptées aux nouvelles conditions d'ensoleillement et d'humidité ne seront plus les mêmes. Certaines entreprises proposent déjà d'**adopter** des plantes menacées de disparition pour préserver leur existence en assurant leur reproduction. Des laboratoires cherchent des solutions pour protéger les végétaux contre la **pollution**, d'autres encore s'efforcent de leur faire produire de l'**énergie**.

Les jardins du futur seront plus **autonomes**, grâce à des **innovations** technologiques qui permettront d'en faire des espaces «**intelligents**». Ils bénéficieront notamment d'un **arrosage** automatique modulé en fonction des besoins, et recevront les **nutriments** nécessaires à leur développement. L'**élagage** de certaines espèces pourra se faire naturellement, sans recours à une intervention humaine. Les plantes, arbres et pelouses pourront transmettre elles-mêmes, via des capteurs, des **informations**

Un investissement affectif

Les préoccupations envers l'**environnement** (voir p. 12) s'accroissent en même temps que l'information sur les menaces qui pèsent sur lui. Le jardinage apparaîtra ainsi de plus en plus comme un moyen de retrouver une relation plus harmonieuse avec la nature, une façon inconsciente de lui rendre une partie de ce qu'elle nous a donné ou de ce qu'on lui a pris. D'une manière générale, le **végétal** jouera un rôle croissant dans la société, comme on peut déjà le constater par exemple dans le domaine **alimentaire** (voir p. 200).

Le jardin **ressemblera** à celui qui l'entretiendra et le cultivera ou, en tout cas, à l'image que celui-ci souhaitera projeter de lui. Il sera également le résultat d'un certain **mimétisme** entre voisins, qui pourra conduire parfois à la **surenchère**. On devrait enfin observer un intérêt pour les plantes et les fleurs **exotiques**, témoignant de l'envie de créer chez soi des environnements différents et dépaysants.

Le **confort**, la facilité et la simplicité d'**entretien** seront davantage recherchés, notamment pour les tâches les plus ingrates comme la tonte du gazon, l'élagage ou l'abattage des arbres, qui seront confiées à des personnes ou à des entreprises extérieures. Influencés par le rythme accéléré du monde, les nouveaux jardiniers seront plus **impatients** que ceux des générations précédentes. Ils souhaiteront que les plantes poussent plus vite. Ils rechercheront des produits et des équipements plus faciles à utiliser, achèteront des outils et des machines plus sophistiqués qui leur feront économiser du temps et des efforts. La culture du jardin sera aussi celle du **confort**, et du **résultat**.

sur leur état et leur croissance. Les techniques d'**hydroponie**[1] seront perfectionnées et optimisées. Des **nouvelles variétés**

---

1. Cultures hors sol dans des solutions nutritives.

seront développées par des modifications génétiques contrôlées.

UNE VÉGÉTALISATION CROISSANTE DES LIEUX DE VIE

Au-delà des **espaces naturels personnels**, les prochaines années devraient être marquées par des efforts importants pour «**végétaliser**» les **espaces publics**, notamment dans les villes : **murs végétaux**, **fermes verticales** (habillant et «naturalisant» les tours et bâtiments hauts), **toits potagers**, **cultures partagées**, **trames vertes** assurant une continuité naturelle... Des jardins **flottants** seront aussi créés sur des étendues d'eau naturelles ou artificielles.

Les objectifs poursuivis seront de plusieurs sortes : reconnecter les **urbains** à la nature ; améliorer leur **qualité de vie** ; les **responsabiliser** pour contribuer aux économies d'**eau** ; favoriser le maintien de la **biodiversité** ; améliorer le **bilan énergétique** des bâtiments. Tous les quartiers d'**habitation** mais aussi ceux de **travail** seront progressivement concernés. Les initiatives émaneront aussi bien des municipalités que des associations ou des habitants eux-mêmes pour créer des espaces dans lesquels chacun pourra venir planter, entretenir et récolter des fruits et légumes, ou simplement se promener et admirer. Ces projets seront autant d'occasions de créer de nouveaux **liens** entre les habitants. L'écologique et le social seront ainsi heureusement mélangés.

Les jardiniers auront la possibilité de **simuler** dans les villes différents climats et différents sols, ce qui leur permettra de tenter de cultiver des plantes rares ou tropicales, autrement que dans des serres ou dans leur milieu naturel. Les jardins de demain pourront accueillir des plantations de toutes sortes, et créer des **décors** qui n'étaient jusqu'ici pas à la portée des amateurs.

CUISINE : DES MILLIONS DE PETITS CHEFS

Même si la tendance lourde en matière d'**alimentation** quotidienne est à la simpli-

fication et au gain de temps (voir p. 156), la **cuisine** figurera demain en bonne place parmi les activités domestiques et manuelles. Ce sera le cas en particulier de celle à caractère **festif**. Elle est l'objet d'un intérêt croissant des Français, dont témoigne depuis quelques années celui des **médias**, notamment la télévision et Internet.

Le **végétalisme**[1] devrait encore progresser largement d'ici **2030**, compte tenu de ses vertus nutritionnelles, économiques et écologiques (voir p. 378). On devrait aussi assister à l'arrivée progressive des **algues** et des **insectes** dans les menus (la hausse de la consommation mondiale est estimée à 40 % d'ici **2030**). La **mondialisation** croissante favorisera le goût pour les produits et les plats **exotiques**, mais leur prix pourrait augmenter, du fait des taxes environnementales auxquelles ils seront sans doute soumis, ce qui les réserverait aux ménages aisés.

Pour la plupart des repas, une préférence sera cependant accordée aux produits de **proximité**, moins suspects que ceux fabriqués ailleurs, dans des conditions insuffisamment transparentes sur le plan sanitaire (et social). Le retour aux produits du **terroir** et aux **régions** constituera ainsi une **contre tendance** à la mondialisation, synonyme pour beaucoup de Français de

1. Régime alimentaire excluant tout aliment d'origine animale. Il diffère du végétarisme, qui bannit toute chair animale (viande, poisson), mais admet en général la consommation d'aliments d'origine animale comme les œufs, le lait et les produits laitiers (fromage, yaourt...).

standardisation et de perte d'identité. Cette crainte sera particulièrement forte en matière culinaire, compte tenu de l'image de la France dans ce domaine et de sa volonté de la préserver. D'une manière générale, l'**origine** des produits et la **relation** avec le producteur seront valorisées.

MANGER POUR FAIRE LA FÊTE

Les repas de **réception** seront plus fréquents, mais les menus et les plats seront moins **complexes** et moins **longs** à préparer qu'aujourd'hui. Leur vocation sera davantage de favoriser des moments de **convivialité** que de montrer qu'on leur a consacré du temps et de l'argent. Leurs contenus s'affranchiront plus souvent des **traditions**, qui seront considérées comme des contraintes. L'**originalité** et les **modes** (souvent éphémères) seront au contraire des motivations croissantes.

Par ailleurs, comme de nombreuses autres activités, la cuisine de demain sera **connectée**. Elle bénéficiera des moyens nouveaux d'afficher des **recettes** «pas à pas» partout dans sa cuisine (toute surface pouvant devenir un écran), en vidéo, réalité augmentée ou virtuelle, puis par holographie. Des **robots généralistes** (par opposition aux machines très spécialisées existantes) seront aussi mis au point pour réaliser la plupart des tâches culinaires, mais ils seront plutôt utilisés pour la cuisine quotidienne.

La cuisine de **2030** devrait rester un outil de **différenciation** et de **distinction** sociale. Elle permettra à chacun de démontrer ses talents à travers des essais de nouvelles recettes de plats originaux et d'exprimer sa personnalité. D'une manière générale, la **répartition** des tâches culinaires entre les hommes et les femmes devrait être plus **égalitaire**, mais aussi plus **collaborative** (à l'image du bricolage ou du jardinage), les deux membres d'un couple étant concernés par la préparation des repas. Cette évolution resterait cependant comme aujourd'hui plus marquée en ce qui concerne la **cuisine festive**.

DES DÉPENSES IMPARFAITEMENT MESURÉES

Selon la nomenclature utilisée par l'INSEE (qui mélange loisirs et pratiques amateurs, biens d'équipement et consommables, produits et services, mais ne prend pas en compte d'autres comme le bricolage ou les transports de loisirs...), la dépense moyenne des ménages pour la «culture» et les «**loisirs**» s'élevait à environ **3 700 € par ménage pour l'année 2017**, soit légèrement plus de 300 euros par mois.

Parmi les principaux postes, les dépenses consacrées aux **services culturels et récréatifs** représentaient 28 %, les **achats d'appareils électroniques et informatiques** 20 %, et ceux de presse, livres et papeterie 15 %. Les autres dépenses concernaient les rubriques (disparates) de «**jardinage et animaux de compagnie**» (14 %), «**jeux, jouets articles de sport**» (13 %), «**jeux de hasard**» (10 %), «**disques, cassettes, pellicules photo**» (ensemble des supports d'information, devenus aujourd'hui **numériques**) 2 %.

Quelle que soit la façon de l'approcher, la dimension **économique** des activités de «culture et loisirs» reflète imparfaitement la réalité. D'abord, parce qu'elle **ignore** certaines dépenses, liées par exemple aux pratiques **amateurs** (peinture, sculpture, danse, théâtre, musique...) qui nécessitent l'achat de matériels, de produits consommables ou le paiement de cours. Mais aussi parce que certaines activités sont **gratuites** ou peu onéreuses (télévision TNT ou par ADSL, presse gratuite, randonnée pédestre...), tandis que d'autres sont **forfaitaires** et ne permettent pas de mesurer les **usages** réels de chacun (abonnements à la télévision par câble, au satellite, adhésions à des associations...). Enfin, les **prix des équipements électroniques et numériques** (ordinateurs, tablettes, téléviseurs...) ont beaucoup **diminué**, au fur et à mesure qu'ils se diffusaient dans les ménages, ce qui fausse les comparaisons dans le temps.

DES TAUX DE PRATIQUES
TRÈS VARIABLES SELON LES ACTIVITÉS

Il est donc important de s'intéresser aux **taux de pratique des personnes** plutôt qu'aux seules **dépenses effectuées par les ménages** (dont les différents membres ont d'ailleurs souvent des activités distinctes). Ainsi, en 2017, 85 % des Français de 18 ans et plus déclaraient avoir lu un **livre** au cours des douze derniers mois[1], 71 % été au **cinéma**, 71 % visité un **monument** ou un **site** historique, 62 % visité un **musée** ou une **exposition**, 49 % été dans une **bibliothèque** ou une **médiathèque** publique, 40 % assisté à un **concert** de variétés, rock ou jazz, 32 % été au **théâtre**, 22 % assisté à un **opéra**, un **ballet** ou un **concert de musique classique**. Des taux activités qui ont connu globalement une **hausse** au cours des décennies passées.

Plus globalement, une étude des pratiques culturelles (présentes ou à venir) dépend de la **définition** que l'on adopte, car les **catégories** qui les composent sont nombreuses (avec des **coûts** très variables pour chacune) On peut en outre débattre du caractère véritablement «culturel» de certaines. Doit-on par exemple considérer que les **sports** (en tant que pratiquant, ou seulement en spectateur) s'inscrivent dans la culture au même titre que les **arts** (littérature, peinture, sculpture, danse, cinéma, spectacles vivants, etc.) ou doit-on les aborder **distinctement** ? C'est cette seconde solution qui été choisie dans l'ensemble de ce chapitre consacré aux loisirs.

LE NUMÉRIQUE D'ABORD

Les Français consacrent aujourd'hui une part importante de leur **temps** aux différents **écrans** (téléviseur, ordinateur ou tablette numérique, smartphone connecté à Internet ou, dans une bien moindre mesure, le cinéma...), pour une durée totale de 4 h 07 par jour en moyenne (voir p. 380). Leurs usages principaux concernent l'obtention

d'informations, le divertissement et l'interactivité (notamment par le biais des réseaux sociaux).

En un peu plus d'un quart de siècle, les **dépenses** pour les **programmes audiovisuels** ont connu d'importantes évolutions : la part du **cinéma** a été divisée par trois (de 46 % en 1980 à 16 % en 2010), celle de la **redevance** a été divisée par deux, de 45 % à 24 % (les abonnements à des **chaînes payantes**, nées avec Canal Plus en 1984, en représentaient alors près de la moitié, 41 %). Le *replay* et la «**vidéo à la demande**» se sont ajoutés aux pratiques et aux dépenses, alors que la vidéo sur **support matériel** (CD, DVD) a connu une forte chute.

Les loisirs et usages «**audiovisuels**» indiqués comme tels dans la nomenclature de l'INSEE sont en réalité pour la plupart **numériques**. Leur part devrait ainsi logiquement s'accroître encore d'ici **2030**, aussi bien en **temps** passé qu'en **dépense**. Les offres de loisirs numériques de demain offriront de plus en plus de **contenus**, dont la «consommation» sera chronophage. Ils devraient être également de plus en plus **coûteux**. La **gratuité** pourrait en effet être plus rare. Ainsi, la **presse écrite** cherchera un nouveau modèle économique en faisant payer l'accès (total ou partiel) aux visiteurs de ses sites numériques (voir p. 350). Les sites dits «gratuits» qui se rémunèrent par la collecte et la revente **de données personnelles** pourraient connaître plus de difficulté pour le faire, peut-être même rémunérer leurs propriétaires (voir p. 317), ce qui les inciterait à devenir payants. Pour des raisons semblables, les nombreux opérateurs Internet pratiquant l'«**optimisation fiscale**» pourraient être contraints de payer des impôts dans les pays où ils sont actifs, ce qui irait dans le même sens.

Par ailleurs, les consommateurs de loisirs numériques devront demain acquérir de nouveaux **équipements** pour bénéficier de la **réalité virtuelle**, **augmentée** ou **mixte** (voir p. 346). Il leur faudra payer aussi pour accéder à des **contenus**, dont le développement nécessitera des investissements

---

1. Enquête Ifop pour le *think tank Valeur(s) Culture*, janvier 2017.

La culture élargie

Le fort attachement national à la **culture** s'était traduit dans les années 1960 par la création d'un **ministère** chargé de ces questions, dont André Malraux fut la figure emblématique. L'intérêt de la puissance publique pour la culture s'est toujours confirmé, à travers notamment la politique de **subventions** (même si elle est régulièrement remise en question, notamment au niveau local) et l'insistance de la France à revendiquer un **traitement spécifique des biens culturels** dans les échanges commerciaux. La culture reste également présente dans les **médias** (en tout cas en comparaison avec d'autres pays). Il existe ainsi une **« exception française »** en matière culturelle, fondée sur l'histoire, la mentalité collective et la volonté institutionnelle.

Cette conception était initialement plutôt **élitiste**. À partir des années 1980, elle s'est transformée et élargie à des domaines plus populaires, avec la notion (voire l'idéologie) du **« tout culturel »**. Des activités comme le rap, le tag, la cuisine, le cinéma populaire, la télévision ou le sport, sont entrées dans le champ culturel. Plus récemment, ce fut le cas aussi des activités de **création** liées à Internet (blogs et autres formes de participation liées au « Web 2.0 »). L'ambition, louable, de cette conception « démocratique » était de lutter contre l'**exclusion** culturelle, même si elle était parfois assortie d'une dose de **démagogie**. Mais elle a pu aussi introduire une **confusion** entre les créations, au prétexte que, tout étant culture, tout se vaut.

Ainsi, la culture contemporaine, élitiste ou populaire, s'apparente souvent à une **« marchandise »**, fabriquée et promue par des professionnels du marketing en fonction des attentes supposées des acheteurs potentiels. C'est ainsi que sont conçues nombre de productions (films, albums de musique, émissions de télévision, livres…) destinées à des **« cibles »** bien identifiées, notamment grâce à l'exploitation des bases de données.

Pourtant, **« l'honnête homme (ou femme) du XXIᵉ siècle »** ne pourra se contenter d'un **« prêt-à-consommer culturel »**. Il devra se doter de points de repère qui l'aideront à comprendre le présent à la lumière du passé, afin de pouvoir inventer l'avenir. *« Une culture ne meurt que de sa propre faiblesse »*, écrivait ainsi André Malraux.

---

importants. Enfin, les utilisateurs qui souhaiteront bénéficier de services d'**assistance** ou de **domotique** devront acheter les **objets connectés** correspondants (voir p. 355) ou, plus vraisemblablement, souscrire à des abonnements.

UNE NOUVELLE ÈRE POUR LE CINÉMA

Malgré le développement des activités audiovisuelles **domestiques** (et, de plus en plus, **mobiles** grâce au smartphone), le **cinéma en salle** résiste. Sa fréquentation se maintient au-dessus de 200 millions d'entrées (209 en 2017, après 213 en 2016). Cependant, le niveau record atteint en 2011 (215 millions, pour la première fois en 45 ans) n'a pas pu être retrouvé. L'explication tient évidemment à la concurrence croissante des autres **supports** numériques permettant de voir des films : télévision ; ordinateur ; tablette et même smartphone ; lecteurs de DVD…

La concurrence sera encore plus rude à l'horizon de **2030**, mais le cinéma en salle bénéficiera plus encore qu'aujourd'hui d'un atout important : la **taille** de ses écrans. Elle permettra aux spectateurs de vivre une **« expérience »** plus impressionnante que devant leur ordinateur ou leur smartphone. Il n'est cependant pas certain que la différence sera aussi sensible lorsque des **lunettes** dédiées aux univers virtuels pourront être utilisées partout et créer une véritable immersion en trois dimensions. Elle sera moins **partagée** que dans une salle, car elle est avant tout une expérience **individuelle**.

Dans tous les cas, le cinéma devrait proposer des films de plus en plus spectaculaires, nécessitant des équipements de

78. Évolution de la fréquentation du cinéma depuis 1980 (en millions d'entrées)

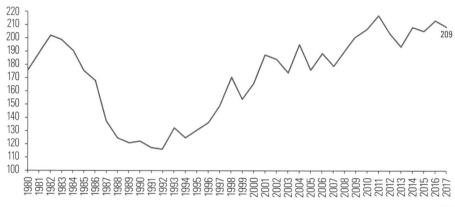

CNC

plus en plus **coûteux**. Ils seront projetés dans des **salles** spécialement équipées en technologies de type **4DX**, combinant des **mouvements** des sièges, des effets **sensoriels** spéciaux (vent, pluie, orage, brouillard, neige, fumée, odeurs, lumières...) synchronisés avec les actions du film. Ils utiliseront des technologies comme le système de projection **GT Laser IMAX** (qui offre 26 % d'images en plus que la version classique), la vision en **3D stéréoscopique**, avec une vision à **360°**, avec un **son spatialisé**. L'expérience sera encore plus étonnante avec des films qui afficheront dans leur *casting* des **acteurs disparus**, «ressuscités» par la magie du numérique, pour le plus grand bonheur de leurs fans.

La conséquence sera cependant un **prix** des places plus élevé, qui pourrait nuire à

la fréquentation globale. Par ailleurs, le **coût de production** considérable ne sera pas accessible à la plupart des studios nationaux et la part de marché des **films français** devrait en être réduite ; de 37 % en 2017, elle pourrait devenir inférieure à 25 % en **2030**. À terme, les films «**classiques**» pourraient alors être principalement ou essentiellement destinés à être vus sur des équipements domestiques, au contraire des **blockbusters** américains de nouvelle génération prévus pour les nouvelles salles. Que deviendra le **Festival de Cannes** en 2030 ?

Les **spectacles vivants** (ou «réels») devraient eux aussi être soumis à la concurrence de ce nouveau cinéma, virtuel et «**augmenté**». La différence entre le **tarif** de la place de théâtre ou de concert et celui de la place de cinéma serait en revanche réduite, ce qui pourrait rééquilibrer un peu les fréquentations, au profit du «vivant».

LES MUSÉES MIS EN SCÈNE

Comme le cinéma, les **musées** se trouveront dans l'obligation de se **réinventer**, s'ils veulent confirmer et accroître l'engouement dont ils sont aujourd'hui l'objet : environ 70 millions de visiteurs (payants ou gratuits) en 2017. Ils devront trouver de nouveaux moyens de «**mettre en scène**» les œuvres qu'ils exposeront, afin de permettre à leurs visiteurs de mieux les apprécier. Ils devraient pour cela favoriser l'**interactivité** entre les œuvres et les spectateurs, qu'ils devront transformer en «**acteurs**» de leur propre culture.

Ces enrichissements devraient aussi permettre aux musées de **recruter** de nouveaux visiteurs, parmi les populations traditionnellement peu concernées. C'est notamment le cas des personnes ayant eu une scolarité courte, donc peu de **diplômées**, ayant vécu dans un **milieu familial** qui ne les a pas incitées à s'intéresser à l'art et à fréquenter les musées (ou, dans une moindre mesure, les monuments historiques). Ces **inégalités** dans la relation à la culture risquent cependant de ne pas être supprimées par l'usage des outils **numériques** qui seront plus nombreux et plus facilement disponibles (voir ci-dessous).

DES INÉGALITÉS CULTURELLES MAINTENUES…

Pendant longtemps, les médias comme la radio, la télévision et la presse écrite ont permis de créer un «**tronc commun culturel**» d'informations et de connaissances, diffusées au même moment à l'ensemble de la population. La multiplication des stations, des chaînes et des titres qui a suivi à partir des années **1980** aurait pu être une formidable occasion d'enrichissement pour tous, y compris ceux qui n'avaient pas bénéficié dans leur enfance d'une véritable initiation à la culture. Mais c'est plutôt le contraire qui s'est produit. Face à une **offre** de plus en plus variée, chacun a dû faire des **choix**, et ceux-ci ont été largement dépendants des habitudes antérieures. De sorte que la **diversification** n'a pas entraîné une **démocratisation** de la culture, mais accru les écarts existants, au profit de ceux qui étaient les mieux préparés.

Le phénomène constaté avec les médias traditionnels s'est reproduit avec l'apparition et le développement d'**Internet** et l'accès à un nombre toujours plus grand de sites présentant des contenus culturels (dans les différentes acceptions du terme). Cette autre occasion majeure de **démocratisation** n'a pas non plus été saisie. Les personnes «cultivées» (au sens plutôt **élitiste**) ont utilisé Internet pour accroître leurs connaissances et leur exposition aux différents domaines concernés, tandis que les autres ont privilégié le **divertissement**, dans ses dimensions plus populaires.

… OU PEUT-ÊTRE RÉDUITES

On peut cependant imaginer un scénario plus **égalitaire** pour demain (sans être forcément convaincu qu'il est le plus probable). L'accroissement attendu du nombre de médias, de supports et de contenus pourrait inciter davantage de Français à pratiquer des activités culturelles, comme par exemple assister à des **spectacles** depuis leur domicile, sur un ordinateur ou sur un système dédié. Cette possibilité pourrait lever un obstacle important (et souvent inconscient) qui empêche certains de franchir les portes d'un **musée**, d'un **théâtre** ou d'une **exposition**. D'autant que ces activités pourraient se pratiquer **seul(e)** (ou en famille), supprimant ainsi l'embarras de se trouver en présence d'autres personnes plus habituées à la culture et familières des lieux où elle se pratique. Dans le même esprit, un certain nombre d'Internautes pourraient aussi être attirés par les moyens de **développement personnel** mis à leur disposition (notamment les **MOOCs**, voir p. 144) pour s'initier aux **pratiques** et aux «**codes**» culturels.

*On peut cependant craindre que demain comme aujourd'hui, beaucoup de personnes disposant d'un faible « **capital culturel** » continuent de préférer le **divertissement**, dont l'offre sera croissante, à l'**enrichissement** de leurs connaissances. Ce devrait d'ailleurs être aussi le cas de personnes mieux dotées, mais moins soucieuses de progresser, qui préféreront la facilité, profitant du fait qu'elles ne se sentiront pas «obligées» par leur statut social et/ou leur entourage. L'inculture serait alors «tendance».*

L'esthétique plutôt que l'artistique

La **démocratisation** de la culture tend à mettre sur le même plan les différentes formes d'expression et les créations qui en sont issues, de sorte que l'**art** peut apparaître plus **foisonnant** que riche. On pourrait alors considérer que l'art contemporain ne connaît pas d'**avancées** ou de **ruptures** comparables à celles introduites en leur temps par Picasso, Matisse, Magritte, Klee, Kandinsky ou Duchamp (pour ne citer que la peinture). Il est sans doute trop tôt pour en juger.

On constate en tout cas, sans s'en étonner, que l'art renvoie une image du monde plutôt **critique** et **pessimiste**. Pour évoquer la **société de consommation**, il utilise largement la dérision, le cynisme, la transgression. Peut-être parce qu'il est lui-même devenu **objet de consommation**, dans la logique qui avait été celle d'Andy Warhol. Les différentes **formes d'art** occupent ainsi une place inégale dans la société. Les artistes les plus connus et médiatisés sont plus souvent des **chanteurs**, des **acteurs** de cinéma ou des (« grands ») **cuisiniers** que des **peintres**, des **sculpteurs** ou des **danseurs**. On doit cependant faire une exception pour les **écrivains**, qui bénéficient toujours en France d'une **image** plutôt flatteuse et d'une certaine **visibilité** médiatique. Il en est de même, dans une moindre mesure, des **architectes**, qui sont présents dans la cité par leurs réalisations.

Malgré la persistance des inégalités culturelles dans la société, on peut observer que beaucoup de Français ressentent un besoin d'**esthétique** pour vivre et se sentir mieux dans leur peau. Ils s'intéressent à la **décoration** de leur logement, attachent une importance croissante au **design** des objets et du mobilier, choisissent de beaux **paysages** pour leurs vacances. Ils pratiquent aussi de plus en plus les arts en **amateurs** (page suivante). Là se trouve peut-être le véritable signe d'une **diffusion** de la culture à l'ensemble de la société.

LES MÉDIAS TOURNÉS VERS LE DIVERTISSEMENT

D'une façon générale, on observe que les contenus dits « **culturels** » engendrent des **audiences** plus faibles que ceux à vocation « **récréative** ». À la **télévision**, l'érosion est sensible depuis des années. Ainsi, l'émission phare *Apostrophes* animée par Bernard Pivot entre janvier 1975 et juin 1990 était regardée en moyenne par 1,5 à 2 millions de personnes. Celle qui l'a remplacée à partir de 1993 *(Bouillon de Culture)* n'en réunissait qu'un million avec le même animateur (avec cependant un concept et un horaire différents). L'audience de *La Grande Librairie*, de François Busnel (seule émission « culturelle » diffusée en première partie de soirée) n'est en moyenne que de 450 000 personnes.

Sur Internet, la situation n'est guère différente. Si l'on se réfère au palmarès des mots-clés utilisés sur les **moteurs de recherche**, les domaines qui arrivent en tête ont un rapport avec (par ordre décroissant) : la **sexualité**, le **jeu**, les **vidéos distrayantes** et la **météo**. Certains rétorqueront que tous ces contenus ont une dimension culturelle et qu'Internet permet de les démocratiser (voir encadré ci-contre).

UN MOINDRE RÔLE POUR L'ÉCOLE ET LA FAMILLE...

La diffusion de la culture au sens large restera l'une des missions essentielles de l'**école**. Celle du **futur** devra comme aujourd'hui fournir aux enfants les **connaissances** de base dont ils auront besoin au cours de leur vie. Ce sont les ingrédients de la « **culture générale** ». Mais les enfants pourraient être demain moins **malléables** à cet enseignement traditionnel, avec la concurrence croissante des autres sources d'apprentissage existantes (voir p. 138). Ainsi, l'école risque de ne plus être le creuset du « **modèle républicain** » qu'elle a longtemps été. La **violence** au sein de certains établissements ou la **paupérisation** des universités témoignent de sa moindre capacité à former les esprits, à les ouvrir à la découverte artistique ou esthétique. Il en est de même d'autres institutions, comme l'**Église**, qui a beaucoup perdu de son influence sur les comportements (p. 231).

Le rôle dévolu au **milieu familial** devrait en théorie être accru, pour compenser celui que l'école ne pourrait plus jouer. D'autant que l'idée que l'enfant se fait du monde et de la **société** dépendra davantage des **situations** qu'il aura l'occasion de vivre en **famille** et à l'**extérieur** de l'école que de la présentation qu'en feront ses professeurs. La famille devrait donc en théorie rester un élément clé dans la formation de l'enfant, au risque d'entretenir ou même d'accroître les **inégalités culturelles**. Les différences de vocabulaire, de connaissances ou de curiosité intellectuelle joueront en effet en défaveur des enfants des milieux modestes. À 7 ans, un enfant de cadre ou d'enseignant dispose aujourd'hui d'un **vocabulaire** deux à trois fois plus riche qu'un enfant d'ouvrier. Cet écart pourrait encore se creuser

Pourtant, la famille devrait jouer en pratique un rôle moins déterminant dans la **transmission** de la culture et d'un **système de valeurs**. L'**autorité parentale** pourrait en effet s'estomper, du fait de la difficulté croissante à expliquer le monde (qui implique de le comprendre soi-même) et à fournir des points de repère aux enfants. Par ailleurs, ceux-ci seront plus **autonomes** dans leur développement. Ils auront davantage de contacts **extrafamiliaux**, qui pourront les inciter à remettre en question les valeurs et enseignements reçus de leurs parents.

... MAIS UN RÔLE ACCRU POUR LES MÉDIAS

Dans ce contexte de moindre influence des **institutions** scolaires et de la **famille**, le poids des **médias** dans la diffusion de la **culture générale** devrait être renforcé. D'autant qu'ils seront omniprésents, sous des formes multiples. La «**culture de l'écran**» complètera et remplacera parfois celle de l'**écrit**, même si celui-ci reste prégnant (voir p. 351).

On peut craindre cependant que la **profusion** des médias et des contenus n'engendre une **confusion** des esprits. Le système très concurrentiel dans lequel ils évolueront les amènera à «**mettre en scène**» plutôt qu'à expliquer, quitte à «tordre» parfois la **réalité** pour la restituer avec encore plus de force. C'est ainsi que les phénomènes de mode **éphémères** ou **artificiels** risquent d'être confondus avec les vraies **tendances de fond**, et que des **polémiques artificielles** pourront naître à tout propos. Les contenus des médias ne seront donc pas toujours très **représentatifs** de ce qui se passera vraiment dans la société, d'autant qu'ils seront souvent changeants, voire contradictoires. Il sera ainsi de plus en plus difficile de distinguer les «**vérités**» des «**vérités alternatives**» et de se faire une opinion (voir p. 224).

La **publicité**, officielle ou masquée, sera omniprésente. Elle participera aussi à la diffusion des **modes de vie**, des **opinions** et des **valeurs**. Elle montrera des images fortes, proposera des «modèles» parfois marginaux. Les **publiphiles** lui attribueront le mérite de «**réenchanter le monde**» par ses efforts esthétiques. Les **publiphobes** lui reprocheront au contraire de favoriser le **matérialisme**, de travestir la **réalité**, d'exclure certaines catégories sociales ou de ne pas refléter suffisamment la diversité. **Internet** sera pour tous un lieu de débat et, probablement, d'**affrontement**.

DES PRATIQUES AMATEURS PLUS FRÉQUENTES...

Depuis trente ans, toutes les générations ont connu un **accroissement** des pratiques d'**activités artistiques** en amateur. Il a été cependant plus fort chez les **jeunes** et les **seniors**. Ainsi, beaucoup d'adolescents et d'adultes (souvent âgés de 50 ans et plus) ont découvert (ou redécouvert) la **musique**, le **chant**, la **danse**, l'**écriture** ou la **peinture**. En 2017, 30 % des Français de 18 ans et plus déclaraient avoir réalisé un **film** ou des **photographies** au cours des douze derniers mois[1], 29 % avoir **dansé**, 25 % **chanté**, 20 %

---

1. Enquête Ifop pour le think tank Valeur(s) Culture, janvier 2017.

DE LA MUSIQUE AVANT TOUTE CHOSE

79. Appréciation des différentes activités de temps libre, culture et communication (note de 0 à 3, 2016)

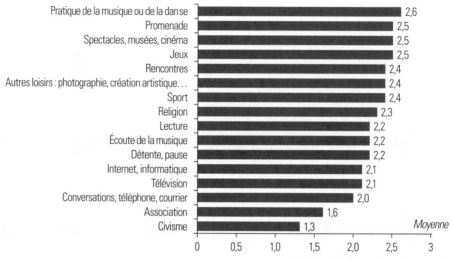

Ministère de la Culture et de la Communication

dessiné, **sculpté** ou **peint**, 16 % créé un **blog** ou un **site** sur Internet, 15 % joué d'un **instrument**, 11 % **écrit** un essai, roman, nouvelle ou poésie, 5 % fait du **théâtre**. Ces activités étaient souvent différenciées selon le sexe.

Dans les prochaines années, les Français devraient être de plus en plus concernés par ces pratiques **artistiques** en amateur (peinture, sculpture, danse, dessin, etc.). Elles leur serviront d'exutoires à un monde de plus en plus dominé par la technologie, dans lequel l'**émotion** humaine sera confrontée à la **froideur** des **robots**. Elles seront en outre favorisées par une **offre** de plus en plus large sur **Internet** mais aussi émanant de nombreuses **organisations**. La **technologie** pourra aussi s'immiscer dans ce domaine *a priori* réservé aux humains. L'avenir dira en effet si elle est capable de créer des œuvres réellement «**artistiques**», selon la définition qu'on en donnera...

Les activités artistiques amateurs ne seront pas pratiquées de façon **continue** tout au long de la vie. Elles seront moins fréquentes lors des périodes de **changement** familial ou professionnel. Les générations plus anciennes seront plus **fidèles** que les jeunes. Ces derniers seront moins **patients** que leurs aînés et accepteront moins facilement les périodes d'**apprentissage** nécessaires pour acquérir une certaine maîtrise. Ils seront aussi plus **éclectiques** dans leurs choix et passeront plus fréquemment d'une activité à une autre. La **pluriactivité** sera également plus fréquente. Mais les taux d'**abandon**, déjà élevés aujourd'hui (voir p. 392), devraient l'être plus encore demain, dans un contexte de *zapping* généralisé.

... MODIFIÉES PAR LES INNOVATIONS TECHNOLOGIQUES

Si la **technologie** (par principe rationnelle) peut sembler parfois être l'antithèse de l'**art** (**émotionnel** par nature), elle devrait exercer à l'avenir une influence sur les pratiques artistiques en amateur. En matière **musicale**, par exemple, elle permettra de créer des **instruments** digitaux originaux (par exemple un violon piézoélectrique[1]) ou

---

1. Instrument développé par l'agence d'architectes et de designers Monad Studio.

d'enregistrer les mouvements du corps en y associant des sons. L'impression **3D** permettra aussi de fabriquer des instruments aux formes nouvelles et personnalisées. Des logiciels pourront **composer** des morceaux « à la manière de », mais aussi originaux. Dans les **salles de concert**, les spectateurs pourront **interagir** avec la musique par exemple en se déplaçant. L'**apprentissage** sera plus ludique et rapide avec les **MOOCs** et peut-être d'autres moyens de mémorisation par liaison directe avec le cerveau. Des vêtements et des gants **connectés** permettront de jouer de la musique en toutes circonstances.

Toutes les autres formes d'art seront concernées et modifiées par la technologie. L'**art numérique** sera à la portée de tous, comme c'est le cas déjà avec la **photographie numérique**, qui a révolutionné ce domaine, modifié le déroulement des événements familiaux ou les pratiques de tourisme. De nouvelles possibilités seront aussi offertes par la **réalité virtuelle**, à l'exemple de ce que propose Google avec Tilt Brush (peinture 3D dans un univers virtuel).

SPORTS

DES PRATIQUES ENCORE SEXUÉES...

Le sport joue un rôle **social** et **économique** indéniable. Il peut être une **activité** et/ou un **spectacle** (voir p. 393). Les Français le citent souvent comme leur loisir préféré, et ils dépensent en moyenne 18 milliards d'euros par an en biens et services sportifs.

Dans la dernière enquête disponible[1] (2015), 45 % des femmes et 50 % des hommes de 16 ans ou plus déclaraient avoir pratiqué une **activité physique ou sportive au cours des douze derniers mois**. La pratique « **régulière** » (au moins une fois par semaine) ne concernait cependant qu'**un Français sur trois** (homme ou femme). Des taux qui

---

1. Enquête *Pratiques sportives des femmes et des hommes*, INSEE, 2017 (chiffres 2015).

Art et équilibre

Les **activités artistiques** en amateur devraient connaître un engouement croissant au cours de la prochaine décennie. Il témoignera de la volonté **d'épanouissement personnel** des Français, en même temps que de leur difficulté à l'obtenir. Ce devrait être le cas en particulier dans la vie **professionnelle**, qui pourrait être marquée par l'incertitude liée à la révolution robotique (voir p. 255). Une incertitude qui s'étendra aussi à la vie **personnelle**, **familiale** ou **sociale**, tout au long de la *Grande Transition*, au cours de laquelle tout pourra et sera sans doute remis en question.

Beaucoup de Français seront ainsi à la recherche d'un **équilibre**. Ils pourront le trouver à travers des activités artistiques mettant en évidence certaines facettes de leur **personnalité**. Ils devraient donc être nombreux à pratiquer la **musique**, la **peinture** ou la **sculpture**, s'adonner aux joies de l'**écriture** ou de la **photographie**, et expérimenter d'autres types de loisirs créatifs.

Les **clivages** sociodémographiques pourraient à cette occasion s'estomper, même si les pratiques concernent toujours davantage les **cadres** et les personnes exerçant des professions dites **« supérieures »** que les **ouvriers** ou les **commerçants**. Le niveau d'**instruction**, sanctionné ou non par un diplôme, sera sans doute plus important que celui du **revenu**, même s'il existe un lien entre les deux. Ce sont moins les difficultés **financières** qui détermineront la décision de pratiquer ou non des pratiques artistiques que les obstacles **culturels** et **symboliques**.

se situent dans la **moyenne** de ceux des autres pays développés.

La part des **femmes** s'adonnant à une activité sportive apparaît globalement **stable** avec l'âge, ne diminuant qu'après 65 ans, alors que celle des **hommes** décroît plus régulièrement. Les écarts entre femmes et hommes sont ainsi particulièrement marqués chez les plus **jeunes** (16-24 ans). Entre **50 et 64 ans**, les **femmes** sont légèrement plus nombreuses que les hommes à avoir pratiqué **au moins une fois dans l'année** (48 % contre 46 %) ou **régulièrement** (36 % chaque semaine, contre 30 % des hommes).

... MAIS UNE CONVERGENCE CROISSANTE...

Entre 2009 **et 2015**, la part de femmes pratiquantes s'est **accrue**, passant de 40 % à 45 %, alors qu'elle est restée **inchangée chez les hommes**, à 50 %. Mais les écarts entre les sexes demeurent élevés parmi les plus **jeunes** : 50 % des femmes de 16 à 24 ans ont pratiqué au moins une activité physique ou sportive en 2015, contre 63 % des hommes

de cette classe d'âge. Le **manque de temps** ou la **faible médiatisation du sport féminin** peuvent expliquer la moindre pratique des jeunes femmes. Les **stéréotypes** associés au **genre** contribuent aussi à maintenir les différences dans le choix des disciplines de loisirs.

L'évolution des mentalités pourrait conduire demain à une **hausse** du niveau de pratique sportive chez les **femmes,** qui seront de plus en plus soucieuses de leur état de **forme** et de **santé**, et désireuses de parvenir à la parité de pratique. D'autant que le dynamisme physique et mental sera pour elles un atout pour obtenir l'égalité dans d'autres domaines, notamment professionnels. De leur côté, les hommes pourraient avoir une pratique plus continue qu'aujourd'hui en prenant de l'âge, liée à une plus grande volonté de se maintenir en forme, de lutter contre le **surpoids** et de « rattraper » le niveau d'**espérance de vie** des femmes.

Ces évolutions iraient ainsi dans le sens d'un **rapprochement** des pratiques entre les **sexes**, tant dans les **types d'activités**

LE SPORT PLUTÔT PRATIQUÉ À DOMICILE

80. Pratiques sportives des jeunes (16-25 ans) selon le lieu d'exercice (en %, 2015 et 2017)

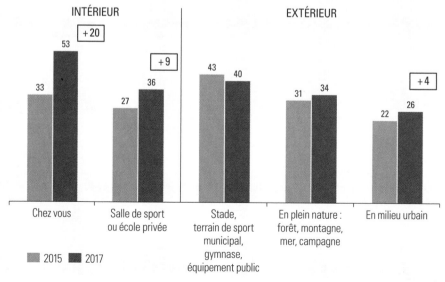

Sport et technologie

La liste des **activités sportives** proposées s'est considérablement allongée au fil des années et décennies. Elle a été favorisée par l'évolution **technologique**. Elle a d'une part renouvelé l'intérêt de certaines disciplines (la perche en fibre de verre a révolutionné le saut à la perche, la raquette en carbone a transformé le tennis…). Elle a aussi permis de **créer** de nouvelles disciplines : surf, planche à voile, deltaplane, parapente, ULM, windsurf, kitesurf, free fly, jet-ski, roller, street-basket, BMX, VTT, escalade, montagne, plongée, eaux-vives, snowboard, etc.

Plus récemment sont apparues des activités comme le **stackline**, utilisant des sangles élastiques en polyester tendues (seules ou en réseau) au-dessus du sol, et pouvant servir à faire des sauts. Elle est aujourd'hui déclinée en shortline, waterline, longline, jumpline ou spaceline. On peut citer aussi l'**aquabiking** (vélo immergé dans une piscine), la **zumba** (mélange entre danse et gymnastique rythmique), l'**escalade de bloc** (parois naturelles ou artificielles de faible hauteur ne nécessitant pas de matériel), l'**ultimate** (sport collectif opposant deux équipes de sept joueurs et se jouant avec un frisbee) ou le **hoop dance** (version moderne du hula hoop),

De nombreuses innovations technologiques à venir dans d'autres domaines auront des incidences sur la pratique sportive. Les **textiles** deviendront « intelligents » ; ils intégreront des **capteurs** connectés qui mesureront les constantes corporelles, analyseront l'activité des poumons, du cœur ou des muscles. Les **chaussures** et les **équipements** dédiés aux différentes disciplines (raquettes, skis, ballons, boules…) seront également connectés ; ils décrypteront les différentes phases de jeu bien plus finement qu'une vidéo classique. La **salle de sport** du futur sera **hypoxique** (capable de reproduire les conditions atmosphériques d'altitude). Des **murs-écrans** créeront des ambiances modifiables à volonté. La **réalité augmentée ou virtuelle** sera évidemment omniprésente et permettra une **immersion** dans des univers magiques servant de cadre à la pratique sportive.

Malgré ces innovations, la **marche à pied** dans le monde « réel » restera sans doute l'activité la plus fréquente, pour les femmes comme par les hommes. Elle présente l'avantage de pouvoir se pratiquer en tout **lieu** et à tout moment (sauf aléa météorologique), de façon **solitaire** (à son propre rythme) ou en **groupe**. Elle est réputée excellente pour la **santé** et la lutte contre le **stress**, peu **dangereuse** et peu **coûteuse**. De quoi séduire encore de nombreux Français en quête de simplicité et de réalité.

que dans les **fréquences**. Elles seraient aussi favorisées chez les adolescentes et les femmes par une moindre prégnance des **stéréotypes** chez les jeunes et leurs parents, dans les **médias** ou chez les sportifs eux-mêmes. Pour les femmes, les **offres** d'activités sportives devraient être par ailleurs plus souvent **mixtes** (même si elles restent pratiquées séparément), avec des horaires mieux adaptés à leurs disponibilités.

Par ailleurs, le rapprochement des **statuts professionnels** des deux sexes (diplômes, fonctions, responsabilités, rémunérations) devrait réduire les écarts existants. Avoir un **niveau de revenu** égal à celui des hommes, à poste égal, devrait favoriser la pratique sportive des femmes : celles qui ont un diplôme de niveau supérieur à **Bac + 2** ont aujourd'hui **50 % de chances en plus** de pratiquer une activité physique ou sportive que celles ayant un diplôme de niveau **Bac**. La culture du **corps** est étroitement corrélée à celle de l'**esprit**, c'est-à-dire à l'**instruction**.

… ET UNE FRÉQUENCE ACCRUE POUR LES DEUX SEXES

On pourrait assister dans les **prochaines années** à une légère augmentation générale des **taux de pratique**, qui résulterait de deux évolutions contradictoires :

- La prise de conscience du lien existant entre **santé**, **forme physique**, **bien-être** et

pratique sportive, démontré par les chercheurs et relayé par les institutions et les médias.

- La concurrence croissante d'**autres types d'activités** de **loisirs**, statiques et souvent virtuelles, mais attractives et chronophages.

Il est difficile de prévoir si la notion d'**utilité** du sport (associée au plaisir de sa pratique) l'emportera sur la **fascination** exercée par les nouveaux loisirs. Un **compromis** pourra d'ailleurs être trouvé de deux façons :

- L'offre d'**accessoires technologiques efficaces** et d'**environnements d'immersion ludiques** (voir p. 346), qui inciteraient à poursuivre la pratique sportive et même à l'accroître.
- Le développement de **nouveaux loisirs numériques** permettant de faire **travailler le corps** aussi efficacement que le sport, mais par d'autres moyens (stimulation musculaire statique ou dynamique, programmée ou dirigée…).

On arriverait ainsi à une **symbiose** ou **hybridation** entre des activités **physiques** rendues plus attractives par l'innovation technologie et des activités **ludiques** ayant des effets physiques et mentaux comparables à ceux du sport. Au total, les **dépenses** augmenteraient encore plus fortement que les taux de pratiques, du fait du prix plus élevé d'offres qui seront de plus en plus sophistiquées… et addictives.

Indépendamment du sexe, cette évolution pourrait entrainer un nouvel accroissement des inégalités entre les groupes sociaux.

LE BIEN-ÊTRE PERSONNEL AVANT LE PARTAGE

81. Motivations à la pratique sportive (en % de réponses à la question posée : « *Pourquoi pratiquez-vous un ou plusieurs sports ? »*, plusieurs réponses possibles, 2017)

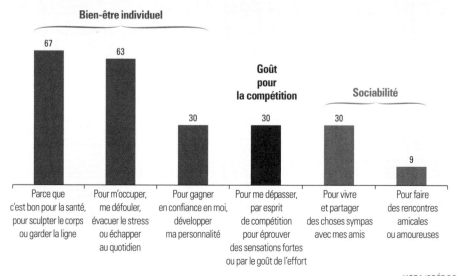

UCPA/CRÉDOC

DES MOTIVATIONS LUDIQUES, HÉDONISTES...

La décision de faire du sport continuera d'être dictée par l'envie de **jouer**, propre à l'être humain depuis son enfance (et encore présente tout au long de sa vie d'adulte) et d'en retirer du **plaisir**, dans une société de plus en plus **hédoniste**. Pour la plupart des pratiquants, l'objectif le plus partagé n'est pas d'aller jusqu'au bout de soi-même, ou de se dépasser, mais de se procurer des **sensations** agréables. Depuis les années 1990, le **sport-plaisir** a ainsi pris progressivement le pas sur le **sport-souffrance**. Les femmes et les personnes âgées sont de plus en plus nombreuses à s'intéresser à des activités sportives **douces**, mais **efficaces**, comme la natation ou le yoga.

Demain encore, le sport sera davantage un **loisir** qu'un moyen de **compétition**. C'est pourquoi les pratiques **informelles** et **autonomes** devraient se développer (voir ci-après). Elles le feront en dehors des **clubs** et **fédérations**, pour les activités ne nécessitant pas d'infrastructures spéciales. Les équipements ostentatoires (à l'exception de ceux qui auront une forte valeur ajoutée **technologique**) seront moins répandus, et la «**frime**» peu valorisée. La randonnée, le cyclotourisme ou l'escalade auront plus d'adeptes que les sports plus techniques et coûteux comme l'aviation ou le golf. Les sports **extrêmes** seront réservés à des «marginaux» ou des professionnels qui essaieront d'en vivre en vendant des vidéos de leurs exploits : descentes spectaculaires en surf, en canoë ou en aile volante, expéditions et démonstrations de survie et autres aventures inaccessibles au commun des mortels...

... ET UTILITARISTES

La pratique sportive sera aussi motivée par la recherche de ses effets bénéfiques sur la **santé**, dans ses deux composantes complémentaires : **physique** (prévention des maladies, contrôle du poids, mobilité...) et **mentale** (équilibre, confiance en soi, bien-être...).

Plus globalement, le sport aura une vocation **utilitaire**. Il permettra d'être plus

Le sport, outil de développement personnel

C'est à partir des années **1970** que le sport a commencé à s'inscrire dans la **culture** nationale, comme conséquence de la rupture sociétale qui est à l'origine de Mai 1968 : **libération sexuelle** ; maîtrise de la **fécondité** des femmes ; place croissante faite aux **jeunes**. Le sport a alors commencé à concerner l'ensemble des groupes sociaux **aisés**, qui l'avaient ignoré, voire méprisé, après s'en être arrogé le **monopole** pendant des décennies (considérant que l'exercice physique était réservé aux classes «**inférieures**», au même titre que les travaux manuels). On a vu ensuite arriver en France des pratiques sportives nouvelles, notamment des formes de **gymnastique** venues d'outre-Atlantique (aerobic, fitness...).

Les années **1980** ont été marquées par le culte de la **performance**. Les aventuriers, les champions, les chefs d'entreprise conquérants et les *superwomen* étaient célébrés comme des **héros**, les cadres comme des représentants de l'**excellence sociale**. La volonté de **gagner** impliquait pour chacun de cultiver sa forme et son apparence (look), de développer ses capacités physiques et mentales. Le jogging, le bodybuilding ou le saut à l'élastique étaient à l'honneur, comme autant de moyens de se montrer compétitif et de se dépasser. Les attitudes ont changé à partir des années **1990**. Le sport est devenu un **outil** permettant d'être à la fois mieux dans son **corps** et dans sa **tête**.

La pratique sportive de demain devrait, elle, répondre au besoin conscient ou non, de supporter les transformations de la vie moderne en développant une **résistance** physique et une **résilience** morale. Le sport sera ainsi devenu un instrument de **développement personnel** et une réponse aux contraintes engendrées par la vie en société.

efficace dans sa vie professionnelle et personnelle. Cette motivation constituera une version modernisée de l'«hygiénisme[1]», une notion apparue au XIXᵉ siècle. Elle incitera à entretenir la machine corporelle afin qu'elle soit en mesure de remplir correctement et durablement ses fonctions.

Enfin, le sport sera aussi un moyen de modifier son **apparence** physique (voir p. 114), de «sculpter» son corps pour le rendre plus séduisant, en tout cas plus conforme à l'image que l'on souhaite en donner. Cette motivation esthétique pourra être dirigée vers les **autres**, à qui on souhaitera présenter une image dynamique de soi. Mais cette motivation sera de plus en plus souvent **narcissique**, destinée à renforcer ou retrouver une **estime de soi**. À l'image de ce que l'on constate dans de nombreux domaines (voir les comportements de consommation, voir p. 320), le «**sport-miroir**» tendra ainsi à se substituer au «**sport-vitrine**».

DES PRATIQUES PLUS IRRÉGULIÈRES ET AUTONOMES

L'accroissement du nombre des **licenciés** et des **adhérents** des associations sportives ne donne qu'une idée partielle de l'évolution réelle des pratiques. Si les sports de combat, l'athlétisme, les sports d'équipe ou la gymnastique sont le plus souvent pratiqués dans le cadre d'une **institution**, beaucoup d'autres activités sportives le sont **en dehors**. On peut estimer qu'un quart des jeunes de 14 à 18 ans et la moitié des adultes (18-60 ans) pratiquent ainsi un sport de façon **informelle** et **autonome**. Les plus **jeunes** sont contraints (par l'école et/ou leur famille) à des pratiques **encadrées**. Les plus âgés (retraités)

sont de leur côté plus disponibles pour des sports plus **libres** et sont moins gênés par les **contraintes** (de temps notamment) que cela entraîne.

Par nature, certaines activités sportives peuvent inciter à des **pratiques** plus ou moins régulières ou intenses selon les moments. Ainsi, les **sports nautiques**, le **ski** ou l'**athlétisme** sont dépendants de la saison ou de la météo. Les **sports d'équipe** sont liés au calendrier des entraînements et des compétitions. Par ailleurs, la **mobilité** croissante des modes de vie rendra plus difficile la pratique de sports à **horaires fixes**, qui concernent généralement les activités **encadrées**. Celles qui nécessitent en outre des temps de **transport** importants et d'une durée imprévisible seront encore plus menacées. En sport comme dans d'autres domaines, la tendance devrait être à l'**improvisation** plutôt qu'à la **planification** (voir p. 314).

L'**irrégularité** et l'**infidélité** croissantes des pratiques ne favoriseront pas, demain, les **sports d'équipe**, plus contraignants par principe. Elles renforceront au contraire les sports **individuels** et **autonomes**, comme la marche, le jogging, la natation ou le vélo. Ces pratiques sont aussi celles qui répondent le mieux aux **motivations** des Français, telles qu'ils les expriment dans des enquêtes (par ordre décroissant d'importance): distraction, entretien physique, évacuation du stress, convivialité, rencontres, perte de poids, dépassement des limites[2].

DES TAUX D'ABANDON ÉLEVÉS

Les activités sportives seront de plus en plus en **concurrence** avec d'autres types d'activités, de natures très différentes : manuelles, culturelles, ludiques, actives ou passives, naturelles ou artificielles, etc. Elles seront donc pratiquées moins régulièrement et moins durablement, et connaître des taux d'**abandon** de plus en plus élevés.

Les jeunes seront tentés d'expérimenter des activités sportives différentes, notam-

---

1. Courant de pensée développé au XIXᵉ siècle, mettant en avant l'importance de l'hygiène corporelle, des bonnes pratiques alimentaires et de l'exercice physique pour la santé humaine. Il s'est notamment inspiré des recherches d'Antoine Lavoisier, puis de Louis Pasteur. Il est à l'origine du développement de la pratique sportive en France. Elle restera quelques décennies réservée à la «haute-société», qui l'abandonnera ensuite au «peuple» jusqu'à la fin des années 1960, qui marqua le début d'une véritable démocratisation du sport.

---

2. Enquête emploi du temps 2010, INSEE.

Coaching numérique

Certaines pratiques sportives *a priori* plutôt **individuelles** et **autonomes** pourront être néanmoins **encadrées**. Mais elles le seront moins par la présence de *coachs* humains et plus par des *coachs* **numériques**. La marche, le jogging, le vélo et bien d'autres activités peuvent déjà bénéficier d'un suivi **personnalisé** grâce à des **capteurs** connectés placés sur le corps. Les montres et autres objets à porter seront à l'avenir de plus en plus **sophistiqués** et **fiables**. Ils recueilleront, analyseront, transmettront, compareront de nombreux **indicateurs corporels** et les restitueront sous forme de **statistiques**, de courbes d'évolution, de comparaisons avec la moyenne ou avec des groupes spécifiques, et de suggestions pour améliorer les performances.

Ce *coaching* **numérique** permettra de maintenir la **motivation** et de lutter contre la rudesse et la répétition de l'exercice physique. Avec son aide, les sportifs pourront se fixer des objectifs, améliorer leurs gestes et leurs performances. Les appareils dont ils seront équipés, portables et connectés, serviront également à surveiller en permanence leur état de **santé**, à les alerter ou même à demander du secours en cas de problème.

Le **sport** et la **santé** seront ainsi de plus en plus intimement mêlés. La dimension de **loisir** libre de contrainte en sortira sans doute diminuée, ce qui pourra décourager certains à faire du sport… ou à recourir au *coaching* numérique. D'autant que la question de la récupération de **données personnelles** et de leur usage par les prestataires (ou, peut-être, par des compagnies d'assurance, des banques ou des institutions sanitaires) se posera de manière de plus en plus aiguë (voir p. 317).

L'innovation **technologique** et l'assistance **psychologique** devraient permettre de repousser encore un peu les **limites** des **performances** sportives. Cependant, une étude indique que la moitié des **records olympiques** atteindraient **99,95 % de leurs limites** supposées en **2027**[1]. L'évolution viendra alors peut-être de l'**« augmentation » physiologique**, avec les risques personnels qu'elle comporterait et les nouvelles inégalités qu'elle entraînerait.

---

1. Étude menée par l'Institut de recherche biomédicale et d'épidémiologie du sport (IRMES), entre 2008 et 2015, sur 3 300 records olympiques et leur évolution.

---

ment celles qui auront une dimension de **mode** ou de « **modernité** », avant peut-être de revenir à d'autres, plus **classiques**. Comme dans le cas des activités culturelles en amateur (voir p. 385), cela pourra les conduire à la **pluriactivité**. Il leur faudra ensuite choisir entre elles, ce qui augmentera encore les décisions d'**abandon**. Ces taux élevés pourront aussi être la conséquence du refus par les jeunes des périodes d'**apprentissage** longues et frustrantes parfois nécessaires pour atteindre un niveau minimal. Ils pourront enfin être induits par les **coûts** élevés de certaines activités, nécessitant des équipements spécifiques, le recours à des moniteurs et/ou l'achat de produits consommables (sports aériens ou nautiques, golf, etc.).

La tenue des **Jeux Olympiques de 2024** en France devrait accroître l'intérêt pour le sport au pendant les années qui vont les précéder. Il profitera de la forte **médiatisation** de cet événement. L'engouement sera comme toujours plus durable dans les disciplines où la France obtiendra des médailles, qui seront d'autant plus célébrées qu'elles seront obtenues à domicile.

LE SPORT SPECTACLE, MÉTAPHORE DE LA SOCIÉTÉ…

Les footballeurs, tennismen et rugbymen professionnels célèbres sont des **héros** contemporains. Surtout lorsqu'ils gagnent, car ils peuvent s'ils perdent devenir des **boucs-émissaires** que l'on exécute (symboliquement) en place publique, en l'occurrence médiatique. Le **sport spectacle** joue en tout cas un rôle considérable dans l'économie et la société. C'est la raison pour laquelle les entreprises sont nombreuses à y participer, sous la forme notamment de **parrainage** (*sponsoring*), dans l'espoir d'en obtenir des retombées positives en termes de notoriété et d'image. La mode **vestimentaire** s'inspire largement de l'univers sportif (*sportwear*). Les **marques** concernées incarnent des modes de vie plébiscités par les jeunes, dont beaucoup rêvent de devenir champions... et riches.

Les grandes **compétitions** constituent de ce fait des temps forts de la **vie collective**. Si la réussite d'un champion est un événement, l'exploit d'une **équipe nationale** revêt une importance encore plus grande. Ainsi, les titres obtenus par les Bleus à la Coupe du monde de football en **1998**, en **2018** et à l'Euro **2000**, leur qualification pour la finale de la Coupe du monde de **2006,** puis pour celle de l'Euro **2016** sont restés des moments marquants pour la nation tout entière, même parmi ses membres les plus réfractaires au sport.

... ET CAUSE DE QUELQUES PSYCHODRAMES

À l'inverse, les Français réagissent mal aux **échecs** de leurs équipes. La Coupe du monde de football de **2002** avait été à l'origine d'un traumatisme national[1]. En **2005**, la candidature manquée de Paris aux jeux Olympiques de 2012 avait été très

mal vécue. En **2010**, la prestation pitoyable des Bleus lors de la Coupe du monde en Afrique du Sud[2] avait déclenché une vague de colère. Si la victoire engendre la **fête**, la défaite provoque la *« défête »*. La désignation de Paris pour recevoir les **jeux Olympiques de 2024** est ainsi apparue comme une revanche à la frustration de 2005.

Le sport sera encore demain un **révélateur** fidèle de l'état de la société et de l'état d'esprit de ses membres. Il mettra en exergue les modèles d'**excellence** et de « réussite » qui prévaudront alors. Ils devraient être davantage **individuels** que collectifs. La compétition sportive symbolisera celle existant dans les relations sociales. Elle permettra à certains de vivre leur vie par **procuration**, en se projetant sur leurs **héros**.

À ce titre, le sport sera aussi porteur de **lien social**, par exemple à travers les clubs de supporters. Il témoignera du besoin récurrent d'**appartenance** à un groupe, à travers lequel chaque individu peut vivre une aventure collective qui lui permet d'oublier sa propre solitude. La mise en scène croissante du sport en tant que spectacle traduira un besoin d'**émotion** de plus en plus présent dans la société. Comme à l'époque romaine, les **jeux du stade** seront un exutoire, un dérivatif, une échappatoire. Un **divertissement**.

UN SPECTACLE DE PLUS EN PLUS INTERACTIF

Pour un nombre important de Français, le sport est moins à pratiquer qu'à **regarder**. Ils le font aujourd'hui dans les tribunes des stades ou devant leurs écrans. Leur **participation** se limite à encourager, critiquer ou prodiguer des conseils à leurs équipes favorites. Le sport est pour eux essentiellement un **spectacle**. Il permet à la télévision et aux médias qui retransmettent des compétitions nationales ou internationales

---

1. La France, tenante du titre, était éliminée au premier tour sans avoir marqué un seul but.

2. Aucun match gagné, refus de s'entraîner des joueurs, insultes...

Du spectateur au *« spect'acteur »*

Le **téléspectateur** de demain ne restera demain, comme l'étymologie l'indique, un « spectateur à distance ». Mais il ne sera plus contraint d'être assis devant un **téléviseur** pour suivre une compétition sportive (ou toute autre émission). D'autres **écrans**, fixes ou mobiles, petits ou grands, plats ou pliables, rigides ou flexibles généralistes ou dédiés, lui permettront de suivre le déroulement. Puis ces écrans eux-mêmes ne seront plus nécessaires, toute **surface** pouvant en faire office, ou parce que les images apparaîtront **sans support**, dans l'espace environnant, sous forme d'**hologrammes** ou d'autres modes de représentation à venir.

L'autre grand changement est qu'il sera possible de vivre les compétitions sportives dans des conditions beaucoup plus riches. La définition d'image sera sans cesse accrue (la 8K[1] est promise pour bientôt), la 3D sera améliorée, les

écrans seront géants et d'autres innovations suivront (voir p. 111). Chacun pourra **s'immerger** totalement dans un match en **réalité virtuelle** grâce à des lunettes spéciales (Hololens de Microsoft, Magic Leap ou Google glasses de nouvelles générations…).

Moyennant sans doute un paiement supplémentaire (achat ou abonnement), on pourra aussi **interagir** avec l'image, en modifiant les **angles de vue**, en **zoomant** ou en **élargissant** le champ de vision, en suivant **un joueur** en particulier, en affichant à volonté toutes sortes de **statistiques** grâce à la **réalité augmentée**, en revoyant sur demande une action au **ralenti**. Les **publicités** diffusées pendant le match seront elles aussi interactives. Elles permettront aux **« spect'acteurs »** de commander des boissons, maillots des joueurs et autres produits dérivés… et ainsi d'enrichir un peu plus les protagonistes d'un « système sportif » qui brassera encore plus d'argent qu'aujourd'hui.

---

1. La résolution 8K, ou 8K UHD (ultra haute définition), est la plus haute résolution numérique envisagée pour la télévision et le cinéma. Elle comporte une résolution horizontale de 7680 pixels et verticale de 5320 pixels, soit quatre fois plus que la 4K ou seize fois plus que la Full HD. Chaque pixel

sera indiscernable à l'œil humain à une distance typique de l'écran.

---

réalisent de réaliser quelques-unes de leurs meilleures **audiences**.

Les **supporteurs** des équipes et des sportifs participent à leur façon à ce spectacle. Plus de 200 000 se déplacent en moyenne chaque semaine dans les stades de football pour assister aux rencontres du championnat de Ligue 1. La très grande majorité (environ 80 %) est constituée d'**hommes**, bien que les femmes soient de plus en plus nombreuses à les accompagner. Environ quatre sur dix sont **ouvriers** ou **employés**, une proportion un peu supérieure à leur part dans la population active. Leur soutien se traduit par des signes **ostensibles** : vêtements, accessoires et objets aux couleurs de l'équipe ; emplacements réservés dans le stade ; pratiques et « rituels » (chants et animations diverses) ; réunions d'avant et d'après-match… Autant de sym-

boles et d'espoirs d'une **communion** avec l'équipe. Une motivation qui pourrait être exacerbée demain, compte tenu des besoins de défoulement qui seront engendrés par l'**incertitude**, et par l'**inquiétude** qu'elle nourrit.

DES DÉRIVES FRÉQUENTES

Le besoin de **défoulement** individuel et collectif conduit parfois les sportifs et les spectateurs à des comportements regrettables : insultes (notamment racistes) ; gestes déplacés ; jets de projectiles ; violences physiques ; dégradations matérielles… Chez les **supporteurs**, la vindicte est dirigée contre l'équipe adverse et ceux qui les encouragent, ou contre les arbitres lorsqu'ils prennent des décisions défavorables à l'équipe soutenue. Ils peuvent aussi s'exprimer contre elle, lorsqu'elle n'est pas à la hauteur de leurs attentes ou des enjeux. Car ce n'est pas seulement l'**équipe** qui perd, mais l'ensemble de ceux qui ont **investi** en elle une partie de leurs espoirs, de leur argent, parfois même de leur vie, ce qui est plus inquiétant.

Il est à craindre que ces **dérives** soient encore plus fréquentes et graves à l'avenir, pour plusieurs raisons :

- Les enjeux **financiers** du sport spectacle seront accrus (voir encadré ci-après).
- Les enjeux **symboliques** seront exacerbés, avec la montée des nationalismes et des appartenances locales ou régionales. Les compétiteurs seront plus que jamais des **représentants**, des ambassadeurs des pays, des villes et des groupes de supporteurs qui comptent sur eux, tout autant (et parfois plus encore) que sur les responsables politiques qu'ils ont élus. Ils en attendront en effet davantage : **émotion**, **plaisir**, **fierté**, **communion**. Et ils leur seront plus reconnaissants que lorsque leurs représentants politiques

font bien leur travail, ce qui peut paraître injuste.

- Le **jeu** occupera une place croissante dans la société (voir p. 398).
- Les **médias**, qui seront en situation de concurrence accrue, seront à l'affût du moindre incident en matière sportive pour faire naître et entretenir des **polémiques**. Des incidents regrettables pourront alors se transformer en «affaires» et en affrontements, qui seront largement relayés par les médias.

LE RISQUE DE SPORTIFS «AUGMENTÉS»

L'investissement d'une partie conséquente de la population dans le sport sera donc plus que jamais de nature **affective, et irrationnelle**. Peu importera que les équipes représentant une ville ne soient presque jamais composées de joueurs ayant un **lien** réel avec elles ; ils auront été **achetés aux enchères** sur un **marché**, tels des esclaves de luxe ou des mercenaires. Ils descendront dans l'arène pour faire vibrer

---

L'argent du sport

Déjà omniprésent dans le **sport de compétition**, l'**argent** restera demain la motivation première de beaucoup de sportifs professionnels. Car il y en aura de plus en plus à gagner, avec la poursuite probable de l'inflation des dotations et des prix de transfert des joueurs pour les sports d'équipe. Le **sport professionnel** risque fort d'en oublier l'une de ses missions principales, qui est de véhiculer des **valeurs** morales universelles et éternelles : **effort ; excellence ; exigence ; progression ; respect des règles ; respect de l'adversaire ; dépassement de soi ; esprit d'équipe ; courtoisie**… La réalité sera souvent éloignée de **l'idéal sportif** qui prévaut encore dans l'imaginaire collectif… et dans les discours officiels.

Les **enjeux** financiers et économiques seront encore plus considérables qu'aujourd'hui pour les **sportifs**, les **sponsors**, les **médias**, et

tous les **intermédiaires** et **prestataires** qui gravitent dans cet univers. Les salaires et les droits de retransmission dépasseront les niveaux actuels, qui sont déjà exorbitants et indécents. La **démesure** et la **médiatisation** feront de simples humains doués des **dieux**, plus influents pour leurs supporters que ceux des religions délaissées (voir p. 231).

Le sport spectacle sera ainsi le révélateur des **egos** souvent hypertrophiés de ses acteurs. En bafouant l'idéal sportif et en oubliant ce qu'ils doivent au public et à la société tout entière, ils ne seront pas les **modèles** qu'ils devraient être, en particulier pour les **jeunes**. Ils serviront au contraire d'**alibis** à des comportements inciviques et immoraux. Sauf si le **public** des stades et des écrans décidait un jour de ne plus être **complice**, et exigeait que le sport retrouve ses fonctions premières et ne soit plus une autre façon de faire la **guerre**.

les foules, espérant leur voir lever le pouce (applaudir et chanter), plutôt que le baisser (siffler, injurier, casser). Les **tensions** qui seront associées au sport seront proportionnelles aux enjeux économiques et sociétaux qu'il représentera. C'est pourquoi elles risquent d'être de plus en plus fortes.

Dans ce contexte, le **dopage** prendra aussi plus d'importance, d'autant qu'il bénéficiera de nouveaux progrès de la science. Il concernera toutes les disciplines, à commencer (ou plutôt continuer) par le cyclisme, le football, l'athlétisme ou l'haltérophilie. Le sportif de haut niveau pourra ainsi devenir un individu «**augmenté**» (voir p. 472), si possible davantage que ses concurrents afin de pouvoir être plus performant qu'eux.

Les progrès des neurosciences devraient également permettre de réduire le stress de la compétition, améliorer le «mental» et le physique en optimisant la transmission des signaux émis par le cerveau aux muscles. Sans parler des **prothèses** de toute sorte qui pourraient accroître les performances. Les **fédérations** et le **législateur** auront de plus en plus difficultés à définir ce qui est acceptable ou interdit. La tentation existera aussi chez les sportifs amateurs de se faire «augmenter».

*Un scénario plus optimisme peut cependant être envisagé, notamment dans deux hypothèses : une **prise de conscience** collective (et rationnelle) des **dérives du sport-spectacle** amenant à un **boycott** des stades ou des retransmissions vidéo ; la **désaffection** à l'égard du spectacle sportif «**réel**» au profit du **e-sport** (voir ci-après)... qui pourrait lui aussi être l'objet de dérives.*

LE E-SPORT, UN NOUVEAU JEU...

Le **sport électronique**, ou **e-sport**, désigne des **jeux vidéo** pratiqués en réseau **local** (*LAN party*) ou, de plus en plus, à une large échelle via **Internet**, sur consoles ou ordinateurs. Les joueurs professionnels (*pro gamers*) évoluent en individuel ou en équipe. Ils participent à des **compétitions** organisées un peu partout dans le monde et vivent des gains qu'ils remportent, au

même titre que les sportifs professionnels de toutes disciplines. Le e-sport est apparu à la fin des années **1980**, avec les premiers **jeux en réseau multijoueurs** sur Internet. Son audience actuelle sur Internet serait de l'ordre de 260 millions de personnes.

On peut évidemment s'interroger sur la dimension «**sportive**» de ces loisirs, qui nécessitent plus de qualités **mentales** que physiques. Le e-sport a cependant été reconnu en 2016 comme un **sport** par le Comité Olympique, qui pourrait même l'intégrer dans de futurs **Jeux Olympiques**. La même année, la France a créé un statut de **joueur vidéo professionnel**. Cette **confusion** entre le **jeu** et le **sport** est révélatrice de celle, plus générale, qui est faite entre le **réel** et le **virtuel**, le **naturel** et l'**artificiel**, le **vrai** et le **faux**. Le point commun est, dans tous les cas, de procurer des sensations fortes aux joueurs et aux spectateurs. C'est pourquoi le e-sport devrait se développer fortement dans les prochaines années, comme **complément** ou éventuellement **substitut** au «vrai» sport.

... PROMIS À UN FORT DÉVELOPPEMENT

Les **tournois** de e-sport sont de plus en plus souvent retransmis comme des compétitions sportives classiques, notamment en Asie où ils sont très appréciés. L'activité bénéficie d'un apport **financier** rapidement croissant de la part des sponsors, de la publicité, des parieurs et des droits générés par la diffusion des compétitions. Certains estiment ainsi que le marché pourrait atteindre 10 milliards de dollars en **2030**[1].

Ce développement reposera sur le fait que le e-sport se situe au carrefour, et à la pointe de plusieurs **technologies** (vidéo, réalité virtuelle, diffusion en streaming...). Il sera favorisé par le l'indéniable talent des **concepteurs** des jeux et les capacités hors du commun des meilleurs **joueurs**.

---

1. Selon l'Idate, *think tank* spécialisé dans l'économie numérique, les médias, Internet et les télécommunications.

C'est pourquoi il sera de plus en plus spectaculaire et fascinera beaucoup de jeunes, mais aussi d'adultes élevés aux jeux vidéo. Il se structurera en fédérations et ligues, et organisera des **compétitions** de grande ampleur, avec des **dotations** de plus en plus élevées pour les gagnants... et des **tarifs** qui devraient aussi évoluer à la hausse pour le public de fans. Il se répandra aussi naturellement sur les **réseaux sociaux**. Il ne pourra donc laisser indifférents les **médias** classiques, compte tenu de son potentiel d'audience et de recettes publicitaires. Les ingrédients sont ainsi réunis pour que le e-sport s'impose comme l'un des succès de l'avenir, transition entre l'univers du jeu et celui du sport.

JEUX

HOMO SAPIENS, FRÈRE D'HOMO LUDENS

Comme le sport, auquel il est logiquement apparenté (voir ci-dessus), le **jeu** répond à un désir très ancien, souvent inconscient, de rêver sa vie ou d'en vivre d'autres en «faisant semblant». *Homo ludens* est difficilement dissociable d'*Homo sapiens*. Il n'est d'ailleurs pas établi qu'il y ait eu un «**prélude**» à l'humanité (étymologiquement, une période ayant **précédé le jeu**). Il est en effet présent dans les mythes fondateurs de nombreuses civilisations antiques (égyptienne, grecque, chinoise, aztèque...). Le premier véritable plateau de jeu a été retrouvé en Haute Égypte et daterait de 3000 avant J-C.

Le jeu est aujourd'hui présent partout dans la vie quotidienne. Les jeux de **société** sont des supports de convivialité en famille ou entre amis. Les jeux **vidéo** sont pour des millions de fidèles (le plus souvent jeunes) le moyen de se divertir et de se défouler. Les jeux d'**argent** sont pour d'autres les seuls espoirs de pouvoir un jour changer leur vie; ils leur permettent en tout cas d'en rêver. D'autant que décrocher le gros lot est toujours **possible** pour chaque joueur, même si ce n'est statistiquement guère **probable**. L'**espérance mathématique**, éminemment rationnelle et irréfutable, n'a rien à voir avec l'**espérance psychologique**, essentiellement émotionnelle et propre à chaque joueur.

Les **fabricants de produits de grande consommation** utilisent eux aussi les jeux et les concours pour attirer ou fidéliser les consommateurs. Les **médias** ont compris l'importance du rêve ludique et multiplient les occasions offertes à leurs publics de «gagner». Hors les émissions de jeux proprement dites, beaucoup d'autres proposent de jouer par **téléphone** ou **SMS**, récupérant au passage beaucoup plus d'argent qu'elles n'en versent (et avec la certitude de gagner). Sur les chaînes de télévision généralistes, le jeu (comme le sport) est «**surconsommé**» par les téléspectateurs, c'est-à-dire que sa part de l'audience est supérieure à celle qu'il a dans les programmes. Il est aussi de plus en plus présent sur **Internet**; sa pratique sur le territoire français a été encadrée par la loi du 12 mai 2010.

Tous ces supports ludiques devraient connaître un développement important d'ici **2030**, de sorte que le jeu occupera une place encore plus grande dans la société, que ce soit sous forme **numérique** ou **traditionnelle**. Les Français lui consacreront ainsi encore plus de **temps**. Ils devraient aussi dépenser plus d'argent pour accéder aux nouvelles catégories de jeux (telles que le **e-sport**, voir ci-dessus), dont les coûts de développement seront croissants. Cette évolution devrait également entraîner des **addictions** plus nombreuses.

DES DÉPENSES ÉLEVÉES...

Près de six Français sur dix (56 %) ont joué au moins une fois à un **jeu d'argent** en 2017[1]. Ils ont dépensé au total 46 milliards d'euros (dépenses brutes, hors gains des

---

1. Rapports d'activité FDJ, PLU, ARJEL et casinos (ministère de l'Intérieur), *Observatoire de la vie quotidienne des Français*/BVA Foncia Presse, novembre 2017.

joueurs). Le taux de **redistribution**[1] varie selon les cas : il est de 88 % pour les **jeux de table** des casinos, 85 % au minimum pour les **machines à sous**, 75 % pour les **paris sportifs**. Pour les jeux de la Française des Jeux, le taux est de 73,5 % pour **Millionnaire**, 72 % pour **Cash**, 63 % pour **Banco**, 55 % pour le **Loto**, 50 % pour l'**Euro Millions**. La **perte nette** aux jeux est estimée à environ 200 euros par an et par habitant. Elle a plus que doublé en l'espace de vingt-cinq ans (76,10 euros en 1990). Le jeu occupe ainsi une place croissante parmi les dépenses de loisirs : 9,9 % du poste « **loisirs et culture** » en 2016, contre 6,6 % en 1990[2].

Les **casinos** captent la plus grande partie des mises de l'ensemble des jeux (33 % en 2016, soit 16 milliards d'euros) ; les machines à sous en réalisent l'essentiel. Ils devancent la **Française des Jeux** (détenue à 72 % par l'État français), qui a capté 31 % des dépenses, soit 14 milliards d'euros. Le **PMU**, via ses points de vente traditionnels, a récupéré 18 % des mises. Les **jeux en ligne** (hors activité de loterie de la Française des Jeux) ont quant à eux pris une place importante, avec 18 % des mises, soit plus de 8 milliards d'euros. Au total, les Français ont presque triplé leurs dépenses sur la période 1995-2016, de 16,7 milliards à 45,6 milliards d'euros.

… ET DE NOUVELLES PERSPECTIVES DE CROISSANCE

Dans les prochaines années, **Internet** devrait devenir le support le plus utilisé pour les jeux en général. Il se développera notamment sur les **paris sportifs**, prenant une part de plus en plus grande du marché détenu auparavant par le **PMU**. La société a déjà perdu plus d'un milliard d'euros de **paris hippiques** dans ses points de vente physiques entre 2010 (date de l'ouverture du marché en ligne des **paris sportifs**) et 2016. Les **casinos en ligne**, qui représentent aujourd'hui un chiffre d'affaires modeste (moins d'un milliard d'euros en 2017), disposent d'un potentiel important, avec notamment le **poker en ligne**.

Au-delà des seuls **jeux**, les ménages ont dépensé en moyenne 237 euros en 2017 pour les **jouets** (261 euros pour les foyers avec enfants, 170 euros pour les foyers sans enfants)[3]. La moitié de ces dépenses (48 %) sont effectuées à Noël, 30 % pour les anniversaires, le reste en d'autres occasions. Plus les enfants sont âgés et plus ils sont utilisateurs de jeux de type **vidéo**. Au point que ceux-ci sont parfois l'objet de véritables **addictions**, au détriment des résultats **scolaires** et de la vie « **réelle** ». La plupart des psychologues jugent excessif le **temps** que les enfants consacrent à ces jeux, et mettent en garde contre l'exposition prolongée à la **lumière bleue** des écrans. Mais certains leur reconnaissent aussi des **vertus** : stimulation de l'attention et de la concentration, de la mémoire, de la reconnaissance visuelle, de la logique, de la coordination gestuelle, de la patience, ou parfois de la convivialité (échanges avec d'autres enfants à propos des jeux).

La distinction entre **jeux** et **jouets** devrait être de plus en plus ténue à l'avenir, car la dimension **ludique** sera omniprésente dans l'ensemble de la société. Il faudra pouvoir jouer en apprenant (voir p. 148), en cuisinant, en bricolant, en jardinant et en accomplissant la plupart des autres tâches quotidiennes. Au risque peut-être de ne plus pouvoir ou vouloir effectuer celles qui ne peuvent guère permettre de jouer,

---

1. Part des montants joués reversée aux gagnants par rapport aux sommes jouées.
2. Comptabilité nationale.

3. Sondage Poulpeo/Yougov, octobre 2017.

Plus d'argent pour le jeu que pour le sport

Les **dépenses** consacrées par les Français aux seuls **jeux d'argent** (hors toutes les autres formes de jeu) dépassent aujourd'hui 20 milliards d'euros par an (nets des gains redistribués), soit un peu plus que celles spécifiquement allouées au **sport** (18 milliards). Elles seraient encore supérieures si l'on pouvait prendre en compte les jeux d'argent **clandestins**, qui se pratiquent dans les cafés, des cercles non autorisés, dans la rue ou sur Internet. Ou encore ceux qui sont pratiqués chez des **particuliers** (poker, bridge…).

Il est cependant difficile de distinguer clairement entre **jeu** et **sport**, ce dernier ayant souvent une dimension **ludique**. De plus, les sommes consacrées au jeu ne sont pas toutes dépensées en pure **perte**, puisqu'une partie est redistribuée aux gagnants, qu'il s'agisse du Loto, des jeux instantanés ou des casinos, dans des proportions variables (voir p. 399).

comme certaines activités professionnelles ou personnelles.

INTERNET, PREMIER SUPPORT DE JEUX VIDÉO

Internet devrait remplacer peu à peu les **consoles de jeux** de salon. Les évolutions en cours et à venir dans cet univers seront encore plus spectaculaires que celles qui se sont succédé depuis les tout débuts avec *Pong* (1972) ou *Pac-Man* (1980), puis avec la 3D (*Monster Maze* en 1981) ou les *first-person shooters*[1] comme Wolfenstein 3D (1992). Les jeux du futur seront de plus en plus complexes et graphiquement hyperréalistes. Ils proposeront des divertissements **immersifs**, généraliseront le *cloud gaming* (qui permettra de ne plus attendre pour disposer des dernières mises à jour d'un jeu). Leurs contenus seront davantage repré-

sentatifs de la **société réelle**, en donnant par exemple plus de place aux **femmes**. Ils seront peut-être aussi, de ce fait, plus pacifiques, en montrant moins de violence et plus d'empathie entre les personnages. Ils devraient être également plus accessibles aux **non spécialistes** (notamment ceux destinés au e-sport et à sa médiatisation). Ils devraient être enfin moins **chers**.

Les formules d'accès seront diversifiées. Des systèmes d'**abonnement** à des jeux en **streaming** (continu) seront proposés, (plutôt qu'**à la demande**) comme c'est déjà le cas pour la musique ou la vidéo. La suprématie des **consoles** de jeux et des jeux en coffrets serait ainsi mise en cause. D'autres offres reposeront sur le modèle économique du *freetoplay*, *a priori* gratuit pour le joueur, mais l'incitant à acheter des nouveaux contenus ou à accéder à de nouvelles fonctionnalités[2] au moyen de **micro-paiements**.

Le téléphone **mobile** est déjà devenu le premier support utilisé par les joueurs. En 2016, les dépenses réalisées par son intermédiaire ont dépassé de 25 % celles effectuées à partir d'ordinateurs ; elles ont représenté le double de celles concernant les consoles de salon. Sur le marché des **applications mobiles**, le jeu vidéo est aussi le plus important. Il a compté pour 35 % des téléchargements d'applications sur Google Play et l'Apple Store, et un peu plus de 80 % des dépenses des consommateurs sur ces deux plates-formes. Les offres de jeux **multijoueurs** devraient se multiplier dans les années à venir.

VACANCES

UN RECORD ACTUEL DE CONGÉS PAYÉS…

Les **congés payés** ont été une conquête inattendue du **Front populaire**, car ils ne figuraient pas dans son programme élec-

---

1. « Jeu de tir à la première personne », encore appelé *Doom-like*, permettant des combats en vision subjective. Le joueur agit comme s'il était lui-même le tireur.

2. Les achats sont effectués dans une boutique virtuelle, souvent de manière indirecte : le joueur achète une monnaie virtuelle, qui lui permet de réaliser ses achats dans le cadre d'une partie (*in-game*).

toral (pas plus que la semaine de 40 heures, qui en est issue). Les « grèves joyeuses » qui suivirent son élection en mai 1936 aboutirent aux Accords de Matignon, qui instauraient l'obligation pour les entreprises d'accorder et de rémunérer deux semaines de **congés** annuels à tous les salariés. Leur durée s'est ensuite sensiblement allongée au XXe siècle : **trois** semaines en 1956, **quatre** en 1969, **cinq** en 1982.

Aujourd'hui, les salariés à temps complet prennent en moyenne **33 jours de congés par an**, soit cinq semaines et demi (contre 12 jours aux États-Unis ou 12,5 au Japon, dont 7,4 réellement utilisés). Il s'y ajoute souvent des journées de **RTT**[1], qui peuvent représenter plusieurs semaines supplémentaires dans la Fonction publique ou les banques. La France est ainsi l'un des pays les plus généreux en matière de congés rémunérés. Elle se situe même à la toute première place si l'on considère la durée totale de la **vie active**, compte tenu d'un âge légal de départ en retraite précoce. Ce « privilège » est (en partie seulement) compensé par une **compétitivité** plutôt élevée des actifs français par heure travaillée.

... MAIS UNE BAISSE POSSIBLE D'ICI 2030

La **durée moyenne** effective des **congés payés** sur l'ensemble de la population pourrait stagner, voire même diminuer d'ici **2030**, pour un ensemble de raisons :

- La baisse du nombre de **salariés actifs**, liée à une hausse du **chômage** (voir p. 255) et à son **coût** croissant pour la collectivité limiterait la possibilité pour les entreprises de financer des congés payés aussi longs qu'aujourd'hui.
- Une nouvelle baisse de la **durée du travail** des salariés pourrait intervenir, avec un maintien partiel des **salaires** (voir p. 154). Son coût pour les entreprises pourrait être en partie compensé par une diminution des **congés payés**.

[1]. Jours de congés attribués aux salariés en compensation d'une durée du travail supérieure à 35 heures hebdomadaires.

- Cette baisse du **temps de travail** engendrerait moins de **fatigue professionnelle** et un moindre besoin de **récupération** sous forme de « **vacances** » (en faisant l'hypothèse que le temps libre supplémentaire serait consacré à d'autres types de loisirs).
- La hausse du nombre de **non-salariés** (voir p. 268), qui ne bénéficieront pas des mêmes droits que les salariés, réduira mécaniquement la durée moyenne des congés pris par l'ensemble des actifs.
- La moindre séparation entre **vie professionnelle** et **vie privée** pourrait inciter les actifs à utiliser les temps d'inactivité professionnelle pour pratiquer d'autres **activités** (à but professionnel ou personnel) ou pour assurer leur propre **formation**, plutôt qu'à partir en vacances.
- L'instauration d'un **revenu universel** (voir p. 293), libérerait un certain nombre de personnes de l'**obligation** de travailler et rendrait pour eux la notion de « vacances » obsolète.
- On devrait assister à la multiplication des moyens de se **ressourcer** hors « vacances », notamment avec des activités pratiquées à domicile (telles que la **réalité virtuelle**) ou le recours à des traitements antifatigue ou antistress plus efficaces.

C'est ainsi la **notion** même de « vacances » qui pourrait être mise en cause, dans un contexte de **mélange** des différents temps de la vie, de l'année ou de la journée (voir p. 159), de généralisation du **télétravail** (voir p. 277) et de moindre **planification** du temps (voir p. 314). De plus, la possibilité de « s'évader » **virtuellement** et à **volonté** pendant une heure le soir ou le week-end en s'offrant un moment de **réalité virtuelle** (voir p. 346), sans avoir à faire de réservation préalable, devrait modifier la conception et les pratiques de vacances.

DES TAUX DE DÉPART PLUTÔT EN BAISSE...

La mesure du **taux de départ** en « vacances » dépend de la définition qu'on adopte. Aujourd'hui, les **trois quarts** des

Français de 15 ans ou plus (75,1 % en 2016, dont 68,7 % pour les séjours en France et 25,4 % à l'étranger ou dans les départements d'outre-mer[1]) passent **au moins une nuit** dans l'année hors de leur domicile pour un motif personnel, généralement à l'occasion d'un week-end. Ils ne sont plus qu'**un sur deux** (50,2 %) si l'on fixe la durée minimale à **quatre nuits**. Un taux en **baisse** sensible par rapport au milieu des années 1990, au cours desquelles il était proche des deux tiers. Ceux qui partent au moins **une nuit** effectuent en moyenne 4,6 séjours par an, contre 3,4 pour ceux qui partent au moins **quatre nuits**.

On a donc assisté au cours des années récentes à un **recul du taux de départ** en vacances, suivi d'une tendance à la **stabilisation** depuis quelques années. Cette baisse s'explique par des raisons **économiques** (manque de moyens ou arbitrages en faveur d'autres types de vacances) ou **pratiques** : difficultés ou incapacités physiques liées au vieillissement et à la maladie ; **météo** défavorable ; obligations **familiales** ; activités **domestiques** prévues pendant les vacances, etc. La **durée moyenne** des séjours était de 5,7 nuits en 2016, dont 5,2 nuits en France (88 % de l'ensemble des séjours) et 9,2 à l'étranger et DOM. Des chiffres assez stables au cours des dernières années. En **2017**, **64,2 %** des Français ont effectué des séjours de loisirs (soit 34,8 millions de personnes), contre 63,1 % en 2016[2].

… DES SÉJOURS MOINS FRÉQUENTS…

Les années à venir pourraient être marquées par une nouvelle baisse du **taux de départ** moyen en vacances. Elle serait liée d'abord à un **pouvoir d'achat** des ménages en diminution (voir p. 294). Elle serait également favorisée par le recours croissant aux « **vacances virtuelles** » évoquées ci-dessus.

Il est difficile de prévoir l'évolution du **nombre de séjours** au cours de l'année, et

1. Direction générale des entreprises, enquête *Suivi de la demande touristique*, édition 2017.
2. Baromètre Opodo-Raffour Interactif, 2018.

surtout de leur **durée**. La tendance au **fractionnement** des congés et à la diminution de la **durée** de chaque séjour pourrait s'inverser. Les séjours pourraient ainsi être **moins fréquents**, du fait des difficultés économiques d'une partie de la population, mais aussi du poids croissant des séjours à l'**étranger** pour les ménages plus aisés. Pour ces derniers, le **coût** plus élevé de ces séjours (notamment pour le transport, mais du fait aussi de leur durée) entraînerait aussi globalement une diminution de leur nombre. La **durée** moyenne de chaque séjour serait au total assez stable, chaque ménage ajustant ses dépenses à ses **souhaits**, à ses **disponibilités** et à ses **possibilités financières**, par un processus d'**arbitrage**.

Les conditions de travail plus flexibles et plus précaires pourraient avoir l'effet inverse (au moins pour ceux qui les subiront) et favoriser des départs **plus fréquents**. Ils seraient aussi **moins longs**, et donc **moins coûteux**, c'est-à-dire plus proches de la situation qui prévaut actuellement.

… ET PLUS INÉGALEMENT RÉPARTIS

Les **écarts** de taux de départ se sont creusés entre les catégories sociales : 82 % des **cadres supérieurs** partent en congés contre 47 % des **ouvriers**. Les raisons sont à la fois **financières** (revenus) et **culturelles**, notamment pour les voyages à l'étranger. L'**habitude** prise dès l'enfance de voyager avec ses parents et le niveau d'**instruction** (ainsi que la connaissance de langues étrangères qui va généralement avec) sont des incitations fortes à continuer de voyager lorsqu'on est **adulte**.

La plus grande dispersion prévisible des **revenus** d'ici **2030** (voir p. 289) devrait

UN CADRE VOYAGE PRESQUE DEUX FOIS PLUS SOUVENT QU'UN OUVRIER

82. Taux de départ en vacances (en %) et nombre moyen de séjours selon les professions et les catégories professionnelles (2016)

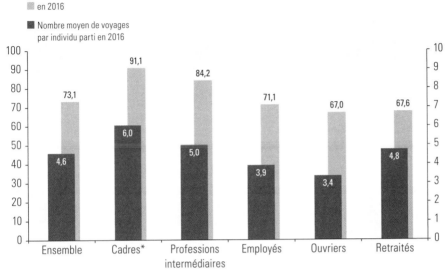

■ en 2016

■ Nombre moyen de voyages par individu parti en 2016

* et professions intellectuelles supérieures.
Voyages pour motif personnel des Français de 15 ans et plus.
Lecture : 71,1 % des employés sont partis au moins une fois en voyage en 2016 ;
ceux qui sont partis ont effectué en moyenne 3,9 voyages.
DGE, enquêtes SDT 2016

accroître encore les écarts de **taux de départ** ou de **types de vacances**. Les vacances aux **sports d'hiver** (qui ne concernent aujourd'hui qu'environ 8 % des ménages) seraient encore plus **élitaires**, leur coût étant accru par la **rareté** croissante de l'offre, du fait du **réchauffement climatique**. Celui-ci obligera en effet les stations, notamment de basse et moyenne montagne, à investir pour s'adapter, donc à accroître leurs **tarifs** (voir p. 413).

Pour les voyages à l'étranger, les coûts des **transports** en train ou en avion seraient également plus élevés, et générateurs d'**inégalités**, du fait de l'augmentation générale des prix des **carburants** (voir p. 46) et de la prise en compte des contraintes **environnementales** selon le principe « *pollueur payeur* ». Les **hébergements marchands** seraient ainsi moins accessibles aux ménages modestes, qui séjourneraient

davantage encore qu'aujourd'hui dans des hébergements **gratuits** (résidences secondaires personnelles ou appartenant à des amis, logement chez des membres de la famille…) ou préféreraient rester chez eux. Le renchérissement du **coût des voyages** pourrait ainsi **réduire le taux de départ** des catégories **modestes** et renforcer les **inégalités** existantes.

DES DÉPENSES GLOBALEMENT STABLES

La dépense annuelle moyenne pour les vacances est estimée à environ **2 300 euros par foyer**[1]. Les vacances d'**été** en représentent un peu moins de la moitié (950 euros en moyenne par foyer, 1 400 euros pour ceux qui partent[2]). Les disparités sont

---

1. Étude Protourisme, 2017.
2. Enquête Sofinco/Opinionway, mai 2017.

importantes selon les revenus : 450 euros de dépense pour les foyers percevant moins de 1 000 euros par mois contre 1 900 euros pour ceux qui gagnent au moins 3 500 euros. Au-delà de l'**hébergement et du transport**, les autres dépenses concernent (par ordre décroissant) l'**alimentation**, les **visites** et les **sorties** (bars, discothèques…).

Les écarts entre les ménages devraient **s'accroître** encore dans les prochaines années, en relation avec ceux déjà mentionnés concernant les taux de départ, le nombre et la durée des séjours, la part des séjours à l'étranger, dans un contexte de **pouvoir d'achat** en diminution et de hausse des prix des **transports**. Au total, la dépense moyenne totale des ménages pour leurs vacances pourrait être **stable**, du fait des **arbitrages** qu'ils seront amenés à effectuer. Le recours à des formes **d'hébergements gratuits** (qui représentent aujourd'hui sept séjours sur dix) pourrait ainsi être encore plus fréquent.

DES VACANCES TRANSFORMÉES PAR LA TECHNOLOGIE…

Les innovations technologiques auront des applications multiples en matière de **tourisme** et de vacances :

- **Simplification des réservations** à l'aide d'**assistants numériques intelligents** capables de rechercher des offres adaptées aux souhaits de leurs propriétaires, et de faire des suggestions.
- **Amélioration** de l'accueil, de l'hébergement et des activités des vacanciers tout au long de leur séjour grâce notamment à des **robots** (qui recevront les visiteurs, entretiendront les chambres, organiseront les visites et activités).
- **Personnalisation** des chambres d'hôtel (ambiance, décoration, confort, connexions, accès aux informations touristiques, pré-visites virtuelles…), grâce à l'usage des **Big Data** permettant de connaître les goûts des clients, et aux systèmes de **domotique** qui permettront de les satisfaire.
- **Mise en relation** des vacanciers avec d'autres personnes ayant des goûts semblables, pour **partager** des activités. **Covoiturage** facilité par les voyagistes pour les destinations accessibles en voiture.
- Logiciels et équipements de **traduction instantanée** permettant des échanges directs autrefois impossibles entre des personnes parlant des langues différentes.
- **Fluidité** de l'enchaînement des différentes phases d'un séjour (enregistrement, transport, récupération des bagages, transfert, hébergement, activités…) grâce aux **véhicules autonomes**, à la **robotisation**, à l'**intelligence artificielle** et à l'**interconnexion** de tous les services et objets impliqués.
- **Réduction des temps d'attente** grâce à la **reconnaissance faciale** automatique et instantanée, à la **dématérialisation** totale des billets (téléchargés et scannés directement sur une puce intégrée par les passagers), aux **valises autonomes**, etc.
- **Modification** possible et facile à tout moment (notamment sur place) des **programmes** d'activités (déplacements, visites, excursions…) en fonction des changements d'humeur, des informations nouvelles et des constats effectués à destination. Cette **flexibilité** sera facilitée par les outils numériques de communication et de réservation des prestataires, qui seront tous mis en **réseau**.
- **Enregistrement de souvenirs**, sous la forme d'images, vidéos et autres moyens, pouvant être consultés, montrés, enrichis, et revécus ultérieurement. À cet égard, l'invention de la **photo** et de la **vidéo numérique** (via un appareil dédié, un téléphone ou tout autre support) a constitué un tournant dans la façon de voyager. Ces technologies connaîtront encore de nombreux développements d'ici 2030 : résolution, 360°, 3D, autonomie, capacité de stockage, archivage, miniaturisation, déclenchement automatique, applications complémentaires, trucages, réalité augmentée, impression, partage sur les réseaux sociaux, etc.

*Les **outils technologiques** ne devront pas cependant se substituer aux relations* *humaines lors des séjours, dans la mesure où celles-ci seront efficaces, rassurantes et enrichissantes. Car ce sont elles qui laisseront les souvenirs les plus forts aux vacanciers (voir encadré ci-après).*

... OU PARFOIS REMPLACÉES PAR ELLE

La principale évolution technologique attendue est celle de la **réalité virtuelle**. Elle complétera la **réalité «réelle»**, sous trois formes différentes. La **réalité virtuelle** proposera une **immersion** dans un environnement de voyage totalement inventé ou recréé, dans lequel le «vacancier» pourra se mouvoir, agir et interagir avec des objets ou des personnages, ressentir des émotions de différentes natures (voir p. 346). La **réalité augmentée** permettra d'ajouter des éléments d'information à ce que le vacancier perçoit par ses propres sens sur son lieu de vacances (histoire, monuments, villes, paysages, spécialités...). Enfin, la réalité mixte **mélangera** l'univers réel à des éléments virtuels et permettra de les faire **interagir**. Ces trois formes de «voyage» ne seront pas **exclusives** l'une de l'autre ; elles pourront être pratiquées en alternance.

La **virtualité** présentera des avantages importants dans plusieurs domaines :
- **Confort.** Pas de déplacements ni de fatigue (sauf sans doute visuelle).
- **Coût.** Sous réserve de celui lié à l'achat ou à la location des équipements et de l'accès aux logiciels. Il pourrait être assez onéreux dans un premier temps, compte tenu des investissements qu'ils nécessiteront.
- **Sécurité.** Pas de risque d'agression, accident, blessure, maladie.
- **Temps.** L'accès à toute «destination» disponible sera **immédiat** et **direct**. Il ne nécessitera pas de transport, pas d'attente, de queue, de formalités à accomplir (passeports, visas, déclarations, fouilles...).

*Mais les vacances «réelles» présenteront sans doute pour beaucoup et pour longtemps encore, l'avantage d'être... réelles. Les deux modes d'accès se renverront l'un à l'autre ; le voyage **virtuel** pourra être une préparation ou une incitation au voyage **réel**. Ce dernier pourra lui-même être prolongé ou «revécu» ultérieurement de façon **virtuelle**. Le vacancier de demain (comme l'individu en général) pourra ainsi mener une «double vie».*

LE POIDS CROISSANT D'INTERNET

Dans la majorité des cas (79 % en 2017[1]) les Français préparent sur **Internet** leurs séjours de vacances en **France**. 53 % ont réservé tout ou partie de leur séjour en ligne. Ils le font alors le plus souvent (pour les deux tiers) en s'adressant directement aux **prestataires de services** concernés (compagnies de transport, hôtels...), pour un quart à des **associations**, **offices du tourisme** ou **comités d'entreprises**, et pour moins de 10 % auprès d'**agences de voyages** ou **voyagistes**. Les taux de réservation auprès de professionnels sont beaucoup plus élevés pour les séjours à l'**étranger** (90 %) et le recours aux agences est alors bien plus fréquent (35 %). Mais il reste inférieur au taux de recours aux compagnies de transport, hôtels et autres prestataires.

Les **recherches d'offres** et leurs **comparaisons** sont de plus en plus systématiquement effectuées sur **Internet**. Il en est de même des **réservations**, de sorte que le **tourisme** représente près de la moitié des dépenses des Internautes (44 % en 2017, soit 20 milliards d'euros[2]). Ce secteur arrivait ainsi en tête, devant les produits culturels (43 %), les textiles de maison (27 %), le high-tech (22 %), l'électroménager (17 %), l'habillement (16 %). Une part croissante de ces recherches et réservations s'effectue sur un **téléphone mobile**; quatre e-acheteurs sur dix ont acheté des produits de tourisme par ce moyen en 2017. Début 2018, 47 % des e-acheteurs envisageaient d'acheter des services de voyages et de tourisme sur Internet[3] (+11 points par rapport à 2017).

1. Op. cit. Baromètre Opodo-Raffour Interactif 2018.
2. FEVAD, 2017.
3. FEVAD, 2018.

Ces pratiques devraient encore s'accroître à l'avenir, avec l'accroissement **du taux d'équipement** en outils numériques et celui de la **vitesse** de connexion (qui reste encore lente dans certaines régions). Les consultations et réservations se feront soit directement sur des sites de **prestataires** (transporteurs, hôteliers, voyagistes...) soit sur des **plates-formes** intermédiaires effectuant des recherches, comparaisons et sélections d'offres à la demande. Les sites fournissant des **avis** d'Internautes ayant expérimenté des offres seront aussi de plus en plus consultés, car ils sont censés être plus **objectifs** et crédibles que les publicités et promesses des **professionnels**. Enfin, les

sites regroupant des offres de **particuliers**, notamment en matière d'**hébergement** (location) ou de **transport** (co-voiturage) seront plébiscités, dans un contexte de développement de l'**économie collaborative** (voir p. 328).

UN FORT CONTENU SYMBOLIQUE

Pour les Français, le temps des vacances est celui de l'**évasion** et de la **magie**. Les personnes concernées rêvent d'un «ailleurs» situé dans un cadre enchanteur. Elles souhaitent échapper aux soucis de la «vraie vie», aggravés par l'**incertitude** contemporaine, qui brouille les **perspectives d'avenir** ou les assombrit. C'est pourquoi les **lieux de**

L'agence de voyages du futur

Les **agences de voyages «physiques»** sont *a priori* menacées par les développements à venir d'**Internet**. Le réseau devrait être en effet le lieu principal d'information, de choix et de réservation des séjours de vacances. Mais les agences «classiques» pourront **survivre**, et même se **développer** si elles sont en mesure de proposer des services **différents** et **fiables**, justifiant que des clients se **déplacent** jusqu'à elles. Certaines pourront d'ailleurs inverser la procédure, en se déplaçant vers les clients, à leur domicile, sur leur lieu de travail ou dans d'autres lieux (de passage ou de transit, permanents ou éphémères, fixes ou mobiles). Ces agences de nouvelle génération pourront ainsi proposer :

- Des **informations** et des **conseils** complémentaires à ceux disponibles sur Internet, plus **personnalisés** et **détaillés**.
- Des **services** différents, tels des **conférences** sur des destinations, des **rencontres** avec des clients racontant leurs expériences, des **expositions** de photos ou objets susceptibles d'aider leurs clients à choisir ou à préparer leurs séjours.
- Des **propositions exclusives** de visites, activités, expériences, etc.
- Un **suivi** efficace, individualisé et empathique, avant, pendant et après les séjours.

- Une **spécialisation** et donc un haut niveau de compétence dans un certain type de séjour, destination, activité, type de clientèle, etc.
- Une approche totalement **«sur-mesure»**, plus complète et rapide que celle qui peut être obtenue en cherchant sur Internet. Ce service s'adressera notamment à des clients pressés, ou ayant une faible maîtrise des outils technologiques ou qui ne leur font pas confiance (notamment pour des raisons de confidentialité),
- Une **présence humaine**, nécessaire à ceux qui ne se satisferont pas du «tout virtuel» proposé (et imposé) par Internet.

Les agences de voyages de l'avenir devront ainsi s'adresser davantage aux **«voyageurs»** qu'aux **«touristes»** (voir ci-dessous), et leur apporter une réelle **valeur ajoutée**.

vacances ont un fort contenu imaginaire et symbolique. La **mer** représente le retour aux sources, l'**origine** de l'Humanité. La **montagne** rapproche du ciel, de la « vérité » et permet de « *prendre de la hauteur* ». La **campagne** permet de retrouver la **nature**, l'authenticité, le jardin d'Éden et le bonheur (que l'on dit être « dans le pré »). Elle est aussi un lieu de « **régression** », censé être préservé des effets nocifs de la civilisation (pollution, encombrements, délinquance...), où l'on peut retrouver la **pureté** des premiers matins du monde. La **plage** est un lieu de **transition** entre terre et mer, entre la société et l'individu, entre dépouillement (notamment vestimentaire) et sophistication.

Dans cet imaginaire collectif des vacances, l'**île** a un statut particulier. Elle évoque le **paradis**, un endroit particulier où se rejoignent la mer, la terre et le ciel. Elle est censée être baignée par le **soleil**, symbole de la puissance **paternelle**. Celui-ci réchauffe la **mer**, évocatrice de la douceur **maternelle** et de la vie. Passer des vacances sur une île, c'est donc s'**évader** du monde réel pour entrer dans celui du **rêve**. Dans la mentalité « décliniste » contemporaine, c'est passer de l'enfer au paradis.

UN MOYEN DE DÉCOUVRIR LES AUTRES...

Les vacances sont une occasion privilégiée de se plonger dans un **environnement** différent, d'élargir son **champ de vision**. Paul Morand, lui-même grand voyageur, affirmait que « *partir, c'est gagner son procès contre l'habitude* ». La plupart des écrivains ont d'ailleurs été des voyageurs impénitents : Montaigne, Chateaubriand, Rousseau, Rimbaud, Voltaire, Loti, Casanova, Nerval, Gautier, Sand, Lamartine, Byron, Claudel, Saint-John Perse, Bernanos, Tocqueville...

Le temps des vacances est celui du **changement**. Le vacancier part souvent pour **oublier** ce qu'il connaît et **découvrir** ce qu'il ignore. Le voyage est pour lui un moyen de **rencontrer** les autres, de s'**enrichir** de ce qu'il voit, et de revenir aux **sources**, souvent en les idéalisant C'est pourquoi les autoch-

tones des pays exotiques visités sont souvent regardés comme des « *bons sauvages* » vivant selon des rites ancestraux et restés en harmonie avec la nature et l'univers. Une réponse à la nostalgie et au sentiment répandu que « *c'était mieux avant* ».

On peut ainsi opposer les « **touristes** » aux « **voyageurs** ». Les premiers se déplacent en **groupes** et se contentent des activités, rencontres et visites qui ont été spécialement **préparées** pour eux. Les seconds sont moins **grégaires** et recherchent l'**authenticité** des peuples et des pays dans lesquels ils se rendent. Après le développement spectaculaire de l'offre destinée aux **touristes**, on devrait demain voir apparaître des offres différentes, qui s'adresseront plutôt aux **voyageurs**. Elles leur proposeront des visites de sites encore peu fréquentés, des découvertes humaines, des aventures physiques, des émotions rares et vraies... à saisir avant l'arrivée des touristes.

... ET DE SE CONNAÎTRE SOI-MÊME

Les vacances sont aussi l'occasion de mieux se connaître, en « *allant voir ailleurs si on y est* » comme l'écrivait Paul Morand. Il expliquait également que « *voyager, c'est distancer son ombre, semer son double* ». Il existe en effet dans chaque vacancier un **individu** en quête de **sens**, qui s'interroge sur lui-même, sur sa vie, qui éprouve le besoin de souffler et de « *faire le point* ».

Dans le contexte à venir d'incertitude, beaucoup de Français souhaiteront aussi profiter de ces moments particuliers pour changer de **personnalité** ou même d'**identité**. Car les vacances permettent de brouiller les **codes** et les **statuts** sociaux. Nus sur la plage, le P.-D.G., l'employé et l'ouvrier se ressemblent davantage que dans les bureaux des entreprises ou les rues des villes. L'une des motivations du voyageur est la volonté d'être pour un temps **quelqu'un d'autre**, d'abandonner sa **carapace** sociale, de se laisser aller aux plaisirs de la **découverte** et de la **transgression**.

Le voyage a donc une dimension au moins aussi **onirique** que **réelle** ; il est un rêve qui ne saurait se limiter à sa réalisation. C'est pourquoi il est essentiel d'en rapporter des souvenirs, des objets et des sensations qui seront peu à peu **idéalisés**. Si, comme le pensait Proust, *« la vie est un voyage »*, il est différent pour chacun. Il ne consiste pas seulement à sortir de **chez soi**, mais aussi de **soi**.

DES EXIGENCES MULTIPLES ET FORTES

Les **touristes** de demain seront à l'image des **individus**, et notamment des **consommateurs**. Leurs attitudes et comportements seront ainsi marqués par plusieurs tendances :

- Une forte demande d'**autonomie** dans les choix des activités, avec la possibilité de les modifier à tout moment.
- Une **exigence** croissante à l'égard de la **qualité** et de la **fiabilité** des prestataires (voyagistes, hôteliers, animateurs, personnels de service...).
- Une plus grande **fluidité** dans le déroulement des différentes prestations et leur enchaînement : transport ; transferts ; hébergement ; activités, repos...
- Une attente de **sécurité**, particulièrement forte en période de vacances, caractérisée par la recherche de perfection.
- Une vigilance accrue en matière de respect de l'**environnement** (matériaux utilisés, consommation d'eau et d'énergie, gestion des déchets, préservation de la nature...).
- Une **authenticité** dans les contacts **humains** (personnels et prestataires impliqués dans le déroulement des séjours).
- La capacité à tenir les **promesses** décrites dans les offres.
- La suppression des **déceptions** liées à des « suppléments » et « options » non annoncés de manière transparente, qui renchérissent les prix payés et laissent la désagréable impression de s'être fait rouler.
- La **véracité**, de préférence confirmée par un **label** indépendant et fiable, des **avis de voyageurs** présentés sur les sites.
- La possibilité de se **connecter** partout, à tout moment et par tous les supports à tous les réseaux et systèmes de communication-information. Mais aussi celle de se **déconnecter** à volonté pour se reposer et se « désintoxiquer ».
- Des **réponses** précises et rapides aux questions posées avant l'achat des prestations.
- Une prise en compte juste et rapide des **réclamations** et remarques, avant, pendant et après le séjour.

Plus encore que dans leurs autres activités de **consommation**, les individus-vacanciers attendront une suppression des « temps morts » et une augmentation des « temps forts » (voir p. 312). Ils rechercheront aussi à **optimiser** le **rapport valeur/coût** de leurs séjours (voir p. 315).

UNE RECHERCHE D'« EXPÉRIENCES »

Le mot-clé en matière de consommation en général est la volonté croissante du client de vivre des **expériences** positives, qui justifient sa **dépense** et l'incitent à la **renouveler** (voir p. 186). Cette attente est particulièrement forte lorsqu'il s'agit de **vacances**, moments forts de la vie de nombreuses personnes. Il s'agit donc que chacune des **phases** du processus soit porteuse de **plaisir** : recherche d'offres ; présélection ; choix ; réservation ; préparation ; départ ; arrivée ; activités ; rencontres ; surprises éventuelles ; retour ; souvenirs. Le touriste ou voyageur de **demain** sera ainsi de plus en plus :

- **Pressé** et demandeur d'**efficacité** de la part des prestataires concernés, c'est-à-dire souvent de **rapidité**. Il pourra parfois au contraire rechercher la **lenteur** pour se déstresser, à condition que ce soit lui qui décide de ces moments et de leur durée.
- **Curieux** de faire sans cesse des découvertes : paysages, modes de vie, cultures, monuments, activités, personnes... C'est pourquoi il s'efforcera de pratiquer le maximum d'activités lors d'un séjour, ou d'en effectuer plusieurs au cours d'une année en variant les thèmes.
- **Responsable**, et attentif en particulier aux dimensions **écologiques** des prestations.

prestations. Le tourisme de demain devra être **durable**, ce qui n'empêchera pas les plus curieux (et aisés) de privilégier des destinations lointaines, dont l'empreinte écologique est plus forte.

- **Amateur de luxe et de privilèges.** La **montée en gamme** est apparente dans le secteur du tourisme depuis déjà quelques années (hôtellerie, camping, nourriture, activités...). Une demande pour des prestations de **luxe accessible** devrait se développer dans les prochaines années. Elle ne concernera pas seulement les personnes aisées, mais aussi les plus modestes, désireuses d'accéder au moins exceptionnellement à des prestations auxquelles elles ne sont pas habituées, quitte à économiser sur d'autres postes de dépenses pendant le reste de l'année.
- **Paradoxal.** Le vacancier manifestera de plus en plus des attentes contradictoires pour satisfaire les différentes facettes de sa personnalité, ou se donner le sentiment d'être un autre, au moins le temps d'un séjour. Il pourra ainsi rechercher selon les moments la relaxation ou l'activité intense, la solitude ou le partage, la sécurité ou l'aventure, le « réel » ou le « virtuel », le proche ou le lointain, l'organisation ou l'improvisation.

DES OFFRES DIVERSIFIÉES

Les formes de voyages et de vacances se diversifieront demain, afin de satisfaire des attentes de plus en plus variées. On peut ainsi établir une liste (non exhaustive) d'**offres** existantes et à venir :

- **Ethnotourisme.** Recherche de contacts authentiques avec les habitants des pays ou régions visités.
- **Écotourisme.** Solutions de tourisme bon marché ou d'un rapport qualité/prix avantageux.
- **Écolotourisme.** Baptisé aussi tourisme **responsable**, il se donne pour objectifs de ne pas dégrader l'environnement et de respecter les cultures locales.
- **Egotourisme.** Tourisme de « recentrement » ou de « ressourcement » des personnes

désireuses de donner (ou redonner) un sens à leur vie.
- **Héliotourisme.** Recherche de destinations **ensoleillées**, au climat agréable et garanti.
- **Technotourisme.** Visites d'installations à vocation **industrielle** ou **scientifique**, permettant de comprendre la fabrication de produits ou des constructions complexes et/ou spectaculaires (barrages, usines...).
- **Ludotourisme.** Séjours (souvent courts) consacrés à des activités **ludiques**, notamment dans les **parcs d'attractions** (notamment thématiques et géants, à l'image du Futuroscope ou de Disneyland Paris) ou centrés sur la pratique de certains **jeux** (bridge, poker...) ou **sports** (golf, surf, voile...).
- **Médicotourisme.** Séjours dans des pays étrangers pour y subir des interventions chirurgicales dans des conditions financières favorables : chirurgie esthétique ; implantations capillaires ; opérations dentaires ; chirurgie réfractive, etc. À l'inverse, le **tourisme thermal** devrait se réduire, son efficacité n'étant pas prouvée et son remboursement étant remis en cause dans les établissements français. La **thalassothérapie** pourrait en revanche connaître un meilleur sort, compte tenu de la possibilité qu'elle offre de mêler un séjour sanitaire à la découverte d'une destination étrangère.
- **Spatiotourisme.** L'horizon **2030** pourrait coïncider avec les débuts du tourisme **spatial**. Il s'agirait dans un premier temps de vols suborbitaux permettant d'expérimenter des conditions d'**apesanteur**. Ils seront pendant des années encore réservés à ceux qui disposent de moyens financiers importants (sans doute au moins l'équivalent de 200 000 euros, contre 30 à 50 millions aujourd'hui). Le coût des lanceurs et de la sécurité sera en effet très élevé, tandis que l'offre (probablement d'origine américaine, russe ou chinoise, plutôt qu'européenne) restera très limitée. La **démocratisation** de l'espace ne devrait donc pas avoir lieu au

Sept types de vacanciers

Les voyageurs du futur se différencieront moins par leurs caractéristiques **socio-démographiques** que par leurs **sensibilités** (à la nature, aux hommes, à la culture, aux monuments, aux modes de vie…), leurs **sentiments d'appartenance** (locale ou globale, ouverte ou fermée) et leurs **motivations** (développement personnel, curiosité à l'égard des autres, envie de découvrir, de comparer…). Ils peuvent être classés en sept groupes distincts :

- Les **Relationnels**, privilégiant les **rencontres** humaines avec d'autres voyageurs, des locaux ou des prestataires.
- Les **Culturels**, motivés par la compréhension des **modes de vie** dans les pays et régions visités et par la qualité de leurs **productions artistiques** (ou artisanales).
- Les **Classiques**, à la recherche de **repos** et d'**authenticité,** et rétifs en matière **technologique,** que ce soit dans la préparation ou le déroulement de leurs vacances.
- Les **Écolos**, soucieux de réduire l'**impact environnemental** de leur séjour, et d'être rassurés sur ce point par les prestataires.
- Les **Premium**, en attente de prestations de **luxe**, réservées aux *happy few*, offrant des **expériences uniques**, vécues de préférence avec des voyageurs aux caractéristiques **semblables**, afin de rester entre soi.
- Les **Aventuriers**, désireux de vivre des **expériences fortes**, dans des conditions de **confort** limitées, voire précaires, hors des sentiers battus, en **rupture** avec le quotidien.
- Les **Technos**, utilisateurs permanents des outils de la **modernité**, moins sensibles à la découverte du **« vrai monde »** qu'attirés par les vacances et voyages partiellement ou totalement **virtuels.**

À ces attentes spécifiques s'ajouteront des attentes communes, comme la **sécurité** et le **confort** (hors le groupe des **Aventuriers**, qui cherchera au contraire à s'en affranchir) ainsi que le **juste prix** (ou « légitime dépense »).

cours de la prochaine décennie. L'arrêt de l'ISS (station spatiale internationale), prévu en 2024, ouvrira cependant la voie à la création de stations privées et accessibles au « public ». Ce serait le prélude à l'installation de stations **lunaires**, puis **martiennes** (à condition notamment que les rayons cosmiques n'aient pas un effet délétère sur le cerveau humain, lors d'un voyage de 6 à 8 mois…).

DES DESTINATIONS PLUS VARIÉES

Les lieux privilégiés par les vacanciers de demain seront de plus en plus divers. On pourrait cependant observer un accroissement de l'intérêt pour :

- **Les pays étrangers.** Le nombre de voyageurs sur les **lignes aériennes internationales** devrait doubler d'ici **2030.** Les destinations offrant des conditions climatiques favorables seront privilégiées, ce qui devrait modifier la hiérarchie actuelle. Certains pays **d'Europe du Nord** pourraient ainsi attirer un nombre croissant de vacanciers, au détriment des pays du **Maghreb** ou du **Moyen-Orient.** L'**Asie** et les pays **émergents** pourraient séduire de plus en plus de Français curieux de les découvrir. Les choix dépendront aussi des **contraintes** imposées par chaque pays (visa, contrôles aux frontières, restriction de circulation ou de visite…) et des **risques** potentiels (terrorisme, guerre, insécurité, délinquance, maladies…).
- **Les grandes villes**, à l'occasion d'événements particuliers (artistiques, sportifs…). Celles qui sont dotées d'un **patrimoine** culturel important et qui sauront l'enrichir par de nouvelles **réalisations**

(immeubles, musées, parcs et autres attractions) seront privilégiées. Ce seront pour la plupart des **capitales** ou des villes à forte **identité**. En France comme ailleurs, les **métropoles** seront en concurrence pour attirer les visiteurs, français ou étrangers. Lyon, Bordeaux, Marseille, Nantes pourraient figurer dans le peloton de tête.

- **Les lieux menacés de disparition**, du fait de problèmes environnements (climat, pollution, destruction d'espèces animales ou végétales...). Ainsi, les îles Maldives, Marshall, Tuvalu, Kiribati ou une partie du Bangladesh pourraient être rayées de la carte du monde d'ici la fin du siècle en cas de forte montée des eaux. Des **grandes villes** comme Jakarta, Singapour, Ho Chi Minh-Ville, Canton, Abidjan, New Orleans, Miami, New York, Tokyo, Amsterdam ou Rotterdam pourraient aussi être affectées.
- **Les lieux au contraire privilégiés en matière environnementale**, avec un climat supportable et peu changeant, une humidité réduite, de faibles risques de catastrophes naturelles... À l'inverse, des villes très **polluées** comme Pékin, Shanghai ou Chongqing (Chine), Bangkok, Mexico seront délaissées si elles ne parviennent pas à améliorer la situation actuelle.

- **Les lieux présentant un minimum de risques** de nature géopolitique (guerre, terrorisme...) ou sociale (grèves, manifestations...).
- **Les lieux (naturels ou artificiels) propices au repos et à la méditation** : montagnes, forêts, lacs, parcs, temples, monastères, ahsrams, etc.

LA FRANCE, TERRE DE TOURISME

La **France** devrait conserver à l'avenir son statut de destination principale de vacances pour les Français eux-mêmes (neuf séjours sur dix s'y déroulent aujourd'hui), mais les voyages à l'étranger devraient être plus nombreux. Le pays devrait aussi conserver sa place de **première destination mondiale** en termes de **fréquentation touristique**, et même l'améliorer en profitant de la visibilité que lui donneront les **jeux Olympiques de 2024 à Paris**. L'objectif affiché par le gouvernement d'accueillir **100 millions de touristes** pourrait être atteint d'ici là (89 millions en 2017), avec un montant de recettes de 50 milliards d'euros et 300 000 emplois créés sur l'ensemble du territoire, outre-mer comprise.

Mais la France ne pourra devenir la première destination mondiale en matière de **recettes touristiques** que si elle s'adapte davantage aux attentes des visiteurs : ouverture des **magasins** le dimanche ;

PLUS SOUVENT EN VILLE, PLUS LONGTEMPS SUR LE LITTORAL

83. Voyages, nuitées et durée moyenne de séjour selon le type de destination en France métropolitaine (2016)

Type d'espace	Voyages	Nuitées	Durée moyenne (en jours)
	Répartition (en %)		
Littoral	23,0	32,5	7,3
Rural	24,7	21,0	4,4
Urbain	31,3	23,0	3,8
Station de ski	6,2	8,1	6,7
Montagne hors station de ski	14,8	15,4	5,4
Total	**100,0**	**100,0**	**5,2**

Voyages pour motif personnel des Français de 15 ans et plus.
DGE, enquête SDT 2016

amélioration de l'accueil dans les **gares** et **aéroports** ; pratique des **langues** étrangères ; qualité générale de l'**accueil** dans les transports, magasins, cafés et restaurants, musées, etc. Il lui faudra également mieux coordonner la promotion et la valorisation de ses **offres** en matière de gastronomie, luxe, sport et montagne, écotourisme, tourisme urbain. Les prestataires devront se convaincre que le service n'est pas une servilité, et que chacun d'eux est porteur de l'image de la France.

DES HÉBERGEMENTS GRATUITS, CHEZ DES PARTICULIERS...

L'hébergement des Français en vacances est aujourd'hui **gratuit** dans les deux tiers des séjours en général et dans la moitié des séjours d'été. La vague des **locations entre particuliers**, illustrée par la croissance spectaculaire de plates-formes comme Airbnb, pourrait se **stabiliser**, du fait d'une législation plus stricte, des plaintes enregistrées par des voisins mécontents, et de la modernisation amorcée des autres formes d'hébergement (hôtellerie en tête). Ce type d'hébergement présente cependant deux avantages spécifiques : la possibilité d'avoir des **relations** d'une autre nature avec des «pairs» plutôt qu'avec des **professionnels** ; des tarifs souvent moins élevés, liés au fait que ces locations sont généralement des revenus d'**appoint** plutôt que des façons de gagner sa vie (même si on assiste depuis plusieurs années à une «professionnalisation»).

La part des **hébergements gratuits** dans les séjours pourrait également progresser, pour des raisons d'économie. Dans cette perspective, le recours aux résidences prêtées par des amis et les **échanges** entre particuliers devraient s'accroître (voir p. 320). Ils devraient être favorisés par l'apparition de nouvelles **plates-formes** de mise en relation, plus abouties, mais aussi par la moindre hésitation des ménages à prêter leur logement à des **inconnus**, ainsi que la meilleure **sécurisation** rendue possible par les moyens techniques (télésurveillance). Les **réseaux sociaux** pourront aussi faciliter ces échanges entre les «amis» de plus en plus nombreux que chacun peut y trouver (voir p. 244).

La fin des colos ?

Les **colonies de vacances** n'accueillent plus aujourd'hui qu'un million d'enfants, contre 4 millions dans les années 1960. Elles pourraient n'être plus que des souvenirs en **2030**, racontés par ceux qui les ont connues à leurs petits-enfants, en leur faisant écouter la chanson de Pierre Perret, qui date de 1987.

Les colonies qui existent encore aujourd'hui sont critiquées notamment pour leur absence ou insuffisance de **mixité sociale**[1] et leur rôle **éducatif** très affaibli. La première critique est la conséquence de l'abandon progressif par les enfants de familles **aisées**, au profit des enfants des familles **modestes**. Pour ces dernières, une **« segmentation »** des offres s'est

opérée : séjours pour jeunes de quartiers défavorisés, pour enfants souffrant de maladies ou de handicaps, physiques ou mentaux, etc. Les colonies n'assument donc plus leur mission de mixité entre les groupes sociaux. Elles sont par ailleurs insuffisamment adaptées aux habitudes et aux attentes des jeunes et de leurs parents en matière de découverte de la **nature** et de **socialisation**.

Cette désaffection risque d'aggraver l'état actuel de **délabrement** de certains sites de colonies, et réciproquement. La restauration de nombreux bâtiments d'accueil, qui appartiennent souvent à des communes ou à des associations, nécessite en effet de lourds investissements, qui ne pourront être financés en cas de taux de remplissage insuffisant. La spirale infernale est enclenchée.

1. Rapport rédigé par neuf chercheurs en 2016, à la demande du ministère de la Jeunesse et des Sports.

... ET DES PROFESSIONNELS

L'**hôtellerie** devrait rénover sensiblement son offre, avec notamment une **personnalisation** de plus en plus poussée, grâce à l'usage des données personnelles (avec l'accord formel des personnes concernées) et une **flexibilité** plus grande à tous les niveaux. La **configuration** et l'**ambiance** des chambres devraient ainsi être **modifiables** : décoration, éclairages, aménagement, écrans... Les clients pourront aussi s'immerger dans des **univers virtuels**, utiliser des **objets** connectés, **assistants** virtuels, **capteurs** corporels, **applications** dédiées... Cependant, l'**automatisation** ne devrait pas remplacer la **présence humaine**, qui sera toujours recherchée par beaucoup de clients.

L'offre ainsi renouvelée devrait permettre une plus grande **souplesse** d'utilisation : locations pour quelques heures, services à la carte, salles de réunion, spas, salles de réception, conciergerie, etc. L'objectif sera le même que celui fixé par tous les prestataires, dans tous les domaines : améliorer l'**expérience client**. La mode des hébergements **atypiques** (caravanes, huttes, cabanes dans les arbres, yourtes, bulles, soucoupes...) devrait ainsi se prolonger, dans la mesure où ils contribuent à élargir cette expérience. Il devrait en être de même des **campings**, avec la poursuite de leur montée en gamme, en termes de confort, d'animation et d'équipements collectifs.

LES SPORTS D'HIVER MENACÉS

Si les accords de la **COP21** (limitation du réchauffement climatique à 2 °C) étaient respectés, ce qui n'est pas du tout assuré (voir p. 16), la **réduction du manteau neigeux** dans les stations de ski de **moyenne montagne** (culminant à 1 200 m, comme par exemple le massif vosgien) serait de **40 %** en 2030. Elle pourrait même atteindre 60 % en 2080[1]. Ces stations pourront difficilement amortir les **investissements** nécessaires pour enneiger artificiellement les pistes. Celles de **plus haute altitude** devraient par ailleurs connaître des **variations** climatiques de plus en plus amples et imprévisibles, qui nuiront aux réservations à l'avance. Au total, l'engouement pour les vacances d'hiver à la neige devrait se réduire. D'autant que les **prix** déjà élevés des séjours d'hiver risquent d'augmenter et de dissuader des clients potentiels.

Les aléas climatiques devraient ainsi favoriser la **substitution** des vacances d'hiver au ski par des voyages dans des destinations offrant des conditions plus agréables en cette saison, pour des prix comparables ou même inférieurs (Tunisie, Maroc, Espagne, Portugal, Grèce, Croatie...). Les stations de montagne concernées devront donc se **réorienter** vers d'autres types d'activités, de préférence praticables en toute saison. Le **massif alpin français**, qui contient de vastes domaines skiables, fréquentés à 30 % par des étrangers, devra accélérer sa mutation et recruter de nouveaux visiteurs en leur offrant des activités en toute saison : stations hyper connectées ; zéro voiture ; taxis-robots collectifs ; habitat écologique ; énergie 100 % renouvelable ; gouvernance mixte public-privé ; neige de culture écologique ; activités de bien-être ; fête et convivialité[2]... L'offre sportive devrait s'étaler du *low sport* au sport extrême.

DES MODES DE TRANSPORT TERRESTRE INNOVANTS OU RÉNOVÉS

La **voiture** représente aujourd'hui le moyen de transport privilégié par les vacances : elle est utilisée dans huit séjours sur dix. Elle devrait le rester à l'avenir, d'autant qu'elle deviendra progressivement **autonome** (voir p. 212), ce qui réduira la **fatigue** des voyages et le risque d'**infractions**, et permettra de pratiquer des **activités** à bord. La demande de transport de voyageurs **longue distance** (nombre de

---

1. Météo France.

2. Voir notamment les réflexions sur les stations de ski en 2030 conduites par le Conseil départemental de l'Isère.

déplacements de plus de 100 kilomètres dont l'origine ou la destination se situe en France métropolitaine) pourrait croître au rythme de 1,1 % par an d'ici **2030** pour passer à 1,2 milliard de voyages annuels[1]. Le **covoiturage** pourrait représenter une part croissante des déplacements en général (voir p. 215), mais sa part pour les **vacances** (notamment en famille) serait marginale. Les **transports routiers collectifs** (autocars) prendraient une part plus importante des voyages dans le contexte d'une baisse du pouvoir d'achat des ménages (voir p. 294).

Le **train** devra retrouver la confiance des voyageurs en termes de respect des **horaires**, de **confort** (dans les gares comme dans les wagons), ainsi que de **tarifs** (malgré le très lourd endettement de la compagnie nationale[2] et les grèves à répétition qui ont affecté son image). L'ouverture du marché intérieur à la concurrence (prévue en 2020) devrait inciter à la remise à niveau nécessaire des **infrastructures** et à l'amélioration de la **relation** avec des clients qui ne veulent plus être traités en **usagers** et qui déplorent la baisse de qualité du service. La modernisation passera aussi par une amélioration de la **convivialité** entre les voyageurs, pour rendre leurs trajets plus agréables. Ils souhaiteront aussi disposer de **connexions** aux réseaux téléphoniques et à Internet sans interruption et à haut débit, à bord de tous les trains.

*Des innovations de rupture comme l'***hyperloop*** (voir p. 217) pourront bientôt être expérimentées, mais elles nécessiteront des infrastructures coûteuses et leur rentabilité n'est pas assurée. Leur réussite modifierait en tout cas la donne en matière de transport intérieur.*

DES TRANSPORTS AÉRIENS REPENSÉS

L'**avion** sera de plus en plus utilisé pour partir en vacances, pour des destinations à l'étranger, mais aussi sur le territoire national. Le trafic international devrait **doubler** d'ici **2036**[3], atteignant 7,8 milliards de voyageurs. La part des Français n'ayant jamais pris l'avion au cours de leur vie (encore de l'ordre de 15 % aujourd'hui[4]) devrait continuer de se réduire. La **fréquence** d'utilisation serait également en hausse (un Français sur cinq seulement utilise l'avion au moins une fois dans l'année).

Les compagnies *low cost* devraient poursuivre leur croissance et proposer des tarifs acceptables, malgré la hausse des prix des carburants (l'usage de biocarburants ne semble pas de nature à réduire les problèmes économiques et écologiques) et des taxes. Ces compagnies devront cependant se montrer plus « **vertueuses** » sur leurs pratiques tarifaires (notamment sur les options et autres frais additionnels), afin que les comparaisons avec les autres compagnies aient un sens.

La **compagnie nationale** (et les différentes marques qu'elle opère[5]) devra réduire encore les écarts de tarifs avec les *low cost* et les justifier par de meilleurs services, notamment en termes de confort. Le **temps** passé dans les **aéroports** pour enregistrer, accomplir les formalités et subir les mesures de **sécurité** devrait être sensiblement réduit par l'usage de scanners et de systèmes de **reconnaissance automatique** (biométrique) et instantanée, ainsi que de **robots intelligents connectés** aux bases de données. Certains avions pourraient même être **sans pilotes** à partir de 2030, permettant ainsi de résoudre en partie la difficulté de recruter les pilotes en nombre suffisant. Ils seraient plus **économes** en consommation (avec l'open-rotor de Safran, le moteur hybride Sugar Volt de Boeing, l'Airbus aux ailes en U et autres projets) et plus **écologiques**. En attendant les **voitures**

1. Projections de la demande de transport sur le long terme, ministère de l'Environnement, de l'Énergie et de la Mer, juillet 2016.
2. 47 milliards d'euros au début 2018, auxquels il faut ajouter 8 milliards d'endettement de SNCF Mobilités, entité du groupe public chargée de la circulation des trains.
3. Projections de l'Association du transport aérien international (IATA).
4. Enquête Lastminute.com, 2015.
5. Air France KLM Royal Dutch Airlines, Transavia, HOP!, Air France KLM Martinair Cargo, Air France Industries KLM Engineering & Maintenance, Joon.

Le potentiel des croisières

L'usage du **bateau** devrait connaître une forte croissance d'ici **2030**, dans le cadre notamment des **croisières**. Leur intégration dans les pratiques des vacanciers français a été relativement **tardive**, dans un pays pourtant privilégié sur le plan maritime. Elle a commencé avec les **seniors** et devrait concerner demain l'ensemble des tranches d'âge, avec une plus grande diversité de catégories sociales. Après avoir connu un développement spectaculaire, le marché a cependant connu une **pause** (554 000 croisiéristes en 2016, soit 6,2 % de moins sur un an, et un peu plus de 503 000 estimés en 2017[1], en baisse de 9 %), à l'inverse de la croissance mondiale. Avec un taux de pénétration de 1 % seulement de la population, la France offre cependant les perspectives de croissance les plus importantes d'Europe.

Comme les autres produits de vacances, les croisières bénéficieront de l'apport des nouvelles **technologies** : **réalité virtuelle** ou **augmentée** (avec des informations sur la navigation, les activités, etc..) ou mixte (mélange du réel et de virtuel) ; **applications** spécifiques au bateau, à la croisière et aux excursions proposées ; outils permettant de **simplifier** les formalités, de **commander** des excursions et d'autres services ; **reconnaissance faciale** pour les sorties et rentrées aux escales ; suivi des **bagages** ; **verrouillage-déverrouillage** des cabines, etc. Les nouvelles cabines seront dotées des derniers perfectionnements de la **vidéo** (voir p. 355) et leur décoration sera modifiable. La gestion des **consommations** (énergie, eau…) et des **déchets** sera optimisée, Des **moteurs à hydrogène** sont également à l'étude.

1. Cruise Lines International Association (CLIA) Europe.

volantes, les **drones individuels**, les **fusées** capables de relier les grandes villes du monde... et la **téléportation**.

*Le recours progressif à des **avions** ou **trains autonomes** (sans pilote) ou même à des **voitures** sans conducteur pour les déplacements de vacances (ou les déplacements en général) n'interviendra que si les voyageurs en acceptent le principe. La réduction du risque statistique d'**accident** pourrait en effet être insuffisante aux yeux de certains, au moins pendant une période de transition.*

ET SI...

Les questions figurant dans cette rubrique ne sont pas des informations, mais des sujets de réflexion et de débat complétant les textes du chapitre qu'ils clôturent. Elles peuvent exprimer des souhaits, des craintes, des utopies ou tout élément susceptible d'accélérer, ralentir ou inverser les évolutions prévisibles.

... la sécurité des données personnelles sur les réseaux sociaux était réellement assurée ?

... un site spécifique était créé pour rétablir avec des preuves les vérités mises en doute par les complotistes ?

... des algorithmes intelligents étaient capables de rédiger des informations «vraies», exemptes de biais ou de mensonges?

... le format de certaines émissions de débat politique à la télévision était repensé pour favoriser le consensus plutôt que la polémique?

... la raison devenait plus puissante que la passion dans les débats des médias?

... les modérateurs des réseaux sociaux censuraient les messages haineux ou insultants?

... la presse écrite quotidienne sur support papier disparaissait?

... les Français décidaient de débrancher leurs smartphones un jour par semaine?

... les journalistes politiques ne se sentaient pas obligés de critiquer systématiquement leurs invités pour montrer qu'ils font bien leur travail?

... les médias encourageaient leurs utilisateurs à accroître leur culture générale, plutôt que de leur proposer systématiquement des «divertissements»?

... les téléspectateurs étaient invités à boycotter les émissions de télévision jugées «abêtissantes» par un panel représentatif de la population?

... les ménages boycottaient les assistants numériques pour cause d'ingérence dans leur vie privée?

... les imprimantes 3D étaient présentes dans la plupart des foyers d'ici 2030?

... des robots pouvaient s'occuper efficacement du jardinage?

... la réalité virtuelle ou augmentée permettait à ceux qui n'entrent jamais dans les musées ou les expositions de les visiter, d'abord depuis leur domicile, et de découvrir ainsi l'art et les artistes?

... les équipements numériques pouvaient encourager les jeunes à pratiquer des activités amateurs et devenir des artistes?

... les pratiques sportives et l'entretien physique du corps étaient favorisés par les activités numériques, plutôt que la sédentarité?

... les pratiques de sport à domicile étaient facilitées par des équipements numériques de réalité virtuelle, des stimulateurs musculaires «passifs» ou autres outils à venir?

... des systèmes d'inscription permettant des pratiques plurisports étaient proposés aux jeunes afin qu'ils puissent choisir les activités qui les intéressent le plus et réduire leurs taux d'abandon?

... des formations ou incitations étaient organisées pour les supporteurs de football et autres sports d'équipe à forte audience pour qu'ils deviennent tolérants, bienveillants et *fair play* dans leurs attitudes et comportements à l'égard des sportifs et des autres supporteurs?

... les différentes formes de dopage dans le sport (amateur ou professionnel) étaient plus régulièrement détectées et sévèrement sanctionnées?

... les fédérations sportives, les grandes équipes et tous les acteurs du sport professionnel se mettaient d'accord au niveau international pour empêcher les dérives financières et limiter les écarts entre les rémunérations des sportifs?

... le *e-sport* était plutôt considéré comme un *e-game*... ou devenait véritablement un sport, avec une dimension physique?

... les jeux vidéo devenaient moins violents et plus culturels?

... le tourisme numérique prenait une part conséquente du marché du tourisme?

... on pouvait d'ici quelques années se rendre sur la Lune ou sur Mars en tant que touriste?

... les colonies de vacances disparaissaient?

3. SYNTHÈSE

CHANGEMENTS DE DÉCOR

Que faut-il retenir de **ce voyage dans le temps** dont chacun des chapitres précédents a constitué une étape ? Le premier enseignement est une confirmation : le «décor» dans lequel vivront les Français d'ici 2030 connaîtra de véritables **bouleversements** dans ses six composantes majeures : environnementale ; démographique ; économique ; internationale ; comportementale (mentalités françaises) ; technologique. Les pages qui suivent en constituent un **résumé**, mettant en évidence les changements qui devraient avoir le plus d'impact dans ces domaines, et influer sur les **modes de vie de demain** (qui seront synthétisés dans le chapitre suivant).

*La synthèse qui suit reprend essentiellement (souvent dans les mêmes termes), les éléments de **prospective pour 2030** qui sont développés dans la première partie de l'ouvrage ; elle laisse de côté la **situation actuelle** (abordée en détail dans la partie correspondante). Pour chaque thème, seuls les principaux **chiffres** sont repris.*

ENVIRONNEMENT

▶ Des menaces sérieuses de changements climatiques. Un très large **consensus** existe au sein de la communauté scientifique sur les atteintes actuelles et à venir contre la **planète**, bien commun de l'Humanité, liées en grande partie aux **activités humaines**. Le monde est passé de l'ère de l'**holocène** (qui a débuté il y a 10 000 ans) à celle de l'**anthropocène**, caractérisée par la capacité humaine de

modifier l'écosystème global. Les conséquences pourraient être considérables, et dramatiques.

▶ L'accélération de la fonte des glaces de l'Arctique sous l'effet du **réchauffement**. Cela fera progressivement monter le niveau des océans, entraînera un **recul des terres** et l'**immersion de villes côtières** ou même, d'ici la fin du siècle, de **pays** entiers. Les **changements climatiques** modifieront les conditions de **production agricole** dans de nombreuses zones ; ils s'accompagneront d'une **instabilité** météorologique croissante et de **catastrophes** naturelles plus fréquentes.

▶ Une raréfaction des terres cultivables et des forêts du fait de leur **surexploitation** et de l'accélération de l'**urbanisation**. Les **ressources non renouvelables** vont se réduire (pétrole, gaz, charbon, minéraux, biomasse, uranium, terres rares…) puis disparaître à terme, ce qui perturbera le fonctionnement des **économies** (production, transport, chauffage…), provoquera des hausses de **prix** et des **pénuries** de certains produits.

▶ La disparition de nombreuses espèces animales et végétales. Le processus est déjà largement engagé et il tend à s'accélérer. 60 % des espèces vertébrées sont désormais éteintes. **Un tiers des oiseaux des campagnes** ont disparu au cours des quinze dernières années. Un quart des mammifères sont menacés.

▶ Une dégradation des conditions de vie des humains, avec la **pollution** de l'**air** (activités industrielles), de l'**eau** (activités agricoles), des **aliments** (cultures intensives), entraînant une croissance de la **pauvreté**, de la **malnutrition**, des **maladies**, des **inégalités** entre les pays et au sein de chacun d'eux. Les changements devraient entraîner des **migrations humaines** de plus en plus massives et difficiles à contrôler, qui accroîtront fortement les tensions dans le monde. Des «**guerres de l'eau**» (potable) pourront avoir lieu, du fait de sa raréfaction.

▶ Des actions préventives et curatives nécessaires. La lutte contre le **négationnisme** environnemental, la mise en œuvre d'un **développement durable** et le recours à des **innovations technologiques de rupture** permettront seuls de réduire les risques et de restaurer progressivement la **biodiversité**. Mais le processus devrait être long. Il ne pourra sans doute pas éviter des **catastrophes** naturelles et humaines, dans le monde comme en France. Les **responsabilités** de cette situation sont **partagées** entre les principales parties prenantes : agriculteurs ; entreprises ; responsables politiques ; individus-consommateurs-citoyens.

DÉMOGRAPHIE

▶ Un milliard d'habitants en plus sur la Terre. La population mondiale, qui ne comptait qu'environ **5 millions de personnes** au début de l'ère **néolithique**, il y a environ 8 000 ans, est de **7,6 milliards** début **2018**. Elle devrait s'accroître encore de près d'**un milliard** d'ici **2030**, à **8,5 milliards**. La population française, de son côté, atteindrait **71 millions d'habitants** à cette date, soit **4 millions** de plus qu'aujourd'hui. Le nombre de **ménages** augmenterait proportionnellement encore plus, car leur taille moyenne continuerait de se réduire, compte tenu de la hausse du nombre de personnes vivant seules (célibataires, veufs, couples séparés ou non cohabitants…).

▶ Des mouvements migratoires d'une ampleur inégalée, compte tenu des difficultés climatiques, politiques, sociales ou économiques de nombreux pays et du souhait de leurs habitants de les fuir pour s'installer dans des pays riches et démocratiques. Une vague importante est notamment attendue en provenance d'**Afrique**, qui devrait compter **1,7 milliard d'habitants** en 2030, soit 448 millions de plus qu'aujourd'hui et 2,4 fois plus que l'Europe (716 millions, contre 739 aujourd'hui).

▶ Un territoire national remodelé par les changements climatiques et les déplacements de population. L'**urbanisation** se poursuivrait, avec en contrepoint un mouvement de **néoruralité** caractérisé par la recherche d'un cadre de vie plus calme, naturel, écologique, et de logements moins coûteux.

▶ Une nouvelle hausse de l'espérance de vie, d'environ deux ans, atteignant **87,6 ans** pour les **femmes** et **81,5 ans** pour les **hommes**. Une projection que l'on peut considérer comme **pessimiste** au regard des promesses de la science (et de celles des **transhumanistes**, qui envisagent une véritable rupture en la matière). Elle peut au contraire paraître **optimiste** si l'on prend en compte l'ensemble des menaces qui pèsent sur l'avenir. La **durée de vie maximale** pourrait en tout cas dépasser les 122 ans, 5 mois et 14 jours, le record du monde détenu par la Française Jeanne Calment, disparue en 1997.

▶ Un vieillissement marqué de la population. En **2030**, **29 %** de la population métropolitaine devraient avoir **au moins 60 ans** (contre 25,1 % en 2017) et **12 % au moins 75 ans** (contre 9,3 %). La pyramide des âges et le fonctionnement de la société en seraient transformés.

ÉCONOMIE

▶ Un taux de croissance limité (environ **1,7 %** en moyenne annuelle **d'ici 2030**), conséquence d'un certain nombre de facteurs :

- ✓ Un **contexte** mondial moins porteur et plus protectionniste (crises financières, économiques, politiques…).
- ✓ Un affaiblissement de l'**Union européenne** (sauf changement de périmètre et de gouvernance).
- ✓ Des **réformes structurelles** insuffisantes en France, du fait de la difficulté à convaincre la population de leur nécessité.
- ✓ Un **chômage** encore élevé dû à une **robotisation** qui serait destructrice nette d'emplois.
- ✓ Un **endettement** encore accru par les déficits publics et la montée des **taux d'intérêt**.
- ▶ Une inflation en hausse, avec un taux annuel de l'ordre de **2 %** en moyenne. Elle serait notamment la conséquence d'une augmentation sensible du coût de l'**énergie** et d'une **politique monétaire** internationale moins accommodante. Elle entraînerait une hausse des **taux d'intérêt**, prélude à un possible dégonflement de la **bulle immobilière** et à une stagnation des **patrimoines**. Ces conditions pourraient aussi provoquer une **baisse des revenus** et du **pouvoir d'achat** pour certaines catégories de ménages, ainsi qu'une nouvelle hausse de la **dette publique**.
- ▶ Un coût de l'énergie plus élevé pendant la période de **transition écologique**, lié aux investissements nécessaires dans les **énergies renouvelables** et à l'intégration des **coûts de dégradation** de l'environnement dans les prix.
- ▶ L'automatisation de nombreuses tâches et métiers, rendue possible par les progrès technologiques, notamment ceux de la **robotique** et de l'**intelligence artificielle**. Dans un contexte de marché du travail insuffisamment **flexible**, de **sureffectifs** dans un certain nombre de secteurs, de **formation** insuffisante des salariés et d'**allongement de la durée d'activité** (liée à celle de la vie), beaucoup d'employés pourraient être remplacés par des machines, plus **performantes** et moins **coûteuses**.
- ▶ Un taux de chômage en hausse supérieur à **10 %** de la population active, selon la méthode de comptage actuelle des «demandeurs d'emploi» (qui sous-estime largement leur nombre réel), sauf si une réforme en profondeur de la **formation** était rapidement décidée pour améliorer l'adaptation de demande à l'offre d'emplois.
- ▶ Des revenus en stagnation ou même en baisse pour certaines catégories affectées par l'évolution technologique et n'ayant pas encore pu se former aux nouveaux métiers. Des **inégalités** en hausse, sauf changement de **système économique**.
- ▶ Une diversification des statuts professionnels, avec une moindre concentration sur le salariat, au profit des professions **indépendantes** et de la **pluriactivité** des actifs.
- ▶ Une nouvelle réduction de la durée du travail, dans le but de permettre un **réel partage** de l'emploi disponible, sur une base **individualisée**, contrairement à ce qui a été fait en 1998 (chaque salarié choisirait sa durée de travail en fonction de ses souhaits, besoins, disponibilités…).
- ▶ Une équation socio-économique *a priori* insoluble. Les gouvernements successifs de la France seront soumis à des injonctions **contradictoires** : accroître le **pouvoir d'achat** des ménages ; réduire les **dépenses publiques** ; réduire les **charges des entreprises** (pour les rendre plus compétitives, notamment à l'export) ; réduire les **déficits publics** et l'**endettement** national ; protéger et restaurer l'**environnement** ; assurer un **approvisionnement énergétique** renouvelable ; respecter les **engagements européens**… Ce système d'équations paraît mathématiquement **sans solution** à l'horizon 2030, avec les hypothèses considérées (croissance, inflation, chômage, revenus…).
- ▶ La fin possible du capitalisme actuel. Pour avancer sur la voie d'une solution, il faudra fixer des **priorités**, demander à chacun des **efforts** (en fonction de ses possibilités), de la **patience** et surtout de la **responsabilité**. Cette évolution pour-

rait sonner le glas du **capitalisme** tel qu'il est pratiqué aujourd'hui. Il se caractérise en effet par une surexploitation des ressources naturelles et un **partage peu équitable des richesses** produites par les actifs. Le premier inconvénient est annonciateur d'une **crise** majeure et difficilement gérable. Le second conduit à des **inégalités** croissantes, qui sont de plus en plus mal supportées par ceux qui se sentent oubliés ou lésés. Cette situation pourrait se traduire par de fortes tensions et manifestations.

▶ Le passage de l'économie à l'«éconolomie», plus respectueuse de l'environnement et des personnes. Cela impliquerait une **consommation plus sobre** et une **innovation plus responsable**. Le système ne serait plus fondé sur la **productivité**, ni sur le **profit** qu'elle engendre, mais sur la recherche d'un **équilibre** entre le bien-être matériel et immatériel, et une **réduction des inégalités** entre les individus.

INTERNATIONAL

▶ Un monde en recomposition. L'état de la France dépendra de celui de son environnement international. Celui-ci sera de plus en plus **multipolaire**, mais moins **interdépendant**. À l'horizon **2030**, la poursuite de la **mondialisation** (ou globalisation) apparaît la plus probable, malgré la montée possible des **protectionnismes**, **nationalismes**, **intégrismes** religieux et réflexes **identitaires**.

▶ Les États-Unis moins dominants. Moins puissants sur le plan économique, mais aussi militaire et diplomatique, ils pourraient cependant conserver leur *soft power* (puissance d'influence, notamment culturelle) et restaurer leur **image** dégradée par l'élection présidentielle de 2016. Ils resteront incontournables en matière **technologique**, mais seront de plus en plus concurrencés par la Chine en la matière.

▶ La Chine, première puissance économique, si elle parvient à éviter une explosion sociale liée à une demande croissante de liberté de sa population, ainsi que d'efficacité dans la lutte contre la **pollution** et la **corruption**. Elle pourrait devancer les **États-Unis** dans certains domaines technologiques comme l'intelligence artificielle ou les biotechnologies. Elle sera de plus en plus préoccupée par sa situation **intérieure** et demeurera un régime très autoritaire, ce qui pourrait créer des tensions sociales.

▶ L'Inde, une démocratie en devenir. Elle pourrait encore progresser dans cette voie si elle parvient à abandonner le système de **castes** sur lequel elle est fondée. Comme la Chine, elle devra créer de nombreux emplois (10 à 12 millions par an) du fait de sa démographie et de la volonté de la population d'accéder à la **classe moyenne**. Il lui faudra aussi investir massivement dans les **infrastructures** nationales et locales et rénover totalement son système de **distribution** éclaté.

▶ La Russie menaçante et hésitante. Elle devrait encore connaître le régime **autoritaire** et **nationaliste** auquel la population s'est habituée (et qu'elle a plébiscité en 2018). Il sera conforté par la mainmise des dirigeants sur les **médias** et l'interdiction de fait d'une véritable **opposition**. Pour des raisons stratégiques, elle pourrait cependant se rapprocher de l'**Union européenne** (par des partenariats économiques), tout en conservant de bonnes relations avec la **Chine**, afin de mieux contrer les ambitions américaines au **Moyen-Orient**.

▶ Le Japon centré sur ses problèmes intérieurs. Son évolution devrait être marquée par la diminution de sa population et son vieillissement, qui ne seront sans doute pas compensés par l'**immigration**, culturellement mal acceptée. Préoccupé par ces difficultés **intérieures**, le pays ne semble pas être en mesure de jouer un rôle spectaculaire dans le monde en matière **politique** et **diplomatique**.

Il resterait néanmoins la **3ᵉ économie mondiale** (dépassé par la Chine depuis 2010), du fait de son avance dans certains domaines technologiques : robotique, communications, énergies renouvelables...

▸ **L'Afrique surpeuplée.** Plus encore que la Chine et l'Inde Elle se distinguera par sa **démographie** record (près de 500 millions d'habitants supplémentaires en 2030), qui lui posera de graves problèmes de développement. La population devrait subir encore de très fortes **inégalités** et de nombreuses **frustrations**. Le continent sera par ailleurs soumis à des **changements climatiques** majeurs, provoquant notamment un manque d'**eau** important. Ces difficultés pousseront des millions de personnes à **émigrer** vers des zones offrant de meilleures perspectives. L'Afrique pourrait cependant connaître un sort préférable si elle parvenait à exploiter par elle-même et pour elle-même ses nombreuses **richesses** naturelles, faire valoir ses atouts **culturels** et sa **créativité**, et lutter efficacement contre la **corruption** présente dans de nombreux pays.

▸ **Le reste du monde éloigné.** Le sort de l'**Amérique du Sud**, par certains côtés comparable à celui de l'Afrique, devrait peser assez peu sur l'avenir de l'Europe et de la France. Par ailleurs, le reste de l'Asie (hors Chine) constitue une «**zone diffuse**», qu'il n'est guère possible d'analyser comme un ensemble cohérent. Quant à l'évolution au **Moyen-Orient**, elle reste extrêmement difficile à prévoir. Compte tenu des forces, des cultures et des volontés en présence (Arabie saoudite, Israël, Iran...), l'éventualité d'une **guerre** n'est pas à écarter.

▸ **Une place pour la France.** Le pays devrait conserver une place parmi les nations influentes, et peut-être l'améliorer. Forte de son passé universaliste, elle pourrait servir de **régulateur à la mondialisation**, de **rempart contre les extrémismes** et de **moteur pour la reconstruction de l'Eu-**

rope. Mais cela suppose qu'elle se montre elle-même **exemplaire**.

▸ **L'Union européenne à refaire.** L'Union européenne ne répond pas aujourd'hui aux attentes de ses habitants dans de nombreux domaines : **économique** (relance de la croissance, création d'emplois, meilleure prise en compte de spécificités nationales, politique agricole...) ; **sanitaire** (interdiction des produits nocifs comme les glyphosates...) ; **scientifique** (encouragement de la recherche, aide aux start-up...) ; **administratif** (simplification des procédures, réduction du nombre des directives, remise en cause de la règle du vote à l'unanimité...) ; **politique** (agriculture, idéologie libérale, assiduité des représentants nationaux, politique migratoire...) ; **financier** (harmonisation fiscale, lutte contre la fragilité du secteur bancaire, lutte contre les paradis fiscaux...) ; **démocratique** (non prise en compte des résultats du référendum constitutionnel de 2005...).

L'Europe devrait ainsi être amenée à envisager la création d'entités distinctes, plus **homogènes** et de taille plus réduite, permettant une réelle **harmonisation** des modes de décision et de gouvernance. Une autre voie pourrait être celle du **fédéralisme**, avec la création des **États-Unis d'Europe**. Elle permettrait de lutter contre la tentation **populiste** présente dans de nombreux pays membres.

▸ **Des crises à venir.** D'ici **2030**, le monde connaîtra très probablement de nouvelles **crises**, qui affecteront l'Europe et la France. Elles pourront être causées par des événements de natures différentes, qui déclencheront des **effets systémiques** en matière :

✓ **Économique** : **croissance** faible entraînant une réaction en chaîne : accroissement du taux de **chômage** ; éclatement de la **bulle financière** ou **immobilière** ; hausse des **taux d'intérêt** renchérissant le remboursement de la dette nationale.

✓ **Sociale** : tensions, conflits, révoltes ou révolutions dans des pays où les

inégalités sont fortes et croissantes, à l'image du Printemps arabe en Tunisie en décembre 2010. Une «**guerre des classes**» pourrait en résulter dans les pays concernés.

✓ Démographique : la **natalité** trop élevée dans certaines zones (Afrique, Moyen-Orient, Asie du Sud-Est...) et trop faible dans certains pays d'Europe (Allemagne, Italie, Pologne, République tchèque, Russie, Japon...) pourrait entraîner en Europe des **flux migratoires** importants, difficiles à contrôler.

✓ Environnementale : des **catastrophes** surviendront, provoquées par la **nature** (épidémies, événements climatiques, séismes, glissements de terrains, éruptions volcaniques, inondations, tempêtes, cyclones, raz de marée...) ou par les activités **humaines** (accidents nucléaires, médicaux, biologiques, de transport...).

✓ Terroriste : des actes terroristes se produiront vraisemblablement en France comme dans d'autres pays. Ils seront commis par des **individus isolés** ou **regroupés** désireux d'appliquer les messages de violence délivrés par des **organisations** anciennes ou nouvelles, notamment **islamistes**. Le retour en France de **djihadistes** partis combattre en Irak ou en Syrie, et la sortie de **prison** de personnes ayant agi sur le territoire national pourraient être à l'origine de nouveaux **attentats**.

✓ Religieuse : outre les actes terroristes, des **affrontements** auront lieu entre croyants, entre laïques et religieux, entre conceptions très différentes d'une même religion.

✓ Idéologique : risque est fort que des **idéologies** autoritaires, antidémocratiques, sectaires, racistes, xénophobes... ou farfelues trouvent un écho dans la société. Elles pourraient porter au pouvoir des partis politiques «**non conventionnels**» (extrémistes et «ultras» de droite, révolutionnaires de gauche, écologistes adeptes de la décroissance,

anarchistes...) susceptibles de bouleverser l'équilibre interne des nations.

▶ **Une insécurité permanente.** De nouvelles «**guerres froides**» auront probablement lieu. Elles prendront souvent la forme de «**cyberguerres**», ce qui réduira potentiellement le nombre de guerres conventionnelles. Le **terrorisme** sera polymorphe : numérique, chimique, biologique. Des «**accidents**» politiques pourront se produire et remettre en question les équilibres **géopolitiques** : sorties de pays membres de l'Union européenne ; faillites d'États ou de régions ; annulations ou moratoires sur les dettes nationales ; usage d'une arme atomique, etc.

▶ **Des raisons d'espérer.** Si les **menaces** qui pèsent sur le monde sont réelles, les **espoirs** d'amélioration ne le sont pas moins. Les plus importantes concernent les **innovations technologiques**, qui pourraient permettre de relever certains défis, tel celui de l'**énergie**. D'autres évolutions positives peuvent se produire : un rapprochement entre les **États-Unis** et la **Chine** ; la poursuite de la révolution amorcée en **Arabie saoudite** ; l'extension du nombre de **démocraties** dans le monde ; la refondation d'une **Europe des citoyens** ; l'éradication de certains groupes **terroristes** ; la **coexistence pacifique des religions** ; la **réduction des inégalités sociales** ; l'émergence de **valeurs post-matérialistes** ; le début d'un processus de **désarmement nucléaire** avec la Corée du Nord...

MENTALITÉS (FRANCE)

▶ **Le siècle de tous les possibles.** Face aux nombreux défis et aux multiples risques existants, la France va devoir se **réinventer**, revoir sa **vision** du monde et la **place** qu'elle souhaite y occuper. Elle devra commencer par apaiser les tensions **sociales** qui la traversent, condition pour que ses performances **économiques** s'améliorent aussi.

▶ Dix handicaps à surmonter:
   ✓ Irréalisme, déni de réalité dû à une vision souvent idéologique.
   ✓ Myopie collective, préférence pour le local par rapport au global, le « petisme » face au gigantisme.
   ✓ Réglementarisme, se traduisant par une inflation de textes de lois.
   ✓ Hédonisme, recherche du plaisir et refus de l'effort.
   ✓ Dévalorisation du travail, souvent considéré comme une obligation, voire une aliénation.
   ✓ Tabou des «avantages acquis», et refus de les remettre en question lorsque le contexte a changé.
   ✓ Culture de l'affrontement, plutôt que de la coopération.
   ✓ «Polémisme», débat systématique sur chaque événement et recherche de responsabilités.
   ✓ Accommodements avec la morale, au prétexte que les «autres» ne sont pas irréprochables.
   ✓ Culte de l'exception, partant du principe que la France n'a de leçon à recevoir de personne.
▶ 10 atouts à exploiter et valoriser:
   ✓ Histoire longue et riche.
   ✓ Géographie privilégiée.
   ✓ Démographie favorable.
   ✓ Culture reconnue.
   ✓ Formation à l'excellence (au détriment parfois du niveau moyen d'éducation).
   ✓ Épargne abondante.
   ✓ Infrastructures nombreuses (équipements collectifs, services publics, routes…).
   ✓ Système de protection sociale développé.
   ✓ Qualité de vie souvent enviée par les étrangers.
   ✓ Originalité appréciée (french touch) bien que parfois décriée.

Ces atouts seront utiles à la France pour effectuer l'important travail d'**adaptation** nécessaire. Il faudra commencer par les **actualiser**, car la plupart ne sont plus aussi indiscutables que par le passé.

INNOVATION

▶ **La technologie à la rescousse.** La science et la technologie seront sans conteste les principaux facteurs de transformation du monde et de la France au cours des prochaines années. Des innovations de rupture sont ainsi attendues dans de nombreux domaines : **infotechs** (technologies de l'information et de la communication) ; **biotechs** (sciences de la vie et techniques utilisant des êtres vivants) ; **nanotechs** (sciences de l'infiniment petit) ; **«écolotechs»** (procédés permettant d'améliorer l'état de l'environnement) ; **«spatiotechs»** (sciences de l'espace) ; **aquatechs** (sciences en liaison avec l'eau) ; **neurotechs** (sciences et techniques concernant le cerveau); **robotechs** (conception et réalisation de robots, le plus souvent dotés d'intelligence artificielle) ; **énergitechs** (techniques en relation avec les différentes formes d'énergie)…

▶ **Des applications innombrables.** Parmi les développements technologiques les plus porteurs de **changement** (souhaitable ou non), on peut citer :
   ✓ L'intelligence artificielle, capable d'apprendre seule (sans supervision humaine) et de s'auto-organiser.
   ✓ La robotisation de nombreuses fonctions de production, service, relation, création.
   ✓ La réalité virtuelle, augmentée ou mixte. Création d'univers virtuels, superposition d'images ou de données numérisées sur des images ou des vidéos «réelles», ou mélange des deux technologies.
   ✓ Les énergies renouvelables (eau, vent, soleil…) ou de **«rupture»** : fusion atomique, moteur à hydrogène…
   ✓ Les nouvelles sources d'énergies fossiles (pétrole, gaz, charbon…) exploitables de façon économique et écologique.
   ✓ Internet à très haut débit et universel (disponible sur l'ensemble de la planète).

✓ Les véhicules sans chauffeur : transports publics et privés, de personnes et de marchandises.

✓ Les transports à très haute vitesse : train magnétique, fusée *low cost* ; avion supersonique, etc.

✓ La surveillance des personnes, à tout moment et en tout lieu.

✓ Le cyberterrorisme. Sabotage d'équipements, villes ou pays ; prise de contrôle de systèmes publics ou privés ; vols d'informations sensibles ; paralysie d'activités ; demandes de rançon…

✓ L'« individu augmenté ». Idéologie prônant l'usage des sciences et des techniques dans le but d'améliorer sans tabou les caractéristiques physiques et mentales des êtres humains.

Comme ce fut toujours le cas tout au long de l'Histoire, ces technologies nouvelles seront **ambivalentes** ; leurs applications pourront donner lieu à d'indéniables **progrès** en matière d'éducation, santé, transports, connaissance, logement, alimentation, culture, loisirs… Ou au contraire trouver des applications **destructrices**, pour les humains et/ou l'environnement naturel. Elles seront caractérisées par une **puissance** et une **vitesse** de développement inédites (exponentielles), qui n'empêcheront pas des **retards**, des **échecs** ou des **déceptions** par rapport aux promesses et aux attentes. La différence entre **science** et **science-fiction** deviendra en tout cas de plus en plus ténue. Le « **tsunami numérique** » devrait tout emporter… ou apporter sur son passage (voir pages suivantes).

LES NOUVEAUX MODES DE VIE

es «**changements de décor**» résumés dans les pages précédentes auront des conséquences inédites par leur nombre et leur ampleur sur les **modes de vie des Français** d'ici **2030**. Elles ont été décrites en détail dans les sept chapitres de la deuxième partie de l'ouvrage : **individu** ; **famille** ; **foyer** ; **société** ; **travail** ; **argent** ; **consommation** ; **loisirs**. Chacun d'eux est **résumé** ci-après, afin de tracer une sorte de «**portrait-robot**[1]» des Français de demain.

*Dans un souci de **clarté**, la synthèse qui suit reprend essentiellement (souvent dans les mêmes termes), les éléments de prospective pour 2030 qui sont développés dans la partie Modes de vie ; elle laisse de côté la situation actuelle (abordée en détail dans la partie). Pour chaque thème ci-après, seuls les principaux **chiffres** sont repris.*

INDIVIDU

APPARENCE

▶ Des **Français** plus nombreux et plus âgés. Les Français seront demain plus **nombreux**, du fait de l'évolution démographique prévisible. Ils seront aussi plus **âgés**, en relation avec l'accroissement de l'**espérance de vie**, qui résultera notam-

ment d'une lutte plus efficace contre les **maladies**. Les projections indiquées par les démographes pourraient être dépassées par les progrès potentiels des très nombreuses **recherches** en cours, mais aussi surestimées si les conséquences sanitaires de la dégradation de l'**environnement** se confirment. L'âge **médian** de la population (40,4 ans en 2017) pourrait ainsi augmenter de **2 ans** d'ici 2030. Mais le vieillissement serait moins **visible**, grâce à l'amélioration des traitements préventifs, prédictifs, personnalisés et participatifs (médecine 4P).

▶ Une augmentation de la taille et du poids. La **taille** moyenne pourrait encore gagner 2 centimètres, avec une réduction de l'écart entre les sexes. Le **poids** augmenterait davantage en proportion de la taille, de sorte qu'un Français sur trois pourrait être **en surpoids** en **2030**, **un sur cinq obèse**. La proportion serait plus élevée parmi les personnes **modestes**, qui peuvent moins facilement veiller sur leur corps et leur état de santé.

▶ Un habillement influencé par la technologie. Les nouveaux **matériaux** utilisés pour les vêtements seront écologiques, climatisants, antitaches, infroissables, antitranspirants, autonettoyants, hydrophobes... Beaucoup de vêtements seront en outre c**ommunicants** (connectés) **et** «**intelligents**» ; ils pourront émettre et recevoir des informations de toute sorte, facilitant la vie quotidienne et surveillant l'état de santé de ceux qui les porteront. Le corps sera de plus en plus **accessoirisé**, à l'aide de tatouages, lunettes, bijoux et

---

1. L'expression *portrait-robot* est utilisée ici essentiellement parce qu'elle contient le mot *robot*, qui symbolise à lui seul les ruptures technologiques attendues. Mais il est bien sûr impropre, car il ne rend pas compte de la diversité croissante qui caractérisera, demain comme aujourd'hui, les façons de vivre des Français. La synthèse qui suit est donc une «simplification pédagogique», seulement destinée à faciliter la compréhension des principales tendances des changements à venir.

de capteurs qui joueront un rôle de **révélateur** ou d'**enjoliveur** de l'identité et/ou un rôle **utilitaire**. Il remplira cinq fonctions classiques (enveloppe, outil, capteur, vitrine, miroir) et une sixième, celle d'**objet connecté**.

▸ **L'expression orale et écrite transformée.** Le **vocabulaire** utilisé demain pour communiquer devrait être **enrichi** par l'invention de mots et expressions nouveaux, souvent d'origine **technologique** ou **communautaire**. Mais le vocabulaire devrait aussi être **appauvri** à l'oral et, surtout, à l'écrit, par ignorance ou paresse. D'autant que de nombreuses innovations pourront se substituer au langage ou le compléter : commandes par **gestes**, par la **pensée**, **synthèse vocale**, **traduction automatique**, etc.

L'**autocensure** devrait être de plus en plus présente dans l'expression populaire, de même que la « **langue de bois** » et les « **éléments de langage** » dans les discours des acteurs de la société, dans le but d'éviter les polémiques. Mais la **tonalité** de l'expression sera très différente lorsqu'elle cherchera à **peser sur l'opinion** à travers les **réseaux sociaux**. Quitte à diffuser de **fausses informations** *(fake news)* pour défendre une cause, sans s'embarrasser de **morale** ou d'**éthique**.

Les *trolls* (individus postant des **messages tendancieux** sur les forums Internet afin de créer ou alimenter des polémiques, en agissant pour leur compte ou pour une organisation) devraient être de plus en plus nombreux. Dans le même esprit, la communication et le débat pourraient utiliser davantage le registre **émotionnel** que **rationnel**. Le cas particulier sera érigé en illustration du cas général, le **cynisme** et la **critique** seront des moyens de se défouler, de déstabiliser un adversaire ou de détruire sa réputation et son crédit.

SANTÉ

▸ **L'état sanitaire de la population amélioré.** Le corps **matériel** devrait être demain de mieux en mieux entretenu,

réparé ou même « **augmenté** ». De nombreuses **maladies** seraient progressivement éradiquées (cancers, maladies cardio-vasculaires…) grâce à l'exploitation des **mégabases de données** médicales, à la **prévention** et aux progrès de **thérapies** de mieux en mieux ciblées (immunothérapie, nanothérapies, biothérapies…). Certains **handicaps** (paralysies, Alzheimer, Parkinson…) pourraient être supprimés en recourant à des **cellules souches**, ou à l'aide de **prothèses** connectées (éventuellement implantées).

La **télémédecine**, l'« **édition** » génétique, les modes **opératoires** plus efficaces et les **comportements** plus responsables des personnes contribueront aussi à ces avancées. Cependant, de **nouvelles maladies**, souvent d'origine **virale** ou **environnementale** pourraient apparaître. Des maladies **infectieuses** supposées disparues (choléra, maladie du charbon…) pourraient ainsi réapparaître.

▸ **Un « dopage » généralisé.** Les maladies « immatérielles », qui touchent l'« **esprit** », seront sans doute plus difficiles à identifier et à soigner, mais des progrès importants sont attendus dans les **sciences cognitives** et les **neurotechnologies**. Des **stimulations** de certaines zones cervicales et des **implants** spécifiques pourront apporter des améliorations à certaines pathologies mentales. D'autres méthodes auront pour but de **doper** les facultés du cerveau et de favoriser le **bien-être** des personnes. Certains de ces traitements poseront des questions d'ordre **éthique** sur lesquelles les chercheurs, philosophes, responsables politiques, juristes et bien sûr **citoyens** devront s'interroger.

INSTRUCTION

▸ **De nouvelles voies pour l'éducation.** L'**école** de demain devrait exploiter les possibilités ouvertes par la révolution **numérique**, comme les **cours en ligne** disponibles gratuitement en ligne et sur tous les supports (MOOCs). Leur usage pourrait potentiellement réduire les inégalités entre les personnes (enfants, jeunes ou adultes), mais il ne sera guère en mesure de supprimer celles qui sont présentes dès la **naissance** (sauf manipulations génétiques non envisageables à court ou moyen terme) ; il pourrait en revanche réduire celles qui se développent dans le **milieu familial**. La **démocratisation** de l'accès au savoir ne fera sans doute pas disparaître l'**élitisme** scolaire, mais elle pourra réduire les écarts entre l'**excellence** et le niveau **moyen**, en tirant celui-ci vers le haut.

▶ Une formation tout au long de la vie. Elle sera nécessaire pour **actualiser** les connaissances, permettre des **réorientations** professionnelles et enrichir la **culture générale** des personnes, afin de faciliter leur compréhension du monde et leur adaptation personnelle. D'autant que les contenus seront personnalisés en fonction des souhaits personnels ou des requis professionnels. Les diplômes seront de plus en plus des **validations d'acquis** réels, plutôt que le résultat d'examens ponctuant la scolarité des enfants.

▶ La culture scientifique favorisée. Elle sera nécessaire à l'appréhension du monde et de son évolution. Mais les «humanités» (matières littéraires et sciences humaines et sociales) ne devraient pas être négligées, en tant qu'outils de compréhension des personnes, moyens de penser et de s'exprimer, d'échanger. Par ailleurs, le nombre et la quantité d'informations qui seront accumulées en permanence dans tous les domaines nécessiteront un important travail de **curation**, afin de les **trier**, de les **valider**, de les **synthétiser** en leur donnant du sens.

▶ De nouveaux moyens pour se former. La **façon** d'instruire et d'éduquer devrait connaître des transformations considérables. Les **outils numériques** seront évidemment privilégiés, qu'il s'agisse des supports (ordinateurs, tablettes, smartphones…) ou des **logiciels** et applications qu'ils permettront d'utiliser. Le **travail en équipe** ou «**collaboratif**» devrait se développer, car il permet de respecter les autres, rapprocher les points de vue et élargir les visions individuelles. L'apprentissage sera sans doute de plus en plus **ludique**, la promesse du **jeu** étant une motivation plus forte que la demande d'un **effort**. Il sera aussi plus orienté vers la stimulation de la **créativité**, qualité de plus en plus valorisée pour répondre aux défis de la société future.

L'éducation des individus sera mieux adaptée aux **capacités** de chacun, mais aussi aux **demandes** de la société et des organisations dans lesquelles les individus devront s'insérer et apporter leur contribution. Les découvertes à venir dans les **sciences cognitives** devraient permettre d'améliorer sans cesse la nature et l'efficacité des moyens mis en œuvre.

▶ La société de la connaissance. L'**instruction** jouera demain un rôle essentiel. Mais elle n'aura peut-être plus besoin d'être transmise et acquise comme aujourd'hui par des processus complexes et lents, présentant un «rendement» faible. Elle pourrait devenir **accessible** instantanément et en grande quantité par un simple **transfert** dans le cerveau, sous la forme d'implants ou de connexions à un «**cerveau central**» extérieur. Ce serait alors le début d'une autre **civilisation**…

TEMPS

▶ Un emploi du temps de la vie remanié. Le **temps** devrait être plus que jamais la grande **préoccupation** des années à venir. Même s'il est de plus en plus **abondant** (avec une espérance de vie allongée), en particulier sous forme de «**temps libre**», il ne permettra toujours pas aux individus de répondre à toutes les **sollicitations**, de plus en plus nombreuses, qu'ils recevront. Ce **paradoxe temporel** devrait être de plus en plus mal supporté ; il pourrait amener certains à se «déconnecter» pour se donner le sentiment de moins le subir. Le temps de **formation-éducation**, étalé tout au long de la vie, pourrait représenter un cinquième (19 %) du **temps de** vie total. Le temps de **travail** pourrait **diminuer** en moyenne sur la semaine (sur la base de choix individuels) afin de mieux **partager** l'emploi, mais la durée d'**activité** sur la vie pourrait être plus longue, conséquence d'un recul de l'âge légal de la **retraite** (si le mot a encore un sens demain). Le travail ne devrait ainsi représenter que **6 % du temps de vie** total en **2030**. Le temps **« physiologique »** (alimentation, sommeil, hygiène, soins...) n'évoluerait qu'à la marge et resterait proportionnel au temps de vie, occupant la moitié du temps de vie total (49 %).

Le temps résiduel, supposé **« libre »** (celui qui restera au « Français moyen » après avoir épuisé les trois types de tâches décrits ci-dessus) représenterait 20 % du temps de vie total, soit trois plus que le temps de travail, ce qui indique que la société future serait plus que jamais celle des **loisirs**.

▶ **Le temps de plus en plus relatif.** Le temps constituera de plus en plus la **« matière première »** de la vie. Sa perception sera **« relative »**, au sens « einsteinien » résumé par une formule simple : *« plus on va vite et plus le temps est court »*. Cette relativité se traduira aussi par la distinction de plus en plus nette entre les **« temps morts »** (dont le manque d'intérêt les fait paraître trop longs) et les **« temps forts »** (dont l'intensité et le plaisir qu'ils apportent les font paraître trop courts).

▶ **Individualisation et mélange.** L'avenir devrait être marqué par une **individualisation** des temps (au détriment des rythmes collectifs) et par un **mélange** des temps (professionnels, personnels, familiaux, sociaux...) qui seront de moins en moins étanches, grâce aux outils de communication omniprésents.

FAMILLE

COUPLES

▶ **Entre le « je » et le « nous ».** La mise en couple pourrait se fonder demain sur

des motivations plus **rationnelles** et moins affectives qu'aujourd'hui. L'amour y aurait toujours sa place, mais la décision de vivre ensemble prendrait aussi en compte l'**intérêt** de le faire (pratique, financier, relationnel, intellectuel...). Les habitudes, usages et pressions sociales devraient exercer une moindre **influence** sur les comportements. Les **modes de vie** des couples devraient être de plus en plus **égalitaires** entre les deux partenaires, tout en étant plus **différenciés**, selon les choix personnels. Les **« âmes sœurs »** ne seront pas jumelles.

▶ **Un engagement des partenaires moins fort et durable.** Les partenaires du couple prendront en compte la **complexité** croissante du monde et de la société, et l'**instabilité** que cela engendre pour les individus. Le nombre de **Pacs** devrait ainsi continuer de s'accroître, de même que celui des **séparations** et des **divorces**. La « réussite » du couple impliquera que les personnes qui le forment puissent vivre **heureuses ensemble**, mais aussi **séparément**. Il ne sera donc pas impératif de vivre sous le même toit (décohabitation), ni de se montrer **fidèle**. Le couple futur sera moins **fusionnel**, et plus souvent **« fissionnel »**.

▶ **La possibilité du « polyamour ».** Des modes de vie impliquant plusieurs liaisons simultanées et « officielles » (non cachées) pourraient se développer, au motif qu'ils seraient plus conformes à la **nature humaine** que l'amour **exclusif** ou des amours **successifs**. L'union **« libre »** connaîtrait alors de nouveaux développements, faisant l'objet de nouveaux débats.

▶ **La recherche du semblable.** L'**homogamie** (propension à rechercher un partenaire de même milieu social) devrait être croissante, afin de limiter les risques de mésentente. Les couples ouvertement **homosexuels** et **bisexuels** seraient aussi plus nombreux, du fait de la disparition des incompréhensions (parfois des condamnations) qu'ils suscitent encore aujourd'hui. Dans ce contexte, le recours à des **intermédiaires** pour trouver le, la ou les partenaire(s) serait plus fréquent, car plus efficace que le hasard pour mettre en relation des personnes *a priori* «compatibles».

▶ **La sexualité augmentée... ou réduite.** D'une façon générale, la **sexualité** pourrait être «**augmentée**» par la multiplication des **stimulants** visuels ou chimiques (images, films, sites Internet, médicaments, drogues...) et le développement prévisible de **substituts virtuels** (robots partenaires «intelligents»). Mais elle pourrait aussi être **réduite** par le recul du **désir**, la concurrence d'autres activités jugées plus satisfaisantes et, peut-être, la diminution des **fonctions** sexuelles, qui accompagnerait celle de la **reproduction** (voir ci-dessous).

ENFANTS

▶ **La fécondité en baisse.** Le **taux de remplacement** de la population, qui mesure la capacité des générations naissantes à renouveler celles existantes en âge de procréer, pourrait être **inférieur à 90 % en 2030**. Il serait encore moins élevé si l'espérance de vie progressait de façon spectaculaire. On peut donc s'attendre à une baisse du **nombre moyen d'enfants** par couple, sauf si la situation économique, critère important de la volonté de procréer, s'avérait meilleure que celle anticipée. Malgré cela, la France resterait l'un des pays d'Europe les plus **prolifiques**, ce qui lui permettrait de continuer d'accroître sa population sans trop augmenter son **âge moyen**, sans pouvoir pour autant contrebalancer les effets du **vieillissement**. L'arrivée du **premier enfant** se produirait encore plus tard qu'aujourd'hui, soit vers 32 ans pour les femmes et 35 ans pour les hommes.

Cette situation s'expliquerait en partie par la poursuite de la baisse de **fertilité** des couples, dont témoigne le nombre croissant de **PMA** (aides médicales à la procréation). Elle toucherait aussi bien les **femmes** (troubles de l'ovulation, obstruction des trompes, âge tardif à l'accouchement) que les **hommes** (baisse de la quantité et de la qualité du sperme) et serait aggravée par des facteurs **environnementaux** (notamment la présence de perturbateurs endocriniens). La fécondité pourrait cependant être maintenue par le recours à de nouvelles méthodes et la possibilité d'avoir des bébés «**sur-mesure**», dont les caractéristiques seraient choisies par les parents, avec les risques de **dérive**, voire d'eugénisme, que cela impliquerait.

Ces évolutions de la fécondité, jointes à celles de la situation des couples (voir ci-dessus) auraient pour conséquences une baisse de la part des **familles nombreuses** (au moins trois enfants) et une augmentation du nombre de familles **monoparentales**.

JEUNES

▶ **Adolescents plus tôt et adultes plus tard.** Les enfants mûriront de plus en plus vite et entreront encore plus tôt dans l'**adolescence**. Ce mouvement sera favorisé par un environnement familial plus ouvert et une éducation plus **libérale** que celle reçue par les parents. Il sera aussi largement lié à l'**environnement social**, avec l'accès aux **médias numériques** et l'usage des **équipements numériques** de communication, tous connectés à Internet, et notamment aux **réseaux sociaux**.

À l'inverse, l'entrée dans la vie **adulte** sera encore plus **tardive**. L'âge officiel de la majorité (18 ans) ne correspondra pas à celui de l'entrée dans le monde du **travail** et de l'**autonomie économique**. Celle-ci est retardée par la durée des études supérieures, et par la difficulté de trouver un premier emploi. Le processus d'intégration dans la société sera allongé, et souvent découpé en phases successives d'**apprentissage**, de **travail** et d'inactivité. D'où des **allers-retours** nombreux au domicile des **parents**.

SENIORS

▶ **Des seniors de plus en plus nombreux et âgés.** Si les tendances démographiques observées jusqu'ici se maintiennent, la France comptera 29,6 % de seniors de 60 ans et plus en 2030 ; 12,2 % des Français auront au moins 75 ans. Au-delà de l'allongement de l'espérance de vie, c'est leur «expérience de vie» que les Français chercheront de plus en plus à enrichir à tout âge.

Le **vieillissement** général de la population provoquera sans doute des **tensions**, notamment en matière d'**emploi**, de **revenus** des actifs ou de **pensions** des inactifs. Mais il ne devrait pas provoquer une **«guerre des âges»**, car les liens resteront forts au sein des familles, et se traduiront par des échanges matériels et immatériels entre les générations.

FOYER

HABITAT

▶ **La maison intelligente.** Tant sur le plan **affectif** (attachement) que **temporel** (temps passé) ou **financier** (coût d'acquisition ou de location et d'entretien), le logement restera demain l'«investissement» le plus important de la vie. La symbolique du «**chez soi**» restera prégnante, dans une époque où le besoin de tranquillité, voire d'isolement, sera croissant et le **foyer** sera plus que jamais au **centre** de la vie. D'ici **2030**, l'habitat devrait être aux deux tiers **urbain**. Les **villes**, notamment les grandes métropoles, concentreront l'essentiel des équipements et des investissements. Leur attractivité dépendra en partie de l'importance de leur bassin d'**emplois**, mais aussi de leurs efforts pour devenir «**intelligentes**» et «**durables**».

▶ **Des transformations dans de nombreux domaines** : **transports** (et intégration dans un système multimodal), **circulation**, gestion **énergétique**, collecte et élimination des **déchets**, **services à domicile** (notamment les livraisons), **végétalisation** (développement des espaces verts),

gestion **administrative**, **sécurité**, etc. Les nouvelles **technologies** joueront un rôle majeur dans cette réinvention de la ville, avec la mise en place de *smart grids*, systèmes numérisés intelligents intégrant les interactions des différentes parties prenantes pour **optimiser** les services sur le plan économique et écologique.

▶ **Un habitat durable.** Les quartiers, villes ou villages intégreront dès leur conception des objectifs environnementaux : respect de la biodiversité ; limitation de la présence et de l'usage de la voiture, remplacée par des moyens alternatifs (transports en commun, vélo, marche) ; réduction des consommations d'énergie (avec un recours maximal aux énergies renouvelables) ; réduction des consommations d'eau et de production de déchets ; recueil des eaux pluviales pour arroser les espaces verts, nettoyer la voie publique ou alimenter les toilettes ; utilisation d'écomatériaux... Avec le risque d'une vie urbaine aseptisée, robotisée, surveillée... et peut-être ennuyeuse.

▶ **Un habitat diversifié.** Dans l'habitat **collectif**, les types de construction seront de plus en plus variés : tours de grande hauteur ; immeubles-villes ; villes-campagne ; villes sous-marines ; villes ancrées ou flottantes ; îles-villes ; bateaux-villes ; villes souterraines ; villes spatiales ; écoquartiers et écocités ; villes privées ; résidences et établissements pour seniors ; friches industrielles reconfigurées... Les logements chercheront à favoriser la **mixité** sociale, économique, culturelle et générationnelle.

L'habitat **individuel** prendra lui aussi des formes variées, avec des maisons à énergie neutre ou positive, transportables, «exotiques» (yourte de type mongolien, *teepee* indien, maison construite dans un arbre...), éphémères (pour saisonniers, personnes précarisées, gens du voyage...).

▶ **Des modes d'habitation multiples.** L'habitat de demain pourra prendre des formes différentes : **partagé** (ménages se répartissant des espaces, ainsi que les charges et les tâches de gestion d'un même immeuble); **coopératif** (même principe avec un statut juridique et financier différent); **participatif** (ménages «coproduisant» des bâtiments à la place des promoteurs traditionnels); **mutualisé** (espaces communs de lavage du linge, bricolage, création artistique, jeux, lecture, vidéo, etc.); **location de courte durée** (type Airbnb); **usufruit locatif social** (démembrement temporaire du bien avec usufruit à un bailleur social qui le loue à des ménages modestes et nue-propriété à un investisseur privé), etc.

▸ De nouvelles fonctions à remplir. Le **logement** de demain devra d'abord remplir ses fonctions **traditionnelles** : alimentation ; repos ; hygiène ; convivialité ; sécurité des personnes et des biens ; confort ; stockage (nourriture, vêtements, documents, objets...) ; espaces (privatifs et communs) ; loisirs ; entretien ; gestion des **flux** entrants et sortants : nourriture ; vêtements ; objets... Chacune de ces fonctions bénéficiera des progrès **techniques** disponibles. Ainsi, l'approvisionnement alimentaire pourra être automatisé, le repos optimisé, l'hygiène améliorée, l'entretien facilité.

Mais le logement devra également apporter des réponses à des **attentes plus récentes ou à venir**. Par exemple, mieux résister aux **catastrophes naturelles**, notamment d'origine climatique (vagues de chaleur, froid intense, inondations, séismes...). Il lui faudra aussi faciliter la **communication** en tout lieu de la maison, par tous supports et réseaux, ainsi que la **gestion du foyer** (administration, finances, relations aux autres), et permettre à ses occupants de **télétravailler** dans de bonnes conditions. Les logements futurs auront aussi pour mission d'offrir une **efficacité énergétique** maximale, visant l'autonomie ou même un surplus de production (logements à énergie positive).

▸ La maison connectée. La «domotique», promise depuis des décennies fera véritablement son entrée, avec l'**automatisation** de certaines fonctions répétitives et fastidieuses : gestion du chauffage, sécurité, arrosage des plantes, réglages d'ambiance, usages multimédias... Les logements devraient aussi être plus **modulables** (aménagement de l'espace, ameublement, décoration...) selon l'humeur de leurs occupants, ou pour s'adapter aux différentes phases de leur vie. Enfin, ils devraient être plus **accessibles** aux personnes handicapées, la France ayant en la matière un certain retard.

▸ Une mobilité résidentielle accrue. Elle permettra de faire face à des **changements** personnels et professionnels plus fréquents, mais elle sera freinée par l'**attachement** au lieu de vie et à la crainte du changement et des contraintes (notamment administratives et financières) que cela implique. Ainsi, le logement du futur devrait être à la fois *ego-logis* (adapté à des besoins individuels), *éco-logis* (économe), *écolo-gis* (avec une empreinte minimale ou positive sur l'environnement) et *techno-logis* (bénéficiaire des nouvelles techniques spécifiques au bâtiment et de celles venues d'autres domaines).

ALIMENTATION

▸ Des dépenses d'alimentation croissantes. La crise de **2008** avait enrayé la **baisse** régulière et ancienne de la **part** de l'alimentation dans les dépenses des ménages, dans un contexte de **stagnation du pouvoir d'achat** moyen. Cette part sera d'autant moins facile à réduire à l'avenir que le **lien entre alimentation et santé** sera de plus en plus apparent aux Français, et que leur **pouvoir d'achat** devrait être encore en stagnation. Les dépenses devraient donc progresser, afin de répondre à la demande croissante de **qualité nutritionnelle** et **sanitaire**. Les consommateurs privilégieront les produits **bio**, et ceux garantis sans ingrédients réputés **nocifs** (pesticides, additifs, herbicides…), mais aussi les produits **équitables** pour les producteurs, qui seront vendus plus cher par les distributeurs.

▶ **Des menus plus équilibrés.** Le régime alimentaire des Français devrait être beaucoup moins **carnivore**, au profit des **fruits et légumes**, pour des raisons à la fois nutritionnelles et pratiques. La Terre ne pourra pas en effet nourrir **un milliard** d'habitants supplémentaires d'ici **2030** sans étendre les **zones cultivables** au détriment de celles aujourd'hui réservées à l'**élevage**, dont les rendements sont très inférieurs et les bilans écologiques beaucoup moins favorables.

Pour des raisons identiques, la lutte contre le **gaspillage** alimentaire sera intensifiée et les comportements plus **responsables**, dans certaines catégories de population. Le régime alimentaire des Français devrait contenir moins de **sucre**, de **sel** et de **matières grasses**. Mais cela n'empêcherait pas le **surpoids** et l'**obésité** de s'accroître, notamment dans les groupes sociaux modestes et moins informés. Des **produits nouveaux** (algues, protéines végétales, insectes), naturels ou synthétiques, aux vertus nutritionnelles et écologiques reconnues, seront progressivement intégrés dans les menus. Les «alicaments» illustreront la convergence entre aliments et médicaments.

TRANSPORT

▶ **Des modes de transport propres, économes et autonomes.** Les besoins de **mobilité** pourraient être réduits à l'avenir par l'importance croissante du **virtuel**, qui offrira une **reconstitution** de plus en plus proche du «**réel**» (éventuellement «**augmentée**») à domicile, qu'il s'agisse de faire ses courses, de travailler ou de se distraire. Pour ceux qui devront ou souhaiteront se déplacer, des véhicules «**propres**» (à faible émission de polluants), **économes** (à faible consommation, grâce à des moteurs électriques, hybrides ou à hydrogène) puis **autonomes** (sans conducteur, à échéance plus lointaine)

seront proposés. Ils pourront être facilement **loués** et **partagés** dans le cadre du covoiturage, de l'autopartage et d'autres formes de **mutualisation**.

Les transports **collectifs** seront aussi plus nombreux. Les **robotaxis** se multiplieront dans les villes, et l'usage du **vélo** se généralisera. La **multimodalité** (choix des différents types de transport à utiliser pour se rendre d'un point à un autre) sera optimisée par des intelligences artificielles. L'ouverture à la concurrence des transports **ferroviaires** (dès 2020) devrait obliger la SNCF à se moderniser et à réduire ses coûts, ainsi que ses prix. Au total, les **dépenses** de transport des ménages pourraient diminuer.

SOCIÉTÉ

VALEURS

▶ **Une autonomie croissante, choisie ou subie.** Comme les voitures, les Français devront demain «se conduire» de façon **autonome**, en dépendant de moins en moins d'un **État** qui n'aura plus les moyens, notamment financiers, de les accompagner dans toutes les circonstances de la vie. Cette évolution vers l'autonomie sera aussi la conséquence de l'accélération du **changement** et de la nécessité de s'y adapter rapidement, afin de ne pas être dépassé. L'**adaptation** personnelle pourra cependant être facilitée par la disposition d'«**assistants numériques**» (sous la forme de robots humanoïdes ou d'autres objets le plus souvent connectés à des intelligences artificielles extérieures).

▶ **La vérité introuvable.** L'autonomie nécessaire sera d'autant plus malaisée à mettre en œuvre qu'il sera difficile d'accéder à la «**vérité**». Celle-ci sera souvent cachée, détournée, remplacée par des «**vérités alternatives**» qui seront diffusées par des intérêts divers dans tous les médias. Ceux qui ne disposeront pas des **atouts** permettant de comparer et trier les informations (instruction, santé, expérience, capacité d'analyse et de synthèse, famille, réseaux relationnels...) ne prendront pas les meilleures décisions et risquent d'être **marginalisés**. Le risque d'une **aggravation des inégalités** est donc réel ; il devrait faire l'objet de l'attention et de l'action des médias et de l'**État** au cours des années à venir.

▶ L'émergence de valeurs post-matérielles. La culture du « **bien vivre** » devrait rester forte dans le pays auquel elle est depuis longtemps associée, même si ses habitants ne sont pas toujours convaincus de **vivre bien**. Dans un contexte plus diffus et incertain, cette approche **hédoniste** pourrait renforcer le goût des « bonnes choses » du quotidien, la recherche de plaisir et la volonté de « **profiter de la vie** », notamment dans certaines catégories sociales aisées ou au contraire inquiètes et désabusées.

Mais cette propension, déjà présente aujourd'hui, pourrait aussi s'**atténuer**, au moins dans une partie de la population, au profit de valeurs moins centrées sur les satisfactions **matérielles** et **personnelles**. Parmi ces valeurs « **post-matérialistes** », on peut citer la **tolérance**, le **respect** d'autrui, la **sobriété**, le **partage**, la **bienveillance**, l'**empathie**. Ces attitudes et comportements trouveraient un écho d'autant plus grand que leurs contraires (dépendance, intolérance, exubérance, individualisme, méfiance, distance) ont montré leurs limites et leurs dangers. Ils ont créé une société sans véritable **lien**, dans laquelle la **compétition** a remplacé la **coopération**. La prise de conscience des défis, risques et menaces pour l'avenir pourrait ainsi pousser à plus de **compréhension** et de **collaboration**.

Cette évolution vers une « **intelligence collective** » et une « **société collaborative** » n'est pas antinomique avec celle conduisant à plus d'**autonomie** (ci-dessus). Elle en est même le complément nécessaire, car nul ne pourra demain vraiment conduire sa propre vie sans échanger avec les **autres**. C'est la condition aussi pour redonner de la valeur au « **modèle républicain** », dont les promesses ne sont aujourd'hui plus tenues, et pour refonder le « **modèle social** » qui en est l'une des expressions. Une vision qui ne serait pas capable de concilier **autonomie** et **partage** serait vouée à la **violence** et à l'**échec**.

OPINIONS ET CROYANCES

▶ Plus de spiritualité, moins de religiosité. Les découvertes **scientifiques** à venir ne devraient pas répondre plus précisément que les précédentes aux grandes questions sur l'**origine du monde** et le **sens** éventuel qui l'anime. La **frustration** de ne pas savoir pourquoi et comment il s'est formé devrait maintenir un besoin fort de **transcendance** et de **spiritualité**.

Mais, pour de nombreux Français, ce besoin ne sera pas satisfait par des croyances **religieuses**, ni surtout dans des **pratiques** et des **rites** qui pourront paraître « naïfs » dans une société de la complexité dans laquelle la **science** jouera un rôle croissant, et jouera parfois un rôle de **démiurge**. C'est pourquoi les pratiques spirituelles seront de plus en plus « **personnalisées** », parfois même « bricolées », au grand regret des **intégristes** de tout bord qui seront d'autant plus **dangereux** qu'ils seront **minoritaires** et prêts à tout pour vaincre les « **mécréants** ».

La **laïcité** pourrait ainsi être considérée comme une « **valeur** » plus « moderne » et « rationnelle » que la religion. Cette attitude favoriserait aussi l'**athéisme**, et surtout l'**agnosticisme**, qui considère que l'absolu est inaccessible à l'esprit humain et qu'il est donc inutile de le chercher, dans les religions ou ailleurs. Cela pourrait conduire à penser que l'Homme peut et doit être son propre **créateur**, qu'il se situe au-dessus de la **Nature** et ne doit accepter aucune des limites que celle-ci lui imposerait. Le **transhumanisme** ferait alors figure de nouvelle religion (ou de secte pour ses opposants). Ces évolutions devraient inciter au débat sur les rôles respectifs du « **hasard** » et du **déterminisme** dans la vie, ainsi que sur la notion de « **progrès** ».

VIE SOCIALE

▶ **Une amélioration possible de la vie collective.** Les **tensions** et **oppositions** existantes entre les groupes sociaux, avec des positions (parfois des postures) bien arrêtées, pourraient s'aggraver. Elles seront pour certains la conséquence d'un manque de **réformes** suffisamment profondes. Pour d'autres, elles seront au contraire dues à des transformations de la société qu'ils jugeront trop **brutales**. Cette situation reflétera la difficulté des Français à trouver des **consensus**. Elle serait la conséquence de la culture nationale de l'**affrontement** et de la vision **dichotomique** du monde, qui oppose traditionnellement les tenants du « **tout social** » à ceux du « **tout libéral** ». Ces difficultés à « **faire société** » pourraient cependant se réduire au moins en partie dans les années à venir, avec l'émergence d'une vision plus **équilibrée**, fondée sur un objectif préalable de **réconciliation** nationale et l'émergence de « **valeurs post-matérialistes** ».

▶ **Vers une démocratie positive ?** La confirmation de la volonté de « **vivre mieux ensemble** » dépendra bien sûr de la **situation économique et sociale** de la France d'ici **2022**, date de la prochaine élection présidentielle. Elle dépendra du niveau de **confiance** qui prévaudra entre les acteurs politiques et le « peuple ». Elle sera aussi conditionnée par l'**environnement international**. Elle nécessitera enfin une amélioration du fonctionnement de la **démocratie** nationale. Celle-ci passera par la mise en place d'une « **démocratie collaborative** » (ou « positive »), **délibérative** et pour commencer plus **représentative** de la population qu'aujourd'hui. L'implication et la participation des **citoyens** aux décisions seront en effet nécessaires pour qu'ils puissent contribuer (de façon effective et continue) à la réflexion sur les changements et transformations à opérer, et à leur mise en place. Cette phase d'**appropriation** sera une condition essentielle de l'adaptation du pays.

▶ **La question-clé des inégalités.** Un autre facteur important du climat social sera l'évolution des **inégalités**, et de leur perception dans l'opinion. Les Français considèrent dans une large majorité que les **écarts** se sont accrus dans de nombreux domaines : revenus, patrimoines, instruction, santé, emploi, conditions de travail, etc. De nombreuses études leur donnent raison et montrent en tout cas que le processus **égalitaire** qui a prévalu pendant des décennies s'est interrompu depuis le début de ce siècle. Les perspectives **2030** vont cependant plutôt dans le sens d'un **renforcement** de ces inégalités, qui serait très mal accepté par une majorité de Français. Le **consensus** indispensable à l'évolution ne serait alors pas possible. Il pourrait ouvrir plus largement encore la voie aux idéologies extrémistes.

▶ **Un débat renforcé sur l'immigration.** Les perspectives concernant l'**immigration** sont préoccupantes à l'horizon d'une décennie. Des millions de personnes confrontées à des difficultés politiques, économiques ou climatiques sont susceptibles de frapper aux portes de la France. Le débat sur la « solution » à ce problème risque d'empoisonner la vie sociale et d'envenimer les positions ; il opposera de façon difficilement réductible les tenants de l'**humanisme** et ceux de la « **préférence nationale** ».

Une voie **médiane** sera difficile à trouver, surtout si la situation économique, écologique, sociale et par voie de conséquence politique de la France ne va pas dans le sens d'une amélioration. Et si les valeurs **matérielles,** souvent associées à l'idée de **préférence nationale**, continuent de l'emporter sur les valeurs **post-matérielles**, qui favorisent et traduisent une conception **planétaire**. Une solution à la fois réaliste et humaniste, forcément imparfaite, ne pourra être trouvée que par un **compromis** majoritaire.

▶ Une inflation sécuritaire. Dans un monde de plus en plus **anxiogène**, la demande de **sécurité** ne devrait cesser de s'accroître. Le « **risque zéro** » sera une revendication croissante de la part des citoyens. Elle sera motivée par les **innovations** technologiques permettant une surveillance de tous à tous les instants. Les dispositifs de **prévention** et de contrôle devraient ainsi se multiplier dans de nombreux domaines : santé ; environnement ; énergie ; alimentation ; consommation...

Face au sentiment d'insécurité (et à sa réalité), les gouvernements seront amenés à durcir les **réglementations**. Le « **principe de précaution** » sera brandi chaque fois qu'un risque apparaîtra, au détriment de celui d'**innovation** ou d'**expérimentation**, qui peuvent être plus utiles. Chaque fait divers sera largement relayé par les **médias** et des polémiques surgiront, incitant les politiques à prendre dans l'urgence des mesures pour éviter qu'il se reproduise. L'**arrestation** et la sanction des délinquants seront alors prioritaires par rapport à leur **réinsertion** dans la société, avec pour conséquence une nouvelle dégradation des conditions de détention (surpeuplement, suicides des détenus...) et des **récidives** plus fréquentes. On devra s'interroger sur le **coût** de ces mesures, leur **efficacité**, et les privations de **liberté** qu'elles impliquent.

TRAVAIL

EMPLOIS

▶ Un décalage entre destructions et créations. La « **robolution** » (multiplication des robots en complément ou remplacement des humains) est en marche et elle devrait s'accélérer dans les années qui viennent. Ses conséquences sur l'emploi global sont difficiles à évaluer. Il n'apparaît pas probable que la vision « **schumpetérienne** », consistant à dire que l'innovation technologique a toujours créé plus d'emplois qu'elle en a détruits, se vérifie encore, face aux **ruptures** technologiques attendues d'ici **2030**. Leur diffusion devrait être en effet beaucoup plus rapide que dans le passé, grâce notamment aux **intelligences artificielles** qui les accompagneront et qui seront dotées d'une capacité d'**autoapprentissage**. Elles permettront des gains de **productivité** importants, qui seront sensibles dans de nombreux domaines.

En parallèle, des emplois seront certes **créés** pour concevoir, fabriquer, utiliser et entretenir ces robots (visibles car matérialisés) ou algorithmes (invisibles car dématérialisés, sous forme de programmes et fichiers numériques). Ils nécessiteront des **compétences** nouvelles, pour lesquelles il faudra **former** des travailleurs qui auront perdu à cause d'eux leur emploi, ou pour éviter qu'ils le perdent. Cela demandera du temps et il semble probable qu'il y aura un **décalage** entre destructions et créations, qui se traduira par un **déficit d'emplois**. Les années qui viennent pourraient ainsi être marquées par une remontée du **chômage**, au moins pendant une période de **transition** (2025).

MÉTIERS

▶ Des métiers menacés. Les prochaines années devraient être marquées par la **disparition** au moins partielle de nombreux métiers, sous l'effet des innovations en cours et de celles qui sont attendues. Parmi les métiers menacés d'ici **2030** à plus ou moins grande échelle, on peut citer pêle-mêle : chauffeur routier ; chauffeur de taxi ; conducteur de métro ; pilote d'avion ; démarcheur téléphonique ; téléconseiller ; secrétaire ; *trader* ; ouvrier (surtout non spécialisé) ; comptable ; employé de banque *(back office)* ; employé d'assurances ; bibliothécaire ; moniteur d'auto-école ; magasinier ; réceptionniste d'hôtel ; recruteur ; agent de sécurité ; conseiller en placements ; professeur ;

vendeur ; traducteur ; agent immobilier ; caissier...

▶ Des métiers émergents. En contrepoint aux emplois détruits, de **nouveaux métiers** devraient aussi apparaître dans les prochaines années. La plupart seront en lien avec les nouvelles **technologies** : responsable de la sécurité numérique ; concepteur de *chatbots* (systèmes conversationnels capables de dialoguer avec des personnes en langage «naturel») ; imprimeur 3D ; garagiste pour voitures électriques ; pilote de drone ; contrôleur de trafic aérien pour drones ; analyste de données (assisté par des systèmes automatisés) ; développeur d'intelligence artificielle ; *coach* numérique ; responsable de la diversité (recrutement de personnes appartenant aux minorités) ; courtier de données personnelles (création de profils à des fins généralement commerciales) ; concepteur de ville intelligente (et métiers plus spécialisés dans le même domaine : énergie, transports, relations avec l'administration, communication...) ; contrôleur éthique dans l'entreprise... Il faut bien sûr ajouter à cette liste les concepteurs, fabricants ou vendeurs de machines et tous les métiers qui graviteront autour de la «robolution».

▶ Des nouveaux statuts. Ces transformations du marché de l'emploi obligeront à repenser l'ensemble du système de **formation**, du **travail** et de sa **rémunération**. Les tabous existants devront être levés et la créativité stimulée pour discuter des statuts, de la durée du travail, de l'âge de la retraite et de son financement, des avantages acquis, du revenu universel, de la taxation des robots, de la responsabilité sociale des entreprises, de l'attitude des syndicats ou du partage des richesses, etc.

La part des travailleurs **non salariés** devrait augmenter, dans le cadre d'un processus plus général de recherche d'**autonomie** professionnelle. Des dispositions **législatives** devraient être prises pour leur permettre de pratiquer **plusieurs activités**, en étant par exemple indépendant, micro-entrepreneur et/ou salarié. Ces pratiques seront favorisées par la tendance des entreprises à **externaliser** des activités qui ne font pas partie de leur **cœur de métier** et à **sous-traiter** certaines tâches pour lesquelles elles ne sont pas compétitives. Le développement des **plates-formes collaboratives** permettant à des particuliers de proposer leurs services à d'autres particuliers (bricolage, jardinage, ménage...) sera aussi une opportunité pour de nombreux indépendants.

VIE PROFESSIONNELLE

▶ Un risque de précarisation. On pourrait assister à un accroissement du nombre de contrats à **durée déterminée**, ainsi qu'à celui du nombre d'actifs situés dans le «halo» du chômage et non pris en compte dans les statistiques. Les **conditions de travail** seront modifiées avec la généralisation du **télétravail** (le plus souvent à temps partiel), la reconfiguration des **lieux de travail** (plus conviviaux et orientés vers le bien-être des actifs) et les nouvelles formes de **gouvernance** des entreprises (favorisant la participation des salariés et la créativité). L'accent sera mis sur la **formation** permanente des collaborateurs, qui sera en partie laissée à leur **initiative**. Enfin, une **diminution de la durée légale du temps de travail** pourrait être envisagée pour les salariés, afin de permettre un réel **partage de l'emploi**, sur la base de choix **individuels**, dans la mesure où ils permettront une baisse de la **durée moyenne** au niveau **national**.

Les clés de la réussite, tant pour les entreprises que pour les travailleurs, résideront dans la **responsabilité** (économique, sociale, environnementale), l'esprit de **synthèse**, la capacité à travailler en **équipe** l'enthousiasme, la **créativité**, la **curiosité**, l'intérêt pour les **nouvelles technologies** et le souci **du long terme**. L'**image** du travail et sa «valeur» pour les individus et la société devraient aussi évoluer sensiblement, avec l'instauration possible d'un **revenu universel**, d'une **baisse de la durée** de travail ou l'investissement personnel dans d'**autres types d'activités** (rémunérées ou non, collectives ou personnelles).

ARGENT

IMAGE

▶ **Une relation plus apaisée.** La relation des Français à l'argent pourrait être demain plus **apaisée** qu'aujourd'hui, si l'émergence de valeurs **post-matérialistes** se confirmait : quête de **sens** ; recherche d'un « bonheur » plus **qualitatif** que quantitatif ; volonté d'œuvrer ensemble à la restauration de l'**environnement** (ou d'empêcher sa destruction totale) ; recherche d'un **enrichissement** culturel plutôt que matériel ; volonté de créer un monde plus **juste** et d'éradiquer la **pauvreté**, en réduisant notamment les **inégalités monétaires** ; attitude de **responsabilité** à l'égard de ses semblables et des générations futures... Ce serait le prélude à un **changement de société** et même de **civilisation** nécessaire pour que la France invente un avenir plus satisfaisant que celui auquel elle s'expose si l'argent garde sa place centrale.

REVENUS

▶ **Stagnation ou même diminution.** Les éléments constitutifs des **revenus disponibles** des ménages (tous revenus confondus après charges, impôts et prestations sociales) devraient plutôt évoluer de façon défavorable à leur augmentation. Dans une économie à **croissance modérée** (mais plus durable), l'**emploi** serait insuffisant pendant la durée de la « **transition robotique** ». Les personnes remplacées ne pourront retrouver leur niveau de **salaire** antérieur qu'après une **mise à jour** de leurs compétences et une **réorientation**, ce qui demandera du temps. Les revenus des personnes **en place** (sauf exception liée à des compétences rares) seraient tirés eux-mêmes vers le bas par la concurrence des **robots** et l'accroissement de la demande de travail insatisfaite.

Les revenus du **capital** ne devraient pas non plus être en croissance, ni surtout garantis, dans un contexte d'**inflation** plus forte et de **risques** accrus sur les placements, liés à la fragilité de l'économie. Dans ce contexte, les charges sociales, impôts, taxes et autres **prélèvements** ne pourront guère être réduits, sous peine d'aggraver les **déficits** et l'**endettement** national (qui serait par ailleurs grevé par la montée des **taux d'intérêt**).

POUVOIR D'ACHAT

▶ **Une stagnation possible.** En l'absence d'**innovations de rupture** permettant de réduire de façon rapide et spectaculaire les coûts énergétiques et de créer des emplois en nombre dans des nouveaux secteurs, les **revenus disponibles** des ménages pourraient **stagner** en monnaie constante, et même **diminuer** pour un certain nombre d'actifs. La situation de chacun **sera** cependant différente en fonction de ses compétences et de leur mise à jour, des secteurs d'activité et du dynamisme des entreprises dans chacun d'eux. La société serait ainsi globalement partagée en trois groupes en fonction des **atouts** et de la capacité de **résilience** de chaque individu : les *Tranquilles* ; les *Agiles* ; les *Fragiles*.

▶ **Un accroissement potentiel des inégalités.** Les **inégalités** de revenus pourraient connaître deux évolutions contradictoires. Elles pourraient s'**accroître** entre les personnes susceptibles de s'**adapter** aux nouvelles conditions du marché du travail par une **formation continue**, favorisée par leur **curiosité** personnelle, et celles qui éprouveront des difficultés et resteront au bord de la « **modernité** ». À l'inverse, les inégalités de revenus pourraient se réduire entre les **sexes**, entre les **âges**, entre les **milieux sociaux** ou entre le secteur **public** et le **privé**, dans le cadre d'un **consensus social** ou sous l'effet de lois votées dans ce sens. L'expérimentation d'une ou plusieurs formes de **revenu universel** pourrait aussi être entreprise, dans le but d'atténuer les inégalités.

PATRIMOINE

▶ Des écarts accrus. L'évolution des **patrimoines** pourrait également faire apparaître un accroissement des écarts, pour des raisons semblables à celles concernant les **revenus**. Il s'y ajouterait les inégalités induites par les **héritages**, **donations** et **enrichissements** personnels (liés notamment à la création d'entreprises), qui désavantagent sensiblement les personnes qui n'en bénéficient pas.

CONSOMMATION

ATTITUDES

▶ Défiance, compétence, exigence, opportunisme. La **détérioration** de la relation entre les consommateurs et les prestataires pourrait se poursuivre et s'amplifier à l'avenir. Elle sera nourrie par certaines **pratiques** des entreprises commerciales jugées **peu vertueuses**, voire inacceptables par les clients : collecte de **données personnelles** ; **prix** trop élevés ; manque de **responsabilité** sociale ou environnementale ; promesses non tenues... Elle se traduira par une **méfiance** croissante à leur égard, un recours systématique aux avis et notations des **pairs**, aux **comparateurs** de prix et de services, aux **forums** et **réseaux sociaux**, aux sites de **réclamations**, de **pétitions** ou d'appels au **boycott**. Ces outils permettront en outre aux consommateurs d'accroître leur niveau de **compétence** dans tous les domaines. Ils pèseront ainsi de plus en plus dans le **rapport de force** traditionnel (matériel et psychologique) entre l'offre et la demande, qui devrait basculer de plus en plus de leur côté. Cette compétence justifiera une **exigence** de plus en plus grande à l'égard des prestataires (personnes, entreprises, marques) et des produits et services qu'ils proposeront. La **diversité**

de l'offre (entretenue par l'innovation permanente) et la volonté de repérer, expérimenter et sélectionner les « **meilleures** » inciteront les consommateurs à se montrer de plus en plus **infidèles**. Ce comportement sera en réalité la conséquence de leur **curiosité** à l'égard des innovations et d'un **opportunisme** justifié par la multiplication des promotions, publicités et autres actions de **marketing** menées par les marques.

▶ Culpabilité et responsabilité. Face à des perspectives incertaines, la société de consommation tendra à devenir une « **société de consolation** », destinée à **compenser** les frustrations et les inquiétudes. La consommation devrait cependant rester un **moteur** important de l'activité économique ; elle créera ou maintiendra des emplois, permettra la création de richesses qui pourront être partagées. Mais elle engendrera aussi des **déceptions**, ainsi qu'un sentiment de **culpabilité** croissant chez les consommateurs, qui savent au fond d'eux-mêmes qu'étymologiquement, « consommer, c'est détruire ». Une réalité dont ils ont chaque jour l'illustration en matière d'**environnement**. La société de consommation ou de consolation est aussi une société de « **consumation** ».

Ce sentiment de culpabilité devrait avoir aussi des effets favorables sur les comportements, qui deviendront plus **responsables**. Les consommateurs concernés favoriseront ainsi les achats de produits « **verts** », bio ou **écologiques**, qui promettent de protéger la planète et ses habitants. Ils favoriseront aussi le **commerce équitable**, qui ne sera plus comme aujourd'hui un simple **souhait**, mais une **revendication**. En parallèle, mais aussi parfois en contradiction, on devrait observer un engouement pour les produits « *made in France* ». Ils ne seront pas seulement achetés par réflexe « protectionniste », mais aussi par **solidarité**, même si elle reste sélective (nationale ou locale, plutôt que globale).

COMPORTEMENTS

▶ **Autonomie.** La **responsabilité** croissante des consommateurs sera également apparente dans leur volonté de ne pas céder aux **sollicitations** toujours plus nombreuses et « ciblées » des entreprises et des marques. Les **incitations** se multiplieront en effet pour qu'ils achètent toujours plus et qu'ils renouvellent des produits et équipements qui seront de plus en plus rapidement **obsolètes**. Cette tendance à l'**autonomie** se traduira sur le plan individuel par une moindre boulimie et une recherche de **sobriété**. Une réponse possible à la société de consommation et à ses effets destructeurs sur l'**environnement**, et donc sur la **vie**.

Au plan collectif, cela pourrait **conduire à la naissance de « marques de consommateurs »** créées et gérées par eux de l'amont jusqu'à l'aval comme des coopératives modernes. Une façon de boucler la boucle, après la domination des **marques de fabricants**, qui avait elle-même entraîné l'invention et le développement des **marques de distributeurs**. Dans le même esprit, les consommateurs pourraient mettre en œuvre un « *Big Data* **inversé** », une base de données ouverte à tous dans laquelle les différents **acteurs** de l'offre (fabricants, distributeurs, communicants, organisations et institutions diverses...) seraient « **fichés** » par les consommateurs, au moyen d'informations récoltées sur tous les canaux, regroupées, analysées et répertoriées. Une riposte à la collecte et à l'usage généralisé des **données personnelles** des consommateurs par les prestataires, et une référence utile pour les clients dans leurs achats.

▶ **Usage et partage.** La riposte passera aussi par la mise en place d'une « **économie du partage** » moins **boulimique** et moins **agressive** pour la planète que l'économie actuelle. Elle favorisera l'**usage** plutôt que la possession. Elle privilégiera la **location**, le **prêt**, le **don**, la **réparation** et la **récupération** à l'achat, au **renouvellement** et à la **destruction**. Elle incitera à **mutualiser** des services, à **optimiser** l'usage des ressources et des équipements. Elle privilégiera les produits « *low print* » (à faible empreinte écologique) à ceux présentant un bilan carbone délétère. Elle participera au passage de l'économie à l'« *écolonomie* ».

▶ **Du rapport qualité/prix au rapport valeur/coût.** La **qualité** d'une offre, telle qu'elle sera perçue par le consommateur, sera de moins en moins réductible à celle du **produit** ou du **service** dans sa valeur d'**usage**. Des valeurs **immatérielles** s'y ajouteront, comme l'**image** de la marque, la **responsabilité** (économique, sociale, environnementale) de l'entreprise ou la qualité des relations entre elle et le client. De la même façon, le **prix** affiché ne sera plus que l'un des éléments du **coût global** que représente l'obtention d'un bien ou service pour le client (achat, location, abonnement...). Il s'y ajoutera une estimation de la « **dépense énergétique** » totale nécessaire pour se le procurer : fatigue, carburant, entretien d'un véhicule, frais de parking... Le coût intégrera également celui, estimé, du **temps passé** avant l'obtention du produit ou service, une dimension de plus en plus essentielle de la consommation. Ce « coût » sera bien plus élevé pour les « **temps morts** » que pour les « **temps forts** » (qui seront intégrés au numérateur du rapport et non au dénominateur).

Ce **rapport valeur/coût** rendra mieux compte que le **rapport qualité/prix** du **modèle de décision** d'achat des consommateurs. Il intégrera les nouvelles attitudes et les nouveaux comportements en vigueur et permettra de comparer les offres de façon **rationnelle** (consciente ou inconsciente), en pondérant chaque facteur et en prenant en compte des éléments **émotionnels**.

SOCIÉTÉ ET SOBRIÉTÉ

▶ **Le consommateur, ni victime ni complice.** Le manque de **temps** ressenti, la stagnation du **pouvoir d'achat**, les préoccupations **environnementales**, la volonté de ne pas être coresponsable du «système» ou manipulé par lui, la **profusion-confusion** des offres et des sollicitations, les atteintes à la **vie privée** et autres **déceptions** ou **frustrations** nourriront le débat en cours sur l'avenir de la «**société de consommation**». Ce débat démontrera ou rappellera que «*l'argent ne fait pas le bonheur*» et que la dépense inconsidérée peut même engendrer le «malheur» (notamment écologique) dans ses conséquences directes ou indirectes, à court, moyen ou long terme.

C'est donc tout le «**système**» de la consommation qui devrait être mis en question et, souvent, en accusation au cours des prochaines années. Et avec lui le «*fétichisme de la marchandise*» dénoncé en son temps par Marx, l'**aliénation** décrite et critiquée par Barthes, Perec ou Baudrillard. Avec en perspective la **destruction** de la planète annoncée par les écologistes et autres lanceurs d'alertes. La **dématérialisation** de l'offre initiée par la révolution numérique n'apporte en effet qu'une réponse partielle, car elle n'est pas neutre pour l'environnement, ne serait-ce que par sa **consommation énergétique**, souvent ignorée, qu'il s'agisse de celle du réseau Internet ou d'une *blockchain*.

▶ Alterconsommation. Plusieurs **stratégies d'adaptation** plus ou moins sérieuses et crédibles seront ainsi mises en avant par des «**alterconsommateurs**». Elles pourraient être (au moins en partie) fédérées dans un nouveau **système**, fondé sur la **responsabilité** (individuelle et collective), la **sobriété** (ou parfois frugalité), la **simplicité**. Ce mouvement annoncerait la fin du «**toujours plus**» et prônerait une vision plus qualitative de la vie et mettrait en évidence le simple «**bonheur**» d'exister. La baisse éventuelle du pouvoir d'achat pourrait ainsi être mieux acceptée, surtout si elle s'accompagnait d'une **réduction des inégalités**. Elle se traduirait par une baisse du **vouloir d'achat**, et donc des **dépenses**, facilitée par l'accroissement du **savoir d'achat** des consommateurs. L'émergence de cette *Société Simple et*

Sobre pourrait permettre de réconcilier les individus, les consommateurs et les citoyens et d'inventer un avenir commun en évitant aux humains la catastrophe annoncée et redoutée par beaucoup.

OFFRE

▶ Un marketing «hypersonnalisé». Une connaissance détaillée des clients et prospects. L'accumulation des *Big Data* et la qualité croissante de leur traitement permettront aux entreprises de **cibler** de plus en plus précisément leurs offres, en termes de produits ou de communication. Le marketing sera de plus en plus **prédictif**... sauf si les clients ne l'acceptent pas et font en sorte de «saboter» le système.

▶ La distribution physique menacée. La distribution sera de plus en plus «**multicanale**» et même **omnicanale**, avec un développement privilégié du *e-commerce*, et surtout du *m-commerce* (via les smartphones), dans presque tous les secteurs : tourisme, produits culturels, électroménager, habillement... Les **magasins classiques** (notamment les hypermarchés, centres commerciaux, boutiques non spécialisées) devront se **réinventer** pour offrir des **avantages tangibles** aux nouveaux consommateurs **connectés**. Sous peine d'être rachetés par les grands opérateurs numériques, ou de devoir cesser leur activité. Cela implique de réduire les **surfaces** de vente, de revoir les **assortiments**, la **mise en scène** des produits, les **services** et les **prix**.

LOISIRS

TEMPS LIBRE

▶ Plus de temps et d'argent pour les loisirs. En **2030**, les Français devraient disposer d'un **temps libre** encore plus abondant qu'aujourd'hui : un tiers du temps **éveillé** d'une vie (29 %, hors temps de sommeil), soit trois fois plus que le **travail** (9 %). Cela leur permettra de pratiquer de nombreux **loisirs**, d'autant que l'**offre** devrait s'accroître dans des proportions considérables. Elle s'appuiera sur des **innovations technologiques** de rupture, qui vont ouvrir des champs d'application totalement nouveaux en matière de **loisirs**.

Les **dépenses** qui leur seront consacrées devraient s'accroître, car elles concerneront de nombreux domaines : médias ; activités manuelles ; activités culturelles, jeux ; sports etc. Une part sera consacrée à des pratiques **actives**, une autre à être **spectateur** des activités pratiquées par d'autres, dans le cadre de compétitions ou de spectacles, avec cependant des possibilités croissantes d'**interaction**. Au total, les Français pourraient consacrer environ le **quart** de leur budget aux loisirs d'ici 2030.

▶ **Une société hédoniste et ludique.** Le **divertissement** devrait être plus encore qu'aujourd'hui au **centre** de la vie, en tant que moyen d'oublier les **contraintes** du travail et de la vie quotidienne, les **difficultés** du présent et les **incertitudes** de l'avenir. Cette dimension d'**évasion** prendra d'autant plus d'importance que les loisirs de demain seront en mesure de **transporter** « **virtuellement** » leurs pratiquants dans d'autres **mondes**.

La société à venir devrait être ainsi encore plus **hédoniste** que celle d'aujourd'hui. Elle fera du **plaisir** une motivation importante sinon principale de la vie. Une vie dont chaque Français voudra « **profiter** » autant que possible. Mais chacun sera en même temps conscient des **menaces** qui peuvent à tout moment « gâcher le plaisir » : catastrophes naturelles ou artificielles, attentats, chômage, difficulté à gérer sa propre destinée.

La société de demain sera également **ludique**, ne serait-ce que parce que chaque être humain porte en lui le goût du **jeu**. *Homo ludens* semble avoir toujours coexisté avec *Homo sapiens*. L'Humanité n'a peut-être même jamais connu de « **prélude** » (étymologiquement, ce qui précède le jeu). Jouer peut être un moyen de **raisonner** (avec les jeux de réflexion) ou au

contraire de laisser agir le « **hasard** ». Le jeu permet de se confronter aux autres et à soi-même, d'apprendre et de comprendre le fonctionnement du monde, dont il est souvent une **simulation**.

▶ **Des différences fondées sur le niveau d'instruction plutôt que sur l'âge ou le sexe.** Plus encore sans doute qu'aujourd'hui, les **pratiques** de loisirs seront différentes selon les individus. Elles le seront en fonction de leurs **choix** personnels parmi la multitude des offres. Elles varieront aussi avec leur **âge**, mais de façon moins marquée car les offres seront le plus souvent destinées à l'ensemble des classes d'âge, celui-ci devenant moins pertinent comme facteur de segmentation des comportements. Les **enfants** voudront faire comme les « grands » et les **aînés** voudront montrer qu'ils ne sont pas « hors jeu », au propre comme au figuré. Les différences seront également moins présentes entre les **sexes**, compte tenu du fort mouvement de **convergence** des modes de vie entre hommes et femmes.

En revanche, les écarts liés au **niveau d'instruction** pourraient s'accroître, même si des efforts sont réalisés pour **démocratiser** la culture et la « populariser ». À défaut d'être démoli, le « **mur invisible** » érigé par les habitudes prises (ou non) dans le milieu familial sera déplacé. Mais ce sera sans doute davantage la **culture** qui se rapprochera des individus que le contraire. Les taux d'**abandon** des activités de loisirs devraient être élevés (sauf dans les cas d'**addiction**), du fait de la tentation croissante d'**expérimenter** sans cesse les nouvelles activités proposées.

INNOVATIONS

▶ **La technologie omniprésente.** Les loisirs des prochaines années profiteront amplement des développements des **technologies numériques**. Celles qui concerneront la **réalité virtuelle** (monde inventé), **augmentée** (superposition d'informations virtuelles au monde réel) ou **mixte** (mélange des deux) sont les plus prometteuses. On pourra grâce à elles se déplacer à volonté dans le **temps** et dans l'**espace**, s'**immerger** dans des univers de toute sorte (voir ci-après).

Les loisirs du futur ne se contenteront plus de proposer des **informations** numérisées (textes, images, vidéos, sons, infographies…). Ils proposeront des films, livres, spectacles, jeux vidéo «**augmentés**» ; des «**expériences**» multimédias défiant l'imagination. Les cinq **sens** traditionnels seront stimulés, d'autres «**réveillés**» (équilibre, orientation, perception du danger…). D'autres encore seront totalement **créés** (à des horizons variables, sans doute plus éloignés que 2030) : vision à travers des objets opaques, décodage des pensées ou des rêves d'une autre personne, communication par télépathie, etc.

L'innovation technologique renforcera la **dématérialisation** des activités de loisirs et augmentera le temps passé devant des **écrans** de toute sorte. Celui-ci pourrait dépasser en moyenne **6 heures par jour**, contre un peu plus de 4 aujourd'hui.

▶ Une immersion dans de nouveaux mondes. Les progrès spectaculaires attendus dans les domaines de la **réalité virtuelle**, **augmentée** ou **mixte** seront à la base de nombreuses offres de loisirs. La première permettra de créer des univers totalement imaginaires ou de reconstituer des époques disparues ou des événements passés, etc. La seconde permettra d'insérer en **temps réel** des **éléments complémentaires** (en deux ou trois dimensions) dans la «**réalité**» (vue à travers des lunettes ou écrans). La troisième permettra de profiter des deux technologies pour avoir une vision «**hybride**» du monde, qui le rendra encore plus original, et déroutant.

Les applications de ces «nouvelles réalités» concerneront tous les domaines de **loisirs**. Les utilisateurs pourront se placer et déplacer à volonté dans des univers hyper réalistes, fantaisistes ou futuristes, mais aussi dans des lieux «**réels**» mais **inaccessibles** comme les planètes et les galaxies. Le **tourisme**, les visites de **monuments**, **expositions**, **musées**, les **spectacles** et bien d'autres activités en seront totalement transformés.

▶ Des ménages suréquipés et «assistés» par des machines. D'ici **2030**, la quasi-totalité des **ménages** seront équipés, et même le plus souvent multiéquipés des appareils numériques fixes ou mobiles existant aujourd'hui : radio, télévision, ordinateur, smartphone, tablette, montre connectée, capteurs placés sur le corps… Mais les modèles actuels seront très largement **dépassés** par les nouvelles générations, auxquelles de nouvelles **fonctions** auront été ajoutées. Ainsi, les smartphones seront pour la plupart dotés de la **reconnaissance biométrique** sécurisée, de **batteries** à autonomie fortement prolongée, à énergie solaire ou recharge quasi immédiate par induction (ou autre technologie). La **navigation** sur ces supports s'effectuera à très grande vitesse (après la 5G, la 6G sera sans doute généralisée en 2030).

Il s'y ajoutera de nombreux **assistants intelligents** dialoguant en «langage naturel» avec leurs interlocuteurs grâce aux progrès de l'analyse sémantique. Ils ne seront sans doute pas encore dotés d'une «**intelligence forte**» (dotée d'une «conscience», généraliste et au moins comparable à celle des humains dans chaque domaine). Les **objets connectés** domestiques ou mobiles se multiplieront. On devrait assister à la domination des appareils **mobiles** sur les appareils **fixes** pour de nombreux usages. Certains de ces objets extérieurs ou portables pourraient être remplacés par des **implants** miniaturisés dans le **corps**, voire dans le **cerveau** des individus qui le souhaiteront. L'horizon **2030** paraît cependant trop proche pour que ce mouvement soit véritablement généralisé.

MÉDIAS

▶ Information, surinformation, désinformation. Plus encore que la **surinforma-**

tion liée à la multiplication des médias, la question de la **fiabilité des informations** sera dominante dans les prochaines années. Les principales sources en seront les médias **numériques**. Par leur **omniprésence** et leur **interactivité**, ils seront davantage suspects que les médias sur support papier (journaux, magazines, livres...) d'inventer et de colporter des *fake news* (fausses nouvelles, rumeurs et mensonges pudiquement rebaptisés «**vérités alternatives**»). Les **enjeux** (économiques, sociaux, politiques) de l'information seront croissants, et avec eux les tentations de **désinformer** le public. Ce sera facile, du fait des fortes audiences numériques et du rôle de **relais** ou d'**émetteurs** que joueront, de façon consciente ou non, les internautes.

La «**vérité**» sera ainsi de plus en plus difficile à trouver. Un travail permanent de **vérification** sera donc nécessaire pour informer objectivement les citoyens, sous peine de mettre en péril la stabilité et la cohésion de la société. Ce travail pourra être en partie effectué automatiquement par des **algorithmes intelligents**, mais leur fiabilité ne sera probablement pas totale, du fait de **biais** pouvant être introduits dans leur programmation. L'intervention **humaine** restera donc nécessaire... à condition que son **objectivité** ne soit pas entachée de biais divers ou de conflits d'intérêts. L'information devra en tout cas être **réglementée**, **contrôlée** et tout manquement **sanctionné** de façon dissuasive par des organismes indépendants à l'échelle nationale et internationale. Ces difficultés d'accès à la vérité pourraient accroître encore la **crédulité** de l'opinion et nourrir le **complotisme**. C'est-à-dire fragiliser la **démocratie**.

▶ **La grande convergence médiatique.** Dans ce contexte, les médias «**papier**» devront se réinventer et refonder la relation avec leurs lecteurs. La **presse écrite** et le **livre**, déjà attaqués par les supports **numériques** et les sites «**infomédiaires**» qui en proposent des synthèses person-nalisées et souvent gratuites, devront inventer des modèles économiques rentables. La **télévision** devra elle aussi trouver un nouveau souffle. Elle pourrait notamment favoriser la **participation** effective du public, une mission nouvelle s'ajoutant à ses trois missions traditionnelles : **informer**, **cultiver**, **divertir**. Les téléspectateurs deviendraient ainsi des «**téléspectacteurs**».

▶ **Les réseaux sociaux en question.** Le nombre d'adhérents (notamment actifs) des réseaux sociaux pourrait se stabiliser à l'avenir. D'abord parce que l'usage de ces réseaux est très **chronophage**. Les Français leur consacrent aujourd'hui en moyenne plus d'une heure par jour, sur un total de près de cinq heures passées sur Internet, avec une utilisation **quotidienne** dans neuf cas sur dix. Par ailleurs, la tentation de se **valoriser** en multipliant le nombre de ses «**amis**» ou «**suiveurs**» devrait être moins forte, certains **contenus** apparaissant finalement assez pauvres (ou orientés) et la «**récompense**» apportée par le nombre de *like* de plus en plus dérisoire. Enfin, d'autres activités numériques entreront en **concurrence** avec ces réseaux (notamment les usages de la réalité virtuelle, augmentée ou mixte, voir ci-dessus), qui occuperont elles aussi une part du *temps de cerveau disponible*.

L'avenir des réseaux passera donc par leur capacité à **innover**, pour recruter et fidéliser. Il dépendra surtout, de leur **crédibilité**. Le jeu du «chat» (le réseau) et de la souris (l'adhérent) concernant le recueil et l'utilisation des **données personnelles** ne pourra en effet se poursuivre longtemps dans l'ambiguïté, parfois la dissimulation. Si les vols et utilisations frauduleuses de **données** par des tiers continuaient de se multiplier (avec souvent l'accord des opérateurs de ces réseaux), de nombreux utilisateurs seraient incités à les boycotter. Des **règles** éthiques devront donc être précisées, acceptées, mises en place et respectées, sous peine de sanctions pénales.

INTERNET

▶ **Un outil de liberté.** Au regard de l'histoire humaine, Internet représentera indiscutablement un **saut technologique** majeur, aux conséquences innombrables. Malgré les tendances actuelles au repli et au nationalisme, le **«village global»** promis par McLuhan au début des années 1960 deviendra demain réalité. Avec environ 5 milliards d'internautes en 2030, la majorité des humains en feront partie. Pour ceux qui auront accès à l'ensemble du réseau (sans être censuré), les frontières **spatiales** seront (virtuellement) supprimées. Il en sera de même, au moins partiellement, des frontières **temporelles**, **culturelles** et **mentales**.

Internet apportera à chacun un supplément d'information, d'expression et, le plus souvent, de **liberté**. La **convivialité** numérique constituera une réponse possible à la **solitude** engendrée par une «société de communication» qui ressemblera parfois à une **«société d'excommunication»**, au sens laïque du terme. Internet jouera aussi un rôle pratique essentiel au quotidien, en permettant à chacun de s'informer, apprendre, communiquer, travailler, faire ses courses, se divertir, etc.

▶ **Un outil de manipulation.** Comme toutes les inventions majeures, Internet sera un outil **ambivalent**. La force qu'il représentera aura son côté **obscur**. Il pourra servir à **manipuler les esprits** à travers les «vérités alternatives», le complotisme et autres mensonges. Il pourra (sans ce que ce soit délibéré) amplifier les **inégalités**, notamment dans les **usages** qui seront faits de ses services : divertissement bas de gamme plutôt qu'apprentissage sérieux, confrontation plutôt qu'entraide, critique plutôt qu'empathie... Sans parler des sites **immoraux** qu'il abritera, qui inciteront à la haine, au terrorisme, au racisme, à la pornographie, à la pédophilie, etc.

Internet constituera ainsi une menace majeure pour les **sociétés**, la **démocratie** et l'**économie**, en facilitant la **surveillance** permanente et le **fichage**, les actes de **sabotage**, les **intrusions** dans la vie privée des gens, des entreprises et des institutions, les **vols**, les **chantages**, etc. Contrairement à l'utopie initiale de ses fondateurs, le Web ne pourra pas rester un **non-lieu** bénéficiant d'un **non-droit**. Il devra être **contrôlé** et **régulé,** sans doute par des **robots**, *a priori* plus efficaces et plus intègres que les humains, à condition qu'ils soient programmés à partir de règles «morales». Mais cela prendra du temps.

▶ **Un nouvel espace-temps.** Les **outils numériques** courants (ordinateur, smartphone, tablette) seront complétés demain par une multitude d'objets connectés fixes, mobiles ou implantés dans le corps. Ils entraîneront leurs utilisateurs dans un nouvel **espace-temps**. La notion d'**espace** sera de plus en plus bouleversée par l'**ubiquité** permise par ces «prothèses» (chacun pourra se trouver à plusieurs endroits à la fois, réels ou virtuels, en étant lui-même réel ou virtuel, ce qui rendra d'ailleurs la géolocalisation plus délicate...).

Le **temps** sera lui aussi moins «réel», puisqu'il s'appliquera de plus en plus à des activités **virtuelles**. On notera d'ailleurs que l'expression **«temps réel»** a été créée pour qualifier un temps qui devenait au contraire « **virtuel**», ce qui annonçait déjà la confusion. La notion de **planification** tendra aussi à disparaître au profit de l'**improvisation**, plus conforme à la vie moderne, dans laquelle des événements se succéderont sans cesse pour modifier l'emploi du temps. Des changements et ajustements pourront donc être effectués à tout moment en fonction des sollicitations de l'environnement, des contraintes, des urgences, ou de l'humeur. Ils seront de plus en plus confiés à des **assistants intelligents** qui reconfigureront les journées en «temps réel».

LOISIRS DOMESTIQUES

▶ **Du dehors au-dedans.** Les activités pratiquées à **domicile** devraient être de plus en plus nombreuses dans les années à venir. D'abord parce que le foyer jouera un rôle **central** dans la vie des ménages. Le **temps** qu'ils y passeront sera plus long (de l'ordre de 20 heures par jour en 2030) et les loisirs auxquels ils pourront accéder seront diversifiés.

Les **activités manuelles**, comme le **bricolage** ou le **jardinage** (pour ceux qui disposeront de jardins et d'espaces «fleurissables»), seront favorisées par l'envie d'aménager, améliorer et personnaliser le lieu de vie, l'obligation légale d'effectuer certains travaux de mise en conformité (notamment énergétique), le souci d'**économiser** en **faisant soi-même** plutôt qu'en **faisant faire par d'autres**. L'**offre** de nouveaux équipements, matériaux et produits contribuera largement au développement de ces activités. Les logements seront ainsi de plus en plus réaménagés, redécorés, **végétalisés**, comme les **espaces publics** qui les entoureront.

▶ **La cuisine de fête plébiscitée.** L'engouement pour la **cuisine** répondra au souhait de veiller à la qualité **nutritionnelle** et **sanitaire** des aliments, comme à celui de **partager** des repas en famille ou entre amis. Ceux qui le souhaiteront pourront se faire assister par des *coachs* culinaires virtuels et des **robots** généralistes de nouvelle génération. Les autres s'adonneront à la cuisine traditionnelle, notamment pour les repas à caractère festif.

D'autres activités *a priori* moins valorisantes comme le **ménage** ou les **courses** (même pratiquées chez soi depuis un ordinateur) ne seront pas considérées, sauf exception, comme des loisirs, mais comme des **obligations** ou des **corvées**. Elles seront donc **déléguées**, par les ménages qui le peuvent, à des personnes et des entreprises spécialisées rémunérées, ou des machines. La **domotique** permettra d'effectuer de plus en plus de tâches : nettoyage des sols ou des vitres, gestion des courses et des déchets, surveillance et entretien des plantes, traitement de l'air…

LOISIRS CULTURELS

▶ **Des activités enrichies.** Le **temps** et l'**argent** consacrés aux **pratiques culturelles** varieront encore largement selon les **catégories sociales**, de même que la **fréquence**. La **conception** dominante du contenu de la culture sera sans doute assez large et «populaire». Les **sports** et les **jeux** en feront partie (qu'il s'agisse d'en être acteur ou spectateur), au même titre que les activités **artistiques** (littérature, peinture, sculpture, danse, cinéma, spectacles vivants, etc.).

L'**audiovisuel** jouera plus encore qu'aujourd'hui un rôle central, mais à travers des **supports** multiples, connectés, aux performances grandement améliorées. Ainsi, le **cinéma en salle** bénéficiera des nouvelles techniques de réalisation et de projection (4DX, GT Laser Imax, 3D stéréoscopique, vision à 360°, son spatialisé, fauteuils dynamiques…). Les films mettront en scène des grandes stars disparues, «**ressuscitées**» par les nouvelles technologies. La **réalité virtuelle** sera omniprésente, renouvelant totalement l'**expérience** des visiteurs de musées, expositions ou spectacles, *in situ* ou à distance.

▶ **L'occasion de réduire les inégalités.** La possibilité donnée à chacun de **pratiquer** des activités culturelles et d'**assister** à des spectacles depuis son domicile (souvent gratuitement) pourrait réduire les inégalités culturelles existantes. Elle pourrait lever l'un des **freins** principaux (et souvent inconscients) chez ceux qui ne disposent que d'un faible «**capital culturel**» au franchissement des portes d'un musée, d'un théâtre ou même d'une librairie. Il est cependant difficile d'affirmer que le goût de la **culture**, qui incite à réfléchir, deviendra plus fort que celui du **divertissement,** qui a plutôt pour but d'empêcher de penser.

▶ **Des pratiques amateurs plus fréquentes.** S'il n'est pas certain que l'accès à la culture «**passive**» (musées, expositions, monuments, théâtre…) se généralisera, il paraît plus probable que les Français seront davantage concernés par les **pratiques artistiques actives**, en amateur : peinture, sculpture, danse, dessin, etc. Elles leur serviront d'**exutoires** à un monde de plus en plus dominé par la technologie, dans lequel la **sensibilité** humaine pourrait être remplacée par la **froideur** des **robots**, même s'ils sont capables de simuler des **émotions**. Si la **technologie** peut sembler être l'antithèse de l'art, elle devrait exercer une influence sur ces pratiques en amateur.

Ces pratiques seront en outre favorisées par une **offre** plus large, sur Internet mais aussi de la part d'**associations**, qui permettront aux gens de devenir des **artistes amateurs**. Le temps disponible incitera à la **pluriactivité**, mais les taux d'**abandon** devraient être de plus en plus élevés, dans un contexte de *zapping* généralisé. Les jeunes seront notamment moins **patients** que leurs aînés ; ils accepteront moins facilement les périodes d'**apprentissage** nécessaires pour acquérir une certaine maîtrise dans une activité. La **lassitude** interviendra plus rapidement et avec elle l'envie d'essayer autre chose. Les **expériences** seront ainsi plus nombreuses et plus courtes.

SPORTS

▶ **Des activités sportives renouvelées.** On pourrait assister dans les **prochaines années** à une augmentation modérée des **taux de pratique sportive**, résultant de deux évolutions prévisibles et contradictoires. La première est l'intégration du lien croissant entre **santé**, **forme physique**, **bien-être** et **exercice physique**, amplement démontré par les recherches et relayé par les institutions sanitaires et les médias. La seconde est l'arrivée de **nouvelles activités** de loisirs, le plus souvent statiques et virtuelles, mais attractives, qui viendront en concurrence avec les pratiques actives.

Il est difficile d'imaginer aujourd'hui si la notion d'**utilité** du sport, associée au plaisir de sa pratique et à sa contribution au **développement personnel**, l'emportera sur la **fascination** exercée par les loisirs nouveaux. Un **compromis** pourra d'ailleurs être trouvé, notamment avec l'introduction d'**accessoires technologiques efficaces** et d'**environnements d'immersion ludiques**, qui inciteront à poursuivre la pratique sportive «réelle» ou même à l'accroître. Le développement de **nouveaux loisirs numériques** pourrait aussi permettre de faire **travailler le corps** aussi efficacement que le sport mais par d'autres moyens (stimulation musculaire statique ou dynamique, programmée ou dirigée...). On arriverait ainsi à une **symbiose** ou **hybridation** entre des **activités physiques «réelles»** rendues plus attractives par l'innovation technologie, et des activités **ludiques** ayant des effets physiques et mentaux comparables à ceux du sport.

▶ **Des pratiques autonomes, irrégulières.** L'**irrégularité** des pratiques sportives sera favorisée par la difficulté croissante de gérer le **temps** disponible. L'époque incitera en effet à **multiplier** les activités de toute sorte, ne serait-ce que pour se donner l'impression de vivre **intensément** et pour ne pas avoir le temps de penser au présent et se projeter dans le futur, obéissant ainsi à une sorte de dictature du «**divertissement**».

L'irrégularité et l'infidélité croissantes des individus devraient rendre la pratique des **sports d'équipe** plus rare, car elle est plus **contraignante**. Celle des sports **individuels** et **autonomes** comme la marche, le jogging, la natation ou le vélo serait au contraire plus fréquente. Ces activités sont aussi celles qui répondent le mieux aux **motivations** des Français pour le sport : distraction, entretien physique, évacuation du stress, convivialité, rencontres, perte de poids, dépassement des limites.

▶ **Des activités concurrentes plus nombreuses.** Les activités sportives seront **concurrencées** par d'autres activités, de natures très différentes : manuelles, culturelles, ludiques, actives ou passives, «naturelles» ou artificielles… Elles seront donc pratiquées moins durablement, avec des taux d'**abandon** de plus en plus élevés. Les jeunes seront en particulier tentés d'expérimenter de nouvelles activités sportives, notamment celles qui auront une dimension de **mode** ou de «**modernité**». Les abandons pourront aussi être liés aux **coûts** élevés de certaines activités, nécessitant des **équipements** spécifiques, le recours à des moniteurs et/ou l'achat de produits **consommables** (sports aériens ou nautiques, golf, etc.).

Le **sport spectacle** connaîtra de son côté un renouveau avec le développement du **e-sport** (issu du jeu vidéo), compétitions de jeux vidéo accessibles en **réseau local** ou via **Internet**, sur ordinateur ou console de jeux, mais aussi de plus en plus souvent dans des **salles publiques**. À l'instar du «**vrai**» **sport**, le *e-sport* sera de plus en plus dépendant de l'**argent**, soumis au **dopage** et parfois à la **violence**.

JEUX

▶ *Homo sapiens ludens.* Comme le **sport**, auquel il est logiquement apparenté, le **jeu** répond à un désir très ancien, souvent inconscient, de rêver sa vie ou d'en vivre d'autres en «**faisant semblant**». Il devrait occuper à l'avenir une place encore plus grande dans la société, que ce soit sous forme **numérique** ou **traditionnelle**. Ceux qui le pratiqueront lui consacreront de plus en plus de **temps**, mais aussi d'**argent**, avec l'arrivée de nouvelles catégories de **jeux numériques** (telles que le **e-sport**, voir ci-dessus). Des jeux qui pourraient aussi entraîner des **addictions** nombreuses.

Internet devrait devenir le support le plus utilisé pour les jeux en général. Il se développera notamment sur les **paris sportifs**, prenant une part croissante du marché détenu auparavant par le **PMU**. Les **casinos en ligne** disposent d'un potentiel important, avec notamment le **poker en ligne**. Les dépenses consacrées aux **jeux** (qui dépassent déjà celles allouées au **sport**, avec 20 milliards d'euros par an après gains, contre 18 milliards), seraient encore plus élevées d'ici **2030**.

VACANCES

▶ **Des motivations égoïstes et altruistes.** Les vacances du futur conserveront leur caractère **symbolique** ; comme aujourd'hui, elles seront considérées comme un temps d'**évasion** et de **magie**. Cette dernière devrait être encore plus présente, grâce à la technologie. Les vacanciers rêveront d'«**ailleurs** » situés dans des cadres enchanteurs. Ils voudront échapper aux soucis de la «vraie vie», aggravés par l'**incertitude** qui brouille les perspectives d'avenir, et tend à les assombrir. Les vacances répondront au besoin de découvrir le **monde avant qu'il ne change** ou que certains endroits ne soient plus accessibles. Elles seront motivées par l'envie de rencontrer les «**autres**» et le besoin de se connaître **soi-même**. Elles s'inscriront dans une recherche d'«**expériences**» à vivre, permettant d'accumuler des souvenirs forts. Des réponses nouvelles seront proposées pour satisfaire ces attentes de découverte et de rupture avec le quotidien. Elles ne se situeront plus dans le «**vrai monde**» mais dans celui de la **virtualité** (voir ci-dessous). Ce «**nouveau monde**», très différent de l'autre, sera très **riche et diversifié**. Il devrait séduire de nombreuses personnes, en tant que **complément** aux vacances traditionnelles et réelles, parfois même comme **substitut**. D'autant qu'il présentera quelques avantages importants : accès immédiat ; coût inférieur ; sécurité plus grande ; créativité sans limites ; impact faible sur l'environnement…

▶ **Des congés payés moins longs.** Contrairement à la tendance observée depuis près d'un siècle, la durée moyenne des congés payés pris par les actifs pourrait diminuer d'ici 2030, pour plusieurs raisons :

   ✓ Le besoin de **compétitivité** et de rétablissement des **marges** pour les entreprises limiterait leur possibilité de financer des congés payés aussi longs qu'aujourd'hui.

✓ Une nouvelle **baisse de la durée du travail** des salariés pourrait intervenir. Si un maintien au moins partiel des **salaires** était décidé, son coût pour les entreprises pourrait être en partie compensé par une diminution de la durée des **congés payés**.

✓ La proportion accrue de **non-salariés**, qui s'accordent en moyenne moins de congés que n'en disposent les salariés, réduira mécaniquement la **durée moyenne des congés pris par l'ensemble des actifs**.

La durée moyenne des séjours pourrait être accrue par l'accroissement de la part des séjours à l'**étranger** (pour ceux qui pourront se les offrir), qui sont en moyenne plus longs que ceux passés en France. Le **coût** plus élevé de ces séjours à l'étranger (notamment pour le transport) entraînerait globalement une diminution de leur fréquence, donc un moindre fractionnement sur l'année.

▶ **Des taux de départ en baisse, et encore plus inégaux.** Les années à venir pourraient être marquées par une nouvelle baisse du taux de départ en vacances des actifs occupés. Elle serait d'abord liée à un **pouvoir d'achat** moyen des ménages en diminution. Certains actifs pourraient aussi être amenés à utiliser des périodes de congés pour pratiquer d'**autres activités** (à but professionnel ou personnel) ou pour assurer leur propre **formation**, plutôt qu'à partir en vacances. Ce comportement pourrait également être favorisé par le recours croissant à des «**vacances alternatives**» offertes par les outils numériques, qui permettront des «voyages» (même lointains) à domicile.

La plus grande dispersion prévisible des **revenus** d'ici **2030** devrait également accroître les écarts en matière de **taux de départ** ou de **types de vacances**. Ainsi, les vacances aux **sports d'hiver** seraient encore plus élitaires, leur **coût** étant accru par la **rareté** croissante de l'offre (liée aux changements climatiques en basse et moyenne montagne) et les **investissements** à amortir pour les stations qui décideront de s'adapter.

Pour les voyages **à l'étranger**, les coûts des **transports** en train ou en avion seraient également plus élevés, donc générateurs d'**inégalités,** du fait de l'augmentation générale des prix des **carburants** et de la prise en compte des contraintes **environnementales**, selon le principe «**pollueur payeur**». Les **hébergements marchands** (hôtels, campings...) seront aussi moins accessibles aux ménages modestes, qui rechercheront encore plus qu'aujourd'hui des hébergements **gratuits** : résidences secondaires personnelles ou appartenant à des amis ; logement chez des membres de la famille, etc. Certains seront aussi contraints de partir moins souvent.

▶ **Une offre technologique radicalement nouvelle.** Les **innovations** technologiques auront des applications nombreuses en matière de **tourisme**. Les réservations de **transport**, **hébergement**, **activités** seront simplifiées par le recours à des **assistants numériques intelligents** capables de rechercher des offres adaptées. L'**accueil** et le **déroulement** des séjours de vacanciers seront améliorés par la présence de **robots** (qui recevront les visiteurs, feront les chambres, organiseront et accompagneront les activités...). Les chambres d'**hôtel** seront **personnalisées** (ambiance, décoration, confort, connexions, accès aux informations touristiques, pré-visites virtuelles...) grâce à l'usage des **Big Data** permettant de connaître les goûts des clients et de les satisfaire, grâce notamment aux applications domotiques.

Le confort sera également amélioré grâce à la **reconnaissance faciale** automatique et instantanée, à la **dématérialisation** totale des billets (téléchargés et scannés directement sur une puce intégrée par les passagers), aux **valises autonomes**, etc. La **mise en relation** des vacanciers avec d'autres personnes susceptibles d'avoir des goûts communs pour partager des activités sera également facilitée. À l'étranger, les logiciels et équipements de **traduction instantanée** permettront des relations directes entre des personnes parlant des langues différentes. Enfin, des **modifications de programme** seront possibles à tout moment (notamment sur place). Cette **flexibilité** sera facilitée par les outils numériques de communication et de réservation des prestataires qui seront tous mis en **réseaux**.

▶ **Un développement des «voyages virtuels».** La principale évolution technologique attendue en matière de loisir et de «tourisme» est celle des voyages et vacances **virtuels.** Elle complétera ou parfois remplacera la réalité, sous deux formes différentes. La **réalité augmentée** permettra d'ajouter des éléments d'information à ce qui est perçu par les sens du vacancier sur les lieux **«réels»** de ses vacances (histoire, monuments, villes, paysages, spécialités…), au travers d'un outil d'observation intermédiaire (lunettes, écran…). La **réalité virtuelle** permettra une **immersion** dans un environnement totalement inventé ou recréé, dans lequel le «vacancier» pourra se mouvoir, agir et interagir avec des objets ou des personnages, ressentir des émotions de différentes natures. La **réalité mixte** sera un mélange de ces deux techniques.

Mais, pour beaucoup de Français, ces **outils technologiques** ne satisferont pas leur attente de relations **humaines**, rassurantes et enrichissantes lors des séjours. Car ce sont elles qui sans doute laissent les souvenirs les plus forts dans les mémoires. Cette attente se manifestera en amont des vacances, au moment de la recherche, de la réservation et de la préparation des séjours. Les **agences de voyages «physiques»** conserveront ainsi un potentiel de développement, à condition qu'elles offrent le meilleur des deux mondes.

▶ Sept types de vacanciers. Les vacanciers, voyageurs ou touristes de demain auront des attentes, attitudes et comportements différents en fonction de leurs caractéristiques personnelles. On peut les répartir en sept groupes distincts :

✓ Les *Relationnels*, rechercheront en priorité les **rencontres** humaines avec des autres voyageurs, des locaux ou des prestataires.

✓ Les *Culturels* seront motivés par la compréhension des **modes de vie** dans les pays et régions qu'ils visitent et par la qualité de leur **production artistique** (ou artisanale).

✓ Les *Classiques* seront à la recherche de **repos** et d'**authenticité** et se montreront rétifs aux évolutions **techniques** dans la préparation et l'expérience du voyage.

✓ Les *Écolos* seront soucieux de réduire l'**impact environnemental** de leur séjour, et de savoir qu'il en est de même de leurs prestataires.

✓ Les *Premium* seront en attente de prestations de **luxe**, réservées aux *happy few*, offrant des **expériences** uniques, vécues avec des voyageurs aux caractéristiques **semblables**, afin de rester entre soi.

✓ Les *Aventuriers* seront désireux de vivre des expériences fortes, mais dans des conditions de confort bien moindres que les *Premium*, voire de **précarité**, hors des sentiers battus, sans distinction de principe entre les participants, en **rupture** avec le quotidien.

✓ Les *Technos* seront plus attirés par les vacances et voyages **virtuels** que par la découverte du **«vrai monde»**.

À ces attentes différenciées s'ajouteront des revendications communes, comme la **sécurité** et le **confort** (hors le groupe des **Aventuriers**, qui cherchera au contraire à s'en affranchir) ainsi que le **juste prix** (ou «légitime dépense»), un critère subjectif mais déterminant.

LE TSUNAMI NUMÉRIQUE

Les Français âgés de plus de 40 ans ont vécu en grande partie la fantastique aventure du **numérique**, commencée dans les années **1980**. Les plus jeunes sont nés avec elle et la considèrent donc comme «**naturelle**». Ses apports ont été considérables, dans la vie individuelle comme dans la vie collective. Tout a commencé par l'invention de l'**ordinateur**. Ses capacités de **calcul** et de **mémorisation** ont transformé le fonctionnement des usines, des bureaux, de l'administration publique, des hôpitaux, des gares et aéroports. Tous les domaines constitutifs de l'**économie** ont été progressivement touchés. L'arrivée du **micro-ordinateur** a ensuite chamboulé la vie des **individus**, avec le développement de **logiciels** de toute sorte (traitement de texte, tableur, jeux, etc.).

Puis **Internet** est apparu, et avec lui la formidable invention du **moteur de recherche**, mémoire sans cesse enrichie et actualisée de l'Histoire du monde, dans ses moindres dimensions et détails. Le développement de la **Toile planétaire** *(World Wide Web)* a permis celui du **mail** (ou courriel). Les **sites** se sont alors multipliés tous azimuts, et avec eux le **commerce en ligne**, qui a permis aux consommateurs connectés de s'affranchir en partie des **lieux de vente** traditionnels, et de gagner ainsi du **temps** (quitte à en perdre en naviguant au gré des flots de l'océan Internet), parfois de l'**argent**.

Parallèlement, le **téléphone portable** s'est installé dans les poches et dans les habitudes. Cet **objet nomade** omniprésent est devenu une sorte de **prothèse** de la main et du cerveau. Devenu **smartphone** et connecté à la **3G**, puis à la **4G**, il s'est doté de fonctions de plus en plus diverses : SMS ; accès à Internet ; GPS ; appareil photo ; lecteur multimédia (texte, son, vidéo) ; émetteur de tweets et autres types de messages sur les réseaux sociaux... Comme l'ordinateur et les autres objets connectés, il permet d'accéder à tout ce qui peut être **numérisé**. C'est-à-dire à une grande partie du **monde**, ou plutôt des **deux** mondes : le **réel** et le **virtuel**, dont il fournit des représentations de plus en plus difficiles à différencier.

LE DÉBUT D'UNE NOUVELLE ÈRE

Cette **rupture** technologique de la numérisation de l'information a fait suite aux deux précédentes qui ont fondé l'«**époque moderne**», si l'on considère que celle-ci a commencé par les **Lumières**. Elles avaient été préparées par des philosophes européens désireux de combattre les «ténèbres» de l'**ignorance** par la diffusion du **savoir** et l'usage de la **raison**, dans un climat de **liberté** individuelle. Ce mouvement avait débouché au milieu du XVIIIᵉ siècle sur l'invention de la **machine à vapeur**, l'utilisation du **charbon** comme source d'énergie et l'avènement du **chemin de fer** pour se déplacer. La **deuxième révolution** était apparue à la fin du XIXᵉ siècle, avec le développement du **moteur à explosion**, la disposition de l'**électricité** et du **pétrole** comme nouvelles sources énergétiques, l'invention du **télégraphe** puis du **téléphone** (fixe) comme outils de communication.

On peut considérer que la **révolution numérique** née au XXᵉ siècle a déjà eu **plus d'impacts** sur le monde que les deux précédentes. Elle a modifié la relation au **temps**, avec l'instantanéité de l'information, disponible d'un clic via Internet. Elle a transformé la relation à l'**espace**, en réalisant le rêve de l'**ubiquité** : les humains connectés ont pu communiquer entre eux de n'importe quel endroit du monde (et à tout moment) par la parole, l'écriture, les images fixes ou les vidéos. Le numérique a bouleversé aussi la relation aux **autres**, avec le développement des **réseaux sociaux**, qui ont élargi considérablement le nombre des «amis» (ou plutôt contacts). La révolution a enfin modifié la relation à **soi-même**, en donnant à chaque être humain connecté la possibilité de s'exprimer sur les **blogs**, les **sites personnels**, les **forums** de discussion et autres **plates-formes interactives,** d'affirmer son **identité** (ou parfois d'en changer). Pour le meilleur ou pour le pire. Avec l'ordinateur personnel, le **téléphone portable** a été le meilleur **outil** de ces transformations. Il en est le meilleur **symbole.**

Le **Web** assume aussi la double fonction de **vitrine**, dans laquelle chacun peut s'exposer, et de **miroir**, dans lequel il peut se regarder. La **modernité** a favorisé l'**exhibitionnisme**, le **narcissisme** et le **voyeurisme**. Elle a aussi suscité la **peur** et le **pessimisme** chez ceux qui n'y étaient pas préparés. Ce que nous avons appelé **«crise»** était en réalité l'**adaptation**, souvent difficile, aux bouleversements du cadre et des modes de vie induits par la révolution numérique. Une illustration **darwinienne** du fonctionnement et de l'évolution des espèces vivantes.

DE L'HUMAIN AU «POST-HUMAIN»

Les nombreuses **innovations de rupture** en cours de développement et celles, plus stupéfiantes encore, qui sont attendues (sans compter celles qui ne le sont pas et qui surprendront), vont entraîner dans les prochaines années de nouveaux **bouleversements**, dont l'ampleur n'aura aucun équivalent dans l'Histoire. Ils seront induits par la **robotisation**, l'**intelligence artificielle**, la **génétique**, la **reconnaissance biométrique**, les **véhicules autonomes**, les **objets connectés**, les usages des **cellules souches** ou des **nanotechnologies**. Ces développements, et bien d'autres, favoriseront ou provoqueront des évolutions et révolutions en matière démographique, économique, sociétale, politique, géopolitique, écologique, psychologique, philosophique et morale.

Les **modes de vie des humains** en seront encore complètement transformés, dans tous les domaines de la vie de chacun (personnel, professionnel, familial, social...). Les opinions, valeurs, attitudes, comportements, espoirs, craintes, motivations et relations humaines en seront aussi largement affectés. Les individus pourraient même connaître des **mutations**, au sens physique, physiologique et psychologique du terme, jusqu'ici **inimaginables**, même par des auteurs de science-fiction, avec notamment l'hybridation **homme-machine**.

Une autre **Humanité** pourrait ainsi émerger, par interfaçage des humains avec des équipements, prothèses et implants capables d'accroître leurs **capacités «naturelles»**. Et même de les doter de **fonctions nouvelles**. L'individu **«augmenté»** promis par les transhumanistes n'est en effet plus aujourd'hui un **fantasme** (ou cauchemar) irréalisable, mais un **projet** à réaliser... ou à empêcher. La révolution **post-humaniste** est en cours. On se souviendra sans doute de la période actuelle comme celle de la *Grande Transition*. Comme le disait ironiquement le dessinateur Reiser dans un album paru en 1978 (avant le véritable début de cette révolution!) : *«On vit une époque formidable».* Et ce n'est que le début.

UNE CHANCE OU UN DRAME POUR L'HUMANITÉ?

Il est donc essentiel de s'interroger sur ce que pourrait devenir le monde (la planète et ses habitants) dans un futur proche. Par commodité, l'horizon considéré dans ce livre a été fixé à **2030**. Il est en réalité plus large, car il n'est évidemment pas possible de prévoir avec précision la date d'**arrivée** de chaque innovation attendue (si elle arrive...) et moins encore d'appréhender l'**impact** qu'elle aura dans les différents domaines qu'elle va concerner. Mais il est très utile d'essayer, ne serait-ce que pour avoir des raisons de le déjouer.

Les questions posées par le futur sont innombrables, d'autant que les possibilités qui apparaissent aujourd'hui semblent tout droit sorties de la **science-fiction**, dépassant même l'imagination de ses auteurs. C'est le cas par exemple des projets de **conquête** et de **colonisation** de nouvelles planètes (en commençant par Mars) et du **tourisme spatial** qui sera proposé en même temps aux (riches) Terriens. Ou de **l'intelligence artificielle «forte»** (c'est-à-dire consciente) qui pourrait selon certains **coloniser la Terre** et les **Humains**. Ou de la **numérisation d'un cerveau** humain, de son **interconnexion** avec des machines, ou bien sûr de l'accroissement inédit (et, pourquoi pas, illimité...) de l'**espérance de vie** humaine.

Les technologies de demain vont en tout cas transformer la vie personnelle et collective, dans tous les domaines : santé, éducation, information, logement, alimentation, transport, travail, revenus, consommation, loisirs, culture, démocratie... Une **chance** extraordinaire pour tous les «**curieux**» et pour les «**progressistes**» (encore faut-il s'accorder sur le sens de ce mot, pris ici dans sa dimension technique). Mais un **drame**, ou pour le moins une **inquiétude** pour ceux qui se sentiront exclus ou mal à l'aise dans un monde de plus en plus **dématérialisé**.

PENSER LE FUTUR, UNE DÉMARCHE HOLISTIQUE...

Comme le meilleur (ou le pire), l'avenir n'est jamais **sûr**. Sauf évidemment pour ceux qui sont convaincus que *«tout est écrit»*, mais ils ne peuvent (que l'on sache) accéder au contenu du «Grand Livre». Les **post-humanistes démiurges**, quant à eux, sont fascinés et parfois aveuglés par l'innovation technologique. Ils considèrent qu'elle permettra de **refonder** le monde sur des bases bien plus satisfaisantes que celles d'aujourd'hui. Mais ils ne semblent guère prendre en compte quatre éléments majeurs de l'évolution de la planète et de celle du pays dans lequel chacun vit : la **démographie** ; l'**environnement** ; l'**économie** ; la **gouvernance**. Ces quatre dimensions permettent d'avoir une vision globale, «**holistique**» du monde à venir :

- La **démographie** jouera un rôle déterminant dans l'occupation des territoires, les besoins de consommation, l'utilisation des ressources et les relations entre les individus. La prédiction du nombre d'Humains est l'une des moins difficiles (même si l'on peut parfois se tromper de façon spectaculaire...), car les mouvements démographiques sont par nature plus **lents** que les mouvements de la science ou de l'économie. Les prévisions existantes posent de nombreuses questions. Comment faire fonctionner un monde qui compterait **8,5 milliards d'habitants** en **2030**, puis **11 milliards en 2050** ? Comment les nourrir, loger, éduquer, employer, rémunérer, soigner ? Comment les faire **vivre ensemble** de façon harmonieuse ? Les penseurs et acteurs de l'ère post-humaniste sont assez discrets sur ces questions. Ils proposent en tout cas peu de réponses.

- L'**économie** est un autre indicateur important de l'état des sociétés, même si l'on peut penser que sa part dans le «bonheur» individuel est surestimée. C'est en tout cas par l'état de l'économie et l'ampleur des **inégalités** qu'elle engendre que les peuples jugent de leur **bien-être**, notamment matériel. Car c'est bien l'économie qui génère les **emplois**, donc pour la plupart les **revenus**, qui permettent de **consommer** et de **vivre**. L'impact des nouvelles technologies sur l'économie ne peut donc être ignoré. Dès lors, la **robotisation** et l'**intelligence artificielle** doivent-elles être encouragées comme le font sans réserve la plupart des post-humanistes si elles débouchent sur le chômage et la paupérisation ?

- L'**environnement**, lui, définit la quantité et la qualité des **ressources** disponibles et indique l'urgence de leur remplacement par de nouvelles sources, renouvelables et non nocives. Il influence donc considérablement les **modes de vie** des populations et l'évolution de l'**économie**. Les **post-humanistes** devraient donc favoriser davantage les pistes de recherche susceptibles d'améliorer l'état de l'environnement, ou au moins de permettre de ne pas l'abîmer davantage.

- Quant à la **gouvernance** des États, elle est censée répondre à des injonctions contradictoires, et de court terme : accroître le **pouvoir d'achat**, réduire le **chômage**, rétablir les **équilibres** budgétaires, rassurer l'**opinion** et tenter de satisfaire les différents **groupes** de pression qui la composent... La réponse proposée par les post-humanistes est de remplacer la gouvernance humaine par des **algorithmes intelligents**. Mais sans garantir le résultat d'un tel saut dans l'inconnu.

... COMPLEXE ET RISQUÉE

Le travail de **prospective** consiste à mettre en œuvre cette démarche **multidimensionnelle**, pour «interroger» l'avenir, tenter de le **prévoir** à défaut de pouvoir le prédire. Tout en sachant que chacune des quatre dimensions évoquées ci-dessus est dépendante de toutes les autres. D'où sa complexité et le risque important et permanent de se **tromper**. Un simple exercice de «rétroprospective» (comparaison de prévisions effectuées dans le passé avec ce qui est réellement advenu) permet de mesurer ce risque. Ainsi, sous le titre *Forecasting the world in 2016*, paru en 2015, le *Financial Times* (quotidien britannique de référence dans le monde), écrivait fin 2015 qu'Hillary Clinton remporterait l'élection américaine, que le **Royaume-Uni** ne se séparerait pas de l'Union européenne, qu'**Angela Merkel** ne serait plus chancelière à la fin de l'année, et que la **Belgique** remporterait l'Euro de football[1].

Ce peut être une leçon d'**humilité** pour tous les prospectivistes, mais aussi une illustration de l'**imprévisibilité** des peuples et de la place du **hasard** dans l'Histoire. Mais il ne faut pas oublier la rouerie des humains, dont certains n'hésitent pas à travestir la **vérité** et de modifier ainsi la **réalité**. On observera que, dans les deux premiers exemples de prévisions du *Financial Times* (élection de Donald Trump et *Brexit*), des **tricheries** massives ont probablement eu lieu : influences illégales autant qu'immorales sur l'opinion aux États-Unis au moyen de vols de fichiers et de noyautage des réseaux sociaux dans le premier cas ; arguments **mensongers** de la part des leaders «*pro Brexit*» au Royaume-Uni. Des «**biais**» que ne peuvent pas intégrer les prospectivistes. Ce qui ne doit pas les empêcher de les dénoncer, en tant qu'individus et citoyens.

---

1. Numéro publié le 30 décembre 2015. Il faut préciser que d'autres prévisions se sont avérées au cours de l'année 2016.

LE FUTUR EN QUESTION(S)

Les différents chapitres de ce livre tentent de répondre aux multiples questions concernant les **évolutions, transformations** et **tendances** qui devraient ou pourraient modifier les **modes de vie** des Français dans chacun des domaines de leur vie quotidienne. Au terme de cette exploration, il est utile de s'interroger plus **globalement** sur ce que serait ou pourrait être l'avenir de la **société**. On peut le faire sous la forme de **FAQ** (*frequently asked questions*), questions fréquentes que se posera sans doute le lecteur après avoir lu ce livre. On parlera plutôt ici de **FEQ** : **futur en questions**.

Y AURA-T-IL UN FUTUR ?

La question peut sembler provocante. Pourtant, dans le contexte **inédit** de la période en cours, l'interrogation première concernant le futur est bien... de savoir s'il y en aura un ! On peut la formuler un peu plus précisément : les nombreux risques, incertitudes, menaces ou catastrophes présentées comme inévitables par certains experts (notamment en matière climatique ou démographique) peuvent-ils mettre en question la **pérennité** de la **planète** ? C'est-à-dire aussi celle de la **France** et de ses habitants, dont le destin est évidemment lié à elle.

Selon le dictionnaire, la **pérennité** est « *l'état de ce qui dure* ». Mais cette durée ne peut être éternelle pour les planètes. Comme les civilisations, elles sont en effet **mortelles**, à l'exemple de celles qui se sont effondrées sur elles-mêmes pour former

des « **trous noirs**[1] ». L'**espérance de vie** de la **France**, en tant que territoire ou nation, ne pourra pas en tout cas excéder celle de la **Terre**. Il lui resterait donc entre **1,75** et **3,25 milliards d'années**[2] (sauf si les Français s'établissaient sur une autre planète, plus durable, avant ce terme). Le temps de vie restant à la planète serait donc inférieur à son âge actuel (environ 4,5 milliards d'années).

DES INQUIÉTUDES LÉGITIMES

L'avenir de la Terre serait donc assuré pour longtemps encore. Mais rien ne permet d'affirmer que l'**espèce humaine** aura la même durée de vie que la planète qui l'abrite. Les gourous des **sectes** apocalyptiques ne sont sans doute pas à prendre au sérieux. Mais d'autres expriment des craintes bien plus argumentées. C'est le cas de nombreux climatologues, économistes, écologistes, spécialistes de géopolitique, mathématiciens, religieux et, bien sûr, prospectivistes, qui en doutent même fortement. Certains imaginent même que **le XXIe siècle pourrait être le dernier**. Ainsi,

---

1. Terme inventé par le physicien américain John Wheeler en 1967, pour décrire une concentration de masse-énergie qui s'est effondrée sous sa propre force d'attraction gravitationnelle. Un trou noir est ainsi une région qui courbe l'espace-temps et dont même la lumière ne peut sortir (certains scientifiques imaginent cependant que des rayonnements sont quand même émis, sans avoir jusqu'ici pu le démontrer).
2. Selon une étude de chercheurs des universités d'Oxford et Harvard. La disparition de la Terre en tant que lieu de vie coïnciderait avec le moment où elle se retrouvera dans la zone chaude du Soleil, avec des températures capables de faire s'évaporer les océans, dans un avenir estimé entre 1,75 et 3,25 milliards d'années.

pour l'ancien ministre de l'Environnement Yves Cochet, l'«**effondrement**», processus à l'issue duquel les besoins de base (eau, alimentation, logement, habillement, énergie, mobilité, sécurité) ne seront plus fournis à une majorité de la population par des services encadrés par la loi, est en cours. Il sera causé, à terme plus ou moins long (allant de quelques années à deux siècles) par les effets induits de la **mondialisation** et du **productivisme**.

Les romans, essais, films, documentaires, bandes dessinées ou même chansons décrivant l'agonie du monde ou l'«après-cataclysme» sont légion[1]. Pourtant, les (nombreuses) prévisions de fin du monde ne se sont jusqu'ici jamais avérées. Pourquoi n'en serait-il pas de même de celle-ci ? Peut-être parce que la **situation** actuelle et les **perspectives** n'ont **aucun équivalent** dans l'histoire humaine et que **tout** est aujourd'hui possible. Comme l'expliquent justement les conseillers en placements financiers à leurs clients, «*les performances passées ne préjugent pas des performances à venir*». Il en est de même du monde, et de la France.

LA VIE EN VOIE DE DISPARITION

La **vie** pourrait en tout cas cesser bien avant que la Terre ne meure. Ce pourrait être par exemple à la suite d'une **guerre nucléaire totale** ou d'un **réchauffement climatique** insupportable. Les nombreuses études réalisées sur le sujet fournissent des résultats très différents selon les hypothèses prises en compte. Les plus **optimistes** dépassent le **milliard d'années**, ce qui laisse le temps de se retourner (y compris dans sa tombe) ; les plus **pessimistes** situent la fin à partir de... **2020**. L'ensemble des éléments de réflexion contenus dans ce livre, même s'ils s'arrêtent en principe en **2030**, ne leur donne heureusement pas raison.

Il n'empêche que pour de nombreux spécialistes, la «**sixième extinction**[2]» (ou

extinction de l'**Holocène**, voir encadré ci-après) est en marche. Elle aurait commencé depuis le début de la révolution industrielle, au XVIIIᵉ siècle... ou depuis plusieurs milliers d'années, selon la façon dont on la mesure. Elle se serait en tout cas intensifiée depuis une cinquantaine d'années. Elle pourrait s'achever vers la fin du XXIᵉ siècle avec la disparition des **humains**... ou beaucoup plus tard si ces derniers parviennent à redresser la situation. Avec l'aide, peut-être, de **robots** devenus plus **intelligents** et **responsables** qu'eux.

Les humains seraient donc en train de créer les **conditions** de leur propre **disparition**, du fait d'une **population** qui deviendrait trop nombreuse, impossible à nourrir, à soigner, à faire vivre décemment. Ils subiraient le contrecoup de leur volonté de **dominer la nature** (terres, mers et autres ressources). Ils seraient condamnés par leurs besoins et désirs de **consommer**, qui induisent des activités de production désastreuses pour l'ensemble de la biosphère.

UN RÉPIT POSSIBLE

Tous les chercheurs n'adhèrent pas, heureusement, à la perspective très **pessimiste** de la «sixième extinction». Certains estiment que le taux d'extinction global observé a déjà été réduit de 75 %[3]. D'autres soulignent le **paradoxe** de la situation actuelle, où le rythme des **découvertes** de nouvelles espèces serait trois fois supérieur à celui de leurs disparitions. Mais cette thèse, qui se veut optimiste, n'est pas véritablement rassurante. Les espèces qui s'éteignent étaient par définition **connues** et sans doute plus **visibles** que celles que l'on croit «découvrir», mais qui existent peut-être depuis très longtemps. Elles ne sont donc pas nouvelles et ne viennent pas remplacer les espèces disparues.

Les points de vue éloignés de certains chercheurs montrent à quel point il est dif-

---

1. On peut en trouver une liste (non exhaustive) dans l'article *Fin du monde* de Wikipedia.
2. Expression popularisée par l'ouvrage éponyme de la journaliste américaine Elizabeth Kolbert : *The*

Sixth Extinction, An Unnatural History, Henry Holt and Company, 2014.
3. L'écologiste Stuart Pimm, de l'université Duke (États-Unis).

La sixième extinction en cours[1] ?

Selon les géologues et paléontologues, la Terre a connu depuis l'apparition de la vie **cinq extinctions massives** :

- La **première**, il y a environ 445 millions d'années (entre les périodes de l'Ordovicien et du Silurien). Elle a concerné 27 % des familles et 57 % des genres d'animaux marins, ainsi que 85 % des espèces. Elle a été probablement causée par une grande **glaciation** ayant entraîné des désordres climatiques et écologiques et un **recul de la mer** sur des centaines de kilomètres, puis par son **retour**, en fin de phase glaciaire.
- La **deuxième**, il y a environ 370 millions d'années (Dévonien). Elle aurait concerné 19 % des familles, entre 35 et 50 % des genres d'animaux marins, et environ 75 % des espèces. Des variations répétées et significatives du **niveau de la mer** et du **climat**, ainsi que l'apparition d'un **couvert végétal** important sur les continents pourraient en être à l'origine.
- La **troisième**, il y a environ 250 millions d'années (Permien-Trias). Elle aurait été la plus massive, avec la disparition de 95 % de la vie marine, 70 % des espèces terrestres animales et végétales.
- La **quatrième**, il y a environ 200 millions d'années (Trias-Jurassique). Elle aurait causé la disparition de 75 % des espèces marines et de 35 % des familles d'animaux, dont la plupart des diapsides et les derniers des grands amphibiens.
- La **cinquième**, il y a environ 66 millions d'années (Crétacé-Tertiaire). La collision avec un astéroïde aurait fait disparaître 50 % des espèces, y compris les dinosaures (dont ceux qui sont à l'origine des oiseaux).

L'idée s'est répandue depuis quelques années que la Terre est en train de connaître la **sixième extinction**. La **« liste rouge »** des espèces menacées de disparition a été actualisée par l'UICN[2] en 2017. Depuis le premier état des lieux réalisé en 2009, la situation s'est très fortement dégradée pour les **mammifères terrestres et marins de France métropolitaine**. Sur 125 espèces examinées, 17 sont considérées comme « menacées » et 24 comme « quasi menacées ». 33 % des **espèces terrestres** et 32 % des **espèces marines** seraient en péril, contre respectivement 23 % et 25 % en 2009. Un tiers des **oiseaux de campagne** auraient disparu au cours des quinze dernières années[3].

---

1. Wikipedia et sources complémentaires.

2. Union internationale pour la conservation de la nature.
3. Programme STOC (suivi temporel des oiseaux communs) rassemblant les observations d'ornithologues professionnels et amateurs, et étude menée par le CNRS depuis 1994.

---

ficile de s'accorder sur le **présent**; il est bien plus encore d'imaginer l'**avenir**. À défaut d'être en mesure de **prévoir**, on doit tenter au moins de **prévenir** les scénarios les plus inquiétants. Surtout lorsqu'ils sont largement **majoritaires** au sein de la «**communauté**» scientifique. Car c'est bien elle qui dispose *a priori* des meilleurs outils et des meilleurs cerveaux pour observer, étudier, analyser, projeter et alerter en cas de danger.

Si ces **lanceurs d'alerte** légitimes se sont trompés sur les dates des catastrophes à venir et sur leurs conséquences, ils auront au moins permis à l'humanité de **progresser**, en engageant une réflexion collective et en mettant en place des moyens susceptibles de **retarder le processus de destruction**, dont il est difficile de nier qu'il est engagé. S'il est un domaine dans lequel le **principe de précaution** (dont on peut par ailleurs souligner les inconvénients) s'impose, c'est bien celui-ci. Dans le but d'obtenir au moins un **répit**.

UNE RESPONSABILITÉ IMMENSE ENVERS L'AVENIR ET SES HABITANTS

La **sixième extinction**, partielle ou globale, est probablement en cours. Les études réalisées et les chiffres obtenus ne sont pas sortis d'un chapeau, des cerveaux de chercheurs tous aveugles, paranoïaques ou psychopathes. L'idée d'un **complot** planétaire ourdi par des savants, pour le compte d'une **secte** décidée à liquider les habitants de la Terre, au profit de ses seuls adeptes ne tient évidemment pas la route ; c'est plutôt elle qui serait dictée par l'aveuglement, la paranoïa et la psychopathie, voire tout simplement la **bêtise**.

Personne ne peut en revanche indiquer quels **effets** cette extinction aura, notamment sur les **humains**, ni **quand** elle se produira. Il s'agit donc de se **mobiliser** pour au moins la **retarder**, en sachant que l'échelle temporelle de la Terre est heureusement beaucoup plus lente que celle des humains. Sauf lorsqu'elle entre en collision avec un astéroïde comme il y a 66 millions d'années (cinquième extinction). Mais, si l'on se fie au «hasard» (la probabilité statistique d'une collision est en moyenne d'une tous les 500 000 à un million d'années et les risques de dégâts sont très faibles[1]), cela laisse en principe du temps à l'Humanité pour repousser ou supprimer ce risque. Mais cette vision statistique et rationnelle n'est pas partagée par ceux qui ne croient pas au **hasard** mais à la «**nécessité**», nom désignant une «**puissance créatrice**» (divine ou autre) qui déciderait de la fin de l'Humanité, comme elle a décidé de son début…

Quelle que soit la conception que l'on a du monde, chacun de nous a une **responsabilité** envers son devenir. Nous devons donc œuvrer pour **prolonger** la vie de l'écosystème qui fait vivre l'humanité, en étant conscients que nous n'en sommes pas les propriétaires mais les **usufruitiers**. Cela

nécessite de faire preuve de **volontarisme**, de lutter contre ce qui adviendra probablement si nous ne faisons rien. L'alternative serait le **fatalisme**, consistant à accepter ce qui **doit** advenir, au prétexte que ce serait «**écrit**», donc **inéluctable**. Le **volontarisme** n'est pas un **optimisme**, mais le remboursement d'une dette. Le **fatalisme** n'est pas un **pessimisme**, mais un défaut de remboursement de cette dette. C'est un abandon de planète en danger. **Nous sommes ainsi responsables du futur et c'est à nous de faire qu'il y en ait un.**

DEMAIN SERA-T-IL MEILLEUR OU MOINS BIEN ?

Si l'on part de l'hypothèse très probable qu'il reste encore du **temps** aux humains (et aux Français) avant de disparaître de la planète, une autre question vient à l'esprit : le futur sera-t-il pour ceux qui le vivront **plus ou moins «agréable»** à vivre que le présent ou le passé ?

UNE APPROCHE QUANTITATIVE PLUTÔT PESSIMISTE

La réponse à la question précédente ne saurait être **simple** et surtout **unique**. On peut en effet adopter deux points de vue différents, complémentaires dans leur principe, mais opposés dans leurs résultats. Le premier est **quantitatif et rationnel**. Il consiste à examiner l'évolution possible des **indicateurs économiques et sociaux** à l'horizon **2030**. La majorité d'entre eux vont plutôt dans le sens d'une **dégradation** :

- L'économie connaîtrait une **croissance** réduite (1 à 2 % par an en moyenne).
- Le **chômage** devrait s'accroître, retrouvant ou dépassant 10 % de la population active statistiquement prise en compte (mais concernant sans doute plus du quart des actifs en recherche d'un emploi à temps plein).
- Les **déficits publics** ne seront pas résorbés si des **efforts** importants ne sont pas demandés (et obtenus) des acteurs de l'économie (ménages, entreprises, État).

---

1. Pour des astéroïdes de plus d'un kilomètre de diamètre ou de longueur. La probabilité qu'un objet tombe sur la Terre est d'une fois par siècle pour des tailles de 10 à 30 m, d'une fois tous les 15 000 ans pour des objets d'environ 100 m. La probabilité qu'il tombe sur une zone habitée est encore plus faible. En 2029, un astéroïde de 350 m devrait passer «près» de la Terre… c'est-à-dire sans doute à des milliers de kilomètres. Des méthodes permettant de dévier les objets sont à l'étude, notamment à la NASA. (Dr Patrick Michel, directeur de recherche au CNRS). 160 cratères dus à des collisions passées ont été recensés sur Terre, mais il en existe probablement dix fois plus, masqués par l'évolution des formes du relief terrestre.

En particulier à ceux qui sont le plus en mesure de contribuer à une «nouvelle donne». Elle aurait pour ambition de prendre les problèmes **à bras-le-corps**, plutôt que de les repousser sans cesse ou d'agir sur eux de façon «homéopathique» en diluant les réformes jusqu'à ce qu'elles soient indolores pour ceux qu'elles concernent... et inefficaces.

- L'**endettement** national serait encore accru, ainsi que le remboursement des intérêts de la dette, accrus par une hausse des **taux**.
- Le **pouvoir d'achat** moyen des ménages serait rogné par le chômage, la restructuration du marché de l'emploi et la pression à la baisse des revenus, trois conséquences possibles de la **révolution technologique**.
- Les **écarts** de revenus liés aux différences de statut professionnel, prébendes, rentes et autres avantages ou privilèges pourraient s'**accroître**.
- Les **dépenses des ménages** diminueraient, du fait de la **rationalité** et de la **compétence** croissantes des consommateurs, ainsi que de la baisse de leurs revenus disponibles.
- La **population** augmenterait et vieillirait (avec l'accroissement de son **espérance de vie**), ce qui pèserait sur les **déficits**, notamment en matière de santé et de retraite.
- L'**immigration** en provenance des pays fragilisés serait massive, ce qui provoquerait de fortes tensions sociales.
- Les **inégalités** pourraient s'aggraver dans de nombreux domaines: éducation, santé, espérance de vie, patrimoines, logement, pratiques culturelles...

Ces perspectives **quantitatives** vont dans le sens d'une **dégradation** par rapport à la situation actuelle. Elles laissent entendre que «ce sera moins bien demain» (ou que l'on pourra dire demain que «c'était mieux avant»...). Mais elles ne sauraient être les seules à prendre en compte lorsqu'on s'interroge sur l'avenir.

On remarquera que l'application de cette approche quantitative au **passé** *(entre les années 1950 et la fin des années 2000) donne des résultats au contraire* **favorables**, *dans la plupart des domaines évoqués.*

UNE APPROCHE QUALITATIVE OPTIMISTE

En contrepoint au point de vue précédent, on peut adopter également un point de vue essentiellement **qualitatif** (à partir d'éléments **non chiffrés**, subjectifs et intuitifs) sur les perspectives offertes par les prochaines années, plus ou moins probables (présentées au futur ou au conditionnel selon les cas):

- Les moyens d'**éducation** et de **formation** tout au long de la vie seront de plus en plus nombreux, efficaces et accessibles au plus grand nombre.
- De nombreuses **maladies** pourraient être guéries, de même que des **handicaps**. Les thérapies seront plus efficaces et moins agressives.
- Les **États** seront amenés à s'associer de plus en plus pour **lutter ensemble** contre les **grands fléaux** (réchauffement climatique, terrorisme, cybercriminalité, évasion fiscale...).
- L'**Europe** serait refondée sur des bases nouvelles et retrouverait la confiance des citoyens, assurant aussi leur sécurité.
- Les excès du **capitalisme** seraient corrigés par l'émergence d'un nouveau système, fondé sur le **développement durable**, mêlant la **performance économique** (création de richesse) et la **justice sociale** (partage de la richesse).
- Les **inégalités** liées à certains critères (sexe, âge, santé, lieu d'habitation, origine ethnique, orientation sexuelle...) seraient jugées inacceptables par la population et seraient réduites sous sa pression.
- La **compréhension du monde et des êtres humains** ferait des progrès spectaculaires, ouvrant de nombreuses perspectives.
- Les possibilités d'**immersion** dans des **mondes virtuels** donneront d'autres dimensions à la vie et aux loisirs, la rendant plus supportable et agréable.
- Une grande partie des **tâches répétitives**, **rébarbatives** ou **complexes** pourra être

confiée à des **robots** et machines dotés d'**intelligence artificielle**.

- Les **relations** entre les individus seront facilitées (traduction simultanée, empathie, intelligence collective…).
- Les «**temps morts**» seront moins nombreux, au contraire des «**temps forts**» et des «**expériences**» de consommation et de vie.
- La **mobilité** sera facilitée (véhicules autonomes, multimodalité, villes intelligentes…).
- La montée des **valeurs post-matérielles** et le développement de la **consommation collaborative** marqueraient le passage vers une autre société.

Au contraire des précédentes, ces perspectives laissent espérer un avenir **meilleur**.

UN CHOIX DIFFICILE…

On pourra s'inquiéter du **pessimisme** induit par les perspectives **quantitatives**. Ce sera logiquement le cas des *Fragiles* (voir typologie p. 297), ces personnes et ménages qui éprouvent déjà des **difficultés** financières et matérielles dans leur vie quotidienne, et qui supporteront mal l'idée qu'elles pourraient s'aggraver dans les prochaines années. Mais la plupart d'entre eux ne seront pas pour autant insensibles aux perspectives **qualitatives**, promesses d'améliorations dans de nombreux domaines.

Les *Tranquilles*, qui ont aujourd'hui la chance de ne pas subir des difficultés importantes, se réjouiront du passage vers une société **qualitative**, plus apaisée et plus douce, même si beaucoup d'entre eux regretteront qu'elle ne leur assure plus le même train de vie et la même progression sur le plan **quantitatif**. Il en sera de même des *Agiles*, qui se sentiront moins vulnérables et pourront avoir des modes de vie moins agités, sans avoir à se battre sans cesse pour «rebondir» après un accident professionnel ou personnel.

… ET INUTILE

On se tromperait lourdement en résumant les choix de l'avenir à une seule **alternative** :

la **quantité** (de vie dont on dispose, d'argent que l'on reçoit, d'objets que l'on possède, de dépenses que l'on peut effectuer…) ou la **qualité** (de la vie que l'on mène, des différents moments qui la composent, des relations humaines, du climat social, de l'héritage que l'on pourra laisser aux générations futures…).

En réalité, les notions d'**optimisme** ou de **pessimisme**, de **plus** ou de **moins**, n'ont guère d'**utilité**, ni même de **sens**. L'optimisme peut favoriser l'**immobilisme**. Pourquoi agir et dépenser de l'énergie si tout se présente bien, et risquer de perturber le (bon) cours prévisible des choses ? Le pessimisme peut, lui, conduire à l'**impuissance**. Pourquoi agir et se fatiguer si tout se présente mal, et rendre ainsi encore plus difficile à vivre le (mauvais) cours des choses qui s'annonce ?

Le choix ne peut être en effet **binaire**, manichéen. Le «**bonheur**» de vivre implique à la fois la possibilité de ne pas se **priver** des biens matériels (vision **quantitative**) et celle d'être **bien dans sa peau** (vision **qualitative**). La réussite de la vie ne réside donc pas dans l'**exclusion** («ou»), mais dans l'**inclusion** («et»). Le «**non-choix**» symbolisé par le «**en même temps**[1]» est peut-être moins satisfaisant et mobilisateur sur le plan **idéologique**, mais il est bien plus efficace sur les plans **philosophique**, **psychologique** et **pratique**.

LE «BONHEUR» EST AVANT TOUT RELATIF

La période à venir devrait être celle, délicate, de la *Grande Transition* entre deux mondes. Il sera sans doute impossible de garantir à chacun une amélioration **quantitative** de sa vie (à commencer par ses revenus). Il faut préciser que, même s'il était possible de le faire, cela ne changerait guère la «**perception**» de ceux qui ont moins, ni

---

1. Une formule largement utilisée par Emmanuel Macron pendant la campagne présidentielle de 2016-2017, mais que beaucoup lui ont reproché d'oublier pendant sa première année de mandat, marquée par des réformes plutôt favorables à son électorat de «droite» qu'à celui de «gauche». Ces critiques lui ont valu l'étiquette de «président des riches».

le **taux de pauvreté**[1] mesuré par les statisticiens. Si l'on multiplie (ou divise) par le même facteur tous les revenus, ce **taux** reste en effet strictement identique. Il en est de même du **sentiment d'injustice** de ceux qui se situent dans le groupe des «pauvres».

Des études montrent que le principal facteur de «**malheur**» dans une société est moins d'être **démuni** dans «l'absolu» que d'être moins bien loti «**relativement**» aux autres[2]. Au-delà d'un certain **seuil** de richesse, une **hausse du revenu** moyen dans un pays ne conduit pas en effet à une augmentation automatique du **bien-être** ressenti par l'ensemble de sa population. Seuls ceux qui ont le sentiment (objectif ou non) de se situer «au-dessus» des autres peuvent s'en trouver plus **heureux**, ainsi que les plus **modestes**, lorsque cela leur permet de franchir un cap. On observe en revanche que la comparaison avec les **autres pays** du monde, pour la plupart plus pauvres que la France, ne rassure pas les Français. C'est au sein du pays que les écarts sont examinés, mis en évidence et, de plus en plus, **mal supportés**.

UNE PRIORITÉ : RÉDUIRE LES INÉGALITÉS

Ce sont donc les **inégalités** entre les Français qu'il faut réduire en priorité, si l'on veut diminuer le sentiment de **frustration**, et même de **colère**, de ceux qui sont (ou qui

se sentent) pauvres, déclassés ou vulnérables, et qui ne voient guère de perspectives d'**amélioration**. Cette réduction sera d'autant plus nécessaire que les inégalités ont tendance à se **creuser** depuis quelques années, inversant ainsi une tendance historique à la réduction.

Ce sera l'occasion de s'interroger sur les écarts actuels de revenus entre ceux qui se situent au **sommet** de la pyramide professionnelle, au prétexte qu'ils apportent une forte **valeur ajoutée** à l'économie par leur «**talent**» (quel qu'il soit), et ceux qui se situent en **bas**, leur apport étant jugé beaucoup plus faible (voir encadré ci-après). Le **débat** nécessaire peut être introduit par une question simple, au moins dans sa formulation : est-il **acceptable** qu'un smicard perçoive 1500 euros par mois brut alors que le patron d'une grande entreprise du CAC 40 pourra gagner 1000 fois plus (sans compter ses dividendes, *stock options* et autres avantages) ?

LE RISQUE HÉMIPLÉGIQUE

À la question posée (*«Demain sera-t-il meilleur ou moins bien ?»*), il est impossible de répondre précisément. L'avenir devrait être plutôt «**moins bien**» si on en attend d'abord une **amélioration quantitative**, et si l'on ne fait rien pour modifier les tendances délétères observées et décrites dans ce livre. Mais l'avenir pourrait être «**meilleur**» et en tout cas «**bien**» si l'on en attend d'abord des progrès de nature **qualitative**, et si l'on parvient à s'appuyer sur les tendances qui peuvent y conduire, également décrites ici.

Ces deux souhaits (quantitatif et qualitatif) sont en réalité **complémentaires**, et la concentration sur un seul peut même être nuisible. Elle laisse obligatoirement une partie **de la population** insatisfaite. Et même une partie de chaque individu, car chacun est doté d'un cerveau à **deux hémisphères**, l'un plutôt porté au quantitatif, l'autre plutôt au qualitatif (en simplifiant la réalité qui est de mieux en mieux comprise par les neurosciences). Les deux agissent de façon parfois **spécialisée**, mais le plus souvent **complémentaire**. La non-utilisation

---

1. Proportion de personnes (ou de ménages) dont le «niveau de vie» est inférieur pour une année donnée au seuil de pauvreté, soit en France 60 % du revenu médian des ménages (tel que la moitié de la population gagne plus et l'autre moitié moins). Le «niveau de vie» est égal au revenu disponible du ménage divisé par le nombre d'«unités de consommation» (uc), qui est identique par construction pour tous les individus d'un même ménage. Les unités de consommation sont généralement calculées selon l'échelle d'équivalence dite de l'OCDE modifiée, qui attribue 1 uc au premier adulte du ménage, 0,5 uc aux autres personnes de 14 ans ou plus et 0,3 uc aux enfants de moins de 14 ans. (INSEE). Une progression (ou réduction) identique des revenus de chaque personne ou ménage ne modifie donc pas le taux de pauvreté mesuré.
2. Ce constat, en forme de paradoxe, a été notamment établi par l'économiste Richard Easterlin en 1974. Le sentiment de bien-être repose davantage sur la richesse relative qu'absolue. D'autres chercheurs ont contesté en partie cette étude, montrant qu'il existe un lien entre pouvoir d'achat et «bonheur», mais qu'ils évoluent à des rythmes différents.

Récompenser la chance ou la *compenser* ?

La principale raison de **réduire les écarts** entre les individus, notamment en matière **financière** (revenus, dépenses, patrimoines…) est d'ordre **moral** et **philosophique**. Ils ont atteint dans certains domaines des niveaux que l'on peut véritablement qualifier d'**indécents** ; au point qu'il ne faut plus parler d'écarts ou d'inégalités, mais d'**injustices**. Certains les trouvent cependant acceptables (voire nécessaires au fonctionnement de la société). Ils les justifient généralement par le «**mérite**» supérieur de certains individus par rapport à d'autres, en termes de qualités, compétences, apport à la collectivité…

Ces différences entre les individus ne sauraient évidemment être niées. Mais il paraît assez évident qu'elles sont souvent **innées** : caractéristiques physiques, intelligence, mémoire, capacités diverses… D'autres sont **acquises** au cours de l'enfance, mais c'est généralement grâce au **milieu familial**, et aux **réseaux relationnels** auxquels il est relié. Quel est alors le «**mérite**» personnel de celui qui est doté de ces atouts, s'il «réussit» sa vie (notamment professionnelle) mieux que celui qui ne les a pas reçus en cadeau, à sa naissance ou lors de son enfance ? Personne n'est véritablement **responsable** de son physique, de son mental et de son caractère.

Chacun peut, sans doute, s'**améliorer** au cours de sa vie. Mais c'est soit parce qu'il utilisera de nouveau sa chance initiale, soit parce qu'il a été doté dès le départ des qualités qui lui permettront de progresser (volonté, capacité de conviction, curio-

sité, imagination…). On ne voit donc pas, en toute logique, pourquoi celui qui s'en tire le mieux devrait être particulièrement **remercié** et **récompensé** pour cela. N'est-ce pas lui qui devrait être plein de **gratitude** envers le sort qui lui a été réservé ?

Ainsi, les divers avantages (fortune, gloire, traitements de faveur…) accordés à ceux qui ont déjà été **privilégiés** par leur hérédité et leur milieu sont en réalité des **primes supplémentaires à la chance** qu'ils ont eue au départ, ou à celle d'avoir connu des **circonstances favorables** pour devenir ce qu'ils sont (les deux étant souvent corrélées). Il ne serait donc pas insensé que ces individus privilégiés se sentent **redevables** envers ceux qui n'ont pas bénéficié de ces chances, et qu'ils soient considérés ainsi par la société.

Plutôt que de les **récompenser** (par des salaires mirobolants, des marques de considération et autres privilèges), la société serait ainsi en droit (moral) de leur demander de les «**compenser**» au cours de leur vie, de diverses façons : partage, dons, implication dans des actions humanitaires, aides diverses… Or, la logique de «**marché**» qui prévaut aujourd'hui dans le recrutement, la rémunération et le traitement des «élites» contemporaines (patrons, sportifs, acteurs de cinéma, animateurs de télévision, et autres célébrités…) aboutit exactement à l'**inverse**. Il serait très utile de débattre de ce sujet important au cours des prochaines années, de façon rationnelle, hors de toute idéologie, d'un point de vue plus philosophique que politique ou économique.

de l'un ou de l'autre constitue donc un **handicap**. Elle représente en outre un refus difficile à justifier de ce que la «**Nature**» a fourni à l'être humain.

DEMAIN POURRA ÊTRE BIEN !

Cette «**hémiplégie**» est largement à l'œuvre dans la société française, sous la forme de convictions **idéologiques** fortes, fondées sur une partie seulement de la «réalité». Elles se traduisent notamment par le positionnement idéologique traditionnel

entre la «**gauche**» (schématiquement plutôt tournée vers l'égalité et la solidarité) et la «**droite**» (non moins schématiquement tournée vers la liberté et l'individualité).

Aucune de ces deux approches ne peut prétendre rendre compte à elle **seule** de la complexité du monde et permettre de trouver les solutions à tous ses maux. Elles ne pourront être obtenues que par une **coopération** intelligente et ouverte entre les deux. L'une des **clés** de l'avenir sera sans doute la capacité des Français de se **libérer** de ces choix idéologiques artificiels et paralysants. Cela n'implique pas pour autant de se situer systématiquement au «centre» de l'univers idéologique, mais de chercher de tous côtés ce qui peut être utile à la réflexion et à la décision. À cette condition, la réponse à la question initiale pourra être : «*Demain sera bien*».

LA SCIENCE, SOLUTION OU PROBLÈME?

POUR LE MEILLEUR OU LE PIRE

Il a été beaucoup question de **science** et de **technologie** dans ce livre. C'est évidemment parce qu'elles joueront demain un rôle considérable dans la vie des gens et dans le monde en général. Elles ont déjà été à la base des grandes **étapes** de l'histoire humaine depuis des milliers d'années (voir p. 80). Elles ont amélioré sans cesse la **connaissance** et les moyens de la **transmettre**, révolutionné les **transports**, éradiqué des **maladies** ou diminué leurs effets, allongé la **durée de vie**, accru le **confort** des logements, créé des **emplois** et des **richesses**, démocratisé l'**information**, favorisé la **communication** et la **consommation**, multiplié les **loisirs**... Elles pourront faire encore plus en mieux **demain**.

Mais les «progrès» de la science ont aussi eu des conséquences délétères. Ils ont aidé à **tuer**, pendant les guerres et à tout autre moment de la vie des peuples. Ils ont engendré des **inégalités**, provoqué des **catastrophes** et ils seront à l'origine de bien d'autres... Cette **ambivalence** n'est pas nouvelle ; Rabelais expliquait déjà au XVIe siècle que «*science sans conscience n'est que ruine de l'âme[1]*». Une vision moins nuancée était déjà présente dans l'Ecclésiaste[2] : «*Celui qui accroît sa science accroît sa douleur*».

UN BILAN GLOBALEMENT FAVORABLE...

Pour tous les «**progressistes**», la «**balance**» de l'innovation penche sans hésitation du bon côté. Et il est probable que peu de «**conservateurs**» (même parmi ceux qui affirment que «*c'était mieux avant*») ont envie de retourner à l'âge des cavernes et renoncer au confort dont ils disposent grâce à la science et à ses applications : voiture, train, avion, réfrigérateur, congélateur, canapé, four à micro-ondes, aspirateur, téléphone, radio, télévision, ordinateur, Internet, etc.

Les Français se rangent très majoritairement dans le camp des progressistes. 88 % d'entre eux déclarent ainsi avoir une **bonne opinion** de la **recherche scientifique** en général et 90 % des **chercheurs**[3]. 72 % disent leur faire confiance pour «*se soucier des conséquences environnementales et sanitaires de leurs recherches*», 67 % pour «*se soucier des problèmes éthiques de leurs recherches*». Pour 84 %, la recherche scientifique en général est une «*source d'espoir*» (pour 14 % seulement une «*source d'inquiétude*»). Il reste à espérer que, si l'enfer est pavé de «**bonnes intentions**», l'avenir sera, lui, pavé de **bonnes inventions**.

... MAIS QUELQUES MOTIFS D'INQUIÉTUDE

La science suscite aussi, depuis quelques années, des peurs et des incertitudes croissantes. Chacun se rend compte qu'elle a contribué, directement ou indirectement, à la **pollution** de l'air et de l'eau, à la **dégradation** des terres, à la **déforestation** et à bien d'autres problèmes environnementaux (voir p. 12). Elle a aussi une responsabilité dans la **disparition** d'espèces vivantes. Elle pourrait même provoquer celle de l'Humanité. La science est en effet en mesure aujourd'hui de modifier la **nature humaine** et de supplanter ainsi la «**Nature**» majuscule. Dans le même ordre d'idée, elle se montre aussi capable de fabriquer artificiellement la **vie** (voir p. 99).

C'est ce qui explique que les Français, confiants **globalement** à l'égard de la

1. Dans *Pantagruel*, 1542.
2. Livre appartenant à la troisième section de la Bible hébraïque et qui serait l'œuvre du Qohéleth, (le prédicateur) « *fils de David, roi de Jérusalem* », c'est-à-dire Salomon.

3. Sondage OpinionWay (Regards et attentes des Français sur la recherche scientifique) pour QuattroCento, octobre 2017.

recherche scientifique (voir ci-dessus), sont plus partagés à propos de la **robotique** et de l'**intelligence artificielle,** ou de la **génétique** (dans les deux cas, une *« source d'espoir »* pour 50 % et *« d'inquiétude »* pour 47 %). Le taux d'espoir n'est que de 33 % pour le **nucléaire** (contre 65 % d'inquiétude) et de 30 % pour les **OGM dans l'alimentation** (contre 68 %). La **méfiance** pourrait être encore plus forte lorsque les Français sauront plus précisément ce à quoi ces recherches peuvent mener. D'autant que les ruptures annoncées risquent d'être irréversibles.

DES ATTENTES PARADOXALES

On pourrait penser que l'**inquiétude** (légitime) manifestée par les Français à l'égard de la science dans certains domaines les pousserait à demander un **moratoire** ou une **interdiction** des recherches. Car c'est bien la **science**, à travers ses **utilisateurs** parfois inconscients et irresponsables, qui est à l'origine de la dégradation de la **biosphère** et des menaces qui pèsent de plus en plus lourdement sur elle Mais c'est aussi vers la science que les Français ont envie de se tourner pour **supprimer les effets** nuisibles de ce qu'elle a rendu possible.

Ce paradoxe n'est qu'**apparent**. Qui d'autre que la science et les « savants » pourrait **réparer** le monde et éviter sa **destruction** ? Pour beaucoup de Français, *« Dieu est mort »* comme l'affirmait Nietzsche[1] et ne peut donc être le recours. Il faut cependant citer la phrase complète : *« Dieu reste mort ! Et c'est nous qui l'avons tué ! Comment nous consoler, nous les meurtriers des meurtriers ? Ce que le monde a possédé jusqu'à présent de plus sacré et de plus puissant a perdu son sang sous notre couteau… ».* Dans l'esprit du philosophe, cela ne signifie donc pas que Dieu s'est **désintéressé** du sort du **monde**, mais que c'est le **monde** qui s'est désintéressé de **Lui**. Cette attitude tend à se développer en France, avec la baisse d'influence du **catholicisme** et l'affirmation croissante

de l'**athéisme** (voir p. 231). Dieu étant mis « hors jeu », c'est la science qui est interpelée par la société pour le remplacer.

UN DOUBLE DÉFI : DÉVELOPPER ET RESTAURER

Si la science est à la fois accusée de **détruire** et considérée comme seule en mesure de **réparer**, c'est que les **scientifiques** ne sont pas les seuls (ni même les principaux) **fautifs** des dégradations constatées. Beaucoup d'**entreprises** ont participé au carnage, par ignorance, soif de profit ou irresponsabilité. Les **acteurs politiques** les ont laissé faire, par impuissance ou en cédant aux *lobbies*. Les **consommateurs** n'ont pas modifié assez tôt et assez fortement leurs comportements.

Chacun est donc **coupable** ou **complice** dans le processus, mais incapable de résoudre seul ses conséquences, actuelles et à venir. On se tourne alors vers ceux qui sont *a priori* le mieux placés pour **inverser** le cours des choses : les chercheurs, ingénieurs et tous ceux qui sont en mesure de mettre en œuvre les découvertes et inventions. En espérant que la recherche de **profit** à court terme ne sera pas plus forte que la volonté d'**enrayer** les processus de **destruction** en cours (à défaut de pouvoir vraiment **restaurer** l'environnement, en lui rendant ce qu'on lui a pris).

C'est tout l'enjeu du **développement durable**, condition nécessaire du retournement, mais insuffisante. La question actuelle n'est en effet plus de poursuivre coûte que coûte le développement économique, avec en tête le seul objectif de la « **croissance** », dont on sait qu'elle a été délétère. Il faudrait aussi et surtout assurer le **retour** à un **état antérieur acceptable** de l'environnement. Une mission encore plus difficile, qui devra mobiliser d'énormes moyens, au niveau planétaire. La **modernité** ne consiste donc pas à **retrouver** un niveau de croissance élevé, mais à **reconstruire le biosystème** que la croissance passée a en partie détruit. La **course en avant** dans certains domaines devra aussi permettre de faire **marche arrière** dans

---

1. La phrase est apparue initialement dans *Le Gai Savoir* (1882), puis dans *Ainsi parlait Zarathoustra* (1883-1885).

De l'ordinateur à l'ordonnateur?

Ce sont jusqu'ici les **humains**, notamment les plus créatifs d'entre eux, qui ont fait **avancer** la science et la technique, et du même coup pris le risque de faire **reculer** la vie. Mais la situation est en train de changer : les créations de la science pourraient échapper à leurs créateurs, à l'image de Frankenstein[1], qui se venge de celui qui lui a donné naissance et de tous ceux qui l'ont rejeté.

Cette situation pourrait se produire avec l'avènement de **« robots »** (quelle que soit la forme qu'on leur donnera, et qui ne sera pas nécessairement anthropomorphe) dotés d'une **intelligence artificielle forte** (voir p. 509), capable d'égaler puis de dépasser celle des humains. Elle pourrait aussi apparaître avec la vie artificielle ou **biosynthèse** (voir p. 99).

Ce scénario n'est pas une fiction. Des questions légitimes se posent sur l'avenir des **« créatures »** de l'Homme. L'ordinateur deviendra-t-il un « **ordonnateur** » ? La *« mort de la mort*[2] *»* (immortalité) signifiera-t-elle celle de l'**Humanité** ? Le

cyborg[3] constituera-t-il une nouvelle « espèce » au sens anthropologique ? De quels **pouvoirs** ces nouvelles « entités » seront-elles dotées par leurs créateurs ? Jusqu'où pourront-ils les étendre ? S'agira-t-il d'« êtres » dotés d'une forme de **« conscience »** ? Cette conscience sera-t-elle pourvue d'une **« morale »** et d'un système de **« valeurs »** ? Les notions humaines de **bien-mal**, **bon-mauvais**, **beau-laid**, auront-elles un sens pour eux ?

Aucun humain ne peut aujourd'hui répondre à ces questions. Et le risque existe que ces réponses ne soient pas celles souhaitées. Des êtres **hyperintelligents** pourraient-ils résoudre les problèmes **insolubles** pour les humains et les protéger des menaces qui pèsent sur eux ? Rien ne permet de l'affirmer. Les auteurs **de science-fiction** imaginent le plus souvent qu'ils chercheraient à **détruire** cette espèce inférieure à eux. Les **humains** en tout cas ne seraient pas en mesure de comprendre le fonctionnement de leurs créatures devenues **autonomes**, ni de prévoir leurs comportements. À moins de devenir eux-mêmes des **cyborgs** et de fonder une nouvelle espèce…

---

1. Personnage principal du roman épistolaire de Mary Shelley, écrit en 1818 et sous-titré « Le nouveau Prométhée ». Il raconte la création par un savant suisse d'un être vivant et intelligent, constitué de morceaux de chairs mortes. Effrayé par sa laideur, le savant abandonne sa créature, qui va se venger de lui et de la société qui le persécute.
2. *Op.cit.* Titre d'un ouvrage de Laurent Alexandre, éditions Jean-Claude Lattès, 2011.

3. Mot-valise provenant de l'anglais « *cybernetic organism* », ou organisme cybernétique. C'est un être « vivant » (humain ou non) composé en partie de pièces mécaniques ou électroniques greffées sur son « corps ».

---

d'autres. Il s'agit bien là d'une **« révolution »**, au sens étymologique (voir p. 85).

LE POUVOIR TECHNOLOGIQUE SURESTIMÉ ?...

Le recours à la science et à ses applications possibles comme solution aux problèmes posés par elle est non seulement un **paradoxe** (voir ci-dessus), mais aussi un **pari**. Il consiste à penser que la science sera en mesure de le relever, ce qui n'est évidemment pas acquis. Les **prouesses** et **promesses** diffusées par les laboratoires de recherche, les start-up et autres entreprises de haute technologie et relayées par les médias (qui y ajoutent parfois une dimen-

sion « magique » ou prométhéenne) ne sont en rien des **certitudes**.

Par ailleurs, les comportements humains ne sont sans doute pas totalement **réductibles** à une compilation des traces numériques qu'ils laissent, volontairement ou involontairement. Et les individus peuvent **refuser** demain de laisser des traces ou d'être **pistés**. Ils peuvent délibérément en fabriquer des **fausses** pour tromper les machines et rendre les mégabases de données inutilisables. Ils peuvent de même décider ensemble de **boycotter** certains « progrès » techniques qui leur apparaîtraient comme dangereux, tels que dialoguer avec des robots-assistants.

On peut alors se demander si l'on ne **surestime** pas le pouvoir présent et à venir de la technologie, et donc le risque qu'il présente, pour se faire peur. Selon certains spécialistes[1], l'**intelligence artificielle**, aujourd'hui «**faible**», ne deviendra jamais «**forte**». Les **cyborgs** n'existeront peut-être que dans l'imagination des auteurs de science-fiction et les fantasmes des *techno-addicts*. Les **ordinateurs quantiques** resteront peut-être pour les physiciens un objectif toujours repoussé, comme celui de la **fusion atomique**. La **colonisation de la planète Mars** n'aura peut-être jamais lieu ou ne concernera qu'une poignée d'humains assignés à résidence.

… OU SOUS-ESTIMÉ ?

Si l'on se fait au contraire l'avocat des **technophobes**, ou le porte-parole des **inquiets**, on peut à l'inverse craindre les effets induits par certaines technologies et par leurs usages. Ainsi, l'«idéologie» cachée derrière les **mégadonnées**, et leur **traitement «intelligent»** (que l'on pourrait baptiser «*dataïsme*»), n'est peut-être pas une invention des «complotistes».; elle peut être un moyen effectif de dominer le monde. Il apparaît que les évolutions actuelles et à venir de la **science** et de la **technologie** rendent l'avenir plus **fragile** qu'il n'était jusqu'ici. C'est le cas de toute évidence en matière d'environnement.

La **fragilité** est également présente dans la solidité apparente (et parfois insolente) des grands leaders du numérique. Que se passera-t-il demain si l'empire **Google** est démantelé (voir encadré ci-après) ? Ou si des entreprises emblématiques comme **Tesla** et **Uber** se déclarent en faillite, faisant exploser la bulle technologique (comme ce fut le cas de la bulle Internet en 2000) ? Que deviendra le monde si des chercheurs **clonent** des humains ou **manipulent** le génome ? Ou si

les **drones** deviennent des outils de **sabotage** et de **terrorisme** ? Ou si des *hackers* prennent le contrôle d'un État. Ou si la Chine devient un gigantesque *Big Brother* surveillant chacun de ses citoyens… ?

LA CONFIANCE VIGILANTE

On observera que le **scepticisme scientifique** peut aussi répondre à un **souhait** : celui que la science **échoue** à tenir ses promesses, au motif qu'elles seraient dangereuses pour l'Humanité. Il peut au contraire être associé à la **crainte** (et au **regret**) qu'elle s'avère incapable de **tenir** ses engagements, laissant ainsi l'Humanité démunie face à un destin tragique.

S'il faut choisir entre **confiance** et **scepticisme** à l'égard de la science, c'est la première attitude qui paraît la plus justifiée, car la plus utile. Elle est dictée par l'examen des nombreuses **pistes** actuellement explorées par les chercheurs (voir le *Dicotech*, en Annexe) et les **résultats** encourageants de nombreuses expérimentations. Elle prend aussi en compte les sommes d'**argent** considérables investies et l'**intelligence** mobilisée. Elle est encouragée par le rappel des avancées techniques réalisées par l'Homme au fil des siècles et des millénaires (voir p. 80). Enfin, elle est légitimée par le fait que les avancées seront **exponentielles**[2], un type de progression que l'esprit humain, habitué aux progressions **linéaires**, peut très difficilement appréhender, et qui laisse présager quelques surprises.

---

1. Par exemple Jean-Michel Ganascia, dans *Le Mythe de la singularité. Faut-il craindre l'intelligence artificielle ?* Seuil, 2017 : «Rien dans l'état actuel des techniques de l'intelligence artificielle n'autorise à affirmer que les ordinateurs seront en mesure de se perfectionner indéfiniment sans le secours de l'Homme, jusqu'à s'emballer, nous dépasser et acquérir leur autonomie».

2. L'une des illustrations les plus connues et spectaculaires de la croissance exponentielle est la légende de Sissa, vers 3000 ans av. J.-C. Le roi Belkib (Inde) promit une récompense à qui lui proposerait une nouvelle distraction. Le sage Sissa, fils du Brahmine Dahir, lui présenta le jeu d'échecs. Satisfait, le souverain demanda à Sissa ce qu'il souhaitait en échange de ce cadeau. Sissa demanda au prince de déposer un grain de riz sur la première case, deux sur la deuxième, et ainsi de suite en doublant la quantité de grains à chaque case, jusqu'à remplir l'échiquier de 64 cases. Le prince lui accorda la récompense sans se douter que la production de tout son royaume ne suffirait pas à tenir sa promesse. Le nombre de grains s'élève en effet à 18 446 744 073 709 551 615 grains (18 000 milliards de milliards), soit environ 720 000 millions de tonnes, l'équivalent de près de 1 000 années de production mondiale de la planète.

Quels maîtres du monde en 2030 ?

Les fameux **GAFA** (Google, Apple, Facebook et Amazon) sont depuis quelques années les grands leaders de l'**innovation** de rupture. C'est pourquoi ils sont souvent qualifiés de «maîtres du monde». On pourrait y ajouter, par les deux pionniers qu'ont été en leur temps (et qui n'entendent pas disparaître) Microsoft et IBM, et parler des **GAFAMI**.

Ce club prestigieux (100 % américain) s'est récemment agrandi avec les **NATU** : Netflix, Airbnb, Tesla et Uber (également américains) qui ont connu un développement spectaculaire dans leurs domaines respectifs : vidéo à la demande, location d'appartements entre particuliers, voiture autonome, VTC,

Face aux géants d'outre-Atlantique, la **Chine** n'est pas en reste. Elle a développé les **BATX** : Baidu (moteur de recherche), Alibaba (e-commerce), Tencent (réseau social, paiement électronique…) et Xiaomi (téléphonie). On observera qu'il est difficile d'établir un autre acronyme avec des noms d'entreprises de haute technologie **françaises** ayant une notoriété mondiale. Il faudra pour cela que les **start-up** qui sont encore dans des incubateurs développent des innovations de rupture et deviennent des **«licornes**[1]**»**.

Qui sera le gagnant des prochaines batailles d'ici **2030**, notamment celle de l'**intelligence artificielle** ? Qui sera le plus en avance sur la mise au point de l'**ordinateur quantique** ? Qui maîtrisera les **robo**, **bio**, **nano** ou **neuro** technologies ? Le conglomérat **Alphabet** (ex-Google), en pointe dans de nombreux domaines (en développant lui-même les compétences ou en achetant des start-up innovantes) conservera-t-il son leadership, ou sera-t-il **démantelé** pour cause de position dominante dans trop de domaines ? L'histoire économique américaine incite plutôt à choisir la seconde hypothèse. Mais le fait de couper des tentacules à la **«pieuvre»** lui donnerait encore plus de moyens financiers pour en faire pousser d'autres.

De son côté, **Amazon** aura-t-il remporté sa guerre contre le géant de la distribution alimentaire **Wall Mart** (par exemple en le rachetant), ou abandonné la partie ? Rien ne permet aujourd'hui de le supposer, surtout depuis le rachat de **Whole Foods Market**, en 2017. L'avenir de ces colosses dépendra sans doute moins des **autorités politiques** ou de leurs **performances économiques** que des comportements des **consommateurs** à leur égard. On peut imaginer que beaucoup d'entre eux se lasseront d'être **soumis** aux stimuli toujours renouvelés de l'innovation, comme du **marketing hyper-personnalisé** rendu possible par l'exploitation de gigantesques **bases de données**. D'autant que les géants du numérique sont tous à un **«clic»** de leurs concurrents et qu'un **boycott** décidé par des consommateurs excédés aurait pour eux de très lourdes conséquences.

Les leaders actuels et futurs devront donc faire preuve de **vigilance** et de **vertu**. Cela impliquera notamment de proposer des innovations vraiment **utiles**, de ne pas pratiquer des **prix** jugés excessifs, de ne pas «voler» les **données personnelles** ou «violer» les intimités (ou laisser à des «partenaires» la possibilité de le faire…). Il leur faudra aussi payer comme les autres des **impôts** à hauteur de leurs activités dans les pays où ils les exercent. D'autant que des règlementations à l'échelle de l'Europe et d'autres grandes zones économiques, peut-être au niveau mondial, leur interdiront de s'abriter derrière les **paradis fiscaux** et de mettre en place des montages d'**optimisation fiscale**.

S'ils échappent à ces risques, les grands leaders ont encore devant eux de belles perspectives d'ici 2030, sur des marchés extrêmement prometteurs. Le groupe **Alphabet** pourrait ainsi s'imposer dans la **voiture autonome** (avec sa société Waymo), la **médecine prédictive** (l'un des objets de sa filiale Verily), la **maison connectée** (avec le rachat des thermostats Nest) ; les **assistants vocaux** (de type Google Home), l'accès universel à Internet (Google Fiber), la lutte contre le **vieillissement** (Calico), la **surveillance** ou les livraisons par **drones**, etc.

---

1. Start-up atteignant une valorisation d'au moins un milliard de dollars, même si elles ne sont pas cotées en Bourse.

Sans parler des autres innovations décisives (*moonshots*, selon l'expression maison) sur lesquelles travaille son laboratoire baptisé **X**. L'avenir pourrait être moins assuré pour des entreprises à forte notoriété et créativité comme **Tesla**, qui s'est improvisée constructeur auto-mobile et qui accumule les déficits (2 milliards de dollars en 2017), du fait de son incapacité à fabriquer les véhicules qu'elle a en commande. La même interrogation vaut pour **Uber**, aux prises avec des difficultés à la fois juridiques, sociales, et financières.

UTILITÉ ET FUTILITÉ

Le débat sur l'efficacité de la **science** peut être également nourri par la **confusion** qui règne sur le degré d'utilité de ses applications. Certaines devraient engendrer demain des «**ruptures**» ouvrant des univers totalement nouveaux et prometteurs. Ce devrait être le cas par exemple de la **réalité virtuelle**, dans des domaines aussi variés que la médecine, l'éducation ou les loisirs. Il devrait en être de même des apports de la **robotique**, de l'**intelligence artificielle**, des **nanotechnologies** ou des **biotechnologies**. Leurs champs d'application seront très larges et leurs **bénéfices** potentiels considérables. Mais ils sont assortis de **risques** qui ne le sont pas moins.

D'autres innovations ressembleront davantage à des **gadgets**, offrant des avantages marginaux et impliquant des contreparties nombreuses. Ce pourrait être le cas notamment dans le domaine de la **maison intelligente** (*smart home*). Ses occupants seront-ils tentés par les multiples **objets connectés** qui leur seront proposés, pour automatiser la température de chaque pièce, veiller sur leur sommeil, préparer le café ou le thé du petit-déjeuner, éclairer et éteindre les lumières, etc., sachant que tous leurs faits et gestes seront identifiés, transmis, enregistrés, analysés, exploités par des entreprises dans un but d'«*hyperciblage*» permanent?

LA DICTATURE DE L'ÉPHÉMÈRE

Chacun peut faire lui-même un test simple : entrer dans un magasin spécialisé dans les équipements technologiques et se demander **objectivement** quel usage il pourrait avoir de chacune des offres présentées, hors les trois piliers du numérique que sont aujourd'hui le **smartphone**, l'**ordinateur** (fixe ou portable) et le **téléviseur**, dont la quasi-totalité des ménages ou des personnes sont déjà équipés. L'offre est très large et *a priori* attirante : drone ; caméra sport ; montre connectée ; assistant à commande vocale ; enceinte connectée ; casque ou écouteurs ; console de jeux ; liseuse ; lecteur de DVD ; visionneuse de photos ; ampoules à couleurs changeantes ; passerelle de diffusion en streaming de contenus numériques, etc.

Chacun de ces équipements peut sans aucun doute remplir des fonctions, apporter des satisfactions. Mais ces fonctions sont-elles vraiment essentielles et ces satisfactions durables, au regard des contraintes qu'ils engendrent. Il faut en effet du **temps** pour les choisir, les acheter, les paramétrer et les utiliser, de l'argent pour les acheter et les renouveler. Ils sont soumis à des **pannes**, des **sabotages** ou des «récupérations» de **données personnelles**. On peut ainsi se demander si les humains achèteront en moyenne une **trentaine** d'objets connectés de ce type d'ici **2020**, et s'ils dépenseront **9 240 milliards en 2025** (quatre fois le PIB de la France) comme le prévoit un cabinet d'étude[1].

VERS UN MONDE VIRTUEL ?

LA VIE DE PLUS EN PLUS DÉMATÉRIALISÉE...

Les progrès technologiques actuels ou attendus et leurs applications pratiques

---

1. Cabinet McKinsey, prévisions publiées en 2018.

ont pour caractéristique quasiment commune d'être fondés sur la **numérisation**, ou en tout cas la «**virtualisation**» de la réalité. Les infotechnologies, biotechnologies, nanotechnologies, neurotechnologies, robotechnologies, spatiotechnologies ou l'intelligence artificielle s'inscriront toutes largement dans ce cadre, en utilisant et en fournissant des représentations, recréations, simulations ou inventions de la **réalité** (voir encadré ci-après). Même l'**ordinateur quantique**, dont le principe est basé sur la physique et qui n'utilise pas le système **binaire** propre au digital (voir p. 512), opérera de façon semblable, mais beaucoup plus rapide.

Enfants et adultes seront en permanence immergés dans le **flux** («*streaming*») et le «temps réel», c'est-à-dire instantané (sans latence) des réseaux. Ils feront à ce titre partie de **communautés numériques**, mais aussi, sans en être conscients, d'une **communauté planétaire** à laquelle tous les humains ou presque seront connectés, ce qui permettra au passage de les surveiller et de les ficher (voir p. 317). La question se pose donc de savoir si le monde de demain sera toujours «**réel**» ou s'il deviendra en grande partie (voire totalement) «**virtuel**». Le temps passé devant des **écrans**, qui occupe actuellement 4 heures de notre temps quotidien, devrait ainsi être supérieur en **2030** à celui que nous consacrons à la réalité perçue «**en direct**» (sans intermédiaire) avec nos propres sens.

... ET DOUBLEMENT INTERMÉDIÉE

La **révolution numérique** peut aider à **décrire** et **représenter** la réalité, en mettant à disposition de tous les outils «**multimédia**», qui permettent d'enregistrer et diffuser ce que l'on voit, entend, sent ou ressent. Car la réalité «**absolue**» n'existe pas ; nous ne pouvons en percevoir et en

---

Simulation et création

Les outils numériques agissent souvent par **imitation** ou **simulation**, comme si leur fonction essentielle était de transposer la vie «**réelle**» dans des formes virtuelles. C'est sur ce principe que s'est développé notamment **Internet**. Les services de **messagerie** et le **mail** ont imité (et peu à peu remplacé) l'échange **épistolaire**. Le **tweet** a plutôt simulé (et remplacé) le **télégraphe**, compte tenu de la brièveté des messages qu'il véhicule. Il en est de même du **SMS**, qui transite lui essentiellement par les réseaux téléphoniques.

Internet imite sur les écrans des «**magasins**» et des «**boutiques**» dans lesquels on peut aller faire ses courses, en remplissant son «**panier**» et en passant à la «**caisse**» à la fin de ses achats. Les lieux de **voyages** ou de **loisirs** (musées, théâtres, bibliothèques, salles de spectacles…) peuvent aussi être simulés en utilisant la vidéo, la 3D ou l'holographie. La **visioconférence** permet d'organiser des **rencontres** ou des **réunions** (virtuelles) entre des personnes.

Mais l'imitation n'est pas le seul ressort du numérique. Ainsi, les **jeux vidéo** s'inspirent du «**réel**» (avec le souci de s'en **rapprocher** le plus possible, par l'hyperréalisme), mais ils peuvent aussi le **transcender** en proposant des visions oniriques du monde. C'est le cas aussi de la **réalité virtuelle** qui peut simuler tous les univers possibles, ou en **créer** de nouveaux, au gré de l'imagination des concepteurs et, de plus en plus, des utilisateurs qui pourront modifier eux-mêmes les décors dans lesquels ils s'immergent.

On devrait pouvoir demain simuler sur un ordinateur l'ensemble des connexions d'un **cerveau humain** ou de tout être vivant (ce qui ouvre la porte à une forme d'**immortalité**…), mais aussi créer des réseaux **artificiels de** «**neurones**» ou de cellules, qui déboucheront sur de nouvelles formes de vie. Dans quelques années ou décennies, ce seront peut-être les **humains** qui tenteront de simuler les performances des **robots**.

fournir que les **représentations** qui nous parviennent par nos sens et les confronter à celles des autres, qui ne sont jamais exactement semblables.

Le numérique nous proposera ainsi de plus en plus souvent **d'autres «réalités»** que celles qui émanent de nos sens, que nous appelons **réalités virtuelles**. Pour les raisons évoquées ci-dessus, cette expression n'est pas un **oxymore** (juxtaposition de deux termes qui semblent se contredire). Le monde sera demain de plus en plus **«intermédié»** et il le sera doublement : par les **sens** et par les **outils numériques** permettant sa représentation. Mais le risque existe que le virtuel prenne pour certains humains complètement le pas sur ce que nous appelons le «réel».

INTERNET AU CENTRE DE LA VIE

Comme la plupart des innovations majeures (l'avion, la voiture, le nucléaire, la télévision…), **Internet** restera demain au cœur du monde **virtuel**, mais aussi comme référence centrale du monde **réel**. Il connaîtra des **prolongements**, et sans doute des **concurrents**. Il sera **accessible** à la plupart des humains, y compris dans les pays pauvres et, peut-être, dans les dictatures (via des réseaux de microsatellites, des ballons stationnaires en altitude et autres moyens à venir).

Il restera le meilleur moyen de **s'informer** et de **communiquer** pour les particuliers, mais il sera de plus en plus **«annexé»** par les professionnels et les institutions. La **gratuité** devrait y être moins fréquente, notamment sur les sites apportant des informations et des services ayant une réelle valeur ajoutée. Tous ne pourront pas en effet vivre des revenus de la **publicité**, à laquelle les internautes s'efforceront de plus en plus d'échapper (via des logiciels spécialisés).

Internet sera aussi **ambivalent**, porteur du meilleur et du pire. Il risque de renforcer dans certains domaines les **inégalités** entre les individus (notamment «culturelles», voir p. 383) et entre les pays (du fait de la censure qu'exerceront certains d'entre eux sur cet outil d'expression, d'opposition et de mobilisation). Il sera à la fois un instrument de **liberté** et de **surveillance**, un vecteur d'**informations** et de **désinformation**. Les innovations à venir transporteront les utilisateurs dans le monde de **Disney** ou dans celui d'**Orwell**. Les deux seront parfois mélangés, ce qui devrait ajouter encore à la confusion générale.

LA COHABITATION NÉCESSAIRE ET PROBABLE

L'avenir dira si les «*cyberphiles*» et les «*cyberoptimistes*» ont raison face aux «*cyberphobes*» et aux «*cybercassandre*». Comme dans les autres secteurs de la vie sociale, les **Mutants** s'opposeront aux **Mutins** (voir p. 475). Les prochaines années permettront de savoir si la vie avec Internet est finalement «meilleure» ou moins bonne que sans. Mais il sera probablement tard pour revenir en arrière, sauf pour des individus et des groupes qui décideront d'échapper à ce qu'ils considéreront comme la **«tyrannie numérique»**.

Il apparaît au total peu probable que l'on se passera demain des technologies. Leurs **bénéfices** sont en effet indéniables, et la plupart des Français les ont déjà intégrés dans leurs **modes de vie**. Les **nouvelles générations** ne se poseront pas la question, n'ayant pas connu d'autres types de société. Il est cependant difficile d'imaginer qu'ils vivront **en permanence** dans le monde enchanté, «augmenté» ou **inventé** du virtuel. D'autant que cela nécessitera de s'**isoler** de la **«réalité réelle»** (celle qui est perçue par les sens), par des systèmes qui resteront **complexes** (lunettes, capteurs, transmetteurs, etc.) et **encombrants**, avant peut-être d'être **miniaturisés** et **intégrés** au corps.

La place croissante du numérique, de l'informatique et de l'électronique dans la vie personnelle, professionnelle, économique et sociale ne fait donc guère de doute. Mais les technologies ne pourront pas imprégner et modifier toutes les activités humaines. Plutôt que de s'opposer, le monde **réel** et le monde **virtuel** devraient «coexister», en s'enrichissant mutuellement. La **e-société** restera une société et l'individu «**augmenté**» par la technologie demeurera en principe un individu. Et, on peut l'espérer, un **humain** (voir ci-après). On peut donc tabler d'ici **2030** sur une **cohabitation** de ces deux approches du monde.

LE POST-HUMAIN SERA-T-IL ENCORE HUMAIN ?

Les transformations induites sur la vie humaine par les nouvelles technologies pourraient être demain si spectaculaires qu'elles marqueraient l'avènement d'une **post-humanité**. On observera d'abord que cette appellation est utilisée depuis des années (avec celle de **post-modernité**). Elle traduisait l'incapacité de lui donner un **contenu** et le préfixe *post* indiquait simplement qu'elle arriverait «après». On en saura beaucoup plus d'ici **2030** sur les caractéristiques de cette nouvelle humanité. Si l'on conservait alors le terme de **post-humanité**, cela signifierait que l'on aurait constaté qu'elle ne serait plus «humaine», au sens habituel du terme. Il ne s'agirait plus alors d'une humanité «**postérieure**», au sens temporel, mais d'une «**autre**» humanité. La question est **centrale**.

QUELQUES CHANGEMENTS PHYSIQUES...

Dans leur apparence physique, les Français de **2030** devraient **ressembler** à ceux d'aujourd'hui, comme nous ressemblons à ceux des générations précédentes, y compris à nos ancêtres du Moyen Âge, de l'Antiquité ou même du Néolithique (voir p. 18). Pourtant, ils auront subi quelques **modifications** physiques, du même type que celles apparues au cours des générations les plus récentes[1]. Ils auront donc **grandi**, **grossi** (jusqu'à l'**obésité** pour une part croissante d'entre eux, voir p. 117). Le taux de **testostérone** des hommes aura diminué (ce qui devrait réduire leur tendance à l'agressivité). Leur **sperme** sera moins concentré en spermatozoïdes.

Les **femmes** auront aussi accru leur taille et leur poids. Elles seront **pubères** encore plus tôt qu'aujourd'hui et **mères** encore plus tard. Leur **système reproducteur** sera perturbé par l'état de l'environnement et beaucoup devront recourir à des modes de fécondation extérieurs : PMA, GPA et autres méthodes encore plus complexes (voir p. 179). D'autres tendances pourraient être confirmées, comme la prévalence croissante de la **myopie** (liée probablement au temps passé devant des écrans). Les déficits **auditifs** pourraient en revanche être moins fréquents, du fait de l'usage d'appareils d'écoute «intelligents».

... ET GÉNÉTIQUES

Il ne faut pas s'attendre à des modifications **physiques** ou **génétiques** liées à l'**évolution** de l'espèce humaine (au sens darwinien) dans la ou les décennies à venir. Elles nécessitent en effet des durées considérablement plus longues, qui se chiffrent plutôt en **millions** d'années. De plus, contrairement à ce qui est souvent affirmé, l'évolution ne consiste pas à **supprimer** des organes ou parties du corps ayant perdu leur **utilité** (dans ce cas, les humains n'auraient peut-être plus d'**appendice**[2], ni cinq doigts à chaque membre). L'évolution sert plutôt à privilégier les caractéristiques qui contribuent à la survie des individus ; à l'échelle du XXIe siècle, elles ne pourraient être *a priori* physiques ou génétiques.

En revanche, les dégradations de l'**environnement** (au sens le plus large du terme) pourraient occasionner des changements dans l'**identité génétique**, comme semblent le confirmer les études sur l'**épigénétique** (voir p. 506). Pour une identité génétique donnée, un grand nombre d'identités **cellulaires** sont possibles. De plus, les **expériences vécues** peuvent modifier l'expression des gènes. Ces modifications pourront aussi être accrues par les possibilités d'**édition** (mais aussi de **mani-**

---

1. Cabinet McKinsey, prévisions publiées en 2018.

2. Start-up atteignant une valorisation d'au moins un milliard de dollars, même si elles ne sont pas cotées en Bourse.

pulation...) du **génome** rendues possibles par les nouvelles techniques (voir p. 179). Elles pourraient être acceptées socialement, au prétexte qu'elles préviendraient ou guériraient des **maladies** ou des «**défauts**». Leur liste devra être débattue, afin d'éviter des risques de **dérive**, qui pourraient aller jusqu'à l'eugénisme (voir p. 178).

UNE ESPÉRANCE DE VIE ALLONGÉE... OU RÉDUITE

Les **projections** d'évolution de l'espérance de vie laissent espérer une hausse moyenne de **deux ans** d'ici 2030 (voir p. 36). Certains facteurs nuisibles à la santé pourraient être supprimés par les progrès attendus de la médecine (voir p. 128) et la modification des **modes de vie** (alimentation, hygiène, suivi médical, exercice physique...). Mais l'espérance de vie pourrait aussi s'accroître bien **au-delà** de ces projections, si les objectifs, rêves et promesses des **transhumanistes** étaient tenus (voir encadré ci-après).

Il existe cependant des facteurs qui pourraient faire **baisser** l'espérance de vie d'ici **2030**. Ce pourrait notamment être le cas de la dégradation de l'**environnement**, qui pourra à cette époque être mesurée avec précision. En tout état de cause, les polluants et **perturbateurs endocriniens** ne pourront être éradiqués, car leur durée de vie (en réalité de demi-vie) est très longue : environ 600 ans par exemple pour le chlordécone (pesticide largement utilisé dans les Antilles françaises), près de 3 000 ans pour celle des **PCB**[1]. Les **POP**[2] auront aussi des effets pendant de très longues durées. La présence de ces produits pourrait également provoquer des **modifications génétiques** qui seraient transmises à la descendance.

DES INDIVIDUS AMÉLIORÉS...

Les humains ne seront plus demain seulement «réparés». Ils seront «**améliorés**»

---

1. Polychlorobiphényles, dérivés chimiques chlorés, improprement appelés pyralènes.
2. Polluants organiques persistants.

dans leurs différentes **capacités** (ou «**augmentés**» si l'on reprend le langage transhumaniste). Ils pourront être connectés à une intelligence **artificielle**, grâce à des prothèses, implants et autres ajouts extérieurs à leur corps ou intégrés à lui. Ils pourront aussi accroître sensiblement leurs aptitudes **physiques** : **porter** des charges plus lourdes, **courir** plus vite et plus longtemps, **sauter** plus haut, etc., grâce notamment aux **exosquelettes**. Ils seront en mesure de mieux **voir** et de «zoomer» sur un champ restreint à l'aide d'appareils électroniques qui compléteront leur système oculaire. Leurs autres **sens** (audition, toucher, odorat, goût...) pourront aussi être accrus (voir p. 134).

Les individus pourront aussi être plus **créatifs** en devenant partie prenante d'**intelligences collectives** et **collaboratives** travaillant à résoudre de manière nouvelle les problèmes du moment. Ces objectifs devraient déjà être en partie réalisés d'ici **2030**. Au total, c'est la **réalité** elle-même qui sera «augmentée» et qui envahira tous les compartiments de la vie. On observera cependant que ce ne sera pas la **réalité** qui sera augmentée, mais la **perception** que nous pourrons en avoir.

... ET «DOPÉS»

L'**augmentation** des capacités d'un individu s'apparente fortement à un **dopage**. Il est réalisé aujourd'hui par des **drogues-médicaments** ou des substances **spécifiques** (généralement interdites), des **transfusions** sanguines, ou d'autres méthodes plus ou moins sérieuses. Il prendra demain d'autres formes. La **réalité virtuelle** devrait être ainsi la «drogue» de l'avenir, permettant légalement à ses utilisateurs de se placer dans des **états modifiés de conscience**. Les **neuroprothèses** et autres moyens d'**amélioration** de la **santé** seront aussi utilisés, d'abord pour soigner des maladies. Mais certains laboratoires ou entreprises les proposeront à des personnes bien portantes pour **augmenter leurs capacités** dans différents domaines (voir ci-dessus). Ce sera un **test** important pour estimer la diffusion ultérieure d'autres moyens de dopage.

Le débat entre scientifiques, responsables politiques, philosophes, sociologues, sans oublier le grand public pourrait cependant être assez vite tranché. Les arguments de la **défense** sont connus. On accepte aujourd'hui sans difficulté qu'une

Le rêve d'immortalité

Pour les **transhumanistes**, qui sont depuis quelques années au centre des débats sur l'avenir possible et souhaitable de l'Humanité (voir p. 132), il n'existe pas de **« vie après la mort »**, pas plus que d'**« âme »**. La mort est donc pour eux une sorte d'**« accident »** regrettable, que l'on doit s'efforcer de **retarder** ou, idéalement, de **supprimer**.

Cette notion de **fin** pourtant omniprésente (et vérifiable) dans toute l'histoire humaine, mais aussi dans celle de la vie en général, est ainsi considérée comme un **« problème »** à résoudre plutôt qu'une **fatalité** contre laquelle il est impossible (et interdit par les *« lois de nature »*) de lutter. L'approche transhumaniste s'affranchit clairement de ces *« lois »* qui ne sont inscrites nulle part, hors les textes sacrés. Mais ceux-ci sont récusés, au même titre que les **« tabous »** concernant la relation de l'Homme avec la Nature. La mort, comme la vie, est ainsi totalement **désacralisée**.

Les transhumanistes, athées convaincus, ne croient donc pas en un **paradis** qui récompenserait **« ailleurs et plus tard »** les bonnes actions commises **« ici et maintenant »**. Ils estiment que le paradis doit être accessible sur **Terre** et comptent sur la science pour le réaliser et le faire durer… très longtemps. Et même **éternellement**, en faisant en sorte que les atteintes à la vie soient progressivement éliminées, par tous les moyens : cellules souches ; prothèses ; implants ; hybridation homme-machine, etc.

Le transhumanisme est parfois accusé d'être une **secte**[1] (voir p. 233). Il apparaît plutôt comme une **philosophie**, en rupture avec celles des religions traditionnelles qui acceptent le **principe** de la mort terrestre, mais offrent en « consolation » la perspective d'une « vie » **post-mortem** éternelle. La conception transhumaniste prend argument des progrès déjà considérables de la science (notamment de la médecine) et du fait qu'elle n'a jamais cessé de **défier** la Nature, souvent avec succès : recul des maladies, accroissement de l'espérance de vie, remplacement d'organes malades… Ses zélateurs s'appuient aussi sur les **promesses** des recherches en cours et sur les nouvelles pistes qu'elles ouvrent pour mieux comprendre et repousser les **limites**, jusqu'à les supprimer.

Le rêve d'**immortalité** est très ancien et très présent dans la littérature. La nouveauté est que les scientifiques ne peuvent pas **démontrer** aujourd'hui de façon irréfutable qu'il est **impossible** à réaliser. Les **débats** ne sont pas donc pas près d'être tranchés. Le premier devrait être de définir ce que signifierait une **« vie éternelle »**. Est-ce que par exemple le **téléchargement** numérique des connexions neuronales d'un cerveau sur un support de sauvegarde permettrait à l'être à qui il appartient (ou appartenait) de continuer à **vivre**, même si le « fichier » était placé dans un « corps » matériel (robot) ? On peut penser que **non**, car il lui manquerait au moins l'association avec son ancien corps, ainsi peut-être qu'une **« conscience »** dont on ne sait vraiment où elle se situe. Mais, en l'absence d'une connaissance bien plus affinée du cerveau, on peut penser que ce n'est pas à **exclure** totalement…

Le second débat, s'il n'est pas annulé par le résultat du premier, sera d'estimer les **conséquences** de l'immortalité sur la démographie, l'environnement, la société, l'économie, la politique, les comportements. On peut penser *a priori* qu'elles seraient **catastrophiques**. Avant même l'invention éventuelle de l'immortalité, un accroissement spectaculaire de la **durée de vie moyenne** rendrait ce débat absolument **nécessaire**. Et les résultats des **simulations** pourraient s'avérer très **préoccupants**.

---

1. Groupement religieux, clos sur lui-même et créé en opposition à des idées et à des pratiques religieuses dominantes.

personne recoure à la **chirurgie esthétique**, qu'elle porte une **prothèse** de hanche ou un *pacemaker* (un exemple ancien d'implant transformant quelqu'un partiellement en **cyborg**…), qu'un sportif reçoive une **transfusion sanguine** (pour *booster* ses performances), ou que des parents offrent à leurs enfants des heures de **soutien scolaire** pour favoriser leurs chances de passer dans la classe supérieure ou d'obtenir un diplôme. Pourquoi refuserait-on d'autres façons d'améliorer les performances humaines ? Face à ces arguments, le plaidoyer du **procureur** pourrait avoir du mal à convaincre.

DES BÉNÉFICES POSSIBLES, DES RISQUES CERTAINS

Après une première phase d'expérimentation et, sans doute, d'acceptation, le **dopage** sera proposé pour augmenter la **résistance**, la capacité de **concentration**, la **mémoire ou l'imagination**… On utilisera pour cela des médicaments (spécifiques ou détournés de leur usage normal). Sur le plan **mental**, les individus pourront ainsi bénéficier demain de **connaissances** étendues, et même encyclopédiques, avec une capacité de **mémoire multipliée** tenant dans un espace **hyper-miniaturisé**, ou grâce à des connexions quasi instantanées aux contenus des **moteurs de recherche**.

Sur le plan **moral**, les individus de demain pourront également être incités par des implants à faire le **bien** et à rejeter le **mal**, à respecter les **autres** et à leur témoigner de l'**empathie**, de tenter de construire avec eux un **monde** meilleur et plus durable. Mais l'effet pourrait être **inverse** si les concepteurs étaient animés de mauvaises intentions ou si les matériels et logiciels utilisés étaient piratés. Cela laisse entrevoir l'importance et la difficulté des **débats éthiques** auxquels ces possibilités techniques donneront lieu.

On peut craindre en outre que, parallèlement à l'accroissement des **capacités** humaines (ou *post-humaines, transhumaines, hyperhumaines* ou *hyprahumaines*, selon le terme que l'on préférera) les **peurs** et les angoisses suivent la même pente. Peur d'être **dépassé**. Peur d'être **déclassé**. Peur de la **catastrophe** (démographique, climatique, technologique, industrielle, sanitaire, terroriste, sociale, géopolitique…). Peur de la **disparition** de l'Humanité. Peur aussi d'un accroissement des **inégalités** en matière d'accès à l'**éducation** ou à la **santé** (et à leurs développements attendus), de **revenus** et de **patrimoine** dans un monde à plusieurs vitesses où les «**sachants**» seraient privilégiés par rapport aux autres.

LIBERTÉ ET INÉGALITÉ

Les limites entre **soigner, réparer, améliorer** et **augmenter** seront ainsi de plus en plus floues. Par ailleurs, la **balance** entre les avantages et les inconvénients des «**nouveaux dopants**» sera difficile à établir. Le **législateur** aura aussi bien du mal à décider de ce qui doit être permis et interdit. D'autant que les réglementations resteront sans doute nationales, ce qui permettra à chacun de les contourner (à condition d'en avoir les moyens financiers).

Une question devra être débattue parmi beaucoup d'autres : ces nouveaux moyens de dopage engendreront-ils des **inégalités** supplémentaires entre des individus qui sont déjà très différents par «**nature**» ? Mais ne serait-ce pas au contraire une façon de **réduire** les inégalités existantes en offrant des **compensations** à ceux qui en sont les victimes ? Il est à craindre que le risque soit plutôt celui d'un **accroissement** des inégalités que d'une réduction, pour de simples raisons économiques : ce seront les personnes les plus aisées qui pourront s'offrir les «**dopants**» et «**augmentants**» de demain, qui seront probablement coûteux.

On observe que l'**opinion publique** évolue rapidement sur ces questions. Elle l'a fait par exemple sur la **GPA** (à laquelle elle se dit favorable à 60 %[1]) ou la **PMA** étendue aux couples de femmes homosexuelles et aux femmes célibataires… On peut donc s'attendre à ce que l'acceptation et la consommation de **psychostimulants** et autres

_____
1. Sondage *La Croix*/Ifop, décembre 2017.

smart drugs (psychotropes, amphétamines, nootropes, cocaïne, ecstasy, mais aussi tabac, vitamine C, café...) de nouvelle(s) génération(s) s'accroisse dans le futur. Et que les inégalités progressent au nom de la liberté.

À la question initiale, et essentielle (les humains seront-ils encore humains ?), on pourra donc répondre comme à la précédente (le monde sera-t-il virtuel ?) : par deux mots : hybridation et convergence. Nous pourrions en effet assister d'un côté à une « humanisation » des machines et de l'autre à une « mécanisation » des êtres humains.

MUTANTS, MUTINS OU MOUTONS ?

À tout moment de son histoire, l'état de la société française et la perception de son avenir ont fait l'objet de débats entre les *Anciens* et les *Modernes*. La discussion a pris au cours des dernières années une importance particulière, dans un contexte de transformation économique, technologique et scientifique sans équivalent depuis la fin du XVIIIe siècle. Au point que l'on vit aujourd'hui une transition entre deux civilisations. Face à celle à venir, les Français ont des attitudes différentes, et peuvent être répartis en trois groupes. Les deux premiers sont porteurs de deux visions antagonistes du monde[1]. Le troisième n'a pas (encore) d'opinion tranchée sur l'avenir et sur ce qu'il convient de faire pour qu'il soit « bon ».

LES *MUTANTS*, NOUVEAUX MODERNES

Les *Mutants* sont les tenants du principe de modernité, voire de « postmodernité », bien que ce mot n'ait pas un sens très précis (voir p. 452). Ils considèrent que la mondialisation et la technologie sont des chances pour l'Humanité, car elles peuvent faire disparaître progressivement les frontières (matérielles, économiques, culturelles...) en introduisant plus d'efficacité et de solidarité à l'échelle de la planète. L'État est à leurs yeux

plutôt une contrainte, car il limite la liberté des citoyens et les empêche d'être autonomes.

À l'horizon 2030, les mouvements en cours en matière scientifique et technologique vont dans le sens de ces *Mutants*. Ils annoncent en effet des transformations et des ruptures dans de très nombreux domaines, décrits dans ce livre. Il paraît difficile, voire impossible, d'arrêter ou d'interrompre le processus engagé, tant les promesses sont fascinantes et les intérêts en jeu considérables. Mais cela ne signifie pas que les résultats seront à la hauteur des attentes, ni même qu'ils se traduiront par des améliorations véritables. Ni surtout que les progrès obtenus seront accessibles à tous.

LES *MUTINS*, EMPÊCHEURS D'INNOVER EN ROND

Les *Mutins* ont une vision du monde beaucoup plus pessimiste que celle des *Mutants*. Inquiets des conséquences et des menaces de la mondialisation et du « tout technologique », ils souhaitent une pause, un moratoire, et en tout cas l'application du « principe de précaution » inscrit dans la Constitution française. Leur volonté est davantage de préserver que d'innover. Ils redoutent le métissage culturel et le communautarisme, ne souhaitent pas l'ouverture des frontières (sauf éventuellement pour raisons humanitaires) et se réfugient dans le confort de la « proximité ».

Au cours des prochaines années, on peut s'attendre à des réactions de rejet nombreuses et fortes de la part des *Mutins* à l'égard des changements qui seront induits par l'innovation. Les transformations jugées nécessaires par les *Mutants* leur sembleront dangereuses, inconfortables et ils tenteront de les empêcher. À cet égard, les grèves et manifestations qui ont accompagné les réformes du Code du Travail, de la SNCF ou les débats sur la refonte de la protection sociale sont révélatrices de cette inquiétude et de cette volonté de ne pas céder à la « modernité », et de lui préférer le *statu quo*. L'attitude des *Mutins* sera probablement la même lorsque sera abordée

---

1. Cette typologie a été proposée pour la première fois par l'auteur dans l'édition 2001 de *Francoscopie* (Larousse). Elle est ici actualisée.

la réforme des retraites ou la réduction des dépenses publiques.

LES *MOUTONS*, HÉSITANTS ET SUIVEURS

Les autres Français peuvent être rangés dans le groupe des *Moutons*. Un nom choisi sans aucune intention **péjorative**, pour indiquer qu'il est composé de personnes ayant plus l'habitude de **suivre** l'avis des autres que le précéder (choisi aussi parce qu'il forme avec les deux autres un triptyque euphonique, facile à mémoriser…). La difficulté des *Moutons*, tout à fait compréhensible dans le contexte actuel, est qu'ils ne savent pas **qui suivre**, des *Mutants* ou des *Mutins*. Comment être certain en effet que la «**modernité**» (robots, intelligence artificielle, édition génétique…) plébiscitée par les *Mutants* ne sera pas porteuse de **catastrophes**, ou que la demande de *statu quo* des *Mutins* empêchera de les éviter ? En attendant que la situation leur paraisse plus claire, beaucoup de *Moutons* préfèrent se replier sur leur **sphère personnelle** et/ou **familiale**, et ne pas s'impliquer dans des débats qui leur semblent souvent complexes et **stériles**.

Dans les années à venir, les groupes ne resteront pas figés. De nombreux *Moutons* finiront par choisir leur «camp» parmi les deux autres possibles. Ceux qui auront à un moment de leur vie et de leur réflexion le sentiment que la modernité apporte des **améliorations** à leur propre sort et à celui du monde se rangeront alors parmi les *Mutants*. Ceux qui seront au contraire déçus des évolutions en cours iront grossir les rangs des *Mutins*. Parallèlement, des membres de ces deux groupes de «convaincus» se mettront à douter, et rejoindront les *Moutons*. Dans tous les cas, il faut garder à l'esprit que chaque individu, dans chaque groupe, disposera d'une **voix** lors de chaque élection, tant que la France restera une **démocratie** (même si elle est imparfaite). Et chacune de ces voix aura le même poids dans le résultat final.

DES INDIVIDUS MULTIDIMENSIONNELS

Par construction, cette **typologie** des Français est évidemment très **simplificatrice**. Son seul propos est de décrire et de nommer les **forces en présence** dans la production de l'avenir. De montrer que celui-ci

---

Macron et les *Mutants*

L'élection d'**Emmanuel Macron** en 2017 peut être expliquée par un large soutien des ***Mutants***, soucieux de voir la France s'adapter au nouveau monde, la déception de nombreux ***Mutins*** à l'issue du quinquennat précédent, et la grande hésitation des ***Moutons*** à confier aux candidats des extrêmes les clés du pouvoir. C'est ainsi que le système ancien **droite-gauche** s'est cassé, et que les voix se sont portées en majorité sur celui qui proposait de **réconcilier** les deux approches : être **« en même temps »** *Mutant* et *Mutin*.

Mais, dans leur grande majorité, ces voix **transpartisanes** n'étaient pas celles d'électeurs réellement **convaincus** et **militants**. Elles ont souvent été exprimées «par défaut», ce qui rend la gouvernance actuelle fragile. L'absence de **résultats** perçus par les votants ouvrirait la porte à une alternative jamais tentée, celle de l'extrémisme populiste. Un saut dans le vide, tel qu'il a été tenté dans plusieurs pays d'Europe ou aux États-Unis.

L'évolution de la **pondération** entre les trois groupes d'ici **2030** dépendra du **climat social** qui prévaudra. Celui-ci sera lié au sentiment de chacun de pouvoir **participer** à la vie collective et de pouvoir **améliorer** son propre sort. On peut craindre que les incertitudes et les inquiétudes ne se dissipent pas dans un monde qui sera de plus en plus **changeant**. Dans cette hypothèse, **la** proportion de ***Mutins*** et surtout, de ***Moutons***, serait accrue. À l'inverse, des **progrès** sensibles et partagés liés aux innovations accroîtraient le nombre de ***Mutants***. En tout état de cause, les **mentalités** des uns et des autres devraient évoluer, ainsi que les relations qu'ils entretiennent.

se jouera dans le **dialogue** entre *Mutants* et *Mutins*, deux conceptions fortes, portées par des idéologies, des expériences et des situations personnelles très différentes et difficilement conciliables. Les membres du groupe des *Moutons* écouteront, regarderont, pèseront le pour et le contre, et finiront par prendre position. À moins qu'ils ne considèrent que les deux autres groupes ont **raison,** chacun à sa façon, sur des sujets différents ou même parfois identiques (voir encadré ci-après). Ils pourraient alors les aider à **dialoguer** plus raisonnablement et à trouver des **points d'accord**. La France en sortirait grandie et plus forte.

Cette typologie n'a pas vocation à être **quantifiée**. Les proportions respectives de chaque groupe dépendraient en effet étroitement des **définitions** qu'on en proposerait dans une enquête. Est-on *Mutant* parce que l'on croit dans l'**utilité** prouvée de la technologie et de la mondialisation ou parce qu'on **espère** qu'elles pourront contribuer à sauver le monde ? Est-on *Mutin* parce qu'on ne **croit pas** dans ces progrès potentiels, ou seulement parce qu'on est conscient des **risques** qu'ils représentent ? Surtout, cette mesure des forces en présence ne prendrait pas en compte un fait essentiel : la plupart des individus sont **multidimensionnels**. On peut être en effet à la fois **fasciné par les innovations** en cours et attendues en matière médicale, et être légitimement **inquiet de leurs dérives** possibles vers l'eugénisme, l'inégalité des soins ou la mise en cause des «lois de nature». On peut être *Mutant* en s'enivrant avec les ordinateurs, smartphones, jeux vidéo et autres objets de la modernité, tout en se sentant *Mutin* à l'égard de l'Union européenne, des centrales atomiques ou de la disparition de certaines espèces vivantes. Nous avons tous en nous quelque chose de mutant, de mutin et de mouton...

UNE PONDÉRATION EN ÉVOLUTION

S'il n'apparaît pas très pertinent de mesurer les **poids** respectifs des trois groupes dans le pays, tels qu'ils se présentent aujourd'hui, il peut être en revanche utile d'estimer leur évolution dans le temps. L'observation et l'analyse des modes de vie et des relations sociales incitent à penser que la part des *Mutins* s'est accrue pendant plusieurs décennies, notamment entre le début des années **1990** et le milieu des années **2010**, au détriment de celle des *Mutants*. En témoignent la prise de conscience des préoccupations **écologiques**, celle de la montée des **inégalités** ou, d'une façon plus générale, la **grogne**, la **mauvaise humeur** et le **pessimisme** des Français.

Dans le même temps, la part des *Moutons* a plutôt diminué, dans un contexte de **radicalisation** de la société (donc de prise de position), notamment sur certains thèmes : environnement ; Europe ; immigration ; sécurité... **2017** a marqué une étape importante dans l'évolution du rapport de force entre les trois composantes sociales (voir encadré ci-dessus).

LE DÉBAT *MUTANTS-MUTINS*, CLÉ DE L'AVENIR

Les années qui nous séparent de **2030** seront en grande partie influencées par les éléments d'environnement (ce que nous avons appelé le *«Décor»*, décrit dans la première partie de l'ouvrage). Parmi eux, les **mentalités** à l'œuvre dans la population joueront un rôle important, sans doute **prépondérant**. Celles des *Mutants* et des *Mutins* sont en apparence opposées et **incompatibles**. Mais chacune d'elles est en réalité un **gradient**, avec un «indice de conviction» très variable qui va de la **certitude** totale (et donc excessive) au **doute** partiel (le doute total étant réservé aux *Moutons*). De plus, ces deux mentalités **coexistent** à des degrés divers dans la plupart des individus (voir ci-dessus), de sorte que des **compromis** intelligents et responsables peuvent être trouvés.

Ces compromis pourront en outre être favorisés par la présence des *Moutons*, à condition qu'ils puissent s'exprimer, autour d'eux d'abord mais aussi dans les **médias**. Ceux-ci devront pour cela leur offrir des tribunes, ce qui n'est guère le cas aujourd'hui. Les *Moutons* pourront alors influencer les deux groupes antagonistes, les inciter à plus de **modestie** et de **réalisme**, insuffler dans les débats un peu de **sagesse**, de **tolérance** et de **respect**. Il n'est pas exclu alors que les compromis se transforment en **consensus**. Et que l'avenir qui prévaudra d'ici 2030 soit celui qui sera jugé **désirable**, ou au moins **acceptable**, par le plus grand nombre de Français.

L'une des conditions à l'obtention de ce consensus est que les **élites** mondialisées, *Bobos* et autres *Mutants* occupant des postes clés dans le changement social, fassent l'effort de se rapprocher des groupes sociaux moins favorisés. On y trouve en effet de nombreux *Mutins* inquiets et frustrés, ainsi que des *Moutons* pessimistes, sur le point de basculer de leur côté. C'est en grande partie de la réduction de cette **fracture** sociale que dépend l'avenir de la France.

La vérité est dans le doute

La plus grande **qualité** des humains est sans doute leur capacité, inégalée par les autres espèces vivantes, à **communiquer** avec une grande précision grâce au **langage**. Mais c'est aussi probablement leur plus grande **faiblesse**, car elle les amène souvent à être en **désaccord** sur des sujets importants concernant la vie individuelle ou collective. Et à rendre difficile, parfois impossible, la **cohésion** sociale.

Les sociétés ont cherché à résoudre le problème en inventant la **politesse**, les **usages**, en développant des **cultures** fondées sur un certain nombre de **valeurs** partagées qui constituent une **« morale »** à partir de laquelle on peut en principe s'entendre et trouver des solutions **ensemble**. Elles ont aussi créé le **débat** (la « dispute » chez les Anciens), désigné des **personnes** et prévu des **instances** pour trancher les désaccords et les querelles : chefs ; juges ; arbitres ; sages ; médiateurs ; élections ; consultations citoyennes, etc.

Il reste que la plupart des sociétés (la France apparemment plus que d'autres) sont traversées par des mésententes, affrontements, tensions, entre des conceptions opposées sur de nombreux thèmes. On observe en outre une **radicalisation** des points de vue, qui s'expriment souvent de façon **binaire**, **manichéenne** : on est **pour** ou **contre** ; on privilégie l'**économique** ou le **social**, la **liberté** ou l'**égalité,** le **riche** ou le **pauvre**, l'**employeur** ou l'**employé**, la **droite** ou la **gauche**, la **nature** ou la **culture**… Comme si chaque interlocuteur ne voulait ou ne pouvait intellectuellement prendre en compte que certains aspects d'une question, ignorant ou niant tous les autres, choisissant ses arguments dans l'une des deux seules colonnes possibles à ses yeux.

La pratique du **« ou »** exclusif plutôt que du **« et »** inclusif et constructif est ainsi un **poison** qui tue le débat, détruit le climat social, retarde l'avancement des sociétés. Elle conduit souvent à l'immobilisme, à la haine, à la violence. Pourtant, un esprit ouvert, rationnel, raisonnable et responsable, sans **prisme idéologique** (ou suffisamment conscient pour être capable de s'en libérer), doit pouvoir convenir qu'il y a quelque chose de **vrai** dans la plupart des points de vue, que de nombreux arguments adverses sont **recevables**. Alors, pourquoi ne pas les reconnaître, les intégrer dans une décision **gagnant-gagnant** ? Cela implique de sortir de la **« culture de l'affrontement »** si présente en France (voir p. 75). Il faudrait pour cela développer l'**empathie**, la **tolérance**, le **respect** de l'autre, le désir de trouver un **accord** avec lui plutôt que de remporter une bataille (ou une guerre) contre lui. La **vérité** est souvent dans le **doute**. De ce point de vue, les *Moutons* constituent une chance pour la France.

La **communion** entre les Français ne saurait en effet se limiter aux lendemains d'attentats ou aux soirs de victoire en Coupe du monde de football comme le 15 juillet 2018. D'autant qu'ils sont suivis le jour d'après d'une reprise des hostilités entre adversaires plutôt que de discussions entre partenaires. C'est à chacun de faire les efforts nécessaires pour vivre en **harmonie** avec ses « semblables » et de créer les conditions pour que ce soit possible. C'est une question de **bon sens**, de **bonne foi**, de **bonne volonté**.

CONCLUSION

LE PROBABLE ET LE SOUHAITABLE

I l est temps d'essayer de tirer de cette longue réflexion quelques **enseignements**. Non pas, bien sûr, dans le but d'en **finir** avec les sujets abordés, mais pour dégager des arguments, thèses et suggestions pouvant contribuer aux **débats** qui sont déjà engagés ou qui vont devoir l'être dans les prochaines années. Il est en effet nécessaire d'**appréhender** l'avenir avant de le vivre. Au sens de le «saisir par la pensée», plutôt que celui de «redouter son éventualité fâcheuse[1]», même si certaines des perspectives d'avenir peuvent sembler «redoutables».

Le premier exercice que nous ferons sera ainsi de distinguer, sous la forme de listes, les «**bonnes nouvelles du futur**» et les «**moins bonnes nouvelles**» (qui ne sont pas obligatoirement mauvaises si on les anticipe) telles qu'elles apparaissent au fur et à mesure des chapitres de ce livre. Certaines sont spécifiquement **françaises**, d'autres ont une dimension **planétaire** mais leurs incidences seront fortes sur l'état de la France et la vie des Français. D'autres pourront être jugées **ambivalentes**, mais nous nous efforcerons de réduire leur ambiguïté.

Ces deux listes permettront d'évoquer l'avenir **probable**, si rien n'était fait pour modifier le **destin** de la France et de ses habitants, tel qu'on peut l'apercevoir et le décrire aujourd'hui. Il restera ensuite à définir un avenir **souhaitable**. On pourra le faire à travers une liste d'**objectifs** prioritaires pour que la vie dans notre pays soit demain plus satisfaisante qu'aujourd'hui. Ces objectifs s'appuieront essentiellement

sur la liste des «**moins bonnes nouvelles**», dont il faudra faire en sorte qu'elles ne se produisent pas. Il s'agira en réalité de **défis** qui devront être relevés pour que le futur soit le meilleur possible.

Mais la liste de ces objectifs, qui sont autant de **vœux**, ne suffira pas. Nous suggérerons quelques **pistes de réflexion et d'action** pour les réaliser, afin que l'avenir qui adviendra vraiment se rapproche le plus possible de celui que nous estimerons **désirable**. Désirable pour **nous** qui pouvons espérer le vivre, mais aussi (et peut-être surtout) pour **tous ceux qui le vivront après nous**, vis-à-vis desquels nous avons une immense **responsabilité**.

LES BONNES NOUVELLES DU FUTUR

N.B. La sélection ci-dessous ne comporte aucune hiérarchie.

- Le **réchauffement** climatique pourrait avantager certaines parties du territoire (Nord, Nord-Est), qui bénéficieraient notamment d'une température plus clémente.
- L'évolution du **climat** pourrait permettre à des **espèces animales ou végétales** jusqu'ici inadaptées (cultures, arbres) de s'implanter dans certaines régions.
- Les progrès de l'**agroéconomie** (amélioration de la production et réduction sensible des intrants) et l'adaptation de la **consommation** (moins de viande, plus de légumes et fruits) pourraient permettre de **nourrir** la planète, et de réduire la **malnutrition** et la **maladie**.
- L'**espérance de vie** devrait continuer de s'accroître, peut-être même au-delà de ce

---

1. Dictionnaire Larousse.

qu'annoncent les projections des chiffres actuels.

- La vie dans les **villes** (notamment les plus grandes) devrait être facilitée par les techniques d'**optimisation de la gestion** (énergie, communication, transports, circulation, pollution, logement…).
- Les prix de l'**immobilier** pourraient baisser, du fait d'un **foncier** plus abondant et de méthodes de **construction** plus efficaces. La hausse des **taux d'intérêt** renchérirait le crédit mais réduirait la demande.
- La **prise de conscience** des risques et menaces de toute nature devrait accélérer les réflexions, actions et innovations permettant d'éviter qu'elles se concrétisent.
- De nombreuses **innovations** technologiques sont en cours de développement pour **épargner** l'environnement, **économiser** l'énergie, **optimiser** l'usage des ressources, **éradiquer** des maladies, **améliorer** l'enseignement, les transports, etc.
- Les théories **économiques** classiques pourraient céder la place à des conceptions « écolonomiques », dans laquelle l'objectif principal ne serait plus d'accroître le **taux de croissance** du PIB, mais la **qualité** de vie des individus et l'état de l'**environnement**.
- Le **capitalisme** centré sur le seul profit pourrait se transformer en un **libéralisme bioresponsable** fondé sur une vision humaniste, solidaire, durable et respectueuse de la vie sous toutes ses formes.
- La prise de conscience des **risques collectifs** devrait favoriser l'**échange**, la **coopération**, l'**intelligence collaborative**, la **créativité**. Elle permettrait des débats apaisés sur les **transformations** nécessaires et la **remise en cause** de certains acquis aujourd'hui injustifiés et porteurs d'inégalités.
- La France dispose de réels **atouts** pour effectuer les ajustements et transformations nécessaires : **histoire** ; **géographie** ; **démographie** ; **culture** ; **formation à l'ex-**cellence ; **épargne** ; **infrastructures** ; **protection sociale** ; **créativité**… Il lui faudra cependant les actualiser.
- L'état de **santé** général de la population devrait être amélioré par les progrès de la médecine 4P : **préventive** ; **prédictive** ; **personnalisée** ; **participative**.
- Les modes de **transport** devraient être plus « propres », économes et autonomes.
- Le confort des **logements** devrait être largement amélioré, et les **fonctions** qu'il remplit élargies.
- Les possibilités de **loisirs** seront multipliées, notamment par le développement de la **réalité virtuelle**, **augmentée** ou **mixte**, permettant de s'immerger dans des univers imaginaires, en lieu et place du réel.
- L'**information** et la **communication** seraient disponibles instantanément, partout et sur tout sujet.
- Une réflexion est en cours sur le remplacement de la « **société de consommation** » par une société moins **matérialiste**, plus **sobre**, plus **raisonnable**, plus **équitable**.

LES MOINS BONNES NOUVELLES DU FUTUR

N.B. La sélection ci-dessous ne comporte aucune hiérarchie.

- Le **réchauffement climatique** devrait provoquer une fonte des glaces, qui entraînerait une montée des eaux et ferait ainsi disparaître des parties de territoire, en France et dans le monde.
- Les **migrations** humaines (d'origine climatique, économique ou politique) devraient être de plus en plus massives (notamment en provenance d'Afrique et d'Asie) et leur intégration de plus en plus difficile.
- Les **terres cultivables** et les **forêts** devraient se raréfier, sous l'effet de la surexploitation et de l'urbanisation.
- De très nombreuses **espèces vivantes** (animales, végétales) devraient continuer de disparaître, réduisant dangereusement la biodiversité.
- Les **pollutions** de l'air, de l'eau et des aliments risquent d'accroître le nombre et la prévalence de certaines maladies.

- La **croissance** économique devrait être réduite pendant la phase de transition qui conduirait à une économie durable.
- L'**inflation** pourrait s'accroître, entraînant une hausse des **taux d'intérêt**, une érosion des **patrimoines** et une baisse du **pouvoir d'achat** en monnaie constante.
- La « **robolution** » pourrait entraîner un **déficit d'emplois** et un taux de **chômage** accru pendant la phase de **transition** préalable à la **création** de nouveaux emplois et à la **formation** correspondante des actifs. Pendant cette période, les **revenus** subiraient une **stagnation** ou **baisse** en monnaie courante.
- Le monde serait rendu **instable** par les menaces qui pèsent sur lui : catastrophes **écologiques** ; volatilité des **relations** entre les grandes puissances ; **terrorisme** multiforme ; incompétence, immoralité ou « folie » de certains **dirigeants** ; absence de **libertés** dans certains pays ; nouveaux **armements** à fort impact potentiel ; fragilité de l'**Union européenne** ; risques de **krachs** financiers ; guerres de **religion** ; **cyberguerres** ; nouvelle « **guerre froide** » ; montée des **inégalités**, etc.
- La France souffre de **handicaps** pour s'adapter au monde à venir : **irréalisme** ; **myopie collective** ; **réglementarisme** ; **hédonisme** ; **dévalorisation du travail** ; **tabou des « avantages acquis »** ; **culture de l'affrontement** ; « **polémisme** » ; accommodements avec la morale ; culte de l'exception...
- Certaines ruptures **technologiques** pourraient déboucher sur des applications dangereuses : **manipulations génétiques** permettant l'eugénisme ; **intelligence artificielle « consciente »** devenue incontrôlable ; **robots** destructeurs d'emplois ; **catastrophes écologiques** ; **mépris de la Nature** et volonté de certains de devenir **maître de l'univers**...
- Le taux d'**obésité** dans la population pourrait être sensiblement accru.
- L'**expression orale et écrite pourrait continuer de se dégrader**, et avec elle la capacité de réfléchir et d'échanger sur des sujets complexes.
- La baisse de la **fécondité** ne permettrait plus de renouveler les générations à l'identique (nombre d'enfants égal à celui des parents), d'autant qu'elle s'ajouterait à l'allongement de la durée de vie et au vieillissement qui en découle. Le taux de fécondité suffirait cependant à assurer une augmentation de la **population totale**, contrairement à d'autres pays européens (Italie, Allemagne...).
- Le risque de **défiance** pourrait se renforcer à l'égard des **institutions** et des acteurs politiques, économiques et sociaux.
- Les **inégalités** pourraient s'accroître dans de nombreux domaines (éducation, santé, relations, accès à l'emploi, revenu, épargne, patrimoine, espérance de vie, perspectives de vie...) et conduire à une « **guerre des classes** ».
- La **vie privée** pourrait être menacée par les équipements **connectés**, et des **usages** non souhaitables pourraient être faits des données collectées.
- **La surinformation et la désinformation** pourraient rendre la « vérité » introuvable et rendre les débats stériles.

12 GRANDS DÉFIS À RELEVER

Bien que leurs nombres soient identiques (18 pour chaque « plateau » de balance), il est bien difficile de dire si elle penchera plutôt du côté des **bonnes** ou des **mauvaises nouvelles**. D'abord parce qu'elles ne vont pas toutes se **vérifier**. Ensuite, parce que certaines ont *a priori* plus d'**importance** que d'autres et qu'il faudrait donc les **pondérer**. Mais il est probable que **chaque Français** aurait sa propre pondération, en fonction de sa personnalité, de sa sensibilité, de son statut social, de ses expériences et de ses attentes. Le calcul devrait donc être **individualisé**, ce qui est impossible. On peut cependant imaginer qu'un **consensus** est possible sur les principaux dangers à éviter ou à éliminer, c'est-à-dire les principaux **défis** à relever dans les prochaines années pour le **bien commun**. On peut en dénombrer douze, que chacun pourra hiérarchiser à son gré :

1. **Contenir la dégradation de l'environnement,** et si cela est encore possible le ramener à un état antérieur acceptable, ne menaçant plus la vie (végétale, animale et humaine), en permettant le retour à une biodiversité suffisante.

2. **Assurer la formation-adaptation de chaque citoyen** aux changements présents et à venir.

3. **Supprimer la grande misère** encore existante dans le pays.

4. **Réduire les inégalités** entre les individus au sein de la société en commençant par les domaines où elles sont le plus inacceptables pour ceux qui les subissent.

5. **Gérer les flux d'immigration en cours et surtout à venir de façon «acceptable»,** tant sur le plan moral que pratique.

6. **Diminuer progressivement la menace terroriste** sous toutes ses formes : attentats, cyberattaques, armes chimiques, bactériologiques, atomiques…

7. **Réguler et contrôler les usages des innovations technologiques,** afin d'éviter leurs dérives.

8. **Faire en sorte que tous les citoyens puissent collaborer efficacement aux décisions de transformation** de la société et se les **approprier,** dans le cadre d'une démocratique réinventée.

9. **Rétablir la confiance entre le peuple et les acteurs** de la société.

10. **Donner la priorité à l'intérêt général** par rapport aux intérêts particuliers, communautaires ou corporatistes.

11. **Préserver la vie privée** des individus-citoyens-consommateurs.

12. **Contribuer à l'amélioration du monde** dans son ensemble, au-delà des intérêts nationaux et personnels.

Ces douze **défis** et **objectifs** s'apparentent aux douze **travaux d'Hercule.** Mais Hercule était **seul,** alors que les Français sont plusieurs dizaines de **millions,** quasiment tous **connectés** et susceptibles de former une **intelligence collective et créative** aux pouvoirs considérables et inédits.

MODIFIER LES ATTITUDES, HABITUDES, CERTITUDES, APTITUDES

La **résolution** des problèmes listés ci-dessus implique rien moins qu'une **révolution,** celle des **mentalités.** Chaque Français devra en effet modifier ses **attitudes,** en se montrant plus ouvert et empathique, moins critique et plus pragmatique. Il devra changer ses **habitudes,** découvrant ainsi de nouvelles raisons d'aimer la vie et le monde. Il devra mettre en doute ses propres **certitudes,** en écoutant celles des autres, en s'informant, débattant, réfléchissant, le plus objectivement possible. Il devra enfin adapter et accroître ses **aptitudes,** afin de pouvoir accomplir de nouveaux métiers, s'intéresser à de nouveaux domaines. Il devra enfin, dans toute la mesure du possible, prendre de l'«**altitude**», pour porter un regard plus global sur le monde, les choses, les gens, les idées.

Cette «**mise à jour**» (comme on le dit pour les logiciels informatiques) ne devra pas seulement se faire à l'échelle **individuelle.** Il lui faudra devenir **collective,** par addition des changements personnels. L'**État** et les institutions nationales pourront y contribuer, en organisant des débats, en informant les citoyens, en leur donnant la possibilité de s'exprimer et de participer. Les **médias** pourront relayer les points de vue, les approfondir en les illustrant par des exemples (notamment pris à l'étranger), en faisant intervenir des experts de tout bord. Mais sans chercher à les transformer en **polémiques,** afin d'éviter d'introduire de la confusion et de la tension entre les parties prenantes.

QUELLE SOCIÉTÉ POUR DEMAIN ?

La **transition économique** en cours aura des conséquences à la fois **sociétales, environnementales, politiques** et même **philosophiques.** Elle fournira aux Français l'opportunité de décider de leur avenir collectif. C'est-à-dire du type de **société** qu'ils souhaitent fonder. Accordera-t-elle encore comme aujourd'hui une place prépondérante à l'**argent,** la **consommation,** les loisirs, le « chacun pour soi » ? Ou s'orientera-t-elle vers des valeurs **post-matérielles** : respect (des individus et de la planète) ; **partage** (des biens, des connaissances et autres richesses) ; **empathie** (avec les autres) ; **communion** (avec le monde) ; **solidarité** (avec les moins bien lotis) ; **découverte** (de soi-même des autres, de la nature) ; **participation** (aux réflexions, débats et décisions) ; **responsabilité** (envers soi, les autres, l'environnement, les générations à venir)… ? On est *a priori* tenté de préférer la seconde hypothèse, d'autant que la première a montré ses limites et ses faiblesses. Ce pourrait être la « Société des 3R » (décrite p. 491).

Mais c'est aux **Français** de décider collectivement, avec intelligence, sagesse et pragmatisme. Sans se laisser influencer par les « **beaux parleurs** » (qui soulèvent les foules par leur talent oratoire, mais ne proposent aucune solution réelle aux problèmes qu'ils dénoncent). Sans écouter les « **simplificateurs** », qui voient et décrivent le monde de façon binaire, manichéenne, et donc erronée. Sans se laisser berner par les « **menteurs** », qui déforment la réalité pour qu'elle serve leur propos et leurs intérêts. Sans se laisser tenter par le **racisme** et la **xénophobie**, deux façons de nier l'existence et la misère des **autres**, (souvent bien plus grande que la leur), au prétexte qu'ils sont étrangers ou différents et qu'ils dérangent leur confort. La **difficulté** ne doit pas empêcher la **générosité** et la **solidarité**, conditions

de la **dignité** des humains et de leur **cohabitation** ; elle doit au contraire les **encourager**. Sans oublier bien sûr les limites pratiques auxquelles elles risquent de se heurter, ce qui ne signifie pas qu'il faille sans cesse les rapprocher.

UNE QUESTION DE VALEURS

Le choix raisonné et raisonnable d'une « **nouvelle société** » implique aussi que les Français oublient les **étiquettes** politiques, idéologiques et « hémiplégiques », ainsi que les **postures** auxquelles elles conduisent. Il ne paraît en effet guère possible que la **vérité** et les **réponses** aux questions du moment se situent **toutes** dans les propositions de la **gauche** ou dans celles de **droite**. Nul parti ne saurait en avoir le **monopole**, et le temps est venu d'une **mise en commun** des meilleures idées dans chaque domaine, des solutions les plus prometteuses (surtout lorsqu'elles ont été expérimentées par d'autres, ailleurs, avec succès).

Les réflexions, les décisions, les actions et les efforts devront être **partagés**, et chaque citoyen devra se les **approprier** pour en être un acteur efficace, et accroître ses chances d'être satisfait du résultat. Les choix devront avoir pour objectif la **création de valeur(s)**, au sens **économique** classique, mais aussi en matière **environnementale**, et surtout sur le plan **humain**. Il s'agira ensuite de s'entendre sur la façon de **répartir équitablement** ces valeurs, afin

Trois utopies pour le monde

Le monde de demain aura besoin de réaliser d'autres **prouesses** et **promesses** que celles (fascinantes ou inquiétantes) qui sont en préparation dans les laboratoires et les start-up, en matière **scientifique et technologique**. Il devra aussi innover en matière **sociale**, de façon à réduire (ou éviter d'accroître) les **inégalités** entre les humains, et éradiquer les principaux **fléaux** : faim, misère, esclavage, changements climatiques, guerres, terrorisme, dictatures, mafias… Chacun d'eux contient en

effet des germes de **violence** et de **destruction**.

Pour éviter de subir ces fléaux, on peut imaginer des efforts de **solidarité** sans précédent, indépendants de toute **conviction** politique ou idéologique, mais dictés par la simple « **morale** ». Leur seul but serait de permettre à l'ensemble de l'**Humanité** de vivre dans la **dignité**, plutôt que de permettre à une **minorité** de bénéficier de l'essentiel des biens et des chances. Trois **pistes** pourraient être par exemple explorées :

- La première utopie serait un **transfert de richesse**. Imaginons que la **moitié** des **2 043 milliardaires** du monde actuel[1] se réunissent, répondant à l'invitation de Bill Gates, Elon Musk Jeff Bezos, et autres personnalités richissimes, mais conscientes des **problèmes** de la planète et désireuses de contribuer à une **œuvre** historique. Chacune déciderait ainsi de consacrer **50 % de sa fortune** (dont le montant total s'élève à **7 670 milliards de dollars**) à l'**éradication de la misère**, et **45 %** à la **restauration de l'écosystème planétaire**. Ces deux causes majeures recevraient respectivement **3 835** et **3 451 milliards de dollars**. De quoi **résoudre** une part significative des problèmes majeurs du monde. Les généreux donateurs devraient certes se « contenter » des **5 %** restants de leur patrimoine antérieur, qui ne serait plus « que » de **375 millions de dollars par personne** en moyenne. Qui pourrait sérieusement les plaindre ? Ajoutons qu'ils feraient mentir la prévision selon laquelle les **1 % les plus riches de la planète détiendront en 2030 presque les deux tiers de la richesse de la planète**[2].
- Une **deuxième « utopie »** serait de créer pour toutes les entreprises une **« flat tax »** (taux d'imposition unique et identique partout dans le monde) sur les **bénéfices (réels)** qu'elles réalisent dans **chacun des pays** où ils sont **(vraiment)** obtenus. La recette fiscale supplémentaire ainsi recueillie par les États serait considérable (proportionnelle au taux retenu). Elle rapporterait certes assez peu aux **pays pauvres**, mais elle pourrait leur être pour partie redistribuée par les **pays riches** selon un accord signé en même temps que celui concernant l'instauration de la taxe.
- Une **troisième « utopie »**, sans doute la plus difficile à mettre en œuvre, concernerait la **baisse** concertée, partielle, progressive mais massive des **dépenses militaires dans le monde**, qui représentent environ **1 600 mil-** liards de **dollars**. Elle permettrait d'augmenter d'autant (en simplifiant un peu…) les moyens destinés à relever les **défis environnementaux et sociaux**, tout en réduisant sensiblement les craintes d'une **apocalypse nucléaire**. Elle devrait évidemment être assortie d'un **accord d'assistance mutuelle** des signataires en cas d'attaque par les non-signataires.

Ces trois exemples de pistes radicales ne sont pas nouveaux. Les **grincheux** et les **Cassandre** professionnels décréteront qu'ils sont **irréalisables** dans un monde complexe, dangereux et désuni, aux conceptions et ambitions trop diverses. Les esprits plus **généreux** mais se voulant **« réalistes »** expliqueront que ces tentatives avorteraient à cause des **« réactions en chaîne »** qu'elles provoqueraient : la baisse des **dépenses** des riches entraînerait une baisse des **profits** des entreprises dont ils sont de bons clients, donc une baisse de leur activité, qui se traduirait par celle de l'emploi et des salaires. Ils n'ont pas tort, mais ces réactions pourraient être évitées en partie par la modification de l'état d'esprit général.

La période à venir pourrait être en tout cas propice pour **examiner** sans a priori ces utopies (et d'autres encore), avec un regard **neuf** et une volonté commune. Ce serait une preuve de l'**intelligence collective** des humains, de leur capacité (démontrée depuis des millénaires) à réaliser des projets réputés **impossibles.** Ce pourrait être aussi une façon d'arriver à mettre en place une **gouvernance planétaire**, condition probable de la survie durable de l'Humanité.

Pour la **France**, ce pourrait être l'occasion de faire entrer des pratiques de générosité et de partage dans la culture de ses citoyens les plus riches, qui les intègrent moins naturellement que ceux des pays anglo-saxons. Plus trivialement, on peut penser qu'un **« renvoi d'ascenseur »** serait bienvenu de la part de ceux qui ont pu monter grâce à lui dans la hiérarchie sociale. Il serait encore plus légitime et bienvenu de la part de ceux qui n'ont pas eu besoin de prendre cet ascenseur pour parvenir au sommet de la pyramide, ayant bénéficié dès leur **naissance** de solides atouts.

---

1. Chiffres 2017 indiqués par *Forbes Magazine*.
2. Rapport de la bibliothèque de la Chambre des communes britannique, avril 2018.

que chacun en dispose suffisamment pour **vivre bien**, matériellement et moralement. Si les Français veulent bien s'y associer, la **transition** en cours pourra être l'occasion de réaliser une grande et belle **utopie**. Il n'est pas exagéré de dire que la France, comme l'Humanité tout entière, a rendez-vous avec son Histoire.

QUATRE GRANDS PRINCIPES

La mise en œuvre des pistes de solution proposées ci-dessus pourrait être facilitée par celle de grands principes pratiques susceptibles de guider la réflexion et de permettre l'obtention de consensus.

- **Principe d'expérimentation.** La plupart des innovations attendues dans les prochaines années seront **ambivalentes** dans leurs applications. La simple application du principe national de **précaution** (quasi unique dans le monde) risquerait d'aboutir à leur **interdiction** et priverait donc la France de leurs **bienfaits** potentiels. Pire encore, elle pourrait empêcher de développer des innovations, laissant ainsi ce soin aux autres pays, qui n'ont pas une attitude aussi rigide. C'est ainsi que la France a déjà pris du **retard** dans certains domaines (énergie, robotique, génétique...), alors que certaines recherches « sensibles » pourraient être utilisées pour le **bien** de l'Humanité. Il serait alors plus sage et efficace d'appliquer un **principe d'expérimentation** (à formuler et à conditionner), qui serait **préalable** à celui de **précaution**, qui pourrait alors être utile. Le *primum non nocere*[1] de la médecine (« d'abord, ne pas nuire ») serait ainsi précédé d'un primum non negare (« d'abord, ne pas refuser »).
  Cette nouvelle attitude se justifierait aussi par le fait que tout ce qui est rendu **possible** par les découvertes ou inventions techniques sera **expérimenté**, et probablement **appliqué**, même si cela représente un **danger**. L'exemple de l'**énergie atomique** l'a parfaitement illustré en 1945. Il devrait en être de même à l'avenir, comme le résume cette incitation de Larry Page, co-fondateur de Google pour motiver les investisseurs : *« Tout ce que vous imaginez est probablement réalisable. Il vous suffit de le visualiser et d'y travailler ».* Et de placer beaucoup d'argent dans le projet, peut-on ajouter...

- **Principe d'homéostasie.** Il est probable que de nombreuses voix s'élèveront contre ce qu'ils considéreront comme des **abus** ou **dérives** possibles de la science, rendus possibles ou favorisés par le **principe d'expérimentation**. Mais il est non moins probable qu'en tout état de cause, certains chercheurs et commanditaires n'hésiteront pas à ouvrir les **boîtes de Pandore** découvertes par la science. Il n'est peu probable que l'Homme n'osera plus aller trop loin dans la **démesure**.
  On doit cependant miser (au moins partiellement) sur **« l'instinct de conservation »** des humains, sans doute enfoui quelque part dans leurs gènes. Spinoza y faisait déjà référence au XVIIe siècle en parlant de *conatus*, évoquant une *« inlassable volonté d'auto-préservation des êtres*[2] *».* Une intuition confirmée par le principe d'**homéostasie**[3], développé au XIXe siècle par le médecin et physiologiste Claude Bernard, et repris récemment par le neurologue Antonio Damasio[4]. Cette recherche de l'**équilibre** en toute chose est *a priori* une attitude souhaitable, que l'on devrait ériger en **principe**.

---

1. Principe attribué à Hippocrate, dans son traité des *Épidémies* (410 av. J.-C.)

2. Au sens le plus large d'« entité », mais le mot prend évidemment tout son sens lorsqu'il est appliqué aux êtres vivants, et singulièrement aux humains.
3. Processus de régulation par lequel l'organisme maintient les différentes constantes du milieu intérieur (ensemble des liquides de l'organisme) entre les limites des valeurs normales. Le mot est ici surtout utilisé dans son sens plus général : caractéristique d'un écosystème qui résiste aux changements (perturbations) et conserve un état stable. En biologie, les organismes vivants sont conçus pour rechercher et maintenir leur équilibre (mesuré par un certain nombre de paramètres devant rester constants, sous peine de dysfonctionnement) avec l'objectif de consommer le moins possible d'énergie.
4. *L'Ordre étrange des choses*, Odile Jacob, 2018.

On se tromperait cependant en considérant que le principe d'homéostasie généralisé induirait une attitude «conservatrice» permanente. La recherche d'un équilibre implique au contraire de se mettre en **mouvement**, comme cela est bien illustré par la marche. Il ne s'agit pas en effet de **refuser le changement**, mais au contraire de le **favoriser** en se montrant innovant pour résoudre les défis de demain. Mais dans la limite du «**raisonnable**», c'est-à-dire sans remettre en cause le devenir des humains.

- **Principe de mouvement.** Un autre principe de la physique est celui d'**inertie**[1]. Il tend à prolonger le mouvement d'un corps dans la direction qui est la sienne, en l'absence de toute force **extérieure**. Il concerne aussi les **organisations humaines** (entreprises, administrations publiques, syndicats, associations, sociétés…). Il est indéniablement présent dans la **société française** : tel un énorme paquebot, il lui faut en effet un certain temps pour **changer de direction** après qu'elle a décidé de le faire (ce qui ne lui est pas toujours facile non plus).

C'est le principe inverse à celui d'inertie, celui de **mouvement**, qu'il faudrait donc appliquer en France, pour qu'elle puisse s'adapter plus facilement et rapidement. Car l'inertie est moins forte lorsqu'un corps est déjà lancé. Il faudrait en outre «**alléger**» la France (en matière administrative, juridique, relationnelle…), car l'inertie est proportionnelle à la **masse**. Pour réduire encore plus cet effet d'inertie (qui ne disparaît pas avec le mouvement, mais diminue avec sa vitesse), il faudrait également réduire les **frottements** existants entre les pièces en mouvement. C'est-à-dire trouver plus facilement des **consensus** pour décider de la **direction** à adopter, et une **force** plus grande (exercée par davantage de citoyens et d'organisations, syndicats, lobbies…) pour pousser la machine dans la direction choisie.

- **Principe d'humilité.** L'une des figures les plus souvent associées à la France, **René Descartes,** estimait que les humains devaient se rendre «maîtres et possesseurs de la nature[2]» en développant leur savoir et leur pouvoir par la **science**. **Antoine de Saint-Exupéry**, moins savant mais plus réaliste, était au contraire beaucoup plus humble en affirmant : «Nous n'héritons pas de la terre de nos ancêtres, nous l'empruntons à nos enfants[3]». Cela signifie que nous devons leur **rendre**, au minimum dans le même état que lorsque nous l'avons «empruntée». Et, si possible, en meilleur état.

L'état de notre planète montre que c'est Saint-Exupéry qui a raison aujourd'hui. Il nous inspire la nécessité de mettre en place un **principe d'humilité**. On remarquera que les discours et promesses du **transhumanisme** s'inscrivent au contraire clairement dans la pensée de Descartes, plutôt que dans celle de Saint-Exupéry. L'humilité n'est pas leur marque de fabrique. Elle représente à leurs yeux une **allégeance** à la Nature (et à son créateur, s'il existe), qu'ils pensent à la fois pouvoir et devoir dominer.

Le **principe d'humilité** implique aussi de faire l'effort de regarder ce qui a été fait **ailleurs**, par les «autres» et de s'en **inspirer** si cela a donné de bons résultats, en prenant soin de l'**adapter** à notre culture, notre histoire, nos capacités. Le principe de l'«**exception française**», sur lequel nous vivons encore de façon **explicite** (notamment chez les tenants du **populisme**) ou **implicite** (dans les réactions souvent hostiles à ce qui se pratique dans d'autres pays) est probablement périmé. L'«exception» ne peut se justifier que

---

1. Premier principe de Newton énoncé dans *Philosophiae naturalis principia mathematica* (1687) : «Tout corps persévère dans l'état de repos ou de mouvement uniforme en ligne droite dans lequel il se trouve, à moins que quelque force n'agisse sur lui, et le contraigne à changer d'état.»

2. D'après un passage du *Discours de la méthode* publié en 1637.
3. Dans *Terre des Hommes* (1939). Saint-Exupéry reprenait en l'espèce un proverbe africain.

si elle a fait la preuve de son efficacité, si elle est reconnue comme un **modèle** par les étrangers. Ce n'est apparemment pas le cas aujourd'hui du «**système fran-** **çais**», qu'il s'agisse de santé, d'éducation, d'économie, de performance à l'exportation, de recherche-développement ou de climat social.

Les mots-clés du futur

Ce livre compte environ **265 000 mots**. Parmi eux, certains sont porteurs d'un **sens** particulier pour l'invention de l'avenir. Nous en avons retenu **quatorze** :

- **Environnement.** Élément central du «décor» dans lequel nous évoluons, puisons nos ressources et maintenons (ou détruisons) la vie. Sa sauvegarde et sa restauration joueront un rôle prépondérant.
- **Technologie.** C'est grâce à elle (et à la connaissance scientifique dont elle est issue) que l'Humanité a pu progresser jusqu'ici. La technologie va devoir lui permettre de continuer dans cette voie, ce qui implique d'abord qu'elle restaure ce qu'elle a détruit, avec l'aide des humains.
- **Virtualité.** Le réel n'est sans doute qu'une illusion ou en tout cas une représentation individuelle de la «Réalité». Elle sera encore plus difficile à percevoir avec le poids croissant du virtuel et son mélange avec le réel.
- **Robot.** «Incarnation» du grand remplacement qui pourrait intervenir dans la vie quotidienne entre l'humain et le non-humain, avec un risque croissant, lié à l'hybridation possible entre les deux.
- **Expérience.** Elle est l'un des constituants de la vie et traduit sa durée. Elle résume aussi de plus en plus l'attente de chaque individu-consommateur dans ses différentes activités.
- **Génétique.** L'un des leviers principaux de l'action possible pour réparer, améliorer ou modifier l'individu. Elle implique le respect d'une «généthique» à définir en commun.

- **Migrations.** Résultat de la mobilité, qui sera de plus en plus souvent contrainte, des humains qui ne peuvent vivre ou survivre là où ils se trouvent.
- **Inégalités.** Écarts souvent croissants entre les individus, qui s'ajoutent à ceux qui existent à leur naissance et se développent au cours de leur enfance. Elles impliquent une réflexion sur les notions de mérite, d'équité et de justice. Faut-il récompenser ou compenser la chance d'être «bien né» (voir p. 462)?
- **Autonomie.** Capacité nécessaire pour vivre et se développer dans une société où chacun devra être responsable de lui-même.
- **Vie privée.** Jardin cultivé tout au long de la vie, que chacun souhaite pouvoir garder secret ou en tout cas à l'abri des prédateurs professionnels ou privés qui en font commerce.
- **Intelligence.** Capacité (d'un individu ou d'une machine) à prendre des décisions à partir d'informations.
- **Collaboration.** Mise en œuvre collective des intelligences individuelles dans le but de dépasser leur simple addition.
- **Empathie.** Condition pour vivre en société, comprendre et respecter l'«autre», et obtenir des consensus permettant d'améliorer le sort du plus grand nombre.
- **Post-humain.** (ou transhumain, surhumain, hyperhumain…). Version à venir de l'*Homo sapiens*, dont on ne sait encore précisément comment elle se caractérisera.
- **Responsabilité.** C'est le mot-clé principal, qui pourrait résumer tous les autres (voir *Épilogue*).

ÉPILOGUE

APOTHÉOSE OU APOCALYPSE ?

L'une des difficultés principales de penser le **futur** tient à la tentation de se référer au **passé**, pour y trouver des **exemples** d'évolution, et pour se rassurer en constatant que, même pendant (ou après) les moments les plus difficiles de l'Histoire, l'**adaptation** s'est toujours produite, jusqu'ici. C'est précisément cette locution adverbiale qui pose question : ce qui a été vrai hier le sera-t-il encore demain ? À tous égards, l'Humanité n'a jamais connu de période comparable à celle que nous vivons. Elle est pour la première fois capable de faire disparaître toutes les espèces vivantes, y compris la sienne, par épuisement des ressources, utilisation d'armes nucléaires ou chimiques lors de conflits planétaires. Sera-t-elle soumise à des machines plus intelligentes qu'elle, à des mutations incontrôlables ? Vivons-nous l'aube d'une nouvelle Renaissance, prélude à une époque créative et heureuse, ou le **crépuscule** de l'Humanité, avant sa disparition, partielle ou totale, temporaire ou définitive ? Allons-nous vers l'**apocalypse** ou l'**apothéose** ?

INTÉGRER LE LONG TERME DANS NOS ACTIONS...

Précisons d'abord la signification de ces deux termes, en principe antagonistes, d'autant qu'elle a changé au fil du temps. Dans le dernier livre du *Nouveau Testament*, l'**apocalypse** était définie comme le moment de la **révélation du sens du monde** faite aux chrétiens. L'**apothéose**, elle, désignait dans l'Antiquité l'**élévation au rang de Dieu**. À ceux qui redoutent pour demain l'apocalypse, on peut donc rappeler, pour tenter de les rassurer, qu'elle apporterait enfin la réponse à la question essentielle, consciente ou non, formulée ou non : « *Pourquoi y a-t-il quelque chose plutôt que rien ?*[1] ». L'apothéose, quant à elle, devrait satisfaire les **croyants**, qui pourront alors se trouver à la place de Dieu. Elle ferait aussi gagner du temps aux **démiurges**, dont le but est d'imiter Dieu, voire de le remplacer. On remarquera aussi que la première issue (apocalypse) a une vertu **collective**, tandis que la seconde (apothéose) n'est qu'une distinction **individuelle**. Les égoïstes préféreraient donc l'apothéose, les solidaires l'apocalypse ?

La probabilité est plutôt que nous irons (sauf cataclysme ou volonté de l'éventuel « créateur », les deux pouvant être liés) vers une situation **intermédiaire**. Mais le spectre est large entre apocalypse et apothéose. Et nous ne pouvons pas identifier avec précision et certitude la **direction** dans laquelle le monde va plutôt s'engager en analysant les **tendances** à l'œuvre et leurs ruptures possibles. Car tout dépendra de l'action des Humains. Sauront-ils prendre en compte le **long terme**, pour exploiter ses belles promesses et déjouer ses graves menaces, plutôt que de concentrer leur attention sur le **présent**, et poursuivre une fuite en avant qui pourrait être suicidaire ? C'est l'une des clés de notre avenir commun.

Comme le suggérait Saint-Exupéry, « *l'avenir n'est jamais que du présent à mettre en ordre* ». C'est le rôle de ceux qui vivent

---

1. Question formulée par le philosophe allemand Gottfried Leibniz dans son ouvrage *Principes de la nature et de la grâce*, en 1740.

aujourd'hui que de mettre de l'ordre dans le présent, et leur responsabilité à l'égard de ceux qui vivront demain. Mais l'avenir c'est aussi *« du passé en préparation »* comme le disait l'humoriste et néanmoins philosophe Pierre Dac. Cela signifie que notre réflexion sur le futur ne devra jamais cesser, même après que l'avenir d'aujourd'hui sera devenu du présent, puis du passé. Car s'il n'y avait que du passé, le temps s'arrêterait et nous serions tous morts.

… ET FAIRE EN SORTE QUE L'AVENIR SOIT CONFORME À NOS SOUHAITS

Certains lecteurs de ce livre pourront penser que l'avenir qu'il décrit n'est pas particulièrement **optimiste**. Cela se discute (voir la liste des « bonnes » et des « mauvaises » nouvelles du futur, p. 479). Ce ne serait pas en tout cas le résultat d'une **volonté** délibérée d'alimenter les **peurs** existantes ou d'en susciter de nouvelles. Sa rédaction s'est construite peu à peu, au fur et à mesure de l'accumulation d'informations sur les multiples thèmes abordés, et des réflexions qu'elles ont provoquées. Sans **idée préconçue**. S'il y avait eu un souhait initial (sans doute en partie inconscient) c'eût été plutôt de pouvoir annoncer un avenir **radieux**. Mais évidemment pas au prix d'un optimisme de **principe** et dans le déni des **menaces** qui pèsent sur le futur.

En tout état de cause, le propos du livre n'est pas de **prédire** ce qui adviendra **inéluctablement** demain. Il n'est que de décrire de façon argumentée et structurée ce qui **pourrait advenir** *si* les tendances lourdes, les signaux faibles et les ruptures actuellement décelables se **confirmaient** et **conditionnaient** nos comportements de la façon que l'on peut imaginer **aujourd'hui**. Si l'avenir ainsi étudié et décrit dans ce livre n'apparaît pas **souhaitable**, car porteur de **risques** trop importants (catastrophes environnementales, guerres, perte d'humanité par eugénisme ou soumission à une intelligence artificielle « supérieure », inégalités insupportables…), on peut se rassurer avec l'affirmation optimiste de Shakespeare : *« Il*

n'est de crépuscule qui ne présage une aube ». On peut aussi, de façon plus pragmatique, faire en sorte de **changer l'avenir** !

SORTIR DU MATÉRIALISME DOMINANT

Changer l'avenir implique de tout faire pour favoriser une **alternative** désirable, consensuelle, compatible avec les **tendances** lourdes, ou éventuellement capable de les **renverser** lorsqu'elles ne paraissent pas favorables. Les éléments figurant dans ce livre vont plutôt dans le sens d'une évolution qui s'appuierait sur des **« valeurs post-matérialistes »** et qui permettrait aux Français de fonder **ensemble** une **« meilleure société »**. Elle serait caractérisée par un moindre attachement aux moyens matériels (argent, consommation…), une capacité à accroître l'estime de soi, la confiance dans les autres, la tolérance, la sagesse, l'empathie, la solidarité, la connaissance, la participation…

Il ne s'agirait pas là d'un **« luxe »** que seuls pourraient s'offrir les **riches** (qui ont déjà tout le confort matériel), mais plutôt d'une **conception de la vie** permettant de se satisfaire de ce que l'on a, et qui générerait une meilleure **répartition** des richesses. Car un riche « post-matérialiste » aurait beaucoup moins de raisons de continuer de **s'enrichir** de façon obsessionnelle, et beaucoup plus de **partager** ce qu'il possède. Les riches et les pauvres le seraient donc tous un peu moins… et tous seraient plus **satisfaits** de leur vie. N'est-ce pas là le but que doit se fixer une société, pour concilier l'individuel et le collectif ?

En d'autres termes, et en forçant volontairement le trait, on peut penser que le **défi** principal de la France n'est pas de savoir s'il faut augmenter le salaire des pilotes de ligne (déjà plus élevé qu'ailleurs) ou s'il faut proposer aux cheminots une convention collective reproduisant leur statut antérieur (indéniablement avantageux, même s'il a pu être justifié lorsqu'il a été mis en place) afin d'obtenir la **paix sociale**. Il est de faire prendre conscience à chaque

Français qu'il y a bien d'autres **urgences** à traiter : environnementales, éducatives, sanitaires, relationnelles... Et que chacun devra apporter sa **contribution**, à la mesure de ses possibilités, dans un climat d'**unité nationale** et d'**équité morale**. Pour que la France développe un nouveau modèle de société, l'éthique de **responsabilité** devra

L'éthique de responsabilité plutôt que de conviction

« Tout est vanité et poursuite du vent » lit-on dans l'Ecclésiaste. Autrement dit, les **efforts** que l'on fournit pour travailler, s'enrichir progresser, sont **folie** et la recherche des **plaisirs** ne conduit pas au **bonheur**. Le **méchant** est souvent mieux récompensé que le **bon**. La **science** *« accroît la douleur[1] »*, et la **sagesse** ne permet pas de la soulager. Il faut donc faire preuve d'insouciance et *« profiter de la vie »*, jusqu'à son terme, qui serait fixé par Dieu, comme tout ce qui existe. Cette vision **chrétienne** de la science (au sens de connaissance) est profondément **pessimiste**, parfois **cynique** et assez **décourageante**. Elle est partagée par un certain nombre de nos contemporains, las de tout et très peu confiants dans l'avenir.

Mais tout démontre que les **humains** sont pour une large part **responsables** de la dégradation de leur **environnement** (voir p. 20). Ils ne sauraient donc se montrer **insouciants** et **inactifs** face à cette responsabilité, ou la **nier** comme le font les **créationnistes** et autres **obscurantistes** et **négationnistes**. Dans ce contexte, la sauvegarde des seuls intérêts **économiques** au nom de la **« sainte croissance »** (un objectif profondément laïque, et pourtant largement partagé par la plupart des religions) n'apparaît pas comme la solution.

Les **scientifiques** ont pour mission de le dire et de l'expliquer. Mais ils ne peuvent être crédibles que s'il n'y a pas de **conflits d'intérêts** entre leurs activités de chercheurs et leurs relations avec des organisations ; or, ils sont très fréquents. Les **politiques** devraient également faire ce travail de **pédagogie** et indiquer les conséquences (délétères) d'une moindre croissance économique sur l'emploi et le pouvoir d'achat.

Tout en mettant en valeur celles (favorables) sur la pérennité du monde et la satisfaction de ses habitants. Cela implique le courage d'être d'abord **impopulaire**, et de répartir plus **équitablement** des richesses qui seraient moins abondantes, mais qui seraient produites dans un monde plus propre et harmonieux.

Une partie de la solution tient dans l'adhésion de toutes les parties prenantes à une **éthique de responsabilité**. Elle devra être partagée par les **acteurs** (politiques, économiques, sociaux...), les **« sachants »** (chercheurs, experts, intellectuels...) et les **citoyens**, sous l'œil attentif et objectif d'**institutions** dédiées (de préférence planétaires), avec l'aide objective des **médias**. Mais c'est le **peuple** qui, dans une démocratie comme prétend l'être la France, devra être le décideur et l'acteur principal des mesures à prendre pour que ses enfants puissent écrire de nouvelles pages de l'histoire du pays, voire de l'Humanité.

Cette **« éthique de la responsabilité »** est celle proposée par Max Weber, qui la définissait simplement et justement comme la capacité à *« répondre des conséquences prévisibles de nos actes.[2] »*. Il l'opposait à l'**« éthique de conviction »**, caractéristique du religieux, du syndicaliste ou plus généralement de l'idéologue, qui voit le monde à travers le prisme de sa foi, de ses certitudes, de ses dogmes. Mais Weber précisait bien que *« cela ne veut pas dire que l'éthique de conviction est identique à l'absence de responsabilité, et l'éthique de responsabilité à l'absence de conviction »*. Un rappel nécessaire, même si l'on doit souhaiter pour l'avenir que la **responsabilité** l'emporte sur la **conviction**.

---

1. *« Car avec beaucoup de sagesse on a beaucoup de chagrin, et celui qui augmente sa science augmente sa douleur »*, l'Ecclésiaste, 1.18.

2. Dans *Le Savant et le Politique*, publié par Julien Freund en 1959, textes issus de conférences prononcées par Max Weber en 1917 et 1919 à l'université de Munich. Max Weber y décrit l'éthique de responsabilité *(verantwortungsethisch)* et celle de conviction *(gesinnungsethisch)*.

être prépondérante par rapport à celle de **conviction** (voir encadré ci-après). C'est en tout cas notre conviction !

RETROUVER SON LIBRE ARBITRE

Pour construire cette nouvelle société, il faudra que chaque individu et citoyen retrouve et exerce son **libre arbitre**, en s'informant sans se laisser **influencer**. Pour cela, il lui faudra, au moins de temps et temps :

- Arrêter la **télévision** qui distille du **divertissement** et de l'**émotion** à grands flots ou des informations en continu, avec des «éditions spéciales» à la première occasion (accident de train, affrontement politique, affaire judiciaire, décès d'une personnalité...), et des **polémiques** en forme de feuilleton pour maintenir l'attention et l'audience.
- Éteindre son **téléphone portable**, qui occupe les mains et l'esprit avec des messages le plus souvent insignifiants (SMS, MMS, tweets, selfies...).
- Débrancher son **ordinateur** pour échapper aux mails, spams et autres fake news qui s'y accumulent chaque jour. Et pour ne pas laisser d'**empreintes** numériques qui seront immédiatement récupérées, triées, organisées, revendues et utilisées pour le harceler.
- Délaisser les **réseaux sociaux**, et leurs messages relayés par de faux «amis».
- Échapper aux **forums** et commentaires laissés sur les sites d'information, qui sont trop souvent des torrents de boue, de cynisme, de méchanceté gratuite, de désinformation... et de bêtise. Et qui souillent la langue française.

Cela permettra à l'individu-citoyen de ne pas subir des **influences** multiples et de **réfléchir** tranquillement, par lui-même ou avec quelques interlocuteurs «objectifs» et désintéressés, aux questions qui comptent vraiment : quelles perspectives pour l'avenir du monde et celui de la France, pour les proches et pour soi-même ? Comment apporter sa **contribution**, plutôt qu'attendre celle des «autres» ?

Cela l'aidera aussi à ne pas **paniquer** devant les visions catastrophistes de certains «**lanceurs d'alertes**» qui expliquent que la planète est à l'agonie, que *«c'était mieux avant»*, que rien ne va plus, que l'espèce humaine est de toute façon condamnée. Cela l'aidera aussi à ne pas trop s'emballer devant les **promesses** brandies par les Bisounours scientistes, qui prétendent que l'avenir sera **formidable**, que nous vivrons des **siècles** et que nous serons tous «**augmentés**».

Les questions concernant l'**avenir** sont essentielles et méritent des débats sérieux et raisonnables. Si les risques sont bien ceux annoncés, alors il est urgent d'arrêter de **jouer avec le feu**, même s'il n'enflamme pas la planète tout de suite. Car il pourrait brûler nos enfants et petits-enfants. Il faut donc tout faire dès maintenant pour éviter les risques d'incendie, plutôt que de tenter de jouer ensuite les **pyromanes**, car il sera **trop tard**. Nous ne pouvons en tout cas accepter l'idée d'être la **dernière génération**, en usant et abusant de la planète qui nous héberge et à laquelle nous ne payons plus notre loyer, ni les frais d'entretien.

INVENTER LA «SOCIÉTÉ DES 3R» : RESPONSABILITÉ, RATIONALITÉ, RÉALITÉ

Comme souligné ci-dessus, la **condition** principale, pour que l'avenir de la France soit à la fois **agréable**, **durable** et **équitable**, est que chaque partie prenante se sente et se montre **responsable**. Est responsable celui *«qui doit rendre compte devant une autorité de ses actes ou des actes de ceux dont il a la charge»*. Responsable à la fois de **lui-même**, de **ceux qui l'entourent** (jusqu'aux limites de la planète) et de ceux qui lui **succéderont**. Est responsable, étymologiquement, celui qui «**répond**[1]» aux questions en forme de **défis** qui lui sont posées. C'est-à-dire :

---

1. Du latin *respondere*.

- des décisions concernant sa **propre vie** afin qu'elle soit «bonne» et «utile».
- de ses attitudes et comportements à l'égard de ses **concitoyens**, afin de participer à l'amélioration du **climat social** plutôt qu'à sa dégradation.
- de ses attitudes et comportements à l'égard de ses **semblables**, les humains, plutôt que se replier sur ses **avantages** (et sa chance) en tant que **Français**.
- de ses attitudes et comportements à l'égard des **générations qui viennent**, auxquelles il serait **injuste**, et même **indigne**, de léguer des problèmes que les générations en place ont causés et qu'elles n'ont pas eu le courage de prévenir et l'intelligence de résoudre.
- de ses réactions vis-à-vis des **acteurs** politiques, économiques, sociaux, scientifiques, médiatiques avec l'objectif de les **aider** à améliorer la France et le monde plutôt qu'à se cramponner à un statu quo qui sera de toute façon intenable.

Si la *responsabilité* constitue l'état d'esprit indispensable pour affronter les défis de l'avenir, elle ne permettra de les relever que si elle est assortie de deux autres qualités. Le *réalisme*, d'abord, condition pour voir le monde tel qu'il est, sans le prisme toujours déformant d'une **idéologie**, quelle qu'elle soit. À l'exception de la seule possible, et même souhaitable : l'**idéalisme**, qui devrait être partagé par tous. Tout en étant conscient qu'il est un objectif nécessaire, dont on peut et doit s'approcher sans cesse, en sachant que l'on ne pourra sans doute jamais l'atteindre.

La troisième composante de la «Société 3R» est la *rationalité*. N'est pas rationnel celui qui croit encore que la Terre est **plate** (voir p. 361). Que l'Homme n'a jamais posé le pied sur la **Lune**. Que l'attentat du **11 septembre 2001** a été organisé par la CIA. Que les experts exagèrent fortement les **risques environnementaux**. Que les **statistiques** sur l'état de la France sont truquées. Que les «**étrangers**» sont *a priori* une menace pour le pays. Que les **chefs d'entreprise** ne cherchent qu'à licencier. Que les **respon-sables politiques** sont tous corrompus et n'ont qu'un seul but : conduire le pays au chaos et les citoyens à la misère. Que ce sont toujours les «**autres**» qui ont tort. Que l'**émotion** doit toujours l'emporter sur la **raison**...

C'est en effet de l'**irrationalité** (tant celle des citoyens que des dirigeants) que se nourrit la **crédulité**. C'est d'**irréalisme** que souffre une société qui préfère la **représentation** de la vie à la vie elle-même, le virtuel au réel. C'est de l'**irresponsabilité** des acteurs et des citoyens que meurent les démocraties et les civilisations.

Le triptyque **Responsabilité** – **Rationalité** – **Réalité** pourrait ainsi compléter utilement celui de la République : **Liberté** – **Égalité** – **Fraternité**. L'ensemble permettrait de construire un avenir **désirable**.

AVOIR L'IDÉALISME POUR IDÉOLOGIE

La seule «prétention» de ce livre est d'exposer quelques **idées** forgées au fil de l'étude et de la rédaction. Des idées qui ne sont pas dictées par une **idéologie**, mais plutôt par un «**idéalisme**» mâtiné de réalisme. Ainsi :

- L'évolution au cours des prochaines années sera bien davantage caractérisée par des **ruptures** que par la **continuité**. Une banalité sans doute de le dire, mais une nécessité de le répéter, pour éviter d'être pris par surprise. Car les ruptures, techniques notamment, risquent d'être bien plus **rapides** que la capacité d'adaptation de notre société.
- Il sera de plus en plus difficile de **distinguer le vrai** du faux, le **réel** du virtuel, le **naturel** de l'artificiel, le **bien** du mal. L'avenir marquera la **fin du manichéisme** et le **règne de la complexité**... au risque d'accroître l'audience des «boni-menteurs» qui proposeront une vision **simpliste** et **binaire** des choses.
- Tout ce qui sera scientifiquement possible sera au moins **expérimenté**, et généralement **mis en œuvre**, même si la morale et/ou la loi l'interdisent. Plus, sans doute, par **curiosité** que dans l'intention de

nuire. Sauf si les **citoyens** le refusent et pèsent de tout leur poids (qui sera accru) pour empêcher les apprentis sorciers de mettre le monde en péril.

- Le «**bonheur**» total et pour tous restera **inatteignable**. Chaque fois que l'on améliorera la vie des gens, leurs attentes seront accrues et les déceptions resteront fortes. Pour interrompre le cycle infernal du «**toujours plus**», il faudra mettre en avant les **progrès** déjà accomplis et inciter chacun à se **contenter** de ce qu'il a. Tout en faisant en sorte que certains n'aient pas beaucoup moins que les autres, ou en tout cas suffisamment pour vivre «dignement», en réduisant les écarts sans baisser la moyenne.
- Le **mouvement** et le **zapping** seront plus fréquents que la **stabilité** et la **fidélité**. La **mobilité** (physique et mentale) sera de plus en plus nécessaire. Elle sera vécue par certains comme une source de bien-être, d'enrichissement et de plaisir. Elle sera au contraire pour d'autres une cause de **précarité**, d'**inconfort**, de **frustration**.
- La capacité d'**empathie** sera essentielle. Elle permettra la **collaboration**, condition de la résolution des problèmes, plutôt que la **confrontation**. Elle devra partir du principe qu'il existe quelque chose de **bon** et d'utile dans chaque individu, dans chaque point de vue, à partir de quoi il est possible de construire un avenir en commun.
- La «**dématérialisation**» liée aux technologies numériques pourra constituer une aide à une dématérialisation des attentes des individus, et à l'émergence de **valeurs immatérielles**.
- La **responsabilité**, affirmons-le une dernière fois, par rapport à **soi** et par rapport aux **autres**, sera la **clé** de tout.

Pratiquer la B-Attitude

Après la « **Société des 3R** », et pour la rendre plus facile à atteindre, on peut proposer la « **règle des 5B** », que l'on baptisera **B-Attitude**[1]. Elle consiste à rechercher en permanence le *Bon*, le *Beau*, le *Bien*, la *Bienveillance*, le *«Bonheur»*. Ou encore à faire preuve de *Bonne volonté*, de *Bonne foi* et de *Bon sens* trois qualités très inégalement partagées au sein de la population, dont on remarquera qu'elles sont d'autres appellations possibles (dans cet ordre) de la *Responsabilité*, du *Réalisme* et de la *Rationalité* décrites dans les pages précédentes, Le but est d'atteindre ainsi la *«béatitude»*, prise dans un sens général (et laïque[2]) de *«bonheur sans mélange, euphorie»*. Une perspective *a priori* séduisante pour chaque Français.

Une façon aussi pour lui de contribuer à la nécessaire réinvention du pays[3].

Une façon, enfin, de sortir de la **C-Attitude** qui prévaut dans le pays depuis trop longtemps : **Conviction, Certitude, Confrontation, Critique, Cynisme** sont en effet souvent les ressorts ou les réflexes de citoyens qui, souvent, ne se considèrent pas comme des **partenaires** mais comme des **adversaires**. Or, rien n'est possible lorsque chacun s'applique à **dénigrer** ou **détruire** systématiquement la **pensée**, le **discours** et les **actes** de l'*autre*. Sans que rien émanant de lui ne trouve jamais grâce à ses yeux, au seul prétexte que l'autre n'est pas dans le même **camp** et qu'il est *donc* dans l'erreur. On vit alors dans une **société bloquée** sur des certitudes contradictoires et inconciliables, La **C-Attitude** ne pourra donc être **durable**. Sauf si elle remplace les « C » qui la fondent par d'autres, beaucoup plus utiles : **consensus, compromis, consentement**…

---

1. Une recherche sur Internet montre que B-Attitude est aussi le nom d'un groupe de magasins de vêtements.
2. Le mot «béatitude» a une signification religieuse (chrétienne) précise. Il qualifie selon Spinoza le *«sentiment de joie et de plénitude qui consiste en l'amour intellectuel de Dieu»*. La B-Attitude décrite ici a une autre signification.

---

3. Voir sur ce thème l'ouvrage de l'auteur, *Réinventer la France* (Manifeste pour une démocratie positive), l'Archipel, 2014.

FAISONS UN RÊVE...

En bref, la création d'une **société nouvelle**, plus harmonieuse et durable, est **possible**. Il n'est pas de fatalité de la **soumission** à la cupidité, l'égoïsme, l'affrontement, l'inégalité, l'injustice, la méfiance, le mensonge, le déni. Il ne dépend que de nous de modifier nos **priorités**, nos **attitudes**, nos **comportements**. Et de changer l'avenir pour le meilleur.

Comme **Martin Luther King** en son temps (août 1963), faisons nous aussi un **rêve**. Celui d'inventer pour la France un avenir souhaitable, de vaincre nos **démons**, de relever nos **défis**, de rejeter les projets qui nous tirent vers le **bas**. Faisons le rêve d'un pays (et d'un monde) dans lequel tous les habitants naîtraient égaux et pourraient en tout cas compenser leurs différences tout au long de leur vie.

Comme **Jaurès** (dans un discours prononcé à Albi, en juillet 1903), considérons que *« Le courage, c'est d'aller à l'idéal et de comprendre le réel. »* Comme **Mandela** (dans son discours d'investiture, en mai 1994) et dans un contexte plus favorable que le sien, comprenons que *« Le temps de combler les fossés qui nous séparent est arrivé »*. Comme **Chirac** (lors de la commémoration de la rafle du Vel'd'Hiv', en juillet 1995), *« n'acceptons pas d'être les témoins passifs, ou les complices, de l'inacceptable. »* Comme **Kennedy** (dans sa prestation de serment, en janvier 1961), ne nous demandons pas *« ce que notre pays peut faire pour nous, mais ce que nous pouvons [et devons] faire pour lui. »* Et rêvons de bâtir un nouveau modèle pour inspirer le monde.

... ET DONNONS-NOUS LES MOYENS DE LE RÉALISER

Pour que le rêve devienne réalité, il nous faudra faire usage de nos **sens**, de notre **intelligence**, de notre **libre arbitre**, de notre capacité d'**empathie**, de notre **pouvoir** individuel et surtout collectif. Utiliser nos **atouts**, tout en étant conscients de nos **handicaps**. Regarder le **monde** tel qu'il est, en cherchant à l'**améliorer**. Privilégier, pour tous ceux qui le peuvent (la très grande majorité, si l'on veut bien être objectif) l'**intérêt général** plutôt que notre intérêt particulier. Faire *a priori* **confiance** aux acteurs politiques, économiques, sociaux, scientifiques, aux experts, plutôt que les soupçonner de **comploter** contre nous, tant qu'ils justifieront notre confiance. Refuser ce qui est **inacceptable** et œuvrer pour faire triompher ce qui est souhaitable et juste.

SOYONS AMBITIEUX ET LUCIDES

Il nous faudra aussi élargir notre **champ de vision**, nous intéresser à ce qui se dit et se fait **ailleurs**, et l'imiter sans honte si cela peut être utile. Mais nous devrons aussi être attentifs à ce qui est proposé **chez nous**, de tous côtés. Car il y a du **bon** à prendre dans la plupart des conceptions, même dans celles qui nous paraissent globalement dangereuses ou inappropriées. L'honnêteté, la curiosité et peut-être l'intérêt commandent de les examiner pour les comprendre et même, parfois, **intégrer** des points de vue que nous ne partageons pas. Nul ne détient en effet à lui seul toute la **vérité**, ni toutes les **réponses**. Et ce n'est pas en ignorant ou condamnant les «mal-pensants» que l'on formera un consensus.

Mais nous ne devrons pas pour autant nous laisser **bercer** et **berner** par les sirènes des populistes frileux, des marchands de bonheur malhonnêtes, des pourfendeurs de l'Europe mal informés, des nostalgiques de l'autoritarisme, des politisés dogmatiques, des capitalistes antisociaux, des prêcheurs de haine, des égotistes de tout poil, des blasés de la France, des scientistes démiurges, des religieux obtus et intolérants. Plus généralement, des ennemis de la **liberté**, de l'**égalité**, de la **fraternité**.

L'HISTOIRE CONTINUE

Il ne saurait être question de *conclure* véritablement cet ouvrage. Car il n'est en réalité qu'une **introduction** à la complexité de l'*à venir*. Une **invitation** à la réflexion personnelle, mais aussi collective. Une **incitation** à **fabriquer** le futur en tant qu'**acteur**, plutôt qu'à le **subir** en tant que **témoin** ou **spectateur**. Il ne raconte pas, en effet, la « *fin de l'Histoire*[1] » de la France, pas plus qu'il ne prétend annoncer son **véritable** devenir. Ce serait une erreur grave dans le premier cas, une prétention coupable dans le second.

Puissent seulement le **diagnostic-pronostic** et les quelques **pistes de réflexion** contenus dans ces pages contribuer au **débat public** qui devra être engagé ou poursuivi dans les prochaines années. Et permettre aux Français d'inventer un avenir agréable et durable pour eux et pour leurs successeurs. Ni **apocalypse**, ni **apothéose**, car il est sans doute bien trop tôt pour l'une comme pour l'autre, si elles doivent se produire un jour. Mais accomplissement d'un **rêve collectif** et mise en œuvre d'une **utopie** réputée impossible.

À ceux qui ont besoin de se rassurer et qui sont en quête d'**optimisme**, on proposera cette phrase de Victor Hugo : « *Les plus belles années d'une vie sont celles que l'on n'a pas encore vécues*[2] ». Mais il ne faudrait pas que cette promesse les incite à la **passivité**. C'est pourquoi on la complétera, à l'intention de tous, par celle d'Albert Einstein, plus **simple**, **pragmatique** et **mobilisatrice** : « *Nous aurons le destin que nous aurons mérité*[3] ».

Vous pouvez contacter l'auteur par mail à l'adresse suivante :
Francoscopie@free.fr

---

1. Titre de l'ouvrage du politologue américain Francis Fukuyama (*La Fin de l'histoire et le dernier homme*), publié en 1992. Il y expose la thèse, très contestée, d'une victoire idéologique de la démocratie libérale sur les autres idéologies politiques, après la chute du mur de Berlin et la dislocation de l'ex-Empire soviétique.

---

2. *Les Contemplations*, 1856.
3. *Comment je vois le monde*, 1934.

CALENDRIER DE L'ANNÉE 2030

Janvier

N°	Lu	Ma	Me	Je	Ve	Sa	Di
1		1	2	3	4	5	6
2	7	8	9	10	11	12	13
3	14	15	16	17	18	19	20
4	21	22	23	24	25	26	27
5	28	29	30	31			

Février

N°	Lu	Ma	Me	Je	Ve	Sa	Di
5					1	2	3
6	4	5	6	7	8	9	10
7	11	12	13	14	15	16	17
8	18	19	20	21	22	23	24
9	25	26	27	28			

Mars

N°	Lu	Ma	Me	Je	Ve	Sa	Di
9					1	2	3
10	4	5	6	7	8	9	10
11	11	12	13	14	15	16	17
12	18	19	20	21	22	23	24
13	25	26	27	28	29	30	31

Avril

N°	Lu	Ma	Me	Je	Ve	Sa	Di
14	1	2	3	4	5	6	7
15	8	9	10	11	12	13	14
16	15	16	17	18	19	20	21
17	22	23	24	25	26	27	28
18	29	30					

Mai

N°	Lu	Ma	Me	Je	Ve	Sa	Di
18		1	2	3	4	5	
19	6	7	8	9	10	11	12
20	13	14	15	16	17	18	19
21	20	21	22	23	24	25	26
22	27	28	29	30	31		

Juin

N°	Lu	Ma	Me	Je	Ve	Sa	Di
22						1	2
23	3	4	5	6	7	8	9
24	10	11	12	13	14	15	16
25	17	18	19	20	21	22	23
26	24	25	26	27	28	29	30

Juillet

N°	Lu	Ma	Me	Je	Ve	Sa	Di
27	1	2	3	4	5	6	7
28	8	9	10	11	12	13	14
29	15	16	17	18	19	20	21
30	22	23	24	25	26	27	28
31	29	30	31				

Août

N°	Lu	Ma	Me	Je	Ve	Sa	Di
31			1	2	3	4	
32	5	6	7	8	9	10	11
33	12	13	14	15	16	17	18
34	19	20	21	22	23	24	25
35	26	27	28	29	30	31	

Septembre

N°	Lu	Ma	Me	Je	Ve	Sa	Di
35							1
36	2	3	4	5	6	7	8
37	9	10	11	12	13	14	15
38	16	17	18	19	20	21	22
39	23	24	25	26	27	28	29
40	30						

Octobre

N°	Lu	Ma	Me	Je	Ve	Sa	Di
40		1	2	3	4	5	6
41	7	8	9	10	11	12	13
42	14	15	16	17	18	19	20
43	21	22	23	24	25	26	27
44	28	29	30	31			

Novembre

N°	Lu	Ma	Me	Je	Ve	Sa	Di
44					1	2	3
45	4	5	6	7	8	9	10
46	11	12	13	14	15	16	17
47	18	19	20	21	22	23	24
48	25	26	27	28	29	30	

Décembre

N°	Lu	Ma	Me	Je	Ve	Sa	Di
48							1
49	2	3	4	5	6	7	8
50	9	10	11	12	13	14	15
51	16	17	18	19	20	21	22
52	23	24	25	26	27	28	29
1	30	31					

ANNEXES

DICOTECH

DICTIONNAIRE DES INNOVATIONS SCIENTIFIQUES ET TECHNIQUES DE RUPTURE

Les innovations présentées ci-après sont une **sélection** de celles en cours de **recherche**, de **développement** ou de **commercialisation** qui sont le plus susceptibles d'avoir des incidences fortes sur les **modes de vie des Français** et **l'état de la France** à l'horizon **2030**. Ce sont des innovations «**de rupture**» (ou «disruptives») car elles ouvrent (ou ont ouvert) des **champs** d'application nouveaux, des **usages** inédits ou radicalement améliorés dans un ou plusieurs domaines. Chacune d'elles est décrite dans des termes simples, avec ses principaux domaines d'application, existants ou à venir.

*N.B. Ce dictionnaire n'a pas pour ambition d'être **exhaustif**. Il se limite à des domaines d'innovation actuels, identifiés par un **mot** ou une **expression**. Les innovations sont classées par ordre **alphabétique** à partir de leur nom en **français**. Lorsqu'il est plus courant, le nom **anglais** est indiqué également en entrée (en **italiques**), renvoyant à la description sous son nom français lorsqu'il existe. Les mots imprimés en **gras** dans les textes indiquent que leur définition est présente dans le dictionnaire, sous le nom indiqué.*

3D. Voir **Impression 3D.**

4D. Voir **Impression 4D.**

4K. Format d'image numérique ayant une définition supérieure ou égale à 4096 pixels de large, qualifiée d'Ultra haute définition en Europe (Ultra HD). Ce format est principalement utilisé aujourd'hui dans le domaine du cinéma numérique.

5G. Cinquième génération de la technologie de télécommunication mobile sans fil, succédant à la 4G et la 4G+. Elle devrait offrir un débit de 10 gigabits par seconde (sens descendant) et 10 gigabits dans le sens inverse à partir de 2020, soit environ 100 fois plus élevé que la 4G (125 Mbit/s). Elle devrait aussi se caractériser par un très faible temps de latence (délai de transmission des données): 1 ms contre 25 ms. Cela favorisera considérablement les usages dans de nombreux domaines: **objets connectés**; **télémédecine**; **domotique**; **robotique**; «**ville intelligente**»; **voiture autonome**; *cloud computing*... La 5G permettra également d'améliorer la réception d'Internet sur le territoire, grâce à des mini-antennes.

A

ADN artificiel. Projet américain (*Human Genome Project-Write*, ou *HGP-Write*, 2016) de création d'un génome humain artificiel, dans le but de fabriquer de grandes parties d'ADN à un coût fortement réduit. Les objectifs affichés sont de créer des organes humains pour des transplantations, produire des lignées de cellules résistantes à tous les virus et cancers, accélérer la production de vaccins et développer des médicaments en utilisant des cellules humaines et des organes synthétiques.

Affective computing. Voir **Informatique affective**.

Affichage volumétrique. Technologies d'affichage digital d'objets virtuels dans un espace physique en trois dimensions, permettant de rendre ces objets visibles à l'œil nu, sous tous les angles. Ainsi, les hologrammes ne seraient plus des projections en deux dimensions. Ils pourront même devenir tactiles, grâce à des capteurs optiques miniaturisés.

Algorithme. Ensemble de règles opératoires dont l'application permet de résoudre un problème énoncé au moyen d'un nombre fini d'opérations. Un algorithme peut être traduit, grâce à un langage de programmation, en un programme exécutable par un ordinateur.

Algues comestibles. Des microalgues riches en protéines, vitamines, oligoéléments, antioxydants et minéraux (fer et magnésium) pourraient être progressivement introduites dans l'alimentation.

Analyse lexicale (ou lexicologie). Technique d'analyse quantitative du langage reposant notamment sur le nombre de mots différents utilisés à l'oral ou à l'écrit, ainsi que leur fréquence, afin d'obtenir des représentations des expressions (par exemple par des nuages de mots). Applications : études de *verbatim* de consommateurs ou de toute autre personne (responsables politiques…), ou de textes.

Analyse prédictive. Type de traitement et d'exploitation de données, issu de **l'analyse** statistique, permettant d'identifier des tendances et leurs évolutions à venir, des comportements, des réactions individuelles ou collectives à différents stimuli. Applications : météorologie ; ciblage publicitaire ; placements financiers…

Analyse sémantique. Phase de recherche de la signification d'un texte en utilisant le sens des éléments (mots, phrases). Elle complète l'**analyse lexicale** et grammaticale (syntaxique) qui décompose le message à l'aide d'un dictionnaire et d'une grammaire. La recherche sémantique permet notamment de choisir entre les sens différents des mots selon leur environnement dans une phrase. Applications : intelligence artificielle ; interprétation des requêtes sur les moteurs de recherche ; échanges homme-machine ; traduction ; **curation;** réalisation d'un « Web sémantique » permettant de mieux indexer les contenus…

Apprentissage neuronal (voir aussi **Autoapprentissage**). Recherches sur le fonctionnement des réseaux de neurones humains et développement de réseaux de neurones artificiels les imitant. Ils sont composés de plusieurs couches de cellules reliées entre elles pour former une vaste toile, capables d'ajuster leurs interconnexions lors d'une phase d'apprentissage. Applications : reconnaissance d'écriture sur des bons de commande ; reconnaissance d'images ; reconnaissance vocale ; sonars ; gestion du trafic aérien…

Arme laser. Arme utilisant la chaleur produite électriquement par un rayon laser pour détruire une cible. Elle peut être utilisée depuis le sol ou depuis un véhicule aérien (avion, drone…). Elle n'utilise pas de munitions, uniquement l'électricité. Applications : guerre, dissuasion, destruction de débris spatiaux…

Ascenseur spatial. Projet de transport (ancien et jusqu'ici impraticable) entre la surface terrestre et une orbite autour de la Terre (ou d'une autre planète). Au moyen d'un câble tendu par la force centrifuge due à la rotation de la Terre sur elle-même. Pour être en équilibre, le câble doit s'allonger au-delà de l'orbite géostationnaire (36 000 km), pour que la force centrifuge dépasse la force de gravitation. Les passagers prendraient place dans des navettes circulant le long du câble jusqu'à l'atteinte de l'orbite. Les matériaux classiques ne sont pas assez résistants, mais la découverte des nanotubes a relancé cette idée.

Assembleur moléculaire. Concept théorique (proposé par l'ingénieur américain Kim E. Drexler dans les années 1980) de machine capable d'assembler de façon extrêmement précise (nanométrique) des atomes et molécules pour provoquer les réactions chimiques qui leur permettent de s'assembler pour fabriquer des objets.

Assistant personnel. Robot équipé d'une intelligence artificielle, capable de répondre aux questions (exprimées vocalement) de ses interlocuteurs dans de nombreux domaines et d'effectuer pour eux de multiples tâches : recherches d'informations ; commandes de produits ; réservations de transports, spectacles ; gestion de l'agenda ; diffusion de musiques, images ou vidéos ; contrôle **domotique**... La plupart sont dotés de systèmes d'**auto-apprentissage** pour progresser dans la qualité de leurs réponses.

Atlas cellulaire. Projet de biologie cellulaire consistant à décrypter tous les types de cellules constituant le corps humain (qui contient 37 200 milliards de cellules). L'objectif est de les cartographier en fonction de leur activité génétique afin de créer un modèle biologique global permettant d'accélérer la recherche médicale. Trois technologies sont mises en œuvre : la microfluidique cellulaire, grâce à laquelle chaque cellule peut être séparée et analysée séparément ; l'identification des gènes actifs d'une simple cellule en décodant son génome ; l'«étiquetage» de chaque type de cellule grâce à un «zip code» spécifique.

Auto-apprentissage *(self learning).* Capacité d'un système «intelligent» de progresser au fur et à mesure de son utilisation. Plutôt que de lui indiquer pas à pas (par des algorithmes) comment parvenir au résultat recherché, on lui fournit simplement des données et il compare les résultats de ses tentatives jusqu'à s'en approcher au plus près. Ainsi, le logiciel de jeu AlphaGo a effectué des millions de parties contre un système «jumeau», et appris à se développer à travers ces expériences. Voir aussi **Apprentissage neuronal**.

Autonome (machine). Qualité d'une chose (concrète ou abstraite) ou d'une personne qui s'administre elle-même, sans intervention extérieure. Exemples : robots et machines dotés d'un programme et/ou d'une **intelligence artificielle** leur permettant de réagir à leur environnement. Applications : véhicules autonomes (voitures, camions, trains, métros, avions, bateaux, drones...)...

B

Base de données. Voir *Big Data*.

Bâtiment à énergie zéro (ou positive). Bâtiments produisant autant ou plus d'énergie qu'ils en consomment pour fonctionner. La loi issue du Grenelle de l'Environnement (août 2009) prévoyait que *«toutes les constructions neuves faisant l'objet d'une demande de permis de construire déposée à compter de la fin 2012 présente [raie] nt, sauf exception, une consommation d'énergie primaire inférieure à la quantité d'énergie renouvelable produite dans ces constructions».* Cet engagement volontariste, qui n'a pas été encore atteint, devait contribuer à l'atteinte du Facteur 4, auquel la France doit parvenir d'ici 2050.

Batteries. Indispensables au fonctionnement de très nombreux outils numériques, les batteries font l'objet de recherches et d'avancées importantes dans plusieurs domaines : accroissement de l'énergie fournie, de la vitesse de rechargement, de la durée de vie, de la sécurité ; diminution de la taille et du poids ou de la vitesse de déchargement ; batteries stockant l'énergie solaire...

Béton de sable du désert. Type de béton utilisant du sable prélevé dans les déserts, et non plus seulement sur les plages ou dans la mer, aussi solide que le béton classique et biodégradable. Une révolution potentielle pour la construction (*Finite*, créé par des chercheurs de l'Imperial College de Londres, 2018).

Béton translucide. Type de béton inventé en 2001, intégrant des fibres optiques qui attirent et transmettent la lumière d'un côté à l'autre du matériau et créant un effet d'ombre et de lumière. Il est fabriqué avec des granulats (du sable et/ou des gravillons) agglomérés par un liant (ciment…) et de l'eau, auxquels s'ajoutent des pigments et des fibres. Applications : décoration intérieure ou extérieure.

Big Data. Mégabases de données numériques produites par des machines à partir d'informations multiples et en très grandes quantités. En matière de santé, par exemple, elles concernent les données de base (âge, poids, taille, tension artérielle, rythme cardiaque…), les données biochimiques (analyses de sang, résultats de biopsies…), des marqueurs hormonaux ou tumoraux, de l'imagerie médicale (IRM, radios, scanners…), etc. Elles sont traitées statistiquement pour obtenir des informations précises sur des maladies et dysfonctionnements. Ces données peuvent aider à établir des diagnostics, mesurer l'effet des traitements, suivre l'évolution des maladies et des malades, personnaliser les soins. Tous les domaines sont potentiellement utilisateurs pour mesurer, analyser, comprendre, expliquer, prévoir…

Biohacking (ou biologie participative). Forme de «piratage de la vie» *(hacking)* dans un but positif plutôt que frauduleux. Fondé sur les nouvelles technologies, il peut consister en l'expérimentation d'implants et autres modifications du corps ou la modification de données génétiques sur les espèces vivantes (humaine, végétale ou animale) dans un but d'amélioration. Applications : santé ; longévité ; communication…

Biométrie. Techniques d'identification d'une personne par un ou plusieurs éléments de sa morphologie : empreintes digitales, pupilles, voix, visage, ADN, etc. La biométrie peut aussi être basée sur des comportements : signature, écriture, tics physiques, etc. Les applications associées se développent pour garantir la sécurité d'accès aux machines et éviter l'usage de mots de passe.

Bioplastiques. Matières plastiques issues de la biomasse et/ou biodégradables (ou compostables), y compris celles issues de ressources fossiles par des réactions pétrochimiques. Elles permettent une réduction des rejets des gaz à effet de serre (dont le CO_2) lors de la production, mais rejettent du CO_2 lors de leur élimination.

Biopsie optique. Recherches portant sur des méthodes non invasives permettant de détecter la présence de cellules cancéreuses avant qu'elles apparaissent à l'intérieur du corps ou en surface de la peau. Des résultats ont été obtenus à l'aide d'un microscope ultra miniaturisé permettant une «découpe virtuelle» des tissus.

Biosynthèse. Formation des composés organiques qui se trouvent dans les êtres vivants (par exemple les plantes vertes), généralement par la catalyse d'une enzyme. Contrairement à la synthèse chimique, la biosynthèse se produit naturellement chez les organismes vivants et constitue une partie essentielle de leur métabolisme. La biotechnologie permet une biosynthèse *in vitro*.

Biotechnologies. Techniques utilisant des êtres vivants (micro-organismes, animaux, végétaux), généralement après modification de leurs caractéristiques génétiques, pour la fabrication industrielle de composés biologiques ou chimiques, ou pour l'amélioration de la production agricole. Applications : médicaments ; matières premières industrielles ; plantes et animaux transgéniques ou OGM (organismes génétiquement modifiés)…

Bitcoin. Exemple de **cryptomonnaie**, connu notamment à cause de ses variations de cours gigantesques. Le bitcoin n'est pas la seule monnaie virtuelle existante, mais elle en est l'exemple le plus populaire, et le plus lucratif.

Blockchain. Technologie de stockage et de transmission d'informations, transparente, et en principe sécurisée, fonctionnant sans organe central de contrôle. Elle constitue une base de données qui contient l'historique de tous les échanges effectués entre ses utilisateurs depuis sa création, sans intermédiaire. Elle est par exemple utilisée pour les échanges de **bitcoins**.

C

Caméra 360°. Caméra permettant de réaliser des images sphériques à 360 degrés, sans avoir à positionner et juxtaposer des images prises par plusieurs caméras sur plusieurs angles. Elle est directement utilisable pour des applications de réalité virtuelle.

Capteur. Dispositif permettant d'identifier un phénomène physique et de le restituer sous forme de signal numérique, à des fins de mesure, de transmission ou de commande d'une réaction appropriée. Exemples : capteur solaire convertissant l'énergie solaire en énergie thermique ou électrique ; capteur d'image d'appareil photographique. Applications : indicateurs de santé ; mesures de distance, de vision, de son, d'odeurs, de qualité d'air...

Cartographie cognitive (ou carte mentale). Voir **Cartographie heuristique**.

Cartographie heuristique (ou **cartographie cognitive**, ou **carte mentale**). Représentation sous forme graphique d'un cheminement de pensée, qui permet de mettre en valeur les liens entre les idées et de les structurer.

Cellules souches. Cellules indifférenciées, capables de se renouveler elles-mêmes ou de se différencier en d'autres types cellulaires (cellule pluripotente) et de proliférer en culture. Elles peuvent être issues de l'embryon, du fœtus, ou de tissus adultes ramenés à leur état (cellules souches pluripotentes induites, **CSPi**) ou sans transformation. Elles peuvent aussi être obtenues par transfert de noyau. Grâce à ces propriétés, elles peuvent servir à régénérer ou recréer des tissus ou des organes détruits, au moyen de la **thérapie cellulaire**.

Cerveau artificiel. Simulation (biologique, fonctionnelle, interne ou externe) du fonctionnement synaptique et neuronal du cerveau humain, par biomimétisme. Applications : **reconnaissance d'images** ; **intelligence artificielle** ; **apprentissage neuronal**...

Chatbot (ou « agent conversationnel »). Il sert d'interlocuteur à un client en lieu et place d'un employé. S'appuyant sur une interface vocale, il répond aux questions qui lui sont posées. Les **assistants personnels** jouent également ce rôle.

Civic techs. Voir **Technologies civiques**.

Cleantechs. Voir **Technologies propres**.

Clonage humain. Technique consistant à développer une lignée de cellules identiques à une cellule unique servant de base. Le clonage est déjà largement pratiqué sur les animaux (chevaux, animaux d'élevage...). Le clonage humain consisterait à créer un être humain à partir de la totalité du matériel génétique d'un humain existant, dans un but thérapeutique (prélèvement d'organes sur le clone pour remplacer ceux de l'original...) ou reproductif (conception d'un enfant par un couple stérile sans passer par une reproduction sexuée). Malgré de vives critiques concernant l'atteinte à l'intégrité de l'espèce humaine, les recherches sont autorisées dans certains pays.

Cloud computing. Voir **Informatique en nuage**.

Cobot. Robot utilisé pour effectuer une ou plusieurs tâches en collaboration avec des humains.

Commande vocale. Elle permet d'accéder à de nombreuses fonctions sur de nombreux supports (smartphone, télévision, tablettes, robots...). Ses progrès vont de pair avec ceux de la **Reconnaissance vocale**.

Communication de machine à machine (ou communication intermachines). Techniques permettant de créer des échanges entre des machines, aux fins d'amélioration des résultats obtenus.

Connected home. Voir **Maison intelligente**.

Conscience artificielle. Capacité éventuelle d'une machine à avoir comme les humains «conscience» de sa propre existence, et à être capable de comprendre ce qu'elle fait, appelée aussi «intelligence artificielle forte». Thème récurrent de débat entre chercheurs, philosophes, et auteurs de science-fiction, avec la crainte que la machine puisse alors se retourner contre les humains.

Crispr-Cas9. Voir **Édition moléculaire**.

Crowdfunding. Financement de projets par un ensemble de particuliers, via des plates-formes sur Internet. Des projets y sont présentés par leurs créateurs, de façon à inciter les personnes intéressées à y investir, généralement en échange de contreparties variables selon les sommes engagées. Un projet ne pourra être financé que s'il a au moins obtenu au total le montant demandé au départ.

Crowdsourcing. Recours aux particuliers par des entreprises ou organisations pour trouver des idées innovantes. Ce domaine peut faire appel à la créativité et l'intelligence des individus en particulier, mais aussi à l'**intelligence collective**.

Cryogénisation (ou cryonie). Principe consistant à plonger un être en état de mort clinique, la tête vers le bas, dans une cuve remplie d'azote liquide à - 196 °C, avec l'espoir que des avancées scientifiques et techniques permettront un jour de le «réveiller» et, le cas échéant, de guérir la maladie dont il est mort. Depuis 2004, la mise au point du processus de vitrification empêche la formation de cristaux de glace endommageant les tissus, ce qui permet une meilleure conservation des corps. Le mot est souvent confondu avec *cryogénie*, qui a d'autres usages : conservation des aliments à l'aide d'azote liquide ; suspension du métabolisme ; obtention de la supraconductivité ; transport de gaz naturel sur de longues distances ; traitement de maladies de peau...

Cryptographie. Procédés permettant de crypter des informations pour assurer la confidentialité entre l'émetteur et le destinataire (possesseur de la clé de décryptage). Ce domaine devrait permettre de renforcer la sécurité dans les échanges réalisés sur les réseaux numériques, notamment Internet. La cryptographie **quantique** est l'une des pistes prometteuses.

Cryptomonnaie. Monnaie virtuelle pouvant être achetée et vendue en ligne via des plates-formes spécialisées. Son cours est indépendant de toute banque centrale, et les transactions sont vérifiées et en principe sécurisées par les «nœuds» du réseau constitué par les ordinateurs d'utilisateurs fonctionnant en *blockchain* (toute transaction est enregistrée, sous pseudonyme, dans un registre public). De très nombreuses monnaies virtuelles existent : **bitcoin**, ripple, ethereum, litcoin, etc.

CSPi. Voir **Cellules souches**.

Curation. Pratique de veille et de sélection «intelligente» des informations dans un domaine d'activité donné, puis de mise en forme synthétique et pertinente pour les destinataires. Les formes les plus courantes sont la revue de presse (ou de Web) ou la *newsletter*, diffusée gratuitement sur un site ou de façon onéreuse à des abonnés. La curation est souvent assimilée à tort à l'agrégation de contenus, qui est le plus souvent automatisée. L'**intelligence artificielle** sera «forte lorsqu'elle sera en mesure d'égaler les humains dans ce domaine.

Cybercommerce. Voir **E-commerce**.

Cyberdémocratie. Voir **E-démocratie**.

D

Data mining (ou extraction de données). Recherche des informations les plus pertinentes par rapport à un objectif, à l'intérieur d'une base de données *(Big Data)*, au moyen d'analyses statistiques (tris croisés, corrélations, analyses factorielles...). Applications : météorologie ; ciblage publicitaire ; risques assurantiels ; crédits bancaires ; prévisions de commandes ; stockage...

Deep learning (apprentissage en profondeur). Processus permettant à un **algorithme** d'apprendre de son expérience ou par l'analyse d'exemples, plutôt que par le biais d'une programmation spécifique (voir **auto-apprentissage**). Cet apprentissage automatique a notamment été utilisé pour AlphaGo, le programme informatique qui a battu en mars 2016 le champion sud-coréen du jeu de go, Lee Sedol. Ces techniques ont permis des progrès spectaculaires dans les domaines de reconnaissance sonore, visuelle ou faciale. Elles devraient contribuer à l'amélioration des performances des intelligences artificielles.

Deep techs. Technologies de pointe issues de la recherche fondamentale en **intelligence artificielle**, **biotechnologies**, **nanotechnologies**, **neurosciences** ou **robotique**. Elles développent des solutions nouvelles, dites «de rupture», visant à relever de nombreux défis dans les secteurs industriels ou les services. Portées par une nouvelle génération de start-up lancées par des chercheurs-entrepreneurs, ces technologies inventent l'avenir : **véhicules autonomes**, **drones**, industries 4.0, **ingénierie génétique**, *blockchain*, **réalité augmentée**, **réalité virtuelle**, nanosatellites, **Internet des objets**, **matériaux nouveaux**, énergie... Elles promettent des transformations radicales susceptibles de bouleverser de nombreux secteurs : transports, finance, santé, agriculture, énergie, télécommunications, distribution, etc.

Démocratie directe (ou **numérique**, ou **virtuelle**, ou cyberdémocratie). Voir **e-démocratie**.

Dessalement de l'eau de mer. Utilisation de micropuces générant un champ élec-

trique séparant l'eau et le sel, montées en série, à petite ou grande échelle (Okenos).

Disruption. Innovation de rupture (ou disruptive) remplaçant une technologie existante beaucoup moins performante (en termes de fonction, facilité d'usage, prix ou autre caractéristique). Exemples historiques de substitution : moteur à explosion/animal de trait ; mini-ordinateur/ordinateur central ; cinéma numérique/35 mm ; numérique/analogique ; photographie numérique/photographie argentique ; verre progressif/double foyer ; téléchargement de musique/compact-disc ; SSD/disque dur ; e-commerce/magasin physique... Tous les domaines sont potentiellement concernés.

Domotique. Voir **Maison intelligente**.

Données ouvertes *(open data).* Informations publiques, librement accessibles et utilisables par chacun sous forme de fichiers numériques, sans restriction de *copyright*, brevet ou autre signe de propriété ou de contrôle. Elles peuvent être mises à disposition par des administrations, institutions, entreprises, laboratoires de recherche, particuliers, etc.

Doxing. Pratique consistant à répandre sur Internet des informations humiliantes ou inquiétantes sur une personne ou une organisation. Elle s'est développée sur les réseaux sociaux, notamment dans le cadre des campagnes de dénonciation d'agressions sexuelles et comportements déplacés subis par des femmes (#BalanceTonPorc et #MeToo). Elle peut faire avancer la vérité ou au contraire détruire injustement une réputation.

Drone (faux bourdon en anglais). Véhicule aérien motorisé, généralement de petite taille, sans pilote à bord, télécommandé, programmé ou autonome, à décollage et atterrissage vertical. Le système de propulsion varie (réacteur, hélices, rotors...). Il peut embarquer des caméras transmettant en direct des images ou vidéos, et des capteurs de données diverses (météorologie, composition de l'air...). Applications : missions militaires de reconnaissance, de surveillance du champ de bataille, ou de guerre électronique ; surveillance de manifestations, de pollution maritime, d'incendies de forêt, etc. ; livraisons ; cartographie ; prises de vue aériennes ; loisirs (aéromodélisme). Il peut aussi être utilisé à des fins malveillantes (repérage de cibles, terrorisme…) et présenter des risques d'accident. Son usage peut soulever des questions éthiques (drone offensif) et législatives.

E

Éco-conception. Méthode consistant à prendre en compte dès la conception d'un produit ou projet l'impact environnemental global de l'ensemble des étapes de son cycle de vie, depuis l'extraction des matières premières nécessaires jusqu'à l'élimination du produit, en passant par la fabrication, le transport, la distribution, l'utilisation. La démarche repose sur l'analyse du cycle de vie (ACV).

Éco-innovation. Intégration des critères du développement durable (développement économique et social respectueux de l'environnement) par l'innovation industrielle. Voir **Technologies propres**.

E-commerce (ou cybercommerce). Ensemble des opérations de vente à distance réalisées par l'intermédiaire du réseau Internet, généralement par le biais de boutiques en ligne et de plates-formes, spécialisées ou généralistes. Il peut utiliser l'ensemble des terminaux connectés au réseau.

Économie circulaire. Nouveau modèle remplaçant l'économie dite linéaire, en limitant le gaspillage des ressources et l'impact environnemental du cycle production-consommation, et en augmentant son efficacité à chacune de ses étapes.

Écotechnologies. Technologies dont l'emploi est moins délétère pour l'environnement que celui des technologies classiques répondant aux mêmes besoins. Elles sont définies par l'Union européenne comme les « *techniques intégrées qui évitent la for-*

mation de polluants durant les procédés de production, et les techniques en bout de chaîne qui réduisent les rejets dans l'environnement de toute substance polluante générée, mais également les nouveaux matériaux, les procédés de fabrication économes en énergie et en ressources, ainsi que le savoir-faire écologique et les nouvelles méthodes de travail ».

Écran flexible (souple, pliable, enroulable) pour tablettes, smartphones, téléviseurs et potentiellement tout objet nécessitant un écran.

Ectogénèse. Voir **Utérus artificiel**.

E-démocratie (ou **cyberdémocratie**, ou **démocratie directe**, ou démocratie numérique, ou démocratie virtuelle). Forme de participation à la vie démocratique d'un pays (ou de toute autre organisation humaine) fondée sur l'usage des outils numériques, notamment Internet. Elle a pour but de favoriser l'accès à l'information de tous les citoyens, leur expression (sous la forme de forums et autres formes de consultation et d'échange), leur participation et leurs suggestions.

Édition moléculaire. Les recherches en matière de génétique ont été révolutionnées par l'invention d'un nouvel outil : **Crispr-Cas9**, « ciseau moléculaire » permettant de rechercher et couper très facilement un morceau précis d'ADN. Des généticiens américains ont réussi à modifier certaines « bases nucléotides » de l'ADN avec un taux de réussite très élevé et sans effet secondaire. La méthode, baptisée ABE, n'a pas vocation à remplacer les ciseaux génétiques, mais à les compléter.

E-learning. Voir **MOOC**.

Électronique moléculaire (ou molétronique). Subdivision des **nanotechnologies** concernant la conception de nanostructures. Elle se situe au carrefour de la physique, de la chimie, de la biologie et de l'électronique. Applications : circuits intégrés électroniques miniaturisés pour dispositifs de haute technologie, intelligence artificielle, etc.

Énergie solaire. Énergie produite à partir de la conversion du rayonnement solaire reçu par des capteurs **spéciaux**, pouvant être convertie en électricité (photovoltaïque) ou en chaleur (thermique). C'est une énergie renouvelable mais intermittente (en l'absence de soleil). Applications : toutes activités nécessitant de l'électricité ou de la chaleur.

Épigénétique. Discipline de la biologie étudiant les influences de l'environnement cellulaire ou physiologique sur l'expression des gènes. Le séquençage complet du génome a montré que seuls 10 % des gènes codent pour des protéines, ce qui relativise fortement leur pouvoir d'explication et de prédiction des caractères individuels, risques de maladies, etc. Contrairement aux mutations qui affectent la séquence d'ADN, l'expression des gènes peut être modulée par des mécanismes réversibles et transmissibles lors des divisions cellulaires, sans que cela modifie la séquence nucléotidique. Un même gène peut ainsi s'exprimer différemment en fonction de modifications extérieures au génome. En matière d'évolution, l'épigénétique permet d'expliquer comment des traits peuvent être acquis et éventuellement transmis d'une génération à l'autre mais aussi perdus après avoir été hérités.

Exosquelette. Structure autostabilisée pilotée par des algorithmes et animée par des moteurs permettant d'accroître le poids des charges portées et la vitesse de déplacement, tout en réduisant la fatigue musculaire et les risques de troubles musculo-squelettiques. Applications : armée ; manutention ; déménagement ; handicaps...

F

Fab lab (*fabrication laboratory*). Espace généralement ouvert à tous où sont mis à disposition les outils permettant de concevoir ou de réaliser des objets. Utilisateurs : entrepreneurs ; designers ; artistes ; bricoleurs ; étudiants...

Fermes urbaines. Lieux permettant de cultiver en ville des végétaux destinés à la consommation. Ils peuvent être à l'air libre ou souterrains (bacs de légumes irrigués de nutriments, éclairés par des LED basse consommation imitant la lumière naturelle, sans aléas climatiques ni parasites). Applications : nourriture ; sensibilisation des enfants ; espaces partagés ; « naturalisation » et végétalisation des espaces urbains...

Fintechs. Entreprises financières de nouvelle génération utilisant notamment les technologies du numérique, du mobile, de **l'intelligence artificielle** pour proposer aux clients des services plus efficaces à des prix inférieurs à ceux des entreprises financières traditionnelles (banques, assurances, organismes de placements...). Exemples : monnaies alternatives du type **bitcoin** ; **blockchain**, plates-formes en ligne de placements, plates-formes de lissage de trésorerie pour PME...

Fission (atomique ou nucléaire). Éclatement d'un noyau atomique lourd et instable en deux noyaux plus légers et quelques particules élémentaires. Il s'accompagne d'un dégagement de neutrons et d'une quantité très importante de chaleur, c'est-à-dire d'énergie. C'est ce procédé qui est utilisé dans les centrales existantes de production d'électricité.

Foodtechs. Elles ont pour objectif de créer des aliments de synthèse présentant des qualités nutritionnelles et caractéristiques améliorées : steak haché sans bœuf (produit à partir de cellules animales, supprimant la nécessité de l'abattage) ; chips de graines de shia ; yaourts au lait de riz... Elles permettraient de remplacer des protéines animales par des substituts tels que les algues, les légumineuses, voire des insectes.

Fusée réutilisable. Lanceur récupérable sur Terre après mise en orbite d'un engin spatial et réutilisable pour d'autres missions, tel le Falcon 9 de Space X. L'objectif est de réduire le coût de chaque mission. L'Agence spatiale européenne (ESA) travaille également sur la conception d'une fusée Ariane 6 réutilisable.

Fusion nucléaire. Processus où deux noyaux atomiques légers d'hydrogène (deutérium et tritium) s'assemblent à des températures de plusieurs millions de degrés pour former un noyau plus lourd (comme au cœur des étoiles). Dans le processus, une partie de la masse est transformée en énergie sous forme de chaleur. Un projet international est en cours (ITER) depuis plusieurs années à Cadarache (Aquitaine). L'enjeu est considérable, car cette énergie est quasiment inépuisable (à base de deuterium présent dans les océans) et très peu polluante. Elle serait une réponse aux besoins d'approvisionnement énergétique de la planète.

G

GAFA (M). Acronyme regroupant Google, Apple, Facebook, Amazon (et Microsoft, pour les GAFAM). Voir aussi **STAB**.

Generative adversarial networks (GAN). Voir **Réseaux antagonistes générateurs**.

Génétique (ou génomique). Science de l'hérédité, partie de la biologie, travaillant à partir du génome des êtres vivants (présent dans les molécules d'ADN). Elle concerne l'étude des caractères transmis de génération en génération et l'expression des gènes dans l'organisme, leurs mutations. Elle permet de développer des traitements aux maladies d'origine génétique, ou de prévenir leur apparition.

Géo-ingénierie. Ensemble des techniques ayant pour but de modifier le climat et l'environnement de la Terre, pour résoudre les problèmes qu'ils engendrent. Elles complètent les **écotechnologies** qui ont, elles, un objectif préventif. La Chine s'efforce ainsi de trouver les moyens de lutter contre la pollution de l'air qui touche ses grandes métropoles et représente un danger croissant pour leurs habitants.

GPS (*global positioning system,* **ou assistant personnel de navigation**). Appareil numérique capable de localiser l'endroit où il se trouve au moyen d'un système de positionnement par satellites et d'indiquer (graphiquement, oralement ou par tout autre moyen) le chemin à suivre pour se rendre à une destination choisie. Il peut fournir également d'autres informations (vitesse de déplacement, présence d'obstacles, météo…). Applications : tous moyens de transport (y compris la marche).

Graphène. Matériau formé d'une seule épaisseur d'atomes de carbone (obtenu à partir de graphite ou de carbure de silicium) présentant des caractéristiques particulières : conductivité, résistance mécanique, etc. Applications : stockage de l'énergie ; écrans souples ; circuits intégrés ; absorption d'ondes électromagnétiques ; santé… Il fait partie de l'un des projets-phares européens (*Future and Emerging Technologies Flagship*).

Greentechs. Voir **Technologies propres**.

Greffe de tête. Technique très controversée consistant à greffer la tête d'un donneur sur un receveur, tous deux en situation de mort cérébrale, mais pas de mort cardiaque. Une expérience a été pratiquée en novembre 2017 en Chine sur des cadavres par le neurochirurgien Sergio Canavero et l'équipe de Xiaoping Ren.

H

Hacking. Voir **Piratage informatique**. Le mot peut aussi parfois désigner des activités non volontairement malveillantes (mais éventuellement dangereuses) comme le *biohacking*.

Hameçonnage (phishing). Type d'escroquerie par mail consistant à prendre l'identité d'une entreprise pour inciter les destinataires à dévoiler leurs données personnelles et notamment bancaires sous divers prétextes (mise à jour, cadeaux…)

Haptique. Science du toucher et des perceptions kinesthésiques (perception du corps dans son environnement, ou de la forme, texture d'objets). Des interfaces haptiques permettent de reconstituer des sensations physiques à partir d'images virtuelles. Applications : prothèses de membres ; peau artificielle ; jeux vidéo...

Holographie. Image en trois dimensions résultant de l'interférence entre les ondes issues de l'objet photographié à l'aide d'un faisceau laser et d'une partie du même faisceau utilisée pour éclairer l'objet. Le principe de l'holographie a été découvert par le Hongrois Dénes Gábor en 1948. Applications : médecine ; jeux vidéo ; spectacles ; stockage d'informations...

Hoverboard. Système de locomotion urbain proche du skateboard, mais électrique, avec une autonomie d'environ 20 km.

Hyperloop. Voir **Train magnétique à lévitation**.

I

Immunothérapie. Traitements ayant pour but de stimuler les défenses immunitaires de l'organisme de patients atteints de certaines maladies, notamment de cancers. Elle représente une piste importante de la recherche actuelle. Plusieurs traitements sont déjà disponibles, à base de vaccins, inhibiteurs du contrôle immunitaire, lymphocytes T, virus oncolytiques, etc.

Implant corporel. Dispositif mécanique ou électronique introduit dans le corps humain (sous la peau, dans un organe, dans le cerveau...) pour rétablir ou améliorer son fonctionnement. Exemples : prothèse, *pacemaker*, *stent* (extenseur vasculaire), etc.

Implant électronique. Prothèse introduite dans le corps humain dans le but de traiter ou remplacer un organe, ou d'améliorer une fonction (voir **cyborg**). Applications : implant auditif ; stimulateur cardiaque ; traitement de paralysies (moelle épinière, handicaps moteurs...) ; administration automatique de médicaments ; neurostimulation (maladie de Parkinson...) ; « augmentations » de fonctions existantes (mémoire, sens...), etc.

Impression 3D. Fabrication d'objets ou de pièces en volume par ajout ou fusion de matière, à partir de fichiers numériques. Applications : prototypes ; prothèses ; pièces détachées mécaniques ; tissus humains ; bâtiments, véhicules... En matière physiologique, l'impression 3D de la première prothèse de jambe a eu lieu en 2008, celle d'une mandibule de mâchoire en titane en 2011, celle d'un crâne en 2014. En 2015, la FDA américaine a autorisé la commercialisation d'un médicament imprimé en 3D : le Spritam (destiné au traitement de l'épilepsie). Des tissus de foie bio-imprimés à partir de cellules souches sont apparus en 2017. Le principal problème à résoudre pour progresser est celui de la vascularisation des organes imprimés. La construction de bâtiments en 3D représente un potentiel important.

Impression 4D. Techniques utilisant des matériaux à mémoire de forme, programmés pour évoluer dans le temps (quatrième dimension) sous l'effet de la température ou d'autres conditions (lumière, contact avec l'eau). Ils peuvent ainsi se plier, s'étirer, se tordre puis retrouver leur forme initiale. Applications : délivrance de médicaments ; meubles en kit auto-assemblables ; vêtements réagissant aux conditions extérieures ; carrosseries de voiture ; composants électroniques souples ; ingénierie tissulaire...

Individu augmenté. Voir **Transhumanisme**.

Informatique. Ensemble des technologies de traitement automatique de l'information sous forme digitale, considérée comme le support principal des connaissances et des communications. Elle met en œuvre des matériels (ordinateurs, smartphones, tablettes, systèmes embarqués, robots...) et des logiciels et **algorithmes**. Tous les domaines d'activité sont concernés.

Informatique affective *(affective computing)*. Systèmes permettant de reconnaître ou d'imiter des émotions humaines, pour les synthétiser et/ou les exprimer. Domaine de recherche intégrant l'informatique, la psychologie et les **sciences cognitives**. Applications : création de **robots** « humanoïdes » ; étude de l'interaction entre les humains et les machines dotées d'**intelligence artificielle**.

Informatique en nuage *(cloud computing)*. Calculs et autres opérations informatiques réalisés à l'extérieur des ordinateurs ou d'autres équipements numériques, sur des serveurs informatiques distants, par l'intermédiaire d'un réseau (généralement Internet). Le « nuage » est aussi utilisé pour stocker des données.

Informatique optique. Informatique utilisant les photons plutôt que les électrons. Les photons ne sont pas des particules de matière et interagissent très peu avec elle. Leur passage dans un fil ne provoque pas d'échauffement et ne consomme pas d'énergie et la rapidité de calcul possible est considérable. Mais les photons ne peuvent pas être stockés dans la matière ni servir à construire des systèmes aussi miniaturisés que les électrons. Applications potentielles : remplacement d'ordinateurs et équipements électroniques par des appareils optiques.

Ingénierie génétique. Voir à titre d'exemple **édition génétique**.

Ingénierie immunitaire. Utilisation de cellules immunitaires (lymphocytes T) génétiquement modifiées grâce aux outils d'**édition génétique** (CRISPR-Cas 9, Talens...) pour guérir en un seul traitement les personnes souffrant d'un cancer, d'une sclérose ou du VIH.

Intelligence artificielle. Notion recouvrant des concepts tels que le *machine learning*, l'intelligence robotique, les réseaux neuronaux ou l'informatique cognitive. Elle s'applique à de nombreuses utilisations de la vie quotidienne en offrant vitesse, variété et volume. Elle couvrira de plus en plus de tâches répétitives et automatisables, avec notamment la généralisation des **chatbots** capables de fournir des réponses cohérentes et correctement formulées aux questions qui leur sont posées par des humains.

L'objectif à terme est la création d'une intelligence artificielle forte (ou autonome ou « ascendante »), qui se rapprocherait (ou éventuellement dépasserait) l'intelligence humaine, alors que l'intelligence « faible » en est globalement éloignée, même si elle est plus performante dans un domaine particulier. Elle serait alors dotée de l'équivalent d'une « conscience » d'elle-même, qui lui permettrait de comprendre ce qu'elle fait et éventuellement « décider » de faire d'autres choses que celles figurant dans son programme. Le développement propre de cette intelligence artificielle forte suivrait alors un cheminement semblable à celui d'un enfant, mais avec des apprentissages beaucoup plus rapides et des connaissances supérieures. Ainsi, lors d'une « conversation » avec un humain, celui-ci ne pourrait pas se rendre compte qu'il a affaire à une machine. Ce type d'intelligence serait donc capable de passer avec succès le test de Turing, dont le but est d'établir s'il est possible de différencier un robot d'un humain.

Intelligence collective. Mise en commun des intelligences individuelles pour résoudre un problème, à travers des échanges sur des réseaux, chacun pouvant apporter un point de vue, une réflexion ou une idée permettant d'avancer vers une solution. Cette mise en commun des compétences est également fondée sur la recherche d'une créativité collective.

Intelligence en essaim *(swarm robotics)*. Forme d'intelligence collective, inspirée de celle mise en œuvre dans le monde animal des insectes, et non plus seulement de l'intelligence humaine. Elle est obtenue en simulant les interactions des « agents » qui travaillent ensemble à la résolution d'un problème, en mettant en commun leurs compétences, leurs perceptions de l'environnement et de son évolution. Ce type d'intelligence facilite l'adaptation permanente aux changements, du fait d'un contrôle décentralisé. Exemple : optimisation du routage d'informations dans un réseau de communication.

Interface cerveau-machine. Liaison directe entre un cerveau et un système numérique, permettant à un individu d'effectuer des tâches sans recourir à ses nerfs et à ses muscles. Exemple : contrôler par la pensée un ordinateur, une prothèse ou tout autre système, sans solliciter les membres. Applications : personnes souffrant de handicaps moteurs ; **exosquelettes** ; personnes souffrant de handicaps mentaux, ne pouvant s'exprimer...

Internet. Réseau de télécommunication **informatique** planétaire permettant d'accéder à des données numériques de toute nature : textes, musiques, vidéos, photos, grâce à un codage universel. Il est composé de millions de réseaux, publics ou privés, regroupés en réseaux autonomes. Les informations numérisées sont transmises par des protocoles standardisés. L'accès transite par un fournisseur d'accès et un réseau (filaire ou sans fil). Applications : messagerie ; téléphonie, World Wide Web...

Internet des objets (ou *Internet of things, IoT*). Objets (physiques ou virtuels) connectés à Internet et ayant une identité numérique propre grâce à des codes-barres, puces RFID, ou capteurs. Applications : domotique ; véhicules ; stations météo ; webcams ; assistants personnels ; vêtements... Tout objet peut être potentiellement connecté et communiquer avec d'autres.

L

Langage naturel (communication en). Requête effectuée sur un moteur de recherche ou échange avec une machine dans une forme écrite ou orale identique ou similaire à celle du langage humain (tel qu'utilisé avec les autres humains pratiquant la même langue). Elle consiste en des phrases constituées de toutes les sortes de mots existantes (noms communs, verbes, adjectifs...). Applications : commandes de fonctions diverses à des machines capables de les comprendre, grâce notamment à l'**analyse lexicale** et à l'**analyse sémantique**.

Li-Fi *(light-fidelity)*. Technologie de communication sans fil basée sur le codage et l'envoi de données via la modulation d'amplitude des sources de lumière. Elle utilise la partie visible (optique) du spectre électromagnétique, entre 480 nanomètres (670 THz, bleue) et 650 nanomètres (soit 460 THz, rouge), alors que le **Wi-Fi** utilise une partie radio du spectre électromagnétique (hors du spectre visible). Les bornes Li-Fi utilisent la lumière LED installée sur des éclairages publics, avec un flux 10 fois plus rapide que le **Wi-Fi** actuel. 25 milliards de points Li-Fi pourraient être installés dans le monde d'ici 2025.

Lunettes connectées. Elles sont destinées à voir l'environnement «réel», l'enregistrer et le transmettre en direct, en superposant pour le porteur des lunettes des informations obtenues via une connexion Internet, selon le principe de la **réalité augmentée**.

M

Maison connectée. Voir **Maison intelligente**.

Maison intelligente *(smart home, connected home)*. Encore appelée **domotique**. Ensemble de technologies et de processus permettant d'automatiser et d'optimiser des fonctions liées au fonctionnement du logement : chauffage ; éclairage ; climatisation ; gestion de la consommation d'énergie et d'eau ; sécurité, et autres éléments de confort et d'économie. Les fonctions sont assurées par des technologies de mesure, communication et automatisation, commandées ou programmées de l'intérieur ou de l'extérieur.

Matériaux (nouveaux). Matériaux ayant des performances plus élevées que celles inexistantes en matière de résistance, conductivité, poids, etc. Exemples : **graphène** ; matériaux de construction biosourcés (issus de la biomasse d'origine végétale ou animale). Applications : tous domaines selon les caractéristiques.

Médecine personnalisée. Ensemble de techniques basées sur les caractéristiques personnelles d'un patient (physiques, psychologiques, biologiques...) afin d'en optimiser les effets. Exemples : prise en compte de l'âge, du poids, des antécédents, de l'état mental, des caractères génétiques... La médecine de demain sera également préventive et prédictive, grâce à l'analyse du génome, l'utilisation de **mégabases de données** ou l'utilisation d'un **jumeau numérique**. Elle sera également participative, le patient devenant de plus en plus acteur de sa propre santé, notamment en s'équipant de capteurs mesurant en permanence son état de santé.

Mégabases de données. Voir *Big Data*.

Métamatériaux. Matériaux composites artificiels ayant des propriétés électromagnétiques non présentes dans les matériaux naturels. Applications théoriques : revêtement phonique fin ultraperformant ; échographie à haute résolution ; protection de bâtiments contre les séismes ; «cape d'invisibilité» modifiant les lois de propagation de la lumière...

Mind mapping (cartographie heuristique ou cognitive). Voir **Cartographie heuristique** (ou cognitive).

Missile hypersonique. Missile capable de voler à une vitesse d'au moins 6 000 km/h (cinq fois la vitesse du son), de ne pas être détruit par les systèmes antimissiles ennemis et de réduire très fortement le temps de réponse d'un pays attaqué. Son développement par certaines grandes puissances (Russie, États-Unis, Chine, Japon, Inde...) pourrait menacer l'équilibre global de la planète.

Mission spatiale. Cinquante ans après la conquête de la Lune, des projets de missions humaines sont de nouveau annoncés. Elles serviront de base à de futures explorations de la planète Mars (d'ici 2030), en vue de l'installation ultérieure de «colonies». Les projets concernent à la fois des agences spatiales publiques (États-Unis, Europe, Chine, Russie, Inde, Japon.) que des sociétés privées comme les américaines Space X (Elon Musk), Blue Origin (Jeff Bezos), ou Virgin Galactic (Richard Branson). De nombreux lancements de microsatellites sont également prévus.

Montre connectée *(smartwatch)*. Elle permet de recevoir et envoyer des appels ou des mails, surveiller le rythme cardiaque, l'activité physique (distances parcourues, nombre de pas, vitesse...), le sommeil, etc. Elle est généralement reliée à un smartphone par un système de communication sans fil, tel que Bluetooth.

MOOC. Acronyme de l'anglais *Massive Open Online Course* (cours en ligne ouvert à tous). Formation à distance dispensée via Internet par des établissements d'enseignement, des entreprises, des organismes ou des particuliers, utilisant tous les moyens techniques de communication et de diffusion (vidéos, textes, infographies, interventions orales...). Depuis 2013, ce type de formation peut déboucher en France sur une certification. Le MOOC représente la version moderne de l'enseignement par correspondance et du *e-learning* apparu dans les années 1990. Le mouvement a été initié en 2001 par le MIT (Massachusetts Institute of Technology) avec les MIT OpenCourseWare, filmés dans les amphithéâtres de l'université ou même diffusés en direct via des webcams. Il devrait transformer les modes d'apprentissage scolaire et la formation continue.

Moonshot. Concept particulièrement innovant, collaboratif et orienté vers le long terme.

Moteur à hydrogène. Moteur dans lequel l'oxygène de l'air est mis en contact avec de l'hydrogène pour fabriquer de l'eau. La réaction chimique produit de la chaleur et de l'électricité. Une voiture équipée de ce type de moteur ne rejette pas de gaz à effet de serre, de dioxyde de carbone ou de méthane, mais seulement de l'eau. Elle a une autonomie supérieure à celle des batteries actuelles des voitures électriques et se recharge beaucoup plus rapidement.

N

Nanomatériaux. Matériaux naturels, formés accidentellement ou artificiellement, contenant des particules libres, agrégées ou agglomérées, dont au moins 50 % ont une dimension externe comprise entre 1 nm et 100 nm (1 nm = un milliardième de mètre). Utilisations : médecine, énergie, environnement, communication, optique, électronique, magnétisme... Les risques induits par leur utilisation (notamment sur la santé) sont encore mal connus.

Nanotechnologies. Utilisation de particules de très petite taille (moins de quarante nanomètres, ou milliardièmes de mètre). Elles peuvent par exemple se déplacer à l'intérieur du corps en étant commandées de l'extérieur par un flux magnétique et délivrer de façon très précise des médicaments sur des cellules malades. Autres applications : contrôle d'indicateurs corporels ; cosmétiques ; aliments ; nanorobots...

NATU. Acronyme regroupant des entreprises américaines récentes « disruptives » : Netflix (production et diffusion de contenus audiovisuels) ; Airbnb (locations de courte durée entre particuliers) ; Tesla (voitures électriques) ; Uber (applications mobiles de mise en contact d'utilisateurs avec des conducteurs effectuant des services de transport). Cet acronyme complète celui des **GAFA**.

Neuromarketing. Application des connaissances permises par les **sciences cognitives** pour mieux connaître et comprendre les attitudes et comportements des individus, dans le but d'influencer leurs actes de consommation.

Neurosciences. Voir **Sciences cognitives**.

Nuage. Voir **Informatique en nuage**.

O

Open data. Voir **Données ouvertes**.

Optogénétique. Technique combinant le génie génétique et l'optique, permettant de rendre des neurones sensibles à la lumière. On peut ainsi stimuler spécifiquement un type cellulaire à l'exclusion des cellules voisines, et cartographier l'ensemble des réseaux neuronaux du cerveau pour mieux comprendre leur fonctionnement. Il a été possible par ce moyen d'implanter de faux souvenirs chez des souris.

Ordinateur biologique (ou à ADN). Appareil de calcul dans lequel chaque information est traduite en fragments d'ADN au lieu de charges électriques binaires comme dans un ordinateur classique. Le procédé (très lent) alterne des étapes de séparation et d'élimination jusqu'à isoler une solution réalisable à un problème donné (le plus souvent des combinatoires à explorer et comparer).

Ordinateur optique. Il utilise des photons au lieu des électrons pour le traitement des informations. Les photons présentent l'avantage de ne pas créer d'interférence magnétique, de chaleur et se propagent plus rapidement que les électrons. Les ordinateurs optiques pourraient ainsi être plus puissants que les ordinateurs classiques.

Ordinateur quantique. Alors que les bits (unités d'information) des ordinateurs actuels sont stockés sous forme de 0 et de 1, les ordinateurs quantiques utiliseront des qubits, ou bits quantiques, qui peuvent être dans ces deux états simultanément, ce qui multiplie les possibilités de calculs. Grâce au calcul en parallèle les qubits seront capables de réaliser beaucoup plus d'opérations simultanément. Mais les qubits sont instables et peuvent facilement se décomposer au moment des interactions (intrication). Applications : cryptage ; recherche de nouveaux matériaux ; recherche pharmaceutique ; intelligence artificielle...

Parfum numérique *(Digital scent).* Diffuseur d'odeurs connecté à un appareil numérique et à une application dédiée, permettant d'émettre ou de recevoir des messages olfactifs.

Phishing. Voir **Hameçonnage**.

Piratage informatique. Activité consistant à modifier un logiciel et/ou un matériel afin de modifier son fonctionnement, dans le but de nuire (sabotage), en exploitant des failles existant dans les systèmes. Il est souvent pratiqué dans un but de profit personnel (voir *Ransomware*) et constitue une réelle menace pour la sécurité.

Poussières intelligentes *(smart dust).* Systèmes microélectromécaniques minuscules mis en réseau, permettant de mesurer des grandeurs telles que la lumière, la température ou le niveau de vibration et d'envoyer ces informations par radiofréquence. Applications : santé ; domotique ; espionnage ; surveillance agricole, industrielle ou environnementale ; contrôle de la circulation...

Quantification de soi *(quantified self).* Approche scientifique basée sur la mesure et le suivi d'indicateurs divers permettant d'améliorer le fonctionne-
ment, l'entretien ou même l'amélioration de son corps. Elle se différencie des techniques qualitatives de «développement personnel», dont les résultats sont par nature difficiles à évaluer de façon objective. Elle utilise notamment les données issues de capteurs et applications liés à l'état de santé.

Quantique (ordinateur). Voir **Ordinateur quantique**.

Ransomware (rançongiciel). Logiciel d'extorsion de fonds bloquant le fonctionnement d'un ordinateur ou autre appareil numérique et rendant impossible la récupération de données sans disposer d'une clé de déblocage. La clé est envoyée contre le versement d'une rançon, généralement demandée en **cryptomonnaie**.

Réalité augmentée. Ensemble de technologies permettant d'insérer sur une image vidéo représentant la «réalité» des informations complémentaires virtuelles (images, textes, graphiques...) en deux ou trois dimensions et en **«temps réel»**. L'image globale peut aussi être matérialisée (sur support papier par exemple). Applications : tourisme ; aviation, automobile ; médias ; commerce...

Réalité mixte (ou hybride). Mélange des technologies de **réalité augmentée** et **réalité virtuelle**, permettant de fusionner le monde réel (lieux, objets, personnes...) et le monde virtuel (environnement, contenus en surimpression...). Il est ainsi possible de modifier la représentation et la perception d'un lieu réel en lui ajoutant des éléments (objets, paysages, personnes...), et d'interagir avec lui. Par exemple, «prendre» avec la main un objet virtuel qui s'affiche dans le champ de vision (via des lunettes spéciales de réalité mixte) et le poser sur un élément de l'environnement réel (table, sol, étagère...). Applications : médecine ; immobilier ; tourisme ; jeux...

Réalité virtuelle. Technologies permettant de créer de nouveaux univers ou de recréer des univers disparus (reconstitution d'une époque ancienne, d'une bataille ou de tout autre événement passé). Les **jeux vidéo** sont la meilleure illustration des possibilités offertes. Applications : jeux ; tourisme ; stimulation de la créativité…

Reconnaissance biométrique. Voir **Biométrie.**

Reconnaissance d'expressions faciales. Utilisation d'algorithmes pour identifier les expressions sur un visage (colère, joie, tristesse, surprise, peur, dégoût…) à partir de séries de photographies correspondantes, ou (ultérieurement) d'imageries cérébrales.

Reconnaissance d'images (ou de formes). Techniques visant à identifier des motifs informatiques à partir de données brutes, afin de les attribuer à des catégories. Cette branche de l'**intelligence artificielle** fait notamment appel aux méthodes d'apprentissage automatique et aux statistiques. Applications : surveillance et reconnaissance des individus dans des lieux publics (visages, silhouettes…) ; diagnostics médicaux ; recherche d'images ; classification et archivages de documents ; reconnaissance de textes ou d'écriture…

Reconnaissance faciale. Techniques d'identification des visages reposant sur des algorithmes **d'intelligence artificielle**, réputées plus pratiques et plus sûres que les autres technologies de reconnaissance (voir **Biométrie** et **Reconnaissance d'expressions faciales**). Applications : contrôle d'accès ; surveillance…

Reconnaissance gestuelle. Identification de gestes permettant de leur attribuer un sens et de les traduire. Applications : aide aux personnes muettes (mouvements des lèvres) ; surveillance des comportements ; robotique…

Reconnaissance vocale. Identification automatique des contenus vocaux par un système informatique et des algorithmes souvent dotés d'**intelligence artificielle** et autoapprenants. Applications : transcription de l'oral à l'écrit ; traduction automatique ; synthèse de la parole ; identification d'une personne par sa voix ; interface homme-machine ; dictée vocale ; serveur vocal ; assistants personnels…

Réseaux antagonistes générateurs (*generative adversarial networks,* ou *GAN*). Technique complexe d'apprentissage automatique non supervisé, inspirée de la théorie des jeux, permettant d'entraîner conjointement deux réseaux fonctionnant en opposition. L'un des réseaux cherche à tromper l'autre, en générant des données le plus ressemblantes possible aux données d'entraînement. L'autre réseau cherche à identifier les données présentées en tant que données générées ou données d'entraînement. L'une des applications principales serait la création de molécules thérapeutiques, beaucoup plus rapide que par les méthodes existantes.

Réseau social. Expression introduite par l'anthropologue australien John Arundel Barnes en 1954. Ensemble de personnes ou d'autres «entités» (par exemple des machines) ayant des relations et formant entre elles un groupe autonome (groupe amical ou familial…) ou intermédié (Facebook, Tweeter, Instagram, WhatsApp…)

Réseau neuronal. Voir **Apprentissage neuronal.**

Robot. Machine capable de manipuler des objets ou d'exécuter certaines tâches (répétitives, pénibles difficiles, dangereuses…) selon un programme fixe, modifiable ou auto-adaptable (dans le cas où elle est dotée d'une **intelligence artificielle autoapprenante**). La création des robots utilise principalement des technologies mécaniques, électroniques et numériques. Ils peuvent avoir des formes très diverses selon leurs fonctions : robots ménagers ; machines à commande numérique ; assistants domestiques ; **robots chirurgiens** ; simples logiciels contenus dans des ordinateurs, etc. Les robots anthropoïdes ou humanoïdes (conçus pour ressembler à des humains) peuvent être utilisés comme compagnons ou interlocuteurs dans des lieux divers (école, centre d'accueil, domicile, maison de retraite, hôpital...). Avec l'**intelligence artificielle** «forte», le robot pourra parler, répondre aux questions et réaliser de nombreuses tâches, spécialisées ou généralistes à la place des humains (et mieux qu'eux) ou en collaboration avec eux *(cobot, chatbot)*. Les applications possibles concernent quasiment tous les domaines : fabrication ; construction ; médecine ; chirurgie ; finance ; surveillance ; assistance ; jeux ; **réalité virtuelle** ou **augmentée** ; téléphonie ; recherche... Les robots représentent à ce titre une menace sur l'emploi.

Robot chirurgien. Assistant d'un chirurgien humain agissant depuis une console, reproduisant ses mouvements de façon extrêmement précise sur le patient, corrigeant d'éventuels tremblements liés à la fatigue. La chirurgie est ainsi moins invasive et permet une meilleure récupération. Usages : urologie, gynécologie, oncologie, chirurgie pédiatrique, thoracique, etc.

Robotique. Voir **Robot**.

S

Sciences cognitives (ou neurosciences). Sciences et techniques ayant pour objet de décrire, expliquer et éventuellement simuler (voire augmenter) les capacités de l'esprit humain : perceptions, émotions, langage, raisonnement, commandes des fonctions motrices, prévision, décision, conscience... Elles utilisent en particulier des capteurs et des techniques d'imagerie cérébrale. Applications : éducation, apprentissage, mémoire, comportements de consommation.

Self learning. Voir **Auto-apprentissage**.

Séquençage du génome. Le premier séquençage total de l'ADN humain (qui contient environ 3 milliards de paires de nucléotides) a été obtenu en 2003, après dix années de recherche, pour un coût total de 2,7 milliards de dollars. Il est aujourd'hui proposé pour environ 100 dollars (selon le détail souhaité) à toute personne par des sociétés issues des **biotechnologies**. À terme, les informations sur les gènes et leurs combinaisons pourraient permettre d'identifier des risques de maladies (notamment génétiques) ou des prédispositions, à partir d'une gigantesque base de données. Les applications peuvent concerner toutes les espèces vivantes.

Sérendipité (emprunté à l'anglais *serendipity*, mais le français *fortuité* peut être utilisé). Mot créé par Horace Walpole, tiré d'un conte oriental, *Les Trois Princes de Serendip* (1754). Phénomène permettant de découvrir ou d'inventer quelque chose que l'on n'a pas cherché initialement, par hasard ou dans le cadre d'une autre recherche. Exemples : découverte de la pénicilline par Alexander Fleming, découverte de l'Amérique par Christophe Colomb, four à micro-ondes, aspartame, téflon, Viagra...

Singularité technologique *(singularity)*. Notion envisagée par le mathématicien et physicien John von Neumann dans les années 1950, reprise par le mouvement transhumaniste incarné par Ray Kurzweil (fondateur de l'Université de la Singularité, Californie). Moment où l'intelligence artificielle créée par les humains deviendrait «**forte**», c'est-à-dire égale ou supérieure à celle de ses créateurs, et déclencherait des transformations considérables et imprévisibles sur la vie humaine et sur les sociétés.

Smart city. Voir **Ville intelligente**.

Smart dust. Voir **Poussière intelligente**.

Smart grid (réseau électrique intelligent). Système permettant de maintenir une fourniture d'électricité efficace, durable, économique et sécurisée en intégrant de manière optimale les comportements des utilisateurs, consommateurs et/ou producteurs.

Smart home. Voir **Maison connectée**.

Smartphone. Téléphone mobile possédant des fonctions d'assistant personnel (via des applications dédiées) permettant des utilisations multiples : connexion à Internet et navigation ; photographie ; vidéo ; information ; musique ; lecture jeux ; GPS ; paiement...

Smartwatch. Voir **Montre connectée.**

Spyware. Logiciel espion (appelé aussi mouchard ou espiogiciel), qui s'installe dans un ordinateur, smartphone ou autre appareil numérique dans le but de collecter et transférer des données sur l'environnement dans lequel il se trouve, le plus souvent à l'insu de l'utilisateur de l'appareil.

STAB. Après les **GAFA** (Google, Apple, Facebook, Amazon) étaient apparus les **NATU** (Netflix, Airbnb, Tesla, Uber). Ils ont été rejoints, et même dépassés en termes de chiffres d'affaires par les quatre mastodontes chinois STAB : Sina (portail de divertissement), Tencent (opérateur de messagerie, détenteur notamment du réseau social WeChat), Alibaba (vente en ligne), Baidu (moteur de recherche).

Stimulation neuronale. Méthode consistant à implanter chirurgicalement dans le cerveau des électrodes connectées à un boîtier mis en place sous la peau, dans le but de traiter certaines maladies ou au moins de soulager ceux qui en sont atteints. Les électrodes diffusent un courant électrique de faible intensité dans certaines structures spécifiques situées en profondeur (thalamus, noyau sous-thalamique, *globus pallidus*...). selon l'indication thérapeutique. Applications : maladie de Parkinson ; tremblements ; troubles obsessionnels compulsifs, dystonies (perturbation du tonus musculaire, trouble de la tonicité d'un organe, etc.)...

Stockage d'énergie. Techniques permettant de stocker des quantités d'énergies (notamment renouvelables et intermittentes comme le solaire ou l'éolien) pour une utilisation ultérieure, et permettant d'adapter la distribution à la consommation. Principales techniques utilisées : mécanique ; gravitaire ; air comprimé ; volants d'inertie ; électrochimique/ électrostatique ; batteries ; condensateurs ; superconducteurs ; thermique et thermochimique ; à chaleur sensible ou chaleur latente, chimique. Ces projets constituent des enjeux majeurs pour lutter contre le gaspillage énergétique, la détérioration de l'environnement et ses conséquences multiples. Exemples : stockage du gaz carbonique rejeté dans l'atmosphère ou de l'électricité obtenue par des panneaux solaires...

Supraconductivité. Absence de résistance électrique en dessous d'une température dite critique de certains matériaux dits supraconducteurs. Ils permettent de transporter des courants électriques sans aucune perte et de créer des champs magnétiques intenses.

T

Technologies civiques *(civic techs).* Techniques permettant d'améliorer les systèmes de gouvernance politique dans le but de renforcer la démocratie, par la participation des citoyens et leur accès aux bases de données publiques.

Technologies propres. Technologies et services industriels utilisant les ressources naturelles, l'énergie, l'eau, les matières premières avec un objectif de productivité et de profitabilité, mais dans de respect de l'environnement, au moyen de l'**éco-innovation.** Cela se traduit par une réduction systématique de la production de déchets et de leur toxicité. Principaux domaines d'application : secteur énergétique (production à partir de sources renouvelables, distribution et stockage alternatif de l'énergie, économies d'énergie) ; eau et air (production, distribution, traitement) ; traitement des déchets ; transports (véhicules électriques, piles à combustibles...) ; amélioration des industries traditionnelles.

Téléconférence. Échanges entre des interlocuteurs (plus de deux) qui se trouvent dans des lieux différents et sont reliés entre eux par des moyens de télé-communication audio (audioconférence) ou vidéo (visioconférence). Ces techniques pourraient profiter des progrès dans les communications : **3D**; **360°**; **holographie**; **réalité virtuelle, augmentée** ou **mixte**, et se substituer de plus en plus aux réunions dans le «monde réel».

Télédiagnostic. Diagnostic effectué à distance grâce à la transmission de paramètres quantitatifs ou qualitatifs. Des cabines dédiées pourront être installées dans des locaux publics ou privés pour lutter contre les «déserts médicaux». Les patients y effectueront des mesures de tension, examens ORL, électrocardiogrammes, etc. avec la téléassistance d'un médecin, assurée par un système vidéo interactif. Les données intégreront le dossier médical numérisé du patient, consultable par tous les médecins. Applications : médecine ; entretien-réparation de tous types de machines...

Télémédecine. Elle met en rapport des professionnels de santé avec des patients pour établir des diagnostics, prescrire des traitements, réaliser des prestations ou des actes (téléchirurgie), effectuer des suivis médicaux. Elle utilise les technologies numériques de communication et la **robotique**. Elle fait aussi une large place à la télésurveillance de malades, via des plates-formes spécialisées (insuffisants cardiaques, diabétiques, etc.) et de nombreux **objets connectés** : capteurs et applications pour smartphones envoyant des données à des professionnels de santé. Elle peut aussi favoriser la prévention, avec des conseils d'alimentation ou des jeux pour l'entretien du cerveau. Elle peut aider à la rééducation de personnes ayant eu un AVC. Elle est une composante de la e-santé.

Temps réel (fonctionnement en). En informatique, système fonctionnant à une vitesse permettant d'interagir avec un procédé physique ou immatériel de façon instantanée ou dans un intervalle de temps court.

Thérapie cellulaire. Greffe de **cellules souches** permettant de restaurer un tissu ou un organe.

Thérapie génique. Elle consiste à administrer à une personne atteinte d'une maladie génétique un «gène-médicament», copie saine du gène déficient. Celui-ci sera transporté par un vecteur (un virus rendu inoffensif) qui va l'insérer au bon endroit. Plusieurs traitements de ce genre sont aujourd'hui disponibles et de très nombreux essais cliniques sont en cours. Cette technologie pourrait aussi être utilisée pour des maladies communes : Alzheimer, diabètes, problèmes cardiaques, cancers.

Trading haute fréquence. Exécution automatique et à très grande vitesse de transactions financières au moyen d'algorithmes informatiques, fondés sur l'analyse statistique de l'évolution des marchés. Les opérateurs virtuels concernés peuvent réaliser des opérations sur les bourses ou marchés de gré à gré en quelques microsecondes, une vitesse inaccessible à des opérateurs humains. Les profits réalisés (à la hausse ou à la baisse) sont très faibles en pourcentage, mais peuvent porter sur des volumes très importants et permettre un enrichissement plus élevé et plus sûr que les d'opérations traditionnelles. Cette pratique récente est devenue habituelle dans le système boursier international. Elle pose des problèmes à la fois réglementaires et éthiques.

Traduction automatique. Traduction d'un texte ou d'un contenu audio par un programme automatisé intelligent, sans intervention humaine (ce qui la différencie de la traduction assistée par ordinateur qui a longtemps prévalu). Elle peut être réalisée en instantané ou en différé, entre de nombreuses langues, avec des résultats en progrès constant grâce à l'**analyse lexicale** et l'**analyse sémantique**. Des systèmes d'oreillettes connectées permettent d'échanger quasiment en «temps réel» avec l'interlocuteur étranger.

Train magnétique à lévitation (projet **Hyperloop**). Moyen de transport ultrarapide par lévitation magnétique, susceptible de révolutionner le transport collectif. Le système est constitué de capsules pour passagers (ou marchandises) circulant sans contact dans un tube à basse pression créant un très fort champ magnétique, à une vitesse maximale de 1200 km/h. San Francisco serait ainsi à 30 minutes de Los Angeles, comme Paris d'Amsterdam. Il faudrait 40 minutes pour relier Paris-Marseille au lieu de 3h05 en TGV, 30 minutes pour Paris-Strasbourg au lieu de 2h17, 12 minutes pour Paris-Lille au lieu de 1h09. Ce projet porté par l'Américain Elon Musk (fondateur et dirigeant des entreprises Tesla et SpaceX) est proposé en *open source* à toutes les entreprises souhaitant participer aux recherches et essais.

Transdifférenciation *(transdifferenciation)*. Technique prometteuse permettant de forcer un type de cellule mature (de peau, notamment, ou de sang) à se convertir en cellules d'un autre organe, y compris le cerveau. Elle est susceptible de compléter ou remplacer dans certains cas les **CSPi**, en évitant de repasser par le stade de **cellules souches**, et pourrait jouer un rôle important dans la médecine régénérative et les neurosciences (pour des maladies telles que l'autisme, la schizophrénie, etc.).

Transfert d'énergie sans fil. Techniques permettant la distribution d'énergie électrique sans support matériel ou infrastructure, généralement pour alimenter des lieux difficiles d'accès.

Transhumanisme. Approche préconisant l'utilisation des sciences et des technologies pour améliorer les caractéristiques physiques et mentales des humains. Elle est fondée sur l'idée que les humains se trouvent actuellement dans une phase intermédiaire de développement. Le «transhumain» serait ainsi situé entre l'humain et le «post-humain», dont les capacités seraient considérablement augmentées par tous les moyens disponibles (y compris par hybridation avec des équipements et des **«intelligences artificielles»**). L'objectif affiché est de supprimer les handicaps, la souffrance, la maladie, le vieillissement et même la mort et de s'affranchir ainsi des limites théoriquement imposées par la Nature.

U

Uberisation. Néologisme créé à partir du nom de la société Uber, plate-forme de mise en relation de clients avec une flotte de VTC (véhicules de tourisme avec chauffeur). Par extension, le nom désigne toute plate-forme numérique de mise en relation d'une demande avec une offre, en concurrence avec les systèmes existants et susceptible de les remplacer. La plate-forme est rémunérée par une commission prélevée sur les transactions effectuées par son intermédiaire. Une autre caractéristique du phénomène est le fait qu'il fonctionne avec des biens (voitures dans le cas d'Uber, logements pour Airbnb, objets pour Leboncoin ou eBay...) appartenant à des particuliers, qui les utilisent pour rendre le service concerné.

Utérus artificiel (ou matrice artificielle). Technique d'**ectogénèse** permettant le développement de l'embryon et du fœtus dans un utérus artificiel extracorporel, assurant les diverses fonctions de l'utérus humain (nutrition, excrétion...). Des expérimentations sont faites sur des animaux. Application : PMA pour femmes ayant un utérus endommagé.

V

Véhicules autonomes. Voitures, bus, camions, bientôt bateaux et avions se conduisant seuls, sans intervention humaine. Ils adaptent automatiquement leur comportement à toutes les situations possibles dans leur environnement. Pendant ce temps, le conducteur devenu passager peut s'adonner à d'autres activités.

Google a été le pionnier, avec sa Google car. Tesla, spécialiste de la voiture électrique, a équipé plus de 100 000 véhicules en circulation de son système opérationnel avec fonction d'autopilotage. L'objectif est de recueillir une masse de données et d'enseignements permettant d'améliorer sans cesse le système et de l'activer sans risque sur les voitures équipées, dès qu'elles pourront être légalement autonomes.

Viande de culture (ou synthétique, ou artificielle). Technologies d'ingénierie tissulaire permettant de fabriquer des ersatz de viande à partir de cellules souches musculaires animales mises en culture en laboratoire. Application éventuelle : réduction de la production de viande d'élevage animal.

Ville intelligente *(smart city).* Ville utilisant l'ensemble des moyens technologiques existants pour optimiser son fonctionnement en matière d'économie, de transport, de qualité de l'environnement, d'administration, de participation des citoyens à la vie collective. Elle met l'accent sur l'emploi, les consommations d'énergie (à l'aide de *smart grids*) et d'eau, la gestion des déchets, l'information et la communication, la circulation, le commerce. Elle utilise pour cela des réseaux de capteurs connectés permettant de réagir en temps réel aux évolutions constatées. Elle s'efforce d'améliorer le bien-être de ses habitants et de développer une image favorable sur le plan régional, national ou international.

Virus informatique. Programme malveillant destiné à se propager rapidement et sournoisement à d'autres ordinateurs, dans le but de perturber plus ou moins gravement leur fonctionnement. Il est souvent caché dans des logiciels légaux et se copie lui-même à l'intérieur des machines qu'il infecte. De nouvelles formes devraient apparaître dans les prochaines années.

Voiture autonome. Voir **Véhicules autonomes**.

Voiture volante. Véhicule hybride, pouvant être utilisé sur terre et dans l'air. De nombreux projets et prototypes existent, inspirés de l'avion de tourisme, de l'hélicoptère, de l'ULM ou du drone. Ils présentent des caractéristiques différentes : motorisation ; décollage (horizontal ou vertical) ; flexibilité (ailes fixes ou pliantes...) ; nombre de places ; autonomie ; altitude de vol... Leur production et leur commercialisation dépendront en partie des législations adoptées par chaque pays.

W

Web (toile d'araignée). Le World Wide Web est le système de liens hypertextes permettant la consultation, à l'aide d'un navigateur, des pages des sites Internet (sites Web). Bien que souvent confondu avec Internet, il n'en représente qu'une partie, notamment les applications de courrier électronique, de messagerie instantanée et de partage de fichiers entre internautes. Le Web a connu deux générations successives : 1.0 (pages Web liées entre elles par des hyperliens) ; 2.0 ou Web social avec le développement des blogs, forums, réseaux sociaux, wiki. Le Web 3.0 devrait être marqué par le développement de **l'Internet des objets** et le **Web sémantique** (échanges en **langage naturel**).

Web sémantique. Voir **Analyse sémantique**.

Wi-Fi. Réseau local hertzien sans fil destiné aux liaisons d'équipements informatiques (ordinateurs, routeurs, smartphones, modems Internet, appareils photo, chaînes HI-FI...). Il permet de relier par ondes radio ces appareils, d'accéder éventuellement à Internet et d'assurer la transmission de données entre eux sur des distances généralement courtes. Les réseaux peuvent être installés dans des lieux publics (gares, aéroports, quartiers, places, cafés, trains, avions...) ou privés, avec des degrés variables de sécurisation des données.

OBJECTIFS DE DÉVELOPPEMENT DURABLE (ONU)

Un **Agenda 2030** a été adopté à l'unanimité le 25 septembre 2015 par les chefs d'État et de Gouvernement de 195 pays réunis lors du Sommet spécial sur le développement durable, sous l'égide de l'**ONU**. Il comporte **17 objectifs de développement durable** (ODD), déclinés en **169 «cibles»**, (sous-objectifs quantifiables permettant de répondre aux défis de la mondialisation) fondés sur les **3 piliers** du développement durable : **environnement, société, économie**.

L'Agenda 2030 remplace les *« 8 objectifs du Millénaire pour le développement »* (OMD), qui avaient été préalablement définis par l'ONU pour couvrir la période **2000-2015**. Il présente une conception novatrice du développement durable, qui :

- **associe** à la lutte contre l'extrême pauvreté la préservation de la planète face aux dérèglements climatiques.
- **transcende** les enjeux de développement durable de l'ensemble des pays de la planète dans une démarche globale et universelle.
- **résulte** d'une consultation inédite des acteurs de la société civile, du secteur privé, des collectivités locales, du monde de la recherche, etc.

Les **17 objectifs** sont les suivants :

1. **Éradication de la pauvreté.** Éliminer l'extrême pauvreté et la faim.
2. **Sécurité alimentaire et agriculture durable.** Éliminer la faim, assurer la sécurité alimentaire, améliorer la nutrition et promouvoir l'agriculture durable.
3. **Santé et bien-être.** Permettre à tous de vivre en bonne santé et promouvoir le bien-être de tous à tout âge.
4. **Éducation de qualité.** Assurer l'accès de tous à une éducation de qualité, sur un pied d'égalité, et promouvoir les possibilités d'apprentissage tout au long de la vie.
5. **Égalité entre les femmes et les hommes.** Parvenir à l'égalité des sexes et autonomiser toutes les femmes et les filles.
6. **Gestion durable de l'eau pour tous.** Garantir l'accès de tous à l'eau et à l'assainissement et assurer une gestion durable des ressources en eau.
7. **Énergies propres et d'un coût abordable.** Garantir l'accès de tous à des services énergétiques fiables, durables et modernes, à un coût abordable.
8. **Travail décent et croissance durable.** Promouvoir une croissance économique soutenue, partagée et durable, le plein-emploi productif et un travail décent pour tous.
9. **Infrastructures résilientes et innovation.** Bâtir une infrastructure résiliente, promouvoir une industrialisation durable qui profite à tous et encourager l'innovation.
10. **Réduction des inégalités.** Réduire les inégalités dans les pays et d'un pays à l'autre.

11. Villes et communautés durables. Faire en sorte que les villes et les établissements humains soient ouverts à tous, sûrs, résilients et durables.
12. Consommation et production responsables. Établir des modes de consommation et de production durables.
13. Lutte contre les changements climatiques. Prendre d'urgence des mesures pour lutter contre les changements climatiques et leurs répercussions.
14. Vie aquatique marine. Conserver et exploiter de manière durable les océans, les mers et les ressources marines aux fins du développement durable.
15. Vie terrestre. Préserver et restaurer les écosystèmes terrestres, en veillant à les exploiter de façon durable, gérer durablement les forêts, lutter contre la désertification, enrayer et inverser le processus de dégradation des sols et mettre fin à l'appauvrissement de la biodiversité.
16. Paix, justice et institutions efficaces. Promouvoir l'avènement de sociétés pacifiques et ouvertes à tous aux fins du développement durable, assurer l'accès de tous à la justice et mettre en place, à tous les niveaux, des institutions efficaces, responsables et ouvertes à tous.
17. Partenariats pour la réalisation des objectifs.

L'agenda 2030 s'articule autour des «5P»:
- POPULATION. **Objectifs 1, 2, 3, 4, 5**. Un développement durable des États repose sur le respect des principes d'égalité et de dignité des personnes. Lutter contre la pauvreté, assurer à tous un accès au soin et à la nourriture, garantir une éducation de qualité et l'égalité entre les sexes sont les prérequis nécessaires à une société égalitaire et durable.
- PLANÈTE. **Objectifs 6, 7, 11, 13, 14, 15**. Protéger la planète est indispensable pour répondre aux besoins des générations actuelles et futures. Il s'agit ainsi de préserver la qualité de l'air, l'accès durable à la nourriture et à l'eau, une biodiversité riche et pleine de ressources. Limiter le dérèglement climatique est nécessaire pour réaliser ces objectifs et protéger les citoyens des catastrophes climatiques.
- PROSPÉRITÉ. **Objectifs 8, 9, 10, 12**. Le développement des États doit établir une prospérité économique inclusive et respectueuse de l'environnement. Afin d'assurer la paix et la prospérité, il convient de mettre au service de tous la science, les technologies et l'innovation pour un développement à dimension humaine.
- PAIX. **Objectif 16**. Réduire les conflits, construire la paix et la consolider est indispensable pour l'établissement de sociétés prospères et durables, car il ne peut y avoir de développement sans sécurité ni de sécurité sans développement.
- PARTENARIATS. **Objectif 17**. La réalisation des ODD nécessite un nouveau système de partenariat et de solidarité mondiale. Des partenariats inclusifs construits sur une vision commune et des objectifs communs qui placent les peuples et la planète au centre sont nécessaires au niveau mondial, régional, national et local. Ces solidarités doivent prendre place entre les nations, mais aussi avec la société civile, les ONG et le secteur privé.

Chaque année, un certain nombre de pays volontaires présentent le rapport de leurs réalisations au Forum politique de haut niveau (FPHN); la France a été en 2016 le premier pays volontaire.

La France se mobilise pour atteindre les objectifs fixés au niveau mondial. Pour cela, elle coordonne les différents ministères par l'intermédiaire de la **Déléguée interministérielle au développement durable** (DIDD) mandatée par le Premier ministre, en partenariat avec le ministère de l'Europe et des Affaires étrangères pour la dimension internationale. Elle anime un réseau de Hauts fonctionnaires au développement durable (HFDD) qui relaient dans les ministères les enjeux du développement durable.

Un travail de **cartographie des politiques publiques** au regard des ODD est engagé, afin que les politiques de chaque ministère soient relues au travers de la grille de lecture représentée par l'ensemble des ODD. L'INSEE est impliqué dans la **production et la coordination des données** avec les services statistiques des différentes administrations. Une consultation est engagée sous l'égide du Conseil national de l'information statistique afin de définir des **indicateurs pertinents** dans le cadre d'un suivi national de la mise en œuvre des ODD.

Les **engagements financiers** de la France en matière de développement ont été précisés par le Comité interministériel de la coopération internationale et du développement (CICID) du 30 novembre 2016. D'ici **2020**, la France augmentera de 4 milliards d'euros les financements du groupe Agence française de développement (AFD) en faveur du développement durable, dont 2 milliards seront consacrés aux défis climatiques. Parallèlement, 400 millions d'euros supplémentaires seront alloués aux pays les plus fragiles sous forme de dons bilatéraux. La France renforcera sa mobilisation pour le climat avec un engagement de 5 milliards d'euros d'ici 2020.

SENSIBILISER TOUS LES CITOYENS

Considérant que l'implication de la société civile, du secteur privé et des citoyens est indispensable au succès de mise en œuvre des ODD, la France œuvre pour des modes de décision et d'action toujours plus inclu-

sifs. Le Conseil national du développement et de la solidarité internationale (CNDSI) et le Conseil national de la transition écologique (CNTE) sont les deux enceintes de concertation privilégiées pour la mise en œuvre des ODD.

L'organisation d'une **journée collaborative sur les ODD,** le **18 avril**, permet de développer des échanges réguliers avec la société civile sur la mise en œuvre des ODD, dans une perspective de co-construction et d'intelligence collective pour une atteinte collective des ODD.

SUIVRE RÉGULIÈREMENT LES RÉALISATIONS

En juillet **2016**, la France a présenté son rapport sur la mise en œuvre des ODD aux côtés de 21 autres États volontaires. Ils étaient 43 lors de la revue nationale au FPHN qui s'est tenue en juillet **2017** à New York.

D'importants efforts sont réalisés dans le cadre de l'Agenda 2030 pour que tous les citoyens puissent participer à l'établissement d'un monde durable. Pour relever les défis environnementaux actuels, les solutions politiques ou financières sont insuffisantes. La réalisation des ODD nécessitera en effet une **modification des modes de vie, de production et de consommation**. L'éducation au développement durable et l'innovation devront être au cœur des politiques de développement.

BIBLIOGRAPHIE

L a rédaction de ce livre s'appuie sur de très nombreuses sources et études spécifiques, mentionnées dans les notes de bas de page. La réflexion de l'auteur a également été nourrie par la lecture d'ouvrages dont les principaux sont cités ici. Ils traitent directement ou indirectement de thèmes abordés dans les divers chapitres.

Alexandre Laurent, *La Guerre des intelligences*, J.C. Lattès, 2017.

Asimov Isaac, *Fondation*, Gnome Press, 1951.

Assange Julian, *Menace sur nos libertés : comment Internet nous espionne ; comment résister*, Robert Laffont, 2013.

Attac, *Le monde qui émerge : les alternatives qui peuvent tout changer*, Les liens qui libèrent, 2017.

Attali Jacques, *Vivement après-demain*, Fayard, 2016.

Badiou Alain et **Gauchet Marcel**, «Que faire ? (dialogue sur le communisme, le capitalisme et l'avenir de la démocratie)», *Philosophie Magazine*, 2017.

Barge Christophe et **Auffray Lorraine**, *La Ville intelligente pour les Nuls*, First, 2017.

Barjavel René, *Ravage*, Denoël, 1943.

Barthes Roland, *Mythologies*, Seuil, 1957.

Baudet Jean-Claude, *Curieuses histoires des inventions : les 100 découvertes qui ont changé le monde*, Jourdan Éditions, 2012.

Baudrillard Jean, *La Société de consommation*, Gallimard, 1970.

Beigbeder Frédéric, *Une vie sans fin*, Grasset, 2018.

Bell Daniel, *Vers la société post-industrielle*, Persée, 1973.

Boué Charles-Édouard, avec **Roche François**, *La Chute de l'Empire humain, Mémoires d'un robot*, Grasset, 2017.

Boulle Pierre, *La Planète des singes*, Julliard, 1963.

Bouthors Jean-François, *Nous, Français (Dialogues émotionnels)*, L'Observatoire, 2017.

Bouvet Jean-François, *Mutants : à quoi ressemblerons-nous demain ?* Flammarion, 2014.

Bouzou Nicolas, *Le travail est l'avenir de l'Homme*, Éditions de l'Observatoire, 2017.

Bradbury Ray, *Chroniques martiennes*, Doubleday, 1950.

Brague Rémi, *Modérément moderne*, Flammarion, 2014.

Bressand Albert et **Disler Catherine**, *Le Prochain Monde*, Seuil, 1985.

Bronner Gérald, *La Démocratie des crédules*, Presses Universitaires de France, 2013.

Bronner Gerald, *La Pensée extrême*, Presses Universitaires de France, 2015.

Brunner John, *Tous à Zanzibar*, Doubleday, 1968.

Brunner John, *L'Homme total*, Presses de la Cité, 1964.

Carrière Jean-Claude, **Cassé Michel** et **Audouze Jean**, *Du nouveau dans l'invisible*, Odile Jacob, 2017.

Chomsky Noam (entretiens avec David Barsamian), *Le Bien commun*, Écosociété, 2013.

Clarke Arthur C., *2001 : L'Odyssée de l'espace*, Hutchinson, 1968.

Cohen Jared et **Schmidt Éric**, *À nous d'écrire l'avenir*, Denoël, 2013.

Coppens Yves (sous la direction de), *Devenir humains*, éditions Autrement et Muséum national d'Histoire naturelle, 2015.

Damasio Antonio, *L'Ordre étrange des choses*, Odile Jacob, 2018.

Debray Régis, *Éloge des frontières*, Gallimard, 2011.

De Rosnay Joël et **Papillon Fabrice**, *Et l'homme créa la vie (La folle aventure des architectes et des bricoleurs du vivant)*, Les liens qui libèrent, 2010.

De Rosnay Joël, *Le Macroscope*, Seuil, 1975.

Dugain Marc et **Labbé Christophe**, *L'Homme nu, La dictature invisible du numérique*, Plon-Robert Laffont, 2016.

Dumazedier Joffre, *Vers une civilisation du loisir ?*, Seuil, 1962.

Eco Umberto, *Chroniques d'une société liquide*, Grasset, 2017.

Ehrenberg Alain, *La Fatigue d'être soi (Dépression et Société)*, Odile Jacob, 2000.

Ellul Jacques, *Le Système technicien*, Calmann-Lévy, 1977.

Fleury Cynthia, *Les Irremplaçables*, Gallimard, 2015.

Franceschi Patrice, *Dernières nouvelles du futur*, Grasset, 2018.

Gans Valérie, *Le Chant des lendemains*, J.C. Lattès, 2016.

Gauchet Marcel et **Badiou Alain**, «Que faire? Dialogue sur le communisme, le capitalisme et l'avenir de la démocratie», *Philosophie Magazine*, 2014.

Gaudin Thierry (sous la direction de), *2100, récit du prochain siècle*, Payot, 1990.

Gauvrit Nicolas, *Vous avez dit hasard? (Entre mathématiques et psychologie)*, Belin, 2009.

Harari Yuval Noah, *Homo Deus, une brève histoire de l'avenir*, Albin Michel, 2017.

Harari Yuval Noah, *Homo Deus, une brève histoire du futur*, Albin Michel, 2017.

Heinlein Robert, *Révolte en 2100 (Histoire du futur, tome 3)*, Folio SF, 2005.

Houellebecq Michel, *Soumission*, Flammarion, 2015.

Hustvedt Siri, *Les Mirages de la certitude*, Actes Sud, 2018.

Huxley Aldous, *Le Meilleur des mondes*, Pocket, Chatto and Windus, 1932.

Ichbiah Daniel, *Robots : genèse d'un peuple artificiel*, Minerve, 2005.

Jamet Dominique, *I have a dream (Ces discours qui ont changé le monde)*, l'Archipel, 2008.

Jappe Anselm, *La Société autophage*, La Découverte, 2017.

Kahn Axel, *Raisonnable et humain?*, Nil éditions, 2004.

Kahn Herman et **Wiener Anthony**, *L'An 2000*, Robert Laffont, 1968.

Kempf Hervé, *Fin de l'Occident, naissance du monde*, Seuil, 2013.

Kempf Hervé, *Tout est prêt pour que tout empire : douze leçons pour éviter la catastrophe*, Seuil, 2017.

Keynes Maynard et de **Largentaye-Schrameck Hélène**, *La Fin du laissez-faire*, John Payot, 2017.

Klein Étienne, *Matière à contredire*, Éditions de l'Observatoire, 2018.

Klein Naomi, *Dire non ne suffit plus*, Actes Sud, 2017.

Klein Naomi, *Tout peut changer*, Actes Sud, 2014.

Landier Augustin et **Thesmar David**, *10 idées qui coulent la France*, Champs, 2014.

Lesourne Jacques, *Les mille sentiers de l'avenir*, Seghers, 1981.

Levy Alain, *Sur les traces de Big Brother : la vie privée à l'ère du numérique*, l'Éditeur, 2010.

Martuccelli Danilo, *La Condition sociale moderne (L'avenir d'une inquiétude)*, Gallimard, 2017.

Maurin Éric, *La Fabrique du conformisme*, Seuil, 2015.

Monot Jacques, *Le Hasard et la Nécessité*, Le Seuil, 1970.

Naisbitt John, *Les Dix Commandements de l'avenir*, Primeur, 1984.

Nghiem-Barberena Thanh, *Des abeilles et des hommes : passerelles pour un monde libre et durable*, Bayard, 2010.

Nicolas Carreau, *L'avenir est pavé de bonnes intentions : 80 inventions géniales et... leurs effets indésirables*, Librairie Vuibert, 2016.

Norberg Johan, *Non, ce n'était pas mieux avant (10 bonnes raisons d'avoir confiance en l'avenir)*, traduit de l'anglais par Laurent Bury, Plon, 2017.

Norek Olivier, *Entre deux mondes*, Michel Lafon, 2017.

Onfray Michel, *Décadence*, Flammarion, 2017.

Orsenna Erik, *Désir de villes*, Robert Laffont, 2018.

Orwell George, *1984*, Secker and Warburg, 1949.

Panchard Georges, *Heptagone*, Robert Laffont, 2012.

Perec Georges, *Les Choses*, Julliard, 1965.

Picq Pascal, *Qui va prendre le pouvoir? Les grands singes, les hommes politiques ou les robots?*, Odile Jacob, 2017.

Pinker Steven, *La Part d'ange en nous*, Les Arènes, 2017.

Rabhi Pierre, *La Convergence des consciences*, Le Passeur, 2016.

Rabbi Pierre, *Vers la sobiété heureuse*, Actes Sud, 2010.

Revault d'Allonnes Myriam, *La Crise sans fin (essai sur l'expérience moderne du temps)*, Seuil, 2012.

Ricroch Agnès, **Dattée Yvette** et **Fellous Marc** (sous la direction de), *Biotechnologies végétales (Environnement, alimentation, santé)*, Vuibert-AFBV, 2011.

Rieffel Rémy, *Révolution numérique, révolution culturelle?* Gallimard, 2014.

Riesman David, **Glazer Nathan** et **Reuel Denney**, *The Lonely Crow*, 1950.

Rikfin Jeremy, *The Zero Marginal Cost Society (The Internet of Things, the Collaborative Commons, and the Eclipse of Capitalism)*, Hardcover, 2018.

Robin Marie-Monique, *Les Moissons du futur : comment l'agroécologie peut nourrir le monde*, Arte Éditions, 2012.

Salomon Jean-Jacques, *Le Destin technologique*, Situations, 1992.

Serres Michel, *C'était mieux avant*, Le Pommier, 2017.

Stableford Brian et Langford David, *Le Troisième millénaire*, Aubier, 1986.

Servan-Schreiber Jean-Louis, *Aimer (quand même) le xxiᵉ siècle*, Albin Michel, 2012.

Servan-Schreiber Jean-Jacques, *Le défi mondial*, Fayard, 1980.

Tassin Jacques, *Penser comme un arbre*, Odile Jacob, 2018.

Thaler Richard et Sunstein Cass, *Nudge*, Vuibert, 2017.

Toffler Alvin, *Le Choc du futur*, Médiations, 1973.

Toffler Alvin et Heidi, *Guerre et contre-guerre (survivre à l'aube du xxiᵉ siècle)*, Fayard, 1994.

Touraine Alain, *La Société post-industrielle (naissance d'une société)*, Denoël, 1969.

Vargas Llosa Mario et Bensoussan Albert, *La Civilisation du spectacle*, Gallimard, 2015.

Védrine Hubert, *La France au défi*, Fayard, 2014.

Vincent Jean-Didier et Lledo Pierre-Marie, *Le Cerveau sur mesure*, Odile Jacob, 2013.

Vincent Jean-Didier, *Le Cerveau expliqué à mon petit-fils*, Seuil, 2016

Virilio Paul, *L'Écran du désert*, Galilée, 1991.

Wohlleben Peter, *La Vie secrète des arbres*, Les Arènes, 2017.

Wosnitza Julien, *Pourquoi tout va s'effondrer*, Les liens qui libèrent, 2018.

LISTE DES GRAPHIQUES ET TABLEAUX

INDEX

Les mots et expressions à caractère technique et leurs définitions sont regroupés dans le Dicotech (p. 498).

SYMBOLES

35 heures 156

A

F

G

N

O

P

Q

R

U

V

Z

44400 Rezé

Création maquette et mise en page : Bénédicte Souffrant - PCA-CMB

Direction de la publication
Sophie Descours

Édition
Sophie Descours

Couverture
Olivier Frenot

Fabrication
Rebecca Dubois

ISBN : 978-2-03-596064-1

Achevé d'imprimer en Espagne
Par Macrolibros SL
Dépôt légal : octobre 2018
321993/01-11038641 – octobre 2018

PAPIER À BASE DE
FIBRES CERTIFIÉES

LAROUSSE s'engage pour
l'environnement en réduisant
l'empreinte carbone de ses livres.
Celle de cet exemplaire est de :
3 kg éq. CO₂
Rendez-vous sur
www.larousse-durable.fr